COLLECTION TEL

Alexandre Kojève

Essai d'une histoire raisonnée de la philosophie païenne

III

La Philosophie hellénistique
Les Néo-platoniciens

Gallimard

C. *Les prodromes païens de la Para-thèse synthétique*

La Philosophie se *pro*-pose en tant qu'Hypo-thèse ou comme Intention-de-parler-du-Concept : c'est la *Question* posée pour la première fois par « Thalès ». Et la Philosophie s'*im*-pose en tant que Syn-thèse ou comme développement discursif uni-total (correct et complet) du sens de la notion du Concept : c'est la *Réponse* à la Question de « Thalès », donnée pour la première fois par Hegel (dans le Système du Savoir, qui transforme la Philosophie en Sagesse discursive). Cette Réponse hégélienne est l'acte de la Philosophie, dont la Question « thalessienne » est la puissance. La Philosophie proprement dite est le processus qui actualise (dans la durée-étendue de l'Existence-empirique) la puissance de la Question philosophique (qui est la Philosophie en puissance) et la Sagesse discursive (qu'est la Philosophie en acte) n'est rien d'autre que l'uni-totalité (ou la « synthèse », voire l' « intégration ») de ce processus d'actualisation qui est compris (re-dit) en tant qu'achevé ou parfait.

Or, en vue de s'*im*-poser (en tant que Syn-thèse ou comme Sagesse discursive, c'est-à-dire comme Système du Savoir), la Philosophie *pro*-posée (en tant qu'Hypo-thèse ou comme Question philosophique, c'est-à-dire comme « recherche amoureuse » de la Sagesse) se *pose* en tant que Thèse philosophique, développée pour la première fois par Parménide. Mais, loin de s'*im*-poser, la Philosophie, déjà *posée* en tant que Thèse, se *re*-pose en tant qu'Anti-thèse, qui s'op-pose à la Thèse parménidienne et qui fut développée pour la première fois par Héraclite.

Ce n'est que dans et pour la Syn-thèse que la Thèse *pré*-suppose l'Anti-thèse qui s'y *op*-pose. En et pour elle-même, la Thèse ne *sup*-pose et ne *pré*-suppose rien et ne s'*op*-pose donc à rien. Par contre, l'Anti-thèse (qui, dans et pour la Syn-thèse, *pré*-suppose celle-ci) *sup*-pose la Thèse du fait même qu'elle ne se *pose* qu'en s'y *op*-posant. Et ce n'est qu'après que l'Anti-thèse s'est *posée* en s'*op*-posant à la Thèse, que celle-ci se *re*-pose à son tour en tant qu'*op*-posée à l'Anti-thèse.

Dans la mesure où la Thèse et l'Anti-thèse se *re*-posent en tant qu'*op*-posées, aucune des deux ne peut s'*im*-poser en *dé*-posant l'autre. Ainsi, la Philosophie se *re*-pose (« indéfiniment ») en tant qu'*op*-position de deux *Écoles* philosophiques : l'École éléatique (thétique) et l'École héraclitéenne (antithétique). Sans doute, aucune ne voudrait contre-dire l'autre (« indéfiniment »), vu que chacune souhaiterait que l'autre s'annule (discursivement) elle-même en se contre-disant elle-même, mais en fait aucune ne se contre-dit elle-même, bien que chacune contre-dise l'autre.

Dans la mesure où la Philosophie n'est posée qu'en tant que Thèse et Anti-thèse qui se re-posent en s'op-posant, elle se dé-pose elle-même en tant que Scepticisme *pseudo*-philosophique *anti*philosophique (*post*philosophique, qui est le *deuxième* Scepticisme, qu'il ne faut pas confondre avec le *premier* qui est *théorique* et donc *pré*philosophique, voire *a*philosophique). Car dans la mesure où la Thèse et l'Anti-thèse philosophiques se contre-disent mutuellement, c'est la Philosophie qui s'annule discursivement en se contre-disant elle-même (du moins tant qu'elle est posée seulement comme « antithétique » et non pas encore comme « parathétique »). Pour le Scepticisme *pseudo*- ou *anti*philosophique, la Philosophie est censée devoir se maintenir SOIT comme Thèse, SOIT comme Anti-thèse, le maintien (« indéfini ») « exclusif » de l'une au détriment de l'autre étant la trans-formation de la Philosophie en Sagesse. Or, puisque la Thèse et l'Anti-thèse se contre-disent mutuellement, la Philosophie ne peut se maintenir NI comme l'une NI comme l'autre. Ainsi, pour ce Scepticisme, il ne peut y avoir de Sagesse du tout et la Philosophie est donc vaine ou « insensée » si on la comprend comme une recherche amoureuse de la Sagesse. La Philosophie n'a un sens qu'en tant que Scepticisme (pseudo- ou anti-) « philosophique » et cette « Philosophie » sceptique est censée se réduire à une « démonstration » de l'impossibilité de la Philo-sophie. Et c'est ce qui semble avoir été dit pour la première fois par certains Sophistes (parlant en tant que *pseudo*-philosophes). La « Philosophie » sceptique tient « exclusivement » compte du fait que la Thèse et l'Anti-thèse de la Philosophie se contre-disent l'une l'autre et il « néglige » cet autre fait qu'aucune des deux ne se contre-dit elle-même. Les Philosophies authentiques peuvent donc « ignorer » ce Scepticisme *pseudo*- ou *anti*-philosophique en ne tenant « exclusivement » compte que de ce second fait et en « négligeant » le premier. Pour ces Philosophes (postsceptiques), la Thèse et l'Anti-thèse peuvent se maintenir (« indéfiniment ») toutes les deux. Or, puisque la Philosophie se trans-forme en Sagesse dans la mesure même où elle se *maintient* (« indéfiniment »), on la trans-forme en Système du Savoir ou Sagesse discursive dans la mesure même où on la développe « à la fois » ET comme Thèse ET comme Anti-thèse.

Autrement dit, la Philosophie ne peut « ignorer » la pseudo-philosophie sceptique (qui nie jusqu'à sa « possibilité » [discursive]) qu'en se développant en tant que Para-thèse philosophique. Ce qui fut fait, semble-t-il, pour la première fois par Socrate.

En fait, une *Para*philosophie s'*inter*-pose entre le Scepticisme *pseudo*-philosophique qui essaie de *dé*-poser la Philosophie antithétique et la Philosophie parathétique qui cherche (en vain) à s'*im*-poser en tant que « Sagesse » (soi-disant « synthétique »). Voici comment et pourquoi.

Le Scepticisme *anti*philosophique montre (discursivement) qu'il est impossible de « démontrer » (discursivement) la Thèse, vu que l'Anti-thèse contre-dit tout ce que celle-ci dit, sans se contre-dire elle-même. Et il en va de même pour l'Anti-thèse. Or, ceci revient à dire que la Thèse « démontre » l'inanité de l'Anti-thèse, vu qu'elle la contre-dit sans se contre-dire. Et il en va de même pour l'Anti-thèse.

Pour échapper à cette conséquence purement négative et négatrice de la Philosophie en tant que telle, les tenants de la Thèse et de l'Anti-thèse doivent faire appel à un « critère de vérité » *non* discursif. Autrement dit, ils doivent se réclamer de l'Expérience silencieuse à l'intérieur même de leur philosophie et donc *dogmatiser* celle-ci, en la trans-formant de ce fait en Paraphilosophie. Cette trans-formation s'opère tant pour la Thèse que pour l'Anti-thèse. Or, en « fondant » l'une et l'autre sur des données non discursives, on les soustrait toutes les deux aux « critiques » discursives du Scepticisme. On oblige ainsi la Philosophie à n'exclure aucune d'elles. Mais chacune étant dogmatisée, la Philosophie qui les implique est une *Para*philosophie. Or, la Paraphilosophie qui les implique toutes les deux s'appelle Éclectisme. Et cet Éclectisme présocratique a été développé, entre autres, par Empédocle et Anaxagore.

Étant donné que la Thèse et l'Anti-thèse se contre-disent mutuellement, l'Éclectisme paraphilosophique est nécessairement « contradictoire ». Or, puisque l'Éclectisme explicite la « contradiction » entre une Thèse et une Anti-thèse *dogmatisée*, c'est en les dé-dogmatisant que la Philosophie essaie d'éliminer le caractère « contradictoire » de la Para-philosophie, tout en maintenant son caractère « éclectique ». De ce fait, l'Éclectisme paraphilosophique se trans-forme en une authentique Philosophie parathétique, que la Tradition « socratique » fait remonter à Socrate.

Avec Socrate, la Philosophie prend un deuxième départ. En essayant de répondre à la Question proposée par « Thalès », la Philosophie s'est posée en tant que Thèse et Anti-thèse. En re-posant la Question philosophique, Socrate pro-pose la Philosophie en tant que Para-thèse. Or, la Philosophie « socratique » ou parathétique se pose (en vue de s'im-poser, mais sans y réussir) d'une façon analogue (ou homo-logue) à celle dont s'est posée la Philosophie antithétique ou « présocratique ».

En se posant en tant que Parathèse thétique de Platon, la Philosophie parathétique se re-pose en tant que Parathèse antithétique d'Aristote, qui sup-pose la Parathèse thétique en s'y op-posant, cette dernière se re-posant elle-même en tant qu'*op*-posée à la Parathèse antithétique.

Ce repos de la Philosophie parathétique se présente comme une opposition (« permanente ») des Écoles platonicienne et aristotélicienne. En re-disant Platon, l'*Académie* contre-dit ce que dit le *Peripatos* en re-disant Aristote; et *vice versa*. Ces redites peuvent être négligées dans la présente INTRODUCTION. Il suffit d'y mentionner qu'elles nous sont surtout connues par les phénomènes de « retour à Platon » ou à Aristote, qui se traduisait par des « commentaires » ayant pour seul but de « retrouver » les « doctrines authentiques » des Maîtres en question.

En principe, la coexistence des Parathèses thétique et antithétique peut engendrer « immédiatement » la Parathèse synthétique. Étant donné que le caractère « contradictoire » de la Para-thèse philosophique se manifeste d'abord comme une « contradiction » entre la Parathèse thétique platonicienne, à prédominance éléalitique, et la Parathèse antithétique aristotélicienne, à prédominance héraclitéenne, on peut essayer de supprimer la contra-diction en établissant un « équilibre » entre les éléments thétique et antithétique de la Parathèse. Ce qui équivaut à une « fusion » des Systèmes philosophiques de Platon et d'Aristote en un Système « synthétique » unique (d'ailleurs parathétique). Ce Système parathétique synthétique étant à la fois ET platonicien ET aristotélicien, n'est NI celui de Platon (seulement) NI (seulement) celui d'Aristote. C'est un Système (parathétique) nouveau, qui fut développé pour la première fois par Kant et qui développe la notion du Concept défini encore (parathétiquement) comme l'Éternel, mais mis en relation avec le Temps lui-même et non plus avec l'Éternité : NI avec l'Éternité platonicienne qui est *hors*, NI avec l'Éternité aristotélicienne qui est *dans* le Temps.

En fait, cependant, la mise en relation de l'Éternel avec le Temps n'est autre chose que l'avènement du Judéo-christianisme, de sorte que la temporalisation kantienne du Concept éternel ne pouvait s'effectuer qu'au sein d'un monde judéochrétien. Dans le cadre du monde païen, l'Éternel ne pouvait être mis en relation qu'avec l'Éternité, de sorte qu'on ne pouvait pas y dépasser la contra-diction entre les notions parathétiques thétique et antithétique du Concept développées respectivement par Platon et Aristote. Ainsi, tout ce que l'on pouvait faire au sein du monde païen, c'est re-produire au niveau parathétique tout ce qui s'y était déjà produit au niveau antithétique.

Les *histoires de la Philosophie antique* appellent généralement l'ensemble de ce qui a été fait dans cet ordre d'idées *Philosophie hellénistique* ou *postaristotélicienne*. Sans vouloir reparler de tout ce que l'on trouve sous ce vocable, il semble difficile de n'en rien dire du tout. Or, pour pouvoir faire un choix, il faut d'abord essayer de « déblayer le terrain » et de « mettre les choses en ordre ».

L'ensemble diffus qui compose ce qu'on appelle généralement la *Philosophie hellénistique* peut, en principe, être décomposé en trois groupes essentiellement différents. Seul le *premier* groupe fait partie de la *Philosophie* authentique (parathétique). Le *second* est constitué par des Théories *pseudo*-philosophiques (voire *anti*philosophiques). Enfin, le *troisième* groupe constitue la *Para*philosophie parathétique païenne, thétique et antithétique.

Or, s'il est facile de tracer *a priori* ces trois cadres (en transposant dans la Philosophie parathétique les structures de la Philosophie antithétique), il est très difficile de la remplir, en y logeant les hommes et les écrits en cause, vu que nous les connaissons fort mal. Ceci d'autant plus que non seulement le même homme, mais encore un seul et même écrit peut appartenir à la fois à des « groupes » différents. Car, en fait, même dans les écrits des grands philosophes les doctrines authentiquement philosophiques voisinent souvent avec d'authentiques Théories, en fait aphilosophiques. Et quant aux philosophes petits ou moyens, on y trouve généralement, en plus des Théories aphilosophiques un inextricable mélange d'éléments philosophiques, pseudo-philosophiques et paraphilosophiques. Inversement, on trouve chez des Intellectuels, en plus des théories aphilosophiques, non seulement des théories pseudo-philosophiques, mais aussi des éléments paraphilosophiques ou même authentiquement philosophiques. Il est donc, en pratique, tout aussi difficile d'inclure dans une *histoire de la Philosophie* tout ce qui est authentiquement philosophique que d'en exclure tout ce qui ne l'est pas. Mais il est facile de dire qu'en principe une « bonne » *histoire de la Philosophie* doit exclure les Théories aphilosophiques et pseudo-philosophiques, mais inclure toutes les doctrines authentiquement philosophiques, sans négliger complètement pour autant les doctrines paraphilosophiques.

Ceci dit, voyons ce que furent les trois groupes en question dans le monde païen que l'on appelle « hellénistique ».

Comme il a déjà été rappelé, la *Philosophie (parathétique) authentique* est représentée dans le monde hellénistique par la poursuite de la contra-diction entre le Platonisme et l'Aristotélisme proprement dits. A dire vrai, nous ne savons pas si Platon et Aristote ont eu des disciples vraiment « fidèles », bien que beaucoup de Platoniciens et d'Aristotéliciens prétendirent re-dire fidèlement les dires philosophiques de leurs maîtres respectifs. Nous savons aussi qu'il y a eu, à plusieurs reprises, des velléités d'un « retour » à Platon ou à Aristote, par opposition aux diverses tentatives « d'améliorer » le Platonisme ou l'Aristotélisme, voire aux « infidélités » plus ou moins involontaires de certains soi-disant Platoniciens ou Aristotéliciens. En règle générale, ces « retours » se traduisaient par des « commentaires » des principes écrits des maîtres en cause. Mais, bien entendu, on ne peut dire ni que les interprétations des commentateurs ont toujours été correctes ni que le Platonisme et l'Aristotélisme authentiques ne se retrouvent que dans les commentaires. Quoi qu'il en soit, il semble qu'il y a eu pendant toute la durée de la période hellénistique d'authentiques philosophes capables de comprendre correctement les écrits de Platon et d'Aristote. Mais nous ne connaissons aucun ouvrage qui ne serait rien d'autre ni de plus qu'une simple paraphrase du Système d'Aristote ou de celui de Platon. Dans tout ce qui est parvenu jusqu'à nous, des éléments authentiquement philosophiques (platoniciens ou aristotéliciens) voisinent avec des éléments *pseudo*-philosophiques (d'allure platonicienne ou aristotélicienne) ou *para*philosophique (à base de Platonisme ou d'Aristotélisme).

Si la période hellénistique ne nous a transmis aucun écrit

authentiquement philosophique à l'état pur, il nous est aussi très difficile de répartir ce qui nous a été conservé entre la Pseudo-philosophie et la Paraphilosophie. De même qu'il n'est pas toujours facile de distinguer nettement entre la Pseudo-philosophie et la Théorie authentique, par définition aphiloso-phique. Mais, bien entendu, les « cas extrêmes » se distinguent nettement et permettent de voir les traits caractéristiques de la Para-philosophie et de la Pseudo-philosophie hellénistique et de les séparer de la Théorie proprement dite. Ainsi par exemple, si un Archimède ou un Ptolémée se présentaient à nous comme des Théoriciens authentiques, il est difficile de ne pas voir en un Chrysippe ou en un Plotin des représentants de la Para-philo-sophie proprement dite, tandis qu'il est naturel de situer dans le domaine de la Pseudo-philosophie les écrits attribués à Hermès Trismégiste.

En résumé, on ne peut, notamment dans l'état actuel de nos (et surtout de *mes*) connaissances, ni répartir les écrits hellénis-tiques conservés entre les différents « casiers » des schémas dialectiques des Discours théoriques (aphilosophiques ou pseudo-philosophiques) et philosophiques (authentiques ou paraphilosophiques), ni affirmer que toutes ces « possibilités » discursives ont été actualisées au cours de la période que nous considérons. Tout ce que je peux faire pour le moment, c'est développer brièvement les schémas en cause, en vue d'y situer les quelques doctrines hellénistiques que je reproduirai en résumé à titre d'exemples.

Mentionnons d'abord, pour mémoire, que dans le domaine du *Discours théorique* proprement dit ou *a*philosophique, la période hellénistique n'a plus produit, semble-t-il, que des Théories *dogmatiques*. En effet, le Scepticisme « sophistique » (tant formaliste que relativiste et nihiliste) semble avoir porté sur les trois « modalités » du Discours théorique, même si les Théories théologiques et moralistes étaient visées plus directement que les Théories scientifiques. Ainsi, les anciennes Théories (théologiques, scientifiques et moralistes) *axioma-tiques* (« présocratiques » au sens de pré-« sophistiques » ou pré-sceptiques) n'ont pu se maintenir qu'en se dogmatisant et les nouvelles Théories (« postaristotéliciennes ») durent se présenter d'emblée dans leur « stade » *dogmatique*, c'est-à-dire en faisant explicitement appel à l'Expérience silencieuse, de caractère religieux (Révélation), scientifique (Expérimentation) ou moraliste (Conscience morale).

Il semble, cependant, qu'à l'époque hellénistique presque toutes les Théories ont été plus ou moins « contaminées » par la Philosophie (authentique ou paraphilosophique), c'est-à-dire en fait par le Platonisme ou l'Aristotélisme. C'est dire que ces Théories appartiennent au « type » non pas *a*philosophique, mais *pseudo*-philosophique du Discours théorique (la « variante » *anti*philosophique de cette Pseudo-philosophie ne se manifestant, en règle générale, que dans les Théories sceptiques).

Voyons donc ce que fut la *Pseudo-philosophie hellénistique*.

Pour que le Scepticisme ait prise sur la Philosophie, celle-ci doit être préalablement mésinterprétée dans le sens d'une soi-disant Théorie axiomatique. En principe (étant donné que le Discours philosophique est chrono-logiquement postérieur au Discours théorique), l'axiomatisation de la Philosophie est possible même après que la Théorie proprement dite a été dogmatisée. Et puisque, en fait, le Scepticisme (d'un Pyrrhon) s'est attaqué à la Philosophie dès le début de la période hellénistique, nous devons admettre que les tentatives d'axiomatiser les philosophies de Platon et d'Aristote ont été faites peu après leurs morts et peut-être même encore de leur vivant. Par ailleurs, en trans-formant la Philosophie authentique (par définition « synthétique ») en une Théorie pseudo-philosophique, on la dé-compose en ses éléments-constitutifs théologique, scientifique et moraliste. Ou, plus exactement, c'est à la suite de la dé-composition du Discours synthétique (= philosophique) en trois Discours exclusifs (= théoriques) que la Philosophie se théorétise en tant que Théologie, Science et Morale, d'abord axiomatiques.

Théoriquement, nous devons donc supposer l'existence, au début de la période hellénistique, de *six Théories axiomatiques pseudo-philosophiques*, les Théories théologique, scientifique et moraliste, d'allure platonicienne, contre-disant respectivement celles à allure aristotélicienne [la troisième étant dans chaque cas une tentative de trouver un « compromis » entre les deux premières, qui se contre-disent mutuellement]. Mais, pratiquement, il est impossible de donner des exemples pour chacune de ces Théories et il est même difficile de citer un écrit ou une doctrine qui soit un « cas pur » de l'une des six « possibilités » discursives en cause. [Pour le faire, il faudrait, par exemple, interpréter en détail les écrits de Sextus Empiricus].

Toujours en théorie, la contra-diction entre les Théories axiomatiques pseudo-platoniciennes et pseudo-aristotéliciennes (y compris leur « modalités » parathétiques ou moralités respectives) devait provoquer une *Théorie pseudo-philosophique sceptique*, d'abord formaliste (= thétique), puis nihiliste (= antithétique), enfin relativiste (= parathétique). Mais, en pratique, nous ne connaissons guère plus que le fait qu'il y eut, au début de la période hellénistique, un Scepticisme pseudo-philosophique qui s'attaqua au Platonisme et à l'Aristotélisme axiomatisés ou trans-formés en Théories pseudo-philosophiques axiomatiques, tant théologiques et scientifiques que moralistes. [Pour le Scepticisme formaliste, on pourrait peut-être citer Épicure, dans son aspect « sceptique »; pour le Scepticisme nihiliste, — Ænésidème et Sextus, dans la mesure où celui-ci n'est pas un Savant dogmatique; enfin, le Scepticisme relativiste est représenté peut-être par Pyrrhon voire par Épicure et la Nouvelle Académie dans leurs aspects « relativistes ».]

D'après le Schéma dialectique général, le Scepticisme pseudo-philosophique « médiatise » la trans-formation de la Pseudo-philosophie axiomatique en *Pseudo-philosophie dogmatique* (qui est une *Pseudo*-philosophie au sens étroit du mot, c'est-à-dire une Philosophie *dogmatisée* au sens propre), c'est-à-dire en Théories dogmatiques pseudo-philosophiques à allure soit platonicienne, soit aristotélicienne. Or, la richesse des doctrines hellénistiques parvenues jusqu'à nous est telle qu'il semble possible d'affirmer que chacune de ces six « possibilités discursives » a été effectivement représentée au cours de la période considérée, bien que les « cas purs » soient très rares et que le « classement » des cas concrets fut de ce fait très difficile.

[A titre d'exemples (d'ailleurs plus ou moins douteux) on pourrait indiquer ce qui suit. Théories dogmatiques théologiques pseudo-platoniciennes : certainement l'Hermès Trismégiste; probablement plusieurs doctrines dites « néo-pythagoriciennes » ou « néo-platoniciennes », à base « orphique » ou « chaldéenne »; peut-être certaines doctrines de l'Ancienne Académie, qui se trouvaient par exemple dans les *Lois*, X et l'*Epinomis*. Théories dogmatiques théologiques pseudo-aristotéliciennes : le *De mundo*, par exemple (?). Théories dogmatiques scientifiques pseudo-platoniciennes : probablement certaines doctrines de l'Ancienne Académie, dans la mesure où celle-ci prenait le *Timée* au sérieux. Théories dogmatiques scientifiques pseudo-aristotéliciennes : par exemple les doctrines biologiques d'un Théophraste et les doctrines physiques d'un Straton. Théories dogmatiques moralistes pseudo-platoniciennes : par exemple l'éthique (« ascétique ») dite « néo-pythagoricienne », voire « néo-platonicienne ». Théories dogmatiques moralistes pseudo-aristotéliciennes : essentiellement la morale dogmatique des stoïciens et des « néo-cyniques ».]

Voyons maintenant ce qu'était la *Para-philosophie hellénistique*, dans la mesure où elle se distingue, du moins en principe, des Théories hellénistiques pseudo-philosophiques.

Par définition, la *Para*-philosophie est une Philosophie qui se *dogmatise* pour échapper aux attaques du Scepticisme pseudo-philosophique, qui attaque la Philosophie dans sa « variante » *anti*philosophique (qu'il nous est, d'ailleurs, pratiquement impossible de séparer de la variante à proprement parler *pseudo*-philosophique).

Le Scepticisme *pseudo*-philosophique au sens étroit maintenait la dé-composition de la Philosophie — à la suite de son axiomatisation) en Théories pseudo-philosophiques (axiomatiques) théologiques, scientifiques et moralistes. C'est pourquoi *ce* Scepticisme trans-formait *séparément* chacune des trois « modalités » de la Théorie pseudo-philosophique axiomatique en la « modalité » homologue de la Théorie pseudo-philosophique dogmatique. Dans la mesure où ces trois Théories *s'excluaient* mutuellement, elles faisaient partie du Discours *théorique* (du « type » *pseudo*-philosophique), en dépit de leur allure « philosophique ».

Mais le Scepticisme pseudo-philosophique, qui met en évidence la contra-diction entre les Théories (axiomatiques) pseudo-philosophiques théologique et scientifique et qui explicite le caractère « contradictoire » du « compromis » entre ces deux Théories « contraires » que prétend être la Théorie (axiomatique) pseudo-philosophique moraliste, nie ou « réfute » ces trois Théories *à la fois*. Ainsi, dans et par *négation* même, le Scepticisme (pseudo-philosophique) re-compose, en fait et pour nous, l'unité (synthétique) de la Philosophie qui a été dé-composée (en trois) par et pour son axiomatisation. Dans la mesure où le Scepticisme se rend lui-même compte de la « synthèse *négative* » qu'il opère, il se présente dans sa variante *anti*philosophique.

Le Scepticisme antiphilosophique présente par conséquent trois aspects essentiels. D'une part, tout comme la Philosophie proprement dite, il « intègre » les trois « modalités » du Discours théorique en un seul et même Discours « synthétique ». D'autre part, au lieu d'essayer de *développer* (correctement et complètement) ce Discours synthétique, le Scepticisme (antiphilosophique hellénistique) cherche à le « *réduire au silence,* en *explicitant* la contra-diction entre le développement platonicien (= parathétique thétique) et aristotélicien (= parathétique antithétique) du Discours en question. Enfin, l'intention de réduire au silence le Discours philosophique en tant que tel oblige le Scepticisme antiphilosophique à « ignorer » non pas seulement la possibilité discursive qu'est la Syn-thèse (qui trans-forme le Discours philosophique au sens étroit en Discours synthétique au sens propre et fort, c'est-à-dire en Discours uni-total ou en Système du Savoir), mais encore celle qui constitue la Parathèse synthétique.

Or, le fait est que la Philosophie *païenne* ne pouvait pas développer une Parathèse philosophique synthétique. Elle ne pouvait donc échapper au Scepticisme antiphilosophique qu'en se *dogmatisant*. Et c'est ainsi qu'est née la *Paraphilosophie hellénistique*.

Dans la mesure où la Para-philosophie est un Discours philosophique ou synthétique, elle n'est NI une Théologie qui *exclut* la Science, NI une Science qui *exclut* la Théologie, NI donc une Morale qui *exclut* tant la Théologie que la Morale, dans la mesure où celles-ci *s'excluent* mutuellement (mais qui prétend les *inclure* toutes les deux d'une façon « partielle », voire « partiale ». Ou, si l'on préfère, tout comme la Philosophie authentique, la Paraphilosophie n'est une « Morale » (Éthique) *totale* que dans la mesure où elle est « à la fois » ET une Théologie [Logique] ET une Science (Physique) *complète*.

Seulement, dans la mesure où la Paraphilosophie est une Philosophie *dogmatisée*, elle coexiste nécessairement (tôt ou tard) en tant que Platonisme ET Aristotélisme, vu que la dogmatisation de l'une n'est ni plus ni moins possible que celle de l'autre (l'appel à l'Expérience silencieuse étant dans les deux cas « total » ou « synthétique », les deux Paraphilosophies impliquant « à la fois » des « données immédiates » ou « ineffables » ET de la Révélation, ET de l'Expérimentation ET de la Conscience morale, étant dans leur coexistence NI Révélation, NI Expérimentation, NI Conscience proprement dites, par définition « exclusives », mais *Évidence a priori* ou « Principe »).

En ce qui concerne l'*Aristotélisme dogmatisé*, il n'est rien d'autre, comme j'essayais de montrer, que ce qu'on appelle le Stoïcisme (dans la mesure où celui-ci n'est pas une Théorie dogmatique pseudo-philosophique, avant tout moraliste). Quant au *Platonisme dogmatisé*, nous le connaissons assez mal et il est beaucoup plus « diffus ». Il a dû être élaboré au sein de la Nouvelle Académie, dans la mesure où il semble que le soi-disant « scepticisme » de celle-ci réouvrait un « dogmatisme ésotérique » (à en croire Cicéron et saint Augustin). On le retrouve aussi dans le « Platonisme moyen » ou pythagorisant d'un Apulée, Plutarque, etc. Et il est probable que le « Néo-pythagorisme » d'un Numénius n'était rien d'autre qu'un tel Platonisme dogmatisé (à moins qu'il ne s'agisse chez lui d'une Théologie dogmatique pseudo-philosophique).

Or, la coexistence du Platonisme et de l'Aristotélisme dogmatisés doit se présenter tôt ou tard comme une Paraphilosophie *éclectique*.

Pour le Scepticisme antiphilosophique hellénistique, qui « ignorait » la Parathèse synthétique de la Philosophie, celle-ci se réduisait à la Parathèse antithétique représentée par le couple Platon-Aristote. Or, pour ce Scepticisme, le Platonisme et l'Aristotélisme (désaxiomatisés par la négation simultanée des trois « composantes » théoriques) se réduisaient mutuellement au silence du fait que chacun contre-disait l'autre sans se contre-dire soi-même. Et c'est ainsi que ce Scepticisme croyait pouvoir réduire au silence le Discours philosophique en tant que tel. Mais, en se dogmatisant, le Platonisme et l'Aristotélisme échappaient tous les deux au Scepticisme, chacun échappant à la *contra*-diction de l'autre dans la mesure où il ne disait rien, en faisant appel à l'*ineffable* « évident ». Si le Scepticisme antiphilosophique (païen ou hellénistique) croyait « annuler » la Philosophie, d'une part, en admettant que celle-ci *devait* être SOIT Platonisme, SOIT Aristotélisme et, d'autre part, en montrant qu'elle ne *pouvait* être NI l'un NI l'autre (vu que chacun contre-disait l'autre sans se contre-dire lui-même), la Paraphilosophie, en dogmatisant tant l'un que l'autre, ne pouvait développer le Discours philosophique qu'en tant qu'une « somme » du Platonisme ET de l'Aristotélisme. Et c'est cette « somme » ou « mosaïque » de l'Aristotélisme et du Platonisme dogmatisés qui constitue l'*Éclectisme hellénistique*.

Bien que nous connaissions fort mal les origines de cet Éclectisme (qui est l'aboutissement de la Parathèse philosophique païenne ou antithétique, c'est-à-dire présynthétique), il semble qu'il se présente pour la première fois sous une forme explicite avec Antioclus d'Ascalon [qui n'a plus besoin de l'aspect « sceptique » de la Nouvelle Académie, destinée à « réfuter » l'Aristotélisme, dans la mesure même où il affirme qu'Aristote et les Aristotéliciens, les Stoïciens y compris, n'ont fait que re-dire les dires de Platon]. Mais cet Éclectisme hellénistique n'a été pleinement développé que dans l'École dite « néo-platonicienne » (qu'on aurait tout aussi bien pu appeler « néo-aristotélicienne », d'ailleurs), de Plotin à Proclus (compte non tenu des soi-disant « néo-platoniciens » tels que Julien ou Damascius qui furent en fait tout autre chose).

En fait et pour nous, l'Éclectisme dit « néo-platonicien » n'est qu'une *Para*philosophie, d'ailleurs, « *contradictoire* dans les termes ». Il ne pouvait donc pas être trans-formé directement ou « immédiatement » en Parathèse synthétique authentiquement philosophique. Lorsque la « synthèse » parathétique est devenue possible grâce au Judéo-christianisme, on a dû « revenir » à Platon et Aristote eux-mêmes pour pouvoir le développer effectivement. On peut donc dire que tout ce qu'on appelle « Philosophie » judéo-musulmano-chrétienne n'est, du point de vue authentiquement philosophique, qu'une dé-dogmatisation de l'Éclectisme dit « néo-platonicien » (les « dogmes » païens étant de prime abord, au cœur du Moyen Age, remplacés par des « dogmes » judéo-chrétiens, qui furent petit à petit « dédogmatisés »). En se dé-dogmatisant, le Néo-platonisme païen se dé-composa en ses composants philosophiques authentiques, qui sont les Systèmes paraphilosophiques antithétiques de Platon et d'Aristote. Et c'est le « remaniement » (à base judéo-chrétienne) du Platonisme et de l'Aristotélisme authentiques (qui consistait à mettre le Concept, toujours compris parathétiquement comme l'Éternel, en relation non plus avec l'Éternité, mais avec le Temps) qui a permis à Kant (à la suite de ses « précurseurs » tels que Descartes et Leibniz) de les transformer tous les deux en un seul et même Système philosophique représentant la Parathèse synthétique de la Philosophie.

Avant l'arrivée à la Philosophie judéo-chrétienne (qui culmine en celle de Kant), il nous faut voir encore d'un peu plus près ce que fut l'Éclectisme païen hellénistique. Or, pour le voir, il aurait fallu montrer ce que fut l'ensemble de la Pseudo-philosophie et de la Paraphilosophie développée par le Paganisme « classique ».

Ceci nous prendrait cependant trop de temps et pour en gagner, je me limiterai à l'essentiel.

Nous pouvons négliger complètement la *Philosophie hellénistique authentique* (d'ailleurs utilisée pour l'interprétation de Platon et d'Aristote), vu qu'elle n'apporte rien de nouveau au Platonisme et à l'Aristotélisme que nous connaissons déjà.

De même, on peut complètement négliger les *Théories pseudo-philosophiques*, comme étant hors du sujet de la présente INTRODUCTION du Système du Savoir.

Par contre, il est indispensable de parler du *Scepticisme antiphilosophique*, qui est à l'origine de la Paraphilosophie dans son ensemble et plus particulièrement de l'Éclectisme paraphilosophique. Or, il est difficile de parler de cette « variante » du Scepticisme, sans dire aussi quelques mots du Scepticisme pseudo-philosophique au sens large.

En principe, j'aurais dû résumer, au moins brièvement, l'ensemble des doctrines hellénistiques para-philosophiques. Mais je connais trop mal le platonisme dogmatisé pour pouvoir en parler utilement. Je me limiterai donc à un résumé de l'*Aristotélisme dogmatisé* qu'est le « Stoïcisme » et de l'*Éclectisme* généralement appelé « Néo-platonisme », en n'utilisant d'ailleurs que les *Ennéades* de Plotin et certains écrits de Proclus.

Ainsi, la présente Section sera subdivisée comme suit :

I. Le Scepticisme antiphilosophique;

II. *Les philosophies* dogmatisées (le Stoïcisme);

III. L'Éclectisme (le Néo-platonisme).

I. LE SCEPTICISME ANTIPHILOSOPHIQUE

ET LES DOGMATISMES PSEUDO-PHILOSOPHIQUES

Nous ne savons presque rien de ce qui s'est passé dans le domaine philosophique au cours des décades qui suivirent la mort d'Aristote. La Tradition nous apprend, cependant, que c'est à cette époque que se constitue le mouvement sceptique appelé plus tard « Pyrrhonisme ».

Nous savons par ailleurs que le Scepticisme a eu des adeptes parmi les hommes que l'on appelle généralement « philosophes présocratiques » et nous avons tout lieu de supposer qu'il y a eu des « sceptiques » dès les temps homériques; — et même avant.

En laissant de côté le Scepticisme préhomérique et homérique, voyons ce que fut le Scepticisme à l'époque classique, disons entre « Thalès » et Aristote.

On parle parfois d'un « scepticisme » de Parménide et d'Héraclite. Mais nous avons vu qu'il ne peut pas s'agir chez eux de Scepticisme proprement dit ou « théorique » (au sens d' « exclusif », le « doute » sceptique *excluant* le « savoir » dogmatique, et *vice versa*). Car il s'agit dans les deux cas de Philosophie authentique (chrono-logiquement postérieure au Dogmatisme, et donc au Scepticisme théorique, qui est antérieur à ce dernier). Sans doute, tout comme les Sceptiques, Parménide réduit-il lui aussi le Discours au silence, mais le Silence (« absolu ») auquel il aboutit n'est rien moins qu'une « incertitude » ou un « doute », ou même une « abstention » quelle qu'elle soit. C'est bien au contraire la « certitude » (silencieuse) absolue et le « savoir » (silencieux) de l'Absolu (ineffable) : au lieu de s' « abstenir » de parler, Parménide parle « jusqu'au bout » et au lieu de parler dans le doute, en doutant de ce qu'il dit, il parle de façon à arriver, d'une façon *certaine* ou « nécessaire » au Silence « définitif », dans et par lequel rien n'est plus douteux. Quant à

Héraclite, il admet, il est vrai, tout comme le font les Sceptiques, que le Discours est « contradictoire » en ce sens que l'on doit (tôt ou tard) contre-dire tout ce que l'on peut dire. Mais, selon lui, ce Discours « contradictoire », sans commencement ni fin, est précisément la « Vérité » (discursive), en ce sens qu'il se rapporte (par son Sens ou Logos « contradictoire ») à un Monde qui lui correspond, dont l'Essence *(Physis, Nomos)* est constituée par des éléments « contraires », qui coexistent et se succèdent sans fin ni commencement, en s'incarnant dans une « Matière » (Hylé) in-définie ou « infinie » *(apeiron)*. En d'autres termes, Parménide et Héraclite sont des philosophes authentiques en ce sens qu'ils parlent tous les deux du Discours qui est aussi le leur ou le Concept en tant que tel, ce Concept étant, pour l'un, Éternité *(On* ou *Hen,* voire *Nous)* silencieux et ineffable et, pour l'autre, Discours *(Logos)* « éternel » au sens de co*temporel*. Quant à leur soi-disant « scepticisme », il n'est rien d'autre ni de moins que le Criticisme authentique, qui « critique », il est vrai, l'Opinion en tant que telle et donc toutes les « opinions » quelles qu'elles soient et fait en ce sens route commune avec le Scepticisme (théorique), mais qui dépose celui-ci au moment même où il s'arrête (au stade du Doute ou de la pure Négation) et progresse désormais tout seul en se trans-formant en Philosophie (par définition « positive » ou « certaine »). Mais dès que l'on renonce à poursuivre la route qui mène à la Philosophie, c'est-à-dire dès que l'on renonce à parler du Concept (et donc de ce que l'on dit soi-même), l'Éléatisme et l'Héraclitéisme se réduisent au seul Criticisme, qui se transforme effectivement de ce fait en Scepticisme proprement dit (théorique). Les opinions *(doxai)* que « critiquaient » Parménide et Héraclite re-deviennent alors ce qu'elles étaient en tant que Discours axiomatiques, à savoir des Discours (théoriques) dont personne ne parle, hormis les Sceptiques (théoriques) qui n'en parlent que comme d'Axiomes « indémontrables » ou de Mythes, qui se contre-disent, d'ailleurs. Du coup, l' « Éléatisme » se réduit à l'œuvre « critique » de Zénon, détachée de la doctrine « positive » de Parménide (ou, plus exactement, de la 1re Partie de son *Poème)* et cette « critique », désormais purement « négative » ou sceptique, s'identifie alors à l' « Héraclitéisme » réduit à l'œuvre exclusivement « critique » d'un Cratyle, qui est un Sceptique authentique en ce sens qu'il renonce à poursuivre « indéfiniment » le Discours qu'il dit être « contradictoire » (à la suite d'Héraclite qui, cependant, entendait maintenir ce Discours « infini » en tant que « véridique ») et se résigne au Silence (d'ailleurs douteux) qu'est le Discours réduit au seul Doute discursif. Ainsi, le Zéno-

cratylisme (cher à certains Sophistes et aux rhéteurs sophisti-
qués de Mégare et d'Élis-Érythrée) se présente comme un
Scepticisme *anti*philosophique issu de deux ex-philosophies,
réduites (par ce même Scepticisme) à l'état de Discours axiomatique ou mythique, par définition « contradictoires » et donc
tous indéfiniment « vrai » OU « faux », voire vrais ET faux
ou NI vrai NI faux.

Ce Scepticisme antiphilosophique, parfois appelé « éléatique », mais en fait pseudo-héraclitéen, a été celui de plusieurs Sophistes. Mais certains d'entre eux se contentaient d'un
Scepticisme (théorique) seulement aphilosophique (c'est-à-dire
dirigé non pas contre la Philosophie, mais contre le seul Discours
mythique. Dans sa variante *formaliste*, le Scepticisme (théorique) aphilosophique semble avoir été développé surtout par
Prodicus et Hippias, tandis que le Scepticisme nihiliste fut
développé (peut-être « ironiquement ») par Gorgias (qui n'a
probablement paraphrasé Zénon que pour se moquer de lui et
de son maître) et le Relativisme sceptique par Protagoras (qui
se réclamait ouvertement d'Héraclite, au même titre que Cratyle). Quant au pseudo-éléatisme « zénonien », il fut repris, en
tant que Scepticisme explicitement *anti*philosophique, par
Euclide et l'École de Mégare (ainsi que, semble-t-il, par Phédon
et l'École éristique d'Élis et d'Érythrée; Bryson, un membre
de cette dernière, peut-être élève d'Euclide, a été le maître de
Pyrrhon); et Platon a eu beau jeu de montrer qu'il s'agissait,
en fait, d'une reprise du pseudo-héraclitéisme « cratylien » (que
Platon identifiait, d'ailleurs, avec l'Héraclitéisme authentique,
peut-être pour les besoins de la bonne cause antisophistique;
cf. le début du *Parménide :* le faux frère « Antiphon » [homo-
nyme du célèbre *devin*] est Euclide [en tant qu'interprète
pseudo-philosophique des « oracles » pseudo-scientifiques de
« Pytho-dore » = Théodore + Théétète + Eudoxe]; son père
« Pyrilampe » semble être Cratyle en tant que représentant
ces « néo-héraclitéens » et son grand-père « Antiphon » une
« réincarnation » du sophiste Antiphon, qui jalousait Socrate
et essayait de lui enlever ses élèves).

En fait, toutes ces variantes sophistiques et mégaro-érétriques
du Scepticisme théorique (aphilosophique ou antiphilosophique) se trans-formèrent rapidement en Dogmatismes, essentiellement en Dogmatisme moraliste. Quant au soi-disant
« scepticisme » de Socrate, il fut un Criticisme authentique en
ce sens qu'il ne mettait (discursivement) en évidence le caractère contra-dictoire des définitions du Concept développé par
Parménide et par Héraclite, qu'en vue de tenter une « synthèse »
des « Thèses contraires » de ces dernières (« synthèses » qui

s'avèrent, au départ, parathétiques, du moins depuis Platon et Aristote et jusqu'à Kant inclusivement). C'est ce Criticisme « socratique » que l'on retrouve tant dans les Dialogues « négatifs » de Platon (où le discours « positif » se dissimule entre les lignes d'un discours « contradictoire » d'allure « sceptique ») que dans les parties « apocritiques » de l'œuvre d'Aristote (en attendant le « doute » systématique de Descartes et le « criticisme » kantien). Par ailleurs, on parle parfois aussi d'un soi-disant « scepticisme » démocritéen. Or, en fait (et dans la mesure où les fragments « sceptiques » de Démocrite sont authentiques et « sérieux »), il s'agit ici non pas de « douter », ni de renoncer au Discours « positif » (du moins d'après Démocrite lui-même), mais de nier (discursivement) la prétendue véracité des sens qui révèlent l'Existence-empirique, en vue d'assurer la Vérité (censée pouvoir et devoir être discursive) de la Physique (qui est l'homologue scientifique [« métrique », et donc en fait silencieux] de l'Énergo-logie philosophique). Sans doute, certains élèves (directs ou indirects) de Démocrite, tels que Métrodore de Chio et Anaxarque d'Abdère (ami et admirateur de Pyrrhon) semblent avoir professé un Scepticisme (théorique) authentique (peut-être nihiliste chez le premier et relativiste chez le second, peut-être antiphilosophiques ou seulement aphilosophiques). Mais nous en savons trop peu pour exclure l'éventualité qu'il s'agissait déjà d'une anticipation du « scepticisme » d'un Sextus Empiricus, c'est-à-dire d'un Scepticisme théorique (relativiste) pratiquement trans-formé en Dogmatisme scientifique (à base d'Expérience). [Quant à la soi-disant « Morale » de Démocrite, elle semble avoir été un Dogmatisme éthique fondé sur la Conscience, comprise en tant qu'Ataraxie; cette Morale (« réfléchie ») coïnciderait donc avec le Dogmatisme moraliste « pyrrhonien ».]

Quoi qu'il en soit, il semble qu'après Aristote le *Criticisme* proprement dit ne se soit plus manifesté dans le monde païen. La tradition du « doute socratique », qui fut le Criticisme de Platon et d'Aristote, ne semble pas avoir été reprise avant Descartes (qui « douta » de la Thèse et de l'Anti-thèse en vue de la Synthèse (relativiste), mais ne pré-dit que la Parathèse synthétique; et le « scepticisme de Hume n'a pris un caractère « criticiste » que dans et par sa reprise par Kant et dans la mesure où il incita celui-ci à rechercher (avec succès) la Parathèse synthétique de la Philosophie (qu'il croyait, d'ailleurs, « définitive » au sens d'indépassable). Ce Criticisme platono-aristotélicien ou socrato-kantien se développe complètement dans et par la *Phénoménologie de l'Esprit* de Hegel, en se trans-

formant de ce fait en « Savoir absolu », voire en Discours uni-
total ou Sagesse discursive qu'est le Système du Savoir hégélien. Mais entre Aristote et Descartes, le Criticisme proprement
dit ne semble s'être manifesté nulle part, toutes les variations
soi-disant « critiques » de l'époque postaristotélicienne et pré-
cartésienne que nous connaissons étant en fait des variantes
du Scepticisme *théorique* (*a*- ou *anti*philosophique).

C'est dire que le Scepticisme dont je parle en ce moment
ignore complètement jusqu'à l'Hypo-thèse de la Philosophie,
qui est la Question (spécifiquement philosophique) du Concept.
Pour ce Scepticisme théorique ou exclusif, qu'il soit aphilosophique ou antiphilosophique, la Philosophie (d'ailleurs limitée
à son étape « socratique », c'est-à-dire en fait aux seuls Plato-
nismes et à l'Aristotélisme, les philosophies « présocratiques »
n'étant plus comprises), se réduit à un Discours axiomatique
ou mythique, irréductiblement contradictoire. Aussi bien la
trans-formation de cette ex-philosophie (thétique et antithétique au sens de parathétique, mais non encore de synthétique)
par le Scepticisme (théorique) aboutit-elle non pas à une nouvelle Philosophie (parathétique synthétique), mais à un renou-
veau du Dogmatisme chrono-logiquement préphilosophique,
voire « présocratique » (ce que Platon a fort bien fait remarquer,
et raillé, dans le *Timée*). Sauf que ce Néo-dogmatisme (chrono-
logiquement postphilosophique) a cru pouvoir et devoir utiliser
certains éléments-constitutifs des philosophies (essentiellement
parathétiques) qui l'ont précédé dans le temps, tout en les
isolant de leur contexte philosophique et en les réduisant ainsi
au niveau d'Axiomes ou de Mythes théoriques (chrono-logiquement présceptiques et prédogmatiques, et partant pré-
philosophiques). D'où l'allure « philosophique », au sens d'*anti*-
philosophique, de ces nouveaux Dogmatismes et du Scepticisme
qui les a provoqués. Mais, en fait et pour nous, le Scepticisme
et le Dogmatisme quels qu'ils soient sont seulement aphilosophiques).

Il nous faut donc voir : *d'abord* (1) ce que fut le Scepticisme
théorique, d'allure antiphilosophique, qui se trans-forme en
Néo-dogmatisme d'apparence et à prétention « philosophique »,
et *ensuite* (2) ce qu'est ce Néo-dogmatisme lui-même, dans ces
trois variantes théologique, scientifique et éthique.

1. *Le scepticisme antiphilosophique*

Les débuts du Scepticisme postaristotélicien nous sont
très mal connus, car Pyrrhon n'a rien écrit et les œuvres de

son « élève » et ami Timon sont presque entièrement perdues. D'une manière générale, nous ne possédons aucun ouvrage sceptique antique, à la seule exception de l'œuvre *tardive* de Sextus Empiricus. Il est donc pratiquement impossible de reproduire d'une façon précise et détaillée l'évolution historique du Scepticisme païen. Au moins peut-on dire que le peu que nous en savons ne contredit pas ce que j'en ai dit jusqu'à présent.

En ce qui concerne PYRRHON-TIMON (qui sont, pour nous, deux « inséparables »), on a le droit de dire d'eux ce que l'on peut re-dire à propos de tous les Sceptiques théoriques, à savoir que le point de départ « psychologique » de leur Scepticisme fut la constatation (discursive) de la coexistence (discursive) d'une masse de « Mythes » contradictoires, voire d'Axiomes ou de Théories « indémontrables » qui se contredisent mutuellement. Et rien ne permet de supposer que Pyrrhon ou Timon se soient rendu compte du fait que certaines de ces Théories axiomatiques ont été intégrées dans d'authentiques Systèmes philosophiques (thétiques, antithétiques ou parathétiques) : pour eux, ces Systèmes n'étant eux-mêmes que de simples « opinions », les dires d'un Platon ou d'un Aristote ne différant pas essentiellement, à leurs yeux, de ceux de l'homme de la rue (ou de l'Agora). S'appelant ou non « philosophe », chaque homme parlait en contredisant ce que disaient les autres et il n'y avait aucun moyen de les départager.

On peut dire, en un certain sens, que Pyrrhon et Timon n'ont réagi à la contra-diction, selon eux irréductible, des dires de l'Agora, c'est-à-dire de ce que sont pour nous les Théories axiomatiques ou mythiques, que par un Scepticisme *formaliste*. En effet, ils ne semblent avoir « douté » ni de la « Grammaire », ni de la « Logique formelle » : ils semblent avoir admis que les hommes peuvent *parler* en se *comprenant* et même *raisonner* d'une façon « correcte » ou « erronée ». Mais il serait certainement faux de voir en ces deux « sceptiques » des représentants de l'authentique Formalisme : ils voulaient tout autre chose que jouer avec les « formules » dénuées de toute espèce de sens, en « axiomatisant » par exemple un discours (théorique) quelconque. Et ils n'étaient rien moins que des mathématiciens.

En un certain sens, le Scepticisme pyrrhono-timonien était plutôt *nihiliste*. En effet, de l'« hypothèse » sceptique fondamentale, c'est-à-dire de la connaissance (discursive) du fait que des « raisons » équivalentes peuvent être partout et toujours produites pour ou contre une « thèse » ou un discours quels qu'ils soient *(isostheneia, antilogia)*, Timon « déduisait » un Silence, sinon définitif, du moins nécessaire ou forcé *(aphasia)*.

C'est, d'ailleurs, en réduisant tous les Discours (le sien y compris) au Silence que le Sage atteint le Repos absolu *(ataraxia)*. La Satisfaction est donc censée être *silencieuse* et l'Aphasie sceptique semble prendre l'allure « nihiliste » du Silence, « mystique » [qui n'est pas « absolu » au sens de Parménide, en ce sens qu'il est non pas le Savoir (silencieux) de l'Être, voire du Bien-être (ineffable), mais l'Ignorance malheureuse d'un être réduit au néant par le renoncement forcé au discours qui aurait dû lui révéler tout ce qui *est*, mais qui ne lui révèle en fait rien du tout et pas même l'être qu'il aurait lui-même pu être].

Mais, en fait, il n'en est rien : ni pour nous ni pour les Pyrrhoniens eux-mêmes. Car, pour ceux-ci, le Scepticisme est en fait tout relatif : ils ne sont sceptiques que « dans la mesure où est sceptique le Relativisme.

En un certain sens, le dernier mot du *Scepticisme* pyrrhonien est en effet un *Relativisme* sceptique [qui s'est, d'ailleurs, transformé en Morale dogmatique tant chez Pyrrhon lui-même, que chez ses émules et en tout cas chez Timon; c'est ainsi que le comprennent Cicéron (*De fine*, IV, 16, 43; III, 4, 12; *Ac.*, II, 42, 130; etc), Numénius (*apud* Diog. L., IX, 68) et Hegel]. Car, à dire vrai, le caractère inévitablement contra-dictoire du Discours n'oblige pas le Pyrrhonisme d'y renoncer absolument. L'*Epokhê* n'est qu'une *suspension* du discours, nullement définitive, d'ailleurs. Sans doute, l'obligation de ne dire NI oui NI non *(ouden mallon)* équivaut, en fait et pour nous, à ne rien *dire* du tout. Mais c'est que, pour nous, le Oui *diffère* absolument du Non, tandis que les Pyrrhoniens adoptent vis-à-vis d'eux une attitude d'absolu *in-différence* (adiaphorie). Or, s'il est indifférent de dire Oui ou Non, pourquoi ne pas dire l'un ou l'autre ou les deux au lieu de se taire, en ne disant ni l'un ni l'autre; vu qu'il doit être absolument *indifférent* de se taire ou de parler, voire de dire une chose ou le contraire. C'est pourquoi le Pyrrhonien ne se contre-dit nullement en parlant comme tout le monde, quitte à ne jamais parler, ou se taire, « systématiquement ». En fait, les Pyrrhoniens semblent s'être tus ou avoir parlé comme bon leur semble, sans se préoccuper, ni de ce que les autres disaient de leur éventuel silence, ni de la question de savoir, lorsqu'ils parlaient, si ce qu'ils disaient était iné-dit ou contre-dit par d'autres, voire contre-disait ce que les autres disaient ou disaient ce que d'autres taisaient.

En bref, le Scepticisme pyrrhonien équivaut au Relativisme protagorien (avant de se trans-former en Dogmatisme moral) : à chacun *sa* « vérité » (discursive ou silencieuse); mais pas de « vérité » pour *tous* et donc pas de Vérité du tout, au sens

« axiomatique » ou « mythique », voire « dogmatique » (c'est-
à-dire exclusif ») de ce terme. Ainsi, le Discours sceptique, qu'il
soit simplement adogmatique ou déjà antidogmatique (voire
antiphilosophique), est et reste *théorique* au sens d'*exclusif* :
car si ce Discours n'est pas un discours « vrai » (ou « véritable ») qui (par définition) *exclut* l'erreur discursive, il
exclut néanmoins tous les discours censés être vrais ou faux,
en parlant « exclusivement » de ce qui est « indifférent » du
point de vue de la Vérité et de l'Erreur [la Vérité en cause
cessant d'être « intégralement » ou complètement discursive,
dans la mesure où le Scepticisme (relativement) se trans-forme
en Dogmatisme, étique ou autre, qui implique, par définition,
un élément constitutif « ineffable » ou « silencieux »].

On a souvent voulu « réfuter » le Scepticisme (théorique)
en montrant (discursivement) qu'il n'était pas *viable*. En effet,
un Sceptique « rigoureusement » formaliste, qui ne se nourrirait
de ce fait que de « formules » dénuées de sens, mourrait très
rapidement de faim. Et le Sceptique « rigoureusement »
nihiliste, qui ne distinguerait donc pas le sens du contresens,
n'irait pas très loin lui non plus dans la vie. Enfin, le Sceptique
« rigoureusement » relativiste, qui resterait par conséquent
absolument indifférent à ce qui est bon ou mauvais pour les
autres et pour lui, pourrait tout aussi bien se laisser vivre que
mourir, par la main d'autrui, ou en se suicidant. Mais la mort
et le suicide, à condition de ne pas être « systématiques » ou
érigées en « dogmes », ne sont pas une « réfutation » du Scepticisme quel qu'il soit. Car l'homme qui ment ou se suicide
ne *dit* désormais plus rien et il ne peut donc pas, par sa mort,
contre-dire ce qu'il a dit de son vivant (semblablement s'il ne
disait rien pendant sa vie). D'ailleurs, si, par impossible, il se
contre-disait en renonçant à la vie, il ne ferait que re-dire ce
qu'il disait au cours de toute sa vie sceptique, à savoir que
l'on ne peut rien dire en étant sûr de ne jamais être nulle
part contre-dit. Ce qui permet, par surcroît, au Sceptique de
renoncer à tout moment à son scepticisme, sans contre-dire
de ce fait ce qu'il disait en parlant « sceptiquement ». Il n'en
reste pas moins que tout Sceptique se contre-dirait s'il disait
que quelque chose doit être dit (ou fait, au sens d'une activité
discursive, c'est-à-dire consciente et volontaire) *nécessairement,*
c'est-à-dire *partout et toujours,* ne serait-ce que par lui-même au
cours de sa vie (discursive). C'est pourquoi le Scepticisme
authentique ne se pose que par endroits et par moments, mais
ne peut s'imposer partout et toujours. Et, en fait, s'il y a un
Scepticisme « de toujours », il s'est partout éclipsé par moments,

comme ce fut par exemple le cas du Scepticisme païen qui nous intéresse.

Le Scepticisme ne peut devenir une attitude discursive (active ou contemplative) *permanente* et *universelle* qu'à condition de se trans-former en Dogmatisme. Car le Dogmatisme ne peut effectivement pas être contre-dit dans ce qu'il a d'essentiel ou de spécifique, c'est-à-dire de « dogmatique », vu que le spécifique essentiel de tout Dogmatisme est ineffable et muet (à l'encontre de ce qu'est un Axiome ou un Mythe), de sorte que l'on « confirme » le Dogme d'un dogmatique, lorsqu'on réduit (discursivement) au silence son dogmatisme.

Ce fut certes confirmé, comme nous le verrons tout à l'heure, par l'histoire du Scepticisme païen postaristotélicien. Mais avant de parler de ses avatars dogmatiques, il nous faut voir ce que fut son évolution proprement sceptique (théorique).

On dit généralement qu'après avoir subi une éclipse, le Pyrrhonisme s'est re-produit dans le Scepticisme de la NOUVELLE (OU MOYENNE) ACADÉMIE.

A dire vrai, rien ne dit qu'il ne s'agit pas dans ce cas de tout autre chose, à savoir d'une Para-philosophie platonisante, à tendance théologique. En tout cas, c'est ce que laisse entendre Cicéron (*Ac.*, II, 18, 60), suivi par saint Augustin (*Contra Ac.*, I, 17, 38), qui parle d'un « mystère » ou d'un « enseignement mystique, » voire « ésotérique » des nouveaux Académiciens. Et, en fait, pourquoi les prétendus « sceptiques » de la Nouvelle Académie se considéraient-ils comme des Platoniciens authentiques, sans être contredits par personne, y compris Plotin et les Néo-platoniciens, s'ils ne faisaient que re-dire les dires d'un Pyrrhon? Mais, pour le moment, c'est uniquement l'aspect « sceptique » (mais nullement « critique », au sens propre du mot) de l'Académie qui nous intéresse. Tâchons donc de voir ce qu'il fut.

D'un certain point de vue, Arcésilas et Carnéade semblent avoir été des représentants authentiques du Scepticisme *formaliste*. En effet, loin de nier ou même de dédaigner les formalités discursives et les (pseudo-) discours purements formels, bien au contraire, ils s'y adonnaient à cœur joie aux jeux « dialectiques » et rien ne dit qu'ils délaissèrent pour autant les jeux mathématiques, chers aux premiers successeurs de Platon.

Mais, d'un autre point de vue, c'est le *Nihilisme* sceptique que ces Académiciens semblent authentiquement représenter. En effet, la Nouvelle Académie ne se contente pas de dire qu'elle ne sait rien, mais ajoute qu'elle ne sait même pas si elle sait ou non. Et si Arcésilas semble s'être contenté de re-dire la « thèse » sceptique traditionnelle, à savoir qu'à tout discours *S est P* on peut partout et toujours opposer le discours « contraire » *S n'est pas P* (= S est Non-p), Carnéade est allé jusqu'à la négation « absolue » du Discours en tant que tel, vu qu'il a dit qu'il n'y a aucun moyen de distinguer entre *S est P* et *S est Non-p*, ce qui supprime effectivement la « forme » discursive elle-même (en annulant le *Non* discursif et le Λ en tant que Non-[Non-a]) [cf. Cicéron, *Ac.*, II, 13, 41 et 31,99]. Sans doute n'est-ce le cas que si P et Non-p « se rapportent » à un S qui leur « correspond » en tant que chose *sensible* ou phénoménale, de sorte que le Silence de l'*epokhê* académique n'a nul besoin d'être un Silence « mystique », ni même un silence quel qu'il soit (par exemple parménidien ou « absolu »), vu que le P (sinon le Non-p) peut se rapporter (en tant que discours « ésotérique » ou « mystérieux ») à un S qui lui correspond en tant qu'entité « intelligible », que les « sens » ne révèlent pas, mais que révèle au Discours *(Logos)* la Révélation (peut-être discursive) d'ineffable Dieu (Nous au sens de *Theos*). Tout en étant « sceptique » vis-à-vis des « opinions » à base d'Expérience sensible et même de la Conscience morale, les Académiciens auraient pu être des « dogmatiques de la Révélation divine, en développant discursivement (autant que faire se peut) des Dogmes révélés révélant l'Ineffable.

Mais il n'est pas, pour le moment, question de l'éventuelle Théologie dogmatique platonisante de la Nouvelle Académie, ni de son probable Platonisme dogmatisé ou paraphilosophique, à tendance théologisante. C'est uniquement le « *Scepticisme* académique » qui nous occupe ici. Or, la Tradition unanime présente celui-ci comme un Relativisme [qui ne serait, d'ailleurs, valable, pour les Académiciens dogmatiques, que dans la mesure où ceux-ci parlent des seuls Phénomènes]. Et si la théorie carnéadienne du Probable *(pithanon)* est trop connue pour qu'il soit utile d'en parler en ce lieu, on peut dire cependant qu'elle équivaut à un Relativisme sceptique qui serait accepté avec enthousiasme par Protagore lui-même ou par n'importe lequel de ses émules proches, de lui ou de nous.

En résumé, on pourrait dire ceci. La doctrine « exotérique » de la Nouvelle (ou Moyenne) Académie peut s'insérer dans l'évolution du Scepticisme théorique. Elle y représenterait alors l'étape du Scepticisme relativiste, dans sa variante antiphilosophique, vu qu'elle était essentiellement dirigée contre le Stoïcisme, c'est-à-dire contre l'Aristotélisme dogmatisé. Quant à la doctrine des académiciens « ésotériques », elle pourrait être constituée par une Théorie dogmatique; plus précisément, par la Théologie dogmatique pseudo-philosophique platonisante

que professaient par ailleurs les représentants de ce qu'on
appelle le « Platonisme moyen » d'un Apulée ou d'un Plutarque.
Il n'est pas exclu cependant que l'enseignement « ésotérique »
de la Moyenne Académie était authentiquement philosophique :
les Académiciens continuaient à développer (sans faire de progrès notable, semble-t-il) le Système de Platon à l'intérieur de
l'École, en limitant leur activité « externe » à une « critique »
du Stoïcisme, qu'ils attaquaient en se servant d'armes « sceptiques » (du type « relativiste »). Dans ce cas, la doctrine académique du Probable *(pithanon)*, à allure « relativiste », aurait
eu pour but de ramener au niveau de l'Opinion *(doxa)* tout ce
qui n'était ni Savoir *(epistêmê)* ou Système du Savoir, ni même
la Philosophie comprise en tant que *recherche* de celui-ci. Dans
ce contexte hypothétique, le Platonisme dogmatisé, professé
dans l'Académie ou ailleurs, serait pour la doctrine académique
« ésotérique » tout au plus « plus probable » que l'Aristotélisme
dogmatisé professé par l'École stoïcienne. Mais il est plus probable que la doctrine « ésotérique » de l'Académie a été elle-
même un Platonisme *dogmatisé* (à allure théologisante). Il faudrait admettre alors que la doctrine « relativiste » du Probable
était dirigée uniquement contre la Théorie, plus exactement
contre la Théorie dogmatique ou, d'une façon encore plus précise, contre la Théorie dogmatique moraliste aristotélicienne, à
laquelle les Académiciens identifiaient [à tort] le Stoïcisme.
Quant au Platonisme dogmatisé qui constituait dans cette
hypothèse la doctrine « ésotérique » de l'Académie, il aurait été
considéré comme un prétendu « savoir absolu » fondé sur l'Évidence. La doctrine du « Discours-correct » *(eulogon)*, qu'Arcésilas semble avoir élaborée en vue de justifier sa dogmatisation
de la Phénoméno-logie de Platon, c'est-à-dire de l'Éthique platonicienne, serait alors la première apparition de la doctrine
de l'Évidence qui est à la base de la Para-philosophie en tant
que telle.

Avant de parler de la Para-philosophie en général et en
particulier du Platonisme dogmatisé « académique » constitué
après avoir eu son temps de gloire en tant que Relativisme
« académicien », le Scepticisme « pyrrhonien » a subi à nouveau
une longue éclipse, pour ne ré-apparaître au grand jour qu'avec
ÆNÉSIDÈME.
Or, dans la mesure où nous le connaissons, le Scepticisme
d'Ænésidème semble être un *Formalisme* authentique (bien
qu'encore rudimentaire), qui a pour but de « formaliser » l'Héraclitéisme en se servant d'un Aristotélisme préalablement « formalisé » lui aussi (la « Logique formelle » d'Aristote s'achemi-

nant ainsi vers une « Logistique » au sens moderne du mot). Mais, chose curieuse, au lieu de se cantonner dans son Formalisme, Ænésidème entend le « dépasser » lui-même. Non pas dans le sens sceptique, il est vrai, c'est-à-dire en le transformant en Nihilisme, voire en un Relativisme, qui ouvrirait le chemin d'un Dogmatisme quelconque, mais en « revenant » du Scepticisme (théorique ou, plus exactement, formel) à l'Héraclitéisme authentique (c'est-à-dire non « formalisé ») c'est-à-dire à l'Anti-thèse de la Philosophie proprement dite (qui, en tant que telle, n'est ni sceptique ni dogmatique, tout en étant elle aussi postmythique). Autrement dit, après avoir montré (discursivement) le caractère « contradictoire » de la *forme* discursive en tant que telle, Ænésidème a ré-introduit dans le Discours le *contenu* « contraire » qu'y avait introduit Héraclite. Pour lui, comme pour ce dernier, le Sens *(Logos) contradictoire* du Discours « se rapporte » à une Essence *(Nomos*, au sens de *Physis) contraire* qui lui « correspond », de sorte qu'il pouvait dire (sans se contre-dire) à la fois que le Discours (contra-dictoire et donc in-défini) est « essentiellement » *vrai* et que la Vérité est « spécifiquement » *discursive* (l'Essence que révèle le Discours étant elle-même « contraire » et « infinie »). Et c'est ainsi qu'Ænésidème fut un Héraclitéen authentique, qui reparle du Concept en parlant de ce qu'il disait lui-même et qui ne devint pas un Sceptique du type de Cratyle, précisément parce qu'il l'avait été auparavant.

Il s'agit donc, chez Ænésidème, d'un « Scepticisme » de pure apparence, qui est en fait et pour nous, comme probablement pour lui-même, un authentique Criticisme, en ce sens qu'il aboutit non pas à un Dogmatisme d'allure « philosophique », mais à une authentique Philosophie. Seulement, chose encore fort curieuse, cette Philosophie fut antithétique sans être parathétique, de sorte que l'on peut dire qu'Ænésidème fait revivre pour nous le « premier » Criticisme philosophique (que nous ignorons par ailleurs). Autrement dit, loin de reprendre à son compte le « doute » de Socrate, Ænésidème semble revenir au Criticisme des philosophes présocratiques, c'est-à-dire une « critique » du Dogmatisme préphilosophique (né du Scepticisme également préphilosophique), chrono-logiquement antérieur aux réponses (positive et négative) que Parménide et Héraclite donnèrent à la Question philosophique posée par « Thalès ». On pourrait donc presque dire que c'est le « Criticisme de Thalès » qui re-naît pour nous en la personne d'Ænésidème. Seulement dans ce cas, Ænésidème aurait dû re-dire « Thalès » ou, à la rigueur, Parménide. Or, en fait, il re-dit Héraclite, qui a contre-dit ce qu'avait déjà dit ce dernier. Il s'agit donc, pour

nous, de Criticisme, post- et antiparménidien, qui engendra
la philosophie héraclitéenne. Or, ce Scepticisme portait, déjà
chez Héraclite lui-même, non pas (comme chez Parménide) sur
le Cosmos phénoménal, mais (exclusivement!) sur le *Cosmos
noetos* (platonicien), ou plus exactement, sur ce qui a son origine (parménidienne), à savoir sur l'Être-un ou l'Un-qui-est,
en étant peut-être Nous, mais certainement pas *Logos*. Et,
effectivement, Ænésidème prend le soin de nous dire que,
d'après lui, il n'y a pas de « *signes* visibles » révélant les « *choses*
invisibles » (cf. Photius, *Myriob.*, 170, b, 12). Ce qui veut dire
précisément que le Sens discursif ne révèle que l'Essence phénoménale (le Silence « parménidien » ne révélant d'ailleurs,
selon lui, rien du tout) [1].

L'héraclitéisme d'Ænésidème aurait été sans lendemain, si
son « criticisme » n'avait pas été repris par AGRIPPA. Or,
celui-ci nous fait voir très clairement ce que fut la « prémisse »
d'Héraclite, qui lui permet de contre-dire Parménide sans se
contre-dire lui-même. Cette « prémisse » est la « Thèse » fondamentale de l'Anti-thèse de la Philosophie, à savoir la notion
de l'Infini en tant que tel. Le Discours ne peut pas être dé-fini
en tant que *un* ou uni-total (c'est-à-dire comme Système du
Savoir hégélien) parce que ce dont il parle est « infini », — « par
hypothèse » (héraclitéenne) ou par définition (« antithétique »);
et c'est pour la même raison que le Discours *(Logos)* est partout et toujours, sans commencement ni fin : car on a beau
contre-dire partout tout ce qui s'est dit; il y aura toujours
autre chose à dire et ce que l'on dira sera partout et toujours
« vrai », vu que ce dont on parle se re-nouvelle lui aussi (en
se « contrariant ») sans cesse.

Quant au Scepticisme proprement dit ou théorique (aphilosophique ou antiphilosophique), il semble s'être entre-temps
définitivement perdu, du moins dans le cadre de l'Antiquité
païenne.

Sans doute, un Théodas de Laodicée est tombé, pour nous,
du ciel et un Ménodote de Nicomédie lui succéda, suivi lui-
même d'un Hérodote de Tarse. Mais nous ne savons pour
ainsi dire rien d'eux, sinon que le dernier eut pour successeur
SEXTUS EMPIRICUS.

On traite donc tous ces hommes de « sceptiques » pour la
simple raison que la Médecine « empirique » en question (qui
semble, d'ailleurs, avoir été plutôt « méthodique ») aimait s'appeler ainsi. Seulement, si l'on fait abstraction de ce qu'il a
simplement re-dit, ce qu'il dit n'a en fait absolument rien de

sceptique, étant un Dogmatisme authentique, d'ailleurs *scientifique*, et d'allure « philosophique » ou, si l'on veut, *anti*-philosophique, due au fait que ce Dogmatisme est chronologiquement de beaucoup postérieur à la Philosophie, du moins à celle qui fut parathétique sans être synthétique. Car si Sextus veut réduire au silence toutes les « opinions » discursives, y compris celles de ceux qui sont, pour lui, des « philosophes », c'est uniquement pour faire « parler » la seule Expérience (sensible) : bien que celle-ci soit, en fait et pour nous, tout aussi « silencieuse » qu' « ineffable ».

Le soi-disant « scepticisme » de Sextus n'est donc qu'un Dogmatisme scientifique, voire une Science dogmatique, que certains de ses adeptes aiment parfois appeler « positive ». Aussi bien est-ce en parlant du Dogmatisme (pseudo-« philosophique ») que nous re-parlerons du Positivisme dogmatique en général et de celui de l'empirique Sextus en particulier, qui fut d'ailleurs sans lendemain immédiat (du moins si l'on fait abstraction de quelques Saturninus, Favorinus et autres Licinius Sura qui, grâce à notre ignorance à leur égard, n'encombrent d'ailleurs la soi-disant « histoire de la philosophie » que très modérément).

2. *Les dogmatismes pseudo-philosophiques*

Le Théoricien (ou l'Intellectuel), qui développe une Théorie (thétique) *théologique*, parle du monde où il vit de façon à pouvoir dire (sans se contre-dire, du moins explicitement) qu'il n'y a un sens d'y vivre *qu'en priant*. En d'autres termes, d'après la Théorie théologique, le monde dont on parle n'implique qu'un seul Discours (pratique) vraiment efficace en tant que Discours, qui est la Prière. L'Univers où parlent les hommes implique donc un être, appelé Dieu, qui est *compréhensif* vu qu'il comprend tout ce qu'on lui dit (en le *priant* d'écouter), qui est *tout-puissant* en ce sens qu'il peut exaucer n'importe quelle prière qu'on lui adresse et qui est *souverain* parce qu'il exauce ou non ces prières selon son seul bon plaisir et sans nulle raison ou cause qui l'y contraindrait, ce qui veut dire aussi qu'il est un être *aimant*, censé aimer en retour ceux qui l'aiment et donner suite par amour à leurs vœux.

Par contre, le Théoricien (ou l'Intellectuel) qui développe une Théorie (antithétique) *scientifique* ignore la Prière et ne voit dans les prières que des mots sans aucune portée réelle. Il parle du monde où il vit de façon à pouvoir dire (sans se contredire explicitement) que de tous les Discours (pratiques) qui y sont émis ou absorbés seuls les Ordres ont une véritable efficacité, discursive, il est vrai « médiatisée » par l'Action. Dans la mesure où un Ordre (compréhensible) a été dûment « médiatisé », d'une part, par la Lutte (sanglante, effective ou virtuelle) du Maître qui l'émet et, d'autre part, par le Travail (« physique » et forcé) de l'Esclave qui l'absorbe (en le comprenant), le monde sera trans-formé *nécessairement*, en fonction de ce que le Maître ordonne, par l'Esclave qui obéit (dans la crainte du Maître qui dispose à sa guise de la vie et de la mort).

Enfin, le Théoricien (ou l'Intellectuel) qui développe une Théorie (parathétique) *moraliste*, admet l'efficacité discursive tant de la Prière que de l'Ordre, mais il ne l'admet que « partiellement » en ce sens que les deux sont efficaces seulement dans la mesure où ils « se combinent » en un Commandement (compréhensible et compréhensif). De tous les Discours (pratiques), seul le Commandement (moral) est donc censé être vraiment efficace dans le monde où l'on vit et dont on parle. Tout comme la Prière est à l'encontre de l'Ordre, le Commandement est censé être efficace d'une façon « immédiate », c'est-à-dire en tant que discours et sans que celui qui l'émet ait à agir (lutter ou travailler) en vue de son efficacité. Mais, à l'encontre de la Prière et tout comme l'Ordre, le Commandement est efficace *nécessairement*, c'est-à-dire partout et toujours, et non en fonction d'un quelconque bon plaisir « souverain » de quelqu'un qui ne l'exécuterait que par amour. Toutefois, *certains* Discours (pratiques), seulement et non pas tous, sont des Commandements nécessairement efficaces et même ceux-ci le sont non pas auprès de *tous* les hommes qui les entendent, mais seulement chez *certains* d'entre eux. Ainsi, les Théories moralistes se distinguent les unes des autres selon la façon dont elles définissent le « contenu » (discursif) du Commandement proprement dit, l'efficacité, nécessaire mais « partielle » de ce dernier étant censée pouvoir et devoir remplacer avantageusement la prétendue « efficacité » en fait purement « illusoire » d'une soi-disant « prière » quelconque ou d'un soi-disant « ordre » quel qu'il soit.

Or, le Scepticisme théorique (ou la Théorie sceptique) met (discursivement) en évidence qu'à toute Théorie axiomatique (ou mythique) donnée on peut opposer (discursivement) une théorie axiomatique « contraire », qui contre-dit tout ce que celle-ci dit. Par conséquent, la Théorie axiomatique en tant que telle ou prise dans son ensemble est nécessairement « contradictoire » en elle-même. D'une part, toute Théorie axiomatique peut être contre-dite par une Théorie axiomatique théologique contraire, à son tour contredite par la première; et il en va de même pour les Théories axiomatiques scientifiques. D'autre part, une Théorie théologique contre-dit en tant que telle toute Théorie scientifique quelle qu'elle soit, et *vice versa;* car une Théorie théologique nie l'efficacité de l'Ordre qu'affirme toute Théorie scientifique, en niant l'efficacité de la Prière affirmée par toute Théorie théologique. Enfin, loin de « concilier », comme elle prétend le faire en tant que « compromis », les Théories théologique et scientifique qui se contre-disent ainsi mutuellement, la Théorie moraliste ne fait que perpétuer leur « conflit », en « intériorisant » leurs contra-dictions dans la mesure où elle se contre-dit elle-même, vu qu'ici encore toute Théorie axiomatique est contre-dite par une Théorie axiomatique contraire. Ainsi, en explicitant toutes ces contra-dictions, le Scepticisme théorique réduit au silence les Théories axiomatiques (ou mythiques) quelles qu'elles soient, vu que se contredire équivaut à ne rien dire. Or, en ne *disant* rien du tout on ne se contre-*dit* pas non plus. Dans la mesure où les Théories sceptiques réduisent au silence les Théories axiomatiques, celles-ci échappent donc au Scepticisme (théorique) en cessant de se contre-dire. Mais le Silence *total* annule la Théorie en tant que telle, par définition *discursive*. Par conséquent, les Théories axiomatiques ne peuvent échapper au Scepticisme théorique tout en restant des Théories qu'en ayant recours à un silence *partiel*.

Ce recours au Silence *partiel*, qui permet d'échapper au Silence *total* auquel aboutit nécessairement la Théorie *sceptique* (qui ne parle que pour dire qu'il est impossible de parler sans se contre-dire, de sorte que parler équivaut en dernière analyse à se taire), trans-forme la Théorie *axiomatique* en Théorie *dogmatique*. Toute *Théorie* quelle qu'elle soit est par définition *universelle* en ce sens qu'elle tend à inclure *tout* dans soi-même, voire à annuler *tout* ce qu'elle exclut. Toute Théorie *axiomatique* est *totalement discursive* en ce sens qu'elle prétend (à la limite) dire *tout* ce qu'on peut dire (sans se contre-dire) et nie qu'il y ait quoi que ce soit dont on ne puisse pas *parler :* elle prétend n'exclure de son propre discours (censé être « cohérent ») que le Silence (voire le pseudo-discours « contradictoire dans les termes »), qui ne « se rapporte » (ne « révèle ») rien du tout, vu que seul le Néant pur lui « correspond ». Mais le Scepticisme théorique montre qu'en fait toute Théorie axiomatique « cohérente » donnée exclut non pas seulement le Silence, mais encore un autre Discours, lui aussi « cohérent », qui la contre-dit en tant que Théorie axiomatique « contraire ». L'ayant montré, le Scepticisme doit réunir en un seul et même discours (théorique) les deux Théories axiomatiques « contraires ». Plus exactement, il peut soit les *conserver* toutes les deux, soit *annuler* chacune d'elles (seule la Philosophie pouvant, en tant que Sagesse, les *sublimer* en le Discours uni-total qu'est le Système du Savoir). Si le Scepticisme les *conserve*, il doit les « formaliser » en les vidant de leur « contenu » contraire et tout en ne gardant que la « forme » qu'ils ont en commun : on atteint alors la Théorie sceptique *formaliste*, qui remplace les deux Théories axiomatiques « contraires ». Si le Scepticisme les annule toutes les deux (par l'explicitation du caractère « contradictoire » du « contenu » du discours qui les réunit), on obtient la Théorie sceptique *nihiliste*, qui se substitue à la Théorie formaliste et donc aussi aux deux Théories axiomatiques. Enfin, ces deux Théories sceptiques (thétique et antithétique) peuvent être remplacées par la Théorie sceptique *relativiste* (parathétique), qui conserve et annule *partiellement* chacune des deux Théories axiomatiques (l'une étant conservée *ici* et annulée *ailleurs*, et *vice versa* par l'autre).

Au départ, la Théorie sceptique est d'accord avec la Théorie axiomatique pour dire qu'on peut *parler* de *tout* et qu'il n'y a *rien* dont on ne puisse pas *parler*. La Théorie formaliste dira alors que la Théorie axiomatique non formalisée (en fait proprement discursive) ne « se rapporte » à rien du tout, tandis que tout « correspond » à la Théorie formaliste (en fait symbolique et paradiscursive). Quant à la Théorie nihiliste, elle constatera qu'elle équivaut elle-même au Silence en raison de sa contradiction interne) et en conclura que si elle ne « se rapporte » à rien, c'est parce que rien ne lui « correspond », tout (ce dont on parle et donc tout « en général ») n'était que Néant pur (d'où le nom que je donne à cette Théorie sceptique). Enfin, la Théorie relativiste dira que, le Discours (contradictoire) étant « infini » ou « indéfini » (parce que « partiel »), ce qui lui « correspond » est indéfini ou infini en soi-même.

Mais en fait et pour nous, les Théories sceptiques ne sont que « *para-* ou *pseudo*-discursives » : en dernière analyse et prise dans son ensemble, la Théorie sceptique équivaut au Silence. Si la Théorie axiomatique est *totalement discursive*, la Théorie sceptique est *totalement silencieuse*. Or, pour le Scepticisme, comme pour tout Théoricien, sa Théorie « se rapporte » à tout et tout « correspond » à sa Théorie. Pour nous, la Théorie sceptique admet donc (implicitement ou explicitement) que le Discours (proprement dit) ne « se rapporte » à rien et que tout « correspond » au Silence (para- ou pseudo-discursif), tandis que la Théorie axiomatique admettait (implicitement ou explicitement) que le Discours « se rapporte » à tout et que tout lui « correspond ».

D'où la possibilité de la *parathèse* théorique qu'est la Théorie *dogmatique.* Cette Théorie admet que le Discours (proprement dit) théorique « se rapporte » non pas à tout, mais à une partie seulement de ce qui « correspond », le reste « correspondant » au Silence qui s'y « rapporte ». Or, il n'y a pas de contra-*diction* dans le Silence. Il suffit donc que les deux Théories axiomatiques « contraires » *se taisent* sur ce qui les oppose l'une à l'autre pour qu'elles cessent de se contre-*dire* et pour qu'elles échappent ainsi toutes deux (en tant qu'une seule et même Théorie *dogmatique,* « cohérente » dans sa partie *discursive*) à l'emprise du Scepticisme Théorique (discursif).

Sous l'action de la Théorie sceptique (formaliste, nihiliste et relativiste, les Théories axiomatiques « contraires » (présceptiques) se trans-forment en une seule Théorie dogmatique (postsceptique) dans la mesure où chacune « se rapporte » *en silence* à une *partie* de ce qui, selon elle, lui « correspond », à savoir à la partie qui l'obligeait à contre-*dire* la Théorie contraire tant qu'elle croyait devoir en *parler.*

Le Silence (partiel) qui est impliqué dans le Discours (partiel) qu'est une Théorie dogmatique et qui « se rapporte » à un ineffable qui lui correspond peut être appelé : *Donnée immédiate de la conscience;* et la Théorie dogmatique sera théologique, scientifique ou moraliste selon que cette Donnée est appelée Révélation divine (ou Dieu), Expérience sensible (ou le Réel) ou Conscience morale (ou Devoir). Ces Données n'étant pas *discursives,* elles ne peuvent pas se contre-*dire* les unes les autres : la Révélation ne contre-*dit* ni l'Expérience ni la Conscience et celle-ci ne peut pas la contre-*dire,* ni celles-là ne peuvent se contre-*dire* entre elles; de même, une Révélation donnée contre-*dit* tout autant la Rivalité « contraire » que deux Expériences ou Consciences « contraires » se contre-*disent* l'une l'autre. Du coup, la Dispute (discursive) est remplacée par la Lutte (silencieuse), qui « ignore » le Scepticisme (tout en le sup-posant, sans qu'il le pré-suppose). En se dogmatisant, la Théorie échappe à l'Intellectuel et passe à l'homme d'action, en cessant d'être une Théorie proprement dite. Celui qui s'oppose (silencieusement) à une Donnée (silencieuse) sera traité non pas discursivement, mais « physiquement » (silencieusement) en tant qu'hérétique, malade ou criminel et on n'écoutera même pas ce qu'il *dit.*

Ainsi, la Théologie, devenue dogmatique, pourra être discursivement développée partout et toujours, en dépit du fait qu'elle est et sera nécessairement « contraire » ou « opposée » à la Science dogmatisée dans ce qu'elles ont de silencieux ou d'ineffable. Car la Théologie dogmatique aura pour Dogme fondamental une Révélation (divine) se situant en dehors du

Discours proprement dit (« indémontrable » ou « indéductible »), qui ne saurait donc supprimer (annuler) aucun discours (humain) qui le contre-dirait. De même, l'Expérience sensible (voire l'Expérimentation) sera le Dogme fondamental de la Science dogmatique et ce Dogme, par définition silencieux (ou « irrationnel », pour ne pas dire « déraisonnable »), ne pourra être annulé par aucune « contradiction » ou « réfutation » purement discursive. Sans doute, le Tiers exclu tant par la Théologie que par la Science dogmatique, peut les exclure toutes les deux. Car pour le Théoricien qui ne bénéficie pas de la grâce qu'est la Révélation divine (directe ou transmise par la Tradition) et qui fait fi de l'Expérience sensible (personnelle ou collective, voire traditionnelle), la Révélation et l'Expérience s'op-posent l'une à l'autre sans qu'aucune d'elles puisse s'im-poser à lui. Mais rien ne l'empêche de poser à son tour comme Dogme la Conscience (morale) qu'il a en lui et dont il fait lui-même l'expérience silencieuse comme de ce qui révèle silencieuse-ment, ne serait-ce qu'à lui seul, tout ce à quoi il pourrait « tenir », même si les autres lui disent que ça ne rime à rien.

Lorsque le Scepticisme antiphilosophique postaristotélicien en s'attaquant aux enclaves *théoriques* de la Philosophie s'employa à réduire au silence ce qu'il restait encore d'axioma-tique dans les Théologies, les Sciences et les Morales de son temps, en montrant (discursivement) que la Théorie théolo-gique et la Théorie scientifique se contre-disaient mutuelle-ment, en tant que telles, tandis que les Théories moralistes contre-disaient les deux en se contre-disant aussi les unes les autres, ces trois Théories se défendirent contre ces attaques sceptiques en parachevant le processus de leur dogmatisation, amenée à la suite de l'attaque déclenchée par le Scepticisme sophistique et « socratique » (mégarique notamment) contre les Théories axiomatiques présocratiques.

Ce Dogmatisme s'est aussi développé au sein des Écoles dites « philosophiques » qui se formèrent en Grèce après Aristote et Platon, ainsi que de celles fondées par ces derniers. Car au lieu d'éliminer de la Philosophie les enclaves *théoriques* attaquées par le Scepticisme, on préféra souvent les dogma-tiser. En tout cas, ce n'est que du Dogmatisme scolastique que je vais parler maintenant. Car si nous ne savons que peu de choses de ce qui s'est passé dans les Écoles, nous en savons encore moins de ce qui se passait en dehors d'elles. Quant aux quelques Philosophies dogmatiques ou Para-philosophies que certaines de ces Écoles développèrent par moments, j'en par-lerai après avoir parlé des Dogmatismes d'allure « philosophique » au développement desquels elles semblent avoir employé le plus clair de leur temps.

La théologie dogmatique pseudo-philosophique (orphique, néo-pythagoricienne, hermétique et gnostique).

Le développement discursif du Dogme révélé (plus ou moins discursivement) par le *Theos* souverain et aimant, d'ailleurs ineffable, mais compréhensif et attentif aux prières de ceux qui l'aiment vraiment et véritablement — le développement du Dogme théologique s'est surtout effectué dans les milieux intellectuels proches du Platonisme.

Il semble qu'à l'époque hellénistique la Théologie dogmatique à allure philosophique s'élabora principalement dans une série d'écrits dits « orphiques » ou « néo-pythagoriciens », voire « gnostiques » ou « hermétiques ». La plupart de ces écrits ont été perdus et, d'une manière générale, nous savons fort peu de choses du Néo-pythagorisme et de l'Orphisme. Il ne nous est donc pas possible de re-produire en détail la Théologie dogmatique en question. Mais les grandes lignes nous en sont connues et nous pouvons nous faire une idée de ce qu'était sa tendance générale.

Il est tout d'abord évident qu'il s'agit dans tous ces écrits non pas de Science ou de Morale, mais de Théologie. Autrement dit, ce qui préoccupe (plus ou moins consciemment) leurs auteurs, c'est l'efficacité de la Prière et non celle de l'Ordre ou du Commandement. La plupart des « Orphiques » et des « Néo-pythagoriciens » semblent avoir été des Intellectuels religieux qui, en tant que Religieux, étaient spontanément portés à la prière (en éprouvant un besoin d'amour réciproque ne pouvant être satisfait dans l'ici-bas), et qui, en tant qu'Intellectuels, éprouvent le besoin de répondre (discursivement) à la question de savoir comment et pourquoi leurs prières pouvaient avoir un sens, voire une efficacité. Ils répondaient à cette question par un discours qui introduisait dans le Monde dont ils parlaient un Au-delà divin, c'est-à-dire une Entité (simple ou multiple) souveraine, susceptible d'exaucer selon son seul bon plaisir les prières qu'on lui adresse ici-bas et ceci quels que soient les ordres ou les commandements auxquels sont assujettis ceux qui les émettent. Cette théorie niait donc (du moins implicitement) l'efficacité de l'Ordre et du Commandement qu'affirmaient respectivement les Théories scientifiques et moralistes. C'est dire qu'il s'agissait non pas d'une Philosophie proprement dite, mais d'une authentique Théorie théologique.

Étant tous postérieurs au Scepticisme théorique qu'aucun d'eux n'ignorait, les Intellectuels religieux de l'époque hellénistique devaient développer des théories théologiques *dogmatiques*. Ne pouvant ni « ignorer » les théories scientifiques ou moralistes qui contre-disaient leurs propres théories théologiques, ni les « réfuter » discursivement, ces Intellectuels essayaient de « justifier » la « vérité exclusive » de leurs théories par un appel à des données « immédiates » ou non discursives, qui ne pouvaient être, dans leur cas, que des « révélations divines ».

En dernière analyse, cette « révélation » s'effectuait dans et par l'*Extase*, qui mettait l'Intellectuel religieux, réduit à un silence absolu (dont étaient exclus non seulement le Discours, mais encore l'Expérience sensible et la Conscience morale), en contact immédiat avec le Divin absolument ineffable. Le contact immédiat (« spirituel ») avec le Divin étant l'objet dernier de la Prière, l'Extase était la monstration silencieuse (« preuve ») de l'efficacité de celle-ci. La théorie théologique avait alors pour but de développer un discours qui aboutissait au silence absolu qu'est l'Extase silencieuse : cette Théorie parlait du Monde où vivait l'Intellectuel religieux de façon à rendre compte du Silence extatique (d'ailleurs momentané) de ce dernier. Or, par définition, les Théories scientifiques et moralistes ne rendaient pas compte de l'Extase silencieuse. Ces Théories étaient donc « fausses », la Théorie théologique étant seule à être « vraie ». Tous ceux qui « ignoraient » l'Extase vivaient « dans l'erreur »; ne vivaient « dans la vérité » que ceux qui s'adonnaient eux-mêmes au Silence extatique ou tout au moins laissaient dans leurs discours une place pour les extases silencieuses des autres.

Or, puisque tout discours « contradictoire » équivaut au silence, on peut déduire du Silence absolu n'importe quel discours tout aussi bien que le contraire de celui-ci. Dans la mesure où une Théorie théologique (dogmatique) ne veut pas être explicitement « contradictoire » et essaie d'éviter la « contradiction » implicite, elle doit exclure l'un des deux discours « contraires » qui sont tous les deux compatibles avec le Silence absolu. Mais puisque ce n'est précisément que l'ensemble des deux discours contraires qui est compatible avec ce Silence, ce n'est pas à partir de l'Extase silencieuse elle-même que peut être opiné un choix entre eux. Le Scepticisme ayant montré que ce choix ne peut pas être non plus purement discursif, c'est à une nouvelle Révélation divine qu'il faut avoir recours, qui doit être cette fois discursive, dans le sens où est discursif un *Oracle*.

La notion même de l'Oracle est contradictoire dans les termes puisqu'il s'agit d'une révélation *discursive* du Divin ineffable. Par conséquent, l'Oracle ne peut être dit *divin* (= silencieux) que dans la mesure où il se *contre-dit* lui-même, puisque c'est alors seulement qu'il équivaut au silence qui est la seule révélation adéquate de l'ineffable quel qu'il soit. Autrement dit, tout oracle divin admet deux interprétations (discursives) contraires : sinon il serait une simple « évidence » discursive, par définition humaine (du genre de celles dont fait usage la Philosophie dogmatisée ou Para-philosophie). C'est dire que le choix entre les deux interprétations proprement discursives (cohérentes) d'un Oracle divin pseudo-discursif (contradictoire) n'est lui-même non pas discursif, mais silencieux : il faut être « inspiré » (par Dieu) pour choisir l'interprétation « vraie » (orthodoxe) et exclure la « fausse » (hétérodoxe ou hérétique).

En résumé, toute Théorie théologique dogmatique (discursive) remonte au choix « inspiré » (non discursif) qu'un Prophète effectue entre les deux interprétations (discursives) contraires d'un Oracle divin qui révèle par la médiation d'un pseudo-discours « obscur », c'est-à-dire implicitement contradictoire, le Divin ineffable, révélé immédiatement en tant que tel dans et par le Silence extatique.

C'est en ce point qu'apparaît la différence spécifique entre une Théorie dogmatique et la Para-philosophie ou Philosophie dogmatisée. Par définition, seul le Discours uni-total ou circulaire qu'est le Système du Savoir « déduit » *tous* ses éléments-constitutifs discursifs (en n'impliquant ainsi aucun élément-constitutif silencieux). Le cercle du discours philosophique proprement dit étant par définition ouvert, son « dernier » élément-constitutif ne coïncide pas avec le « premier ». Toute Philosophie au sens propre implique donc un élément-constitutif discursif qui n'est pas « déduit » *discursivement*. Mais la Philosophie n'est authentique que si elle reconnaît la « déductibilité » de tous ses éléments, tout en admettant que ses propres « prémisses » ne sont que « déduites » en fait à l'intérieur d'elle-même. La Philosophie commence à se *dogmatiser* dès qu'elle affirme de ses prémisses qu'elles sont *indéductibles* en principe. Une philosophie se situe à la limite de la Para-philosophie lorsqu'elle se contente d'affirmer [à tort] que ses prémisses sont discursivement *évidentes* (c'est la Philosophie « axiomatisée »). Mais si (à la suite des attaques du Scepticisme antiphilosophique) elle reconnaît que la prétendue Évidence n'est qu'un leurre, mais refuse d'admettre qu'elle puisse être discursivement dépassée (ou complétée en Système du Savoir), elle doit se dogmatiser ou se transformer en Para-philosophie qui « justifie » les ex-évidences par des « données immédiates de la conscience », par définition silencieuses. Néanmoins, tout en se dogmatisant, la Philosophie reste distincte de la Théorie dogmatique proprement dite. Pour la Para-philosophie, la base est constituée par la [soi-disant] *Évidence discursive :* en avançant à partir d'*elle* on déduit un discours authentique (par définition cohérent) et ce n'est qu'en remontant au-delà d'*elle* qu'on trouve la donnée silencieuse du donné ineffable qui « justifie » (« démontre » au sens de montrer sans dé-montrer) l'Évidence qu'est la « prémisse » discursive en cause. Au contraire, la Théorie dogmatique prend son *point de départ* du Silence qui donne l'Ineffable. Sans doute, ici encore la donnée silencieuse (« extatique ») est censée « justifier » la « prémisse » [pseudo-] discursive en question. Mais celle-ci (l'Oracle) n'a nul besoin d'être discursivement « évidente » : elle se doit au contraire d'être « obscure », c'est-à-dire implicitement contra-dictoire. Et lorsque son développement discursif en Théorie dogmatique (théologique) explicitera la contra-diction qu'elle implique, l'Intellectuel n'y renoncera pas pour autant : la contra-diction confirmera à ses yeux l'adjonction de la Théorie théologique [pseudo-] discursive au Divin ineffable qui se donne à lui dans et par le Silence extatique qui est l'effet d'une Prière exaucée.

Cependant, en dépit de leur différence spécifique, la Philosophie dogmatisée et le Dogme théorique peuvent se toucher de très près. Dans sa partie théologique, la Para-philosophie peut fort bien vouloir « justifier » certaines de ses « prémisses » [soi-disant] indéductibles par des Oracles qu'utilise aussi une Théologie dogmatique donnée. Inversement, une Théologie dogmatique (pseudo-philosophique) peut se réclamer d'un choix « prophétique » qui permet de développer discursivement l'Oracle en cause de façon à re-dire une Para-philosophie théologique donnée. Sauf que, dans le premier cas, l'Oracle (le « Mythe ») sera « rationalisé » de façon à ressembler le plus possible à la prétendue « évidence » qu'il est censé « justifier », tandis que dans le second c'est le développement discursif qui sera « obscurci » à souhait pour ressembler autant que possible à l'Oracle qui est censé le « justifier » sans perdre pour autant son « obscurité » originale. Cette différence apparaît très clairement lorsqu'on compare l'usage des « mythes » qui est fait dans certaines para-philosophies théologiques stoïciennes à l'usage que font des mêmes « mythes » certaines Théologies dogmatiques « gnostiques », ainsi que le sort que subissent dans les deux cas les théories authentiquement philosophiques (aristotéliciennes ou platoniciennes) qu'on utilise. Mais, bien entendu, entre ces cas extrêmes, il y en a beaucoup d'autres où il est difficile de savoir si on a affaire à une Philosophie dogmatisée ou à un Dogme pseudo-philosophique.

Quoi qu'il en soit, un Dogme *théologique* ne saurait être pseudo-*scientifique*, vu que toute science nie l'efficacité de la Prière qu'affirme toute Théologie. Étant donné que le Commandement est une combinaison parathétique de la Prière et de l'Ordre, la Morale n'est exclue de la Théologie que dans la mesure où elle implique un élément « impératif ». Il peut donc y avoir des Théologies pseudo-*moralistes*, dans la mesure où elles impliquent une prétendue « morale », en fait purement « amoureuse » [l'authentique *devoir* envers autrui étant remplacé par le prétendu « commandement » *d'aimer* son prochain]. Mais la Morale ne connaît pas de Prière [ni d'Ordre] à l'état pur, tandis que la Philosophie l'implique non seulement en tant qu'élément-constitutif du Commandement (dans sa partie éthique), ou encore telle quelle dans sa partie théologique. La Théologie dogmatique a donc naturellement tendance à devenir pseudo-*philosophique*, en empruntant à la Philosophie, voire à la Paraphilosophie, sa partie théologique et en adaptant la prétendue « évidence » des prémisses de celle-ci à l'obscurité foncière de ses propres oracles de base, au détriment de la cohérence, d'ailleurs toute relative.

D'une manière générale, le Dogmatisme théologique utilisera de préférence la partie théologique de la Philosophie et exclura la partie scientifique. Plus exactement, la Théologie dogmatique pseudo-philosophique se présentera comme une tentative [nécessairement avortée] de faire passer pour un soi-disant Système philosophique prétendument complet ce qui n'est en fait que la partie théologique, plus ou moins remaniée, d'une philosophie dogmatisée contemporaine. Par conséquent, ce sont les para-philosophies issues de philosophie à prépondérance théologique qui seront utilisées de préférence par les Théories théologiques dogmatiques pseudo-philosophiques. Or, dans le monde hellénistique, c'est le Platonisme qui représente la Philosophie théologisante par excellence, notamment dans sa forme dogmatisée. C'est donc de préférence au Platonisme dogmatisé que les Orphiques, les Néo-pythagoriciens et les Gnostiques de toutes sortes emprunteront le plus clair de leurs théories théologiques dogmatiques.

Chez Platon lui-même, seul l'Être-donné (doublement transcendant) est *divin* (au sens propre du terme), la Réalité-objective (simplement transcendante) n'étant qu'*idéelle* et l'Existence-empirique (immanente) étant « profane » à 100 %. La Théologie dogmatique pseudo-philosophique n'aurait donc dû

utiliser que l'Onto-logie platonicienne. Mais elle se serait alors
avouée n'être qu'un fragment du Système philosophique, qui
(depuis Platon) comporte, en plus de l'Onto-logie, une Énergo-
logie et une Phénoméno-logie. Pour être un système pseudo-
philosophique apparemment *complet*, la Théologie dogmatique
devait donc utiliser aussi des éléments de l'Énergo-logie et de la
Phénoméno-logie platoniciennes. Mais, par définition, la Théologie ne parle pas que Dieu. La Théorie dogmatique pseudo-
philosophique prétendument complète ne peut donc être *théologique* que si elle attribue un caractère divin non seulement à
l'Être-donné, mais encore à la Réalité-objective et à l'Existence-
empirique. Autrement dit, elle doit introduire dans le monde
divin lui-même les trois « couches » qui correspondent aux trois
Parties du Système philosophique. Il y aura donc, pour elle,
en plus de l'Être-divin, une Réalité-divine et une Existence-
divine. Du coup, en se donnant l'allure d'un Système philosophique complet, la Théologie dogmatique pseudo-philosophique
pourra « ignorer » complètement la Réalité-objective proprement dite et assimiler l'Existence-empirique « matérielle » au
Néant pur dont il n'y a absolument rien à *dire*.

On obtient ainsi le Schéma platonisant bien connu de la
Théologie dogmatique pseudo-philosophique de l'époque hellénistique : le Dieu unique est un, simple en lui-même, engendre
un Nous divin, intérieurement structuré, dont émane la Psyché
divine multiple, qui plonge temporairement dans le Néant
qu'est le Monde empirique, pour revenir tôt ou tard dans le
Monde divin qu'elle ne quitte d'ailleurs pas vu que ce Monde
est à lui seul la totalité de l'Être, de sorte qu'il n'y a rien en
dehors de lui.

Ce Schéma a été varié d'une infinité de manières, dont nous
ne connaissons fort heureusement qu'une infime partie. Mais
nous n'avons pas à nous en occuper ici. Car les Dogmes théologiques quels qu'ils soient, tout comme les autres Théories dogmatiques, ne sont que des impasses qui bifurquent du chemin
qui mène la Philosophie au Système du Savoir et qui est seul
à nous intéresser dans la présente INTRODUCTION.

La science dogmatique pseudo-philosophique (« mégarique » et
    « aristotélicienne »).

La contra-diction entre les Parathèses thétique et antithétique de la Philosophie n'a pas été discursivement mise en
évidence seulement par les Tiers, c'est-à-dire essentiellement
par le Scepticisme antiphilosophique « pyrrhonien ». Cette
contra-diction a été explicitée, dès Aristote et Platon, par les

Académiciens et les Péripatéticiens eux-mêmes. En principe, il aurait pu s'agir là d'une reprise du Criticisme « socratique ». Mais, en fait, les « critiques » mutuelles et réciproques des Platoniciens et des Aristotéliciens n'avaient pas pour but (et n'eurent pas pour effet immédiat) une recherche de la Synthèse philosophique qu'est le Système du Savoir, ni même de la Parathèse synthétique de la Philosophie. Ces soi-disant « critiques » avaient aussi le sens et la portée (historique) d'un Scepticisme proprement dit, dont l'effet (immédiat) fut, comme partout et toujours, soit une dogmatisation des Philosophies (parathétiques) en cause, soit même un abandon de la Philosophie au profit d'un Dogmatisme à allure philosophique qui fut construit en utilisant les débris des Systèmes philosophiques abandonnés.

Chez les « Pyrrhoniens », le Scepticisme (formaliste, nihiliste ou relativiste) s'est maintenu (pour un temps) à l'état pur, en dépit du fait que déjà Pyrrhon le transforma en une Morale dogmatique, que son scepticisme authentique servait à défendre contre les attaques d'autres Sceptiques ou Dogmatiques.

Dans l'Académie, le même Scepticisme apparut au départ dans un état latent, en tant que catalyseur de la dogmatisation du Platonisme, qui fut l'œuvre de l'Ancienne Académie. Ce n'est qu'à partir d'Arcésilas que l'Académie, devenue Nouvelle, explicita son scepticisme latent, à l'instar du Pyrrhonisme. Sauf que ce Scepticisme « académique » servait à défendre contre les Aristotéliciens et les autres Sceptiques le Platonisme dogmatisé par l'Académie Ancienne.

Quant au *Peripatos*, le Scepticisme ne semble pas s'y être explicité à son état pur. Mais il s'y introduit implicitement au même moment que dans l'Académie, et lui aussi sous l'influence des « critiques » divers, notamment académiques, opposés à l'Aristotélisme. Cependant, contrairement à ce qui s'est passé dans l'Académie (proprement dite, c'est-à-dire Ancienne et Nouvelle, mais non « antiochienne » ou « néo-platonicienne »), ce Scepticisme latent ne semble pas avoir eu pour conséquence immédiate, dans le *Peripatos* lui-même, une dogmatisation de l'Aristotélisme authentique (qui ne se dogmatisa qu'en dehors de l'École, sous le nom de Stoïcisme). Le Scepticisme péripatéticien semble avoir eu pour effet, au sein de l'École, un abandon plus ou moins complet de la Philosophie (même aristotélicienne) au seul profit d'un Dogmatisme. En raison de l'allure « scientiste » de l'Aristotélisme authentique, ce Dogmatisme « péripatéticien » fut (du commencement, c'est-à-dire dès la mort d'Aristote, jusqu'à la disparition de l'École, abstraction faite des simples réponses de l'Aristotélisme authentique par certains des « commentateurs » péripatéticiens d'Aristote) non pas Théologiques (comme chez les Dogmatiques platonisants, « Néo-pythagoriciens » ou autres) ou moralistes (comme chez les Dogmatiques qui se reclassaient du « Pyrrhonisme » ou du Stoïcisme), mais exclusivement *scientifique*. Dans la mesure où les Péripatéticiens cultivaient une « doctrine ésotérique » (homologue de celle de la Nouvelle Académie) qu'ils faisaient passer [à tort] pour de l'Aristotélisme authentique (en l'opposant à l'Aristotélisme « vulgaire » des écrits « exotériques » du Maître), il s'agissait d'une *Science dogmatique* fondée exclusivement sur l'*Expérience sensible*, dont les données (« immédiates » et, sinon absolument « ineffables », du moins essentiellement « silencieuses ») furent érigées en Dogmes dont on cessa d'affirmer l'« évidence »). C'est exclusivement cette Science dogmatique qui fut prise au sérieux dans le *Peripatos* postaristotélicien et si l'on y continuait à re-dire les dires (en fait authentiquement philosophiques, bien que parathétiques) d'Aristote, c'était uniquement pour contre-dire les autres (les Académiciens notamment) et en vue de montrer que l'on avait les mêmes raisons qu'eux pour le faire, à savoir aucune, aux yeux des « initiés ».

L'abandon de la Philosophie sous l'effet du Scepticisme antiphilosophique (« interne » ou extérieur à l'École en cause) et son remplacement par une Science dogmatique, c'est-à-dire par des Théories (axiomatiques ou mythiques) scientifiques dogmatisées à la suite des « critiques » de ces Théories par ce même Scepticisme, se produisirent à la mort d'Aristote ailleurs encore que dans l'École fondée par celui-ci. Ainsi, le Scepticisme antiphilosophique (voire antiplatonicien) cultivé dans l'École de Mégare semble y avoir engendré un Dogmatisme scientifique qui a atteint son apogée, au temps de Théophraste, sous la direction de Stilpon (qui l'a complété par une Morale dogmatique empruntée aux Cyniques, qui furent eux-mêmes plus ou moins absorbés par l'École de Zénon). De même, la Science dogmatique semble avoir été cultivée par certains membres de l'Académie aux temps de Speusippe et de Xénocrate. Mais l'École de Mégare disparut bientôt sans laisser de traces scientifiques appréciables et l'Académie se consacra dans son ensemble, non pas à la Science dogmatique, mais à la dogmatisation du Platonisme authentique, qui s'y est maintenu en tant que paraphilosophie théologisante. En fait (et si l'on fait abstraction des « Savants purs », sans parler des purs « Techniciens »), les partisans de la Science dogmatique de l'Antiquité païenne, qui prétendirent donner à celle-ci une allure « philosophique », s'appelèrent tous des « Péripatéticiens » (les Pyrrhoniens, les Épicuriens et les Stoïciens n'ayant jamais fait de Science proprement dite, du moins si l'on fait abstraction d'un Posidonius, qui fut d'ailleurs en fait un Péripatéticien orthodoxe, ou d'un Sextus Empiricus, qui semble s'être essayé en Médecine expérimentale, sans grand succès d'ailleurs).

Cet état de choses s'établit dans le *Peripatos* dès les successeurs directs d'Aristote. Sans doute, on nous dit que THÉOPHRASTE ne changea rien à la philosophie de son maître. Mais c'est précisément parce qu'il fut un Savant qui ne s'intéressait pas à la Philosophie en tant que telle, en estimant même que celle-ci est absolument « impossible » (ce qui fut aussi, semble-t-il, l'avis d'Eudème, d'Aristoxène, de Dicéarque et des autres savants, naturalistes ou lettrés, de l'École péripatéticienne, le grand Straton y compris).

Le fait est que l'on ne trouve pas trace de Philosophie proprement dite dans les écrits de Théophraste parvenus jusqu'à nous (tant botaniques que psychologiques ou « moraux »). Mieux encore, les importants fragments de sa soi-disant *Métaphysique* nous montrent clairement que les « critiques » qu'il y adresse à celle d'Aristote sont issues en fait non pas d'un Criticisme « socratique » (voire « cartésien » ou « kantien ») en vue d'une trans-formation (synthétique) de la Philosophie (parathétique), mais d'un authentique Scepticisme, d'ailleurs antiphilosophique, qui a pour but de montrer l'impossibilité absolue de toute Philosophie quelle qu'elle soit, en faisant voir que l'on peut contre-dire tout ce que celle-ci dit (cf., par exemple, *Met.*, VIII, 24/25; l'appel, d'ailleurs dubitatif, à l' « intuition intellectuelle » qui se trouve à la fin de ce passage ne doit pas tromper; sans doute, il serait merveilleux de pouvoir « toucher du doigt » l'Intelligible, comme prétendent pouvoir le faire sinon Aristote ou même Platon, du moins les Académiciens dogmatiques qui prétendent avoir eu la grâce de la Révélation divine; mais, de toute évidence, Théophraste n'y croit pas et, pour lui, la seule Évidence ou « donnée immédiate » est l'Expérience sensible; c'est elle et elle exclusivement qui assure la « vérité irréfutable » des discours qui s'y rapportent « correctement »; ainsi la Vérité [exclusive] est bien, pour Théophraste, une Science dogmatique et l'Expérience sensible est pour lui un Dogme scientifique).

L'Expérience sensible est seule à ne pas pouvoir être contredite, précisément parce qu'elle ne *dit* rien, mais *montre* seulement les choses (naturelles, d'ailleurs « individuelles ») telles qu'elles *sont* (en tant que Phénomènes, c'est-à-dire, plus exactement, telles qu'elles « apparaissent » aux animaux de l'espèce

Homo, dans leur état « normal »). C'est exclusivement dans la mesure où le sens d'un discours se rapporte à une essence qui lui correspond en tant que révélée par une telle expérience sensible que ce discours est une Vérité, les discours qui la contre-disent n'étant que des Erreurs discursives, qui ne se rapportent à rien du tout ou, en tout cas, qu'à ce qui ne leur correspond pas. Ainsi, le Savoir (discursif) n'est rien d'autre ni de plus que l'ensemble des discours qui ne se contre-disent pas les uns les autres pour l'unique raison qu'ils parlent tous de la seule et même Expérience sensible, en étant seuls à la faire (cf., par exemple, *Caus. pl.,* I, 1, 1; I, 17, 6; II, 3, 5; II, 4, 8; *Hist.,* I, 35; *Met.,* Zeller, II, 2; 814²⁻³).

Somme toute, il n'y a donc pas de Discours uni-total ou de *Système* proprement dit du Savoir : les discours particuliers (« vrais ») s'ajoutent les uns aux autres et c'est leur « somme » (d'ailleurs provisoire et jamais, en fait, totale) qui constitue le Tout discursif, se rapportant au Tout « cosmique » qui lui correspond et qui n'est lui-même que la somme de ses éléments-constitutifs, qui déterminent dans leur ensemble et par leurs *relations* mutuelles, les *conditions* dans lesquelles chacun d'eux est en tant que partie de ce Tout. Autrement dit, il n'y a pas, pour Théophraste, de Dieu dont on puisse parler comme de ce qui garantit la Vérité du Discours qui en parle. Et c'est dire que pour lui, qui ne connaissait en fait de Philosophie que les Parathèses platonicienne et aristotélicienne dans lesquelles l'Onto-logie est une Théo-logie (hénothéiste ou polythéiste), il n'y a pas non plus de Concept dont prétendent pouvoir parler les philosophes (en croyant, d'ailleurs, parler de Dieu). Il n'y a donc plus de Philosophie aristotélicienne, mais seulement une Science (dogmatique) « péripatéticienne », qui n'utilise des éléments de l'Aristotélisme que dans la mesure où ceux-ci ne contre-disent pas les Dogmes discursifs justifiés par la seule Expérience sensible silencieuse ².

Or, renoncer à la Philosophie, c'est ne plus parler du Concept et donc de ce que l'on dit soi-même. Ou bien encore, c'est renoncer à l'Onto-logie, c'est-à-dire, dans le cas des Philosophies parathétiques de Platon et d'Aristote, à la Théo-logie (hénothéiste ou polythéiste). En d'autres termes encore, c'est démanteler l'édifice qu'est le Système philosophique en commençant par son étage supérieur (deuxième et dernier). Si l'on se contente de cette démolition en préservant le bel étage (comme ce fut semble-t-il le cas de Straton), on se trouve en présence d'une construction à deux étages seulement, qui est celle-là même qu'érigea Démocrite, c'est-à-dire celle de la

Science (naturelle) fondée sur une Physique théorique. Mais si l'on ne veut conserver que le rez-de-chaussée (ce qui fut semble-t-il le cas de Théophraste et de la plupart des autres Savànts, péripatéticiens ou autres), on est bien obligé de revenir en quelque sorte à Héraclite (quitte à nier l'infinité « inépuisable de ce dont on aura alors à parler « scientifiquement », tout en admettant qu'il s'agit d'un nombre pratiquement in-défini de choses), en se cantonnant désormais dans la recherche des « Lois de la nature » (mesurées ou non) du seul Cosmos phénoménal (surtout, d'ailleurs, dans la mesure où celui-ci est essentiellement « vivant »).

Pratiquement, la majorité des Péripatéticiens (et des Savants antiques en général, Posidonius inclus) semblent avoir suivi Théophraste, en s'adonnant aux seules « Sciences naturelles » (y compris celles, dites à tort « humaines », qui se consacrent à la « description » ou à la « mesure » des phénomènes prétendument « psychiques », « sociaux » ou « historiques », voire « culturels », propres aux animaux de l'espèce *Homo*). Mais il y a eu cependant le cas (peut-être isolé) de Straton, qui ne se contenta pas de décrire ou de mesurer les Phénomènes, mais essaya de parler surtout et avant tout de la Réalité-objective, en élaborant une Physique théorique (d'ailleurs, beaucoup plus graphique que métrique), qui prolongea en fait celle de Démocrite (ou, si l'on préfère, celle d'Eudoxe, voire du *Timée* de Platon).

Quoi qu'il en soit, aucun Péripatéticien (les commentateurs d'Aristote mis à part) ne semble avoir voulu ne serait-ce que re-dire les dires proprement philosophiques d'Aristote. Plus exactement, aucun n'a fait vraiment sienne ni l'Onto-*logie* (ou Théo-logie polythéiste), ni l'Énergo-*logie* (ou Étio-logie astrologique) de celui-ci; car tous se contentaient de leurs « dégénérescences » graphiques (ou métriques), c'est-à-dire « scientifiques ». Ou bien on se contenta de parler (dans une Phénoméno-graphie ou -métrie) de la seule Existence-empirique (phénoménale), en « ignorant » complètement la Réalité-objective, ou on parla aussi (dans une Énergo-graphie ou -métrie) de celle-ci. Mais dans les deux cas on ne disait rien de l'Être-donné lui-même, voire du Concept en tant que tel (à moins de re-dire une quelconque des Théologies dogmatiques ou Ontographies qui pullulaient en ces temps).

Or, lorsqu'il s'agit de Philosophie aristotélicienne (que les Péripatéticiens avaient exclusivement ou principalement en vue), renoncer à l'Onto-logie équivaut à ignorer le *Theos* (Nous) doublement transcendant et donc la (« première ») Incarnation de celui-ci dans l'*Ouranos*, dont Aristote parlait comme d'un Cosmos encore « platonicien » en ce sens qu'il était censé être (simplement) *transcendant* ou essentiellement ou spécifiquement différent du *Cosmos aisthetos*, d'ailleurs réduit au seul Monde sublunaire. Et puisque, chez et pour Aristote, cette (simple) transcendance de son Ciel (conditionnée par la *double* transcendance de son Dieu, qui était censé s'y incarner tout en restant transcendant par rapport à la Terre) se «matérialisait» en quelque sorte dans et par l'Éther, lui-même « transcendant » parce que spécifiquement ou essentiellement différent de la Matière élémentaire, c'est à cet Éther que l'on renonçait, en fait et pour nous, dès que l'on amputait l'Aristotélisme de sa suprastructure ontologique (ou théologique), en le réduisant de ce fait au niveau d'une simple Théorie (d'ailleurs, en fait, dogmatique au sens de scientifique).

Or, le fait est que, pour nous, la suppression-dialectique de l'Aristotélisme se manifeste dans l'Histoire comme une lutte séculaire contre la notion de l'Éther aristotélicien.

L'attaque fut déclenchée par Théophraste lui-même (dès la mort de son maître et peut-être même avant, les « critiques » extérieures ayant d'ailleurs été contemporaines de la Théorie elle-même, vu qu'elles semblent remonter à Platon). Mais, chose curieuse, en découvrant (ou en admettant) sinon une « contradiction », du moins un « double emploi » des notions de l'Éther et du Feu, Théophraste semble avoir préféré maintenir la première, quitte à supprimer la seconde (en ne voyant dans le soi-disant Feu « élémentaire » qu'une « manifestation » de l'Élément « éthéré » dans et par les trois autres Éléments, ceux-ci proprement dits et vraiment « matériels »; cf. Simpl., *De coelo*, 468[a], 11; 517[a], 31; 441 sqq.; *Met.* Zeller, II, 2; 832[4]). Et nous ne savons pas très bien comment il s'en tirait. Nous savons, par contre, que Straton, en supprimant explicitement la notion du *Theos* (doublement) transcendant (Nous) et en la remplaçant par celle de la Nature *(Physis)* [immanente au Monde phénoménal, bien qu'objectivement-réelle au sens de Démocrite et d'Eudoxe], renonça complètement à la notion de l'Éther (cf. Stobée, *Ed.*, I, 500 et 518). Or, pour nous, sinon peut-être pour Straton lui-même, renoncer à l'Éther tout en parlant de la Réalité-objective, c'est en parler, en fait, en re-disant Démocrite (ou Eudoxe), c'est-à-dire en développant une Physique théorique (qui, à l'époque, ne pouvait d'ailleurs pas être proprement dogmatique, au sens *scientifique* de ce mot, vu qu'aucune expérience sensible n'avait encore révélé la réalité-objective des Atomes, quels qu'ils soient, c'est-à-dire des éléments-constitutifs différents les uns des autres, mais sans structure propre, qui pour Straton, se mouvaient, d'ailleurs, « nécessairement » et non pas « au hasard », dans un Vide démocritéen, en fonction semble-t-il de leur seule « pesanteur » en principe « mesurable »).

Nous connaissons trop mal la Physique de Straton pour pouvoir en parler d'une façon certaine. Mais il est certain que ses contemporains ont très bien compris ce dont il s'agissait, vu que la Tradition l'a gratifié du surnom de « Physicien », ce qui même à son époque ne voulait nullement dire « Philosophe ». Nous savons aussi que cette reprise par Straton de la Physique démocritéenne ou eudoxienne (« platonicienne » seulement dans le sens où l'est celle du Timée) a eu quelques échos, puisque les Épicuriens même tardifs s'en réclamèrent (sans d'ailleurs contribuer eux-mêmes à son élaboration). C'est probablement encore à Straton que pensait un « Salluste » en rédigeant le chapitre XVII de son ouvrage « ironique » soidisant « néo-platonicien », ainsi que Julien et même Damascius, dans la mesure où ils préféraient sinon à la Philosophie authentique (ou même dogmatisée), du moins au Dogmatisme théologique (des prétendus « néo-platoniciens » du style jamblique) et moraliste (des Stoïciens et autres cyniques tardifs, à l'exception peut-être des cyniques proprement dits, ainsi que d'Épicure) la Science, même dogmatique (au sens d'expérimentale), non seulement d'un Théophraste ou de certains médecins (tels qu'Asclépiodote), mais aussi d'Anonymes plus ou moins démocritiens.

Toutefois, dans le Monde païen, la Physique théorique démocrito-eudoxo-stratonienne ne fut qu'un événement marginal. Car ce n'est qu'au XVIe siècle que la notion aristotélicienne de l'Éther fut définitivement éliminée du discours (tant scientifique que philosophique), ce qui permit précisément l'essor sans précédent de la Science dogmatique développée en tant que Physique théorique [tandis que la Philosophie bénéficiait de la Théologie ou de l'Anthropologie judéo-chrétienne en ce sens qu'elle pouvait désormais reprendre la notion « aristotélicienne » de l'Incarnation de Dieu (judéo-chrétien), en dépit de la suppression de la transcendance du Ciel aristotélicien, qu'Aristote lui-même jugeait seul être digne d'incarner le *Theos doublement* transcendant (ou païen); car le Dieu *simplement* transcendant des Juifs finit par s'accommoder de son Incarnation chrétienne dans le Monde des phénomènes terrestres, quitte à dédaigner tous les corps vivants qui ne sont pas humains, même s'ils sont eux aussi non seulement phénoménaux, mais encore objectivement-réels].

Sans doute, les Aristotéliciens du Portique prétendaient pouvoir se contenter (à l'encontre de Théophraste, en quelque sorte) du seul Feu, plus ou moins héraclitéen. Mais ce n'était

qu'un leurre, vu qu'ils durent distinguer entre le Feu matériel
ordinaire et un subtil Feu divin, que le nom seul distinguait dans
l'Éther d'Aristote, qui ne fut éliminé du discours par Straton
que pour un court moment. Et en renonçant au Péripatétisme
« classique », Posidonius le réintroduit explicitement à nouveau.

Quoi qu'il en soit, et d'une manière générale, les Péripatéticiens proprement dits (dans la mesure où ils ne redisaient
pas simplement Aristote en le commentant) furent non pas
des Philosophes, mais des Savants (dogmatiques), bien que l'un
ou l'autre ait pu être aussi, par moments, Théologien ou Moraliste (dogmatique). D'une manière tout aussi générale et à
quelques rares exceptions près, le Dogmatisme scientifique
(pratiqué par les prétendus Aristotéliciens ou par des Savants
« indépendants », voire « purs ») s'est limité, dans le Monde
païen, aux « Sciences naturelles » au sens large [les « sciences
mathématiques » étant en fait une *Onto*-métrie qui n'a rien
à voir avec la Science dogmatique proprement dite, qu'elle soit
« physique » ou *énergo*-métrique (-graphique) ou « naturelle » ou
phénoméno-graphique (-métrique)]. En d'autres termes, l'Antiquité païenne a largement pratiqué la Phénoméno-graphie sous
toutes ses formes, en esquissant parfois des rudiments phéno-
méno-métriques, mais négligea l'Énergo-graphie (ou « Mécanique ») presque aussi complètement que l'Énergo-métrie ou la
« Physique théorique » proprement dite. Mais elle excella en
même temps en Onto-métrie ou « Mathématique pure », sans
négliger pour autant l'Onto-graphie qu'est en fait et pour nous
la Théologie mythique ou dogmatique.
    Quoi qu'il en soit, tout comme la Théologie dogmatique,
le Dogmatisme scientifique n'introduit (indirectement) le Système du Savoir hégélien que dans la mesure où il est chrono-
logiquement antérieur à la Philosophie en tant que telle. Mais
dans la mesure où le Dogmatisme est chronologiquement postérieur aux débuts historiques de celle-ci, il ne contribue en
rien à l'Introduction de la Sagesse discursive. J'aurai donc
pu ne pas en parler du tout dans la présente INTRODUCTION
et c'est pourquoi n'en ai-je parlé que rapidement, dans ce
qui précède, en quelque sorte pour mémoire.
    On est, d'ailleurs, généralement d'accord (plus ou moins)
pour ne pas encombrer l'histoire de la Philosophie par celle
de la Science proprement dite, du moins dans la mesure où
celle-ci est devenue dogmatique. Mais on l'est déjà beaucoup
moins lorsqu'il s'agit d'en exclure l'histoire du Dogmatisme
théologique (sans trop insister, d'ailleurs, sur l'inclusion de
la Théologie mythique). Et on ne l'est plus du tout lorsqu'il

s'agit de Morale, surtout dogmatique (l'étant si possible moins encore en ce qui concerne le Scepticisme, même si celui-ci n'a visiblement rien à voir avec le Criticisme authentiquement philosophique). Pourtant, pour nous et du point de vue de la Philosophie, les trois Dogmatismes se valent en fait. Et c'est pourquoi, dans ce qui suit, je ne parlerai encore que rapidement et seulement pour mémoire du Dogmatisme moraliste, païen mais postaristotélicien, qu'il soit pythagoricien, épicurien ou stoïcien, en ne parlant pas du tout des autres.

La morale dogmatique pseudo-philosophique (« stoïcienne », « pythagoricienne » et épicurienne).

Dès la mort d'Aristote et jusqu'à la fin du monde païen, le gros des Intellectuels se portèrent (à moins d'être et de rester sceptiques) non pas vers les Dogmatismes théologique ou scientifique, mais vers la Morale dogmatique [tandis que les quelques rares Philosophes qui ne se contentèrent pas de redire Platon ou Aristote, cultivaient soit un Aristotélisme dogmatisé, appelé « Stoïcisme » et porté à sa perfection par Chrysippe, soit un Platonisme dogmatisé, mis au point dans l'Académie et diffusé à l'extérieur (« Platonisme moyen »)]. On explique généralement cet engouement quasi universel des Intellectuels de l'époque hellénistique pour la Morale dogmatique (qui, du point de vue « logique » n'est que l'un, à savoir le « dernier », des trois Dogmatismes discursivement « possible ») par des « raisons » ou « motifs » psychologiques, voire sociaux ou historiques, en faisant valoir la ruine de la *Polis* et l'avènement du pouvoir « despotique » (hellénistique et romain) qui obligea les « individus » à chercher une « satisfaction » comme on dit « à l'intérieur d'eux-mêmes » ou, si l'on préfère, dans la vie « privée » : sociale, familiale ou, notamment, cultivée et culturelle.

Dans le *PhG*, Hegel inséra cette explication dans le cadre général de la Phénoméno-logie anthropo-logique, qui développe la notion de base de la Reconnaissance *(Anerkennung)* ou, plus exactement, de la Satisfaction *(Befriedigung)* du Désir-du-désir (anthropo-gène) dans et par l'Activité de la Lutte et du Travail.

Le Désir-de-la-reconnaissance (étant la « puissance » même de l'Homme ou l'Homme lui-même « en puissance ») est commun à tous les êtres humains (pris et compris en tant qu'êtres « discursifs »). Ce Désir (et donc l'Homme en tant que tel s'actualise en tant que Reconnaissance (en principe « universelle ») de la Réalité-humaine (« individuelle », en tant que

« synthétisant » le « particulier » de l'Action avec l'« universel »
du Discours) posée et im-posée dans la Lutte (sanglante et
le pur prestige du Maître) et par le Travail (à l'origine forcé
et servant au sens de servile, de l'Esclave). Comme toute
actualisation, celle de la puissance humaine s'effectue en tant
qu'Activité qui dure et qui s'étend dans l'Existence-empirique.
En tant que Pro-jet, par définition « conscient » (c'est-à-dire
discursif), mais non encore exécuté « volontairement » (c'est-
à-dire de façon que l'on puisse en *parler* sans se contredire),
la Reconnaissance est un « idéal » sans réalité-objective,
qui n'existe-empiriquement que dans le mode « magique »,
c'est-à-dire comme *sens* de discours (qui ne se rapporte pas
à des *essences* d'objets qui leur correspondent, c'est-à-dire
d'artefacts ou d'objets résultant d'une trans-formation agissante du donné, en fonction de ces discours eux-mêmes). C'est
dans et pour l'Esclave que la Reconnaissance est un tel Idéal
(par définition « inaccessible » parce que « irréalisable »). Ou,
plus exactement, pour et chez l'Esclave-affranchi (en fait ou
virtuellement, ne serait-ce que dans sa propre « intention »),
qui pro-pose son égalité humaine avec le Maître, mais ne l'a
pas encore im-posé (du moins pas d'une façon « universelle »).
On peut dire aussi que l'Idéal de la Reconnaissance, généralement définie comme « Liberté », est le propre du Bourgeois ou
de l'Affranchi, c'est-à-dire de l'homme qui n'est pas à proprement parlé un Esclave, vu qu'il n'a plus de Maître proprement
dit, mais qui n'est pas non plus ni un véritable Maître, vu qu'il
n'a pas d'Esclaves, ni un Citoyen véritable, vu qu'il n'est pas
(encore) « reconnu » (comme « égal ») par les autres Maîtres
ou, plus exactement, par les ex-Maîtres, même dans le cas
où ceux-ci ne sont plus des Maîtres véritables de fait de ne pas
avoir d'Esclaves eux non plus (tout en étant des « affranchis »
non pas parce qu'ils sont des ex-esclaves qui ont été affranchis
par leurs maîtres, mais parce qu'ils sont des ex-maîtres qui
ont affranchi leurs esclaves). Or, si le Maître véritable lutte
(en risquant volontairement sa vie) sans travailler (sinon pour
son propre plaisir) tout en faisant (par force) travailler pour lui
les autres (notamment ses propres esclaves), tandis que le
véritable Esclave travaille (d'une façon forcée, c'est-à-dire pour
le plaisir d'autrui et notamment pour celui de son propre
maître) sans risquer (volontairement) sa vie, le parfait Affranchi
ou l'authentique Bourgeois ne fait NI l'un NI l'autre (le
véritable Citoyen faisant l'un ET l'autre « à la fois », sinon en
même temps), en se contentant d'en *parler* (dans la mesure
où ça lui fait plaisir et ne provoque aucun danger sérieux).
Autrement dit, l'*Idéal*-de-la-reconnaissance qui est la Liberté

idéale au sens de « seulement *idéelle* », est l'apanage de l'Intellectuel (bourgeois). Or, si l'Intellectuel ne « force » pas les autres (en risquant au besoin sa propre vie) à le reconnaître, il leur im-pose tout au moins cette « reconnaissance » comme un Commandement (moral), qu'il se pro-pose à soi-même comme le Devoir (moral) d'être « libre » (en vue de pouvoir être « reconnu », ne serait-ce que par soi-même). L'Intellectuel commande donc à tous la reconnaissance de tous et il re-commande à chacun la liberté de chacun, en se contentant de considérer comme peu recommandables ceux qui ne suivent pas ces recommandations.

Dans son comportement *pratique* (conscient et volontaire, c'est-à-dire discursif) le Bourgeois est donc essentiellement Prophète ou Prédicateur de la Morale (« coutumière ») et c'est pourquoi il est, dans son comportement théorique (discursif) ou en tant qu'Intellectuel, avant tout et surtout un Moraliste (« réfléchi ») ou un Théoricien de la « liberté » prise et comprise en tant que « vertu ». Dans la mesure où les Intellectuels parlent du monde où ils vivent et où le Commandement moral est seul censé devoir être efficace, sans se préoccuper de ce qu'en disent les autres, même si ceux-ci les contredisent, ils développent les Théories morales axiomatiques ou mythiques. Mais si des Intellectuels sceptiques se rendent (discursivement) compte des contra-dictions entre les Mythes moraux des Intellectuels moralistes et contre-disent de ce fait tous ces Mythes à la fois, les Moralistes se défendent en dogmatisant leurs axiomes et transforment leurs Mythes moraux en Morales dogmatiques. Ainsi, les Théories morales développent discursivement des Dogmes moraux, qui se posent comme des « données immédiates de la conscience (morale), censées pouvoir se pro-poser à chacun et devoir s'im-poser à tous; étant entendu que ceux qui s'y opposent ne sont pas à proprement parler « humains », vu qu'ils ne peuvent *parler* de leur op-position qu'en contre-disant tout ce qu'ils en disent.

En tant que Moraliste dogmatique, l'Intellectuel (bourgeois) se « désintéresse » donc du Monde « inhumain » qui se refuse de reconnaître la Liberté intellectuelle et l'Intellectuel libre : il ne parle de ce Monde que pour dire que celui-ci ne *dit* rien, sinon pour se contre-dire soi-même et sans pouvoir contre-dire ce que le Moraliste en dit. Et c'est cette « première » indifférence désintéressée, c'est ce désintéressement indifférent vis-à-vis du Monde où l'on vit (sans y être réellement reconnu, mais en se disant y être néanmoins idéellement « libre ») qui s'appelle *stoïque* ou *stoïcien*.

Hegel lui-même n'a parlé que de la Morale dogmatique à

tendance universaliste et populaire, accessible à tout le monde, qui s'est elle-même appelée « stoïcienne ». Mais rien n'empêche de compléter ce qu'il en dit en parlant aussi du « stoïcisme » des riches qui s'est appelé *Épicurisme* et qui n'est en fait, qu'une variante de la Morale dogmatique pseudo-philosophique. Car si l'on admet avec les Moralistes « stoïciens » qu'il est possible, sinon de se satisfaire pleinement dans un Monde quel qu'il soit (y compris le Monde où celui qui se pro-pose n'arrive pas à s'im-poser), du moins de se contenter du Monde tel qu'il est (même s'il est un Monde sans « reconnaissance »), ceci est encore plus facile si, dans ce Monde, quelqu'un possède un Jardin « épicurien », où ne sont admis que ceux qui reconnaissent le propriétaire unique de ce domaine privé (ce qui suppose, bien entendu, que la Propriété privée soit universellement reconnue dans le Monde en cause).

Si Hegel omet de parler de la Morale dogmatique pseudo-philosophique dite épicurienne, il parle de la radicalisation « sceptique » (au sens de « nihiliste ») de l'apathie du « Stoïcien » (riche ou pauvre) content de lui-même dans n'importe quelles circonstances « données ». En effet, cette Apathie peut devenir vraiment « im-perturbable » *(ataraktos)* si l'on se dit que le Monde « inhumain » qui déjà « n'existe pas » pour le sage Mora-liste vertueux, n'existe pas du tout d'une manière générale, du moins en ce sens que l'on ne puisse pas dire, sans se contre-dire, que ce soi-disant Monde existe aussi ailleurs qu'en celui qui en parle, notamment dans le cas de celui-ci qui n'en parle que pour dire qu'il n'y a rien à dire, sinon qu'on ne sera pas contre-dit lorsqu'on en dit n'importe quoi, y compris ce que l'on dit en se contentant d'en dire ce qui ne mécontente pas celui qui le dit, même s'il n'est content que s'il ne dit rien. Hegel montre à cette occasion que le Sceptique nihiliste n'a aucune raison valable de parler dans ou du Monde « inexistant » où il vit quand même, au lieu de s'y taire, même définitivement. Autrement dit, le Sceptique mécontent peut se contenter de mourir (« libre-ment », c'est-à-dire consciemment et volontairement) dans le Monde où il est né ou s'est dit l'être.

Mais si le Nihiliste cesse d'être sceptique et renonce à la « liberté absolue » d'être n'importe quoi ou rien du tout, en s'imposant à soi-même, en guise de commandement moral, le devoir de rester (jusqu'à sa mort « naturelle ») ce qu'il est dans le Monde tel qu'il est, il ne manquera pas d'y être mécontent et donc « in-quiet », pour ne pas dire « mal-heureux ». Et c'est alors que le Sceptique nihiliste deviendra un Nihiliste *chrétien*, qui se commande à lui-même de « renoncer » au Monde tel qu'il est et où il est censé être « malheureux » quel que soit ce Monde, en vue d'une « satisfaction » dans l'Au-delà, prise et comprise comme une Béatitude à tous points de vue « satisfaisante ». Mais, du même coup, l'Intellectuel (bourgeois) cesse d'être un Moraliste dogmatique pour devenir un dogmatique Théologien, pour lequel le Commandement moral soi-disant imposé par une prétendue Conscience, se transforme en Prière, qu'est la Voie du salut » révélée par Dieu à ceux qu'il a arbitrairement choisis (en fonction de son seul bon plaisir, qu'on peut appeler « amour ») parmi les êtres parlants qui vivent au sein d'un Monde plus ou moins inexistant auquel ils ne croient plus du moins en ce qui concerne la possibilité de s'y satisfaire.

Ce n'est que plus tard que j'aurai à parler moi-même du Monde judéo-chrétien. Quant au Monde bourgeois païen, où vivaient et parlaient les Intellectuels moralistes qui, lorsqu'ils donnaient à leurs Morales dogmatiques une allure philosophique, s'appelaient « stoïciens » ou « pyrrhoniens » quand ils ne pouvaient ou ne voulaient pas être épicuriens, je dois en parler maintenant, en re-disant de la façon suivante ce qu'en a dit Hegel.

Épicure, Pyrrhon et Zénon étant morts à peu près en même temps (respectivement vers 271, 270 et 262), il n'y a aucune raison chronologique de parler de l'un avant les autres. Quant au point de vue chrono-logique, tout ce qu'il permet d'avancer avec certitude, c'est que le Moralisme dogmatique (pyrrhonien, stoïcien, épicurien ou autre) est en tant que tel « postérieur » au Scepticisme proprement dit (formaliste, nihiliste ou relativiste). Mais dans l'état défectueux de nos connaissances il est difficile de dire lequel des Dogmatismes moraux connus est « antérieur » aux autres. Par ailleurs, nous ne connaissons pour ainsi dire pas de Moraliste dogmatique de l'époque hellénistique qui soit à proprement parler aphilosophique. Tous ces Moralistes ont connu le Scepticisme antiphilosophique et plus ou moins subi son influence. Dans la mesure où leur Morale dogmatique (par définition fondée sur les « données immédiates de la Conscience *morale* », foncièrement silencieuses et révélant un ineffable « contentement » ou « mécontentement » de soi-même) conservait l'orientation antiphilosophique qui caractérisait le Scepticisme qui l'avait engendré, ils se réclamaient généralement du « Pyrrhonisme », voire de Pyrrhon lui-même, qui semble effectivement avoir été non seulement un authentique Sceptique, mais encore un Moraliste dogmatique (à tendance antiphilosophique). Cependant, tout en développant en fait une Morale dogmatique antiphilosophique, Épicure prétendait à une « originalité » absolue et se distançait volontaire-

ment du Scepticisme. Ses nombreux émules en firent autant et
c'est ainsi qu'on a été amené à parler d'une Morale, voire d'une
« philosophie » épicurienne. Mais, en fait, l'Épicurisme n'est
même pas une *para*philosophie ou philosophie dogmatisée :
il n'est pas philosophique du tout. A proprement parler, il n'est
même pas *pseudo*-philosophique, car il « ignore » totalement le
problème du Concept et n'utilise aucun des développements
philosophiques (authentiques ou dogmatisés) de ce problème.
Si Épicure n'avait pris aucune position vis-à-vis des Philosophies
de son temps, sa doctrine aurait pu être considérée comme
une Théorie moraliste dogmatique proprement dite ou aphilosophique. Mais, en fait, il a « critiqué » toutes les philosophies
qu'il connaissait et sa Morale dogmatique doit donc être classée
parmi les Théories antiphilosophiques. Quant aux Moralistes
dogmatiques qui voulaient donner à leurs Théories une allure
« philosophique », c'est généralement à l'Aristotélisme dogmatisé qui s'appelait Stoïcisme qu'ils empruntaient leur pseudo-
philosophie. C'est pourquoi les Moralistes dogmatiques pseudo-
philosophiques se considéraient généralement comme des
« stoïciens », bien que le Stoïcisme authentique ait été non pas
une pseudo-philosophie, mais une paraphilosophie : à savoir
un Aristotélisme dogmatisé de tendance moraliste.

Quoi qu'il en soit, du moment qu'aucun ordre ne s'impose
lorsqu'on veut traiter des Morales dites stoïciennes, pyrrho-
niennes et épicuriennes, rien ne nous empêche de maintenir la
séquence hégélienne qui présente la Morale « stoïcienne » comme
une radicalisation de la Morale « pyrrhonienne », quitte à y
ajouter la Morale épicurienne dont Hegel ne parle pas du tout.

La morale dogmatique « stoïcienne ».

Rien ne prouve que les Intellectuels moralistes, dits « stoïciens », qui ont procédé à une dogmatisation de la Morale
coutumière de la Grèce païenne, voire de la Théorie moraliste axiomatique (ou mythique) encore valable à l'époque
considérée, l'aient fait en fonction de la « critique » sceptique
de ces Théories, explicitées par Pyrrhon et Timon. Mais rien
n'empêche non plus de dire que le Dogmatisme moral pseudo-
philosophique, dit « stoïcien », fut une réponse au Scepticisme
postaristotélicien, qui ne faisait d'ailleurs que re-dire ce
qu'avaient déjà dit auparavant contre cette même Morale,
coutumière ou théorique (au sens d'axiomatique), les Sophistes
sceptiques.

Qu'en développant leur Dogme moraliste ces Intellectuels
aient utilisé des éléments empruntés à la Philosophie aristo-

télicienne dogmatisée par les Stoïciens proprement dits importe tout aussi peu, dans le présent contexte, que le fait qu'un Épicure utilisa dans sa Morale dogmatique (antiphilosophique) des éléments de la Physique démocritéenne (l'important étant tout au plus que ces éléments « introduisent » les deux Morales en cause). La Morale dogmatique dite « stoïcienne » (tout comme la Morale dogmatique épicurienne) aurait fort bien pu se passer de toute Philosophie (comme de toute Science ou Théologie) et se développer, comme ce fut le cas de la Morale (dogmatique) dite « pyrrhonienne », en fonction du seul Scepticisme appliqué à la Théorie morale axiomatique encore valable dans le monde hellénistique. Toute la question est de savoir si le Scepticisme qui a agi en tant que cataliseur ou ferment lors de l'élaboration de la Morale dogmatique, dite « stoïcienne », à partir de la Morale axiomatique courante, a été du type formaliste, nihiliste ou relativiste. Vu la pauvreté de nos sources, il est difficile de dire quelque chose de précis à ce sujet. Mais certains indices laissent supposer que la dogmatisation de la Morale axiomatique qui s'est effectuée dans les milieux « stoïciens » répondait aux « critiques » d'un Scepticisme *formaliste* (ce qui assurerait à la Morale dogmatique « stoïcienne » (pseudo-philosophique) une « priorité chrono-logique par rapport aux Morales dogmatiques (antiphilosophiques) « pyrrhonienne » et épicurienne).

Ces indices sont de deux sortes. D'une part, il y a le fait certain que les Stoïciens ont généralement fait preuve d'un grand intérêt pour la « forme » discursive, ayant cultivé non seulement la « logique formelle », mais encore la « grammaire » sous toutes ses formes. L'autre indice, moins certain, est le caractère « formaliste » (au sens « kantien ») de la Morale dogmatique (pseudo-philosophique) qui s'est elle-même appelée « stoïcienne ».

Le Formalisme propre à la Morale « stoïcienne » se montre seulement dans et par la notion de l'*orthos logos*. Car on pourrait résumer toute cette Morale dogmatique en disant que la « satisfaction » promise au Sage stoïcien est censée provenir du seul fait que la vie (d'ailleurs discursive) de celui-ci se développe « en ligne *droite* », quel que soit par ailleurs le « sens » de cette « ligne de conduite » ou sa « direction », voire son « orientation » dans l'« espace » qu'est le Monde où se déroule la vie du Sage dont il s'agit. En d'autres termes, ce qui importe pour la Morale stoïcienne, c'est la « forme » (la « droiture ») de la vie, mais non son « contenu » (bien que, tout comme plus tard Kant, les Stoïciens prétendent que le « contenu » en question est suffisamment déterminé ou défini d'une façon univoque par la « forme » en cause).

Pour les Moralistes dogmatiques pseudo-philosophiques qui se réclamaient de Zénon, le *Telos*, c'est-à-dire le but conscient et volontaire, c'est-à-dire « librement » choisi et poursuivi de l'existence vraiment humaine, c'est-à-dire le comportement (discursif en ce sens qu'il s'agit de pouvoir et même de devoir *en parler*) qui est censé amener « automatiquement » la Satisfaction complète et parfaite (d'ailleurs comprise comme Bonheur ou Eudémonie, ne cessant qu'avec la vie), n'est rien d'autre ni de plus ni rien de moins non plus que l'Homologie, c'est-à-dire la con-formité avec le *Logos* en tant que tel. Or, le fait est que pour les Moralistes stoïciens, il s'agit d'une identité de pure « forme » et, si l'on veut, d'aucun « contenu ». En effet, pour les Stoïciens, le *Logos* est à la fois Sens des discours (humains) et Essence des choses (naturelles). Par conséquent, d'après les Moralistes pseudo-philosophes qui s'inspirent du Stoïcisme, le Sage compris comme l'homme parfaitement « moral » ou « vertueux » n'est censé devoir être ni seulement un Discours ni un Objet seulement : il ne suffit pas de *parler*, puisqu'il faut *vivre* en accord avec ce que l'on dit; et il ne suffit pas de *vivre*, puisqu'on doit le faire en fonction de ce que l'on *dit* (et en en *parlant*). Or, *tous* les discours (cohérents) ont un sens et il y a des essences de *toutes* les choses naturelles, tandis que le Sage ne peut être qu'une seule de ces choses (naturelles) et ne doit tenir qu'un seul et même discours (moral). L'Homo-logie du Sage stoïcien ne peut donc être que la con-formité avec ce que tous les Sens et toutes les Essences ont *en commun*. Or, si ceux-ci se distinguent par leur « contenu », ils ne sont identiques que dans et par leur « forme », qu'est, d'ailleurs, celle de l'Identité ou, précisément, de la Droiture.

Peu importe, au fond, ce que dit le Sage, c'est-à-dire l'Homme-vertueux par excellence. Ce qui compte vraiment pour sa « vertu », c'est le fait qu'il est seul à pouvoir se redire indéfiniment sans jamais se contre-dire nulle part, tandis que chaque Fou change d'avis à tout moment et que tous les Fous se contredisent partout et toujours les uns les autres. Et si le discours du Sage a un « contenu » un et unique, voire « exclusif » (ou « véridique »), c'est uniquement en fonction de la « forme » identique ou « droite » que son discours est censé être seul à pouvoir posséder. De même, le comportement du Sage est seul à être « droit » au sens d'identique à lui-même, tandis que celui d'un Fou et de tous les Fous est comparable au trajet sinueux d'un navire sans gouvernail livré au gré d'une tempête sans commencement ni fin : les mouvements désordonnés et intempestifs étant d'ailleurs ceux des Passions, tandis que le mouvement, « satisfait » du fait d'être calme et reposant, en ligne droite est celui de l'Apathie totale, quelle que soit son orientation et sa direction, c'est-à-dire quels que soient les points d'arrivée et de départ. Théoriquement, la navigation en ligne droite est toujours possible, du moins partout où la mer est libre; mais si l'on trouve des récifs sur son chemin, on doit néanmoins persévérer dans le droit chemin, quitte à faire naufrage, si nécessaire; et si, jeté à l'eau, on s'y sent malheureux, on n'a qu'à se laisser engloutir : ce trouble passager est négligeable par rapport au calme du voyage antérieur au naufrage et surtout au repos définitif qui s'ensuit (cf. Pohlenz, *Stoa und Stoiker*, 112, 116, 120, 123, 127, 137, 145, 148, 158, 165, 167 *sqq.*, 182, **217,** 221, 234, **238 sqq.**, 334).

Quoi qu'il en soit, il est évident que la Théorie « stoïcienne » de l'Homo-logie onto-logique est un authentique Dogmatisme moral (pseudo-philosophique), censé devoir et pouvoir échapper à toute contra-diction, la « contradiction » sceptique y compris. Car tout ce que l'on dit de l'Homo-logie en fonction de la droite Raison (discursive) est fondé, en dernière analyse, sur une « donnée immédiate de la conscience » que chaque être (humain) capable d'en parler trouve en soi-même avant même qu'il n'en parle. Sans doute, tant qu'il n'en a pas *parlé* (étant, par exemple, trop jeune pour pouvoir le faire) son comportement n'est pas encore homo-logue et sa « droiture » (si droiture il y a) n'est pas « raisonnable » : il n'est *Logos* qu'en tant qu'Essence de la chose naturelle qu'il est, mais non comme Sens d'un discours; il n'aura pas l'heureuse satisfaction que procure et que manifeste la Sagesse discursive. Mais la « Sagesse » morale, c'est-à-dire la « vertu », consiste précisément à homo-loguer la droiture naturelle et *silencieuse*, du moins au sens de prédiscursive. Si on « contredit » cette droiture en en parlant, on se contredit nécessairement soi-même, car ce n'est qu'en disant que ce qui est droit est droit que l'on peut se re-dire sans rien contredire. Et si l'on voulait cesser d'être droit afin de pouvoir parler en vérité en disant qu'on ne l'est pas, on manquerait encore son but, parce que en devenant autre pour ne pas rester le même on ne peut parler de soi qu'en contre-disant ce que l'on en disait auparavant; et ceci sans cesse, ni trêve.

Certes, la notion de la Conscience morale ne fut définie et développée (d'une façon d'ailleurs rudimentaire) que par les Moralistes « stoïciens » tardifs (dont rien ne dit qu'ils n'aient pas subi une « influence » judéo-chrétienne (cf. *ibid.*, 113 sqq., 123 sqq., 128 sqq., 170, 222, 335). Mais il n'y a pas de doute que, dès ses débuts, la Morale dite « stoïcienne » se présenta explicitement comme un Dogmatisme exclusivement fondé sur les « données immédiates » de la Conscience morale.

La [prétendue] satisfaction dans et par l'Apathie est présentée dès le début par la Morale « stoïcienne » comme une « expérience intérieure » qu'aucun discours ne saurait « réfuter » ou même contre-dire, vu que personne ne peut *dire* ce que c'est. En tant que telle, l'Apathie morale « stoïcienne » est, d'ailleurs, *silencieuse.* Car le Sage ne *parle* que pour éduquer les Fous, les Sages eux-mêmes se comprenant sans mot dire. Or, même si le Sage voulait et pouvait parler de l'Apathie à un Fou, celui-ci n'entendrait pas ses dires, vu que s'il les comprenait, il serait lui-même un sage apathique. Par ailleurs, les discours stoïciens ne peuvent pas et ne veulent même pas dé-montrer que l'Apathie est seule à être le Souverain bien, c'est-à-dire le Bonheur parfait, qui se suffit à lui-même au point de pouvoir rester silencieux et donc nullement gêné par le fait d'être ineffable (ou « incommunicable »). Tout ce que disent les Moralistes stoïciens suppose la « monstration » de ce Bonheur apathique et leur « démonstration » a pour but de « prouver » que l'Apathie heureuse ne peut résulter que de la seule « Vertu », c'est-à-dire d'une vie qui est homo-logue parce que à la fois discursive et (naturellement) droite.

En d'autres termes, le « Stoïcisme », pris et compris en tant que Théorie morale dogmatique (pseudo-philosophique), se réduit, en fait et pour nous comme pour lui-même, à un Discours qui a pour seul but de répondre à la question de savoir ce qu'il faut affirmer du Monde où l'on vit, pour pouvoir dire (sans se contre-dire) qu'en se con-formant à la droite raison (quel que soit son « contenu ») on arrive nécessairement à l'état « intérieur », silencieux et ineffable, dont on fait l'expérience dans et pour la tranquillité (apathique) de sa Conscience morale. C'est le Dogme assuré par et dans cette Conscience tranquille que les Moralistes dits « stoïciens » développent discursivement, en se servant, s'il y a lieu, des différents éléments discursifs, empruntés en fait à l'Aristotélisme dogmatisé par le Stoïcisme proprement dit (paraphilosophique). Mais ce développement discursif (pseudo-philosophique) n'est pas un but en soi pour le Moraliste dogmatique « stoïcien ». Car son seul But *(Telos)* est et reste la tranquillité de sa Conscience morale, qui n'est précisément parfaitement tranquille que dans la mesure où elle se *tait* définitivement, n'ayant plus rien à dire ou à redire, ni à « contredire » silencieusement (cf. *ibid.*, 23 sqq., 42, **93** + 95, **105**, 124, 135, **137**, 144, 159, 214, 347).

D'ailleurs, dans la mesure où la Morale dogmatique « stoïcienne » est discursive, elle est surtout et avant tout polémique. D'une part, elle oppose aux dires sceptiques la certitude subjective que procure le silence de la Conscience. D'autre part, elle contre-dit les Théologiens et les Savants qui prétendent que le con-formisme moral stoïcien est sans aucune valeur, vu que la Satisfaction ou, plus exactement, le Bonheur (Eudémonie), ne peut en résulter : car ce Bonheur résulte non pas du Commandement discursif, mais exclusivement soit du discours pratique (immédiat) qu'est la Prière, aux dires de la Théologie, soit, aux dires de la Science, de celui (médiatisé) qui est un Ordre. Or, la Morale « stoïcienne », sûre du dogme consciencieux qui lui est propre, nie l'efficacité de toute Prière et n'admet pas qu'un Ordre quelconque puisse changer quoi que ce soit au cours nécessaire des choses [3].

La morale pyrrhonienne.

Déjà pour Cicéron (cf. *De fin.*, III, 4, 12; IV, 16, 43; *Ac.*, II, 42, 130) et donc longtemps avant Hegel, Pyrrhon fut moins un Sceptique proprement dit qu'un authentique Moraliste dogmatique. Sans doute, chez son ami Timon, le Scepticisme (nihiliste?) semble avoir pris une allure nettement antiphilosophique. Mais il est probable que Pyrrhon lui-même ne fut sceptique (nihiliste?) que dans la mesure où il s'agissait, pour lui, de contre-dire les Théories théologiques et scientifiques (axiomatiques, mythiques, voire dogmatiques) en mettant discursivement en évidence les « contradictions » de celles-ci. Sans doute ne pouvait-il pas éviter que sa contradiction sceptique s'applique aussi aux « contradictions » des Théories morales axiomatiques, ou mythiques (qui parlaient des Axiomes moraux dans la Morale coutumière de la Grèce antique). Mais loin de s'arrêter à cette contra-diction, il s'appliqua lui-même à dogmatiser la Morale en cause. Il semble cependant qu'il développa son Dogmatisme moral en réponse à un Scepticisme qui lui a été propre et qui fut non plus formaliste, ni déjà relativiste, mais encore spécifiquement nihiliste. Le Relativisme sceptique, affiché par Pyrrhon (et discursivement développé par Timon) était probablement non pas la source, mais une des conséquences de son Moralisme dogmatique, qui lui promettait le Bonheur en lui permettant de faire et donc aussi de dire n'importe quoi ou de ne dire ni faire rien du tout.

Le fait est qu'à la différence du formalisme de la Morale dogmatique « stoïcienne », le Dogmatisme moral « pyrrhonien » a une allure radicalement et spécifiquement *nihiliste*. Tandis que la sage Apathie de la Morale dogmatique « stoïcienne » ne peut se poser qu'en sup-posant un Monde « objectif » d'ailleurs censé devoir la pré-supposer de façon à être lui-même homologue, Monde où il faut *faire* quelque chose pour s'y con-former à la droite raison (ce qui permet de parler sans se contre-dire), l'Ataraxie des Moralistes dogmatiques « pyrrhoniens » est un repos total ou une complète inertie, parfaitement possible dans un vide absolu. Le Sage (c'est-à-dire l'Homme-vertueux) pyrrhonien est censé devoir et pouvoir se satisfaire tout seul, en ne faisant (et en ne disant) rien du tout, mais il est aussi complètement heureux en se laissant ballotter par des vagues quelconques, qui sont pour lui « inexistence » même si on les dit être violentes (puisqu'on se contre-dit nécessairement en disant quoi que ce soit d'elles ou de n'importe quoi [4]).

D'un certain point de vue, l'Ataraxie est moins « radicale » que l'Apathie, puisque le sage « pyrrhonien » peut se laisser complètement aller, tandis qu'un « stoïcien » (plus ou moins) sage doit se retenir pour pouvoir tenir (en étant par surcroît heureux, même s'il ne peut tenir son bonheur qu'en abandonnant en fait sa vie). Mais, d'un autre point de vue, c'est l'Ataraxie « sceptique » qui est la plus « radicale » des deux attitudes existentielles dogmatiques au sens de morales. Car si l'Apathie stoïcienne peut aller aussi jusqu'à la complète *aphasie,* elle ne saurait être absolument *adiaphorique,* au sens où l'est l'Ataraxie « nihiliste », qui permet d'atteindre le But *(Telos)* qu'est le Bonheur suprême (Eudémonie) tout aussi bien par la « vertu » parfaite que dans le «vice» complet, au sens qu'attribuent à ces mots la Morale coutumière grecque et la Théorie morale axiomatique païenne.

Somme toute, les Moralistes dogmatiques pyrrhoniens font appel à une Conscience morale (d'ailleurs authentique, vu qu'elle est rigoureusement « intérieure » ou strictement « personnelle ») qui ne « parle » plus du tout (pas même à voix basse) quoi qu'ils fassent et même s'ils ne font rien. Plus silencieuse encore que la Conscience morale des Moralistes stoïciens, celle des Moralistes pyrrhoniens est pour ainsi dire encore plus ineffable : on ne peut vraiment plus *dire* ce qu'elle est, vu qu'elle-même ne dit plus rien du tout. Plus aucun moyen donc de la contre-dire, ni, d'une manière générale, de troubler son repos absolu, voire d'ébranler la certitude subjective qu'assure une Conscience morale tranquille, surtout si elle est, du vivant de celui qui l'a, tout aussi tranquille qu'elle le sera après sa mort. Ainsi, la mort elle-même ne trouble en rien l'imperturbable Repos de l'ex-nihiliste sceptique acquis au Dogme moral « pyrrhonien [5] ».

La morale épicurienne.

Les origines sceptiques de la Morale dogmatique (anti-philosophique) d'Épicure, tout en étant moins évidentes que celle du Dogmatisme moraliste « pyrrhonien », sont plus apparentes que les sources sceptiques du Moralisme dogmatique (pseudo-philosophique) dit « stoïcien ». Et c'est à la source du Scepticisme *relativiste* (antiphilosophique) qu'Épicure est allé puiser le Dogmatisme moral qui porte désormais son nom.

En effet, en tant que « sceptique », Épicure et les siens (y compris un Lucrèce) ne vident nullement le Discours théorique de tout son « contenu », en le réduisant à la seule « forme ». Bien au contraire, ils affichent leur mépris total pour tout Formalisme quel qu'il soit. Mais ils ne se condamnent pas non plus, de ce fait, au silence total, pas même « en théorie ». Tout au contraire, ils sont prolixes en discours théoriques, d'allure d'ailleurs « scientifiques » et empruntés au discours physique démocritéen.

Seulement, si le silence des Épicuriens est fort loin d'être total, ce qu'ils disent en parlant « scientifiquement » n'est rien moins qu'une « vérité absolue ». Il ne s'agit pour eux-mêmes que d' « opinions probables », moins « probables » encore que celles des Académies, vu qu'en disant quelque chose ils auraient souligné qu'ils auraient pu tout aussi bien dire tout autre chose (ou même rien du tout). Et pour bien souligner sa parfaite indifférence en matière de Science discursive, Épicure allait jusqu'à dire (en re-disant la plaisanterie d'Héraclite) que le soleil est, si l'on veut, ni plus petit ni plus grand qu'il ne le semble.

En tout cas, aucun Épicurien authentique n'est un Savant dogmatique qui érigerait en Dogme des « données expérimentales » quelconques (observées ou expérimentées) : son soi-disant « empirisme » n'est qu'un Relativisme sceptique, proche parent du Scepticisme relativiste d'un Protagoras. Et quant au Dogmatisme théologique, Épicure s'y refuse totalement, étant radicalement athée au sens d'antithéiste (sa soi-disant « Théologie » qui ne trompe d'ailleurs personne, n'étant de toute évidence qu'un camouflage prudent, mais ironique, du moins dans la mesure où il ne parle pas, lorsqu'il parle des « dieux », du Sage épicurien qu'il prétendait être lui-même). Autrement dit, s'il méprise le Scepticisme formaliste et se contente, en ce qui concerne la Science, d'un Relativisme sceptique, c'est en authentique Sceptique Nihiliste qu'il parle de la Théologie.

Épicure est par contre nettement dogmatique (et il l'est plus explicitement encore que ne le sont les Moralistes « pyrrho-

niens » et « stoïciens ») lorsqu'il s'agit de développer sa propre
Théorie morale. Car il s'agit pour lui de soustraire la Morale
théorique à toute « contradiction » sceptique quelle qu'elle soit
et Épicure sait tout aussi bien que les Moralistes « pyrrhoniens »
ou « stoïciens », qu'on ne peut le faire qu'en dogmatisant la
Théorie morale. Aussi bien fait-il explicitement appel à la
Conscience morale, censée chez lui aussi pouvoir et devoir
assurer le Bonheur parfait (l'Eudémonie) dans et par la seule
certitude subjective absolue que donne son silence total.

Qu'Épicure appelle ou non « Plaisir » *(Hêdonê)* le Bonheur
dont il prétend pouvoir sinon se satisfaire parfaitement, du
moins se contenter absolument, importe très peu pour ne pas
dire pas du tout. Ce qui importe, c'est que pour lui aussi ce
fameux « Plaisir » n'est que l'absence de peine [le Bien n'étant
pour lui de ce fait que le Non-mal, tandis que pour tout Platonicien authentique c'est le Mal qui semble un Non-bien
(cf. le *Philèbe*)]. Or, la tranquillité plaisante qu'est l'Ataraxie
épicurienne est censée être due non pas tant à l'absence des
maux « physiques », y compris ceux que sont les désirs « insa-
tisfaits », que l'absence totale de toute « mauvaise conscience ».

La Morale (dogmatique) proprement dite d'Épicure se borne
à dire ce qu'il faut faire (ou ne pas faire) pour conserver perpétuellement sa conscience dans son état bon, c'est-à-dire par
définition silencieux (et, bien entendu, ineffable). Quant à ce
qu'on appelle improprement sa « science » ou sa « théologie »,
elles ont pour unique but (comme il le dit lui-même) d'écarter
tout ce qui pourrait troubler le repos absolu de la Conscience
morale tranquillisée par la Morale épicurienne. Or, d'après
Épicure, il s'agit essentiellement des troubles de la conscience
que peuvent provoquer les dires relatifs à Dieu. Aussi bien
s'acharne-t-il à montrer discursivement (en véritable sceptique
nihiliste) les « contradictions » immanentes de toute Théologie
proprement dite (en niant, bien entendu, la valeur « dogmatique » de la Révélation quelle qu'elle soit). Par ailleurs, Épicure
contre-dit le Dogmatisme théologique en re-disant les dires
scientifiques de Démocrite (qui sont pour lui, comme d'ailleurs
pour Démocrite lui-même, non pas des Dogmes véritables,
mais des Mythes ou des Axiomes proprement dits [étant donné
qu'à cette époque les Atomes n'étaient encore rien moins qu'une
« donnée expérimentale »]. La soi-disant « Science » épicurienne
[mais peut-être pas celle de Lucrèce, qui, dans ce cas, ne serait
pas un Épicurien] n'est qu'un élément-constitutif de son
développement discursif du Dogme révélé dans et par la
Conscience morale (tranquille), cet élément ne tirant sa « vérité »
(exclusive) que de ce Dogme lui-même (mais nullement d'un

Dogme « expérimenté » ou « expérimental »). Par conséquent, dans la mesure où la Physique démocritéenne contre-dit la « liberté » de la Conscience morale, censée devoir et pouvoir se tranquilliser elle-même dans n'importe quelle circonstance donnée (ce que ne saurait faire n'importe quel rassemblement d'atomes démocritéens dans le Monde dont parlait Démocrite), Épicure n'hésite pas à contre-dire cette même Physique (en y introduisant la fameuse pseudo-notion « contradictoire » du *clinamen*). Quitte à objecter en bon sceptique, si on le lui reproche, que l'on peut contre-dire tout ce que l'on dit, sauf lorsque l'on laisse parler la seule Conscience morale ou, plus exactement, lorsque l'on agit et parle de façon que celle-ci se taise et, ne disant rien, ne peut plus être contre-dite, quitte à laisser tout dire en ne contre-disant rien.

Tels sont, très brièvement, les trois Dogmatismes post-aristotéliciens d'allure « philosophique » qui, en fait et pour nous, n'ont rien à voir avec la Philosophie au sens propre du mot, ni même avec la Para-philosophie proprement dite. Il nous faut voir maintenant s'il n'y a pas eu, en même temps, en Grèce ou ailleurs, d'authentiques Philosophies qui furent dogmatisées en tant que telles, c'est-à-dire sans être transformées de ce fait en simples Théories dogmatiques (aphilosophiques, antiphilosophiques ou pseudo-philosophiques), théologiques, scientifiques ou moralistes.

II. LES PHILOSOPHIES DOGMATISÉES
(PARAPHILOSOPHIES)

Dans la mesure où le Discours synthétique est encore « ouvert » ou inachevé et non uni-total ou « circulaire », c'est-à-dire dans la mesure où la Philosophie ne s'est pas encore transformée en Sagesse discursive ou Système du Savoir, le Scepticisme peut prendre une allure antiphilosophique, en opposant à tout Système philosophique donné les éléments-constitutifs du Discours uni-total que ce Système n'implique pas explicitement, même s'il ne les exclut pas d'une façon explicite à l'instar de ces Discours théoriques ou exclusifs.

Sans doute, par définition, le Discours synthétique (philosophique) [qui se présente comme étant « à la fois » (au sens de « en même temps ») pratique et théorique, c'est-à-dire comme une *Théorie* de l'efficacité discursive ou comme une Théorie discursive *efficace*] n'exclut explicitement ni la Prière ni l'Ordre,

comme le font respectivement les Discours exclusifs (théoriques)
scientifiques et théologiques. Mais, par définition encore, le
Discours synthétique *philosophique* n'est pas uni-*total* et n'implique donc pas l'Ordre et la Prière d'une façon *complète* ou
« intégrale ». C'est dire qu'il les exclut tous les deux *partiellement* (ne serait-ce que d'une façon implicite), tout en les impliquant (explicitement) d'une façon *partielle*, voire « partiale ».
Or, la coexistence partielle ou partiale de la Prière et de
l'Ordre n'est, en fait et pour nous, pas autre chose que l'existence du Commandement. Le Discours synthétique implique
donc (explicitement) le Commandement, sans exclure (explicitement) pour autant la Prière et l'Ordre, à l'instar du « Discours » exclusif (théorique) moraliste. C'est ainsi que tout
Système philosophique comporte nécessairement (implicitement
ou explicitement) trois Parties, qui ont respectivement des
allures « théologiques » (Onto-logie ou « Logique »), « scientifique » (Énergo-logie ou « Physique ») et « moraliste » (Phénoméno-logie en tant qu'Éthique).

Dans le Système du Savoir, ces trois Parties des Systèmes
philosophiques sont re-présentées comme trois éléments « constitutifs » (*successifs* au sens temporel du mot) d'un seul et même
Discours uni-total, par définition « complet » et « cohérent ».
Or, cette « cohérence complète » du Discours suppose sa *temporalisation*. En d'autres termes, le Système du Savoir parle
(d'abord) du Discours pratique (ou élémentaire) comme ayant
été *d'abord* seulement Prière, pour être *ensuite* Ordre opposé
à la Prière et coexistant avec elle en tant que Commandement,
et devenir *enfin* un Ordre supprimé-dialectiquement, c'est-
à-dire l'Ordre qui, après avoir supprimé (au sens d'annuler) la
Prière, ne coexiste plus avec elle en tant que Commandement
et, ne s'opposant plus à elle, ne se conserve en tant qu'ex-Ordre
qu'en se sublimant en Sagesse discursive. Ne s'opposant plus
à la Prière et ne coexistant même plus avec elle, cette
Sagesse, tout en n'étant pas Prière, n'est plus ni Ordre ni
Commandement, qui est la parathèse de l'Ordre et de la Prière
proprement dits, mais leur Syn-thèse, qu'est le Système du
Savoir lui-même, pris et compris en tant que Sagesse discursive, qui remplace (finalement et définitivement) tant toute
Prière que tout Ordre et donc tout Commandement quel qu'il
soit. [En tant que Discours uni-total ou circulaire, c'est-à-dire
complètement temporalisé, le Système du Savoir se présente
comme la suppression-dialectique du Discours théorique. Le
Système du Savoir re-présente le Discours comme ayant été
d'abord seulement pratique (élémentaire), pour être *ensuite* théorique (exclusif) en tant qu'opposé au Discours pratique et

coexistant avec lui en tant que Discours philosophique (synthétique), et devenir *enfin* le Discours uni-total qu'est ce Système du Savoir lui-même. Autrement dit, en annulant (refon-
dant dans le passé) le Discours pratique (tant comme Prière
que comme Ordre, et donc comme Commandement), le Système
du Savoir supprime aussi le Discours théorique proprement dit,
c'est-à-dire la Théorie inefficace qui s'oppose à l'Efficacité (discursive) non (encore) théorétisée, et il ne se conserve comme
ex-Théorie (qui ne s'*oppose* plus à la Pratique ou à l'Action,
vu qu'elle s'y *substitue*) qu'en se sublimant en cette Sagesse
(discursive) qui *remplace* (définitivement) la Philosophie, où le
Discours théorique coexiste encore (sans plus s'y opposer explicitement) avec le Discours pratique. La Philosophie, en tant
que para-thèse des Discours pratique et théorique, est censée
être, en dernière analyse, une Éthique (à la fois « théorique »
et « pratique »), c'est-à-dire à la fois une *Théorie* de l'efficacité
discursive (de la Prière, de l'Ordre et du Commandement) et
un Discours théorique *efficace*. Et c'est à cette Éthique philosophique que se substitue (finalement et définitivement) la
Sagesse discursive qu'est le Système du Savoir. Cette Sagesse
ne s'oppose plus à la pratique (Action) et ne coexiste même
plus avec elle parce que ce dont on parle est devenue tout aussi
« sage » que ceux qui en parlent avec sagesse, c'est-à-dire en
développant le Discours uni-total qu'est le Système du Savoir :
le *savoir* absolu s'est (définitivement) substitué au *devoir* absolu
(« impératif catégorique ») qu'est la Philosophie en tant
qu'Éthique.]

Tant que le Discours philosophique n'est pas devenu uni-
total en se temporalisant en tant que Système du Savoir, il
n'est synthétique que virtuellement, c'est-à-dire au sens de
parathétique. La Philosophie proprement dite est un discours
censé être « simultané » ou « éternel », c'est-à-dire, en fait et
pour nous, exclusivement « spatial ». C'est un discours synthétique en ce sens qu'il n'exclut ni la Prière ni l'Ordre. Mais en
les impliquant en tant que *simultanés*, il les re-présente discursivement comme ne coexistant que dans et par leur *opposition*.
En fait et pour nous, le Discours philosophique est donc nécessairement contra-dictoire. C'est pour camoufler cette contra-
diction que la Philosophie ne re-présente la Prière et l'Ordre
que partiellement, leur coexistence partielle et partiale étant
le Commandement. D'une part, la re-présentation seulement
partielle de la Prière et de l'Ordre conditionne le caractère
« ouvert » ou « lacunaire » du Discours synthétique philosophique : aucun Système philosophique ne dit (de l'Ordre ou
de la Prière) *tout* ce qu'on peut en dire. D'autre part, tout

Système philosophique se *contre-dit* en en parlant, parce qu'il parle de leur coexistence simultanée. Cette re-présentation à la fois partielle et contradictoire se présente comme une partialité de la Philosophie. Si tous les Systèmes philosophiques parlent non seulement du Commandement (qui est la parathèse de la Prière et de l'Ordre), mais encore de l'Ordre et de la Prière (à l'état pur), l'un d'eux accorde la prépondérance ou le primat (en soi et donc aussi dans le Commandement) soit à la Prière, soit à l'Ordre.

C'est en raison de cette « partialité » que les Systèmes philosophiques prêtent le flanc aux attaques du Scepticisme (qui est antiphilosophique dans la mesure même où il attaque toutes les philosophies, voire la Philosophie en tant que telle). Le Sceptique montre au Philosophe que tout primat accordé à la Prière peut être contre-dit par un primat accordé à l'Ordre, et *vice versa*. Il lui montre ainsi que la Philosophie se trompe lorsqu'elle croit qu'elle dé-montre ou qu'elle affirme (ou « réfute » ce qu'elle nie).

D'ailleurs, la Philosophie n'a pas besoin du Scepticisme proprement dit pour le voir. Il lui suffit de se contre-dire elle-même en tant que thétique et antithétique pour le constater. Et c'est en le constatant qu'elle se *dogmatise* et se trans-forme en Para-philosophie.

Théoriquement, la dogmatisation de la Philosophie a dû se produire dès la coexistence de la Thèse éléatique avec l'Antithèse héraclitéenne. C'est en constatant qu'aucun des deux Systèmes « contraires » ne pouvait être « démontré » en en « réfutant » d'autres que la Philosophie y substitua la Parathèse « socratique ». Mais l'Éléatisme et l'Héraclitéisme authentiques pouvaient néanmoins se maintenir tels quels en se dogmatisant. Seulement, nos connaissances sont beaucoup trop fragmentaires pour affirmer qu'il en fut vraiment ainsi.

Par contre, nous savons que la contra-diction entre la Parathèse thétique platonicienne et la Parathèse antithétique aristotélicienne aboutit à une dogmatisation du Platonisme et de l'Aristotélisme, avant que soient tentées la Parathèse synthétique kantienne, ou même l'Éclectisme dit néo-platonicien. Et il y a tout lieu de supposer que cette dogmatisation résulte de la « polémique » entre les deux Écoles rivales plus encore que des attaques dirigées contre les deux par le Scepticisme proprement dit (dans sa variante antiphilosophique).

Quoi qu'il en soit, la dogmatisation de la Philosophie est une concession que la Para-philosophie fait au Scepticisme en ce sens, qu'elle renonce à la dé-monstration, en constatant son échec, et fait appel à la simple monstration.

Cependant, si la Théorie dogmatique fait appel à la monstration, *non* discursive, c'est-à-dire à l'*Expérience* (religieuse, scientifique ou morale, voire transcendante, extérieure ou intérieure), la Philosophie dogmatisée (Para-philosophie) ne dépasse pas les limites du Discours. La *monstration* para-philosophique, qui se substitue à la dé-monstration (celle-ci n'étant d'ailleurs en fait possible que dans et par le Système du Savoir, n'est jamais autre chose qu'un appel à l'*Évidence*, qui se distingue spécifiquement de l'*Expérience* théorique précisément parce qu'elle est toujours discursive.

A ses débuts, c'est-à-dire à son stade « axiomatique », la Philosophie peut se mé-prendre pour un Système complet, en se prenant pour un Discours uni-*total*. Ce n'est qu'à son stade « sceptique » (« polémique ») qu'elle prend discursivement conscience de ses propres lacunes discursives. Mais elle reste Philosophie authentique tant qu'elle cherche à les combler discursivement. Elle ne passe au stade « dogmatique » (qui n'est d'ailleurs qu'une « impasse ») en devenant Para-philosophie, que dans la mesure où elle essaie de camoufler ses lacunes discursives en se présentant comme un Système discursivement complet.

En fait et pour nous, la lacune discursive se manifeste (discursivement) lorsque le développement aboutit à des « conclusions » qui ne coïncident pas avec ses « prémisses ». Autrement dit, l'ensemble du Système est « déduit » à partir des « prémisses » qui ne sont pas elles-mêmes « déduites » de leurs « conséquences ». Au lieu d'essayer de « déduire » ses « prémisses » en complétant son discours, la Para-philosophie déclare que ce qu'elle ne déduit pas est *indéductible* et n'a pas *besoin* d'être déduit, étant *évident* en et pour soi-même, en tant que discours.

Ces *Évidences discursives* sont les « dogmes » de la Para-philosophie. Elle affirme [sans la dé-montrer!] que nier ces Évidences équivaut à nier le Discours en tant que tel et, partant, toute Philosophie. Sans doute, les Évidences ne peuvent pas être dé-montrées, parce qu'elles ne peuvent pas être discursivement « déduites ». Mais aucun discours ne peut non plus les « réfuter », car en les niant, il se contre-dirait soi-même et se réduirait ainsi lui-même au silence. Or, le Silence ne contre-dit pas, et ne « réfute » donc pas le discours. L'Évidence discursive « indémontrable » est donc « irréfutable ». Et cela suffit à la Para-philosophie.

C'est dire que la Para-philosophie n'admet pas qu'on oppose à ses Évidences discursives l'Expérience silencieuse de la Théorie. Par conséquent, contrairement à la Théorie dogmatique, elle n'essaie pas non plus de se « justifier » par un appel à cette Expérience. Autrement dit, la Para-philosophie n'admet l'Expérience que dans la mesure où celle-ci « confirme » le dogme paraphilosophique qu'est l'Évidence, tandis que le dogme théorique n'est admis par la Théorie dogmatique que dans la mesure où il est « conforme » à l'Expérience silencieuse.

Cependant, cette différence entre la Philosophie dogmatisée et la Théorie dogmatique est moins tranchée en pratique qu'elle ne l'est en théorie. En se présentant [à tort] comme un discours *uni-total*, la Para-philosophie prétend [à tort] à l'*universalité* de ses Évidences : ses « dogmes » sont censés être « évidents » pour tous et pour chacun (tandis que l'Expérience peut être « individuelle », les autres y « croyant » sans l'éprouver eux-mêmes). Or, tout un chacun n'est pas un philosophe qui montre les Évidences (discursives) en tant que telles, en quelque sorte à l'état pur. En règle générale, ces Évidences n'apparaissent dans les discours « profonds » qu'implicitement et il appartient au philosophe de les expliciter dans son propre discours philosophique.

Or, ce qui est « universel » [ou prétendu tel], ce n'est pas la philosophie, mais les Théories dogmatiques. Le philosophe aura donc pour tâche de dégager de ces dogmes les évidences qui y sont impliquées (et donc implicitement acceptées par tous, au même titre que les dogmes qui les impliquent). La Para-philosophie fera donc appel aux mêmes dogmes que les Théories dogmatiques. La seule différence réside dans le fait que la Para-philosophie n'accepte ces dogmes que parce qu'ils sont « évidents » (leur conformité avec l'Expérience ne faisant que « confirmer » leur évidence), tandis que la Théorie dogmatique ne les accepte que comme « révélations » discursives de l'Expérience silencieuse (dont ils tirent sinon leur « évidence », du moins leur caractère « irréfutable », bien qu'ils soient « indémontrables » discursivement).

Bien qu'il soit difficile de distinguer en pratique une Para-philosophie d'une Théorie dogmatique, il n'y a pas de doute qu'à l'époque hellénistique le Platonisme et l'Aristotélisme ont été dogmatisés sans se confondre avec une Théorie dogmatique quelconque.

C'est de ces Platonisme et Aristotélisme dogmatisés que je dois maintenant parler, le premier étant *grosso modo* ce qu'on appelle le « Platonisme moyen » (en tant que différent de la Théologie dogmatique « platonisante ») et le second, le Stoïcisme (en tant que Para-philosophie, et non comme Morale dogmatique).

Sans doute, en fait et pour nous, les « évidences » platoniciennes et aristotéliciennes (stoïciennes) s'excluent mutuellement et se contre-disent de ce fait les unes les autres. Et c'est la mise en évidence de cette contra-diction qui provoque d'abord la tentative de les « additionner » dans l'Éclectisme dit néo-platonicien (dont j'aurai à parler bientôt) et ensuite celle de les « combiner » par la Parathèse synthétique kantienne (dont je parlerai plus tard). Mais, au départ, les deux Paraphilosophies « contraires » ont coexisté à l'état pur et il semble qu'elles se sont maintenues telles quelles pendant un certain temps après l'avènement du Néo-platonisme éclectique.

1. *Le Platonisme dogmatisé :*
l'Académie et le « Platonisme moyen »

Il semble que ce soit les critiques du Platonisme par Eudoxe et par Aristote (notamment de la *Peri philosophias* de ce dernier), ainsi que la critique de ceux-ci par Platon (principalement dans le *Septet*) qui ont joué, au sein de l'Académie, le rôle dogmatisant que joue habituellement le Scepticisme pour ainsi dire « professionnel ».

Pour nous, mon Système philosophique donné ne peut et ne doit *exclure* aucun autre Système philosophique, étant donné qu'en fait *tous* ces Systèmes sont intégrés dans le Système du Savoir. Chez un Philosophe authentique, tel que le fut Platon, ce refus *d'exclure* un Système philosophique différent du sien ou « contraire » à celui-ci, se présente en tant qu'aveu explicite du caractère *incomplet* ou *inachevé* du Système qu'il développe. D'une part, le Philosophe admet par définition l'existence d'une lacune discursive dans son propre Système; d'autre part, toujours par définition, il reconnaît la nécessité et la possibilité de combler cette lacune tôt ou tard. Or, tant que la lacune n'est pas encore comblée, tout en devant l'être, il n'est pas possible d'exclure l'éventualité qu'elle puisse être comblée par un autre Système philosophique, notamment par le Système « contraire ». C'est ainsi qu'Aristote a cru pouvoir combler par ses propres apports (probablement empruntés, à l'origine, à Eudoxe) les lacunes du Système platonicien. Mais étant donné qu'il a dû modifier, voire supprimer certains éléments-constitutifs du Platonisme pour pouvoir prétendre [à tort] avoir transformé celui-ci en Système complet ou en

Système du Savoir, Platon a pu considérer [à tort] l'Aristotélisme (ou l'Eudoxisme) non pas comme un complément de son
propre Système, mais comme un discours *exclusif* et donc
par définition *théorique* et non philosophique au sens propre.

Il se peut qu'il y ait eu dans l'Académie des philosophes
authentiques qui poursuivirent les efforts de Platon en vue
de compléter et d'achever le Système platonicien, sans vouloir
exclure a priori un autre Système quelconque, celui d'Aristote
y compris. Mais nous ne savons rien d'une telle activité proprement philosophique de l'Académie. Par contre, nous avons tout
lieu de supposer que c'est le désir de « réfuter » *immédiatement*
les « objections » d'Eudoxe et d'Aristote qui ont prévalu parmi
les successeurs de Platon. Or, on ne peut en fait affirmer la
« vérité *absolue* » (c'est-à-dire, pour nous, « exclusives ») d'un
Système *philosophique*, c'est-à-dire d'un discours (synthétique)
inachevé qu'en *dogmatisant* le « Système » en cause, c'est-à-dire
en trans-formant en *Évidence* ces « prémisses » (plus ou moins
arbitrairement choisies).

C'est d'une telle dogmatisation du Platonisme que je dois
maintenant parler. Mais il semble qu'il y a eu aussi, au sein
de l'Académie, un abandon pur et simple de la Philosophie
(platonicienne) proprement dite au profit de Théories dogmatiques « platonisantes ». Dans la mesure où certains Académiciens ont renoncé à compléter *discursivement* le Système de
Platon, tout en voulant défendre ce Système explicitement
incomplet contre les « critiques » des Eudoxiens et des Aristotéliciens, voire contre les attaques du Scepticisme (antiphilosophique), ils devaient nécessairement faire appel, soit à la
Révélation ou à l'Expérience sensible (« extérieure »), soit
à l'expérience (« intérieure ») de ce que révèle silencieusement la
Conscience morale.

Il semble que ce triple appel a effectivement été fait parallèlement au sein de l'Ancienne Académie, certains Académiciens préférant l'un des trois et certains l'un ou l'autre des
deux autres. En ce qui concerne l'appel à la Conscience morale,
nous n'en savons presque rien, sinon qu'Antiochius a pu
affirmer plus tard que le Moralisme dogmatique de l'Ancienne
Académie ne différait en rien de celui que fut le Stoïcisme.
Et ceci semble vrai, du moins en ce qui concerne un Polémon
(qui fut l'un des maîtres de Zénon), un Crantor ou un Cratès
(qui fut le maître d'Arcésilas, c'est-à-dire du fondateur de la
Nouvelle Académie, dite « sceptique »). Quant à l'appel à
l'Expérience sensible, c'est surtout à propos de Speusippe et de
Xénocrate qu'il en est question, mais il semble que le Dogmatisme « scientifique » fut développé avec prédilection par des

« académiciens » du type d'un Héraclite du Pont. Quoi qu'il en soit, dans la mesure où cette Science dogmatique de provenance académique empruntait (à la suite d'un Eudoxe) des éléments à la Philosophie, c'est de l'Aristotélisme bien plus que du Platonisme qu'il devait s'agir. Pour nous, toute la Science dogmatique de l'Antiquité est en fait péripatéticienne et si certains Savants préférèrent la développer au sein de l'Académie, c'est parce que, comme nous le verrons, le *Peripatos* (dominé par Théophraste) se méfiait de tout emprunt fait à la Philosophie (même aristotélicienne) et cultivait un « positivisme » scientiste à l'état (plus ou moins) pur.

C'est donc l'appel à la Révélation (divine) qui caractérise le Dogmatisme académique dans ce qu'il a de spécifique et d'opposé au Dogmatisme cultivé dans le *Peripatos*. Aucun des Académiciens que nous connaissons ne semble avoir combattu la Théologie dogmatique platonisante (pas même Héraclite), mais c'est peut-être Philippe d'Oponte qui fut le premier à introduire cette Théologie pseudo-philosophique dans l'Académie d'une façon explicite et « systématique », du moins si c'est à lui qu'il faut attribuer le dialogue appelé *Epinomis* (ainsi que la falsification des *Lois* et, notamment, la rédaction « non ironique » du fameux livre X). C'est peut-être par lui que Speusippe et, dans une moindre mesure, Xénocrate furent acquis à la bonne cause de la Théologie dogmatique, fondée sur un Dogme révélé.

En effet, ce qui frappe dans l'*Epinomis*, ce n'est pas seulement le parti pris, conscient et volontaire, de prendre au sérieux et à la lettre les passages ironiques du *Timée*, où Platon tourne en ridicule la Physique « astrologique » et l'Astrolâtrie eudoxo-aristotélicienne. C'est encore et surtout l'appel tout aussi volontaire et conscient à la Révélation silencieuse du Divin ineffable ou en tout cas dépassant l'ensemble du Discours purement humain.

L'exposé de la Théologie dogmatique est introduit dans l'*Epinomis* par un appel explicite à la Révélation : « Clinias : ...Eh bien, homme admirable, *prie avec foi (pisteusas)* les Dieux et expose le propos beau entre tous qui te *vient* à l'esprit au sujet des Dieux et des Déesses. L'Athénien : Ainsi en sera-t-il, si le Dieu *lui-même* se fait notre *guide*. Unis-toi seulement à ma *prière*. [Suit une prière *silencieuse*.] Clinias :... Tu peux *parler* maintenant [c'est-à-dire après avoir reçu, dans et par la Prière, la grâce de la Révélation divine] « *Ep.*, 980, c; cf. aussi *ibid.*, 985, c-d). D'une manière générale, « la Divinité... sait *qu'instruit par elle* l'homme se mettra à sa suite et apprendra ce qu'elle lui enseigne; ... que nous apprenions *ainsi* le Nombre

et la Science des Nombres [c'est-à-dire la " philosophie " dite
" platonicienne "], elle le sait, à n'en pas douter » (*ibid*, 988, b).
Ainsi, l'ensemble de la Théologie a pour fondement et pour
source dernière ce que le *Theos* a bien voulu révéler, que personne
ne devrait, d'ailleurs, contre-dire (à moins d'être et de passer
pour « in-sensé »). En tout cas, « on ne saurait l'instruire
[sc. la Cité] sans être guidé *par la Divinité* » (*ibid*., 989, d).
Sans doute peut-on se contenter de re-dire la Révélation déjà
développée en Théologie dogmatique (« systématique ») : mais
la source dernière est partout et toujours un appel à Dieu :
« Sur tout cela, il faut penser que si l'on saisit correctement
chacun de ces enseignements, c'est grande utilité pour celui
qui les reçoit avec méthode *(kata tropon)*; sinon, il vaut mieux
invoquer chaque fois la Divinité » (*ibid*., 991, d). Car « il n'est
pas possible à la race humaine de rien savoir [par elle-même]
en de telles matières » (*ibid*., 985, d) [6].

Je n'ai pas à rappeler en ce lieu le contenu même de la
Théologie dogmatique dite « platonicienne » pour que l'on
se souvienne de sa parfaite ineptie. Et c'est peut-être à cause
des railleries que cette Théologie suscita chez les non-initiés
qu'Arcésilas engagea l'Académie sur la voie de l'esotérisme
et du mystère, en contre-attaquant les railleries terre à terre
par une critique sceptique radicale de tout Empirisme, scientifique et autre, ainsi que des prétendues données immédiates
de la Conscience morale quelle qu'elle soit.

Nous ignorons complètement ce que pouvait être le Dogmatisme théologique « ésotérique » de la très sceptique Nouvelle
Académie. Mais il y a tout lieu de supposer que l'enseignement
cachée de celle-ci ne pouvait pas différer des Dogmes théologiques que les Intellectuels moins scrupuleux ou plus imper-
méables au ridicule développaient entre-temps sinon sur la
place publique, du moins dans les cercles relativement fermés
des Néo-pythagoriciens, auxquels venaient généralement s'asso-
cier les Théologiens dogmatiques que l'histoire de la philosophie
appelle généralement, mais à tort, des Platoniciens pythagorisants (dont Plutarque est l'exemple classique, mais certainement pas le meilleur) [7].

Cette Théologie dogmatique, qui emprunta effectivement au
Platonisme certains de ses éléments (sans dédaigner pour autant
les éléments de l'Aristotélisme), fut cultivée avec plus ou moins
d'éclat jusqu'à la fin de l'Antiquité païenne, notamment dans les
milieux dits « néo-platoniciens ». Mais je n'ai pas à m'en occuper
en ces lieux, vu que tout ceci n'a absolument rien à voir avec
l'introduction du Système du Savoir hégélien. Je me conten-

terai donc de signaler, en terminant, que, d'une part, cette
Théologie se doubla, depuis Plotin, d'une Philosophie dogmatique à base platonicienne et donc d'orientation théologique
(dont j'aurai encore à parler) et que, d'autre part, la tradition
d'un Platonisme authentique semble s'être maintenue elle-
aussi jusqu'à la fin du Paganisme, comme en témoignent les
écrits de Julien et même ceux d'un auteur aussi tardif que
Damascius (qui semble, d'ailleurs, avoir transmis cette tradition aux Arabes, par le truchement des Syriens, comme le
montre l'étonnant Platonisme d'un Farabi) [8].

Mais, à dire vrai nous ne sommes nullement sûrs que la
doctrine « ésotérique » de la Nouvelle Académie (d'Arcésilas
à Philon de Larissa) ait été *Théorie* dogmatique, théologique ou
autre. Notre ignorance est telle que nous n'avons pas le droit
d'exclure la possibilité que cette doctrine ésotérique (dont nous
parle, par exemple, Cicéron) n'était rien d'autre que le Platonisme *authentique*, c'est-à-dire *philosophique* au sens strict
de ce mot. Après tout, un Arcésilas ou un Carnéade pouvaient
être des philosophes véritables, d'ailleurs platoniciens, qui
étaient parfaitement conscients de l'existence des lacunes
discursives propres au Système philosophique élaboré par
Platon et qui s'efforçaient de combler ces lacunes, tout en
se rendant compte de ne pas y avoir réussi. S'ils voulaient soustraire le Platonisme encore inachevé ou « lacunaire » à la
connaissance de la « grande masse » des intellectuels (non
philosophes), c'est précisément parce qu'ils se rendaient compte
du fait qu'en raison précisément de ses « lacunes », ce Platonisme inachevé ne pouvait pas être dé-montré au sens fort
du terme et qu'il prêtait le flanc aux « critiques » des Aristotéliciens (péripatéticiens ou stoïciens) et aux attaques du Scepticisme antiphilosophique. Ils pratiquaient eux-mêmes ce
Scepticisme, en dirigeant leurs attaques uniquement contre
l'Aristotélisme et en y soustrayant le Platonisme tout simplement parce qu'ils ne le développaient pas ouvertement. Ainsi,
en soustrayant le Platonisme aux attaques sceptiques et en
attaquant « sceptiquement » l'Aristotélisme, ainsi que toute
Théorie (dogmatique) quelle qu'elle soit, ils écartaient les intellectuels tant de ce dernier que de la Théorie en général (a-, pseudo-,
ou antiphilosophique), sans décourager par avance leur éventuelle « conversion » à la Philosophie authentique et plus particulièrement au Platonisme philosophique, qu'ils ne leur ensei-
gnaient qu'après s'être assurés qu'ils étaient prêts à rechercher
la Sagesse discursive en développant le Système philosophique
platonicien, sans s'arrêter en cours de route soit en dogmatisant

celui-ci, soit en y renonçant au profit d'une Théorie dogmatique quelconque, et sans se laisser tenter par le Silence, y
compris celui auquel équivaut en dernière analyse le Scepticisme
en tant que tel.

Cependant, bien qu'il ne nous soit pas possible d'écarter
cette éventualité d'une survie du Platonisme authentique au
sein de l'Académie, rien ne nous laisse supposer que les Académiciens aient réussi à développer le Système platonicien (en
direction du Système du Savoir) au-delà de ce qu'a pu faire
Platon lui-même (notamment parce que nous connaissons très
mal ce qu'a fait ce dernier).

Par contre, il est plus que probable que la doctrine « ésotérique » de la Nouvelle Académie a été un Platonisme « pur »,
mais *dogmatisé*. Cette hypothèse rendrait en tout cas compréhensible la curieuse « conversion » de Philon de Larissa, du « scepticisme » au « dogmatisme », dont nous parle (d'une façon
très peu claire) Cicéron (cf. *Acad. pr.*, II, 11, 34, et *Ac. post.*,
I, 4, 13). Philon aurait tout simplement rendu public ce que
ses prédécesseurs préféraient dissimuler, en ne le révélant qu'à
un petit nombre d' « initiés » au sein de l'Académie proprement dite. Quant à Antiochus d'Ascalon, il aurait essayé de
« combiner », dans un « Syncrétisme » paraphilosophique développé plus tard par ceux qu'on appelle des Néo-platoniciens »,
le Platonisme dogmatisé dans la Nouvelle (ou Moyenne) Académie avec l'Aristotélisme qui fut dogmatisé parallèlement
par les Stoïciens. D'ailleurs, cette « combinaison » a été réduite,
chez Antiochus, à son expression la plus simple, puisqu'il s'est
contenté d'affirmer [à tort] la parfaite identité de ces deux
Philosophies (« contraires ») dogmatisées (en découvrant [avec
raison], que le Stoïcisme n'était rien d'autre qu'une dogmatisation de l'Aristotélisme authentique, auquel le *Peripatos* avait
renoncé au seul profit de la Théorie, d'ailleurs essentiellement
scientifique).

Le fait est que Philon (d'après Cicéron) niait toute différence
entre sa propre doctrine « dogmatique » et celles de Platon,
de l'Ancienne Académie et de l'Académie Nouvelle (Moyenne).

Si nous admettons que la doctrine de Philon a été un Platonisme *dogmatisé* ou paraphilosophique, nous devons dire qu'elle
était essentiellement différente du Platonisme authentique
philosophique qu'avait développé Platon lui-même. Mais nous
serons d'accord avec le jugement de Philon de l'Académie, si
nous admettons que le Platonisme fut dogmatisé dès l'Ancienne
Académie et que la Nouvelle (ou Moyenne) Académie s'était
contentée de cacher aux profanes ce Platonisme dogmatisé,
en dirigeant son scepticisme « exotérique » contre le seul Stoï-

cisme (comme le dit Philon), c'est-à-dire (pour nous) contre
l'Aristotélisme dogmatisé (cf. aussi la rumeur rapportée par
Sextus Empiricus, *Hyp. Pyrr.*, I, 234, selon laquelle Arcésilas
se servait du « Scepticisme » pour entraîner ses élèves à la
compréhension du Platonisme. On pourrait encore confirmer
cette hypothèse en interprétant comme suit les fameux vers
d'Ariston de Chios sur Arcésilas : « Platon devant, Pyrrhon
derrière, et au milieu Diodore [le Mégarique]. » L'École de
Mégare avait partie liée avec Eudoxe, où l'Eudoxisme mégarique est à l'origine de l'Aristotélisme, né des attaques dirigées
par Aristote contre Platon. L'événement « central » est donc,
pour Arcésilas, la critique du Platonisme par l'Aristotélisme.
Pour arriver au Platonisme qui est « devant » lui, en tant
qu'un « but », Arcésilas doit réfuter le Mégarisme aristotélicien
(stoïcien). Pour le faire, il s'appuie sur le Pyrrhonisme, qui est
ainsi « derrière » lui.

Plusieurs indices semblent confirmer cette façon de voir
les choses. D'une part, aucun Académicien n'a voulu admettre
une différence qu'elle qu'elle soit entre ses propres dires et
ceux de Platon lui-même et aucun n'a appliqué les armes
du « Scepticisme » académique contre le Platonisme quel
qu'il soit, authentique ou dogmatisé. D'autre part, on sait
qu'Arcésilas et Carnéade ont passé le plus clair de leur temps
à « critiquer » respectivement (par des arguments « sceptiques »)
Zénon et Chrysippe. D'une manière générale, tout le monde
reconnaît que le « Scepticisme » académique avait pour but de
« réfuter » le Stoïcisme. Et rien ne dit qu'il ait eu un autre but
que celui-ci.

En admettant que les Académiciens « sceptiques » ont épar-
gné Platon parce qu'ils étaient des partisans du Platonisme
(il est vrai dogmatisé), on peut se demander pourquoi ils n'ont
attaqué ni l'Aristotélisme, ni la Théorie (dogmatique ou axiomatique) en tant que telle (aphilosophique ou antiphilosophique). En ce qui concerne l'Aristotélisme authentique, on
peut répondre que l'attaque aurait été sans objet, vu que celui-
ci avait disparu avec Aristote, le *Peripatos* ayant abandonné
la Philosophie au profit de la Théorie (scientifique). Quant à
l'Aristotélisme dogmatisé, il n'était rien d'autre que le Stoïcisme, qui était précisément la tête de turc du « Scepticisme »
académicien. Ainsi, l'Académie se spécialisa (dans son activité
« exotérique ») dans la critique (« sceptique ») de la seule philosophie contemporaine qui s'opposait, en tant que « contraire »,
au Platonisme (dogmatisé) qu'elle professait elle-même. Somme
toute, comme le dit Philon, la Nouvelle (ou Moyenne) Académie s'est bornée à « réfuter » (par une méthode empruntée

au Scepticisme antiphilosophique) l'Aristotélisme dogmatisé, appelé Stoïcisme, qui cherchait à « réfuter » le Platonisme dogmatisé que les Académiciens développaient d'une façon occulte ou « ésotérique ».

Seulement, en attaquant le Stoïcisme en tant qu'*Aristotélisme* dogmatisé, les Académiciens se gardaient bien de l'attaquer en tant qu'un Aristotélisme *dogmatisé*. Car en attaquant la *dogmatisation* de la Philosophie, ils auraient fatalement combattu aussi la dogmatisation du Platonisme et donc le Platonisme dogmatisé qu'ils développaient eux-mêmes. C'est pourquoi, loin de combattre la dogmatisation de la Philosophie, ce sont précisément les Académies (et non les Stoïciens) qui élaborèrent la méthode et les principes d'une telle dogmatisation (en la limitant, bien entendu, au seul Platonisme).

Cette situation a pu se produire parce que les Académiciens « sceptiques » ont mé-compris (plus ou moins volontairement) le Stoïcisme, qui s'est d'ailleurs prêté lui-même à cette mé-compré-hension. En fait, la Nouvelle Académie attaqua le Stoïcisme non pas comme une Philosophie (aristotélicienne) dogmatisée, mais en tant qu'une Théorie dogmatique, d'ailleurs scientifique. C'est pour cette raison que les Académiciens n'ont pas dirigé leurs attaques contre les Théories proprement dites de leur temps. En ce qui concerne les Théories encore axiomatiques (présceptiques), ils ont dû estimer que les attaques du Scepticisme proprement dit (théorique) suffisaient pour le démolir. Et ils ne s'attaquaient pas aux Théories dogmatiques (postsceptiques) parce qu'ils combattaient le Dogmatisme théorique en tant que tel sous le nom de Stoïcisme, c'est-à-dire en interprétant [à tort] celui-ci non pas comme une Philosophie dogmatisée, mais comme une Théorie dogmatique (d'ailleurs scientifique).

Or, par définition, la Théorie dogmatique, étant une Théorie axiomatique trans-formée par la Théorie sceptique, échappe aux attaques du Scepticisme proprement dit. Contrairement aux apparences, les attaques académiques contre le Stoïcisme, mé-compris comme une Théorie dogmatique, était donc non pas proprement sceptiques, mais paraphilosophiques, c'est-à-dire propres à la Philosophie *dogmatisée*, qui combat le Dogmatisme théorique en opposant à l'Expérience silencieuse des Évidences discursives (que combat la Philosophie « critique », qui débouche sur le Système du Savoir). En fait et pour nous, l'Académie dite « sceptique » niait la valeur de tout « critère de vérité » *silencieux*, c'est-à-dire de tout appel à l'Expérience (transcendante, extérieure ou interne). Seulement, elle renonçait aux Dogmes théoriques, c'est-à-dire aux « révélations » silencieuses de l'ineffable ou aux « données *immédiates* de la conscience, non pas en vue du Discours uni-*total* qu'est le Système du Savoir, mais au seul profit des Évidences discursives, l'appel auxquelles caractérise précisément la Para-philosophie.

Plus exactement, la Nouvelle Académie « ignorait » (plus ou moins volontairement et consciemment) les Évidences admises par le Stoïcisme (y compris celles qui étaient « contraires » aux Évidences impliquées dans le Platonisme dogmatisé que développait « ésotériquement » cette Académie) et se contentait (comme le souligne Philon) de nier (explicitement) la valeur de l'appel « stoïcien » à la *fantaisie cataleptique*, c'est-à-dire à l'Expérience *extérieure* ou « sensible », qui est à la base de toute Théorie dogmatique *scientifique*.

D'une part, ce malentendu (plus ou moins involontaire et inconscient) s'explique par le fait qu'Arcésilas a été disciple de Théophraste avant de passer du côté de Crantor, Polémon et Cratès. Or, Théophraste abandonne la Philosophie (aristotélicienne) au profit d'une Théorie dogmatique scientifique, fondée en fait sur le « critère » silencieux de l'Expérience sensible. Et s'il n'est pas sûr qu'il ait lui-même élaboré la doctrine de ce critère, nous savons qu'elle fut longuement développée au sein de l'École stoïcienne. Aussi bien n'est-il pas étonnant qu'en voulant combattre l'Aristotélisme (péripatéticien ou stoïcien), Arcésilas se soit attaqué précisément à cette doctrine de l'Expérience sensible. D'autre part, pour des raisons que nous ignorons (mais peut-être à cause de cette même influence péripatéticienne) les Stoïciens eux-mêmes ont mal compris leur propre Système : en supposant à tort qu'il était fondé sur la seule Expérience sensible, ils se contentèrent de développer une doctrine de celle-ci, en négligeant non seulement la Révélation et la Conscience morale, mais encore l'Évidence discursive. Ainsi, en voulant critiquer le Stoïcisme, les Académiciens crurent devoir attaquer la doctrine stoïcienne de l'Expérience sensible et pouvoir se dispenser de toute attaque non seulement contre les deux autres Expériences théoriques, mais encore contre l'Évidence (para-)philosophique.

Or, pour nous, le Stoïcisme que nous connaissons n'est rien moins qu'une Théorie dogmatique scientifique. En fait, les Stoïciens (à la seule exception, peut-être, de Posidonius, que nous ne connaissons d'ailleurs pas) n'ont jamais fait de développement discursif à partir des données de l'Expérience sensible et celle-ci n'est nullement le fondement dernier de leur Système pris dans son ensemble. Dans la mesure où des Stoïciens ont développé des Théories dogmatiques, il s'agissait de Théories

morales, basées sur les données de l'Expérience interne ou de la
Conscience morale (à la seule exception, peut-être, de Cléanthe
qui semble avoir esquissé une Théorie dogmatique Théologique, fondée sur la Révélation). Et dans la mesure où le Stoïcisme est une para-philosophie, il est fondé sur l'Évidence,
tout comme la para-philosophie qu'est le Platonisme dogmatisé
professé par l'Académie (bien que les Évidences utilisées de
part et d'autre soient « contraires »).

D'une part, ce malentendu a permis à la Nouvelle Académie
d'écarter de son sein les seules Théories dogmatiques *scientifiques*
(qui furent de ce fait « aristotéliciennes » dans la mesure où
elles revêtirent une forme pseudo-philosophique), en tolérant
plus ou moins les Théories dogmatiques théologiques et moralistes (ces dernières semblent avoir eu les faveurs de Philon).
D'autre part, ce même malentendu explique le fait que la
Moyenne Académie a pu non seulement maintenir le Platonisme
tel qu'il a été dogmatisé par l'Ancienne Académie, mais encore
élaborer une doctrine de l'Évidence (paraphilosophique, en
présentant celle-ci explicitement comme le fondement dernier
du Système académique, qu'ils identifièrent d'ailleurs [à tort]
avec celle de Platon [9].

C'est cette doctrine « académique » de l'Évidence discursive
(qui est implicitement ou explicitement admise par toute
Philosophie dogmatisée quelle qu'elle soit, c'est-à-dire par la
Para-philosophie en tant que telle) qu'il s'agit de considérer
de plus près.

Malheureusement, nous savons fort peu de choses de cette
doctrine. Il semble cependant qu'elle fut élaborée pour la
première fois par Arcésilas et qu'elle ne fut pas retenue par
Carnéade. Mais c'est peut-être seulement Philon de Larissa
qui a admis explicitement que le Platonisme académique (dogmatisé) reposait en dernière analyse sur l'Évidence (discursive)
dont Arcésilas avait fait la Théorie, sans dire qu'elle était
à la base de leur propre Système philosophique.

Quoi qu'il en soit, la doctrine en cause d'Arcésilas peut être,
re-présentée comme suit (cf. Sextus Emp., VII, 150-158).

Comme tous les « Socratiques », les « Stoïciens » admettaient
la distinction explicitée par Platon, entre le Savoir *(episthêmê)*
et l'Opinion *(doxa)*, c'est-à-dire entre le Système du Savoir
ou ses éléments-constitutifs discursifs et les discours « isolés »
ou « fragmentaires ». Mais ils semblent avoir été les premiers
à introduire entre les deux une connaissance « intermédiaire »
qu'ils appelèrent *Catalepsie*. En fait, les Catalepsies stoïciennes
n'étaient rien d'autre que des Évidences paraphilosophiques,

c'est-à-dire des discours « fragmentaires » censés être « permanents » ou « absolument vrais », voire « universellement valables » en tant que « vérités éternelles ». C'est en s'appuyant sur de telles Évidences discursives que les Stoïciens dogmatisèrent l'Aristotélisme. Mais lorsqu'ils firent la Théorie de cette Évidence, ils la présentèrent [à tort] comme un ensemble de *Fantaisies* cataleptiques, c'est-à-dire d'Expériences extérieures ou sensibles, par définition silencieuses («révélant» silencieusement l'Ineffable). En d'autres termes, ils interprétaient [à tort] les Évidences (discursives) qu'ils utilisaient en fait en qualité de « prémisses » de leur Système paraphilosophique (aristotélicien), comme des Dogmes scientifiques, c'est-à-dire comme des expressions discursives de données immédiates silencieuses de la conscience extérieure ou sensible. Ainsi, la fameuse formule stoïcienne : *kataleptikes phantasias synkatathesis* se traduirait par : «accord [d'utiliser comme " vérité éternelle " l'expression discursive] d'une donnée-immédiate de l'expérience-sensible [silencieuse] ».

En tout cas, Arcésilas rejetait les Évidences stoïciennes en les interprétant précisément de cette façon, c'est-à-dire en tant que Dogmes scientifiques. D'une part, il affirmait [à juste titre] que les données *immédiates*, par définition *silencieuses*, n'avaient pas de place dans la Philosophie, qui est essentiellement *discursive*. D'autre part, il concluait que les formalités discursives de ces données silencieuses n'avaient aucun avantage (philosophique) sur n'importe quels autres éléments-constitutifs du Discours. Chez le Sage, disait Arcésilas, la formule discursive qui correspond à « l'accord donné à une fantaisie cataleptique » est un *savoir*, tandis que la même formule n'est qu'*opinion* chez le Fou [ce qui n'est NI savoir NI opinion se situant en dehors du Discours en tant que tel, tandis que la notion (stoïcienne) de ce qui est censé être « entre » le savoir et l'opinion, c'est-à-dire « à la fois » ET savoir ET opinion, est « contradictoire dans les termes » et donc elle aussi « extérieure » au Discours, étant équivalente au Silence]. Or, la formule discursive en cause est une « vérité absolue » [ou « éternelle »] chez le Sage proprement dit parce que, chez lui, elle est un élément-constitutif du Discours uni-total qu'est le Système du Savoir. Par contre, chez le Fou, elle n'est qu'une opinion [par définition] « changeante » [ou « temporaire »] parce qu'elle est un discours « isolé » ou « fragmentaire », qui ne se referme pas sur lui-même pour former un Système du Savoir proprement dit.

De ce point de vue, toutes les opinions se valent et il n'y a aucun moyen de préférer l'une à l'autre. Dans la mesure où le Système philosophique n'est pas encore parachevé en Système du Savoir, c'est-à-dire tant que le Philosophe n'est pas encore un véritable Sage, il faut donc « suspendre le jugement » *(epokhê)* en toute matière. C'est pourquoi Arcésilas (qui se considérait non pas comme Sage, mais comme Philosophe [platonicien]) rejetait [d'après Numénius *(apud* Eusèbe, *Prép. év.,* XIV, 6,5)] la doctrine du Probable *(pithanon)* que Carnéade devait élaborer ou reprendre à son compte.

Jusqu'ici la position d'Arcésilas est authentiquement philosophique (platonicienne) : tant qu'on ne sait pas *tout* (en *sachant* qu'on le sait), on ne *sait* rien (pas même qu'on ne sait *rien*). Mais la tradition nous apprend qu'il avait élaboré une doctrine du Rationnel *(eulogon)* qui semble pouvoir être interprétée comme une théorie de l'Évidence paraphilosophique au sens propre du mot.

Cette doctrine nous est d'ailleurs très obscure, vu l'insuffisance de nos sources. Il semble cependant qu'elle a été élaborée par Arcésilas à l'occasion du développement de son Éthique (platonicienne). Aussi bien pourrait-on croire qu'il s'agit ici du Dogme moraliste, c'est-à-dire de la formulation discursive de données-immédiates de la Conscience morale silencieuse. Mais le terme même d'Eu-*logon* semble montrer qu'Arcésilas a en vue non pas des discours fragmentaires « justifiés » par un appel à des révélations silencieuses de l'ineffable, mais à des Évidences *discursives,* c'est-à-dire à des discours (fragmentaires) « évidents » *en tant que tels.* En effet il dit ceci (d'après Sextius Emp., VII, 158) : « Car l'Eudémonie [qui caractérise le Sage] est atteinte au moyen de la *Phronesis* et la *Phronesis* consiste à agir-correctement, et l'Action-correcte *(Katorthoma)* est celle qui, *lorsqu'elle est effectuée, possède une justification rationnelle (eulogon apologian).* » Ce qui semble vouloir dire : un homme est un Sage (et non seulement un Philosophe) lorsque l'expression discursive de ses actes peut être introduite d'une façon « cohérente » dans le Discours uni-total qu'est le Système du Savoir. Or, il ne semble pas qu'Arcésilas ait cru pouvoir *déduire* du Système du Savoir *déjà développé* les formules discursives que la Sagesse-agissante *(Sophrosyne)* doit traduire dans et par des actes. Il semble au contraire avoir admis que le Système du Savoir (qui constitue la Sagesse-contemplative) peut être développé (complètement) *à partir* des éléments-constitutifs discursifs qui constituent la Sagesse-agissante. Sans doute peut-on dire que le « critère », voire le « résultat » de cette Sagesse-agissante est l'Eudémonie. Mais l'Eudémonie en cause est par définition *discursive* et c'est pourquoi on peut dire aussi que les éléments-constitutifs discursifs de cette

Eudémonie et donc de sa « cause » qu'est la Sagesse-agissante, sont *évidents* en tant que tels, c'est-à-dire en tant que *discours* (d'ailleurs par définition « fragmentaires » ou « isolés »). Autrement dit, il y aurait des discours fragmentaires, dits « évidents », dont on serait sûr qu'ils s'intègrent d'une façon « cohérente » dans le Système du Savoir, cette « certitude » étant *antérieure* au développement complet de ce dernier. Et c'est dire que le Système du Savoir peut être « déduit » complètement à partir d'un ensemble (complet) d'Évidences discursives, c'est-à-dire de discours « fragmentaires » et « isolés », mais « évidents » ou s'imposant « nécessairement » à tous en tant que « vérités éternelles » ou « immanentes ».

En tant que développement de l'Évidence discursive, la Para-philosophie se situe en quelque sorte à mi-chemin entre la Philosophie authentique et la Théorie dogmatique. Et c'est, semble-t-il, aussi le cas du Platonisme dogmatisé d'Arcésilas.

Pour la Théorie dogmatique moraliste, la valeur suprême est silencieuse en ce sens que l'Eudémonie équivaut au *silence* de la Conscience morale : est censé être « satisfait » (ou apaisé, *befriedigt*) celui (et lui seulement) qui agit (et parle) de façon à ne pas avoir de remords, c'est-à-dire à ne pas faire parler sa conscience (qui approuve *tacitement* et ne *parle* que pour faire des reproches). C'est le *silence* de la Conscience morale qui est le « critère » de l'Action-correcte (du « Devoir »). Sans doute, toute Action proprement dite, c'est-à-dire spécifiquement humaine (et originatrice de la Satisfaction) peut être exprimée *discursivement*. Mais ce qui permet de choisir entre les expressions discursives des différentes actions celles qui sont « correctes » ou « vertueuses », c'est le *silence* de la Conscience morale lors de l'action qui correspond à la formule discursive qui s'y rapporte. Il s'agit donc bien d'une Théorie *dogmatique*, puisque le « critère » du choix est essentiellement *silencieux* (le *silence* de la Conscience morale « révélant » d'ailleurs un « Moi » *ineffable*) : le discours choisi (et utilisé comme « prémisse » indéductible de la déduction de la Théorie) ne s'impose nullement par son propre contenu discursif; il n'est pas du tout « évident » en tant que discours; ce discours s'impose uniquement parce que l'action qui lui correspond s'effectue dans le *silence* de la Conscience; loin d'être une Évidence (para-philosophique) le discours choisi est donc un Dogme (théorique), c'est-à-dire un discours qui n'est ni dé-montré ni « évident », mais seulement « justifié » par une « révélation » silencieuse de l'Ineffable. Or, puisque, dans le cas considéré, le « critère » (qui *montre* la « vérité » de ce qui n'est ni *dé-montré* ni *évident*) est le silence de la Conscience *morale*, c'est-à-dire une donnée-immédiate de l'Expérience *intérieure*, il s'agit d'un Dogme *moral* et la Théorie dogmatique déduite de ce dogme est une Théorie *moraliste*, qui ne peut impliquer que ce qui a trait au Commandement et qui doit exclure tout ce qui se rapporte à la Prière ou à l'Ordre.

Par contre, pour la Philosophie authentique la valeur suprême est essentiellement *discursive* en ce sens que la satisfaction (l'apaisement) résulte du développement du Discours en Discours uni-*total* ou en Système du Savoir. C'est uniquement l'ensemble du Discours achevé (c'est-à-dire refermé sur lui-même) qui dé-montre chacun de ses éléments-constitutifs discursifs. Tout comme pour la Théorie, il n'y a pas, pour la Philosophie authentique, de discours fragmentaires ou isolés qui seraient « évidents » *en tant que tels* [les Axiomes ou Mythes de la Théorie axiomatique ne sont pas « évidents »; ils sont censés être *uniques*, leurs « contraires » étant simplement « ignorés »]. Mais contrairement à la Théorie dogmatique, l'authentique Philosophie n'admet pas de Dogmes, c'est-à-dire de discours isolés ou fragmentaires « justifiés » ou « imposés » par l'Expérience silencieuse. Chez et pour le Philosophe, l'Expérience silencieuse (transcendante, extérieure ou intérieure) ne peut être que l'Hypothèse, c'est-à-dire la Question posée en vue de la Réponse discursive, qui fixe le *début* du Discours [auquel doit revenir le Discours uni-total] et le « sens » (l'orientation, la direction) de son développement [la Gauche et la Droite chez Platon]. Mais l'expression discursive de l'Expérience « primordiale » (prédiscursive) n'est ni un Dogme ni une Évidence : elle n'est qu'une « hypothèse » qui doit être dé-montrée par la circularité de son développement discursif. Or, par définition, le Discours circulaire est uni-*total*, qui implique *tout*, sans rien *exclure* de soi. Par conséquent, l'Expérience philosophique qui est à l'origine de ce Discours n'est ni seulement religieuse, ni scientifique seulement, ni morale dans la mesure où celle-ci exclut les deux autres : elle n'est aucune des trois exclusivement, étant toutes les trois « à la fois ». C'est pourquoi, l'expression discursive de *cette* Expérience est non pas un Dogme (religieux, scientifique ou moral) développable en une Théorie dogmatique exclusive, mais le Système du Savoir.

Dans le cas de Platon, l'appel aux données (silencieuses) de la Conscience n'a pas pour but de « justifier » un Dogme exclusif de tous les autres Dogmes. Cet appel sert uniquement à montrer [avant que ceci soit dé-montré, par le développement circulaire] qu'une formule discursive ou notion donnée est « thétique » ou « positive » (A), voire «primaire » ou « antérieure » et non pas « antithétique » ou « négative » (Non-a),

voire « secondaire » ou « postérieure » (dérivée), c'est-à-dire
située sur le côté « impair », « droit » ou « bon » et non pas
« pair », « sinistre » ou « mauvais » de la *Diairesis*. Mais l'appel
à l'Expérience silencieuse ne détermine nullement le « contenu »
discursif de la notion ainsi « située », ce contenu n'étant déterminé que dans et par la totalité du développement discursif
ou « dialectique », voire diaïrétique. Ainsi, si la Conscience
morale montre (silencieusement) que c'est le Mal qui est un
Non-bien et non pas le Bien qui est un Non-mal, elle ne dit
rien de *ce que* sont le Bien et le Mal. D'ailleurs, si dans ses
Dialogues Platon fait surtout appel à la Conscience morale ou
intérieure, qui révèle silencieusement le caractère thétique du
Bien ou du Juste (voire le caractère antithétique de l'In-juste
ou du Mal), il n'exclut nullement ni l'appel à la Conscience
extérieure (qui est, pour lui, non pas « scientifique » au sens
étroit, mais esthétique), qui révèle le caractère thétique du
Beau ni celui à la Conscience transcendante ou religieuse, qui
révèle que ce n'est pas l'Un qui est Non-multiple, mais que
c'est le Multiple qui est Non-un. Autrement dit, Platon n'admet
aucun Dogme, par définition *exclusif*, ni aucune Évidence, par
définition *isolée :* son hypo-thèse silencieuse détermine uniquement le « sens » du développement discursif, ce « sens » étant
censé être le seul qui permette de développer le Discours jusqu'au
« bout » [qui, chez Platon, n'est pas l'identique au point de
départ, mais son « opposé », le développement de l'Anti-thèse
ou du Non-a aboutissant au Silence qu'est le Non pur (ce
qui, pour nous, équivaut à un retour au Silence du début qui
est l'Un pur, en tant que NI A, NI Non-a le *Theos* n'étant
rien ainsi d'autre que la Hylé].

Quant à Arcésilas, sa position paraphilosophique est en
quelque sorte intermédiaire entre celles de la Théorie dogmatique et de la Philosophie (platonicienne). Cette position est
philosophique dans la mesure où elle ne fait pas appel à une
« justification » du discours par l'Expérience silencieuse : le
Discours doit s'imposer *en tant que tel* et non pas en tant que
« justifié » par le Silence. Mais cette position est paraphilosophique dans la mesure où elle impose non pas le Discours
uni-*total*, mais des discours *fragmentaires* ou *isolés*, dits « évidents ».

Or, d'une part, l'Évidence paraphilosophique diffère essentiellement du Dogme théorique parce qu'elle s'impose en tant
que *discours*, c'est-à-dire sans faire appel à une Expérience
silencieuse quelle qu'elle soit : l'expression discursive d'une
action n'est pas « justifiée » par le silence de la Conscience
morale; c'est *parce que* cette expression est « évidente » en

elle-même que la Conscience morale n'y fait pas d'objection et se tait. D'autre part, cette Évidence se distingue spécifiquement du Dogme parce qu'elle n'est pas *exclusive*, étant censée pouvoir et devoir être développée en Discours uni-*total*, voire en Système philosophique *complet*, c'est-à-dire en Système du Savoir.

On nous dit, certes, que l'Évidence *(eulogos)* à laquelle faisait appel Arcésilas avait un caractère moral. Mais nous avons tout lieu de supposer que si, pour lui, cette Évidence était *aussi* morale, elle ne l'était pas *seulement* ou « exclusivement ». Autrement dit, en développant complètement l'Évidence en cause, on développerait non seulement toute l'Éthique ou l'Anthropologie, voire la Phénoméno-logie, mais encore l'ensemble du Système et donc aussi la Physique ou l'Énergo-logie et l'Onto-logie ou la Logique, voire la Théo-logie. D'une manière générale, à l'encontre des Dogmes théoriques, les Évidences paraphilosophiques ne sont pas des discours (ou des notions) *exclusivement* théologiques, scientifiques ou moralistes : elles ne sont aucun des trois seulement, ou tous les trois « à la fois ». C'est pourquoi ces Évidences se présentent généralement comme des discours « logiques », c'est-à-dire comme les « prémisses » de tout discours quel qu'il soit. C'est pourquoi, si elles ne sont « fondées » sur *aucune* Expérience silencieuse, elles peuvent être « confirmées » par *toutes* ces Expériences « à la fois ». Ainsi, la Para-philosophie peut-elle à l'occasion faire valoir « l'accord » entre ses propres Évidences et les Dogmes des Théories dogmatiques contemporaines, tant théologiques ou scientifiques que moralistes (tout en rejetant, bien entendu, comme « superstitions » ou « préjugés » tous les Dogmes « contraires à l'évidence »).

Rien ne dit que Carnéade a rejeté la doctrine de l'Évidence *(eulogon)* élaborée ou adaptée par Arcésilas (cf. cependant le passage ambigu de Sextus Empiricus, VII, 159). Mais il n'y a pas de doute qu'il avait admis une doctrine du Probable *(pithanon)* qu'il a imaginé lui-même ou emprunté et qui diffère de celle de l'Évidence.

Connaissant assez mal cette théorie, nous ne pouvons pas porter sur cette doctrine un jugement définitif. Mais il semble que l'on puisse l'interpréter de plusieurs façons différentes (cf. Sextus Emp., VII, 166-189).

Premièrement, on pourrait (comme je l'ai fait plus haut, en parlant du Scepticisme) interpréter la doctrine du Probable comme une Théorie sceptique de l'espèce relativiste. Le Discours étant censé être in-fini, aucune notion ne possède la permanence *absolue* propre à la « vérité » au sens fort. Mais certaines notions ont une permanence *relative*, qui peut être plus ou moins grande. Aussi bien peuvent-elles être appelées plus ou moins « probables ». La notion la moins probable (ou la notion qui est *seulement* « probable » *(pithanê phantasia)* est la notion *isolée* qui, dans son *hic et nunc*, ne se contre-dit pas elle-même. Plus probable est la notion « probable » qui est en outre « irréversible » *(aperispastos phantasia)*, c'est-à-dire qui n'est pas non plus contre-dite par un certain ensemble de notions simultanées. Enfin, la notion la plus probable est une notion « irréversible » qui est en outre « attestée » *(diexodumênê phantasia)*, ou qui se maintient dans l'identité avec elle-même (et dans sa non-contra-diction avec les autres notions simultanées) pendant un temps plus ou moins long. Mais rien n'empêche qu'à un moment donné même cette notion soit contre-dite par une notion nouvelle.

Deuxièmement, on pourrait admettre (comme semble le faire Sextus Emp., VII, 159) que la doctrine du Probable de Carnéade est censée devoir se substituer à la doctrine de l'Évidence d'Arcésilas. Dans ce cas, l'attitude de Carnéade serait authentiquement philosophique. Il n'y aurait pas de notions « évidentes » au sens de la Para-philosophie. Toutes les notions qui ne sont pas (explicitement) « contradictoires en elles-mêmes » sont également *probables* en ce sens que chacune d'elles peut servir, à titre d'essai, de point de départ d'un développement discursif « indéfini ». Tant que le développement d'une notion donnée reste « cohérent », celle-ci peut être considérée comme *irréversible*, c'est-à-dire comme susceptible de servir de point de départ à un développement du Système du Savoir, qui compléterait la partie déjà développée. Mais une notion n'est *attestée* que dans et par le développement achevé du Système du Savoir qui déduit la notion dont il est le développement.

Troisièmement (et c'est ce qui semble avoir été le cas), la doctrine du Probable a pu vouloir compléter celle de l'Évidence paraphilosophique. Dans ce cas, le développement du Système du Savoir devrait avoir pour point de départ la notion *évidente* au sens paraphilosophique du mot. Mais tant que ce développement n'est pas achevé, il reste en dehors de lui un *magma* discursif constitué par des notions isolées ou leurs développements fragmentaires. Parmi ces notions, toutes celles qui ne se contre-disent pas elles-mêmes sont également « probables » en ce sens qu'il n'est pas exclu *(a priori)* qu'elles puissent être un jour effectivement déduites de la notion évidente et insérées ainsi d'une façon cohérente dans le Système du Savoir. Les clauses d'une telle inclusion ou déduction aug-

mentent avec l'étendue du développement des notions en cause :
le développement cohérent (plus ou moins étendu) d'une notion
« probable » atteste son caractère « irréversible ». Enfin, une
notion « irréversible » est dite « attestée » si son développement
constitue un ensemble discursif (plus ou moins étendu) avec
les développements d'autres notions « irréversibles ». On peut
alors espérer que la notion « attestée » par l'ampleur de son
développement cohérent pourra être un jour développée en discours uni-total, c'est-à-dire en Système du Savoir qui s'achève
par cette même notion qui lui a servi ainsi de point de départ.

Quoi qu'il en soit de Carnéade lui-même, nous savons que
Philon de Larissa a inauguré le « dogmatisme » académique,
voire ouvertement admis la dogmatisation du Platonisme, en
combinant la doctrine du Probable de Carnéade avec celle
de l'Évidence d'Arcésilas. La dernière des trois interprétations
indiquées ci-dessus peut donc certainement être considérée
comme celle qui a été admise par Philon.

Il nous faudrait voir maintenant ce qu'a été le « contenu »
du Platonisme dogmatisé de l'époque hellénistique. Malheureusement l'état de nos sources est tel qu'il est pratiquement
impossible (du moins pour moi) de dégager le Platonisme
dogmatisé proprement dit de la masse d'écrits et de fragments
où se côtoient et souvent se confondent avec lui les Théories
dogmatiques platonisantes et les paraphilosophies éclectiques.
Dans la mesure où l'Ancienne Académie avait élaboré une
paraphilosophie (que nous connaissons d'ailleurs très mal),
elle semble avoir été eudoxienne bien plus que platonicienne.
On pourrait donc supposer que le Platonisme proprement dit
ne fut dogmatisé que dans l'Académie Moyenne (d'Arcésilas
à Philon). Mais cette paraphilosophie platonicienne ayant été
« ésotérique », il n'y a rien d'étonnant à ce qu'elle nous soit
presque totalement inconnue. Sans doute, Philon de Larissa
avoue ouvertement la dogmatisation de la Philosophie et
semble avoir rendu public le Platonisme dogmatisé « académique » : mais nous n'en savons pour ainsi dire rien. Or, à
partir d'Antiochus d'Ascalon commence la période « éclectique », qui culmine dans l'École dite néo-platonicienne, fondée
par Plotin. Désormais, le Platonisme dogmatisé n'est plus
exposé à l'état pur, mais « combiné » (à doses variables) avec
l'Aristotélisme dogmatisé ou le Stoïcisme. Avant d'avoir atteint
la forme dite néo-platonicienne, cet Éclectisme, qui semble
avoir été inauguré par Antiochus, a été développé parallèlement
tant par les tenants de ce qu'on appelle le Platonisme moyen

(qui se rattachait à Antiochus) que par les adeptes de l'École appelée néo-pythagoricienne. Ainsi, nous ne connaissons pas du tout le Platonisme dogmatisé à l'état pur. C'est à partir de la paraphilosophie éclectique que nous devons essayer de le reconstruire. Ce qui exigerait un travail d'interprétation énorme, sans que son résultat puisse jamais être certain.

Je ne tenterai ici une telle reconstruction qu'à titre purement hypothétique et sous une forme très schématisée.

Le point de départ de la dogmatisation du Platonisme semble avoir été la transformation de la « limite » jamais atteinte du développement du discours philosophique, qui a été pour Platon le Silence révélant le *Hen-Agathon-Theos* ineffable, en la notion *évidente* de l'Unité, qui devait servir de point de départ à la déduction de l'ensemble du Système, celui-ci étant censé devoir être achevé (en quelque sorte par épuisement du Discours) sans pouvoir revenir à son point de départ (un tel retour ayant été une *déduction* de la notion « première », ce qui est par définition impossible, vu que cette notion est censée être *évidente*, c'est-à-dire précisément in-déductible).

En tant que notion *évidente*, la notion de l'Unité est prise en tant que notion *thétique*, comprise comme « première » au sens d'in-déductible et d'ir-réductible. Autrement dit, l'Unité « évidente » ou « première » est non pas l'Uni-*totalité* résultant de la Multiplicité qu'elle sup-pose et qui la pré-suppose, mais l'Un-tout-seul qui se pose sans sup-poser quoi que ce soit qui le pré-supposerait. Cet Un n'est d'ailleurs « évident » que dans et par son identité exclusive avec soi-même (A = A). Il est donc « évident » que tout ce qui est *autre* que l'Un (c'est-à-dire le Multiple en tant que Non-un) doit avoir son « origine » en *autre chose* que cet Un. Ainsi, la notion d'Autre-chose est toute aussi « évidente » que celle de l'Un. Or, en tant que notion évidente, cette deuxième notion ne peut être antithétique, vu que dans ce cas elle sup-poserait une notion thétique (qui alors, la pré-supposerait et ne serait donc pas elle non plus « évidente »). La notion *évidente* d'Autre-chose doit elle aussi être thétique au sens de « première » ou in-déductible et ir-réductible. Il est ainsi « évident » qu'il y a *deux* notions « évidentes » irréductibles l'une à l'autre et indéductibles l'une de l'autre. Mais si ces deux notions « évidentes » n'ont rien de commun l'une avec l'autre, il est « évident » que la deuxième ne saurait être une négation *de la première*. N'étant pas une négation *de* l'Un, l'Autre-chose n'est négation *de rien*, vu qu'elle ne peut nier que ce qui n'est pas l'Un et qu'il n'y a *rien* en dehors de cet Un : l'Autre-chose est donc Négation *pure* ou Négation *en tant que telle* (et une Négation *de* quelque chose), voire Néant absolu (Non-a = A, c'est-à-dire Non-a = Non).

Si la première notion « évidente » est celle de l'Un (I = I), la deuxième est celle du Néant (O = O). Or, il est « évident » que s'il y a *deux* notions dont chacune est *une*, la somme des deux est une nouvelle notion « évidente », de sorte qu'il y en a en tout *trois*. Cette troisième notion « évidente » n'étant par définition, NI la première qui est celle de l'Un, NI la deuxième qui est celle du Néant, ne peut être que la notion du Multiple, vu que le Multiple n'est NI un, NI néant, de même que NI l'Un, NI le Néant ne sont multiples. Or, en tant qu'*évidente*, la notion du Multiple ne saurait être parathétique, puisque la Para-thèse sup-pose à la fois ET la Thèse ET l'Anti-thèse (sans toutefois que celles-ci la pré-supposent). Cette troisième (et dernière) notion « évidente » doit elle aussi être thétique au sens de « première » (in-déductible et ir-réductible). Ainsi, la notion du Multiple est toute aussi « logiquement indépendante » des notions de l'Un et du Néant, que celles-ci sont « logiquement indépendantes » d'elles, ainsi que l'une de l'autre.

Si nous appelons l'Un, le Néant et le Multiple respectivement *Theos*, Hylé et Cosmos, nous devons dire que Dieu ne *crée* pas le Monde : il ne le crée ni à partir de lui-même ni à partir de la Matière ou du Néant *(ex nihilo)*. De même, la Matière (même en tant que Mort) ne saurait anéantir ni Dieu ni le Monde. Enfin, le Monde ne peut ni produire (ou anéantir) Dieu en se déifiant ni anéantir (ou produire) la Matière en s'anéantissant. En d'autres termes, le Monde coexiste « éternellement » avec un Dieu qui est toujours tout seul et avec une Matière qui n'est (ou ne devient) jamais rien. Si donc cette triple coexistence est « temporelle », le « Temps » ne peut lui-même être qu'« éternel », c'est-à-dire circulaire ou cyclique.

Or, pour que le Monde soit troisième, il faut « de toute évidence » que Dieu soit premier et la Matière seconde. Le Cercle éternel doit donc passer par ces trois points. Or, plus exactement, c'est le Monde éternel qui est le Cercle ayant pour ses deux pôles Dieu et la Matière. En tant qu'impliquant le pôle divin, le Monde est *Cosmos noetos* et il est *Cosmos aisthetos* dans la mesure où il implique le pôle matériel. Mais ce Monde éternel, qui est circulaire (en tant que spatial) n'est cyclique (en tant que « temporel ») que s'il se parcourt luimême éternellement. Et dans la mesure où le Cosmos parcourt éternellement le cercle bipolaire qu'il est lui-même, il peut être appelé Psyché ou Ame-du-monde.

C'est le cycle éternel de la Psyché qui constitue le Mouvement

ou la Vie du Cosmos et, si l'on veut, du *Theos* et de la Hylé.
Cette Vie est aussi une vie humaine qui, en tant que discursive,
re-produit le Cycle cosmique éternel, à la fois matériel et
divin, dans et par le Cercle du discours (philosophique) qui
se déduit en tant que développement des trois notions « évidentes » que sont celles de l'Un, du Néant et du Multiple et
qu'on ne saurait déduire ni l'une de l'autre, ni de l'ensemble
de leur développement.

Sans doute pourrait-on dire que le Système du platonisme
dogmatisé est circulaire en ce sens que le Silence « primordial »
qui révèle l'Un ineffable est *le même* que le Silence « final »
qui révèle le Néant (ou la Mort), le Discours (philosophique)
qui révèle le Multiple se développant entre ces deux « pôles »
qui n'en font en vérité qu'un. Mais, d'une part, les tenants
du Platonisme dogmatisé n'ont jamais identifié Dieu et la
Matière, précisément parce que, pour eux, l'une et l'autre
étaient révélés non pas par un seul et même *Silence*, mais par
deux *notions*, qui sont dites « évidentes » parce qu'elles sont
censées être ir-réductibles l'une à l'autre et in-déductibles de
quelque autre notion que ce soit. D'autre part, même en
supprimant les notions « évidentes » de Dieu et de la Matière
et en identifiant les Silences qui révèlent à leur place l'Ineffable
divin et/ou matériel, on conserve la *lacune* discursive du Système, dans la mesure où l'on maintient en tant qu'évidente
ou in-déductible la notion du Monde.

Or, un Système discursif qui comporte une lacune *irréductible
en principe* (et qui est de ce fait, par définition, paraphilosophique ou dogmatisée) se trans-forme tout naturellement en
Théorie dogmatique proprement dite. Car il est naturel de
vouloir combler cette lacune par une notion qui, tout en
n'étant pas elle-même déductible à partir de la partie proprement discursive (cohérente) du Système lacunaire qui peut
néanmoins être déduit (correctement), peut être « justifié »
en tant qu'expression verbale d'une Expérience silencieuse.

L'Expérience silencieuse étant par définition « exclusive »,
c'est-à-dire *soit* transcendante, *soit* extérieure, *soit* intérieure,
le Système (parathétique) complété par l'expression verbale
d'une telle Expérience ne saurait être le Système du Savoir,
c'est-à-dire le Discours uni-*total*. Un tel Discours « complet »
ne peut être qu'une Théorie dogmatique, qui sera, selon l'Expérience choisie, *soit* théologique, *soit* scientifique, *soit* moraliste;
et ceci « exclusivement ».

En fait, le Platonisme paraphilosophique ne semble avoir
été abandonné (dans l'Antiquité) qu'au profit de Théologies

dogmatiques (platonisantes). Mais, en principe, un Intellectuel aurait pu s'inspirer aussi du Platonisme dogmatisé pour élaborer soit une Science, soit une Morale dogmatiques. Mais, après tout, nous ne serons nullement sûrs que personne ne l'a jamais fait dans le Monde hellénistique.

Et ce qui a été dit du Platonisme paraphilosophique vaut aussi de la paraphilosophie aristotélicienne dont je vais dès maintenant parler. Or, l'Aristotélisme dogmatisé proprement dit n'est rien d'autre que le Stoïcisme, dans la mesure où celui-ci n'a pas dégénéré en Théorie dogmatique, surtout moraliste.

2. *L'aristotélisme dogmatisé : le stoïcisme*

Si en fait et pour nous le Stoïcisme (para-) philosophique n'est qu'un Aristotélisme dogmatisé, il faut se demander pourquoi les Stoïciens ne se sont pas présentés eux-mêmes comme des aristotéliciens, mais se sont constitués en une École prétendument autonome et rivale de l'École péripatéticienne, et comment il se fait que les historiens de la philosophie n'ont pas présenté le Stoïcisme comme un Néo-aristotélisme, tout en taxant de Néo-platonisme la philosophie de Plotin et de ses émules.

Pour ce qui est de la *première question*, il semble que Zénon ait voulu mettre en évidence (mis à part les éventuels motifs de pure vanité) la différence spécifique entre sa propre Éthique dogmatisée, voire sa Morale dogmatique, et l'Éthique authentiquement philosophique d'Aristote, qui semble avoir été maintenue par l'École péripatéticienne proprement dite tout au long de son histoire, du moins dans la mesure où l'on y cultiva la Philosophie. Mais, à dire vrai, si l'on fait abstraction de la dogmatisation du Système aristotélicien par les Stoïciens, le « contenu » de l'éthique stoïcienne de la « droite Raison », voire de l'« accord avec la Nature », est plus conforme à l'Aristotélisme authentique que l'éthique encore « platonisante » d'Aristote lui-même et des Péripatéticiens. En tout cas, l'étroite parenté entre le Stoïcisme et l'Aristotélisme, même dans le domaine de l'Éthique, n'a pas échappé aux observateurs perspicaces tels qu'Antiochus d'Ascalon (qui n'a eu que le tort de vouloir à tout prix camoufler les divergences de vues entre Aristote et Platon).

En fait et pour nous, la situation semble avoir été la suivante.

La fameuse théorie des *trois vies*, qui remonte aux Sophistes, a été définitivement établie à l'époque de Platon. Dans le *Philèbe*, ce dernier nous présente à la fois la morale d'Eudoxe (= « Philèbe »), qui ne considère comme vraiment « satisfaisante » que la « troisième vie », c'est-à-dire celle des plaisirs sensibles et sensuels, et l'éthique « aristotélicienne » (développée « ironiquement » par « Socrate » et « naïvement » acceptée par « Protarque » = Aristote. [peut-être présenté comme « mignon » d'Eudoxe; Priotarque signifie aussi « trou du cul »]), qui préconise une « synthèse », ou « mélange » de la « troisième vie » avec la « première », c'est-à-dire avec la vie théorique et contemplative, la vie contemplative théorique devant compléter les plaisirs du corps. Quant à la « deuxième vie », qui est la vie active ou politique, l'Eudoxe et l'Aristote du *Philèbe* semblent l'« ignorer » délibérément tous les deux.

Dans le même *Philèbe*, Platon lui-même interprète (entre les lignes) cette théorie des « trois vies » à sa propre manière. Pour lui, si la vie théorique est plus « satisfaisante » que la vie sensuelle, aucune des deux, ni donc aucune de leurs combinaisons possibles, ne peut assurer à l'homme une véritable « satisfaction ». Ces deux vies ne sont, d'ailleurs, que des variantes (« contraires » et donc « complémentaires ») de la vie mesurée en fonction du Plaisir (sensuel ou intellectuel), qui s'oppose (en tant que « contradictoire ») à la vie qui serait une fonction de la seule Justice. En un sens, Platon bloque donc ensemble la première et la troisième vies, en les opposant à la deuxième. Toutefois, la Justice n'est pas, pour Platon, un « devoir » au sens kantien de ce terme (qui est le sens judéo-chrétien *laïcisé*). Car la vie pratique (d'ailleurs plus sociale que politique) est pour lui non pas un but, mais seulement un moyen. A savoir, le moyen d'atteindre la vraie « satisfaction » dans et par la Béatitude que donne l'« union mystique » (silencieuse!) avec le *Hen-Agathon-Theos* (doublement) transcendant. [Cette Béatitude étant de ce fait moins une *vie* proprement dite qu'une *mort* ou une préparation à celle-ci, c'est-à-dire à la contemplation de l'Un à partir d'une présence dans le *Cosmos noetos* trans-mondain. C'est en effet la distinction « évidente » entre le Juste et l'In-juste qui permet de « séparer » les Idées des Phénomènes qui les « imitent » ou qui y « participent » et de se trouver ainsi en présence (discursive) du *Cosmos noetos*, à partir duquel la contemplation (silencieuse) de l'Un-tout-seul devient possible.]

Si l'on passe maintenant de l'Aristote du *Philèbe* à l'Aristotélisme authentique (peut-être conditionné par une méditation sur ce dialogue « critique »), on constate que l'éthique péripatéticienne rejette la Béatitude platonicienne (reprise par Plotin et ses émules), mais en maintenant les trois vies, en les hiérarchisant. La vie sensuelle est plus passive qu'active, tandis que la vie pratique est plus active que passive. Mais aucune n'est acte pur ou actualisation complète et parfaite, car l'acte pur est la « Théorie ». En tant qu'actualisation du Nous pathétique (humain, ou son « information » par le Nous poétique divin), la Contemplation théorique est *discursive* (c'est l'acte du *Logos* ou le *Logos* en tant qu'acte). Elle ne coïncide donc pas avec la Contemplation *intuitive* du Nous poétique : il n'y a, pour Aristote, ni « union mystique » avec le *Theos* (doublement) transcendant ni donc Béatitude platonicienne; il y a tout au plus coïncidence du *Logos* avec le Nous poétique en tant qu'informant le Nous pathétique, voire avec Dieu en tant que cause du Cosmos ou Premier-moteur. Quoi qu'il en soit, étant l'actualisation du Nous pathétique (= *Logos*), la Théorie suppose celui-ci en tant qu'Entéléchie ou acte du corps animal. Or, cet acte est précisément l'activité pratique, qui se manifeste en tant que plaisir sensible ou sensuel. Par conséquent, la vie théorique suppose la vie pratique, qui ne peut être détachée de la vie sensuelle. Certes, la vie sensuelle ne s'actualise pleinement que dans et par la vie pratique et celle-ci ne se parfait que par et dans la « compréhension » (discursive) qu'est la vie théorique. Mais la perfection de cette dernière implique et suppose celle des deux autres. D'après Aristote, l'homme ne peut atteindre la Satisfaction que dans et par la contemplation théorique de sa vie sensible qui s'actualise en tant que vie pratique : pour être pleinement satisfait, l'homme doit constater (discursivement) qu'il fonctionne « normalement » à partir d'une situation « normale » dans le Cosmos tant naturel que politique; mais ce n'est pas cette constatation théorique elle-même qui le satisfait pleinement et définitivement. Ainsi, aucune des trois vies ne peut assurer à elle seule la Satisfaction, qui ne résulte que de leur ensemble hiérarchisé.

C'est contre cette théorie hiérarchisée des trois vies qu'ont cru devoir s'insurger Zénon et ses continuateurs. D'une part, les Stoïciens n'ont jamais voulu admettre la supériorité de la vie théorique. Même Chrysippe semble avoir partagé le point de vue de *Philèbe*, en ne voyant dans la vie purement contemplative qu'une variante de la vie du plaisir, à peine supérieure à celle que représente la vie sensuelle (cf. *S.V.F.*, III, 702; *Stoa*, 142). D'autre part, les Stoïciens ont toujours nié que la satisfaction procurée par la vie pratique « vertueuse » dépendait des plaisirs sensibles. Et ceci leur paraissait suffisant pour pouvoir se présenter comme des opposants du Péripatétisme, sans se considérer pour autant comme des Platoniciens.

A première vue, les Stoïciens pourraient passer pour des « platoniciens » en ce sens qu'ils préféraient la Justice (Vertu) à la Vérité (théorique). Mais, en fait, ils furent moins « platoniciens » qu'Aristote lui-même, chez qui la prééminence de la Théorie n'était qu'un résidu du transcendantalisme existentiel de Platon. Pour les Stoïciens (à l'exception, peut-être, de Cléanthe et certainement d'Épictète et de Marc Aurèle), la pratique de la Vertu n'était rien moins qu'un moyen de transcender le monde pour se rapprocher de Dieu : c'est dans et par l'ici-bas, que l'homme pratique (vertueux) est censé devoir et pouvoir se satisfaire pleinement et définitivement (l'immortalité de l'âme individuelle étant soit expressément niée, soit délibérément « ignorée »). De ce point de vue, les Stoïciens furent donc plus aristotéliciens qu'Aristote lui-même.

Mais ils le furent encore d'un autre point de vue, également « moral » d'ailleurs. L'aristocratique Aristote ne concevait pas la Satisfaction en dehors de la Reconnaissance sociale et politique, tandis que les Stoïciens « bourgeois » prétendaient facilement pouvoir s'en passer. Or, la monadogie aristotélicienne cadrait mal avec la Théorie de l'interaction qu'implique l'interprétation du phénomène de la Reconnaissance.

Chrysippe (cf. *S.V.F.*, III, 687; *Stoa*, 142) remplaça la théorie classique des trois vies par le couple : *vie théorique* ou scientifique et *vie pratique* ou politique, opposées à la *vie selon le Logos*, qui était censée leur être supérieure, en étant une « combinaison » des deux. Or, un simple coup d'œil suffit pour voir que la fameuse vie conforme au *Logos* est l'homologue de la vie sensuelle de la tripartition traditionnelle. Et l'analyse de la morale stoïcienne montre qu'il en est bien ainsi. Car la Satisfaction recherchée par les Stoïciens n'est effectivement rien d'autre que le plaisir qu'éprouve un animal du fait de sa vie « normale », c'est-à-dire de l'actualisation de sa « nature » ou de son *logos* (compris en tant que « raison séminale »). Sans doute, l'homme est à la fois un être parlant, voire raisonnable ou « logique » et un animal « social » et c'est pourquoi sa satisfaction implique une double vie, à la fois théorique et pratique. Mais ce qui compte, c'est moins cet « accident » spécifiquement humain, que la conformité de la vie, quelle qu'elle soit, avec la « nature » vivante : la Vertu stoïcienne est la *virtú* de l'animal humain et la satisfaction vertueuse est le plaisir que procure l'exercice « normal » des facultés innées. Si l'intelligence « théorique » est peu développée au départ, on n'a qu'à ne pas s'en servir; et si la Société et l'État où l'on est né sont dénaturés, on n'a qu'à s'en retirer dans toute la mesure du possible, au lieu de prendre sur soi les peines et les fatigues qu'exige leur transformation active, ne serait-ce que dans le sens de leur « normalisation ». Dans la mesure où il y a un « devoir » pour le Stoïcien, c'est celui de devenir ce pour quoi on est né ou de rester tel si on l'est déjà, ce qui ne peut être que « juste », quelles que soient les conditions extérieures dans lesquelles on se trouve : et la seule récompense est le plaisir certain qu'on éprouve en se maintenant coûte que coûte dans l'identité avec soi-même.

Or, tout ceci est aristotélicien au possible et l'on peut dire que (la dogmatisation du Système mise à part) les Stoïciens ne s'écartent (dans l'Éthique) d'Aristote que pour être encore plus péripatéticiens que lui [10]. On peut donc dire, en résumé, que du point de vue de l'Éthique, le Stoïcisme n'a cru pouvoir et devoir se distinguer de l'Aristotélisme péripatéticien qu'en raison du fait que, d'une part, les stoïciens ne comprenaient pas suffisamment Aristote en le croyant moins « aristotélicien » qu'il ne l'était en réalité, et que, d'autre part, certaines infidélités à l'Aristotélisme, qui se trouvent déjà chez Aristote lui-même (en raison des séquelles du Platonisme et de l'orientation « aristocratique »), furent maintenues, voire renforcées au sein de l'École péripatéticienne ou du moins chez certains de ses représentants (peut-être à la suite d'une polémique anti-stoïcienne). — Ce sont des considérations analogues qui permettent de répondre à la *deuxième question* posée au début, c'est-à-dire à la question de savoir pourquoi les historiens n'ont pas détecté dans le Stoïcisme un Néo-*aristotélisme*.

D'une part, les historiens des Temps modernes ont cessé, en règle générale, d'interpréter correctement l'Aristotélisme traditionnel, celui d'Aristote y compris. Plusieurs doctrines stoïciennes, authentiquement aristotéliciennes, furent de ce fait taxées d'originales et opposées aux doctrines correspondantes par erreur attribuées à Aristote lui-même. D'autre part, et de ce fait même, les développements stoïciens de l'Aristotélisme ne furent pas compris comme de simples prolongements des théories d'Aristote lui-même et s'interprétèrent comme des recherches d'une philosophie nouvelle, amorcée par Zénon et élaborée par Chrysippe. Enfin, toujours pour les mêmes raisons, les divergences, illusoires ou réelles, entre certaines doctrines stoïciennes et les doctrines homologues d'Aristote furent interprétées comme un abandon de l'Aristotélisme par les Stoïciens, tandis qu'il s'agissait en fait de rectifications apportées à la doctrine d'Aristote en vue de la rendre plus conforme à l'Aristotélisme authentique. Ce dernier cas se présente notamment lorsqu'il s'agit de Panétius et de Posidonius : au lieu d'être considérés comme des Néo-*aristotéliciens* en fait plus « péripatéticiens » qu'Aristote lui-même, ces deux auteurs firent figure de « syncrétistes » platonisants, voire de « penseurs originaux » ou même, en ce qui concerne du moins ce dernier, de « grands philosophes ».

Cependant, la véritable raison de ce malentendu doit quand même être cherchée ailleurs : à savoir dans le fait que le Stoïcisme est un Aristotélisme *dogmatisé* ou *para*philosophique, tandis que l'Aristotélisme élaboré par Aristote lui-même (et re-produit ou paraphrasé par les purs « Commentateurs », péripatéticiens ou autres) était authentiquement philosophique.

Sans doute, en règle générale, les historiens de la philosophie n'explicitaient pas les caractères spécifiques de la *Para*-philosophie, ou de la Philosophie *dogmatisée*, qui la distinguaient essentiellement tant de la Philosophie authentique que de la Théorie dogmatique. Et puisque le « dogmatisme » propre aux philosophies dogmatisées est effectivement apparenté à celui qui caractérise les Théories dogmatiques, les historiens confondaient souvent certaines de ces dernières avec telle ou telle autre paraphilosophie proprement dite (ce qui est d'autant plus naturel que leur distinction est toujours très difficile à établir dans le concret). Mais la confusion d'une paraphilosophie donnée avec une Théorie dogmatique apparentée (pseudo-philosophique) accentuait la différence qui sépare cette paraphilosophie de la Philosophie authentique correspondante, dont elle est la dogmatisation. Or, la mise en évidence exagérée de cette différence empêcherait de dégager ce que la Philosophie authentique et la Para-philosophie qui en dérive avaient de commun, voire d'identique.

C'est précisément ce qui s'est passé dans le cas du Stoïcisme. En fait, dans la masse relativement importante des écrits et des fragments dits « stoïciens » parvenus jusqu'à nous, se trouvent en quelque sorte pêle-mêle de pures Théories dogmatiques (surtout moralistes, mais parfois aussi théologiques et même scientifiques), des ébauches d'une véritable Para-philosophie, c'est-à-dire d'un Système philosophique dogmatisé, et des développements authentiquement philosophiques. Or, les historiens impliquaient généralement dans leurs exposés de ce qu'ils appelaient « Stoïcisme » toutes les Théories dogmatiques (pseudo-philosophiques) à allure stoïcienne (c'est-à-dire en fait aristotélicienne) attribuées à des « Stoïciens ». De ce fait, ils interprétaient l'ensemble du prétendu « Stoïcisme » comme une Théorie dogmatique (essentiellement moraliste), ce qui rendait le soi-disant « Système stoïcien » effectivement très différent du Système authentiquement philosophique élaboré par Aristote. Or, en mécomprenant le « Stoïcisme » comme une Théorie dogmatique au lieu de l'interpréter comme un Système paraphilosophique, les historiens ne voyaient pas que le fond authentiquement philosophique de ce Système était purement aristotélicien.

Si l'on veut situer le Stoïcisme dans l'évolution dialectique de la Philosophie, en le comprenant correctement comme un Néo-aristotélisme, il faut soumettre l'ensemble des écrits dits « stoïciens » que l'on possède à un *triple* travail d'*élimination*, d'*analyse* et d'*interprétation*.

Tout d'abord, il faut *éliminer* des écrits « stoïciens » tout ce qui se présente (sinon aux auteurs eux-mêmes, du moins à nous) comme des développements (plus ou moins fragmentaires) de Théories dogmatiques quelles qu'elles soient.

Ensuite, il s'agit d'*analyser* ce qui reste en vue de pouvoir le re-présenter comme un ensemble de fragments se répartissant entre plusieurs variantes du développement d'un seul et même Système, qui se présente lui-même comme *para*philosophique. Autrement dit, il faut faire apparaître le caractère *dogmatisé* de la Philosophie stoïcienne et dégager les *Évidences* à partir desquelles le Système stoïcien est censé pouvoir et devoir être déduit.

Enfin, on pourra *interpréter* ce Système paraphilosophique de façon à le dé-dogmatiser, c'est-à-dire à le réduire à la Philosophie authentique qu'il dogmatise et qui constitue ainsi son origine et sa base. C'est alors seulement que l'on pourra constater que cette authentique philosophie est un Aristotélisme pur. En comparant ensuite cet Aristotélisme re-construit en dé-dogmatisant le Système stoïcien à celui élaboré par Aristote lui-même, on verra que les Stoïciens (ou, plus exactement, quelques-uns parmi eux) ne se sont pas toujours contentés de re-dire ou de paraphraser celui-ci, mais ont souvent prolongé ses propres développements et parfois « corrigé » certains d'entre eux.

Je n'ai à m'occuper ici ni de l'élimination des Théories dogmatiques (pseudo-philosophiques) à allure stoïcienne (ou, si l'on préfère, aristotélicienne), ni de ces Théories elles-mêmes, dont j'ai d'ailleurs dit quelques mots en parlant plus haut du Dogmatisme pseudo-philosophique (hellénistique).

Par contre, il faudra que je parle du Stoïcisme pris et compris comme un Système paraphilosophique. Mais je n'aurai pas besoin de re-présenter le Système stoïcien en tant que *dogmatisé* ou *para*philosophique, car c'est précisément en tant que tel qu'on le trouve exposé par les historiens dont l'exposé est généralement correct (mise à part l'introduction dans l'exposé de Théories dogmatiques pseudo-philosophiques à allure stoïcienne). C'est d'ailleurs en tant que Para-philosophie que le Stoïcisme a exercé son énorme influence historique. Plus particulièrement, c'est l'Aristotélisme, non pas authentique, mais dogmatisé par les Stoïciens, qui a été « amalgamé » au Platonisme, dogmatisé lui aussi (soit dans l'Académie, Ancienne ou Moyenne, soit par les représentants de ce qu'on appelle le « Platonisme moyen »), dans et par l'Éclectisme hellénistique (païen), qui semble avoir été inauguré par Antiochus d'Ascalon et qui culmine en l'École dite « néo-platonicienne » fondée par Plotin (ou, si l'on préfère, par Porphyre, à moins de le faire remonter à l'inconnu qu'est pour nous Ammonius Saccas). En tout cas, en tant qu'Aristotélisme *dogmatisé*, le Stoïcisme est l'homologue du Platonisme *dogmatisé* qui semble avoir été développé parallèlement tant dans l'Académie que par les Platoniciens « indépendants », mais que nous connaissons encore beaucoup moins bien. Pour souligner qu'il s'agit dans ces deux cas de *Para*-philosophie ou de Philosophie *dogmatisée*, on pourrait parler respectivement de *Néo*-aristotélisme et de *Néo*-platonisme. Mais il ne faudrait pas alors appliquer ce dernier terme à la paraphilosophie de Plotin et de ses émules. Sans doute, le qualificatif *néo-* est ici encore justifié par le fait qu'il s'agit d'une Philosophie *dogmatisée*. Mais cette paraphilosophie étant essentiellement *éclectique*, elle est, non seulement en fait et pour nous, mais encore pour ses adeptes eux-mêmes, tout aussi « aristotélicienne » que « platonicienne » et elle pourrait donc être appelée « Néo-aristotélisme » avec le même droit que « Néo-platonisme ». C'est pourquoi je préfère réserver à la paraphilosophie éclectique développée par Plotin et ses « successeurs », ainsi que par ses « précurseurs », le nom d'*Éclectisme* (hellénistique ou païen). Le Stoïcisme pourra alors être appelé *Néo-aristotélisme* dans la mesure où il est pris et compris comme la Philosophie aristotélicienne *dogmatisée*, qui s'est *opposée* à la Philosophie platonicienne *dogmatisée* qui lui était contemporaine et qu'on pourrait appeler *Néo-platonisme*.

Quoi qu'il en soit, si je présentais le Stoïcisme en tant que *Néo*-aristotélisme, je ne re-présenterais pas le Système paraphilosophique stoïcien lui-même. Je me contenterai d'indiquer ce qu'est pour nous la *dogmatisation* stoïcienne en tant que telle et de rappeler ce que les Stoïciens eux-mêmes en ont dit. Par contre, je parlerai longuement du Stoïcisme *dé-dogmatisé*, c'est-à-dire interprété en tant qu'Aristotélisme *authentique*. Non seulement parce que ceci n'a peut-être jamais été fait, mais encore et surtout parce que en dé-dogmatisant le Stoïcisme on peut re-construire des développements authentiquement philosophiques qui, en paraphrasant, prolongeaient ou « corrigeaient » ceux d'Aristote, permettant de comprendre mieux que si l'on étudiait uniquement les écrits de ce dernier et de ses « commentateurs » proprement dits, ce qu'est l'Aristotélisme en tant que Para-thèse authentique de la Philosophie (à condition, bien entendu, d'éliminer des écrits dits « stoïciens » des éventuelles « influences » judéo-chrétiennes, qui sont déjà des prodromes de la Parathèse synthétique, élaborée au cours des Temps moyenâgeux et modernes et parachevée par Kant).

Le Stoïcisme en tant qu'Aristotélisme dogmatisé *ou Néo-aristotélisme.*

D'une manière générale, la *dogmatisation* d'un Système philosophique n'est rien d'autre que la trans-formation de ses « Prémisses » ou « Premiers principes » *(archai)* en *Évidences* (discursives), c'est-à-dire en notions par définition in-démontrables ou non déductibles d'autres notions quelconques, à partir desquelles se déduit l'ensemble du discours qui constitue le Système en cause. La Philosophie authentique s'efforce inlassablement de *déduire* ses propres « Principes » à partir de notions encore plus « premières » que ces derniers. Ce processus arrive à sa fin et à son terme lorsque le « Premier principe », à partir duquel est déduit l'ensemble du discours philosophique, peut lui-même être déduit à partir de cet ensemble. Cette déduction « circulaire » étant la dé-monstration tant du Système dans son ensemble que de chacun de ses éléments constitutifs, y compris celui qui, dans la mesure où il sert de point de départ à la déduction, peut être considéré comme « Principe » ou « Prémisse », voire comme la « Notion *première* ». Le développement (discursif) d'une Notion première (qui peut d'ailleurs être une notion quelconque) qui aboutit à la déduction de cette notion elle-même, constitue dans son ensemble le Système du Savoir, qui se dé-montre en tant que Discours, uni-total en montrant son caractère « circulaire ». Étant donné que l'ensemble du Système du Savoir est dé-montré ou, en d'autres termes, que toutes les notions qui constituent les « éléments » de son développement, y compris ses « prémisses », sont déduits, il n'y a pas moyen de dogmatiser *ce* Système. Par contre, on peut dogmatiser n'importe quel Système *philosophique*. Car, par définition, un *tel* Système est déduit à partir des « Prémisses » qui ne sont pas déduites à leur tour à partir de ce qui en est déduit. Rien n'empêche donc de considérer ces « Prémisses » comme in-déducti*bles* ou in-démontra*bles*. Or, il suffit de déclarer ces « Prémisses » ir-réfutables, voire ir-remplaçables par des notions « contraires » (à moins de vouloir se contre-dire), pour dogmatiser le Système philosophique déduit à partir d'elles.

D'une part, la dogmatisation (toujours possible) d'un Système philosophique donné *trans-forme* ce Système en ce sens qu'on substitue à un discours en principe « circulaire » mais en fait inachevé ou « lacunaire », un discours « linéaire » en fait et en principe, qui ne se dé-montre pas lui-même et qu'on ne peut « démontrer » qu'en le déduisant à partir de notions « évidentes ». D'autre part, une telle dogmatisation ne *modifie* pas le Système en cause, en ce sens que les notions déclarées « évidentes » sont celles mêmes qui faisaient partie du Système non dogmatisé, en servant (généralement) de prémisses (provisoires) à la déduction de celui-ci.

C'est ce que l'on peut constater en interprétant le Stoïcisme comme une dogmatisation de l'Aristotélisme authentique. D'une part, toutes les notions fondamentales du Système paraphilosophique stoïcien se retrouvent dans le Système authentiquement philosophique d'Aristote : pour cette raison, le Stoïcisme peut être appelé Néo-*aristotélisme*. Mais, d'autre part, les « Principes » d'Aristote sont trans-formés par les Stoïciens en « Évidences » proprement dites : de ce point de vue, le Stoïcisme est donc un *Néo*-aristotélisme, c'est-à-dire un Aristotélisme *dogmatisé*, voire *para*philosophique.

Aristote a fort bien défini la notion du *Dogme* théorique. Il savait que chaque « Science particulière » (= Théorie dogmatique, dans ma terminologie) développait son discours à partir de Prémisses « indémontrables », qui n'étaient nullement « évidentes » au sens propre du mot. Mais il ne semble pas s'être préoccupé de la « justification » *non discursive* (« silencieuse ») de ces Dogmes. Par contre, il s'est rendu compte que la tâche de la Philosophie consistait en une dé-monstration ou déduction des notions utilisées comme Dogmes par les « Sciences particulières ». Pour nous, une telle dé-monstration n'est rien d'autre que l'inclusion des notions en cause dans le Discours uni-total qu'est le Système du Savoir, où chacune de ces notions peut être déduite de l'ensemble de ce qui est déduit d'elles toutes. Mais le Système aristotélicien n'étant pas en fait « circulaire », la dé-monstration des Dogmes « scientifiques » n'y était pas possible. On y pouvait tout au plus déduire ces Dogmes « particuliers » à partir de « Principes généraux », voire des Prémisses spécifiquement philosophiques (aristotéliciennes), qui ne se déduisaient pas elles-mêmes, de ce qui pouvait en être déduit. Et Aristote s'en est fort bien rendu compte.

En fait et pour nous (depuis Hegel), le « Premier principe », à partir duquel se déduit le Système du Savoir dont il peut lui-même être déduit, n'est rien d'autre que la notion du Discours en tant que tel (dont le développement est précisément le Discours uni-*total* qu'est le Système du Savoir. En tant qu'« origine » de la déduction discursive ou du développement du Discours, c'est-à-dire en tant que « prémisse », le Principe est la notion onto-logique de l'Être-dont-on-parle ou de l'Être-donné. Mais en tant que « dernier », c'est-à-dire en tant que déduit de l'ensemble du Discours entièrement développé, ce même Principe est la notion « logique » du Discours-qui-parle-de-l'Être. Or, dans la mesure où le Discours-qui-parle-de-l'Être coïncide avec l'Être-dont-on-parle, le développement du Discours revient à son point de départ : il se montre ainsi comme « circulaire » et se dé-montre donc en tant qu'uni-total ou comme Système du Savoir. En d'autres termes, dans le Système du Savoir, la « Logique » (= Phénoménologie anthropologique) est déduite à partir de l'Onto-logie dans la mesure même où ce Système permet de déduire cette dernière à partir de la « Logique ».

Cependant, chez Aristote, le « Premier principe » (qui est l'Être tout court ou seulement spatial et non l'*Être-dont-on-parle* ou spatio-*temporel*), qui est développé dans son Onto-logie, ne permet pas de déduire la notion du Discours proprement dit : la Phénoméno-logie qui en est déductible est une Cosmo-logie et une Bio-logie, mais non une Anthropo-logie : l'Être aristotélicien se *manifeste* (est présent) en tant que Cosmos et se *montre* (se présente) en tant que Monade (vivante), mais ne se *révèle* (se dé-montre) pas dans et par l'Univers du discours (humain).

Aristote s'est lui-même rendu compte de cet état de choses puisqu'il s'est vu obligé de séparer la Logique de l'Onto-logie (= Métaphysique) et de la développer en dehors de son Système philosophique en tant que « Logique *formelle* ». Or, en renonçant à déduire sa Logique de son Onto-logie, Aristote a dû renoncer aussi à déduire cette dernière de la Logique. Du coup, les « Principes » onto-logiques (ou « métaphysiques ») de l'Aristotélisme se présentent chez Aristote comme « Principes *premiers* » (mais non « derniers ») en ce sens qu'ils ne sont déduits d'aucun autre Principe. Mais Aristote lui-même ne les présente pas comme des « Évidences » : il ne les déclara pas in-déduc*tibles* en principe et il considère le fait qu'on ne peut pas les déduire à l'intérieur de son Système philosophique comme une « imperfection » de celui-ci, sans toutefois admettre, du moins explicitement, que ce Système est « perfectible », voire qu'un autre Système philosophique peut se trans-former un jour en Système du Savoir.

C'est précisément en ce point que les Stoïciens cherchèrent à « perfectionner » le Système aristotélicien. En incluant la logique dans le Système philosophique en tant que sa première

Partie, ils essayèrent de la trans-former en Système du Savoir, c'est-à-dire en Discours uni-total ou « circulaire ». Mais ils échouèrent en raison du fait que c'est le Système *aristotélicien* qu'ils essayèrent de trans-former ainsi. En principe, on ne peut faire coïncider la « Logique » avec l'Onto-logie que dans la mesure où celle-ci permet la déduction d'une Phénoméno-logie *anthropologique*. Or, en fait, l'Onto-logie aristotélicienne que les Stoïciens ont conservée telle quelle ne le permet pas : si l'on peut en déduire *ce dont* on parle, on ne peut pas en déduire le fait qu'on en *parle*. N'étant pas l'aboutissement du développement d'une Phénoméno-logie anthropologique déduite de l'Onto-logie (par le truchement d'une Énergo-logie), la « Logique » stoïcienne reste « formelle »; c'est-à-dire sans rapport discursif avec le Système philosophique proprement dit, voire avec sa première Partie onto-logique. Dans la mesure où l'Onto-logie stoïcienne est restée celle d'Aristote, leur « Logique » ne pouvait différer de la « Logique formelle » aristotélicienne. Or, il est tout aussi impossible de déduire d'une « Logique » l'Onto-logie aristotélicienne dont le Discours *(Logos)* ne peut pas être déduit, que de déduire d'une telle Onto-logie une « Logique » quelconque.

Les Stoïciens ont bien vu qu'on ne pouvait parfaire ou par-achever un Système philosophique en le trans-formant de ce fait en Système du Savoir, qu'en y introduisant la « Logique ». Mais l'introduction par les Stoïciens de la « Logique formelle » d'Aristote dans le Système *aristotélicien* ne pouvait être qu'un leurre. N'étant pas déductible à partir de l'Onto-logie d'Aristote que les Stoïciens ont maintenue telle quelle, la Logique stoïcienne restant *formelle* en ce sens qu'elle ne *coïncidait* pas avec l'Onto-logie et ne pouvait donc pas y être *substituée*. Et puisque aucune Onto-logie ne peut être déduite de la logique *formelle* que les « Stoïciens empruntèrent telle quelle à Aristote, l'Onto-logie stoïcienne (d'ailleurs aristotélicienne elle aussi) était, tout comme chez ce dernier, déduite à partir des Principes qui sont *premiers* en ce sens qu'ils ne peuvent être déduits ni de ce qui en est déductible ni de la « Logique » qui ne peut pas en être déduite.

Mais dans la mesure où les Stoïciens ont prétendu avoir par-*achevé* le Système aristotélicien, on trans-forme celui-ci en Système du Savoir, en y introduisant la « Logique » d'Aristote, ils devaient affirmer que les « Premiers principes » de ce Système étaient discursivement in-déduct*ibles* en principe. Autrement dit, les Stoïciens ne pouvaient faire passer le Système aristotélicien pour un soi-disant Système du Savoir qu'en le *dogmatisant*, c'est-à-dire en le déduisant à partir d'*Évidences* discursives, tant

« logiques » qu' « ontologiques », d'ailleurs en fait et en principe indéductibles les uns des autres et irréductibles les uns aux autres.

Avant de montrer les trans-formations qu'a subies le Système aristotélicien à la suite de sa dogmatisation par les Stoïciens, il est intéressant de voir ce que ces derniers ont dit eux-mêmes de cette dogmatisation. Car le fait qu'ils en aient parlé explicitement est tout aussi remarquable que le fait que leurs dires à ce sujet n'étaient pas corrects.

En développant explicitement la notion de l'Évidence paraphilosophique, les Stoïciens ont à la fois fait appel à la notion de l'Expérience, qui n'a rien à voir avec celle de l'Évidence proprement dite, et à la notion de l'Universalité, qui défigure le sens véritable de la notion paraphilosophique de l'Évidence.

La doctrine stoïcienne de la *Fantaisie cataleptique* est universellement connue et c'est elle qui a été le point de mire de toutes les attaques sceptiques et « académiques » contre le Stoïcisme. Or, en fait, les Stoïciens eux-mêmes n'ont jamais fait appel à cette *Fantaisie*, qui n'a effectivement rien à voir avec l'Évidence qui était à la base de leur Système paraphilosophique. Mais en parlant de cette *Fantaisie*, ils semblent parfois avoir eu en vue l'Évidence proprement dite.

Dans la mesure où la *Fantaisie cataleptique* est une « donnée » *immédiate* (c'est-à-dire non discursive ou silencieuse) de la conscience », il s'agit de ce que j'appelle l'*Expérience*. Or, dans ma terminologie, une notion « justifiée » par une Expérience (silencieuse) est un Dogme (théorique) et non une *Évidence* (paraphilosophique). Ainsi, en parlant de la *Fantaisie cataleptique*, les Stoïciens avaient en fait en vue non pas les « Premiers principes » de leur propre Système (paraphilosophique), mais les « fondements » de la *Théorie dogmatique*. (Plus particulièrement, dans la mesure où les Stoïciens se refusaient à la *Fantaisie* cataleptique, c'est-à-dire à l'Expérience *sensible* ou *extérieure*, ils se référaient en fait à la *Science* dogmatique. Ainsi interprétée, la fameuse doctrine stoïcienne du « critère » n'est rien d'autre qu'une doctrine [correcte] de la « justification » de la Science dogmatique par l'appel à l'Expérience sensible, par définition silencieuse.

Or, faire appel à l'Expérience, c'est renoncer à l'idée même du Système du Savoir ou du Discours uni-*total*, voire à toute Philosophie ou Paraphilosophie. Car même la Paraphilosophie que préconisaient les Stoïciens proprement dits ne devait faire appel à rien qui soit en dehors du Discours, les Évidences

auxquelles cette Paraphilosophie faisait appel étant par définition discursives.

Sans doute, certains intellectuels affiliés à l'École stoïcienne
ont pu renoncer à la Philosophie au profit d'une Théorie dogmatique. Encore semble-t-il que la Science dogmatique les tentait
moins que la Morale ou la Théologie (à l'exception, peut-être,
d'un Posidonius). Les soi-disant « Stoïciens » faisaient souvent
appel aux données silencieuses de la Conscience morale et parfois à celles de la Révélation (« Mythes »), tandis que la doctrine
stoïcienne du « critère » ne rendait compte que de l'appel aux
données de l'Expérience sensible. Quant aux Stoïciens proprement dits, ils faisaient appel aux Évidences discursives, où
l'Expérience silencieuse n'intervenait pas. Pourtant, la terminologie « sensualiste » des Stoïciens a pu masquer une doctrine
stoïcienne de l'Évidence authentique, d'après laquelle la *Catalepsie* se rapporterait non pas aux Essences des Objets qui
correspondent aux Notions, mais aux Sens des Notions elles-
mêmes qui s'y rapportent. Mais cette intégration paraît bien
hasardeuse, vu que d'après les Stoïciens les Sens ne sont précisément pas « matériels » au sens où sont censées l'être les Essences
des Objets « sensibles » qui correspondent à la *Fantaisie cataleptique* qui s'y rapporte.

Quoi qu'il en soit, n'ayant jamais fait eux-mêmes appel aux
Expériences sensibles dont il était question dans leur doctrine
de la Fantaisie cataleptique, les Stoïciens ont développé une
autre doctrine pour rendre compte des Évidences qui étaient,
tant en fait que pour eux-mêmes, à l'origine du développement
de leur Système paraphilosophique. C'est la doctrine, bien
connue elle aussi, des *Notions communes (koinai ennoiai)*.

Or, cette fameuse doctrine (qui s'est maintenue dans toute
la Para-philosophie postérieure) put facilement être mécom-
prise et elle semble l'avoir été par ses auteurs stoïciens eux-
mêmes. En tout cas, si le « criticisme » kantien s'attaque à la
doctrine correcte de l'Évidence, les sceptiques et les « académiciens » n'attaquaient la doctrine stoïcienne des *Notions communes* qu'en la mésinterprétant (plus ou moins volontairement).

Le malentendu vient du fait que les Stoïciens ont présenté
les Notions *évidentes* comme des Notions *communes*, sans préciser la question de savoir si elles étaient communes parce
qu'évidentes, ou évidentes parce que communes. Or, les critiques sceptiques et « académiques » ont admis (tacitement) que,
d'après les Stoïciens, une notion ne peut être considérée comme
évidente que si l'on a constaté qu'elle est *commune*. En montrant qu'il n'y a pas de notion commune, voire qu'on ne peut
pas constater qu'elles le sont, ils crurent donc avoir « réfuté »

la doctrine stoïcienne de l'Évidence ou du « critère ». Mais si nous admettons que les Stoïciens faisaient dépendre le caractère *commun* d'une notion de son caractère *évident*, les attaques sceptiques et académiques « réfutaient » non pas la doctrine de l'Évidence elle-même, mais seulement l'une de ses soi-disant conséquences : s'il n'y a pas de notions *communes*, il vaut mieux y avoir des notions *évidentes*, si l'on admet qu'une notion évidente peut ne pas être commune, contrairement à ce que semblent avoir affirmé les Stoïciens.

On peut se demander pourquoi les Stoïciens tenaient à cette « conséquence » de leur doctrine de l'Évidence, en dépit du fait qu'elle prêtait le flanc aux attaques de leurs adversaires et qu'il était facile de l'abandonner (en faisant appel à la « cécité mentale »). Il semble qu'ils le firent (plus ou moins consciemment) pour deux raisons.

D'une part, le caractère *commun* de l'Évidence discursive distinguait essentiellement celle-ci de l'Expérience silencieuse, foncièrement « individuelle ». La Conscience morale ne « parle » qu'à celui qui la possède; la Révélation divine ne s'adresse qu'à quelques rares élus; et même une Expérience sensible est limitée au *hic et nunc*. Par contre, le sens d'une notion n'est nulle part ni jamais et il peut donc être partout et toujours. Il semble donc que, contrairement à l'Expérience, le Sens doit ou bien être accepté par tous (auquel cas il sera dit *évident*) ou bien il ne doit être accepté par personne (auquel cas il est « faux »). D'autre part, le sens d'une notion « évidente » est censé être *nécessaire* en ce sens qu'il est *impossible* (à moins de se contre-dire) d'y substituer un sens « contraire ». Or, n'est *nécessairement* que ce qui est *partout et toujours*. Donc, en particulier, une notion *évidente*, c'est-à-dire *nécessaire*, doit être *commune* à tous les êtres humains, tant dans l'espace que dans le temps.

Sans doute, on pourrait facilement justifier les exceptions à cette règle, en faisant appel à la notion d'une « cécité mentale » : les nourrissons seraient « aveugles » par rapport aux sens des notions et certains adultes, voire la majorité d'entre eux, seraient « aveugles » par des « préjugés » d'origine non discursives. Mais alors la notion de l'Évidence (discursive) se rapprocherait dangereusement de celle de l'Expérience (sensible). Et c'est probablement pourquoi les Stoïciens tenaient à la *conséquence* « universaliste » de leur doctrine de l'Évidence, bien qu'ils ne semblent pas avoir considéré cet « universalisme » comme une *prémisse* de cette doctrine. D'après eux, il y avait des notions *évidentes* en et par elles-mêmes, qui, de ce fait, s'imposaient *nécessairement* à celui qui comprenait leurs sens et qui, par conséquent, étaient toujours admises partout, c'est-à-dire par tous.

En principe, la Para-philosophie (quelle qu'elle soit) ne peut pas « démontrer » qu'il y a des notions *isolées*, dites « évidentes », qui s'imposent nécessairement à ceux qui comprennent leurs sens ou qui sont effectivement acceptées *partout et toujours* : et ceci pour la simple, mais suffisante raison, que si une notion isolée donnée a un sens « acceptable », la notion qui lui est « contraire » en a un qui l'est lui aussi. Et c'est pourquoi il n'y a pas de notions isolées « communes » en ce sens qu'elles seraient valables partout et toujours à l'exclusion d'autres qui leur sont opposées. Dire qu'une notion isolée est « commune » en ce sens, c'est donc se « tromper » et donc se contre-dire nécessairement (tôt ou tard). On ne peut donc « justifier » l'affirmation [erronée] qu'une notion isolée donnée est « commune » qu'en faisant appel à l'Expérience *non* discursive. Autrement dit, la notion même de la *Notion commune* est un Dogme : lorsqu'on développe une notion en la présentant en tant que prétendument *commune*, on développe donc, en fait, non pas une Para-philosophie, mais une Théorie dogmatique, qui est théologique, scientifique ou moraliste selon la soi-disant « notion commune » utilisée.

Par conséquent, dans la mesure où certains intellectuels, apparentés au Stoïcisme, développaient des notions qu'ils déclaraient être « évidentes » *parce que* en fait « communes », ce sont des Dogmes théoriques qu'ils développaient, en les empruntant généralement à la Morale « coutumière » à leur époque dans leur milieu, plus rarement à la Théologie (« Mythologie ») « orthodoxe » et peut-être parfois (Posidonius) à la Science « traditionnelle ». En tout cas, tout ceci n'avait plus rien à voir avec la Philosophie, ni même avec la Para-philosophie, ou la Philosophie dogmatisée de façon à pouvoir être déduite à partir d'Évidences discursives.

En résumé, on peut dire que les Stoïciens n'ont pas su élaborer une doctrine correcte de l'Évidence à laquelle ils faisaient appel en développant leur Système paraphilosophique. C'est dans l'Académie qu'une telle doctrine semble avoir été énoncée.

Pour les Académiciens, les notions soi-disant « évidentes » n'étaient pas censées devoir être « communes » : c'est plutôt le caractère « ésotérique » d'une notion qui pouvait servir, sinon de preuve, du moins d'indice de son « évidence ». Pour les Stoïciens, eux non plus, l' « universalité » d'une notion ne semble avoir été la *cause* de son « évidence ». Mais en admettant qu'elle a été la *conséquence*, ils devaient y voir le « critère » qui permettait de découvrir les notions évidentes, susceptibles de servir de Prémisses à la déduction de leur Système.

Si les Stoïciens s'étaient effectivement contentés de rechercher les notions qui étaient « communes » à leur époque historique dans leur milieu social, ils n'auraient été que des Théoriciens dogmatiques. Mais, en fait, ils ne cherchaient ces «notions communes» que dans le Système aristotélicien. C'est lorsque des notions *aristotéliciennes* leur paraissaient « universellement » admises qu'ils les érigeaient en Évidences à partir desquelles ils essayaient de déduire l'ensemble du Système d'Aristote. Leur propre Système reste donc aristotélicien et par conséquent philosophique. Mais dans la mesure où ils déduisaient le Système d'Aristote à partir des notions (aristotéliciennes) qu'eux-mêmes (à la différence d'Aristote) considéraient comme *évidentes* (vu leur caractère soi-disant « commun »), ils trans-formèrent ce Système en un Système *para*philosophique.

C'est dans la mesure où il est *dogmatisé* que le Système stoïcien diffère essentiellement de celui d'Aristote. Et c'est en tant que *dogmatisé* que le Système stoïcien est universellement connu et exposé. Le réexposer ici tel quel n'aurait donc pas de sens.

Par contre, il est intéressant et instructif de *dé-dogmatiser* le Système stoïcien afin de le comparer à celui d'Aristote. Pour le faire, il suffit de réduire à l'état de notions simplement non *déduites* en fait les notions prétendument « évidentes » que les Stoïciens présentaient comme non *déductibles* en principe. Or, après l'avoir fait, on constate que le Stoïcisme apparaît comme un Aristotélisme authentique, bien que différent de celui qu'avait développé Aristote lui-même et qui fut « commenté » en tant que sien.

Le Stoïcisme en tant qu'Aristotélisme authentique.

Lorsqu'on dé-dogmatise le Système stoïcien, on constate tout d'abord qu'il s'agit non pas d'une simple redite, ni d'un classique « commentaire » du Système d'Aristote, mais d'une *paraphrase* de celui-ci, voire d'une tentative de sa « mise à jour ». Mais il y a autre chose encore. En comparant la paraphrase stoïcienne de l'Aristotélisme avec le développement de celui-ci par Aristote lui-même, on constate, d'une part, que certains Stoïciens (et notamment Chrysippe) ont poussé le *développement* du Système aristotélicien au-delà des limites atteintes par son initiateur. D'autre part, on peut voir qu'en quelques points les Stoïciens contre-disent en fait les dires d'Aristote et l'analyse montre alors qu'il s'agit généralement de *corrections*, plus exactement d'élimination des séquelles platoniciennes qui se trouvent encore chez le grand disciple de Platon.

Dans ce qui suit, j'essaierai de re-présenter le Stoïcisme (dé-dogmatisé) comme

— une paraphrase,
— un développement et
— une « correction »

authentiquement aristotéliciennes du Système développé par Aristote.

Les paraphrases stoïciennes du système d'Aristote.

D'après la tradition, Xénocrate fut le premier à introduire explicitement la tripartition du Système philosophique, qu'il divisa en *Logique* (ou *Dialectique*), *Physique* et *Éthique*. En fait et pour nous, cette division correspond à la distinction entre l'Onto-logie, l'Énergo-logie et la Phénoméno-logie. Mais tant que la séparation entre la Réalité-objective et l'Être-donné, d'une part, et entre la Réalité-objective et l'Existence-empirique, d'autre part, reste planer (ce qui a été le cas jusqu'à Hegel inclusivement), la tripartition traditionnelle ne correspond que *grosso modo* à celle du Système du Savoir hégélien. Plus exactement, la *Physique* ne se réduisait pas à la seule Énergo-logie, mais impliquait également des éléments onto-logiques et phénoméno-logiques, de sorte que ni la *Logique* ni l'*Éthique* n'étaient *complètes* en tant qu'Onto-logic et Phéno-méno-logie. Et ces remarques sont tout particulièrement valables pour le Système stoïcien.

Chrysippe préconise parfois (cf. *S.V.F.*, II, 42; *Stoa*, 23) la séquence aberrante : *Logique* → *Éthique* → *Physique*. Mais cet ordre est justifié par des considérations pédagogiques. Par ailleurs, la *Physique* est censée culminer en une *Théologie*, qui appartient, en fait et pour nous, à l'Onto-logie, tout comme la *Logique*. Il s'agirait donc simplement de la *circularité* du Système, la *Physis* s'actualisant en *Theos* qui se manifeste en tant que *Logos*. Le même Chrysippe admet d'ailleurs aussi la séquence traditionnelle : *Logique* → *Physique* → *Éthique* (cf. *S.V.F.*, III, 326, 68; *Stoa*, 24), qui part de l'Être-donné pour aboutir à l'Existence-empirique, en passant par la Réalité-objective.

Cet ordre est « déductif » en ce sens qu'il est celui d'un exposé du Système qui sup-pose ce dernier dans son ensemble. Autrement dit, c'est l'ordre dans lequel le Système du Savoir peut être exposé par un philosophe déjà trans-formé en Sage.

On part alors de l'analyse du Discours *(Logos)* posé en tant que tel (sup-posé comme uni-total) et on établit ainsi la structure de l'Être-donné, sup-posé comme ce qui est commun à tout ce dont on parle. On op-pose ensuite l'ensemble de ce dont on parle à tout ce que l'on en dit, en parlant ainsi de l'Être-donné comme d'une Réalité-objective. Enfin, on impose ce que l'on dit à ce dont on parle, l'existence-empirique du Discours *(Logos)* coïncide alors avec celle de la Réalité-objective (Cosmos). Cette coïncidence de ce que l'on dit avec ce dont on parle est l'actualisation de la *vertu* de l'Homme en tant qu'être parlant et l'acte pur de cette Vertu se re-pose dans l'Être-donné, qui existe-empiriquement en tant qu'objectivement-réel, comme le Discours (uni-total) qui pré-suppose la *Logique* et qui est sup-posé par elle.

Quant à l'ordre « inductif », que la Philosophie doit suivre pour trans-former un « profane » en Sage, il est l'inverse de l'ordre « déductif » : *Éthique → Physique → Logique*. On part alors des données de la Conscience morale, qui permet d'éliminer tout ce qui empêche l'Homme d'être pleinement *satisfait* dans et par l'Existence-empirique. On se demande ensuite quelle doit être la Réalité-objective qui existe-empiriquement pour qu'elle puisse assurer la pleine Satisfaction des hommes qui vivent en parfait accord avec la Conscience morale. On établit enfin la structure de l'Être-donné qui a une existence-empirique « satisfaisante » tout en étant (aussi) objectivement-réel, cette structure de tout ce dont on parle étant la même que celle de tout ce que l'on en dit. Or, ce que l'on en dit est d'abord *Logique*, puis *Physique* et enfin *Éthique*, qui redit à la fin tout ce que la Conscience morale avait pré-dit au commencement.

Mais en fait, le cercle du Système stoïcien (dogmatisé) ne se ferme pas. La *Logique* ne re-dit pas les dires de la Conscience morale pour la simple raison que celle-ci ne *dit* rien du tout, n'étant qu'une « donnée existentielle » silencieuse et ineffable, qui *montre* (« intuitivement ») la Satisfaction (ou plutôt l'In-satisfaction), mais ne la dé-montre pas (discursivement) [11]. Or, ce caractère *dogmatique* du Système stoïcien, qui reste de ce fait discursivement *lacunaire*, rend son articulation imprécise et flottante : la lacune entre la *Logique* et l'*Éthique* efface les frontières qui les séparent de la *Physique*.

Ainsi, la tripartition du Système stoïcien ne correspond que très imparfaitement à l'articulation du Système du Savoir hégélien. Or, j'ai remanié le Système aristotélicien afin de le rendre conforme à la structure hégélienne. Je dois donc remanier d'une façon analogue le Système stoïcien après l'avoir dédogmatisé. On verra qu'il s'agit d'une variante de l'Aristotélisme authentique.

L'Onto-logie stoïcienne.

Par définition, le Dogmatisme discursif est un élément-constitutif du Discours *exclusif* ou *théorique*, qui est émis exclusivement en fonction de la *Vérité* (discursive) et qui est censé développer la Vérité *exclusive* (qui exclut non seulement l'Erreur [discursive], mais encore la Vérité elle-même (en tant que *discours*). C'est ainsi qu'en tant que Théorie morale dog-matique, le Stoïcisme affirme l'efficacité exclusive du Comman-dement (dont le contenu est donné dans et par la Conscience morale) en excluant celle de la Prière et de l'Ordre (donné ou reçu) : le « Sage » (= le Vertueux) est pleinement satisfait du seul fait de se conformer en Commandement; le « Fou » (= le Vicieux) non seulement ne peut satisfaire aucune Prière qui lui serait adressée, mais ne saurait lui-même être satisfait par aucune Prière qu'il adresserait à un dieu quel qu'il soit; du point de vue de la satisfaction il est tout aussi indifférent de donner un Ordre (même en tant qu'Empereur sûr de son exécution) que de le recevoir (même en tant qu'Esclave obligé à l'exécuter).

Mais le Stoïcisme se présente comme le développement discursif du *Savoir*, qui n'exclut rien du tout et qui implique, entre autres, tant l'Erreur que la Vérité (ainsi que soi-même en tant que discours). Sans doute, le Commandement stoïcien exclut la Prière et l'Ordre, tout comme la Vertu stoïcienne exclut le Vice. Mais le Stoïcisme philosophique parle de la Prière et de l'Ordre (dits inefficaces) au même titre que du Commandement (censé être seul efficace) et ses dires sur la Vertu impliquent ceux sur le Vice, et *vice versa*. En principe, le Savoir (discursif) stoïcien n'est donc ni vrai ni faux, mais *absolu* en ce sens qu'il implique tout ce que l'on peut dire sans se contre-dire, en parlant entre autres des erreurs contre-disant les vérités et des vérités qui contre-disent les erreurs.

Mais, en fait, loin d'être vraiment synthétique ou uni-total, le Savoir philosophique stoïcien est tout aussi parathétique que ceux de Platon et d'Aristote (ainsi que celui de Kant). Il s'agit, dans le Stoïcisme (dédogmatisé) d'un compromis (d'ailleurs tout aussi partiel que partial) entre le soi-disant Savoir purement « rationaliste » de Parménide et le prétendu Savoir uniquement « empiriste » d'Héraclite. Et ce compromis stoïcien est nettement plus aristotélicien que platonicien (ou kantien).

Chez Parménide, le « critère » du Savoir (thétique) est *purement* « immanent » : ce Savoir est caractérisé par sa *seule* identité avec lui-même. Mais étant ainsi savoir de *rien* (ni de personne), le soi-disant Savoir éléatique n'est pas discursif et son identité avec lui-même n'est donc que la permanence du Silence —« absolu ». Quant au Savoir (authentique) d'Héraclite, son « critère » est *purement* « transcendant » : ce Savoir est caractérisé par la *seule* « coïncidence » de ce que l'on dit avec ce dont on parle. Mais étant censé parler de n'importe quoi, le prétendu Savoir héraclitéen n'est qu'un bavardage (« infini ») sans commencement ni fin et donc sans aucune structure, voire sans possiblité de co-ordonner, dans une Totalité unique et une, le Positif qui se dit avec le Négatif qui le contre-dit. Le Savoir (synthétique) de Hegel fait coïncider ces deux « critères » : ce Savoir est caractérisé par l'*Identité* avec soi-même de ce que l'on dit de tout ce dont on parle, la *Totalité* de ce dont on parle étant dé-montré par la « circularité » de ce que l'on en dit (le Discours lui-même se révélant comme *Négativité*.) Mais le Savoir (parathétique) du Stoïcisme *sépare* les deux « critères » et les *additionne* sans les fusionner, ni même les cumuler : ce Savoir supposé est caractérisé *en partie* par l'identité immanente de ce que l'on dit et *en partie* par la coïncidence de ce qu'on dit avec ce dont on parle. Ainsi la coïncidence avec ce dont on parle n'assure pas l'identité de ce que l'on dit et l'identité de ce que l'on dit ne garantit pas la coïncidence avec ce dont on parle.

Les positions du Savoir *parathétique* (tant platonicien qu'aristotélicien ou stoïcien) ne résistent donc pas aux attaques du Scepticisme (antiphilosophique), qui le réduit au silence soit en tant que non identique avec soi-même (ou « contradictoire dans les termes »), soit comme ne coïncidant pas avec ce dont il parle (ou « contredit par l'expérience », religieuse, scientifique ou morale). Et ceci indépendamment de la proportion dans laquelle s'additionnent les deux « critères » en question (qui se montrent *exclusifs* l'un de l'autre dans la mesure même où ils ne se dé-montrent pas comme identiques).

Chez Platon, le critère « rationaliste » ou éléatique prévaut sur le critère « empiriste » ou héraclitéen, tandis que c'est l'inverse qui se produit chez Aristote et que Kant assume une part égale aux deux. Or, de ce point de vue, le prétendu Savoir stoïcien est nettement aristotélicien.

D'une part, la partie du Savoir stoïcien qui se maintient dans l'identité discursive avec elle-même sans coïncidence avec quelque chose dont elle parlerait, dégénère en *Logique formelle* du type aristotélicien. Ce Savoir « formalisé » est discursif (et non silencieux) parce qu'il est « étendu » (et non « ponctuel »), mais il est « vide » en ce sens que le cercle fermé du discours ne circonscrit rien du tout qui soit autre que lui). D'autre part, dans la mesure où cette même partie du Savoir a un « contenu » quelconque, elle se présente comme un ensemble de discours séparés et indépendants les uns des autres. Le Stoïcisme a dogmatisé l'Aristotélisme en érigeant ces discours partiels et isolés en « Évidences », voire en « Principes » censés se montrer « immédiatement » dans leur identité avec eux-mêmes, sans pouvoir se dé-montrer comme identiques entre eux. Ce qui signifie, en fait, qu'il s'agit de « points singuliers » du Discours, voire de « lacunes » susceptibles d'être comblées par des « expériences » ineffables et muettes, religieuses, scientifiques ou morales, et développables alors en Théories dogmatiques correspondantes.

Le Savoir stoïcien philosophique peut donc être soit réduit à la « Logique formelle » authentiquement aristotélicienne, soit dogmatisé en un ensemble de « prénotions », qui sont censées être « évidentes » et qui ne sont « communes » que parce qu'elles se présentent comme « irréfutables » du fait même d'être « indémontrables » et donc de ne pas être des *notions* du tout au sens propre du mot (toute *notion* proprement dite étant, par définition, dé-montrée par son développement complet en un Système du Savoir uni-total parce que circulaire). Ce sont ces « prénotions communes » qui tiennent lieu d'ontologie dans le cadre de la Logique stoïcienne, qui n'est qu'une Logique formelle (aristotélicienne) *dogmatisée*. Il est inutile de dire qu'à de rares exceptions près (dont je parlerai tout à l'heure) ces « prénotions » prétendument onto-logiques sont en fait des notions (isolées) phénoménologiques.

Quant à la Partie du Savoir stoïcien qui est censée coïncider avec ce dont elle parle, elle se réduit à la seule Phénoménologie, parce que ce Savoir ne se rapporte, par définition, qu'à la seule Existence-empirique, vu que la « coïncidence » en question ne se montre (se révèle) que dans et par la Perception *(phantasia) sensible*, dite *cataleptique*. Celle-ci étant silencieuse, ce prétendu Savoir dégénère en Théorie dogmatique, en principe scientifique.

Un certain flottement semble, d'ailleurs, se manifester chez les Stoïciens en ce qui concerne la nature de cette *Coïncidence* ou, plus exactement, de sa monstration (révélation). On pourrait peut-être admettre (avec Pohlenz) une différence, à cet égard, entre Zénon et Chrysippe (suivi en ce fait par tous les autres Stoïciens).

D'après Zénon, c'est la Perception sensible *(phantasia)* qui présente à la Conscience (animale) l'essence d'un objet donné (= chose naturelle), tandis que la Raison discursive *(logos* ou Conscience humaine) est « dès l'origine » en possession de toutes les notions (= choses magiques) ou, plus exactement, de leur sens (ces notions n'étant « de prime abord » que des *prénotions).* La Raison peut alors rapporter le sens de *son* choix à l'essence qui lui correspond et qui est présentée par la Perception (mais elle peut aussi s'en abstenir, la Conscience restant alors silencieuse ou purement animale). Cette mise en rapport (par le *Logos)* du sens (choisi par le *Logos)* avec l'essence (donnée par la Perception) qui lui correspond, s'appelle *Synkatathesis,* tandis que la constatation de la correspondance de l'essence au sens qui s'y rapporte est la fameuse *Katalêpsis* ou *Com-préhension* (Saisie « compréhensive » ou Compréhension « saisissante », *Be-greifen)* qui est censée être le « critère de la vérité (discursive) ». Du fait de cette Com-préhension, la Perception se trans-forme en Re-présentation compréhensive *(phantasia kataleptika)* ou « vraie », la « vérité (discursive) » étant la notion (développable en discours) dont le sens se rapporte à l'essence qui lui correspond (en tant que présentée par une perception de l'objet en cause). La Raison (humaine) qui choisit le sens « correctement », c'est-à-dire de façon à ce que la Perception (animale) devienne Re-présentation « compréhensive » (ou humaine) et « vraie », est une raison « droite » *(orthos logos)* ou saine. En bref, Zénon se serait contenté de *dogmatiser* l'Aristotélisme (en transformant en « Évidences » certains éléments-constitutifs du Système aristotélicien), sans vouloir y substituer une *Théorie* dogmatique (scientifique) : l'Expérience sensible est pour lui (comme pour Aristote) non pas la *source* (silencieuse) du Discours (chez lui dogmatisé), mais son aboutissement.

D'après Chrysippe, par contre, (cf. *S.V.F.,* II, 56, Pohlenz, II, 36), le « critère de la vérité » est constitué par une Perception (= Présentation) compréhensive en quelque sorte « immédiate ». Certaines Perceptions (animales) *(phantasia)* sont « compréhensives » (cataleptiques) en ce sens qu'elles montrent « immédiatement » (à l'homme qui les a en tant qu'animal) que l'essence présentée correspond au sens qui s'y rapporte, la constatation de cette « correspondance » ou « coïncidence » étant la *Katalêpsis* de Zénon, qui a pour conséquence nécessaire la *Synkatathesis,* c'est-à-dire la formation (par le *Logos* humain) de la notion (développable en discours) dont le sens se rapporte à l'essence qui lui correspond. Une telle « notion universelle » *(koinôs nomos)* est une « vérité discursive », l'ensemble de ces « vérités » constituent la « droite raison » *(orthos logos)* [cf. *S.V.F.*, III, 4; Pohlenz; II, 36] [12]. Ainsi, l'Expérience sensible (silencieuse) serait la *source* du Discours qui serait donc une Théorie dogmatique (scientifique) et non une Philosophie (dogmatisée ou non). Cependant, Chrysippe ne semble pas avoir nié l'existence des Évidences discursives (notions communes) introduites par Zénon dans l'Aristotélisme. Quoi qu'il en soit, la *coïncidence* de ce que l'on dit avec ce dont on parle ne se *montre*, d'après les Stoïciens quels qu'ils soient, que dans et par une Perception ou Re-présentation *sensible*. Ce qui veut dire que la coïncidence du sens de ce que l'on dit avec l'essence de ce dont on parle ne peut se montrer ou être montrée que dans les cas où le sens est tel qu'il se rapporte à une essence qui lui correspond en tant qu'essence d'une unité (« objective ») *structurée en elle-même*, c'est-à-dire d'une *Monade*. Autrement dit, on ne peut montrer ou voir la coïncidence de ce que l'on dit avec ce dont on parle que dans les cas où l'on développe discursivement des notions *phénoméno*-logiques (et non énergo-logiques ou onto-logiques). Ainsi, la partie du Savoir stoïcien qui est censée coïncider avec ce dont elle parle ne peut être qu'une *Phénoméno*-logie (dogmatisée ou non).

En principe, d'après les Stoïciens eux-mêmes, la Coïncidence en question devrait pouvoir non seulement se *montrer* (dans et par une Perception ou une Re-présentation) ou être *montrée* (discursivement, dans et par une Notion), mais encore se *dé-montrer* ou être *dé-montrée* dans et par le développement (discursif) complet du Système du Savoir. Car (du moins d'après Chrysippe; cf. *S.V.F.*, II, p. 41, 28. Pohlenz; II, 36) la Philosophie est la « pratique de la droite raison » prise dans son ensemble (par définition « cohérente »), de sorte que l'ensemble des sens qui coïncident avec des essences doit constituer un discours uni-total et donc identique à lui-même. Mais, en fait, les Stoïciens réussissaient tout aussi peu qu'Aristote à établir une liaison discursive (« déductive » ou « inductive ») entre les différents sens qui sont censés coïncider avec des essences (montrées par des perceptions sensibles). En fait, tout comme les prétendues « Évidences » discursives du Stoïcisme dogmatisé, ces soi-disant coïncidences qui se montrent ou « se mettent en évidence » dans et par les Perceptions, restent isolées les unes des autres, de sorte que leur « unité » ou « cohésion », voire, leur « cohérence » (qui permettrait de dé-montrer chacune de ces Évidences) est seulement « postulée », voire prévue, sans pouvoir être dé-montrée (par la « fermeture » du discours qui les développe). Rien n'empêche donc que les notions (« évidentes » ou non) dont chacune est censée avoir un sens qui « coïncide » avec l'essence à laquelle il se rapporte et qui lui correspond, se contre-disent les unes les autres et s'annulent ainsi discursivement, au lieu de constituer dans leur ensemble un Discours unique (et un Système du Savoir). Du coup, comme nous le verrons encore, l'identité avec elle-même de l'une quelconque des notions (« évidentes » ou non) qui «coïncident» avec des perceptions ne peut être assurée que si l'on « postule » (avec Aristote) le caractère *cyclique* des objets dont l'essence se présente *(hic et nunc)* dans et par la perception compréhensive qui montre la « coïncidence » de cette essence avec le sens qui s'y rapporte et auquel elle correspond. Dans ces conditions, la tentation était grande pour les Stoïciens (notamment lorsqu'ils subissaient les attaques du Scepticisme) d'abandonner ces deux « postulats » (que les Sceptiques n'admettaient pas) et de procéder soit à une dogmatisation de la Philosophie en transformant en Évidences certaines notions philosophiques (aristotéliciennes), soit à son abandon au profit d'une Théorie dogmatique (théologique, scientifique ou morale), en substituant aux « évidences données » discursives des « données évidentes » silencieuses, fournies par l'Expérience (transcendante, extérieure ou interne) [13]. Et c'est ce que les Stoïciens manquèrent rarement de faire.

En résumé, la partie du Savoir stoïcien, dont le sens est censé « coïncider » avec l'essence de ce dont elle parle, se réduit tant à une Phénoméno-logie (d'ailleurs dogmatisée), qui ne dé-montre rien de ce qu'elle dit vu qu'elle ne peut pas montrer sa propre identité avec elle-même (ou sa « cohérence ») et qui se trans-forme facilement, de ce fait, en Dogmatisme d'allure philosophique (généralement moral et parfois théologique, comme chez Cléanthe ou les stoïciens tardifs, tels Épictète et Marc Aurèle). Par contre, la partie de ce même Savoir qui est censé se dé-montrer par le seul fait de montrer son identité avec soi-même en montrant son uni-totalité ou sa « circularité », constitue, pour nous, une authentique *Onto-*logie, d'ailleurs aristotélicienne, bien qu'elle soit (tout comme chez Aristote lui-même) en fait « lacunaire » et dogmatisée par Zénon. C'est cette Onto-logie (« lacunaire ») authentiquement aristotélicienne (c'est-à-dire non dogmatisée) qu'il s'agit maintenant de dégager, en dédogmatisant une partie appropriée de ce que nous savons de la Philosophie dite stoïcienne.

Ce qui constitue, en fait et pour nous, une seule et même Onto-logie stoïcienne ou néo-aristotélicienne (dogmatisée) se trouve, chez les Stoïciens (ou du moins chez Chrysippe et certains autres), en trois endroits différents et, à première vue, séparés.

L'Onto-logie proprement dite ou « hégélienne » traite de l'Être-donné, c'est-à-dire de l'Être-dont-on-parle. Autrement dit, l'Onto-logie parle de ce qui est *commun* à tout ce dont on parle et donc aussi à tout ce que l'on en dit. Or, par définition, cet élément *commun* est *double*. D'une part, ce qui est commun à tout ce dont on parle, c'est le fait qu'on en *parle* (explicitement ou en acte, voire implicitement ou en puissance). D'autre part, le fait d'être *ce dont* on parle est également commun à tout ce dont on parle. L'Onto-logie proprement dite parle de ces *deux* éléments communs « à la fois » (sinon en même temps); elle est ainsi elle-même un *troisième* élément, commun aux deux autres. Et puisque, par définition, elle parle aussi d'elle-même, elle parle « à la fois » de *trois* éléments, dont chacun est *constitutif* au même titre que les deux autres. Ainsi, l'Onto-logie est essentiellement *triple* en elle-même : elle parle « à la fois » de ce qui est commun à tout *ce dont* on parle et à tout ce que l'on en *dit*, ainsi que de la *différence* commune entre tout ce que l'on dit et tout ce dont on parle.

Si maintenant on « fait abstraction » de tout ce *dont* on parle, en ne parlant que de ce qui est commun à tout ce que l'on *dit*, l'Onto-logie dégénère en *Logique formelle*. Et c'est cette « première partie » de l'Onto-logie qui constitue la Première Partie du Système stoïcien (dédogmatisé), appelée *Logique* tout court (tandis qu'Aristote ne voyait dans sa *Logique* qu'un *Organon*, voire une *Introduction* dans le Système). Or, dans la mesure où le Système (philosophique) n'implique qu'une Onto-logie « formalisée », c'est-à-dire réduite à la seule « Logique », tout le « contenu » du Discours, c'est-à-dire tout *ce dont* on parle, est rejeté « en dehors » du Discours en tant que tel et donc du Système discursif. C'est ainsi que les Stoïciens doivent admettre, à la suite d'Aristote, que les *Principes* sont discursivement « indémontrables », c'est-à-dire indéductibles. On peut « déduire » de ces Principes toutes leurs « conséquences » discursives, mais on ne peut pas « déduire » de l'ensemble de ces « conséquences » les Principes eux-mêmes. Inversement, si l'on peut « induire » les Principes à partir de leurs « conséquences » on ne peut pas « déduire » ces dernières à partir des Principes « induits ». Ce qui signifie que le Système est « philosophique » en ce sens qu'il ne constitue pas un seul et même Discours, unique et un parce que « continu » et « fermé sur lui-même ». Le Système est « ouvert » en ce sens qu'il *part* d'un élément uni-discursif ou *aboutit* à un tel élément : en tout état de cause le discours qui le constitue est « lacunaire » et implique un

Silence, qui se rapporte d'une façon non discursive à quelque chose d'ineffable qui lui correspond. La Philosophie authentique (celle d'Aristote y compris) considère ces « lacunes » comme provisoires. Mais les Stoïciens les admettent comme définitives. Plus exactement, ils voulurent les combler soit par une « Intuition intellectuelle » des Principes « indémontrables » dits « évidents » (en dogmatisant ainsi l'Aristotélisme) soit par des « Expériences » silencieuses (en substituant à la Philosophie, des Théories dogmatiques).

Par comparaison avec le Système du Savoir, tout Système philosophique est « lacunaire ». Or, tout Système (philosophique) « lacunaire » peut soit dégénérer en Système paraphilosophique en se dogmatisant, soit se trans-former en Théorie dogmatique pseudo-philosophique.

Le caractère « lacunaire » ou « ouvert » d'un Système philosophique se révèle par le fait que le terme final de son développement (discursif) ne coïncide pas avec le point de départ de ce développement. Plus exactement, la troisième Section de la troisième Partie d'un tel Système, c'est-à-dire la Phénoménologie anthropo-logique ne réussit pas à déduire le Discours en général, ni donc, en particulier, le discours qu'elle est elle-même : ainsi, le Système ne s'achève pas par un Discours-parlant-du-discours-*qu'il-est*-lui-même, qui serait de ce fait un Discours-parlant-*de-l'être*-dont-il-parle. Or, le Discours-parlant-de-l'Être-dont-on-parle n'est rien d'autre que l'Onto-logie, qui constitue la première Partie du Système. Par conséquent, dans la mesure où la Phénoméno-logie ne réussit pas à déduire (c'est-à-dire à introduire dans le Système) le *Discours*-parlant-de-l'Être, le Système ne déduit pas l'Onto-*logie* par laquelle il débute (et que la Phénoméno-logie doit sup-poser en tant que la pré-supposant). Mais si un Système n'implique pas (à la suite d'une déduction discursive) le *Discours*-parlant-de-l'Être, il ne peut pas non plus impliquer l'Être-dont-on-*parle*. Dans la mesure où un tel Système comporte une (prétendue) Ontologie (par laquelle il débute), c'est-à-dire dans la mesure où il parle, en fait, de l'Être, il ne peut en parler, pour nous, que comme d'un Être-dont-on-ne-*parle*-pas. Si l'auteur (ou l'auditeur) de ce Système s'en rend (discursivement) compte, il devra dire (s'il ne veut pas se contre-dire) que s'il a affaire à un Être-*donné*, cet Être ne lui est donné que d'une manière *non* discursive, c'est-à-dire par une Expérience *silencieuse*. S'il continue à *parler* de cet Être-donné-*silencieusement*, il trans-forme la prétendue Ontologie (et donc le Système dans son ensemble) en une authentique Théorie dogmatique. Mais puisque cette Théorie *parle*, en fait, de l'*ineffable*, elle est, pour nous, « contradictoire dans les termes » et donc équivalente (dans son ensemble) au Silence. Ainsi, en fait et pour nous, une (prétendue) Onto-logie trans-formée en Théorie dogmatique ne cesse de se *contre-dire* que dans la mesure où elle cesse de *dire* quoi que ce soit (en fait, pour nous et pour elle-même). Autrement dit, le Dis-cours théorique (arrivé à son stade dogmatique) ne cesse d'être (implicitement) contradictoire que dans la mesure où il s'an-nule (explicitement) en tant que Discours proprement dit. Or, on peut annuler le Discours proprement dit (voire la Notion discursivement développable) : *soit* en renonçant à ce que l'on *dit* au seul profit de *ce dont* on parle (auquel cas la Notion discursive est trans-formée en un Signe paradiscursif ou une Image paradiscursive, et la -logie en une -graphie, la seule Catégorie maintenue étant celle de la Qualité, ce qui n'est fai-sable que dans le domaine de la Phénoméno-logie, qui devient alors une Phénoméno-graphie); *soit* en sacrifiant *ce dont* on parle au seul profit de ce que l'on *dit*, de sorte qu'on ne parle plus (que) *de rien* et donc pas du tout (auquel cas la Notion discursive est trans-formée en Symbole pseudo-discursif, et la -logie en une Symbolique, la seule Catégorie maintenue étant celle de la Relation, ce qui n'est faisable que dans le domaine de l'Onto-logie, qui devient alors une *Mathesis universalis*); *soit* en opposant d'une façon irréductible ce que l'on dit à ce dont on parle, de sorte que la coïncidence (si coïncidence il y a) de ce dont on parle avec ce que l'on dit ne peut être due qu'au « hasard », que l'on peut pré-voir sans pouvoir le pré-dire (au-quel cas la Notion discursive est trans-formée en une Mesure pseudo-paradiscursive ou para-pseudo-discursive, c'est-à-dire pseudo-graphique ou parasymbolique, et la -logie en -métrie, la seule Catégorie maintenue étant celle de la Qualité ou de la Relation-qualitative, voire de la Qualité-relationnelle, ce qui n'est faisable que dans le domaine de l'Énergo-logie, qui devient alors une Énergo-métrie ou Physique).

Bien entendu, tout ceci n'est tout au plus qu'une Pseudo-philosophie, qui se situe en dehors de la Philosophie propre-ment dite, c'est-à-dire du Discours synthétique (dialectique) qui mène au Discours uni-total qu'est le Système du Savoir. Car, par définition, la Philosophie se rend (discursivement) compte du fait qu'elle *parle* de ce dont elle parle (même si elle ne réussit pas à rendre discursivement compte de ce fait, en le déduisant). Mais encore une fois, la Philosophie au sens propre (par oppo-sition à la Sagesse discursive) n'arrive à *déduire*, ni de *ce dont* elle parle le fait qu'elle en *parle* ni du fait qu'elle *parle*, — *ce dont* elle parle. D'où deux conséquences fondamentales. *D'une part*, si l'on ne veut pas annuler le Discours (ou y substituer des formes para- ou pseudo-discursives) mais qu'on ne peut pas le situer à l'intérieur du Système, en le déduisant de ce que l'on y dit, on situe nécessairement le Discours *en dehors* de ce Système; ou, si ce Système était le Système du Savoir qui parle par définition de *tout*, le (pseudo-) Discours qui se situerait en dehors de lui ne parlerait de *rien* et il se réduirait ainsi non pas à une Notion (discursive), mais à un Symbole pseudo-discursif (à moins de se supprimer au profit de ce dont il parle, en se trans-formant en Signe paradiscursif); un Discours proprement dit ne peut donc se situer en dehors d'un Système que si ce Système est non pas le Système du Savoir, mais un Système philosophique, par définition « lacunaire » ou « incomplet », c'est-à-dire un discours qui ne parle ni de *tout* ni de *rien*, mais seulement de *quelque chose*, c'est-à-dire de quelque chose de « particulier » ou de « déterminé »; mais pour se situer en dehors d'un quelconque Système philosophique, le Discours, tout en ne parlant ni de tout ni de rien, ne doit pas non plus parler de quelque chose de « déterminé » ou de « particulier »; c'est dire qu'il ne peut parler que de quelque chose de « général » ou d' « indéterminé », voire de « n'importe quoi »; par conséquent, lorsqu'on veut parler du Discours situé en dehors de tout Système philosophique, on doit nécessairement développer ce que l'on appelle une *Logique formelle*, en parlant d'un Discours qui parle de *tout* « en général », mais de *rien* « en particulier ». *D'autre part*, si l'on n'arrive pas à déduire *ce dont* on parle du fait que l'on *parle*, c'est que l'on déduit tout ce dont on parle (dans le Système) à partir d'un Principe (prétendument) « premier », qui n'est pas (en fait et pour nous) « dernier »; car le premier Principe n'est dernier que si l'on peut en déduire « en dernière analyse » le Discours-parlant-de-l'Être, dont on déduit « en premier lieu » l'Être-dont-on-parle; autrement dit, le Système se déduit dans son ensemble à partir d'une Notion qui ne se déduit pas de l'ensemble de ce Système (qui se révèle de ce fait « incomplet » ou « lacunaire », c'est-à-dire précisément philosophique); mais puisque tout Système philosophique est, par définition, authentiquement discursif (étant une -logie), et puisque le Discours en tant que tel se développe à partir de la Notion (uni-totale) en laquelle il se résume, tout Système philosophique authentique est (en fait et pour nous) déduit à partir d'une Notion (complexe), déductible en principe (à partir d'autres notions « complexes » et, en dernière analyse, de la notion « simple » qu'est la Notion uni-totale), mais non déduite en fait (et qui, de ce fait, se présente comme un complexe de notions indéductibles les unes des autres ou irréductibles les unes aux autres); d'où, en fait et pour nous, le caractère « provisoire » ou « temporaire » de tout Système philosophique (proprement dit, c'est-à-dire non encore transformé en Système du Savoir).

Ce caractère « provisoire » de tout Système philosophique est admis par tous les Philosophes authentiques, qui se rendent, par définition, compte de la nature « lacunaire » de ce Système. Et c'est pourquoi ces Philosophies continuent à rechercher la « Vérité », c'est-à-dire la Sagesse discursive qu'est le Système du Savoir. Quitte (lorsqu'ils sont kantiens) à considérer cette recherche sinon « sans espoir », du moins comme une « tâche infinie », voire indéfinie.

En ce qui concerne, en particulier, Aristote, il se révèle en tant que philosophe authentique dans la mesure même où il situe la Logique formelle en dehors de son Système et reconnaît qu'il n'a pas lui-même réussi à déduire les Principes à partir desquels ce Système a été déduit par lui. Car s'il ne pré-dit pas explicitement la trans-formation de son Système en Système du Savoir (ce que Hegel a effectivement réussi à faire), il n'exclut pas non plus cette éventualité en tant que phénomène *historique* (comme semble l'avoir fait Platon et comme le fera Kant) : il ne nie pas la possibilité d'introduire la Logique dans le Système (en tant que sa première Partie ou en tant qu'Onto-logie, et non plus comme « Logique » proprement dite ou « formelle »), de façon à combler la lacune qui sépare ses « premiers » principes des conséquences « dernières » qu'il en déduit.

Mais l'impatience, qui accompagne souvent chez les Intellectuels le manque de Sagesse qu'ils ont en commun avec les Philosophes, les incite parfois, à prendre le provisoire (« lacunaire ») pour du (soi-disant) définitif (prétendument) complet. C'est alors qu'ils s'adonnent à la Para-philosophie, en dogmatisant l'un ou l'autre des Systèmes authentiquement philosophiques. Et c'est ce que firent certains Stoïciens avec le Système d'Aristote.

D'une part, ils introduisirent la Logique aristotélicienne à l'intérieur de leur Système, tout en lui laissant son caractère « formel ». Or, en fait et pour nous, on peut déduire n'importe quoi d'un discours « formalisé », qui parle de tout « en général », sans parler de rien « en particulier », ce qui revient à dire qu'on ne peut en déduire aucun discours « particulier », y compris celui qui constitue le Système stoïcien; de sorte que ce Système se présente comme un développement de notions non seulement non déduites en fait, mais encore indéductibles en principe, qui sont les Évidences discursives et qui sont les *notions communes* des Stoïciens. Ainsi, chez les Stoïciens, les Évidences se situent en quelque sorte « entre » la (soi-disant) Onto-logie, à laquelle ils substituent (à tort) la Logique formelle (aristotélicienne) et le reste du Système, qui se réduit ainsi (en fait et pour nous) aux seuls Énergo-logie et Phénoméno-logie. Mais si l'on dé-dogmatise le Système stoïcien, en rejetant au-dehors la Logique formelle, les Évidences peuvent occuper la place devenue ainsi libre et se développer en une première Partie de ce Système, qui ne diffère pas essentiellement de ce que fut l'Onto-logie d'Aristote. Et c'est ce qu'il nous faut voir maintenant de plus près.

En tant que première Partie du Système paraphilosophique stoïcien, l'Onto-logie aristotélicienne est « formalisée » et elle se réduit à la « Logique » d'Aristote, où l'on ne parle que de ce qui est commun à tout ce que l'on *dit* [14]. Du coup, tout *ce dont* on parle doit être rejeté dans les deux autres Parties systématiques. En fait, l'Onto-logie (dogmatisée) qui parle uniquement de ce qui est commun à tout *ce dont* on *parle*, en faisant abstraction du fait qu'on en parle, se présente à nous comme une Théologie. Or, dans le Système stoïcien, cette Théologie, qui complète la partie appelée *Logique*, se trouve dans la deuxième Partie, appelée *Physique*.

Cette deuxième Partie du Système stoïcien est l'homologue de l'Énergo-logie du Système du Savoir hégélien. La *Physique* stoïcienne est donc censée traiter de la Réalité-objective. C'est ce qu'elle fait effectivement, dans une vaste mesure, et elle est ainsi, dans cette mesure même, l'homologue de l'Étio-logie, voire de l'Astrologie ou de l'Ouranologie d'Aristote. Mais si la Théologie d'Aristote est une Onto-logie théologique (qui constitue [à juste titre] la première Partie du Système aristotélicien), la Théologie « physique » ou l'Énergo-logie théologique stoïcienne (incorporée dans la deuxième Partie du Système stoïcien) comporte elle aussi des éléments en fait onto-logiques, qui se situent, pour nous, dans la première Partie du Système, où ils n'arrivent cependant pas à se placer en fait, la place étant prise par l'Onto-logie dégénérée qu'est la Logique formelle. De ce fait, il y a, dans la « Théologie » située dans la dernière Partie du Système stoïcien, une confusion « systématique » entre l'Onto-logie, prise et comprise comme une Théologie (aristotélicienne), et la Physique (aristotélicienne) proprement dite. C'est cette confusion qui a faussé à la fois l'Énergologie (la Physique) et l'Onto-logie stoïciennes. Pris et compris en tant que (Premier-) Moteur ou Cause (formelle, à la fois, efficiente et finale) du Cosmos, voire comme Raison universelle *(Logos)*, Ame cosmique (Psyché) ou Artisan du monde (Démiurge) ou, si l'on préfère, en tant que Feu et Souffle *(Pneuma)*, le Dieu stoïcien (Zeus) est une (ou la) Réalité-objective en ce sens que tout en n'ayant aucune *structure propre*, il *s'oppose d'une façon irréductible* à l'Espace-temps objectivement-réel qu'est la Matière trans-formée en Cosmos dans et par son inter-action avec ce qu'elle n'est pas et ce qui ne l'est pas, n'étant d'ailleurs une Forme que dans la mesure où il l'in-forme. Nous aurons à parler plus tard de ce Dieu objectivement-réel ou de cette Réalité-objective divine. Mais le Dieu stoïcien, tout comme celui d'Aristote, est aussi l'Être-donné, « logiquement antérieur » à la Réalité-objective (et donc, partout, à l'Existence-empirique). C'est dans la mesure où il l'est que la « Physique stoïcienne est aussi une *Onto*-logie (ou -graphie). Et c'est précisément pourquoi Chrysippe situait la Théologie *à la fin* de la *Physique*, en consignant à celle-ci la troisième et dernière place dans le Système, de sorte que dans le Cercle du Savoir la « fin » théologique était censée ramener au « commencement » logique (cf. *S.V.F.*, II, 42, Stoa, 361) [sans qu'il y ait, cependant, une véritable « liaison » discursive entre l'Onto-logie transformée en Théologie ou Onto-graphie et celle dégénérée en une Logique formelle].

Chez Aristote, le *Theos* est l'Être-donné (sans réalité-objective) dans la mesure où il est (le Premier-moteur) *immobile*, n'étant ainsi ni Cause, ni Action, ni encore moins *Inter*-action [n'étant pas « objectif » même en tant que « pensée », vu qu'il ne « pense » que soi-même et qu'il n'est « pensé » que par lui-même]. Par ailleurs, l'Être-donné aristotélicien est un Dieu (doublement) transcendant (par rapport à l'Existence-empirique) dans la mesure où il ne se situe pas *à l'intérieur* de la Sphère cosmique (tout en n'étant pas non plus à *l'extérieur* de celle-ci, vu qu'il est sa « surface enveloppante »). Enfin, ce *Theos* (doublement transcendant) ne s'incarne que dans la réalité-objective du Ciel et reste, en tant qu'incarné (simplement) transcendant par rapport à l'Existence-empirique des Phénomènes [du moins « en principe »; car en fait, les Astres sont *visibles* et donc « phénoménaux »; ce qu'ils n'auraient pas dû être, s'ils étaient objectivement-réels comme le voudrait Aristote, c'est-à-dire analogues aux Atomes démocritéens].

Or, à première vue, il en va tout autrement du Dieu des Stoïciens. Car, d'une part, il ne meut qu'en se *mouvant* perpétuellement lui-même, vu qu'il s'étend en Feu cosmique après s'être condensé en Cosmos, afin de pouvoir s'étendre à nouveau. D'autre part, si Zeus n'est ni à l'intérieur ni à l'extérieur du Cosmos, c'est parce qu'il est lui-même l'Espace-temps cosmique qui n'est rien d'autre que lui. Enfin, il s'incarne en tant que Forme en in-formant l'*ensemble* de la Matière et non pas seulement la Matière éthérée des Cieux.

Toutefois, en y regardant de plus près, on voit que la Théologie des Stoïciens est tout aussi aristotélicienne que celle d'Aristote lui-même. Sans doute, le Cosmos s'étend lorsqu'il se trans-
forme en Feu et le Feu se condense quand il se trans-forme en
Cosmos. Mais dans la mesure où Zeus est soi-même le Feu
lui-même, il ne s'étend pas et ne se condense pas : il reste
partout et toujours le même. Or, le Cosmos se forme lorsque
la Forme ignée se refroidit par son incarnation dans la Matière.
Inversement, lorsque le Feu formel ou informant réchauffe
la Matière formée, le Cosmos se volatise peu à peu en s'étendant
indéfiniment. Mais la formation du Cosmos par l'information
de la Matière sup-pose la Forme en tant que telle (qui pré-suppose, d'ailleurs, partout et toujours, voire nécessairement, la
Matière qu'elle informera) et cette Forme elle-même ne change
pas. Zeus lui-même reste donc *immobile*, tout en mouvant la
Matière de façon à la condenser en un Cosmos qui sera ensuite
étendu au point de devenir vide. Si le Cosmos s'anéantit dans
et par l'Incendie cosmique qui le trans-forme en Feu, Zeus
lui-même ne brûle pas, vu qu'il est ce Feu lui-même. Ainsi,
tout comme le *Theos* aristotélicien, le Zeus des Stoïciens n'est
un Moteur que dans la mesure où on le met en relation avec
ce qu'il meut (à savoir la Matière), mais il reste *immobile* tant
qu'on le prend et comprend en lui-même [étant entendu
qu'étant nous-mêmes *matériels*, nous ne pouvons le comprendre
(discursivement) qu'en tant *qu'incarné* et donc, si l'on veut,
comme Moteur mobile]. En bref, on est en présence de la même
ambiguïté que chez Aristote : il y a, à la fois, mouvement et
immobilité du Premier-moteur ou de Dieu, voire de l'Être-
donné ou de tout ce qui est commun à l'ensemble de ce dont
on parle. Aristote croit pouvoir supprimer cette contra-diction
en identifiant le mouvement *circulaire* à l'immobilité. Or, si
les Stoïciens attribuent explicitement un *mouvement* propre au
Premier-moteur, ce mouvement est défini comme un mouvement
circulaire ou *cyclique*. Si l'on peut dire (comme le fait Aristote
dans ses œuvres postérieurs au *Timée*) que le mouvement cosmique *circulaire* sup-pose un Premier-moteur *immobile*, on
doit préciser (comme l'avaient fait Eudoxe et le jeune Aristote)
que la Cause (formelle) qui pré-suppose un tel *mouvement* doit
être elle-même un *processus*, d'ailleurs *cyclique*. Or, c'est précisément ce que les Stoïciens disaient de leur Dieu [15].

Par ailleurs, l'Espace-temps objectivement-réel de la Sphère
cosmique stoïcienne baigne dans le Vide (spatio-temporel),
afin que Zeus ait où se situer lorsqu'il s'étend (indéfiniment)
en tant que Feu après avoir été condensé en Cosmos (fini).
Or, tant que le Cosmos est là, le Vide qu'il n'occupe pas est

en dehors de lui. Mais ce Vide est encore Zeus lui-même, du moins en tant que le Feu en puissance pendant qu'il est le Cosmos en acte. Et c'est ce même Vide, *entièrement* « rempli » de Zeus lorsque celui-ci n'est plus que Feu en acte, en n'étant Cosmos qu'en puissance, qui est « en partie » occupé par le même Zeus qui s'actualise en tant que Cosmos, n'étant Feu qu'en puissance. Zeus est donc tout autant à l'intérieur du Cosmos (en tant que le Vide occupé par celui-ci) qu'à l'extérieur de ce même Cosmos (en tant que le Vide où se situe le Feu que le Cosmos en acte n'est qu'en puissance). On peut donc dire, si l'on veut, que Zeus lui-même est la limite qui sépare le Cosmos en acte (c'est-à-dire la Sphère cosmique) du Feu en puissance (qui est « en dehors » de cette Sphère, dans la mesure où le Cosmos est en acte et lui-même seulement en puissance, en tant que Vide ou comme ce qui *n'est pas* le Cosmos). Or, il en va de même du *Theos* aristotélicien. S'il est la « surface enveloppante » de la Sphère cosmique, rien ne le sépare ni de cette Sphère elle-même, ni du Vide, qui est en dehors d'elle. De même que le Zeus des Stoïciens est « en partie » la Sphère cosmique (« pleine ») et « en partie » le Vide (« environnant »), voire la séparation entre ce vide et la Sphère, le *Theos* aristotélicien est lui aussi la séparation entre le Plein (sphérique) et le Vide (indéfini, ou in-fini), qui est ce Vide et ce Plein « à la fois » (et même « en même temps »), vu qu'il est précisément ce que ceux-ci ont et sont *en commun*. Enfin, comme nous le verrons par la suite, l'incarnation *cosmique* du Zeus stoïcien ne diffère pas, en fait, de l'incarnation *ouranique* du *Theos* d'Aristote. Car loin de supprimer l'*Ouranos* aristotélicien, les Stoïciens l'ont au contraire étendu à l'ensemble du Cosmos (leur Monde sublunaire étant tout aussi soustrait au hasard et à la « nécessité » et voué à la seule causalité « téléologique » que l'était pour Aristote le Monde céleste). Si, chez Aristote, le *Theos* ne s'incarne que dans le Ciel, tandis qu'il s'incarne, chez les Stoïciens, dans le Cosmos tout entier, c'est uniquement parce que le Cosmos stoïcien est lui-même purement « céleste », au sens aristotélicien de ce mot.

D'une manière générale, la Théologie (dé-dogmatisée) des Stoïciens est, pour nous (sinon peut-être pour les Stoïciens eux-mêmes), une Onto-logie authentiquement aristotélicienne en ce sens que l'Être-donné « divin » dont elle parle n'est, en fait, rien d'autre ni de plus que la Spatialité en tant que telle. Pour Aristote, le *Theos* est la limite (« sans épaisseur ») qui sépare le Vide spatial occupé par l'Espace objectivement-réel qu'est la Sphère cosmique de la Spatialité vide ou occupée par rien (in-occupée). Mais, pour nous, cette « limite » (« commune »!) est la Spatialité *commune* à la Sphère cosmique (= Non-vide) et au Vide (= Non-cosmos), c'est-à-dire précisément l'Être-donné en tant que tel (qui n'est objectivement-réel qu'en tant que Sphère cosmique ou, plus exactement, céleste). De même, Zeus est, pour les Stoïciens, ce qu'il y a de *commun* entre la sphère limitée du Cosmos (= Non-feu) en acte (qui est Feu en puissance) et l'étendue indéfinie (il-limitée) du Feu (= Non-cosmos) en acte (qui est Cosmos en puissance). Or, ici encore, ce qui est *commun* à *tout* (ce dont on parle), c'est-à-dire l'Être-donné, est la Spatialité en tant que telle (qui serait, d'ailleurs, objectivement-réelle non pas « en partie », mais dans *toute* son étendue, dans la mesure où le Feu était pour les Stoïciens tout aussi réel et objectif que le Cosmos; — ce qui est loin d'être sûr) [16].

Il y a, cependant, une différence entre l'Aristotélisme d'Aristote et le Néo-aristotélisme stoïcien. Le Cosmos d'Aristote étant « éternel », sa Spatialité n'a rien de temporel : le Plein (partiel) est *toujours* plein et le Vide (partiel) *toujours* vide. Par contre, chez les Stoïciens, le Temps cosmique est cyclique dans son ensemble : le Plein (partiel) se vide (complètement) pour se remplir (partiellement) à nouveau, et ainsi de suite. Ainsi, ce qui est simple Spatialité chez Aristote est Spatio-temporalité chez les Stoïciens. Et nous aurons à reparler de cette différence. Mais on peut dire dès maintenant que les Stoïciens développent la notion aristotélicienne du Cycle d'une façon plus « correcte » que ne l'a fait Aristote lui-même.

Quoi qu'il en soit, le Zeus stoïcien est, en fait, l'Être-donné pris et compris en tant que Spatialité ou Spatio-temporalité. Par conséquent, dans la mesure où la « Théologie » stoïcienne est autre chose que leur « Physique », elle est, pour nous, une authentique Onto-logie, qui ne parle cependant de l'Être-donné que comme de ce qui est commun à tout *ce dont* on parle, sans parler du fait qu'on en parle. Et c'est dire que cette Onto-logie parle de la Spatio-temporalité en tant que telle et d'elle seulement.

D'autre part, la « Logique » d'Aristote et des Stoïciens est elle aussi une authentique Onto-logie, sauf que celle-ci est « dégénérée » ou « formalisée », dans la mesure où elle ne parle de l'Être-donné que comme de ce qui est commun à tout ce que l'on *dit*, sans parler de *ce dont* on parle. Chez Aristote, cette « Logique » ne fait pas partie de son Système, tandis qu'elle est la Première Partie du Système stoïcien. Dans la mesure où la « Théologie » stoïcienne est la (dernière section de la) dernière (troisième) Partie du Système, les deux Onto-logies s'y trouvent rapprochées. Mais le Système lui-même ne comporte aucun trait d'union entre l'Onto-logie « théologique » (du début) et l'Onto-logie « logique » (de la fin). Cependant, ce trait d'union existe implicitement ou « systématiquement » dans le Stoïcisme philosophique (dé-dogmatisé) : c'est la Théorie stoïcienne des *Incorporels*. Ainsi, en fait et pour nous (sinon pour les Stoïciens eux-mêmes), la Philosophie stoïcienne implique une Onto-logie complète, c'est-à-dire triple en elle-même ou tripartie. Mais du fait que les Stoïciens eux-mêmes n'ont pas su introduire la *Théorie des Incorporels* dans leur Système, celui-ci reste, en fait et pour nous, comme pour eux, « lacunaire ». D'où, d'une part, les insuffisances de leur Théorie des Incorporels, et, d'autre part, les déformations respectivement « logiques » et « théologiques » (voire « aristotéliciennes ») des deux autres « parties » de leur Onto-logie. Pourtant, le fait de traiter explicitement de l'ensemble des « Incorporels » a permis aux Stoïciens de développer l'Onto-logie aristotélicienne mieux et plus loin que ne l'a pu faire Aristote lui-même, qui n'a parlé que d'une partie des « Incorporels » stoïciens et qui n'en a parlé que dans sa Théologie, sans que ce qu'il en dit puisse servir de trait d'union (ne serait-ce qu'en fait et pour nous) entre cette Théologie et la Logique.

Les Stoïciens distinguaient, parmi les Incorporels (qui, par définition, *sont*, sans être objectivement-réels [ou « corporels »], vu qu'ils n'exercent aucune Action et ne sont donc pas en Inter-action), d'une part, l'ensemble des *Sens* en tant que tels (c'est-à-dire comme distingués des Morphèmes) et, d'autre part, la *Spatio-temporalité*, qu'ils décomposent d'ailleurs en *Espace*, en *Vide* et en *Temps*.

En ce qui concerne le *Temps*, il est, chez les Stoïciens, *cyclique*, tout comme chez Aristote (cf. *Phys.*) Mais, contrairement à Aristote, les Stoïciens tirent de cette Cyclicité toutes les conséquences qu'elle implique : le Temps (objectivement-réel) dans son ensemble est constitué par l'ensemble des transformations cycliques du Plein (partiel) en Vide (total) et du Vide (total) en Plein (partiel) [la durée-étendue de l'existence-empirique du Monde phénoménal étant la pleine durée de l'étendue pleine, cette durée-étendue étant l'existence-empirique (phénoménale) d'un seul Cycle objectivement-réel du Temps].

Quant à l'*Espace* et au *Vide*, leur distinction n'est rien d'autre qu'une tentative de dégager la notion de la Spatialité en tant que telle (distincte de celles de l'Espace et de la Durée). L'Espace est la Spatialité occupée par la Sphère cosmique, tandis que le Vide est la Spatialité extérieure à cette Sphère (qui est réellement « vide » tant que le Cosmos est actuel et le Feu virtuel, et qui est « rempli » de Feu, dès que celui-ci est en acte et le Cosmos en puissance). Ainsi, pris ensemble (et dans l'ensemble du temps), l'Espace et le Vide constituent la Spatialité en tant que telle, qui, en tant qu'*in*-corporelle, ne fait qu'un avec la Temporalité (qui est objectivement-réelle en tant qu'ensemble dans ses Cycles, chacun d'eux existant-empiriquement).

Dans l'un de ces (deux) aspects, l'Incorporel stoïcien est donc, en fait et pour nous, la Spatio-temporalité (qui *est*) en tant que telle ou, si l'on veut, l'Être-donné pris et compris en tant que Spatio-temporalité. Or, dans le second de ses aspects, l'Incorporel est l'ensemble des Sens *(Lekton)*, chacun de ces Sens étant pris et compris en tant que distinct des Morphèmes et séparé d'eux. Ainsi, l'incorporel stoïcien est « à la fois » Spatio-temporalité et Sens, les deux étant distincts sans que l'on puisse les séparer l'un de l'autre [les Sens stoïciens étant, d'ailleurs, des Évidences ou « notions communes »].

Dans la mesure où l'Espace stoïcien est le lieu occupé par un corps (c'est-à-dire par de la matière informée), on pourrait dire qu'il est la Forme, voire l'Essence de celui-ci. Par contre, le Vide est sans forme parce qu'il n'informe rien. Dans la mesure où la Spatialité (ou la Spatio-temporalité) en tant que telle est « à la fois » Espace ET Vide, elle n'est NI Vide (seulement) NI (seulement) Espace. Si l'on veut, elle n'est *aucun* en acte, tout en étant les *deux* en puissance. On peut donc dire aussi que la Spatio-temporalité est la Forme ou l'Essence en puissance, sans l'être en acte. Or, le *Lekton* n'est lui aussi un Sens [« évident » ou « commun »] qu'en puissance, l'actualisation du Sens en tant que tel s'effectuant dans et par son incarnation dans le Morphème, voire par et dans l'information de la Matière qui transforme celle-ci en Morphème (le lien entre le Sens et le Morphème étant « arbitraire » tandis que celui entre l'Essence et le Corps est « nécessaire »).

Ainsi, en fait, l'Incorporel stoïcien est à la fois Sens ET Essence en puissance, sans être en acte NI Essence NI Sens. Cet Incorporel est donc, pour nous, le Concept. Et ce Concept est, pour les Stoïciens eux-mêmes, (aussi) Spatio-temporalité. De sorte que l'on obtient une Onto-logie authentiquement hégélienne.

Seulement, en fait, il n'en est rien. Car si les Stoïciens considèrent comme *incorporels* tant la Spatio-temporalité (d'ailleurs décomposée en Temps et Espace + Vide) que le *Lekton*, ils n'identifient nullement ce dernier à la première. Sans doute, la liaison de fait entre la Théorie du *Lekton* et la Logique existe aussi pour le Stoïcien, de même que celle entre leur Théologie et la Théorie de l'Incorporel spatio-temporel. Mais loin d'identifier le Concept (en tant que Sens détaché du Morphème) avec la Spatio-temporalité, les Stoïciens n'arrivent pas à établir une liaison quelconque entre les deux [précisément parce qu'ils *isolent* les Sens, en les comprenant comme des Évidences]. Ainsi, pour eux, la « Logique » (« formelle »), même prolongée par la Théorie du *Lekton* (« évident »), reste *séparée* de la « Théologie », même prolongée par la Théorie de l'Incorporel spatio-temporel. Parce que ces deux théories restent *isolées* l'une de l'autre, le Système stoïcien est « lacunaire » et la lacune du Système stoïcien se situe, si l'on veut, à l'intérieur même de sa Théorie des Incorporels, dans la mesure où celle-ci *isole* les Sens et les comprend comme des Évidences. Si l'on veut voir en celle-ci l'Onto-logie stoïcienne proprement dite, il ne faut pas oublier qu'elle aussi *sépare* ce que l'on dit (le *Lekton* en tant que Sens « évidents » ou « notions communes » *séparées*) de ce dont on parle (la Spatio-temporalité *séparée* des Sens) et ne parle pas du tout d'elle-même, c'est-à-dire précisément de ce que tout *ce dont* on parle a *en commun* avec ce que l'on en *dit*.

Cela étant, l'Onto-logie stoïcienne ne diffère pas essentiellement de celle d'Aristote. *Ce dont* on parle reste sans liaison avec ce que l'on en *dit*. Sans doute, en introduisant la *Logique* dans le Système même dont fait partie la *Physique* (et donc la Théologie), les Stoïciens ont posé, en fait et pour nous, la question du trait d'union qui ré-unit les deux en une seule et même Onto-logie. De ce point de vue, ils ont fait un progrès sur le chemin qui mène d'Aristote à Kant. Mais dans la mesure où la question du lien entre la « Physique » (Théologie) et la « Logique » ne fut explicitement posée que par Kant (et résolu seulement par Hegel), Aristote peut être considéré comme philosophiquement plus « honnête » que les Stoïciens, dans la mesure où il a refusé d'introduire dans son Système une soi-disant « Partie » logique, qui reste en fait sans liaison avec les autres. Si Aristote, dans son *Organon*, parle du Discours en « faisant abstraction » du Monde dont il parle dans son *Système*, c'est parce qu'en fait il réussit tout aussi peu que les Stoïciens à « déduire » du Monde dont il parle ni le Discours en tant que tel ni donc ce qu'il dit lui-même de ce Monde dans sa philosophie.

Nous avons vu que cette incapacité tient au caractère *païen* (voire platonicien) de la Théologie aristotélicienne (et stoïcienne), c'est-à-dire à la *double* transcendance du *Theos* antique. Ce *Theos* ne s'incarne que dans l'*Ouranos* (assimilé par les Stoïciens au Cosmos tout entier), mais celui-ci n'est pas discursif, l'acte planétaire étant silencieux. Quant au Discours humain, il reste chez Aristote sans liaison, avec le Ciel. De même, le *Lekton* des Stoïciens (compris comme ensemble d'Évidences *isolées*) n'a aucun rapport avec leur Spatio-temporalité : le *Theos* reste muet et l'Homme n'est pas divin; le Discours n'est donc pas vrai et la Vérité n'est pas discursive; Parménide et Héraclite s'opposant sans se réconcilier. La situation reste donc la même que chez Aristote, voire chez Platon lui-même; — et elle le restera jusqu'à ce que l'Incarnation du Jahvé juif se révèle discursivement dans et par la Philosophie judéo-chrétienne ou kantienne (trans-formée par Hegel en Système du Savoir absolu).

Nous voyons ainsi que l'Onto-logie (dé-dogmatisée) des Stoïciens ne diffère pas essentiellement de celle d'Aristote. Il nous faut voir maintenant qu'il en va de même en ce qui concerne l'Énergo-logie stoïcienne.

L'Énergo-logie stoïcienne.

Comme il se doit, les Stoïciens développent l'Énergo-logie dans la partie centrale de leur Système, intitulée *Physique.* Mais la *Physique* stoïcienne déborde les cadres de l'Énergo-logie proprement dite. D'une part, dans la mesure où elle implique la Théologie et l'Eschatologie, elle implique des thèmes onto-logiques. D'autre part, elle est en fait une Phénoméno-logie, dans la mesure où elle traite de Monades ou d'éléments-constitu-tifs divers et structurés qui forment le Cosmos qui entoure la Terre et le Monde où vivent les êtres-vivants, porteurs de Perceptions et, lorsqu'ils appartiennent à l'espèce *Homo*, émet-teurs et récepteurs de Discours.

En ce qui concerne la partie onto-logique de la *Physique* stoïcienne, c'est surtout la doctrine de l' « incendie cosmique » *(ekpyrosis)* qui retient notre attention.

DU POINT DE VUE HISTORIQUE, cette doctrine est l'aboutissement logique d'un développement correct de la Théorie aristotélicienne du Concept (éternel), qui ramène l'Aris-totélisme authentique à ses origines antithétiques ou héracli-téennes. Par le truchement de Platon, Aristote a hérité de la Thèse parménidienne, selon laquelle la Vérité (ou le Savoir absolu recherché par les amants de la Sagesse) s'avère en tant que telle dans et par sa *permanence* perpétuelle, voire son iden-tité absolue avec elle-même. Or, Parménide lui-même a déjà vu que si la Vérité est censée se rapporter à un Être-donné qui lui correspond, cet Être, c'est-à-dire l'Être-*vrai*, doit lui aussi être absolument identique à lui-même, sa perpétuelle permanence excluant tout devenir ou « mouvement » (= changement). Mais Platon a fait voir (dans son *Parménide*) que, dans ce cas, le rapport de la *correspondance* entre ce qu'on dit et ce dont on parle dégénère en *l'identité* parfaite des deux, de sorte que le Discours (vrai) se réduit au Silence (absolu) : si l'Être (vrai) est absolument (= partout et toujours) silencieux, il ne diffère en rien (= nulle part ni jamais) de son propre silence et tout silence (absolu) n'est rien d'autre ni de plus que le Silence-qui-*est* ou l'Être-silencieux. Platon a donc montré que le développement du Silence (Nous) en Discours (Logos) sup-pose ou pré-suppose (sinon pose ou pro-pose, voire produit) une diversité ou multiplicité qui nie la parfaite unité de l'Identité absolue (de ce dont on parle et de ce que l'on en dit). Or, le même Platon a également admis la thèse (= anti-thèse) héraclitéenne selon laquelle la Vérité (discursive) (ou le Savoir absolu recherché par les amants de la Sagesse discursive) s'avère en tant que telle dans et par la *coïncidence* ou l' « adéquation » de ce que l'on dit avec ce dont on parle (l'*identité* proprement dite étant remplacée par un rapport de *correspondance*). Par ailleurs, Platon reste parménidien en ce sens qu'il limite le perpétuel devenir ou « mouvement » (de ce dont on parle) au seul Cosmos phénoménal. Mais il accepte un compromis avec Héraclite, d'une part, en admettant la diversité ou multiplicité (d'ailleurs immobile ou immuable) de la Réalité-objective (dont on parle « en vérité »; celle-ci étant, d'ailleurs, *idéelle* en raison de son immobilité même) et, d'autre part, en confinant l'unité ou l'identité éléatiques dans la seule sphère de l'Être-donné (qui est tout aussi transcendant par rapport à la multiplicité immuable de la Réalité-objective idéelle que celle-ci est transcendante par rapport à la multiplicité mobile de l'Existence-empirique). Quant à Aristote, il a préféré au compromis éléatisant de Platon un compromis beaucoup plus favorable à l'anti-thèse qu'Héraclite opposait à la thèse parménidienne de l'Identité absolue (tant de ce dont on parle que de ce que l'on en dit, l'Identité en question étant d'ailleurs entre l'Être-silencieux et le Silence-qui-est). D'une part, Aristote avait pris pour base le critère héraclitéen de la Vérité (discursive), c'est-à-dire celui de la *coïncidence* (et non de *l'identité*) de ce que l'on dit avec ce dont on parle : tout en maintenant le critère parménidien de la *permanence* de ce que l'on dit (ou re-dit), il n'a voulu l'accepter que dans la mesure où il *résultait* du critère héraclitéen de la *coïncidence*. D'autre part, Aristote a admis, à la suite d'Héraclite, la multiplicité mobile de *tout* ce dont on *parle* (en ne *disant* rien de l'Être-donné absolument « immobile » et *un*, c'est-à-dire du *Theos* ou du Nous par définition silencieux au sens de non discursif). Du coup, Aristote n'a pu maintenir le critère parménidien qu'en transformant la doctrine héraclitéenne du « perpétuel mouvement » en sa propre théorie du mouvement circulaire ou cyclique. D'après Aristote, la Vérité discursive ou son Sens *coïncident* avec l'être vrai (véritable) ou avec l'Essence de tout ce dont on parle; et si tout ce que l'on dit « en vérité » (et donc sans se contre-dire) peut être re-dit tel quel en permanence, c'est parce que le discours vrai se rapporte à ce qui lui correspond d'une façon permanente dans les divers mobiles dont on parle, à savoir à des « mouvements » divers dont chacun se re-produit perpétuellement tel quel, soit en tant que *cycles* évolutifs (plus ou moins déformés dans leurs « formes » par l'intervention, d'ailleurs ineffable, de la Matière, essentiellement silencieuse, qui les « matérialise »), soit comme mouvements *circulaires* (parfaits).

Tout ceci a été re-dit par les Stoïciens. Mais ceux-ci en ont tiré des conséquences qui ne se trouvent pas dans les écrits d'Aristote parvenus jusqu'à nous. D'une part, l'Être-donné lui-même (= Nous = *Theos*) a été assujetti à une « évolution » cyclique, qui le condense périodiquement en un Cosmos limité et organisé (structuré), pour l'étendre ensuite à nouveau en Matière homogène et diffuse, voire en Spatio-temporalité in-(dé)fini. D'autre part, en dernière analyse, le mouvement circulaire des Cieux et du Cosmos pris dans son ensemble n'est qu'un épisode (temporaire) d'un cycle évolutif (d'ailleurs parfait en ce sens qu'il se re-produit sans être dé-formé), qui part d'un état diffus pour y revenir. Du coup, les Stoïciens ont pu éléminer la transcendance parménido-platonicienne du *Theos* (voire du Nous) d'Aristote et l'identifier au Cosmos (voire au *Logos*), celui-ci étant interprété comme un Organisme vivant, conformément à la tendance « biologique » générale de l'Aristotélisme (et de l'Eudoxisme du *Timée*), qu'Aristote lui-même n'avait pas développé jusqu'au bout, puisque, tout en disant que les autres sont des « animaux », il n'osa leur assigner qu'un mouvement circulaire « éternel » qui exclut toute *évolution* vitale au sens propre du mot, y compris celle (ontogénétique) de la « reproduction » (« sexuelle »). Or, en développant l'Aristotélisme jusqu'à ses dernières conséquences logiques, les Stoïciens le ramenèrent à ses sources héraclitéennes. En effet, si l'immobilité (parménido-platonicienne) du *Theos* (= Nous) d'Aristote a été supprimée, si le *Theos* a été lui-même embringué dans le perpétuel *devenir* (héraclitéen) cosmique et si le mouvement (circulaire) éternel du Cosmos et des Cieux a été impliqué dans une perpétuelle *évolution* (cyclique), rien n'empêchait plus les Stoïciens d'assimiler le Tout (dont on parle) à une trans-formation de la « Matière » primordiale « ignée », voire au « Feu » d'Héraclite. A condition de préciser (avec Aristote) que cette « Matière » étant dé-finie, son *quantum* est nécessairement fini (en dépit de son expansion spatiale in-(dé)finie lors de l'*ekpyrosis*), de sorte que ses trans-formations ne peuvent être que *cycliques* (sa durée étant supposée in-finie).

DU POINT DE VUE SYSTÉMATIQUE, la doctrine spéci-fiquement stoïcienne (et non héraclitéenne, étant donné que Hé-raclite ne pouvait pas la déduire de ses prémisses, puisqu'il admettait, à la suite d'Anaximandre, un *quantum in-*fini de Matière primordiale) pourrait signifier pour nous une trans-formation des trois éléments-constitutifs en fait « simultanés » (au sens de « contemporain » du Tout *dont on parle* ou de tout ce dont on *parle,* voire de tout ce que l'on *dit* qui sont l'Être-donné, la Réalité-objective et l'Existence-empirique, en trois étapes successives d'une « évolution » (d'ailleurs « éternelle » au sens de *cyclique*). Ainsi, « à l'origine » *(en arché)* on aurait l'Être-donné, pris et compris en tant que Spatio-temporalité homogène (spatialement in-définie, mais temporaire, c'est-à-dire temporellement limitée), d'ailleurs *différente* du Néant et de ce fait *conceptuelle* (« Feu » en tant que *Theos= Logos*), mais sans réalité-objective (ou inter-action entre éléments opposés), ni existence-empirique (ou diversité structurée, voire mona-dique). Cet Être-donné, voire cette Spatio-temporalité qui *est* en tant que Concept, se trans-formerait ensuite (« spon-tanément », mais « nécessairement ») en Réalité-objective ou en Espace-temps objectivement-réel, où des « éléments maté-riels » *(stoikheia),* divers mais sans structures propres, se réali-seraient objectivement, en tant qu'irréductiblement opposés dans et par des inter-actions au sens propre du terme. Enfin, l'ensemble de ces « éléments » réels et objectifs s'organiserait en une Existence-empirique structurée mais *une* (Cosmos), composée d'unités distinctes à structure interne (Monades), qui « apparaîtraient » à certaines d'elles (animales) dans la mesure où celles-ci se *maintiendraient* (temporairement) au milieu d'elles comme des unités (structurées) *distinctes* de tout ce qu'elles ne sont pas, mais qui est leur « milieu » (Monades en tant que Phénomènes).

Seulement, ce n'est pas ainsi que les Stoïciens eux-mêmes interprétèrent la théorie de l'*ekpyrosis* et ce n'est pas ainsi que cette théorie a agi historiquement.

D'une part, les Stoïciens distinguèrent à juste titre la Spatio-temporalité qui *est* de l'Espace-temps objectivement-réel. Mais ils ont eu tort d'identifier la première avec le « Vide » extra-cosmique. Ainsi, tant qu'il y a un Cosmos, la Spatio-temporalité n'est donc pas autre chose, pour les Stoïciens, que ce qu'elle était pour Aristote. Elle est le *Theos* (= Nous = « transcendant » ou, si l'on préfère, le « Vide » qui s'étend « éternellement » chez Aristote, temporairement chez les Stoïciens) au-delà de la surface qui enveloppe la Sphère cosmique, cette surface étant « divine » ou « intellectuelle » en ce sens qu'elle est la *forme* de la Sphère cosmique (qui réforme la Matière et la trans-forme en Cosmos, éternellement ou temporairement), cette *forme* étant « pure » parce qu'elle est extérieure à tout *contenu*. Mais dès que le Cosmos se trans-forme en « Feu », celui-ci « remplit » tout le « Vide » (ou, tout au moins, s'étend dans ce Vide in-définiment). Du coup, ce « Vide » devient « matériel » ou « igné ». Or, ce qui est « matériel » est par définition en acte ou en action, voire en inter-action. Et bien que les Stoïciens ne semblent pas avoir parlé d'une Inter-action entre les éléments (non structurés) du « Feu primordial », ni d'une inter-action entre ce Feu et le Vide qu'il remplit, nous devons admettre ces inter-actions si nous ne voulons pas abandonner la « matérialité » du Feu stoïcien. Autrement dit, la Spatio-temporalité remplie de Feu est (pour nous) en fait l'Espace-temps objectivement-réel. Ainsi, ou bien les Stoïciens parlent (à tort) d'une prétendue Spatio-temporalité soi-disant *extérieure* (d'ailleurs temporairement) à la Réalité-objective (et à l'Existence-empirique), ou bien, lorsqu'ils parlent (à juste titre) d'une Spatialité qui n'a rien *en dehors* d'elle-même (du moins temporairement), c'est le seul Espace-temps qu'ils ont en fait en vue (et qui est, pour eux, le Tout à l'état igné).

D'autre part, les Stoïciens confondent cet Espace-temps objectivement-réel avec la Durée-étendue qui existe-empiriquement. Sans doute, d'après eux, le Cosmos phénoménal est postérieur (cycliquement) à la Matière première ignée (qui est objectivement-réelle sans exister-empiriquement). Mais, pour nous, lorsqu'ils parlent du Feu, ils ont en fait en vue quelque chose qui a une structure interne propre (une « qualité ») et qui, de ce fait, dure (« un certain temps ») et s'étend (« dans certaines limites ») tout comme s'étendent et durent les phénomènes du Cosmos empirique où l'on vit en parlant. Ainsi, dans la mesure où, pour les Stoïciens, leur soi-disant Espace-temps (= Feu primordial) est autre chose que leur prétendue Spatio-temporalité (= Vide extra-cosmique), il n'est pour nous, en fait, que la durée-étendue (d'ailleurs spatialement limitée et temporaire) de l'Existence-empirique, voire du Cosmos phénoménal. Et c'est pourquoi leur soi-disant « Physique » n'est pour nous, en fait, qu'une Phénoméno-logie.

A dire vrai, les choses sont un peu plus complexes. D'une part, la plupart des Stoïciens semblent avoir franchi une étape décisive par rapport à Aristote et à l'Aristotélisme péripatéticien, dans la mesure où ils ont abandonné la « quintessence » qu'était l'Éther aristotélicien (« matière » sans « contraires », essentiellement différente de la Matière proprement dite ou « élémentaire », constituée par deux couples de « contraires »). Mais, d'autre part, ils n'ont tiré aucune conséquence de cet abandon, parce que celui-ci a été purement verbal (l'abandon de la *notion* elle-même, souvent tenté, entre autres, par le « péripatéticien » Straton, n'ayant été effectué que par la Physique judéo-chrétienne du xvie siècle). En effet, tout en ne parlant plus de l'Éther, les Stoïciens continuaient à distinguer (à la suite d'Aristote) les Feux « élémentaires » ou « empiriques » du Feu plus « subtil » ou « pur » qu'est le Feu « primordial », d'ailleurs qualifié (comme chez Aristote) de « divin » (cf. Pohlenz, *Die Stoa*, I, 73, 78, 81 sq., 85, 93, 95 sq., 99, 186, 216, 218, 223, 233; cf. 374 et 425); *Stoa und Stoiker*, 52 sq., 68, 83 sq., 282 sq., 313 sq., 330, 332, 334, 340 sqq.). Sans doute, en principe, cette distinction aurait pu permettre aux Stoïciens (comme déjà à Aristote) de distinguer les éléments-constitutifs de la Réalité-objective des « éléments » phénoménaux qui existent-empiriquement. Mais, en fait ils n'ont maintenu cette distinction aristotélicienne que pour retomber dans les errements d'Aristote lui-même : ils situèrent eux aussi (d'ailleurs temporairement) la Réalité-objective *en dehors* de l'Existence-empirique. Car ils se servirent du « Feu subtil » (d'ailleurs identifié au *Pneuma* « animal » et au *Logos*, tant humain que « divin ») pour en construire le Monde supra-terrestre (à mouvement *circulaire* parfait, bien que temporaire). Ainsi, bien que le *Cosmos noetos* platonicien ne fût plus suspendu (comme il l'était encore chez Aristote), en tant que « Ciel », entre la « Terre » phénoménale et le *Theos* (= Nous) ou l'Être-donné « divin », vu la suppression de ce dernier, il resta néanmoins « idéel », voire « céleste » ou « divin », en ce sens qu'il continua à être « supérieur » au Monde empirique proprement dit (où tout est également « cyclique », mais où rien n'est « circulaire »). Ainsi, le « divin » resta *transcendant* et l'Aristotélisme stoïcien fut tout aussi *païen* que celui d'Aristote lui-même : sans doute, le *Theos (= Hen)* parménido-platonicien quitta son « lieu *supracéleste* » *(topos hyperouranios)*, mais ne daigna se dé-placer que pour s'établir à demeure dans des lieux célestes auxquels l'homme n'a jamais accès, en dépit (ou plutôt en raison) de tous ses *discours* (le Logos restant distinct du Nous à jamais soustrait à toute « pensée *discursive* ») [17].

Pourtant, les Stoïciens étaient bien près de concevoir correctement la Réalité-objective. En effet, la célèbre définition stoïcienne de la Corporéité (= Matérialité) est en fait, du moins pour nous, une définition correcte de la Réalité-objective. « Les Stoïciens décrètent que l'*être* ne peut être attribué qu'aux *corps*. Ils ne considèrent que les *corps* comme Ce-qui-est. Car *est* seulement ce qui *agit* ou *pâtit*. Or, tout ce qui *agit* ou *produit* est corps » (*Stoa und Stoiker*, 45). « Tout ce qui agit agit par rapprochement spatial ou par contact. » « Le corps est par nature quelque chose de solide : il est pourvu d'une *force de résistance* » (*ibid.*, 46). « Rien d'incorporel ne pâtit avec un corps, ni aucun corps avec l'incorporel; mais le corps avec le corps » (*ibid.*, 73). Tout ce qui *agit* est donc corporel (= objectivement-réel) et tout ce qui est corporel (= objectivement-réel) *agit*. Et les Stoïciens savaient fort bien que toute *action* objectivement-réelle est une opposition-irréductible et donc une réelle et objective *inter*-action (cf. la doctrine stoïcienne de la « Sympathie »; *ibid.*, 73 et 287; cf. aussi la théorie du *Tonos; ibid*, 55).

Seulement, d'une part, les Stoïciens n'admettaient en fait (à la suite d'Aristote) aucune inter-action proprement dite ou opposition-irréductible (entre « contraires ») ni dans le Ciel (cosmique) ni dans le Feu primordial (pendant l'absence du Cosmos. Ce Feu et ce Ciel stoïciens étaient donc, en fait, bien plus « idéels » (au sens platonicien du mot) qu'objectivement-réels ou « corporels » (au sens stoïcien) : ils ne donnaient aucune prise à une Physique proprement dite. D'autre part, dans la mesure où les Stoïciens parlaient d'une inter-action ou d'une opposition-irréductible, ils avaient en fait en vue (à la suite d'Aristote) non pas la Réalité-objective, mais l'Existence-empirique. Autrement dit, leur soi-disant « inter-action » était pour nous, en fait, une cor-relation de la Monade (d'ailleurs conçue comme *vivante*, voire *animale*) avec son Milieu au sein du Monde phénoménal (compris comme Biosphère), et leur prétendue « opposition-irréductible » n'était que la *distinction* entre les Monades structurées ou entre une Monade et un Milieu tout aussi structuré qu'elle-même (« L'unité d'une chose pourvue de qualités (caractères) différentes est produite par le *Tonos* inhérent au *Pneuma;* ce *Tonos* consiste en un jeu réciproque de deux mouvements [opposés], qu'il faut admettre même lors d'une immobilité apparente » (*ibid.*, 55). Ainsi, la soi-disant « Physique » des Stoïciens a-t-elle été, en fait, une Bio-logie phénoméno-logique (d'ailleurs causale), censée devoir être réduite (en tant que « science ») à une Astrologie. La pseudo-science stoïcienne, tout comme celle d'Aristote, n'est donc pour nous qu'une illusoire Astro-biologie.

Mais si la confusion aristotélo-stoïcienne entre la Réalité-objective et l'Existence-empirique a rendu impossible toute Physique véritable (ou Énergo-métrie), elle déforma aussi non seulement les Sciences naturelles (ou Phénoméno-*graphies*), mais encore la Phénoméno-logie elle-même (de même que, d'ailleurs, l'Énergo-logie). Car les Stoïciens s'obstinèrent (contre Aristote, cette fois-ci) à introduire (du moins en principe, sans y parvenir bien entendu en fait) la « nécessité » (le « partout et toujours »), qui caractérise la Réalité-objective dans l'Existence-empirique phénoménale. En effet, les Stoïciens ne prétendent devoir et pouvoir éliminer complètement la notion aristotélicienne du « Hasard » (qu'Aristote « expliquait » par l' « intervention » de la « matière élémentaire » lors de la « formation » du Cosmos empirique ou « terrestre »). Ce qui les amena à nier (en fait et pour nous, sinon dans leurs propres discours) non seulement la Téléologie propre à l'existence humaine (ou à l'Univers-du-discours), mais encore la Causalité proprement dite que l'on observe dans le Monde vivant et même la Légalité qui détermine le Cosmos inorganique (les trois « lois naturelles » comportant par définition des « paramètres » divers qui, variant de cas en cas, peuvent être seulement montrés, mais non dé-montrés et qui dans le cas de la Téléologie humaine ne sont même pas pré-visibles).

En fait, l'Aristotélisme, stoïcien ou autre, a produit une soi-disant « Physique » purement fantaisiste et de prétendues « Sciences naturelles » parfaitement illusoires (mantiques, astrologie, alchimie, etc.), parce que en essayant d'interpréter la Réalité-objective (d'ailleurs limitée au seul « Ciel ») à l'image de l'Existence-empirique, ils ont, en fait, déformé les Phénomènes pour les rendre soi-disant conformes à une prétendue nécessité objectivement-réelle. On peut dire aussi que les Stoïciens n'ont admis (contre Aristote) l'incarnation du *Theos* dans le Cosmos empirique ou « terrestre » (cf. leur célèbre « panthéisme ») que dans la mesure où ils identifièrent celui-ci à l'*Ouranos* aristotélicien (lui-même conçu comme existant-empiriquement). Ainsi, le *Theos* stoïcien ne s'incarna que dans un « Ciel » imaginaire, d'ailleurs aristotélicien et d'origine platonicienne, et resta, en fait et pour nous, *transcendant* au Monde où nous vivons et où vécurent les Stoïciens eux-mêmes, tout comme il a été transcendant (bien que simplement et non plus doublement, comme chez Platon) pour Aristote lui-même : en matière de Théologie, les Stoïciens furent donc tout aussi païens, voire polythéistes que celui-ci, tous les Aristotéliciens authentiques n'ayant été en fait que ce que sont pour nous les Astrologues, même s'ils se disent « chrétiens » ou « athées ».

Quoi qu'il en soit, la Phénoméno-logie stoïcienne revêt le même caractère « astro-biologique » que celle d'Aristote : on n'y parle que d'une Vie déterminée par les Astres, qui est de ce fait même tout aussi silencieuse que ces derniers, et pourtant « nécessaire ». Et c'est de cette similitude entre les Phénoménologies d'Aristote et des Stoïciens qu'ils nous faut maintenant dire quelques mots [18].

La Phénoméno-logie stoïcienne.

L'Énergo-logie stoïcienne est foncièrement viciée par le fait que, loin de développer correctement la notion de Réalité-objective [= inter-action entre des éléments-constitutifs irréductiblement opposés les uns aux autres, mais dénués de toute structure interne], les Stoïciens continuent à se servir de notions essentiellement *phénoméno*-logiques dans presque tous les cas où ils prétendent parler de ce qui est censé être objectivement-réel. Inversement, la Phénoméno-logie des Stoïciens est défigurée par l'usage constant d'au moins une notion spécifiquement énergo-logiques, à savoir de la notion de *Nécessité (anankê)*. Toutefois, dans le cas de la Phénoméno-logie, les dégâts sont incomparablement moindres que dans celui de l'Énergo-logie.

Sans doute, en principe, les Stoïciens postulent [à tort] la présence de l'Existence-empirique de la Nécessité absolue, c'est-à-dire de la Détermination rigoureuse [ne serait-ce que « statistique »] qui ne se trouve en fait que dans la seule Réalité-objective [où la Physique moderne (l'Énergo-métrie) la recherche en vue de la *mesure*]. Mais en pratique, lorsqu'ils parlent de ce qui est pour nous l'Existence-empirique (qu'elle soit Cosmos inanimé, Monde vivant ou Univers humain), la notion de *Nécessité* se transforme entre leurs mains en celles de la *Légalité* ou de la *Causalité* (efficiente ou finaliste [la notion spécifiquement « humaine » ou « historique » de la *Téléologie* proprement dite n'étant jamais utilisée dans les Systèmes philosophiques antiques ou païens, y compris la leur]). Autrement dit, tout en niant verbalement la notion aristotélicienne du « Hasard » [*non* déterminé, voire im-pré-visible] les Stoïciens continuent à se servir, en pratique, dans leur Phénoméno-logie (et -graphie) des mêmes notions « légalistes » et « causales » dont s'est uniquement servi Aristote et qui impliquent en fait l'élément de l'*accidentel* ou du *contingent*, qui se manifeste précisément par le phénomène appelé « Hasard ».

Plus exactement, tout comme chez Aristote, c'est la notion de *Causalité* (efficiente et finaliste) qui est utilisée presque exclusivement dans la Phénoméno-logie (et -graphie) stoïcienne. Chez les deux, la notion de *Légalité* (voir de la Cause formelle qui n'est ni efficiente ni finale) ne se trouve guère que dans quelques rares énoncés relatifs au « Monde céleste ». A dire vrai, dans la mesure où ce « Monde » est [à tort] censé être objectivement-réel, il aurait dû être (rigoureusement) déterminé par la seule Nécessité [ne serait-ce que « statistique »]. Et c'est ce qu'affirment effectivement les Stoïciens [en accord avec Démocrite et contre Aristote, qui exige une explication *causale* du Cosmos sidéral, qu'il appelle d'ailleurs à tort « téléologique »]. Mais, en fait, ils sont bien obligés d'admettre la présence de ce Monde d'éléments-constitutifs *structurés* et donc de « constantes individuelles », par définition « accidentelles » ou « imprévisibles » (les longueurs des rayons des sphères, par exemple) et d'y appliquer, en conséquence, des notions non pas énergo-logiques (ou -métriques, voire -graphiques), mais phénoméno-logiques (ou -graphiques, voire -métriques). Or, le caractère rigoureusement circulaire des « mouvements » sidéraux ne permet pas de distinguer d'une façon univoque le passé de l'avenir [la « réversibilité » de ces « mouvements » étant implicitement affirmée par Aristote dans sa négation du « mouvement (à sens) contraire (cf. *De coelo*)]. Il est donc naturel de dire que c'est l'état *présent* (x_0, t_0) qui conditionne tout le passé ainsi que l'avenir des « mouvements » en cause. Or, ce primat du Présent caractérise précisément la relation (phénoméno-logique) de la *Légalité*. Par ailleurs, les astres sont censés ne subir aucune « passion » proprement dite (leur « matière » étant « éthérée » ou « pure » et non « élémentaire » ou composée de « contraires »). La relation « unilatérale », spécifiquement *causale*, entre la Cause-active et l'Effet-*passif* ne saurait donc s'y trouver et c'est à la relation « réciproque » ou « fonctionnelle » de la seule *légalité* qu'il faut avoir recours (celle de la *téléologie* étant exclue par définition).

Mais partout ailleurs, c'est-à-dire dans l'ensemble du « Monde terrestre », le « parfait » ou le (déjà) formé en acte est chronologiquement *antérieur* au « perfectible » qui n'a sa forme (encore) qu'en présence : l'Adulte est antérieur à l'Embryon et c'est le Père qui est la Cause-active, tandis que l'Enfant est l'Effet-passif (de la « passion » infligée à la Famille par l' « acte » du Mâle). Autrement dit, tout ce qui se trouve dans le Monde phénoménal proprement dit (« terrestre ») s'y trouve dans une quelconque relation *causale*, dans et par laquelle une Cause (pré-existante ou sup-posée) qui a *agi* dans le *passé* conditionne l'*avenir* (pré-supposé) de l'Effet passivement *subi* (im-posé) dans le *présent*. Tout s'y fait donc en fonction du Passé (puisque, par définition, rien ne s'y fait en fonction de l'Avenir) : la Causalité proprement dite conditionne l'ensemble de l'Existence-empirique, en conditionnant tout ce qui existe-empiriquement.

Les Stoïciens ont donc raison de remplacer le terme (en fait énergo-logique) *Ananké* par *Heimarmenê*, qui est effectivement l'équivalent exact du terme « moderne » de *Causalité* « universelle » (= conditionnement du présent et de l'avenir d'une Monade par le *passé* de l'ensemble de son Milieu [qui l'implique elle-même en tant que passé]). Et le terme *Pronoia* n'est lui aussi que l'équivalent rigoureux du terme *Heimarmenê* : il n'a rien à voir avec le terme « Providence », d'origine judéo-chrétienne [la Providence conditionnant le présent, sinon le passé, en fonction de l'avenir], et il ne signifie rien d'autre que la *Pré-vision* qui permet la connaissance de la *causalité* en cause.

Pratiquement, la Phénoméno-logie (ou -graphie) stoïcienne est donc foncièrement « causaliste » : le « mouvement » (= changement) de chaque Monade est « causale » en ce sens que son présent et son avenir sont conditionnés par son passé, la « Sympathie cosmique » ou la « Causalité universelle » conditionnant la structure présente du Monde, voire la co-présence des Monades, en fonction de l'ensemble de son passé. Or c'est dire que, pour nous, la Phénoméno-logie (et -graphie, voire -métrie) stoïcienne se réduit en fait à la seule Bio-logie (ou -graphie, voire -métrie). A la suite d'Aristote (qui semble avoir suivi, sinon en ce point l'Eudoxe du *Timée*), les Stoïciens considéraient l'ensemble de ce qui est pour nous l'Existence-empirique comme un seul Organisme vivant (et *vivant* seulement, c'est-à-dire végétal ou animal et non pas humain), dont tous les éléments-constitutifs (structurés ou monadiques) sont eux aussi censés être *vivants* (et donc soumis à la Causalité proprement dite), à des degrés, d'ailleurs, divers (l'unité structurée de la Monade en fait inanimée ou minérale est assurée par la causalité d'une « âme » rudimentaire, appelée *Hexis*, qui en fait [à tort] pour nous un organisme *vivant;* l' « âme » de l'organisme végétal s'appelle *Physis*, tandis que le terme *Psyché* est réservé à l' « âme » animale; enfin, l'organisme humain possède en plus de ces trois « âmes » une « âme » censée être discursive et appelée *Logos;* mais nous verrons que cette « âme » prétendument humaine n'est en fait et pour nous qu'une « âme » animale, tout au plus capable de conditionner (causalement) des cris dénués de sens; (cf. *Stoa und Stoiker*, 71). (Pour l'ensemble du Causalisme, voire du Biologisme stoïcien, voir *Stoa und Stoiker*, 91 sq., 278 sq.,

285, 287 sq., 291 sq., 294, 337, 339 sq., 341 sq., 347; cf. aussi Pohlenz, *Stoa*, 50, 101 sq., 115, 214 sq., 217, 232, 295, 356 sqq.)

Or, si en fait la Phénoméno-logie ne se réduit pas à la seule Bio-logie, toute Bio-logie authentique est spécifiquement phénoméno-logique : si toutes les Monades ne sont pas (seulement) vivantes (ou que certaines sont inanimées et d'autres humaines), tout organisme vivant est par définition une Monade. C'est pourquoi les Stoïciens ont pu élaborer une notion correcte (et plus développée que celle d'Aristote, bien qu'encore très insuffisante) de la Monade, en dépit du fait qu'ils aient en fait limité leur développement phénoméno-logique à celui de la seule Bio-logie (les Minéraux étant en fait assimilés aux Plantes et les Hommes aux Animaux). De ce point de vue encore, les Stoïciens furent donc des Aristotéliciens authentiques.

Pour ce qui est de la notion spécifiquement phénoménologique de la *Monade* (= unité distincte de toutes les autres et structurée en elle-même), les quelques citations suivantes pourront suffire : « Les choses individuelles, les *idios poia* [= Monades] proviennent de la fusion des courants pneumatiques qualifiés, qui sont réunis en une unité délimitée [quant à sa durée-étendue] par le *Tonos* » (Stoa, 56); « Sur terre, tout ce qui existe [-empiriquement] doit son maintien et son être au *Pneuma* qui court à travers l'ensemble du Monde; mais le *Pneuma* se présente avec des degrés très divers de force et de pureté et on doit distinguer par conséquent quatre degrés de l'être [= de l'existence-empirique]. Le degré le plus bas est la *Hexis* des corps inorganiques [= inanimés] tels que le bois et la pierre, auxquels le *Pneuma* qui revient en lui-même ne procure, par son *Tonos*, que cohésion et unité; le degré suivant est celui des plantes, qui ont déjà des mouvements propres et la faculté de se mouvoir, de croître et de se reproduire : c'est la *Physis* au sens étroit; d'elle se distingue la *Psyché* des animaux, du fait [qu'en eux] s'ajoutent la perception sensible, qui parvient à la conscience dans la représentation, et le désir qui mène au mouvement volontaire; le degré le plus élevé est le *Logos*, qui relie l'homme avec Dieu » (*ibid.*, 71) [cf. aussi Pohlenz, 69, 74 sq., 77 sqq, 83, 86, 102, 216 sqq].

En fait (et en suivant Aristote [suivi plus tard par Leibniz]), les Stoïciens ont conçu la *Hexis*, la *Physis* et le *Logos* à l'image de la Psyché, en ne voyant [à tort] dans les quatre que des « degrés » différents d'une seule et même chose, c'est à dire, en fait, de ce qui est pour nous l'« âme » animale. D'où une vitalisation erronée des minéraux, une animation excessive des plantes et une animalisation inadmissible des hommes. Par ailleurs, ils ont eu tort de placer la Re-présentation pré-discursive (ou logo-gène) déjà dans l'Animal, tout en étant incapables de la décrire correctement même dans l'homme [faute d'avoir vu la Négativité qu'elle implique et qui la distingue non pas quantitativement, mais qualitativement ou « essentiellement » de la simple Perception animale]. Quoi qu'il en soit, c'est en fait l'Animalité (= Psyché) qui distingue la Monade vivante (animale) du reste du Monde en tant que son Milieu et qui trans-forme ainsi l'Existence-empirique (tant minérale que vivante et humaine) en *Phénomène* (dans et par la Perception). C'est pourquoi, tout en limitant en fait (à la suite d'Aristote) leur Phénoméno-logie à la seule Bio-logie, les Stoïciens ont pu développer correctement (bien qu'encore insuffisamment) la deuxième notion phénoméno-logique fondamentale qui est celle du *Phénomène* (en s'inspirant d'Aristote, mais en allant semble-t-il plus loin que lui).

Sans doute, en ne voyant dans l'*Hexis* et dans la *Physis* que des degrés (inférieurs) de la Psyché, les Stoïciens n'ont-ils pas su distinguer les Monades (minérales et végétales), qui ne sont phénoménales qu'en tant que *révélées*, des Monades phénoménales (animales et humaines) qui sont à la fois révélées et révélantes ou révélatrices. De plus, en ne voyant dans le *Logos* qu'un degré (supérieur) de la même Psyché, ils n'ont pas pu décrire correctement la Re-présentation (spécifiquement humaine) qui *détache* (dans et par un Acte négateur) la révélation (ou Perception) de ce qu'elle révèle (c'est-à-dire du *hic et nunc* de la Monade révélée ou perçue) et permet ainsi de transformer l'essence d'un objet (monadique) en sens d'une notion (ou d'un « mot »). Mais il n'en reste pas moins que les Stoïciens ont pu développer correctement (bien que d'une façon rudimentaire) la notion (d'origine aristotélicienne) du Phénomène proprement dit, c'est-à-dire du Milieu, centré sur une Monade (inanimée, vivante ou humaine) et révélée dans et par une autre Monade (nécessairement animale ou, si elle est humaine, fonctionnant en tant que telle, c'est-à-dire en tant que seulement percevante), qui se distingue de son Milieu tout en s'y maintenant (pendant une durée-étendue limitée) dans l'identité avec elle-même, en dépit de tous ses « mouvements » (= changements).

Autrement dit, les Stoïciens ont vu (mieux peut-être qu'Aristote) que le Phénomène n'est ni l'Objet perçu, ni le Sujet percevant, ni même la Perception elle-même (les trois n'étant, en fait, que des « abstractions »), mais que chaque Phénomène est constitué par la mise en relation « vitale » d'une Monade quelconque avec une Monade animale (percevante) donnée, en tant qu'impliquée *(hic et nunc)* dans la durée-étendue de l'Existence-empirique que constitue le Milieu « vital » de cette dernière (en tant que Monde « vivant » ou Biosphère). En effet : « Posidonius appelle l'acte de voir une union organique [?], dans laquelle le sujet percevant devient un avec la vie dans le Cosmos [= Monde vivant] et se greffe [?] sur l'objet [perçu] » *(Stoa*, 333; cf. aussi Pohlenz, 230 sq.).

Possédant les notions correctes de la Monade et du Phénomène, les Stoïciens purent développer correctement (bien que d'une façon rudimentaire) la troisième notion phénoménologique fondamentale qui est celle de la Durée-étendue, en allant ici encore plus loin qu'Aristote, tout en s'inspirant de lui (cf. la distinction aristotélicienne de « l'instant » et du « moment »; *Phys.*).

Pour nous, la Durée-étendue se distingue (au même titre que l'Espace-temps) de la Spatio-temporalité par la présence en elle d'une distinction irréductible, d'une part, entre la Gauche et la Droite et, d'autre part, entre le Passé et l'Avenir, les « mouvements » (changements) d'ensemble dans l'Espace-temps étant tout aussi « irréversibles » (principe de l'entropie) que ceux effectués dans la Durée-étendue (croissance-vieillissement-mort, y compris l'« érosion » et la « fin de l'Histoire »). Mais la Durée-étendue se distingue spécifiquement de l'Espace-temps par le fait que l'Ici et le Maintenant y ont des structures internes propres, étant autre chose encore qu'un « point » (« sans dimension » et seulement « opposé » à tout ce qui est « ailleurs ») ou une « coupure » entre le Passé et l'Avenir. En fait, l'élément-constitutif de la Durée-étendue est le *hic et nunc*, le *hic* étant intérieurement structuré du fait d'avoir une gauche et une droite, un haut et un bas, un devant et un arrière, tandis que la structure interne du *nunc* consiste dans la relation de la présence (de durée et d'étendue non « nulles »), d'une part, avec ce qui s'est déjà passé et, d'autre part, avec ce qui est encore à venir. Et c'est ce que semblent avoir en vue les Stoïciens lorsqu'ils disent, par exemple : « Le présent rattache sans coupure le Passé et l'Avenir [de sorte qu'il n'y a pas de maintenant " ponctuel "]; mais le temps présent [c'est-à-dire le *nunc*] est seul réel [= existe-empiriquement]; les temps passé et futur existent certes [dans le Discours, en tant que *lekton*], mais ne sont pas réels » *(Stoa*, 47); « Le " Maintenant ", etc [?] ne peut être dit qu'en général et ne peut pas être représenté avec des limites nettes; mais on peut aussi utiliser ce terme pour le plus petit laps de temps perceptible, qui résulte lors de la délimitation du Passé et de l'Avenir » *(ibid.*, 294) [cf. aussi Pohlenz : 46 et Goldschmidt : 36 sq., 39 sqq., 96, 122, 156, 194, 198, 202, 209, 217 sq.].

Or, la structure interne du *hic et nunc* (ou plus exactement du *nunc*) nous permet de distinguer en fait trois types de durée-étendue (chacune admettant deux variantes). Le type où prime le Présent est la durée-étendue du Cosmos inanimé, soumis à la seule Légalité (la structure Pr → P → A étant « cristallisée » et la structure Pr → A → P « amorphe »). Celui où prime le Présent caractérise la durée-étendue du Monde vivant où règne la Causalité (d'ailleurs « légale ») [la structure P → Pr → A étant « végétale » et la structure P → A → Pr « animale »]. Enfin, le primat de l'Avenir est propre à la durée-étendue dans l'Univers humain ou historique, conditionné par la Téléologie (d'ailleurs « causale » et donc « légale ») (la structure A → P → Pr étant « agissante » et la structure A → Pr → P « discourante »). Mais les Stoïciens n'ont pratiquement utilisé que le type du primat du Passé (sans d'ailleurs chercher à distinguer entre ces deux variantes possibles), en réduisant ainsi l'ensemble de l'Existence empirique au seul Monde vivant ou à la Biosphère.

Sans doute, en admettant avec Aristote la parfaite *circularité* des « mouvements » célestes, les Stoïciens affirmaient-ils implicitement le primat du Présent (c'est-à-dire le règne de la Légalité) dans la durée-étendue du Ciel. Mais, contrairement à Aristote mais en meilleure conformité avec l'Aristotélisme authentique, ils étendaient à l'*Ouranos* le principe (essentiellement biologique) de l'évolution *cyclique* et concevaient ainsi la durée-étendue sidérale à l'image de celle où prime le Passé et qui est, en fait et pour nous (comme d'ailleurs pour eux-mêmes), la durée-étendue de tout ce qui est *vivant* et vivant *seulement*. Car dans une évolution *cyclique* le présent ne peut produire l'avenir qu'en re-produisant le passé, le parfait qui est la fin ou le but, voire le terme du perfectible étant chronologiquement *antérieur* à ce dernier, dont il est d'ailleurs la *cause* proprement dite.

Sans doute aussi les Stoïciens ont-ils parlé dans leurs discours « populaires » des projets humains et des activités humaines effectués en fonction de l'Avenir (par exemple par les hommes d'État ou par les Partisans). Mais ici encore ces dires populaires (d'ailleurs « aristotéliciens ») ne pouvaient pas s'introduire dans leur Système philosophique, qui soumettait *tout* ce dont on parle à la seule et unique loi de la Cyclicité, c'est-à-dire de la Causalité, qu'ils appelaient *Heimarmênê* et qui était censée leur permettre une *Pronoia* ou une pré-vision « naturelle » ou « mantique », d'ailleurs « scientifique » au sens d'« astrologique ». Ainsi, en fait et pour nous (et même pour eux-mêmes), les Stoïciens concevaient la durée-étendue de l'Univers humain à l'image de la durée-étendue qu'ils assignaient à l'ensemble du

Cosmos, d'ailleurs interprété comme un Monde vivant. Car l'Histoire elle-même n'était censée pouvoir produire que dans la mesure où elle re-produisait (cf. Pohlenz, 232 et 235 sq. contre 47, 115 et 227).

En réduisant ainsi (à la suite d'Aristote) la Phénoméno-logie à la seule Bio-logie, les Stoïciens renonçaient en fait à toute Anthropo-logie proprement dite. Pour nous, tout ce qu'ils ont dit de l'Homme ne peut être re-dit qu'en parlant de l'Animal seulement. Et ceci vaut tant pour ce qu'est en fait leur soi-disant *Gnoséologie* que pour ce qu'ils ont à tort appelé *Éthique*. Dans les deux cas il s'agit pour nous (sinon pour les Stoïciens eux-mêmes) de leurs chapitres (plus ou moins corrects et en tout cas très incomplets) de la Bio-logie (ou -graphie) animale, qui ont trait respectivement aux « perceptions » au sens large et au « comportement » *(behaviour)* des animaux, par définition non discursif ou « logique ».

En ce qui concerne la *Gnoséologie*, la notion spécifiquement stoïcienne de la *Synkatathesis*, c'est-à-dire la faculté d'acceptation ou de refus par l'homme de sa propre perception animale, pourrait faire croire que les Stoïciens ont vu ou entrevu l'Acte négateur humain qui détache une « Perception » du *hic et nunc*, tant de celui de l'objet perçu que de celui du sujet percevant, en le trans-formant de ce fait en Re-présentation (qui re-présente l'essence d'un objet en tant que sens d'une notion, affective ou naturelle). Mais en fait il n'en est rien. Car la *Synkatathesis* stoïcienne n'est rien moins qu' « arbitraire » : en fait, elle n'est que l'Effet (passif) de la Cause (agissante) qui est la *Katalepsis*, qui est bien plus une « saisie » du sujet par un objet qu'une « prise de possession » de l'objet par un sujet. Somme toute, la « fantaisie cataleptique » des Stoïciens n'a rien à voir avec la « fantaisie » au sens moderne, c'est-à-dire avec l'imagination proprement dite ou re-présentation, ni encore moins avec une représentation imaginaire. En fait et pour nous, cette « fantaisie cataleptique » n'est rien d'autre qu'une Perception animale, qui ne peut être dite « vraie » (ou « correcte ») que dans la mesure où l'animal qui se « comporte » en fonction d'elle réussit à se maintenir dans son milieu (du moins pendant une durée-étendue « normale » au sens de « spécifique »). Et si certains stoïciens (dont semble-t-il Zénon) croyaient avoir trouvé le « critère de vérité » dans la « droite raison » *(orthos logos)*, cette soi-disant « raison » n'est pour nous nullement discursive ou humaine, mais la simple manifestation d'un « comportement » animal qui est « viable » à cause de sa con-formité à l'ensemble du Monde, qui est compris comme un Milieu biologique (cf. Pohlenz, 59-63).

Ainsi, en fait et pour nous (sinon pour eux-mêmes), les Stoïciens rendent tout aussi peu compte du fait du Discours que ne l'a fait Aristote lui-même. Tout comme ce dernier, ils n'expliquent à la rigueur que l'aspect sonore du comportement animal ou, plus exactement, de celui de certains animaux. Sans doute, en faisant intervenir son *Nous* transcendant *(thuraten)*, Aristote a tenu compte de la distinction essentielle entre l'Essence et le Sens. Mais, d'une part, l'intervention de ce Nous (« divin ») dans l'existence humaine reste chez Aristote totalement « inconcevable ». D'autre part, en *séparant* (d'une façon encore « platonicienne ») le *Nous* (« divin ») de la *Psyché* humaine (à juste titre liée au corps animal de l'homme), Aristote a dû reconnaître que le *Nous* n'était pas discursif et ne devait donc pas être appelé *Logos*. Ainsi, chez Aristote, l'Homme réduit en fait au mutisme animal, se trouvait en présence d'un Dieu silencieux (et de ce fait ineffable).

Or, en supprimant la transcendance du *Theos* aristotélicien, les Stoïciens abandonnaient du même coup celle du Nous d'Aristote. Mais ils eurent tort de l'appeler *Logos*. Car en incarnant le Nous divin dans un Monde conçu à l'image de l'*Ouranos* d'Aristote, les Stoïciens ne rendirent pas le Nous discursif : son mouvement circulaire est tout aussi silencieux que celui des astres et du Ciel. Et dans la mesure où ils soumirent ces mouvements circulaires à une évolution cyclique, ils firent du Nous qui s'y incarne non pas un *Logos* humain, mais une Psyché animale, parfois sonore et toujours « viable », mais à jamais incapable de produire des morphèmes quelconques qui seraient arbitrairement liés à un sens quel qu'il soit.

Ainsi, la Gnoséologie stoïcienne est plus conforme à l'Aristotélisme authentique que celle d'Aristote lui-même. Mais en devenant authentiquement aristotélicienne, cette soi-disant « gnoséologie » se montre à nous comme étant en fait un chapitre de la Bio-logie, traitant de la Perception animale.

Or, il en va de même de la prétendue *Éthique* stoïcienne. Elle aussi est plus aristotélicienne que celle d'Aristote. Mais elle non plus n'a rien à voir avec l'Homme proprement dit, n'étant qu'un chapitre « behavioriste » de la Bio-logie animale.

C'est dire que la fameuse « vertu » stoïcienne n'est rien d'autre que la *virtu (aretê)* de la « nature » innée ou héréditaire des animaux de l'espèce *Homo sapiens*, la soi-disant « droite raison » étant la manifestation de cette même « nature ». Quant aux « vices », ils ne sont en fait que des « maladies » (cf. *Stoa and Stoiker*, 80, 89, 121, 123, 138, 148, 150 sq., 157 sq., 165).

Et le « sage » stoïcien est soit un animal en parfaite santé (et éprouvant de ce fait une « joie de vivre » permanente), soit un ex-malade qui a pu guérir ses tares, héritées ou acquises. Sans doute, ce sage est aussi censé être un médecin (des « âmes », d'ailleurs « corporelles », c'est-à-dire animales). Mais rien dans le Système stoïcien ne permet d'attribuer à qui que ce soit un « art » quelconque, ne serait-ce que celui de soigner les malades et de les guérir. Car cet art ne saurait s'exercer qu'en fonction d'un Projet et donc de l'Avenir, tandis que dans le Monde stoïcien, cyclique et de ce fait soumis à la Causalité *(Heimarmênê)*, c'est le seul Passé qui prime.

En résumé, le Stoïcisme (dé-dogmatisé) est un Aristotélisme authentique, qui est dans l'ensemble plus « conséquent » (et parfois plus élaboré) que celui d'Aristote. Et c'est pourquoi les Stoïciens nous montrent mieux qu'Aristote ce qu'est la Parathèse antithétique de la Philosophie. En lisant les écrits philosophiques stoïciens nous voyons assez bien que, pour cette Parathèse, l'Onto-logie dégénère en Théologie polythéiste, tandis qu'une Étiologie « astrologique » tient lieu et place de l'Énergo-logie et que la Phénoméno-logie se réduit à une Bio-logie, qui est franchement *animale* dans le Stoïcisme, mais qui garde encore chez Aristote lui-même une allure « intellectualiste » héritée de Platon.

Mais dans le cadre de l'Aristotélisme authentique, les Stoïciens ont souvent corrigé ou complété Aristote. Par ailleurs (peut-être sous une influence judaïque, voire judéo-chrétienne), certains Stoïciens semblent s'être rendu compte des insuffisances de la Parathèse antithétique et avoir tenté un progrès en direction de la Parathèse synthétique. Mais ils n'y ont pas réussi. Et ceci d'autant moins que leurs tentatives d'un « retour à Platon », c'est-à-dire d'un « amalgame » de notions aristotéliciennes et platoniciennes, n'ont été que peu poussées. Beaucoup moins poussées en tout cas que celles des Néo-platoniciens (bien que ceux-ci n'aient pas eux non plus dépassé le stade du « compromis » *parathétique* entre Platon et Aristote, la Parathèse *synthétique* n'ayant été élaborée que par Kant et ne pouvant, d'ailleurs, l'être avant l'intervention massive du Judéo-christianisme dans la philosophie païenne).

Quoi qu'il en soit, les innovations apportées par les Stoïciens au Système d'Aristote suffisent pour qualifier le Stoïcisme (dé-dogmatisé) comme un Néo-aristotélisme authentique. Et c'est en tant que tel que nous devons maintenant le représenter sommairement.

Les développements stoïciens du Système d'Aristote.

Il n'est pas toujours facile de distinguer, dans le Stoïcisme, entre ce qui n'est qu'un simple développement (« logiquement correct ») du Système d'Aristote et ce qui constitue un remaniement (plus ou moins profond de ce Système). A dire vrai, une telle distinction ne présente d'ailleurs qu'un intérêt très relatif, qu'on pourrait appeler purement « historique » au sens courant de ce mot. Par contre, il est philosophiquement instructif, bien qu'encore plus difficile, de distinguer parmi les innovations stoïciennes par rapport à Aristote, ce qui se situe dans le cadre de l'Aristotélisme authentique (et du Paganisme en général) de ce qui se présente (du moins à nous, sinon aux Stoïciens eux-mêmes) comme une recherche de la Parathèse synthétique (de caractère, par définition, judéo-chrétienne) de la Philosophie.

Pour le dire tout de suite, les notions parathétiques de caractère synthétique sont très rares dans le Stoïcisme et elles se situent toujours en dehors du système stoïcien proprement dit. Qu'elles soient historiquement « spontanées » ou d'origine judaïque ou chrétienne (ce que nous pouvons d'ailleurs rarement constater avec certitude), ces notions appartiennent aux secteurs non philosophiques du Discours et ne trans-forment pas, par conséquent, le Discours philosophique proprement dit (en se trouvant ainsi « en contradiction » avec ce dernier). De ce point de vue, le Stoïcisme (tardif) se trouve donc dans une situation analogue à celle que l'on trouve chez Philon et chez les Pères, ainsi que dans la Scolastique arabo-judéo-chrétienne. C'est pourquoi je ne parlerai des notions stoïciennes de caractère parasynthétique qu'en conclusion ou en annexe au présent exposé du Système stoïcien.

Dans cet exposé lui-même, je ne traiterai que des apports stoïciens qui s'inscrivent dans le cadre de l'Aristotélisme authentique. Je parlerai *d'abord* des développements d'origine stoïcienne du Système d'Aristote lui-même et *ensuite* des innovations proprement dites par rapport à ce dernier, qui font du Stoïcisme un Néo-aristotélisme au sens propre, c'est-à-dire une *variante* (philosophique) de l'Aristotélisme qu'Aristote n'a pas voulu ou n'a pas su développer lui-même et qui débarrasse l'Aristotélisme authentique des dernières séquelles du Platonisme.

*

Les grandes lignes du développement du Système d'Aristote par les Stoïciens ont été indiquées dans l'exposé précédent du

Stoïcisme. Mais il peut être utile d'y ajouter une sorte de catalogue des principaux points où certains Stoïciens sont allés au-delà d'Aristote, tout en laissant intact le cadre systématique tracé par celui-ci. En le faisant, je ferai abstraction des « erreurs » stoïciennes et je n'indiquerai brièvement que les principaux « progrès » que le Stoïcisme a apportés à la Philosophie en tant que telle.

1º On a remarqué depuis longtemps que les Stoïciens (peut-être dès Zénon et certainement dès Chrysippe) furent probablement les premiers à concevoir (sinon à développer) la Philosophie ou, plus exactement, le Savoir absolu, voire la Sagesse discursive que recherchent les Philosophes, comme un Discours *uni-total* ou « synthétique », voire « systématique ».

D'après les Stoïciens, le Discours proprement dit, c'est-à-dire le Discours *vrai* ou véritable ou le Discours qui peut se re-produire indéfiniment tel quel [que les Stoïciens définissent (à tort) comme la *Vérité* (discursive) exclusive de l'Erreur (discursive)], culmine (en se développant complètement) dans le Savoir absolu (discursif) ou le Système du Savoir, c'est-à-dire dans le Discours qui dit *tout* ce que l'on peut dire sans se contredire [l' « Erreur » qui contre-dit la « Vérité » étant (à tort) censée « se contredire elle-même »] et qui parle également de ce qu'il dit lui-même.

Le Savoir (discursif) du Sage stoïcien consiste dans une « connaissance [correcte et complète] des choses divines et humaines [y compris les choses " naturelles ", Dieu et l'Homme n'étant d'ailleurs que des éléments-constitutifs de la Nature] et de leurs causes » (Posidonius; *apud* Pohlenz, 214). Ce qui veut dire, en fait et pour nous, comme déjà pour les Stoïciens, que le Sage doit parler, du moins implicitement, de *tout* ce dont on parle (ou peut parler). La Nature, voire le Tout-ordonné ou le Cosmos, est décrite dans son aspect « divin » (au sens de non humaine) dans la *Physique* (qui culmine en la Théologie), tandis que la Nature « humaine » fait l'objet de l'*Éthique*. Que l'Homme soit présenté comme un « complément » du Cosmos divin, voir du Dieu cosmique, ou que le Dieu qui est le Monde se présente comme le « milieu naturel » de l'Homme, l'ensemble des « choses divines et humaines » constitue *tout* ce *dont* on peut parler, soit comme des Phénomènes qui existent-empiriquement, soit comme des « Causes » objectivement-réelles de ces Phénomènes (ou comme de l'être-donné de ces Causes). Or, *tout* ce dont on parle constitue *un seul et même* Discours : c'est en ce Discours *unique* que s'intègrent *toutes* les sciences « particulières » ou « encycliques » et on les re-produit nécessairement dans la mesure même où on les développe (correctement et) complètement (cf. notamment Posidonius Pohlenz, 214). Les connaissances scientifiques se trans-forment en Système philosophique dans la mesure où l'on parle des *Causes* des Phénomènes que décrivent les Sciences « encycliques » et l'unité de ces Causes, qui est la Cause divine ou le Dieu causal, assure le caractère *uni*-total de ce Système et, par son truchement, l'unité (discursive) de *tous* les discours scientifiques (ou « théoriques »).

Or, le Discours n'est vraiment uni-*total* que dans la mesure où il parle aussi de ce qu'il *dit lui-même*. Et ce n'est que dans la mesure où il le fait qu'il est un Discours « synthétique » ou *philosophique*. Ainsi, en intégrant toutes les Sciences « encycliques », la *Physique* et *l'Éthique* ne sont elles-mêmes parties intégrantes du Système du Savoir, c'est-à-dire du Savoir absolu (discursif) que recherche la Philosophie, que dans la mesure où le Système philosophique implique aussi la *Logique*, qui est un discours portant sur le Discours en tant que tel, voire « en général » et donc « en particulier » sur le discours qui se développe en tant que *Physique* et *Éthique* [19].

Par conséquent [et contrairement à Aristote] : « La *Logique* est non pas un instrument seulement de la Philosophie, une partie essentielle, autonome de celle-ci, qui se distingue des deux autres parties, à savoir de la *Physique* et de *l'Éthique*, tant par son contenu que par son but; son contenu est constitué par les assertions, son but par la connaissance des méthodes de démonstrations : car c'est vers la démonstration scientifique qu'est orienté en elle tout le reste » (S. V. F., II, 49; Stoa, 361). Autrement dit, le Savoir absolu est un Système « déductif » (d'ailleurs « étiologique ») et c'est donc essentiellement de la Déduction (discursive) en tant que telle que parle le Sage (dans la *Logique*) lorsqu'il parle de tout ce qu'il dit (dans la *Physique* et dans *l'Éthique*, qui intègrent toutes les Sciences encycliques). [D'où l'attention toute particulière accordée aux Raisonnements hypothétiques et discursifs (Pohlenz, 50).]

Or, en tant que Discours uni-total, le Savoir absolu est *systématique* en ce sens qu'il a une *structure* (unique et une) qui lui est propre et qui lui est imposée tant par sa nature discursive que par son caractère uni-total, la structure commune à tout ce que l'on *dit* étant d'ailleurs con-forme à celle propre à tout *ce dont* on parle. Les Stoïciens ont pris conscience de ce caractère systématique du Savoir discursif et ils ont longuement discuté de la structure propre au Système philosophique, en se demandant notamment si la *Logique*, la *Physique* et *l'Éthique* n'étaient que des *parties*, au sens propre du mot,

du Système ou bien des *espèces* (εἴδη), voire des *genres* (γένη)
du Discours philosophique ou « synthétique », voire « systématique » (Pohlenz, 181).

Quoi qu'il en soit, les Stoïciens étaient tout près de reconnaître qu'un discours (théorique) « particulier » ne pouvait
être dé-montré comme « vrai » ou « véritable » (au sens de
« permanent ») que par son intégration (« non contradictoire »)
dans le discours uni-total structuré, c'est-à-dire le Savoir
discursif « absolu » ou le Système du Savoir, ce que l'Homme
est d'ailleurs seul capable de faire. Car « chez l'Homme seul la
faculté d'articuler [les sons] sert à nommer les choses conformément à l'activité structurante de sa propre pensée [discursive];
il appartient au langage [c'est-à-dire au Discours vrai ou véri-
table] que chaque mot soit utilisé *à l'endroit approprié;* celui
qui ne le fait pas, ne *parle* pas, d'après Chrysippe, [au sens
propre du terme] : il n'a qu'un *quasi-langage* [qui n'est en fait
qu'un *cri* animal] » (*Stoa*, 361). « En ce qui concerne les notions
[au sens large], les unes se constituent naturellement ... et sans
activité *consciente* de la Raison, les autres déjà par l'enseignement et le travail intellectuel; ces dernières s'appellent uniquement *notions* [au sens propre; *ennoiai*], tandis que les premières
s'appellent aussi *prénotions (prolepseis)* [que l'on trouve aussi
chez l'Animal], mais le *Logos* [Discours vrai ou véritable], à
cause duquel nous sommes qualifiés de *logikoi* [ou « raisonnable »
au sens de « discursif »], atteint la plénitude de son développement par *l'union* des prénotions d'après la première Hebdo-
made : d'après Chrysippe, le *Logos* est un *ensemble* de notions
et de prénotions » (*Stoa*, 38, cf. Pohlenz, 34, t). C'est donc non
pas [comme encore chez Aristote] le *Nous* « intuitif », mais le
Logos discursif qui caractérise l'Homme en le distinguant de
l'Animal [et de Dieu], (cf. Pohlenz, 34, sq.). Or, ce *Logos* est un
Discours uni-total voire « systématique », et ce n'est qu'en
tant que tel, c'est-à-dire en tant que Savoir absolu ou Système
du Savoir qu'il est « vrai » ou « véritable » au sens de *permanent,*
c'est-à-dire d'indéfiniment re-productible tel quel. C'est ce que
Zénon semble avoir voulu montrer par son image de la main
d'abord ouverte, puis fermée et finalement servie par l'autre
main : c'est le Discours uni-total (symbolisé par la main gauche
qui serre le poing droit), qui intègre ou « comprend » [*be- greift*]
tous les discours « particuliers », qui constitue le Savoir [absolu]
que seul le Sage (stoïcien) possède et qui se re-dit indéfiniment
sans jamais être contre-dit nulle part [sauf par des discours
« erronés », par définition « contradictoires dans les termes »].
Le Sage ne donne son « accord » *(synkatathesis)* à une représentation donnée (sensible ou imaginaire), il n'affirme comme

« vrai » le discours (particulier) qui se rapporte à ce qui est
censé lui correspondre en tant que manifesté dans et par cette
représentation, que dans la mesure où ce discours s'intègre
(d'une façon « cohérente ») dans le Discours uni-total qu'est
le Système philosophique (stoïcien). Mais le « fou », c'est-
à-dire le non-philosophe, donne son « accord » à des discours
isolés dans leur contexte uni-total. Il le fait par impatience ou
par « faiblesse » et il « se trompe » généralement, en ne disant
parfois « vrai » que « par hasard » : « s'il donne son accord uniquement par faiblesse, c'est une simple *opinion (doxa)* [géné-
ralement « erronée », mais parfois « correcte »] qui surgit, qui
le rend dépendant [par le truchement des « passions » qui déterminent son « accord »] du monde extérieur; l'Opinion est
l'accord donné par faiblesse [c'est-à-dire en tant qu'effet d'une
cause (naturelle, mais) « viciée »] : le Sage se libère de celle-ci »
(*Stoa*, 44). Par contre, « le savoir [absolu du Sage stoïcien] est
une *saisie (Katalêpsis)* [ou *Er-greifen* au sens de *Be-greifen*]
inébranlable qui ne peut être renversée par aucune raison-
discursive; l'Art *(tekhnê)* [en tant que Discours élémentaire
ou pratique] est un système de *saisies*, qui sont exercées d'une
façon cohérente en vue d'un but existentiel pratique; le plus
sublime et le plus important de ces Arts est l'Art-existentiel
universel, [c'est-à-dire] la Philosophie et son but final est la
Sagesse en tant que Savoir [discursif] des choses divines et
humaines [c'est-à-dire en tant que Discours uni-total ou " systématique ", c'est-à-dire le Système du Savoir triparti] »
(*Stoa*, 45).

Dans la mesure où les Stoïciens (Zénon?) cherchaient le
« critère de la vérité » dans la « droite raison » *(orthos logos)*,
en définissant celle-ci comme Discours uni-total (c'est-à-dire
« cohérent » et « complet »), leur Système aurait dû être défini
(et développé) comme l'a été le Système du Savoir hégélien.
Mais, en fait, ils ne trouvèrent pas le critère hégélien de la
« circularité » discursive, qui dé-montre l'uni-totalité du Savoir
discursif absolu, en « démontrant » par cela même la « vérité »
du Système philosophique. Pour nous, le Système stoïcien
est un discours « exclusif » en ce sens que les Stoïciens eux-
mêmes en excluaient ce qu'étaient à leurs yeux les « Erreurs »
discursives, celles-ci étant [à tort] censées s'annuler elles-
mêmes en tant que discours, soit en se contre-disant les unes
les autres, soit en se développant en tant que « contradictoires »
en elles-mêmes. D'où la tentation à laquelle résista Aristote
de dogmatiser le Système, en faisant appel à des « Évidences »,
c'est-à-dire à des discours « particuliers » ou « isolés », censés
se montrer d'une façon *immédiate* [non médiatisée par la *totalité*

du Discours] en tant que « vrais » [soit au sens de « permanent »,
soit comme « coïncidant » avec ce dont ils parlent]. Peu importe
que ces « vérités (discursives) isolées » soient présentées par les
Stoïciens comme des « évidences » individuelles (comme par
exemple les « axiomes » de la géométrie euclidienne, Pohlenz,
231, ou les « lois » de la logique formelle aristotélicienne) ou
collectives (c'est-à-dire en tant que « notions communes », qui
sont communes à tous les êtres parlants ou humains). Ce qui
compte du point de vue philosophique, c'est que ces notions
« évidentes » servent de points de départ à un développement
« déductif » qui n'aboutit pas à leur propre « déduction ». Sans
doute peut-on toujours renverser l'ordre déductif et trans-
former la Déduction discursive en une discursive Induction,
qui a son point de départ dans les aboutissements déductifs,
qui constituent dans leur ensemble l'ensemble de l'Existence-
empirique dont l'Homme parle comme se manifestant à lui,
en tant que Phénomène, dans et pour la Perception (sensible
ou imaginaire). Mais du moment que cette Induction aboutit
à des notions « dernières » au sens d' « indémontrables »,
c'est-à-dire d'inductivement indépassables et de non déductibles
à partir de leurs « antécédents », ni même de l'ensemble de
leurs « conséquences », les « données immédiates » de l'Induction et de la Déduction sont en fait non discursives. Si l'Induction aboutit à des « Principes » indéductibles, c'est-à-dire
« évidents » au sens d'« indémontrables » et donc d'« irréfutables »,
c'est que les « données » de cette Induction peuvent elles-
mêmes être seulement *montrées*, sans pouvoir être *dé-montrées*.
Si cette *monstration* est purement *discursive*, ces « données »
sont des Évidences. Dans la mesure où un Système les implique
en tant que telles, il est paraphilosophique ou « dogmatisé ».
Dans la mesure où ces « données » sont montrées à l'Homme
(dans le Monde où il vit) d'une façon non discursive ou silencieuse, elles sont « immédiates » et elles se présentent à lui
comme des Expériences, soit religieuses, soit « sensibles »,
soit morales. Le soi-disant Système qui comporte un appel
explicite à de telles Expériences silencieuses cesse d'être philosophique ou paraphilosophique et devient pseudo-philosophique : il dégénère en Théorie dogmatique. Ainsi, lorsque les
Stoïciens cherchent le « critère de la vérité » dans la « représentation cataleptique », c'est-à-dire en fait et pour nous, comme
d'ailleurs pour eux-mêmes, dans la Perception animale, c'est
une Théorie (dogmatique) scientifique qu'ils développent en
fait et pour nous. Mais la plupart d'entre eux étaient non
pas des Savants (comme le fut peut-être Posidonius), mais
des Moralistes (tels que Sénèque, Épictète, Marc Aurèle et

probablement déjà Zénon). Autrement dit, ils cherchaient les données immédiates de l'Induction dans le « monde intérieur » de l'Homme, c'est-à-dire dans la « Conscience morale » *(Gewissen)*. Ils développaient alors une Théorie (dogmatique) *moraliste*, où la « lacune » discursive était comblée par la Révélation de la « voix intérieure », d'ailleurs silencieuse. Mais lorsque certains Stoïciens (Cléanthe, semble-t-il) préférèrent la Déduction à l'Induction, ils durent chercher les « données immédiates » déductives en dehors du Monde naturel et humain, en essayant de les montrer dans le Monde « divin », faisant appel à l'Expérience (silencieuse) religieuse. Le Stoïcisme se trans-forme alors en une Théorie (dogmatique) *théologique*, où la lacune discursive irréductible était censée pouvoir être comblée par une Révélation au sens propre du mot, c'est-à-dire par la monstration en ou par Dieu de ce qui est in-démontrable par et pour l'Homme.

Quoi qu'il en soit, la dégénérescence de la philosophie ou paraphilosophie stoïciennes en Dogmatisme théologique, scientifique ou moraliste est une conséquence naturelle du fait que les Stoïciens n'ont pas su éliminer de leurs discours prétendument synthétique ou philosophiques (d'ailleurs censés être systématiques) les séquelles du Discours exclusif ou théorique qui se trouvent encore chez Aristote, comme d'ailleurs aussi chez Platon (ce qui empêche ceux-ci de parachever leurs discours philosophiques respectifs, en les développant en Discours « circulaire » ou uni-total).

2º Pourtant, les Stoïciens surent distinguer, moins peut-être que n'a pu le faire Aristote (ou Platon), entre le Discours synthétique ou philosophique et le Discours exclusif ou théorique. D'une part, ils opposaient la Philosophie qui parle de tout (en tant que *Physique* et *Éthique*) en parlant aussi d'elle-même (en tant que *Logique*), des Sciences encycliques qui peuvent en principe elles aussi parler de *tout* ce dont on parle, mais qui ne parlent jamais de ce qu'elles en disent elles-mêmes. D'autre part, certains Stoïciens (Posidonius) semblent avoir distingué les discours proprement dits (en dernière analyse synthétique ou philosophique) ou *-logies* de leurs dégénérescences *métriques* (tout en confondant généralement les *-logies* avec les *-graphies*) [20].

« A l'ancienne définition selon laquelle la Sagesse [discursive] serait le Savoir des choses divines et humaines, il [Posidonius] a ajouté explicitement : et de leurs causes; car puissant est chez lui l'élément étio-logique et la recherche au sens aristotélicien; [les Sciences encycliques sont non pas des parties, mais des servantes de la Philosophie]. La *Philosophie* de la Nature a pour tâche de rechercher l'*essence* du ciel et des Astres, leur *force* de leur *caractère-spécifique*, leur *génération et corruption* et c'est [en partant] de là qu'elle arrive aussi à parler de leurs *dimension, forme* et *ordre;* mais l'Astronomie n'essaie de parler d'aucune des questions du premier genre : elle fait voir l'*ordre* des phénomènes célestes et montre que le Ciel est réellement un Cosmos; elle parle de la *forme,* de la *dimension* et de la *distance* de la Terre, du Soleil et de la Lune, d'éclipse, de la conjoncture et de choses semblables; souvent, i'Astronome et le Philosophe-de-la-nature se poseront le même problème de démonstration, par exemple que le Soleil est *grand* ou que la Terre est une *sphère;* mais il ne procéderont pas de la même façon; l'un partira de l'*essence* ou de la *force* ou de la *Téléologie* ou du *devenir* et du *changement* afin de *démontrer* les phénomènes particuliers, [tandis que] l'autre partira de ce qui se montre dans la *dimension* ou dans la *forme,* ou dans la *mesure* du mouvement ou du *temps* qui lui est approprié; et le Philosophe-de-la-nature posera souvent la question des *causes,* il veut connaître la *force agissante;* mais lorsque l'Astronome fait ses démonstrations à partir des *phénomènes extérieurs,* son regard ne pénètre pas encore de ce fait jusqu'à la *cause;* le Philosophe va démontrer *que* le Soleil est grand, l'Astronome, qui procède par voie *empirique,* [démontrera] quelle est la *dimension* du Soleil; mais pour procéder ainsi, l'Astronome doit *emprunter* certains principes; par contre, la Philosophie *n'emprunte rien* d'ailleurs : elle construit tout son édifice à partir du sol; la Mathématique se meut pour ainsi dire à la surface et construit sur ce terrain *étranger;* elle reçoit des axiomes avec l'aide desquels elle progresse vers autre chose » (*Stoa,* 278 sq.).

La notion du Système proprement dit, c'est-à-dire du Discours *uni-total* est donc bien défini et le caractère *discursif* du Savoir absolu est bien mis en évidence, par opposition aux Sciences *métriques* où le « combien » remplace le « quoi » au point que leurs « mesures » sont absolument dénuées de toute espèce de « sens ». Mais, encore une fois, ce programme « systématique » n'a jamais été exécuté par les Stoïciens et ils l'ont abandonné même en tant que programme, dans la mesure où (à la suite d'Aristote) ils se sont risqués à admettre des « principes premiers » indéductibles (indémontrables et irréfutables) en se contentant d'en déduire toutes les conséquences, quitte à constater la « coïncidence » des dernières conséquences de ces déductions discursives avec les « données immédiates » (en fait « silencieuses ») de la Conscience religieuse, scientifique ou morale, qui constituent le point de départ de l'Induction ramenant le Discours à ses « derniers éléments », tout aussi irréductibles et isolés les uns des autres (c'est-à-dire précisément non discursifs) que les éléments isolés irréductibles révélés dans et par l'expérience de cette Conscience non discursive.

Or, s'il en est ainsi, on ne peut en fait éviter la dégénérescence *métrique* des *-logies* philosophiques, qui prive le Discours de toute espèce de sens, qu'en acceptant la dégénérescence *graphique* de celui-ci, qui lie son sens à un morphème d'une façon indissoluble. Aussi bien constatons-nous que si les Stoïciens (à la différence des Péripatéticiens au sens étroit) ont dédaigné (Posidonius y compris) les mathématiques et les sciences proprement dites, c'est uniquement parce qu'ils se sont contentés de « livres d'images », en faisant preuve d'une préférence marquée pour les « images d'Épinal » qui illustraient la vie des soi-disant « sages » que chacun d'eux prétendait sinon pouvoir, du moins vouloir imiter de son mieux.

3⁰ Cependant, le sens « systématique » propre au Stoïciens s'est traduit entre autres par le fait que certains d'entre eux ont su distinguer les différents types de Discours incomparablement mieux que n'a su le faire Aristote [et que Hegel fut le premier à savoir re-faire en le faisant d'ailleurs encore mieux qu'eux].

En effet, en parlant dans leur *Logique* du Discours en tant que tel, les Stoïciens surent mettre en évidence les principales « modalités » discursives : « Dans les phrases complètes [c'est-à-dire dans les notions, par définition douées de sens, qui ont reçu un *minimum* de *développement* discursif], il faut distinguer, d'après leur modalité : le Jugement, la Question (phrase ou mot), la Proposition, l'Ordre [ou le Commandement adressé à un autre], le Serment [ou Commandement adressé à soi-même], la Prière (le souhait) [ou le Vœu, la Demande] [*Fallsetzung, Anrede*] l'Interpellation et l'Exclamation semblable à un Jugement » (*Stoa*, 31). Sans doute, les Stoïciens furent suffisamment « intellectuels » pour penser que le Jugement [qui parle de quelque chose en fonction de la prétendue « vérité » de ce que l'on y dit] représente ce qu'il y avait « de plus important » dans le Discours. Et ils suivirent Aristote (et ses prédécesseurs) lorsqu'ils réduisaient tous les discours qui parlent de quelque chose au Discours *théorique* ou *exclusif*, qui s'affirme en tant que « vérité » en *excluant* son « contraire » en tant qu' « erreur » [chaque Jugement étant *soit* vrai, *soit* faux *de toute éternité*, même s'il porte sur des choses à venir ; d'où une prétendue « démonstration » du « déterminisme » (causalisme) universel, qui n'est d'ailleurs qu'une conséquence logique de la définition du Concept commun *éternel*]. Mais il n'en reste pas moins que les Stoïciens ont nettement distingué entre le Discours pratique qui s'adresse à quelqu'un (qui, à l'état pur, est l'Interpellation) et le Discours théorique qui parle *de quelque chose* (qui, à l'état pur, est l'Exclamation, que les Stoïciens rapprochent à juste titre du « Jugement » théorique). Par ailleurs en admettant que le Souhait, la Proposition et le Serment correspondent respectivement à ce que j'appelle Prière, Ordre et Commandement, nous pouvons admettre que les Stoïciens ont correctement subdivisé le Discours élémentaire (tout en ne mettant pas en évidence l'ordre « dialectique » de ses trois subdivisions fondamentales). En outre, isolant la Question comme « modalité » discursive *sui generis*, ils ont en fait distingué entre l'Hypo-thèse du Discours (théorique) et sa « Thèse », qu'ils ont, d'ailleurs, subdivisée correctement en Thèse proprement dite et en Anti-thèse (Jugements « positif » et « négatif », voire « vrai » et « faux ») en en distinguant peut-être la Para-thèse (sans comprendre, bien entendu, la « fonction dialectique » de cette dernière).

Or, ce bref rappel du peu que nous savons des doctrines stoïciennes relatives aux « modalités » du Discours suffit pour faire voir que leurs performances en la matière sont remarquables. Ces doctrines ont d'ailleurs souvent été oubliées, mais elles n'ont jamais été dépassées jusqu'à Hegel.

4° Les philosophes qui surent si bien distinguer les modalités « spécifiques » du Discours ne pouvaient méconnaître complètement le caractère « essentiel » du Discours « en général » ou en tant que tel. En effet, les Stoïciens surent, mieux qu'Aristote, mettre en évidence la distinction fondamentale entre un *discours* quel qu'il soit et tout *ce dont* on parle dans un discours quelconque. Autrement dit, ils distinguèrent d'une façon nette et claire entre le *Sens* qui « se rapporte » à quelque chose (d'autre que lui) et l'*Essence* de ce qui « correspond » à ce Sens. En outre, leur « matérialisme » ne les empêche pas de distinguer tout aussi clairement et nettement entre le *Sens* du Discours et son Morphème, qu'ils savaient d'ailleurs pouvoir être quelconque.

« Trois choses, déclaraient-ils [les Stoïciens], vont ensemble : le *Signifiant* [les *Semaionta*, à savoir les Morphèmes, toujours « corporels » au sens d'objectivement-réels ou d'agissants], le *Signifié* dans le discours (langage) par le Signifiant [le *Semaiomena*, c'est-à-dire les Sens qui, en tant que *lekton*, ne sont jamais « corporels »] et l'objet réel qui est signifié [partout et toujours « corporel », tout comme le Morphème] » (*Stoa*, 26). Or, c'est la présence du Sens (signifié par le Morphème signifiant) qui caractérise le Discours *(Logos)* en tant que tel. Ce sens ne se présente dans l'Existence-empirique que par ou dans l'existence humaine, essentiellement distincte de ce fait de l'existence animale, même sonore, voire « articulée », celle-ci étant l'incarnation seulement d'une Essence (qui peut être signifiée par le sens d'un son signifiant, c'est-à-dire d'un morphème), mais non d'un Sens proprement dit [sans que les Stoïciens nous disent pourquoi et comment il en est ainsi].

Cette nette et claire distinction entre le Sens lié (arbitrairement) au Morphème (d'ailleurs corporel) et l'Essence (nécessairement) liée au Corps, a permis aux Stoïciens de prendre position dans la « querelle des universaux » plus clairement et nettement (ne serait-ce que d'une façon implicite) que n'a pu le faire Aristote lui-même.

D'une part, du point de vue platonicien, le Stoïcisme est « nominaliste », comme doit l'être, d'après Platon (cf. *Théét.* et *Parm.*), tout Aristotélisme conséquent. Et à la différence d'Aristote lui-même, les Stoïciens professèrent le « nominalisme » d'une façon tout aussi claire et nette qu'explicite et radicale. Sans doute distinguèrent-ils entre les notions « elles-mêmes » *(ennoiai)* et leurs présentations « subjectives » *(ennoemata)*. Mais en tant que *lekton*, la Notion est « incorporelle » et elle n'a donc aucune réalité-objective. Plus exactement, les *ennoiai* n'existent-empiriquement qu'en tant que *ennoemata* ou comme des sens effectivement *composés* de morphèmes (ou de « mots ») émis ou absorbés par des êtres humains en chair et en os. Ainsi, les Sens sont non pas des Idées platoniciennes, par définition objectivement-réelles et situées en dehors de la durée-étendue de l'Existence-empirique, mais des signification comprises *hic et nunc* à l'intérieur de celle-ci. Les « universaux » ou les « notions générales » n'existent-empiriquement que *dans les mots*, c'est-à-dire en tant que sens (compris) de morphèmes (par ailleurs « corporels », c'est-à-dire non seulement manifestés en tant que phénomènes dans et par des perceptions animales, mais encore objectivement-réels, bien que dénués alors de toute signification). Or, ces sens (signifiés par les morphèmes) sont *après les choses* qu'ils signifient *(post rem)*. Car ils « se rapportent » à des objets qu'ils sup-posent en tant que re-présentations (« imaginées ») des choses qui se présentent (en tant que phénomènes) dans et par des perceptions (animales) [21].

Mais, d'autre part, les Stoïciens sont aussi des « conceptualistes », tout comme semble l'avoir été Aristote (probablement à la suite d'Eudoxe; cf. *Parm.* et *Timée*). Si les « universaux » n'existent-empiriquement en tant que *sens* (« incorporels ») que dans les *hic et nunc* des morphèmes auxquels ces sens sont (arbitrairement) liés (par des êtres humains), c'est dans les *hic et nunc* des choses (« corporelles ») qu'ils existent-empiriquement en tant que leurs *essences* ou comme *logoi spermatikoi*. Au lieu de « participer » seulement à des Idées transcendantes (objectivement-réelles) ou de les « imiter » (comme le font les images dans des miroirs), les choses « incarnent » les « universaux » dans et par leur existence-empirique même. Or, il ne semble pas que les Stoïciens aient admis que les « universaux » ont une réalité-objective propre, située « en dehors de leur existence-empirique dans les choses « particulières » *(in re)* qui se présentent en tant que phénomènes par des perceptions.

En explicitant les implications de la doctrine stoïcienne des « universaux », on pourrait facilement développer une théorie authentiquement hégélienne que l'on pourrait présenter comme suit.

Le *Logos spermatikos* est l'Essence, qui est uni-totale ou « universelle » en ce sens qu'elle est constituée par un seul et même ensemble de toutes les essences « spécifiques », dont chacune est une en elle-même. Mais chacune de ces essences « spécifiques » est elle-même une « totalité », car elle est constituée par l'ensemble de toutes les essences « particulières » de la même « espèce », c'est-à-dire de tous les *logoi spermatikoi* incarnés dans les différents « exemplaires » de l' « espèce » en cause. Il y a donc autant de *logoi spermatikoi* que de choses particulières et chaque chose particulière n'a qu'un seul *logos spermatikos* qu'elle est seule à incarner. Autrement dit, le *Logos spermatikos* en tant que tel ou l'Essence uni-totale elle-même n'existe-empiriquement qu'en tant qu'ensemble des essences « individuelles » des objets « particuliers », dont chacun incarne l'une d'elles *hic et nunc* dans la Durée-étendue. C'est un tel Objet « particulier », incarnant (par son Corps) une Essence « individuelle », qui se présente en tant que Phénomène dans et par une Perception (animale). La Perception présente l'Objet en tant que Monade, c'est-à-dire comme un *hic et nunc* structuré, situé dans un Milieu (structuré) total, tout en étant distingué de celui-ci. Cette Monade présentée en tant que Phénomène par la Perception (animale) peut être re-présentée par l'Imagination (que les Stoïciens ont le tort de considérer comme animale elle aussi) comme une Représentation ou *Phantasia*, qui *isole le hic et nunc* re-présenté du Milieu où il se présente et le situe pour ainsi dire « dans le vide ». Jusque-là, l'Essence présentée ou re-présentée reste « particulière » : il s'agit de la présentation ou de la représentation de l'incarnation « parti-

culière » d'un *logos spermatikos* « individuel ». Mais l'Homme
(et lui seul) peut *détacher* de tout *hic et nunc* le Phénomène
(en tant qu'Objet présenté au préalable dans son *hic et nunc* par
la Perception et ensuite *isolé* de son Milieu par sa re-présentation
« imaginative »). Or, en se détachant (dans et par un acte
arbitraire humain) du *hic et nunc* de l'Objet qui l'incarne, l'Essence se trans-forme en Sens : les *Logoi spermatikoi* deviennent
alors des *Ennoemata*. [Les Stoïciens parlent d'un acte qui
« fait abstraction » de tout ce qui ne se trouve que dans l'un
ou l'autre des *hic et nunc* particuliers et qui ne retient que
ce qui se re-trouve en eux tous; c'est donc bien d'un *détachement* de l'Objet (préalablement *isolé*) de son *hic et nunc* qu'il
s'agit, pour nous, chez eux.] Sans doute, chaque Sens n'existe-
empiriquement que comme le sens « individuel » d'un mot
« particulier », qui se situe dans un *hic et nunc* de la Durée-
étendue. En ce sens, les Sens (les *Ennoemata*) sont donc tout
aussi « particuliers » que sont « particulières » les Essences
(les *Logoi spermatikoi*). Mais en un autre sens, chaque Sens
est « universel » car tout en étant unique et *un* en lui-même,
il « se rapporte » à un ensemble, voire, à la totalité des Objets
« particuliers » (de la même « espèce ») qui lui « correspondent ».

D'une part, on a ainsi le *Logos spermatikos* ou l'Essence
uni-totale, en tant qu'un seul et même ensemble de toutes les
Essences, dont chacune est « particulière » en ce sens qu'étant
incarnée dans un Objet, elle est indissolublement (« nécessairement ») liée au *hic et nunc* de l'existence-empirique de cet
Objet en tant que Corps : c'est le caractère indissoluble ou
nécessaire (voire biunivoque) du lien de l'Essence de l'Objet
avec le Corps de celui-ci (par ailleurs objectivement-réel) et
donc avec la « particularité » (ou « individualité ») de ce Corps
qui est le *hic et nunc* de son existence-empirique, qui « particularise » cette Essence elle-même, en tant que *Logos spermatikos*.
D'autre part, on a le Sens uni-total, qui est lui aussi l'ensemble
de tous les Sens. Mais si chacun de ces Sens est « particulier »
en ce sens qu'il est lié au *hic et nunc* de l'existence-empirique
d'un Morphème donné (qui est par ailleurs objectivement-
réel, sinon en tant que morphème, du moins en tant que son,
geste, etc.), la nature *arbitraire* de ce lien, c'est-à-dire le caractère « quelconque » du Morphème en tant que tel, « universalise »
chaque sens « particulier ». Ainsi, au sein d'un seul et même
hic et nunc, l'Essence « individuelle » d'un Objet (« particulier »)
peut « correspondre » au Sens d'une Notion (« particulière »
elle aussi) qui s'y « rapporte » en tant qu' « universelle ». C'est
en « universalisant » une Essence, c'est-à-dire en la *détachant* du *hic et nunc* qui « particularise » le Corps de l'Objet qui

l'incarne, qu'on la trans-forme en Sens. Inversement, c'est en « particularisant » un Sens, c'est-à-dire en le *liant* à un *hic et nunc* corporel, qu'on le trans-forme en Essence (d'un Artefact).

Bien entendu, on ne peut particulariser un Sens qu'après avoir universalisé une Essence. Et l'Homme est seul à pouvoir le faire (sans que les Stoïciens puissent dire comment et pourquoi). Or, si l'Homme peut universaliser n'importe quelle Essence, en rompant (« volontairement ») le lien « nécessaire » qui le rattache (d'une façon biunivoque) au *hic et nunc* particulier du Corps (« déterminé ») de l'Objet qui l'incarne, il ne peut le faire qu'en rattachant (« arbitrairement ») l'Essence universalisée ou trans-formée en Sens au *hic et nunc* particulier du Morphème (d'ailleurs « quelconque ») de la Notion qui incarne le Sens en question. Et puisqu'un objet (d'ailleurs « quelconque ») ne peut être, n'est un Morphème que dans la mesure où un Sens (quel qu'il soit) lui est (« arbitrairement ») lié, ce qui ne peut être fait que par l'Homme, on peut dire que l'Homme est lui-même, en tant que corps d'un objet animal, le Morphème unique et un de la totalité des Sens. On peut donc dire qu'un sens n'existe-empiriquement que dans la mesure où un être humain le lie « arbitrairement » au *hic et nunc* de son propre corps animal, en trans-formant celui-ci en morphème ou corps humain dans et par cet acte même de mise en liaison arbitraire. Ainsi, bien que le corps d'un être humain soit nécessairement particulier (de par sa liaison nécessaire avec le *hic et nunc* qui le particularise en tant qu'objet et donc en tant qu'essence), l'acte humain ou anthropogique de cet être peut y lier arbitrairement un sens quelconque, par définition universel en raison du caractère arbitraire de cette mise en liaison, qui trans-forme ce corps en morphème, d'ailleurs particulier lui aussi puisque nécessairement lié à un *hic et nunc* qui le particularise par définition non seulement en tant qu'objet (qui incarne par son corps une essence « individuelle ») mais encore en tant que notion (qui incarne par son morphème un sens « universel »).

Or, en découvrant le caractère « arbitraire » de la liaison entre le Sens et le Morphème, on trouve la solution hégélienne du fameux problème de la Liberté. Ce caractère « arbitraire » de la liaison entre le Sens et le Morphème signifie, en effet, soit qu'un sens donné est lié à un objet *quelconque* (le caractère *quelconque* de l'objet caractérisant son corps comme morphème qui, en tant que tel, incarne le sens qui lui est lié arbitrairement, en lieu et place de l'essence qui lui est liée nécessairement dans la mesure où il est corps), soit qu'un objet donné, ou plus exactement son corps, est lié à un sens *quelconque* (caractérisé en tant que sens précisément par le fait d'être *quelconque*, c'est-à-dire par le fait de ne pas être « déterminé » d'une façon univoque par l'objet auquel il est lié, c'est-à-dire ni par le corps de celui-ci, ni donc par l'essence liée à ce corps d'une façon biunivoque). On peut dire alors qu'en se donnant un sens il peut transformer le corps de l'objet auquel il lie ce sens, cette trans-formation de l'objet, voire de son corps en fonction du sens qu'on se donne et qu'on y lie s'appelant : Travail, et l'objet ou le corps trans-formés ainsi : Artefact. Mais on peut dire aussi que c'est l'homme en tant qu'*objet*, voire en tant que *corps* animal, qui trans-forme un corps ou un objet et que toute activité d'un objet est une fonction « nécessaire » (univoque) de l'Essence liée à ce corps d'une façon biunivoque (« nécessaire »). La soi-disant « création » prétendument « arbitraire » ou « libre » des artefacts, y compris ceux qui se présentent comme des morphèmes proprement dits (sons, signes, gestes, etc.) est donc en fait tout aussi « nécessaire » que la production des objets dits « naturels » (le simple choix d'un objet déjà existant en guise de morphème ne différant d'ailleurs en rien, de ce point de vue, de la production *ad hoc* de celui-ci). Toutefois, même s'il en était ainsi, la notion de la Liberté humaine ne serait pas « contradictoire » si l'on admet que tout morphème produit ou choisi « nécessairement » (en tant que corps ou objet) peut être lié par l'homme à un sens *quelconque* (de même que celui-ci peut attribuer une signification *arbitraire* à un artefact quel qu'il soit, qu'il aurait produit d'une façon nécessaire). En supposant qu'un homme doit nécessairement produire ou choisir l'objet ou le corps (le graphème) BON en tant que morphème d'une notion dont le sens se rapporte à un objet tout aussi nécessairement choisi ou produit qui correspond au sens de cette notion, rien ne peut empêcher cet homme de lier à ce morphème BON soit le sens BON, soit le sens *MAUVAIS*, soit un tout autre sens quelconque. Et c'est ce caractère *quelconque* du sens qui y est lié par l'homme, c'est-à-dire le caractère *arbitraire* de la liaison qu'il établit entre le sens qu'il choisit et l'objet ou le corps qui lui sont donnés, qui caractérisent le sens en tant que Sens et l'objet en tant que Notion, voire son corps en tant que Morphème (ou Artefact proprement dit). Or, ce caractère *arbitraire* de la liaison établie par l'Homme caractérise celui-ci en tant que *libre :* l'Homme est de ce fait lui-même une Notion dont il choisit « arbitrairement » le Sens qu'il lie « librement » au Corps (animal) qui lui est donné comme sien et qu'il trans-forme de ce fait en Morphème, bien que ce Corps reste lié d'une façon biunivoque ou nécessaire à l'Essence qui détermine nécessairement ce

Corps en tant qu'Objet, cet Objet étant cet Homme lui-même en tant qu'Animal.

Certains Stoïciens semblent avoir approché de très près cette solution hégélienne du problème de la Liberté, en s'y rapprochant beaucoup plus que n'a su le faire Aristote.

D'une part, en éliminant la notion aristotélicienne du Hasard, les Stoïciens ont admis dans leur Système philosophique le principe du Déterminisme absolu. Mais, d'autre part, en tant que Moralistes, ils ne pouvaient pas se passer de la notion de la Responsabilité morale de l'Homme, qui suppose celle de la Liberté humaine. Dans l'ensemble, cette notion de libre Responsabilité ou de la Liberté responsable de l'Homme (et de lui seul) resta « dogmatique » en ce sens qu'étant fondé sur une « donnée immédiate » de la Conscience morale (du *Gewissen*), elle se situait en dehors du Système stoïcien proprement dit, ne pouvant être ni déduite de ce Système ni développée elle-même en un Système cohérent et complet d'allure aristotélicienne ou stoïcienne. Cependant, en fait et pour nous, le développement stoïcien du Système d'Aristote a permis d'y mettre en évidence une notion qui resta implicite chez Aristote et qui préfigure la solution hégélienne du problème de la Liberté (bien que cette solution exige un remaniement radical du Système dans son ensemble, le Système remanié en fonction de la notion de Liberté hégélienne cessant d'être aristotélicien ou stoïcien et même philosophique, pour devenir le Système du Savoir).

Dans le Système stoïcien authentique, la notion de la Liberté humaine se présente en tant que notion de la *Synkatathesis*. Pour les Stoïciens, la formation d'une Perception (animale) et même d'une Représentation (considérée [à tort] comme encore animale) est soumise à la Nécessité *(Heimarmênê)*. Et il en va de même (bien qu'ils ne semblent pas l'avoir dit explicitement) pour les Artefacts, y compris les Morphèmes émis (en tant que produits ou choisis) ou absorbés comme des objets. Mais l'Homme (et lui seul) peut prendre *librement* position à l'égard des objets (naturels ou artificiels) qui lui sont imposés par la Nécessité (ou par la Nature non humaine), en donnant ou en refusant son « accord » d'une façon spontanée, voire arbitraire ou libre. L'Homme est responsable de cet « accord » ou de ce refus parce que c'est par la *Synkatathesis* qu'il manifeste son existence-empirique en tant que libre. Or, la *Synkatathesis* est fonction du *Logos*, dans la mesure où celle-ci est spécifiquement humaine (c'est-à-dire ni divine ni animale).

« Il se produit d'après la Nécessité *(Heimarmênê)* que les êtres vivants ont des perceptions et des désirs sensibles et que certains êtres vivants se comportent seulement tandis que d'autres agissent d'une façon autonome spontanément, à savoir les êtres raisonnables et que ceux-ci agissent alors de façon erronée ou correcte... Or, s'il y a des actions fautives et vertueuses... la louange et le blâme sont maintenus et aussi les punitions et les honneurs » (*Stoa*, 93). « Les êtres raisonnables possèdent, en plus de la faculté de la représentation, le *Logos* qui *juge* les représentations et qui rejette certaines d'entre elles tandis qu'il reconnaît certaines autres comme valables, pour que l'être vivant soit guidé d'après celles-ci » (*Stoa*, 94).

Sans doute, d'après ces textes, la *Synkatathesis* se présente comme le choix d'un comportement actif ou agissant de l'Homme (en tant qu'être vivant ou animal). Mais en fait, s'il en était ainsi, la notion de la *Synkatathesis* ou bien contredirait celle de la *Heimarmênê*, ou bien devrait être définie comme celle d'un comportement *déterminé* par la « nature » humaine et donc nullement *spontané*, autonome ou *libre*. Or, comme nous le verrons, c'est bien ce qui se produit chez les Stoïciens : la Liberté reste chez eux un « dogme moral », qui se situe, en fait et pour nous, en dehors de leur Système philosophique qui développe la seule notion de la Nécessité (dans son espèce biologique ou « causale », d'ailleurs). Cependant, on aurait pu dire que la *Synkatathesis* consiste uniquement dans l'acte du « jugement » (qui, pour les Moralistes stoïciens, n'est qu'un « jugement de *valeur* ») qui lie *arbitrairement* un sens *quelconque*, choisi *librement*, à un morphème *donné* et qui « rapporte » ce sens *quel qu'il soit* à l'objet (voire à l'essence d'un objet) qui lui « correspond » en tant que *donné* lui aussi, mais qui ne *détermine* nullement le sens qui s'y « rapporte » en tant que *librement* choisi. [Le jugement « correct » ou « vertueux » lierait alors (librement) le sens par exemple *BON* à un morphème donné (d'ailleurs quelconque) lorsque ce sens se rapporte à un objet bon, tandis que le jugement « vicié » ou « vicieux » lierait dans ce même cas le sens *MAUVAIS* au morphème donné (différent ou non du précédent).]

Si l'on adopte cette façon de parler de la *Synkatathesis*, on peut donner à certains textes stoïciens une interprétation hégélienne. Comme par exemple au texte suivant :

« La *Synkatathesis* ne peut se produire que si une représentation, qui a surgi dans l'*hegemonikon* de l'âme à la suite d'une impression extérieure [c'est-à-dire d'une perception], la provoque. La représentation est donc la Cause antécédente; mais elle n'est que la Cause actuellement agissante, elle est un stimulus, une chose *extérieure* qui déclenche le mouvement de l'âme; la cause proprement dite, la cause *déterminante* se situe *à l'intérieur* de l'homme, qui donne ou refuse l'accord d'après son propre jugement » (*Stoa*, 96). Ce qui voudrait dire, pour nous, que l'Homme est *libre* de « rapporter » un sens quelconque de son choix (arbitrairement lié à un morphème donné quelconque) à l'essence d'un objet donné quel qu'il soit qui lui « correspond » en tant que phénomène, c'est-à-dire comme une monade (située *hic et nunc* dans son milieu, mais distincte de celui-ci) qui se manifeste dans et par une perception se présentant à l'homme qui parle (juge) en tant que sienne.

En d'autres termes, l'ensemble de causes « extérieures », c'est-à-dire la Cause efficiente dans son ensemble, déterminerait d'une façon nécessaire l'Homme pris lui-même en tant que Cause efficiente. Mais dans la mesure où la Cause efficiente précède aussi un « effet » qui n'a pas d'*essence*, étant seulement un *sens*, elle ne détermine nullement celui-ci. Si le comportement de l'Homme en tant que Cause efficiente, c'est-à-dire en tant que « Corps » (au sens stoïcien), voire en tant qu'Animal, est nécessairement déterminé par la Cause efficiente antécédente, le *sens* que l'Homme attribue à ce comportement nécessaire (dans la mesure où il en *parle*) ne dépend en rien de la Cause qui le détermine et surgit spontanément de l'acte libre (discursif) du *Logos* spécifiquement humain (non « corporel », voire non animal).

Cette interprétation de textes stoïciens cadre d'ailleurs parfaitement avec la théorie stoïcienne de la Causalité. En effet, les Stoïciens distinguent nettement entre les Causes et les Effets. Les Causes proprement dites sont une inter-*action* et elles sont de ce fait « corporelles », c'est-à-dire objectivement-réelles. La Cause proprement dite présente a été produite par la cause antérieure non pas en tant qu'Effet, mais en tant que Cause, puisqu'elle *agit* elle-même dans le présent, en produisant elle aussi non pas des Effets, mais des Causes qui agiront dans l'avenir. Par contre, l'Effet d'une Cause (agissante) *n'agit pas* en tant qu'Effet. Étant *non agissant* (inopérant), l'Effet est « incorporel » (= sans réalité-objective). Et les Stoïciens précisent que l'Effet incorporel ou inactif (c'est-à-dire en tant que n'étant pas lui-même une Cause agissante ou corporelle) d'une Cause (agissante) quelle qu'elle soit se présente partout et toujours comme un *lekton*, c'est-à-dire comme le *sens* d'une notion (arbitrairement lié à un morphème quelconque). Et c'est pourquoi, ajoutaient-ils, une Cause qui est par définition agissante, c'est-à-dire corporelle (voire objectivement-réelle), ne se fatigue pas et ne s'use pas en produisant l'Effet en tant qu'Effet seulement (qui est alors un

Sens, par définition inopérant ou incorporel, voire « purement subjectif ») [cf. Bréhier, 131 sq.].

Dans ces conditions, nous pourrions ajouter que la Cause (« objective ») ne *produit* pas (et donc ne *détermine* pas) l'Effet (« subjectif ») en tant que tel, qui est non pas un Objet ou l'Essence d'un Objet (donné) liée d'une façon nécessaire ou biunivoque à un Corps (donné), mais le Sens d'une Notion arbitrairement lié à un Morphème (quelconque). Ce Sens est *librement créé* par le Discours *(Logos)* de l'Homme qui le « rapporte » *spontanément* à un Objet (ou à l'Essence de cet Objet) qui lui « correspond » et qui peut être la Cause déterminante du comportement de ce même Homme en tant qu'Objet ou Corps (animé, voire animal), y compris la production nécessaire par ce corps (animal) du corps (inanimé) qui est Homme, pris et compris en tant que Notion ou Discours *(Logos)*, trans-formé en Morphème en y liant arbitrairement le Sens qu'il a créé. Et dans la mesure même où la création du Sens par l'Homme est *libre*, celui-ci peut en être rendu *responsable*.

C'est en ce sens qu'on pourrait alors interpréter le texte stoïcien suivant : « L'affection passionnelle de la douleur [spécifiquement humaine et « vicieuse » au sens moral] ne se constitue que lorsque à la représentation [animale et moralement « neutre », puisque nécessairement déterminée par des causes extérieures] d'un grand mal [psycho-physique, mais non discursif] s'ajoute encore *l'opinion* [spécifiquement humaine, par définition discursive ou constituant le *sens* d'un discours, que l'homme choisit librement et qu'il lie arbitrairement à un morphème donné quelconque] qu'il est de règle, qu'il est correct et conforme au devoir [moral] *de prendre mal* [en le *disant*] ce qui est arrivé [nécessairement, d'ailleurs] » *(Stoa*, 153). En bref, rien de ce qui se produit *nécessairement* (pour ou par l'homme) *n'oblige* l'homme d'en *parler* et si celui-ci décide *librement* de le faire, rien ne *l'oblige* d'en dire telle chose plutôt qu'une autre, voire de ne pas dire le *contraire* de ce qu'il en dit. C'est pourquoi l'homme est *responsable* du *sens* de ce qu'il dit en parlant de n'importe quoi. Et c'est seulement dans la mesure où il est *responsable* que l'homme est non pas seulement un être animé ou animal, mais encore « moral » ou spécifiquement humain.

Seulement, si l'on définit de cette façon la notion stoïcienne de la *Synkatathesis*, son développement complet (correct) se présentera non plus comme un Système philosophique, mais comme le Système du Savoir hégélien. En effet, si l'on situe la Liberté humaine non plus dans le *comportement agissant* (« corporel ») des hommes, mais uniquement dans le *sens ino-*

pérant (« incorporel ») des discours humains, le Sens discursif
doit impliquer en lui-même une diversité spatio-temporelle,
d'ailleurs indépendante de toute diversité spatio-temporelle du
comportement agissant : le Sens lui-même doit se diversifier
par et dans son étendue et se modifier dans et par sa durée.
Or, s'il en est ainsi, la Sagésse discursive que cherche le Philosophe, c'est-à-dire le Discours *vrai* au sens de *permanent* ne
peut se produire et se re-produire (indéfiniment) qu'en tant
que Discours *uni-total* ou comme le Système du Savoir hégélien,
qui dit *tout* ce qu'on peut dire *sans se contre-dire* et qui se
dé-montre en tant que vrai en se montrant comme circulaire.
En effet, d'une part, l'*indépendance* du Sens par rapport à
l'Essence (de l'Objet qui détermine nécessairement, en tant
que Cause agissante, le comportement « objectif » causal ou
agissant) interdit de définir (avec Héraclite) la Vérité discursive
comme un Discours dont le sens « coïncide » avec l'essence à
laquelle ce sens se rapporte et qui lui correspond. D'autre part,
la *diversité* spatio-temporelle du Sens lui-même interdit de
présenter comme (exclusivement) vrai un sens « particulier »
quel qu'il soit, ou est (tôt ou tard quelque part) contre-dit
par un sens (« particulier » lui aussi) qui lui est « contraire ».
Or, si la coexistence (spatiale) de tous les Sens contraires
équivaut au Silence parménidien (que les Stoïciens refusent
dans la mesure même où ils maintiennent l'Anti-thèse héraclitéenne), leur arrangement chrono-logique (ou « systématique ») constitue le Discours uni-total qu'est le Système du
Savoir hégélien (que les Stoïciens refusent dans la mesure où
ils restent des adeptes de la Para-thèse philosophique, en fait
antithétique ou, si l'on veut, aristotélicienne). Ce qui veut dire
que l'on ne peut parler sans se contre-dire qu'en disant entre
autres (du moins implicitement) que le Concept, qui se manifeste
dans la durée-étendue de l'Existence-empirique comme l'ensemble diversifié des Sens ET des Essences (l'Essence étant
un Non-sens et le Sens une Non-essence), mais qui n'*est-donné*
lui-même (en tant que *différent* du Néant et donc comme ce
qui est *commun* au Sens et à l'Essence du fait qu'ils en diffèrent
également tous les deux) NI comme Sens (seulement) NI
(seulement) comme Essence — est la Spatio-temporalité-qui-
est, voire l'Être-donné en tant que spatio-temporel (ou comme
différent du Néant). Or, en tant qu'adeptes de la Parathèse
antithétique ou aristotélicienne, les Stoïciens développaient
(dans et par leur Système philosophique) la notion du Concept
non pas comme étant celle de la Spatio-temporalité, mais
comme notion de l'Éternel mis en relation avec l'Éternité
située dans le Temps.

Cependant, chose curieuse, le développement du Système d'Aristote par les Stoïciens suggérait en quelque sorte à ceux-ci d'interpréter le Concept comme Spatio-temporalité, en raison même de leur Nominalisme (par rapport au Sens) et de leur Conceptualisme (par rapport à l'Essence), les deux étant d'ailleurs authentiquement aristotélicien. En effet, les Stoïciens niaient la réalité-objective (la « corporéité ») du Sens en tant que tel, mais en admettant son existence-empirique (en tant que liée au Morphème), ils le considéraient comme différent du Néant ou comme Être-donné. L'Être-donné se manifeste donc dans la durée-étendue de l'Existence-empirique en tant que Sens (sans être objectivement-réel en tant que celui-ci) et il peut, de ce fait, être lui-même pris et compris en tant que Concept, qui se manifeste aussi dans la durée-étendue de l'Existence-empirique en tant qu'Essence (les Essences « particulières » ou *Logoi spermatikoi* étant en outre objectivement-réelles ou « corporelles », tandis que les soi-disant « Essences » spécifiques, génériques, etc., ne seraient en fait que des Sens, par définition « universels » et de ce fait sans réalité-objective) [22]. Or, les Sens (qui sont censés être tous « universels » et qui sont pratiquement confondus avec les Essences spécifiques, génériques, etc.) ne sont pas seuls à exister-empiriquement sans avoir de réalité-objective (« corporéité ») : ils partagent ce sort avec, d'une part, le Vide et, d'autre part, l'Espace et le Temps. Pour les Stoïciens, le Vide se situe en dehors du Cosmos et il est de ce fait purement spatial, vu que la temporalité dépend du mouvement, qui ne saurait être que cosmique. Mais l'Espace et le Temps, d'ailleurs indissociables l'un de l'autre, sous-entendent le Cosmos objectivement-réel qui existe-empiriquement. L'Être-donné (qui existe-empiriquement sans être objectivement-réel) est ainsi à la fois Sens et Espace-temps, voire Spatio-temporalité sans réalité-objective, qui existe-empiriquement en tant que Durée-étendue. Or, si l'Être-donné se définit à la fois comme Concept, dans la mesure où il se manifeste comme le sens d'une notion, et comme Spatio-temporalité, dans la mesure où il existe-empiriquement en tant que Durée-étendue, rien de plus naturel, semble-t-il, que de définir le Concept comme Spatio-temporalité (ou inversement), d'autant plus que la Durée-étendue se manifeste [non seulement comme existence-empirique des objets, mais] aussi comme développements discursifs des sens notionnels, qui ne se développent en discours que dans la mesure où ils ont une durée-étendue.

Seulement voilà! Hegel fut le premier à trouver tout naturel l'identification du Concept à la Spatio-temporalité [qui suppose, en fait, la trans-formation par Kant du Judéo-christianisme en Système philosophique, voire l'insertion des notions judéo-chrétiennes dans la Philosophie systématique], tandis que les Stoïciens se détournaient avec une horreur tout aristotélicienne d'une telle identification qu'ils ne pouvaient trouver autrement que « côté nature ». Bien au contraire, il leur semblait « tout naturel » de définir le Concept comme l'Éternel qui, par défi-nition, ne peut être dit *éternel* que dans la mesure où il est mis en relation avec l'Éternité, d'ailleurs située dans le Temps, qui est de ce fait même *cyclique*.

Du coup, les Stoïciens peuvent maintenir le « compromis » parathétique (d'ailleurs aristotélicien) entre le « critère » thé-tique (parménidien) de la *permanence* du Sens discursif et le « critère » antithétique (héraclitéen) de la *coïncidence* entre le Sens et l'Essence. Sans doute, il n'y a pas d'Essences éter-nelles au sens platoniciens, qui seraient situées en dehors de la durée-étendue de l'Existence-empirique. Sans doute, les Essences qui existent-empiriquement se diversifient (changent) en fonction de la durée-étendue des objets qui les incarnent. Mais le caractère *cyclique* de la Durée-étendue conditionne le *retour éternel* des mêmes Essences dans l'Existence-empirique, de sorte que le Sens des discours qui se rapportent à ces Essences peut être éternel au sens de *permanent* dans la mesure même où il *coïncide* avec les Essences qui lui correspondent et qui sont éternelles en ce sens qu'elles reviennent telles quelles éternellement (cf. Bréhier, 188 sq).

Or, si les Sens « coïncident » avec les Essences cycliques, c'est qu'ils sont cycliques eux aussi. Et ceci signifie, du moins pour nous, sinon pour les Aristotéliciens eux-mêmes (stoïciens ou autres), que ces soi-disant « Sens » sont en fait des Essences d'Objets naturels, voire animaux, qui sont liées d'une façon nécessaire ou biunivoque à des Corps, dont tout le compor-tement, par définition « corporel » (le comportement « sonore » y compris), est nécessairement déterminé par l'Essence éternelle (cyclique) incarnée dans un tel Objet, qui est la cause agissante de son action causale. En bref, le *Logos* prétendument discursif ou humain n'est en fait lui aussi qu'un *Logos spermatikos* qui détermine d'une façon nécessaire un comportement animal ou silencieux, d'ailleurs cyclique.

C'est ce que nous dit d'ailleurs explicitement Posidonius dans le passage suivant, dont l'orthodoxie stoïcienne (voire aristotélicienne) est incontestable. « Ici aussi [à savoir en ce qui concerne la Voix ou le soi-disant « Langage »] le chemin va, dans un mouvement ascendant continu, des sons simples, uniformes des chevaux et des bœufs à la voix multiple (différenciée) et variable des corneilles et des oiseaux imitateurs, jusqu'à ce qu'il trouve son aboutissement dans la voix articulée et parfaite de l'homme; et la Nature a alors lié ce langage articulé à la pensée et au raisonnement et en fit l'interprète des mouvements de l'Esprit » (*Stoa*, 318). D'où il s'ensuit que ce prétendu « Esprit » n'est qu'un comportement nécessaire (« éternel ») de la Nature (« cyclique »).

Ainsi, *en définitive*, en développant l'Aristotélisme au-delà d'Aristote, les Stoïciens n'ont pas pu ou voulu dépasser les cadres du Système aristotélicien : loin d'atteindre le Système du Savoir hégélien, ils ne se sont même pas avancés jusqu'au Système philosophique de Kant. Sans doute ont-ils distingué mieux qu'Aristote tant entre le Sens et le Morphème qu'entre le Sens (défini [à tort] comme seulement « universel » et privé [à juste titre] de réalité-objective) et l'Essence (comprise [à tort] comme seulement « particulière » et comme étant en tant que telle, objectivement-réelle). Mais en continuant à définir le Concept avec Aristote comme l'Éternel mis en relation avec l'Éternité située dans le Temps, ils développèrent un Système philosophique qui n'impliquait pour nous que la seule Essence, le Sens restant en fait en dehors de lui, en tant qu'une Évidence discursive ou « notion commune » qui ne dé-montre pas l'humain dans l'Homme en tant que Liberté ou Action-discursive, voire Discours-agissant, mais le *montre* seulement : soit dans et par le fait même du Discours (l'Homme en tant qu'Être-parlant), soit comme une « donnée immédiate » de la Conscience [sinon religieuse ou sensible, du moins morale, (le « sens du devoir »)], qui contre-dit d'ailleurs (en fait) le Système stoïcien dès qu'elle cesse (pour nous) d'être silencieuse ou animale.

5° En parlant du Discours en tant que tel, les Stoïciens ont développé le Système aristotélicien plus et mieux qu'Aristote lui-même en distinguant très clairement le *sens* (« incorporel ») de tout ce que l'on dit de l'*essence* (« corporelle ») de tout ce dont on parle, le Sens (« incorporel ») étant de ce fait nettement distingué du Morphème (« corporel »). De plus, en parlant du Discours « en général », ils complétèrent ce qu'en avait dit Aristote, car ils distinguèrent clairement les trois grandes « modalités » discursives. D'une part, ils distinguèrent explicitement le Discours théorique (qui parle *de* quelque chose) du Discours pratique (qui parle *à* quelqu'un). D'autre part, ils semblent avoir établi du moins implicitement une distinction entre le Discours théorique compris comme Discours *exclusif*, qui est celui des Sciences « encycliques » ou des « Vérités » particulières ou isolées (dont chacune *exclut* non seulement l'Erreur, mais encore toutes les Vérités autres qu'elle-même),

et le Discours philosophique, compris comme Discours *synthé-*
tique, censé devoir et pouvoir s'intégrer en un Discours uni-total
ou en Système (triparti) de la Philosophie.

En philosophes authentiques (et en suivant Aristote), les
Stoïciens parlèrent non pas seulement de *ce dont* on parle
(en tant que Théologiens, Savants ou Moralistes), ni uniquement
(en tant que « Logiciens formels » ou « Psychologues ») de ce
qu'on *dit*, mais des deux à la fois. En d'autres termes, ils parlèrent de tout ce dont on parle, en tenant et en rendant compte
du fait qu'on en *parle* et, lorsqu'ils parlèrent de ce que l'on
dit (eux-mêmes y compris), ils tenaient et rendaient compte
du fait qu'on le dit en parlant *de ce dont* on parle. En bref, ils
développèrent un discours *philosophique*, par définition ambivalent puisque se rapportant à la fois à *ce dont* on parle et à
ce que l'on *dit*.

Les « modalités » irréductibles fondamentales de ce discours
ambivalent s'appelaient, d'après Aristote, *Catégories*. Par définition, les Catégories distinguent à la fois des catégories du
Discours, dans la mesure où celui-ci parle de quelque chose et
du Quelque-chose, dans la mesure où l'on en *parle*. Or, tout en
restant dans le cadre aristotélicien, les Stoïciens ont nettement
progressé par rapport à Aristote, en ce qui concerne tant la
distinction entre les différentes Catégories que la définition
de chacune d'elles. Et c'est ce qu'il nous faut rappeler brièvé-
ment.

Tout d'abord, les Stoïciens semblent avoir été les premiers
à dégager la Catégorie *Quelque-chose* (τί), en la distinguant
de toutes les autres. N'importe quoi est Quelque-chose, dans la
mesure où l'on en parle, et en parlant de n'importe quoi, on
parle de Quelque-chose. Peu importe, en particulier, que ce
dont on parle soit dit être « corporel » ou « incorporel », c'est-
à-dire objectivement-réel ou non. Le Quelque-chose (dont on
parle) est donc *commun* à ce qui existe-empiriquement en tant
qu'objectivement-réel (un Objet, par exemple) et ce qui existe-
empiriquement sans avoir de réalité-objective (par exemple
une Notion, voire le Sens de cette notion). C'est dire que,
pour nous, la catégorie stoïcienne du Quelque-chose est, en
fait, la notion hégélienne de l'Être-donné, par définition
commune à la Réalité-objective et à l'Existence-empirique
prises en tant que telles.

Quant aux notions stoïciennes du Corporel et de l'Incorporel,
elles ne recouvrent exactement aucune des notions hégéliennes
fondamentales. Sans doute, n'étant pas objectivement-réel tout
en étant autre chose que Quelque-chose, l'Incorporel se situe

dans l'Existence-empirique. Mais, d'une part, il n'épuise pas celle-ci, vu que le Corporel lui aussi existe-empiriquement (tout en ayant une réalité-objective). D'autre part, l'Incorporel semble coïncider, chez les Stoïciens, avec le Quelque-chose et ne pas avoir d'existence-empirique proprement dite, qui sera équivalente à celle du Corporel. Dans la mesure où le Corporel est défini en tant qu'Opposition-irréductible (« dureté ») et Inter-action, sa notion semble coïncider avec la notion hégélienne de la Réalité-objective. Mais, en fait, les Stoïciens identifient plutôt cette notion avec celle de l'Existence-empirique, puisqu'ils admettent l'*interpénétration* (« mélange total ») de tous les « Corps ». On peut donc dire que la notion stoïcienne du Corporel est à cheval sur les notions hégéliennes de l'Existence-empirique et la Réalité-objective (celle de l'Être-donné étant exclue à tort), tandis que celle de l'Incorporel est à cheval sur les notions de l'Existence-empirique et l'Être-donné (celle de la Réalité-objective étant exclue avec raison).

Quoi qu'il en soit, les *Catégories* stoïciennes proprement dites (dérivées, par réduction, des Catégories d'Aristote) sont des distinctions établies à l'intérieur de la notion du Corporel, prise en tant que notion de l'Existence-empirique ou de la Monade, d'ailleurs comprise comme Phénomène.

Comme on voit, ces Catégories sont au nombre de cinq (au lieu de dix d'Aristote) et (comme chez Aristote) la première se distingue de l'ensemble des autres, en tant que leur « base » commune. Cette première Catégorie est l'*Hypokeimenon*. Comme chez Aristote, il s'agit en fait, chez les Stoïciens, de ce qui est pour nous la notion de l'*Objet* (la Notion étant elle aussi un Objet dans l'Aristotélisme; du moins pour nous, sinon pour Aristote et les Stoïciens), sauf qu'Aristote met l'accent sur l'Essence [= « Forme »] d'ailleurs *incarnée*), tandis que les Stoïciens accentuent le Corps [= « Matière »] (d'ailleurs *informée*). Quoi qu'il en soit, il s'agit chez les deux de *Monade*, c'est-à-dire d'une unité non seulement distincte de toutes les autres (qui constituent dans leur ensemble le Milieu), mais encore différenciées (structurées) en elles-mêmes. Et la Monade aristotélo-stoïcienne est un *Organisme* (vivant) et donc un *Phénomène*, vu qu'il se manifeste en tant que Perception (ne serait-ce que « virtuelle », dans les choses inanimées ou « inconscientes », voire semi-conscientes, chez les plantes, la Perception « actuelle » étant animale).

Lorsque le Phénomène se trans-forme [sans que les Aristotéliciens puissent dire comment et pourquoi et bien qu'ils se contre-disent en le disant] en Notion développable ou Discours, c'est *de* l'*Hypokeimenon*, c'est-à-dire *de* la Monade que l'on parle. Et ce que l'on *en dit* appartient nécessairement à l'une des quatre autres Catégories, voire à une de leurs combinaisons quelconque. Si l'on parle « exclusivement » de la Monade elle-même, on peut parler soit de son *Poion*, soit de son *Pos exon*, soit des deux à la fois. En utilisant le langage spinoziste, on pourrait traduire *Hypokeimenon, Poion* et *Pos exon* respective-ment Substantia, Attributia et Modus. Or, pour reparler aris-totélicien, on pourrait entendre par *Poion* la « Forme » ou le *Eidos*, voire les « Qualités essentielles » de la Monade et par *Pos exon* ses *Symbebekota*. Mais en fait et pour nous (sinon pour les Stoïciens eux-mêmes) le *Poion* est la « structure » de *l'étendue* de la Monade, tandis que le *Pos exon* est celle de sa *durée*. Ainsi, n'étant pas *temporel*, le *Poion* peut être dit « éternel » au sens de toujours identique à lui-même ou immuable, voire d' « essentiel » (ou de correspondant à la « définition », par définition « vraie » au sens d'« éternelle », qui s'y rapporte). Par contre, le *Pos exon* varie en fonction de la durée de la Monade (et peut donc aussi varier d'une Monade à l'autre, même de même « essence » ou « espèce ») [la variation étant d'ailleurs cyclique et donc elle aussi « éternelle »]. Par conséquent, nous pouvons « traduire » *Poion* par *Structure* (simultanée) et *Pos exon* par *Comportement* (successif). Par ailleurs, le comportement de la Monade la met *en relation* avec elle-même (en tant que future ou passée) et, par extension, le Comportement peut être aussi pris et compris comme un comportement *dans le Milieu*, voire comme une mise en relation avec celui-ci [l'*habitus* ou l'*avoir* du Milieu; d'un vêtement, par exemple]. Mais parler de Comportement, c'est parler d'un comportement *de la Monade* (= Organisme) et d'elle seule : c'est d'elle et d'elle seule que l'on parle, tout en la mettant en relation avec le Milieu. Si l'on veut par contre parler de cette mise en relation elle-même, voire de la relation entre la Monade *et* le Milieu, c'est dans la (cinquième et dernière) catégorie du *Pros ti pos exon* que l'on parle. Autrement dit, le *Pros ti pos exon* est pour nous la notion de la *Relation* ou de l'*Interrelation*.

Or, pour nous, les Organismes et leurs Milieux constituent dans leur ensemble la Biosphère ou le Monde (vivant). Nous pouvons donc dire qu'en parlant du *Pros ti pos exon* on parle du Monde lui-même, en tant que constitué par les interrelations de ses éléments qui sont des Monades (organiques) (cf. la « Sym-pathie universelle » des Stoïciens, notamment de Posidonius). Par contre, en parlant du *Poion*, on ne parle que de ces Monades elles-mêmes, chacune étant prise comme isolée de toutes les autres (qui constituent ensemble son Milieu). Quant au *Pros exon*, on en parle lorsqu'on parle d'une Monade (organique) en tant que située (= se comportant) dans son Milieu. [Parler du

Milieu où se situe une, ou plutôt les Monades, c'est parler du Monde et donc du *Pos ti pros exon*]. Enfin, l'*Hypokeimenon* est une catégorie « universelle » (en fait celle de la Monade, voire du Phénomène), dont on parle lorsqu'on parle tant d'une Monade ou de sa *Structure*, que du Monde ou de *l'Interrelation* des Monades, voire du *Comportement* de celle-là dans celui-ci (les Monades en question étant des Organismes [animaux] et l'ensemble constitué par leur Interrelation la Biosphère).

Nous voyons donc que les Stoïciens se sont rapprochés de très près des Catégories hégéliennes. Sauf qu'ils n'ont pas vu que leurs Catégories n'étaient que celles de l'Existence-empirique, prise et comprise comme un Monde, où tout est vivant et où rien n'est inanimé ou discursif, malgré les apparences. Et c'est précisément dans et par cette insuffisance de leurs Catégories que se manifeste le caractère parathétique antithétique, voire aristotélicien de la Philosophie stoïcienne.

6° Il nous reste à repasser rapidement en revue les progrès réalisés par les Stoïciens dans le cadre du Système philosophique d'Aristote, dans la mesure où ils ne touchèrent pas à ce cadre (ne dogmatisèrent pas son contenu).

Bien que la notion du Système du Savoir ait été développée par les Stoïciens d'une façon beaucoup plus correcte et complète qu'elle ne le fut par Aristote lui-même, le Système stoïcien (dé-dogmatisé) reste en fait authentiquement aristotélicien en ce sens qu'il ne développe que la notion parathétique antithétique du Concept. Par ailleurs, la tripartition de ce Système reste chez eux encore très floue, bien qu'ils aient apporté certaines précisions à la division aristotélicienne [même dans la mesure où ils n'ont pas procédé à un *remaniement* du Système d'Aristote; ce dont je reparlerai dans la Section suivante].

En ce qui concerne *l'Onto-logie*, il y a tout d'abord la nouvelle notion du *Quelque-chose*, déjà assez proche de la notion hégélienne de l'Être-donné. Toutefois, elle est partiellement confondue avec la notion de l'Existence-empirique, dans la mesure où le Concept (c'est-à-dire la Différence entre l'Être et le Néant, voire l'Être-donné-en-tant-que-différent-du-Néant) est confondu avec le Sens, le *Lekton* étant généralement compris comme n'étant ni plus ni autre chose que le *Ti*. Ensuite, il y a un progrès en direction de l'identification du Concept (d'ailleurs mécompris comme Sens) avec la Spatio-temporalité (avec le *Topos* et le *Chronos*, d'ailleurs indissociables). Mais la distance à franchir pour arriver de là à Hegel reste encore très grande. D'une part, *Topos* et *Chronos* sont l'équivalent non pas de la

Spatio-temporalité, mais de la Durée-étendue ou (et) à la rigueur de l'Espace-temps. D'autre part, si le *Kenon* équivaut à la Spatialité (encore qu'il se situe *spatialement* « en dehors » du *Topos*, complètement « rempli » par le Corps), il est privé de tout élément de Temporalité [23]. D'ailleurs, aucun rapprochement n'est tenté entre le *Lekton* d'une part et, d'autre part, le *Kenon* ou le *Topos-Chronos*. Ce qui est naturel, vu que *Lekton* signifie Sens et non Concept et que le *Kenon* n'est pas temporel, tandis que le *Topos-Chronos* est une notion phénoméno-logique ou énergo-logique et non pas onto-logique.

En ce qui concerne l'Énergo-logie, les Stoïciens maintiennent les notions aristotéliciennes du Contraire et de l'Action-Passive (qui sont les homologues des notions hégéliennes de l'Opposition-irréductible et de l'Interaction) et ils précisent et développent davantage leurs définitions. Ainsi, en un certain sens, la notion stoïcienne du Corporel équivaut à la notion hégélienne de la Réalité-objective. Mais ici encore tout reste flou et partiellement « erroné ». Sans doute, les Stoïciens améliorent Aristote dans la mesure où ils ne situent pas la Réalité-objective (prise comme seul *Ouranos*) *en dehors* de l'Existence-empirique (prise comme Monde sublunaire seulement), celle-ci étant d'ailleurs comprise chez les deux comme Biosphère. (Par ailleurs, l'Être-donné continue, dans une certaine mesure, à se situer *en dehors* de la Réalité-objective). Mais en considérant tous les Corps comme intérieurement structurés (c'est-à-dire comme monades) et en admettant l' « interpénétration » de tous les Corps, ils interprétèrent en fait l'Interaction objectivement-réelle comme une Interrelation phénoménale. Autrement dit, les Stoïciens substituent en fait une Phénoméno-logie (bio-logique) à l'Énergo-logie (qui se réduisait chez Aristote à la seule « Astronomie »), qui est pour nous absente de leur Système.

Quoi qu'il en soit, c'est dans la *Phénoméno-logie* que les Stoïciens ont réalisé le plus de progrès, tout en conservant son caractère « exclusivement » bio-logique ou « aristotélicien ». D'une part, en mettant en évidence le caractère structuré du *hic et nunc*, ils distinguèrent mieux qu'Aristote entre la Durée-étendue (en tant qu'ensemble des *hic et nunc*) et l'Espace-temps (dont ils ne parlèrent d'ailleurs pas, en fait). D'autre part, ils développèrent plus avant et mieux qu'Aristote la notion de Monade ou d'Unité-structurée. Mais tout comme ce dernier ils ne parlèrent en fait de Monades que comme d'Organismes, en « vitalisant » tant l'Inanimé que l'Humain. C'est pourquoi, en parlant du Phénomène, ils ne mirent pas en évidence le fait que seule la Monade *animale* est un Phénomène en tant que tel, tandis que l'Inanimé (et le Végétal) n'est un Phénomène que pour l'Animal (et pour l'Homme en tant qu'animal) et que c'est seulement pour l'Animal que l'Humain est Phénomène *seulement*, tandis que pour lui-même il est aussi Notion, c'est-à-dire Morphème et Sens. Toutefois, dans l'analyse du Phénomène animal et donc de la Perception, les Stoïciens firent quelques progrès, d'ailleurs mineurs, par rapport à Aristote.

En résumé, même dans la mesure où ils n'ont pas *remanié* le Système aristotélicien, les Stoïciens ont réalisé des progrès notables en ce qui concerne l'étendue et la correction de son *développement*, comparé à celui d'Aristote. Mais ils ont encore fait plus, sinon mieux : ils ont essayé (sans grand succès, d'ailleurs) de *remanier* le Système d'Aristote.

C'est ce dont il me faut parler maintenant, tout en prévenant que ce remaniement du Système *d'Aristote* ne signifie nullement, en fait et pour nous (et peut-être même pour les Stoïciens eux-mêmes), que le Système stoïcien (dé-dogmatisé) a cessé d'être un Aristotélisme authentique.

Les « *corrections* » stoïciennes du Système d'Aristote.

Les remaniements apportés par les Stoïciens au Système d'Aristote portent à la fois sur *la structure* d'ensemble (1º) de celui-ci et sur le « contenu » de chacune de ses *trois Parties* (2º, *a-b-c*).

1º En ce qui concerne *la structure d'ensemble du Système philosophique*, les Stoïciens furent, semble-t-il, les premiers à y introduire la « Logique » comme l'une de ses trois Parties fondamentales. Or, Aristote a situé sa « Logique » en dehors du Système, en n'y voyant qu'un « instrument » *(organon)*, d'ailleurs indispensable, pour le développement (correct et complet) du Discours philosophique ou synthétique, voire systématique. A première vue, les Stoïciens ont donc procédé à un remaniement profond et radical de l'Aristotélisme, dans le sens de sa trans-formation en Hégélianisme.

Sans doute, Aristote (à la suite de Platon) avait déjà établi la tripartition du Système philosophique. Dans son élaboration « inductive », ce Système se développait en trois étapes successives, la première étant une Phénoméno-logie (en fait « exclusivement » bio-logique), la deuxième — une Énergo-logie (censée se rapporter au seul « Monde céleste », extérieur, voire « supérieur » au « Monde terrestre ») et la troisième — une Onto-logie (interprétée, en dernière analyse, en tant que Théologie). Mais dans sa présentation « déductive », ce même Système se développant d'abord en tant qu'une Onto-logie (qui pré-suppose une Énergo-logie), puis comme une Énergo-logie (qui sup-pose l'Onto-logie sans pré-supposer, à proprement parler, une Phénoméno-logie) et enfin en tant que Phénoméno-logie (qui sup-pose une Énergo-logie qui ne la pré-suppose pas). Mais aucune des trois Parties de ce Système philosophique n'impliquait la « Logique » en tant qu'élément-constitutif. Ainsi, bien que chacune de ces Parties et donc le Système dans son ensemble, sup-posait « la Logique », celle-ci n'en pré-suppose aucune et ne peut donc pas servir de point de départ à la déduction du Système pris dans son ensemble.

Pour nous, cet état de choses témoigne d'une extraordinaire « probité philosophique » d'Aristote (qu'elle soit « consciente » ou non). Car, en fait, l'Être-donné aristotélicien bien qu'il soit appelé *Nous* ou *Theos*, est tout aussi « silencieux » (non discursif) que la Réalité-objective uniquement « sidérale » et l'Existence-empirique exclusivement animale. Dans ces conditions, la « Logique » qui parle du Discours *(Logos)* en tant que tel et donc aussi du Discours qui se développe en Système philosophique, ne peut pas être introduite dans ce Système lui-même, où le Discours est en fait absent. D'où le caractère « formel » de la *Logique* d'Aristote.

Si Aristote avait été un philosophe moins « rigoureux », il aurait pu prétendre (à tort) que sa Phénoméno-logie comportait une Anthropologie, qui parle de l'Homme comme d'un « agent libre » et comme d'un « être pensant » (au sens de discourant), en re-disant ainsi de l'Homme ce que lui-même en dit par ailleurs « dans le privé ». Dans ce cas, il aurait certes pu introduire sa *Logique* dans son Système philosophique. Mais il n'aurait pu le faire — comme l'ont fait beaucoup d'« Empiristes » ou de pseudo-aristotéliciens modernes) qu'en impliquant la « Logique » dans la description phénoméno-logique du comportement de l'animal *Homo sapiens*, ce comportement étant considéré (à tort) comme « conscient et volontaire », voire « libre », c'est-à-dire comme discursif et agissant. On aurait alors une soi-disant « Logique », dite « empirique » ou « psychologique », voire une « Psychologie » du discours, présenté comme « langage » ou comme « pensée pure ».

Mais les Stoïciens ne firent rien de tel. En introduisant la *Logique* d'Aristote dans le Système aristotélicien, ils en firent non pas un élément-constitutif de leur Phénoméno-logie (d'ailleurs, en fait, tout aussi exclusivement bio-logique que celle d'Aristote lui-même), mais la première (ou dernière) Partie du Système pris dans son ensemble.

« Les Stoïciens utilisent comme image de la Philosophie [celle du] verger, où la *Physique* correspond aux arbres tendant vers le ciel, l'*Éthique* aux fruits qui donnent la nourriture et la *Logique* aux murs qui assurent la sécurité. Certains étaient d'avis que la Philosophie ressemblait à l'œuf : au jaune (qui, d'après certains, est déjà le poussin) correspond l'*Éthique*, au blanc (qui est la nourriture du jaune) la *Physique*, à la coquille extérieure rigide la *Logique*. Mais Posidonius déclarait qu'en raison du fait que les parties de la Philosophie sont liées les unes aux autres d'une façon indissoluble, on doit plutôt comparer celle-ci avec l'organisme d'un animal : la *Physique* avec le sang et la chair, la *Logique* avec les os et les muscles et l'*Éthique* avec l'âme » (*S.V.F.*, II, 38; *Stoa*, 24).

Sans doute, la première comparaison, où la *Logique* est assimilée non pas, comme on s'y attendrait, au sol nourricier (d'ailleurs « homogène ») des fruits (qui en tant que « nourriture », c'est-à-dire dans l'aspect « phénoménal », au sens de « biologique ») par le truchement des arbres (objectivement-réels et sans « valeur existentielle »), mais aux murs « extérieurs », est encore très proche de la conception aristotélicienne de la « Logique » comme d'un « instrument ». Mais la comparaison avec l'œuf remanie profondément la façon de voir d'Aristote. D'une part, on ne peut pénétrer (« déductivement ») dans le noyau « éthique » du Système qu'en traversant successivement ses couches « logique » et « physique ». D'autre part, le développement (« inductif ») du Système à partir de son noyau « éthique » (qui est monadique, puisque [virtuellement] structuré, et phénoménal, en tant que futur poulet qui nourrira un animal [humain] passe par une couche « physique » (le blanc « nourrissant » le jaune comme l'arbre « nourrit » ses fruits, de sorte que l'existence-empirique [phénoménale] du noyau « éthique » se pose comme sup-posant la couche [intermédiaire] « physique » objectivement-réelle, qui la pré-suppose dans la mesure où elle la nourrit, pour aboutir à l'enveloppe « logique » (la couche enveloppée sup-posant la couche enveloppante qui la pré-suppose dans la mesure où elle l'enveloppe), qui achève et parfait le tout en tant qu'unité structurée ou tripartie. Enfin la comparaison avec l'organisme animal met bien en évidence les trois Parties en tant qu'éléments-constitutifs du Système uni-total. Sauf qu'on s'attendrait à voir la *Logique* nommée en premier lieu, à la place de la *Physique*, qui viendrait en second lieu. Alors, le Système aurait une structure (« déductive ») normale et le *sang* correspondrait bien à l'Être-donné « homogène » et « omni-présent », tandis que le *squelette* représenterait la « résistance » (l'Interaction) de la Réalité-objective, l'*âme* se présentant comme manifestation phénoménale (d'ailleurs « bio-logique ») de l'Existence-empirique (ou comme l'« Entéléchie » de la Monade animale).

Or, en nous trouvant en présence de cette structure (« déduc-tive ») du Système stoïcien, nous sommes portés à croire que sa (première) Partie onto-logique est appelée *Logique* parce qu'elle développe la notion du Concept, tandis que la «Théologie » implique dans sa (deuxième) Partie énergo-logique, appelée *Phy-sique*, et se contente de développer la notion de la « Nécessité » objectivement-réelle (*Heimarmenê* au sens de *Anankê* et non de *Pronoia* [cette « Nécessité » étant d'ailleurs, pour nous et en fait, « statistique »]) et que la (troisième et dernière) Partie phéno-méno-logique développe, sous le nom d'*Éthique*, la notion de l'*âme* (diffuse dans le *sang*, mais sans *squelette* qui lui soit propre), comprise comme Discours agissant ou Action discursive. Mais, en fait, il n'en est rien. Car tout comme celui d'Aristote, le Système des Stoïciens ne parle (sans d'ailleurs pouvoir dire, sans se contre-dire, comment et pourquoi il le fait) que de ce qui se comporte, en fait et pour nous, d'une façon «silencieuse », au sens de non discursive.

Ce fait se manifeste à nous par le contenu même de la *Logique* stoïcienne. Bien que les Stoïciens prétendent développer leur *Logique* comme (première ou dernière) Partie du Système (déductif ou inductif), cette *Logique* est, en fait et pour nous et même pour les Stoïciens eux-mêmes, non pas une Onto-logie, mais une « Logique *formelle* » au sens aristotélicien de ce terme. Pratiquement, les Stoïciens se sont contentés de re-produire telle quelle la « Logique » d'Aristote, en lieu et place de l'Onto-logie, qui est en fait seule susceptible de faire fonction de (première ou dernière) Partie d'un Système philosophique pro-prement dit, voire du Système du Savoir hégélien [24].

En résumé, les Stoïciens ont élaboré le « cadre vide » d'un Système philosophique dont la structure est (pour nous) identique à celle du Système du Savoir hégélien. Mais le « contenu » du Système stoïcien ne diffère pas (en fait) essen-tiellement de celui du Système d'Aristote. Or, ce dernier a eu raison d'exclure du Système une *Logique* qui n'était en fait ni une onto-logie du Concept (*Nous* [« divin »]) ni une phénoméno-logie du Discours (*Logos* [humain]). En restant en dehors d'un Système *aristotélicien*, la *Logique* d'Aristote pouvait au moins être maintenue en tant que « Logique *formelle* », tandis que son inclusion dans ce Système l'aurait détruite en tant que « Logique », en en faisant une « *Psychologie* » qui ne saurait décrire, du moins pour nous, qu'un aspect du comportement *animal,* en fait *non* discursif. Dans la mesure où, à la suite d'Aristote, les Stoïciens ne parlaient pas (en fait et pour nous) dans leur Système de l'Être-donné comme se manifestant dans la durée-étendue de l'Existence-empirique en tant que *Logos* proprement dit ou *Discours* (en fait humain), en n'y parlant que de la manifestation de l'Être-donné en tant qu'*Essence* ou *Physis* (leur soi-disant « *Logos* » n'étant en fait qu'une *Physis,* d'ailleurs pratiquement interprétée moins comme ce qu'eux-mêmes appelaient *Physis* ou « Nature *végétale* », que comme « Nature *animale* » qu'ils appelaient Psyché, à la rigueur susceptible de dégénérer en *Hexis* ou « Nature *minérale* », mais incapable de se sublimer en Discours ou *Logos* au sens propre du mot, ce sens étant d'ailleurs aussi celui du mot dont les Stoïciens se servaient lorsqu'ils parlaient non plus en tant que philosophes, mais en simples « profanes »), le discours sur le Discours n'avait pas de place dans le Système stoïcien et ne pouvait être développé qu'en dehors de ce Système, en se présentant de ce fait comme une « Logique *formelle* » ou « aristotélicienne », dont la Philosophie se sert nécessairement comme d'un « instrument » *(organon),* sans d'ailleurs pouvoir dire (sans se contre-dire) comment et pourquoi elle doit et peut le faire.

2° Quoi qu'en aient dit les Stoïciens eux-mêmes, la *Logique* stoïcienne (qui re-dit la « Logique *formelle* » d'Aristote) se situe en dehors de leur Système. Mais même privée de sa soi-disant (première ou dernière) « Partie » appelée *Logique,* ce Système se présente non seulement comme un *développement,* mais encore comme un *remaniement* de celui d'Aristote et ceci dans chacune de ces trois Parties systématiques. Il nous faut donc passer ces remaniements brièvement en revue, en adoptant pour le faire l'ordre « déductif » par exemple, c'est-à-dire en commençant par l'Onto-logie.

a) Dans l'*Onto-logie,* le remaniement stoïcien du Système d'Aristote se présente comme le remplacement de la notion du « Premier-moteur » *immobile* (qui meut tout, sauf soi-même) par celle d'un Moteur-*mobile,* qui meut tout en se mouvant aussi soi-même.

Or, ce remaniement peut être considéré de deux points de vues différents (bien que complémentaires). D'une part, la suppression de l'immobilité (d'origine parménido-platonicienne) du *Theos* est une « dernière conséquence » de la notion aristotélicienne (d'origine héraclitéenne) de l'Incarnation du Dieu dans le *Cosmos.* D'autre part, cette même « mobilisation » du *Theos* supprime la seule exception (également d'inspiration parménido-platonicienne) au principe aristotélicien de la Cyclicité, qu'admettait encore Aristote lui-même. Si Dieu lui aussi se meut (bien entendu, en rond), la Temporalité elle-même est cyclique (et non seulement le Temps et la Durée). Et si Dieu est mobile lui aussi, il n'y a plus rien en dehors du Mouvement cosmique et donc du Cosmos lui-même. On se trouve alors en présence de ce qu'on a appelé le « Panthéisme » stoïcien (d'inspiration héraclitéenne). Et il nous faut voir ce que cela signifie, compte tenu de ce que signifie ce que l'on appelle par ailleurs le « Matérialisme » stoïcien.

En ce qui concerne l'*Incarnation* du *Theos*, deux cas sont à distinguer.

En tout état de cause, les Stoïciens éliminent la *double* transcendance du *Theos* parménido-platonicien, l'immobilité du *Theos* aristotélicien étant, chez Aristote, un résidu de la *deuxième* transcendance. Le *Theos* d'Aristote, tout en s'incarnant dans l'*Ouranos* (en tant que moteur), restait, néanmoins, transcendant (en tant qu'immobile) par rapport à ce Monde céleste (objectivement-réel), lui-même transcendant par rapport au Monde terrestre (existant-empiriquement). Chez les Stoïciens, le *Theos* s'incarne pour ainsi dire complètement : il n'y a plus de Dieu *en dehors* du Monde. Mais la question se pose : duquel? Et c'est là que deux cas doivent être distingués, selon que le Monde qui incarne Dieu est (seulement) « céleste » ou (aussi) « terrestre ».

Dans le premier cas, les Stoïciens auraient seulement « corrigé » le Système d'Aristote, en en éliminant les séquelles du Platonisme (d'origine parménidienne). La Théologie resterait païenne en ce sens que le *Theos* serait encore *transcendant*, sauf que cette transcendance cesserait complètement d'être *double*. L'Être-donné (d'ailleurs non « conceptuel », puisque seulement spatial et non aussi temporel) ne serait plus « divin » et le Divin serait tout entier ce qu'est chez Aristote le *Theos* en tant qu'incarné dans l'*Ouranos*, c'est-à-dire une multiplicité (d'ailleurs définie ou finie) de moteurs mobiles sidéraux, voire de divinités astrales. Tout comme celle d'Aristote, la Théologie stoïcienne serait païenne au sens de polythéiste. Il y aurait, si l'on veut, un développement plus correcte du Système d'Aristote, mais non pas un remaniement proprement dit du Système aristotélicien.

Si par contre le *Theos* est censé s'incarner (complètement) dans le Monde sublunaire, il y a remaniement profond, puisque dans ce cas il n'y aurait plus de transcendance du tout et donc plus aucun Théisme (ni, par conséquent, Panthéisme). Il nous faut donc voir ce qu'il en est du Stoïcisme de ce point de vue. Mais on peut dire dès maintenant que même en admettant que le

Système stoïcien ne comporte plus aucune transcendance, ce Système n'a rien à voir avec le Système du Savoir hégélien (ou « anthropo-théiste »). Car en l'absence de toute transcendance, le soi-disant « Panthéisme » stoïcien ne saurait être, en fait et pour nous, autre chose que « Matérialisme ». Et il faut voir ce que cela signifie.

Or, c'est précisément le deuxième aspect du remaniement stoïcien qui nous permettra de le comprendre. Si, en l'absence de toute transcendance, la (Spatio-)-temporalité elle-même est *cyclique*, la Durée(-étendue) doit l'être également. Ce qui veut dire que l'Existence-empirique est non pas (aussi) historique (et donc discursive), mais uniquement vitale (et donc « silencieuse »). Ceci trans-formerait l'Aristotélisme authentique (essentiellement poly-théiste) en un « Naturalisme » qui, en se dogmatisant, voire en se trans-formant en Théorie dogmatique, donnerait un « Scientisme » du type de celui qui fut à la mode au siècle dernier et que l'on peut appeler, si l'on veut, « Matérialisme » (non « dialectique »), qui est, en fait et pour nous (sinon pour ses adeptes) un « Biologisme » (qui, bien entendu, ne peut pas rendre compte du fait qu'il se présente lui-même comme un *discours*, d'ailleurs généralement pseudophilosophique).

Sans doute, dans la mesure où l'Aristotélisme dogmatisé qu'est le Stoïcisme (para-)philosophique fait appel à des Évidences (discursives) de caractère théologique ou éthique, il est tout autre chose qu'un « Naturalisme » explicite. Mais dans la mesure où les Évidences auxquelles font appel les Stoïciens ont un caractère « scientifique », leur Système (para-) philosophique revêt une allure « naturaliste ». Il suffirait donc qu'un stoïcien renonce complètement aux Évidences éthiques et théologiques et ne fasse appel qu'aux seuls Évidences « scientifiques », pour que son Système (paraphilosophique) se présente comme un Aristotélisme (dogmatisé) remanié dans le sens de ce que sera le « Naturalisme » ou le « Scientisme » du xixe siècle. Or, dès que ces Évidences (discursives) « scientifiques », (d'ailleurs « exclusives ») sont remplacées par des « données immédiates (c'est-à-dire non discursives) de la Conscience extérieure », c'est-à-dire par des Expériences (silencieuses) « sensibles » (elles aussi « exclusives »), le Système paraphilosophique en cause dégénère en une Théorie dogmatique scientifique pseudo-philosophique que l'on peut appeler « matérialiste ».

Nous connaissons trop peu d'écrits stoïciens pour pouvoir affirmer ou nier qu'il y a eu parmi eux des exemples d'un véritable Naturalisme (ou Scientisme) paraphilosophique ou d'un Matérialisme pseudo-philosophique explicite. Mais si l'existence d'un Matérialisme « épicurien » rend peu probable son apparition au sein de l'école stoïcienne, le peu que nous savons des doctrines professées par un Posidonius laisse supposer que l'Aristotélisme dogmatisé des Stoïciens a pu parfois être remanié dans le sens d'un Naturalisme ou Scientisme paraphilosophique explicite.

Quoi qu'il en soit, il n'y a pas de doute que si le Matérialisme « moderne » se rattache (historiquement) en tant que *Théorie* à la Science dogmatique qui remonte (systématiquement) à Démocrite (en passant historiquement par Lucrèce), il est lié (systématiquement), en tant que (pseudo-)*philosophie* au Naturalisme ou Scientisme (para-)philosophique qui est (systématiquement et historiquement) une « dégénérescence » de l'Aristotélisme dogmatisé par les Stoïciens au cours de laquelle les Évidences théologiques et éthiques furent éliminées au seul profit des Évidences « scientifiques ».

Reste à savoir si le Système stoïcien dé-dogmatisé peut lui aussi être interprété comme un remaniement de l'Aristotélisme authentique dans la direction d'un « Naturalisme » ou d'un « Scientisme ». Or, puisque la réponse à cette question dépend de la présence ou de l'absence d'une (simple) transcendance dans ce Système, c'est-à-dire de l'absence ou de la présence d'une Réalité-objective (céleste) transcendante (voire extérieure) par rapport à l'Existence-empirique, c'est de l'Énergo-logie stoïcienne qu'il faut maintenant parler.

b) L'interprétation de l'Énergo-logie stoïcienne dépend du rôle qu'on attribue à l'*Éther* d'Aristote dans le Système stoïcien. On peut prendre à la lettre la prétendue « élimination » de l'Éther par les Stoïciens. Il faudra alors admettre que le Stoïcisme nie toute expèce de transcendance, y compris la Transcendance aristotélicienne (simple) de la Réalité-objective (sidérale) par rapport à l'Existence-empirique (sublunaire). Mais, en fait, les textes stoïciens que nous connaissons distinguent (bien que d'une façon « confuse ») entre, d'une part, le « Feu subtil » ou « pur » qui constitue à lui seul le Monde céleste et, d'autre part, les éléments constitutifs du Monde terrestre, dont le Feu « ordinaire » ou « élémentaire » fait partie. Or, s'il en est ainsi, seuls les mots ont changé et l'Énergo-logie stoïcienne se présente à nous comme une simple redite de celle d'Aristote, sauf que celui-ci l'a développée en faisant preuve de plus de précision ou d'« honnêteté » philosophique (bien que lui aussi y manque parfois de « probité intellectuelle »; cf. *De coelo*, I, 4 et II, 7) [25].

Mais supposons que certains Stoïciens aient effectivement

remanié l'Énergo-logie d'Aristote en en éliminant complètement la notion aristotélicienne de l'Éther (comme l'ont fait les Savants du xvie siècle, en réalisant ainsi le « programme » du « physicien » Straton, repris par le péripatéticien Xénarque [cf. Julien, 162, B-C].) Reste à voir alors si l'élimination de la Transcendance de la Réalité-objective ne signifie pas la suppression de toute distinction entre celle-ci et l'Existence-empirique. Auquel cas il faut se demander si, en ne parlant que d'une seule et même chose, les Stoïciens parlent, en fait et pour nous (sinon pour eux-même), de la Réalité-objective seulement ou, au contraire, uniquement de l'Existence-empirique.

A première vue, c'est du second cas qu'il s'agit, étant donné que, pour les Stoïciens, le Monde céleste a des éléments-constitutifs *structurés*, et donc *monadiques*. Mais la même situation se trouve chez Aristote. Or, chez celui-ci, il s'agit de toute évidence d'une simple « incorrection » (les astres « ayant *dû* être » tout aussi « invisibles », voire « indivisibles » ou « atomiques », que les sphères célestes). Et rien ne dit qu'il en soit autrement chez les Stoïciens. Par contre, Aristote distingue nettement entre la Réalité-objective (céleste), où règne la nécessité » absolue (l'évolution cyclique s'y réduisant au mouvement rigoureusement circulaire), et l'Existence-empirique où intervient la Causalité proprement dite (efficiente ou finaliste) qui implique nécessairement le « hasard » (qui déforme *tous* les cercles en « spirales »), tandis que les Stoïciens suppriment cette distinction, en faisant régner la « nécessité » (l'*anankê* appelée à tort *heimarmenê* ou *pronoia)* dans l'ensemble du Cosmos, tant céleste que sublunaire.

Il s'agirait alors d'un *remaniement* profond et radical de l'Aristotélisme. Mais, pour nous, ce « remaniement » ne serait en fait rien moins qu'un « progrès » philosophique, car il équivaudrait à une simple suppression de la distinction établie par ce « père de la Physique » que fut Démocrite et péniblement introduite dans la Philosophie (devenue de ce fait « systématique ») par Platon et Aristote, entre l'Existence-empirique et la Réalité-objective (que ces deux philosophes surent distinguer, à l'encontre du physicien, de l'Être-donné).

Quoi qu'il en soit et contrairement aux apparences, les Stoïciens n'abandonnèrent nullement la notion de la Réalité-objective (d'origine démocritéenne), mais lui sacrifièrent au contraire celle de l'Existence-empirique (quelque peu négligée par Platon, mais bien développée par Aristote, en tenant compte lui aussi des dires d'Héraclite). Les Stoïciens n'impliquèrent pas le Ciel dans le Monde terrestre d'Aristote (comme le firent les Savants du xvie siècle), mais le supprimèrent complètement, en élevant la Terre dans le Ciel, c'est-à-dire en impliquant la région sublunaire dans l'*Ouranos* aristotélicien (qui devint, d'ailleurs, chez eux encore plus « monadique » que chez Aristote).

Or, cela signifie, en fait et pour nous, que les Stoïciens, loin de supprimer la Transcendance aristotélicienne (simple, la deuxième transcendance, d'origine platonicienne, ayant été effectivement supprimée), l'accentuèrent au contraire à un point tel que l'Existence-empirique fut réduite à néant (voire assimilée à la « Matière » informe, voisine du Néant pur). Ainsi interprété, le Stoïcisme devint une sorte de caricature de l'Aristotélisme authentique, voire du Polythéisme : le Tout ordonné (Cosmos) s'y réduit au seul « Olympe », peuplé d'une foule de « dieux » (plus ou moins sidéraux), qui flotte (on ne sait trop comment) sur un Chaos « matériel » ou sur une Matière héraclitéenne) « fluide » au point d'être « chaotique », en n'ayant autour et au-dessus de soi que le Vide *(Kenon)* absolu; — le tout dans un silence de mort...

Ce silence divin se trans-forme d'ailleurs en silence vivant, voire animal ou sonore, dès qu'on réintroduit dans le Système stoïcien le « souffle » vivifiant de l'Éther d'Aristote (sous la forme de *Pneuma*) lequel Système impliquera alors, en qualité de (première ou dernière) Partie, une authentique Phénoméno-logie, d'ailleurs, d'allure bio-logique, voire aristotélicienne. Et il ne restera alors plus rien du soi-disant « remaniement » de l'Énergo-logie. Mais il faut voir encore s'il n'y aurait pas alors un remaniement de la Phénoméno-logie aristotélicienne, ainsi ré-introduite dans le Système stoïcien.

c) Le remaniement stoïcien de la *Phénoméno-logie* d'Aristote se situe, si remaniement il y a, dans l'*Éthique*, dans la mesure où celle-ci comporte une « Éthique » au sens courant du mot. C'est précisément ce remaniement qui a frappé les esprits dès le début et qui continue à les frapper encore. Il nous faut donc voir ce qu'il en est.

Le Stoïcisme a surtout impressionné le grand public par sa doctrine de la Sagesse, car c'est par les « paradoxes » sur le Sage que les Stoïciens ont voulu faire montre de leur prétendue « originalité ». Mais, en fait, cette doctrine est authentiquement aristotélicienne, bien qu'Aristote lui-même n'ait pas voulu l'expliciter, ni encore moins la présenter sous une forme « paradoxale ». Par ailleurs, la doctrine aristotélicienne de la Sagesse comporte encore, chez Aristote, des séquelles du Platonisme, tandis que les Stoïciens semblent les avoir complètement éliminées. Par conséquent, dans la mesure où l'on peut parler d'un *remaniement* stoïcien de la soi-disant « Éthique » ou de la prétendue Anthropologie d'Aristote (qui n'est pour nous qu'un aspect de sa Biologie, dans la mesure où il ne s'agit pas d'opinions « privées » qui contre-disent en fait le Système aristotélicien), il s'agit uniquement d'un développement plus complet et plus correcte de la doctrine aristotélicienne du « comportement » de l'Homme, pris et compris, en fait, comme un animal de l'espèce *Homo sapiens*.

Pour Platon, le *Theos* ou l'Être-donné « divin » est transcendant par rapport à la Réalité-objective, elle-même « idéelle » ou transcendante par rapport à l'Existence-empirique (phénoménale). Quant à l'existence-empirique spécifiquement humaine, elle est la « participation », agissante et discursive, de l'Ame qui anime le corps animal de l'Homme à la réalité-objective du *Cosmos noetos* ou, si l'on préfère, elle est l' « image » ou le « reflet » de l'Ame « idéelle » dans la « Matière », qui se forme de ce fait en un corps animé d'aspect humain. Si, dans son comportement corporel ou animal, l'Homme est con-forme à la structure « idéelle » (= idéale) qui se « révèle » à lui en tant que « donnée immédiate » de sa Conscience morale, son Discours (si discours il y a, car le comportement « conforme » peut être et rester silencieux) y sera con-forme lui aussi et c'est ce conformisme *discursif* qui constitue la Sagesse humaine, recherchée par la Philosophie. Mais le développement discursif du sens (subjectif) d'une notion s'effectue nécessairement dans la Durée-étendue, tandis que la réalité-objective de ce sens, qui est une Idée, se situe en dehors de la Spatio-temporalité en tant que telle. La Sagesse discursive n'est donc jamais vraiment « satisfaisante » et la vraie ou véritable Satisfaction de l'Homme, voire du Philosophe, ne saurait donc être discursive. D'ailleurs, en mettant les choses au mieux, le Discours, même « vrai », ne peut re-produire dans la durée-étendue de l'Existence-empirique que la *structure* du *Cosmos noetos* objectivement-réel, qui n'est lui-même qu'une « projection » multipliante ou différentielle (d'ailleurs « éternelle » au sens de simultanée) de l'Être-donné absolument unique et un, ou du Bien en tant que tel (d'ailleurs transcendant ou « divin »). La Satisfaction parfaite, prise et comprise comme une « coïncidence » de l'Existence-empirique (humaine) avec l'Être-donné (« divin »), ne peut donc se manifester que dans et par un Silence absolu (éternel), d'ailleurs consécutif au développement (temporel) du Discours qui re-produit (d'une façon consécutive) la structure (simultanée) du *Cosmos noetos* (en tant que multiple) et qui constitue la Sagesse humaine. Ce n'est donc pas la Sagesse discursive (temporelle) elle-même, c'est uniquement le Silence absolu qui en résulte (en la « résumant ») qui constitue la Satisfaction suprême (éternelle). Étant non pas discursive, mais absolument silencieuse, cette soi-disant Satisfaction du Sage platonicien est, en fait, pour nous comme pour Platon lui-même, une Béatitude (= « Extase mystique »), qui se situe elle-même en dehors de la Spatio-temporalité et dont la manifestation dans la Durée-étendue ne peut par conséquent être que « ponctuelle », voire « instantanée ». Ainsi, bien que la Vérité discursive (d'ailleurs, « exclusive » de l'Erreur) qu'est la Sagesse humaine sup-pose une con-formité du comportement humain phénoménal à la Réalité-objective « idéelle » ou « idéale » et bien que la coïncidence d'une telle existence-empirique, con-forme à l'Idéal différencié objectivement-réel, avec l'Être-donné « divin » unique ne sup-pose pas un Discours con-forme par sa structure à la structure du *Cosmos noetos*, ce ne sont ni l'existence-empirique « active » ou « pratique » (con-forme à l'Idéal) ni l'existence-empirique « contemplative » ou « théorique » qui constituent la suprême Satisfaction de l'Homme, mais uniquement le Silence absolu, d'ailleurs « momentané », surgissant ici ou là de la Sagesse (agissante) vertueuse ou de la sage (ou discursive) Vertu. Les « satisfactions » du Praticien vertueux et les « joies » du sage Théoricien ne sont en dernière analyse que les « plaisirs » d'un corps animal ou de l'âme qui l'anime. Dans la mesure où ils sont plus ou moins durables et « permanents », ces « plaisirs » constituent le Bonheur. Toutefois, le but suprême ou le *telos* proprement humain (ou « divin ») de cette âme animale est non pas ce Bonheur discursif et agissant, mais la Béatitude silencieuse, qui se suffit absolument à elle-même, vu qu'elle exclut toute activité et ne contemple plus rien, mais qui reste sporadique dans la Durée-étendue et ne peut être absolument permanente ou « éternelle » qu'en dehors de l'Existence-empirique (si l'on veut : après la mort ou avant la naissance de l'organisme humain).

Dans la mesure où Aristote maintient la *seconde* transcendance parménido-platonicienne, il admet la Béatitude silencieuse momentanée qui manifeste dans la Durée-étendue la coïncidence de l'Existence-empirique (humaine) avec l'Être-donné (« divin »), voire l'actualisation parfaite du Nous pathétique (ou *Logos*) en tant que Nous poétique (ou *Theos*). Mais dans la mesure où il introduit dans le Système philosophique la notion de l'Incarnation du *Theos* (en tant que Moteur) dans l'*Ouranos* (mobile), il reconnaît que le Discours (humain) peut re-produire dans la durée-étendue de l'Existence-empirique non seulement la « structure », mais encore le « contenu »

même de la Réalité-objective sidérale. Du coup, la contemplation discursive *(Theoria)* du Ciel devient un but en soi et
l'existence-contemplative « théorique » du Sage peut « satisfaire » parfaitement celui-ci en raison de la « joie » qu'elle lui
procure pendant toute la durée (en principe « illimitée » n'ayant
pour limite que la mort) de ses exercices astronomiques (qui
l'actualisent en tant que Nous pathétique ou *Logos*). Mais, pour
Aristote, la Réalité-objective reste encore transcendante à
l'Existence-empirique en ce sens que le Ciel se situe en dehors
(« au-dessus ») du Monde phénoménal « sublunaire », où vit
le sage Astronome. Aussi bien la pure « joie » de la Théorie
est-elle incompatible avec un comportement actif ou une vie
pratique dans ce bas monde. Le Sage devra donc renoncer aux
satisfactions propres au Praticien, au seul profit de ses propres
joies théoriques. Or, si la Théorie joyeuse (le « Gai savoir »)
est incompatible même avec la vie pratique heureuse, voire
avec la pratique du Bonheur, elle l'est encore moins avec un
comportement actif malheureux. Le Sage renoncera donc au
bonheur tout en essayant de ne pas être malheureux. Toute
existence-empirique « contre nature » étant par définition
malheureuse, le Sage fuira l' « anormal » ou le « maladif »
sous toutes ses formes : physiques, psychiques ou sociales,
voire politiques; il évitera tout « vice » quel qu'il soit. Le Sage
joyeux sera, si l'on veut, un vertueux, mais seulement en ce
sens qu'il se contentera de ne pas être un vicieux, sans pour
autant pratiquer la vertu sous une forme positive. En principe,
son âme non viciée lui assurera la santé physique et morale,
voire sociale et politique : il vivra en paix avec l'État, la
Société et son propre corps. Encore faut-il que son corps, sa
Société et son État vivent en paix avec lui (en tant que Sage),
ce qui ne dépend pas de sa seule volonté. En définitive, le
Sage aristotélicien a besoin d'un corps en bonne santé, se
comportant sainement, en fonction d'une saine âme, dans une
société et un État sains eux aussi. En renonçant à la vie active,
il renoncera de ce fait aux vices comme aux vertus proprement
dits, mais il compensera le manque de plaisirs (vicieux ou
normaux) et de satisfactions (vertueuses) qui en résulte par
les joies pures et quasi permanentes d'une existence « théorique », consacrée à la contemplation (discursive) des cieux,
sans d'ailleurs se refuser aux courts instants de béatitude
silencieuse qui pourrait s'offrir à lui dans la durée-étendue de
son existence-empirique, celle-ci étant la seule qui lui soit
propre.

C'est cette théorie du Sage, plus ou moins explicitée par
Aristote lui-même, que les Stoïciens se sont appliqués à rema-

nier, en vue de la rendre parfaitement cohérente et complètement développée (ne serait-ce que dans une forme « para-
doxale », pour ne pas dire caricaturale).

Tout d'abord, en éliminant les séquelles de la « seconde
transcendance », les Stoïciens renoncèrent à la Béatitude silencieuse (encore qu'un Cléanthe semble en avoir gardé au moins
la nostalgie). Ensuite, dans, la mesure où ils ont supprimé la
transcendance (d'origine platonicienne) de la Réalité-objective
céleste, en élevant le Monde sublunaire dans le Ciel aristotélicien, ils éliminèrent le conflit entre les vies active et contemplative qu'avait dû admettre Aristote. Pour celui-ci, la durée-
étendue « cyclique » de l'Existence-empirique phénoménale ne
pouvait pas re-produire parfaitement le mouvement (l'Espace-
temps) « circulaire » de la Réalité-objective céleste. Pour les
Stoïciens, la vie du Sage, con-forme à la « droite raison »
(orthos logos), était une projection fidèle des *cercles* sidéraux.
D'où la possibilité d'une existence-empirique « correcte », qui
serait à la fois active (au sens de positivement vertueuse) et
contemplative (discursive), la contemplation n'étant plus limitée au Ciel seul, mais étendue à l'ensemble du Cosmos et
constituant, en tant que discours *(Logos)*, le Système philosophique (triparti). Le renoncement à l'action au profit de la
seule contemplation n'étant plus justifié par la transcendance
de ce que l'on contemple, un tel renoncement équivaut à une
amputation pathologique, qui est tout aussi « vicieuse » qu'est
« vicieux » l'abandon de la Théorie au profit de la seule pratique, cet abandon se présentant d'ailleurs alors comme un
comportement purement animal, effectué en fonction des seuls
« plaisirs » sensibles ou sensuels. Ainsi, la vie exclusivement
contemplative ne peut procurer que des « plaisirs » qui sont
tout aussi « vicieux » que sont vicieux les plaisirs du corps
(humain) détachés de leur complément discursif (ou « raisonnable »). Autrement dit, les « joies » de la vie contemplative
(discursivement correcte) ne peuvent se présenter qu'en liaison
avec les « satisfactions » de la vie active (vertueuse) et c'est
la Satisfaction joyeuse, voire la joie satisfaite du Sage stoïcien,
à la fois contemplatif et actif, qui constitue le but supérieur
ou le *Telos* de l'Homme, c'est-à-dire, si l'on veut, son parfait
Bonheur, celui-ci n'étant rien d'autre que la manifestation de
la « Raison » *(Logos)* pendant toute la durée-étendue de son
existence-empirique (d'ailleurs dé-finie ou finie), en tant que
Discours agissant et Activité discursive. Vouloir agir sans (en)
parler ou parler sans agir (en fonction de ce que l'on dit), c'est
renoncer au Bonheur permanent (bien que d'une durée-étendue
dé-finie ou limitée) au profit de « plaisirs » qui sont à la fois

éphémères et dangereux, dans la mesure même où ils sont pathologiques.

« Celui qui croit que c'est la vie du savant qui sied le plus au philosophe dès le début [de sa vie, au lieu de ne lui convenir que dans sa vieillesse], se trompe, me [Chrysippe] semble-t-il lorsqu'il pense qu'il doit le faire pour son plaisir spirituel ou pour un but semblable et qu'il doit passer ainsi toute sa vie. En y regardant de près, cela signifie quand même une vie de plaisir [comme Platon le dit (contre Aristote) dans le *Philèbe*]. La philosophie doit elle aussi servir la communauté. Il y a trois modes de vie : la vie théorético-scientifique, la vie pratico-politique et celle qui correspond au Logos [en tant qu'Action discursive qui est un Discours agissant]. C'est la troisième qu'il faut choisir [la « troisième vie » étant, traditionnellement et chez Aristote, précisément la « vie de plaisir »!]. Car l'être raisonnable (« logique ») est précisément créé par la Nature pour unir la théorie et la pratique » (*S.V.F.*, III, 702 et 687, *Stoa*, 142).

En possédant le Bonheur pendant toute la durée-étendue de son existence-empirique (celle-ci étant d'ailleurs la seule modalité de l'être-donné qui lui appartient en propre), le Sage stoïcien peut se passer de la Béatitude silencieuse parménido-platonicienne. Il est parfaitement joyeux et il est pleinement satisfait par (tout) ce qu'il fait et dit lui-même, indépendamment de ce qui se dit ou se fait en dehors de lui. Car en assimilant le Monde sublunaire au Ciel aristotélicien, les Stoïciens en ont exclu le « hasard » et donc aussi l'« anormal », voire toute « maladie » : désormais, tout « va très bien » et « tourne rond » dans l'ensemble du Cosmos. Quoi qu'il arrive, tout est nécessairement, c'est-à-dire partout et toujours, en parfaite santé, tant physique et psychique que sociale et politique et rien ne saurait donc empêcher le Sage stoïcien d'être bien-heureux en permanence, c'est-à-dire pleinement satisfait par la joie parfaite que lui procurent tous ses propres dires et gestes.

Les stoïciens se plaisent à souligner le caractère « paradoxal » de l'indépendance du Sage vis-à-vis de son « milieu » ou du Monde où il vit. Mais au risque de leur déplaire, nous pouvons expliciter encore un deuxième « paradoxe », qui est la contre-partie inévitable du premier. En effet, si le comportement du Sage se manifeste à lui-même en tant que vrai Bonheur (Satisfaction joyeuse ou Joie satisfaite, qui peut, d'ailleurs, s'accompagner de quelques menus Plaisirs sensibles ou sensuels, dits « indifférents ») quel que soit le « milieu » (actuel, social et politique) où il se comporte sagement (ce « milieu » pouvant même être « horrible » aux yeux du profane), le comportement des Fous se manifeste partout et toujours et quel que soit son « milieu » (celui-ci pouvant sembler « merveilleux » au commun des mortels) comme un véritable Malheur, — du moins aux yeux du Sage stoïcien, sinon pour le malheureux Fou lui-même. Ainsi objectivement parlant (et parfois même du point de vue subjectif), le Sage n'est ni plus ni moins « indépendant », « libre » ou « autarcique » que ne le sont les Fous, sauf que les Sages se maintiennent en permanence dans le bonheur, tandis que les Fous sont nécessairement malheureux. D'ailleurs, à dire vrai, les Fous ne sont nécessairement malheureux qu'aux yeux des Sages et les Sages ne nient pas que ces mêmes Fous peuvent être heureux à leurs propres yeux. Pourquoi ne pas admettre alors qu'ils le sont partout et toujours, du moins tant qu'ils conservent (volontairement) leur vie, c'est-à-dire ne se suicident pas (auquel cas ils ne cesseraient d'être heureux que s'ils cessaient d'être quoi que ce soit, car autrement ils seraient heureux de ne plus être malheureux, tout comme les Sages qui se suicident, car eux aussi le font parfois). Et pourquoi ne pas admettre aussi que les Sages sont nécessairement malheureux aux yeux des Fous : sinon pourquoi refuseraient-ils de devenir sages? Or, puisque le Sage heureux ne pâtit pas de ce qu'il croit être le malheur des Fous, de même que les heureux Fous ne souffrent pas de ce que sont à ses yeux les malheurs du Sage, chacun étant indifférent à ce que les autres pensent de lui et de son bonheur, il faut bien admettre que tous les hommes sont logés à la même enseigne dans le Cosmos stoïcien, où chacun est pour soi et où une seule et même Nécessité est pour tous. Dans un Monde qui exclut le « Hasard », il n'y a pas non plus de place pour la Liberté, ni donc pour la Vertu et le Vice au sens propre de ces termes : on peut tout aussi bien dire que tout le monde y est sage qu'affirmer que tous y sont frères, ce qui, dans les deux cas, ne signifie plus rien du tout. Car en identifiant (comme auraient dû le faire les Stoïciens s'ils ne voulaient vraiment pas se contre-dire) la Sagesse et la Folie, on prive ces deux notions de toute espèce de sens [en les trans-formant de ce fait en pseudo-notions ou Symboles].

Pour nous, cette identité de fait entre les Fous et les Sages stoïciens n'est qu'une conséquence de l'assimilation de l'Existence-empirique à la Réalité-objective, qui élimine (en fait et pour nous, comme pour les Stoïciens eux-mêmes) le « Hasard » aristotélicien (« biologique ») du Monde phénoménal. Là, où tout est « nécessaire », tout comportement quel qu'il soit est ce qu'il est, quel que soit le milieu où l'on se comporte d'une façon quelconque. Le « paradoxe » stoïcien, (que les Stoïciens ne rapportaient qu'au Sage, mais qui se rapporte pour nous également au Fou), se situe donc dans cette assimilation, que l'on ne trouve effectivement pas chez Aristote et qui est en fait « erronée ». Par conséquent, il suffit de revenir à Aristote, en renonçant à l'assimilation paradoxale de l'Existence-empirique (« terrestre ») à la Réalité-objective (« céleste ») et en ré-introduisant alors le Hasard, voire la Causalité proprement dite (biologique) comme élément-constitutif caractéristique du Monde phénoménal, pour que ré-apparaissent les distinctions « existentielles » aristotéliciennes. En effet, dès que l'on introduit les « circonstances extérieures » *fortuites,* il devient naturel de distinguer celles qui sont plus « heureuses » de celles qui le sont moins ou qui ne le sont pas du tout. Et si les comportements (dans un « milieu » donné) sont eux-mêmes plus ou moins *contingents,* il est naturel d'admettre que même le comportement « normal » comporte des variétés et que ses « manifestations » sont de ce fait variables. Sans doute, les écarts de la « norme » (cyclique) dus soit à un comportement vicieux dans un milieu normal soit à un comportement normal dans un milieu vicié, témoignent d'une *maladie,* interne ou externe, qui est manifestement un malheur, tant aux yeux du médecin averti (sage) que, tôt ou tard, pour le patient lui-même. Mais si un comportement sain dans un sain milieu se manifeste à tous comme bon ou heureux, on peut quand même distinguer entre une satisfaction bienheureuse mais dénuée de joie et un bonheur joyeux mais peu satisfaisant pour les autres, l'une manifestant les faits et gestes de l'Homme pratique et l'autre la quiétude des dires du pur contemplatif. Quant à préférer l'une de ces heureuses manifestations à l'autre, c'est une question de goût; goût que la plupart des Stoïciens (à l'exception toutefois d'un Marc Aurèle ou même d'un Sénèque) partageaient d'ailleurs avec Aristote, en le reconnaissant parfois explicitement.

Quoi qu'il en soit, qu'il y ait ou non « hasard », l'Homme stoïcien, le Sage y compris, n'est, en fait et pour nous, ni plus ni moins humain que celui d'Aristote. C'est un être vivant qui se comporte en fonction de sa « nature » dans un milieu « naturel » donné. Souvent ces êtres sont malades (parfois gravement ou mortellement) et de ce fait plus ou moins malheureux, ce qu'ils sont aussi lorsqu'ils se trouvent (nécessairement ou par hasard) dans un milieu peu favorable ou franchement hostile à leur nature innée. D'ailleurs, comme partout et toujours dans ce bas monde, les cas parfaitement normaux sont en fait des exceptions très rares. Dans ces cas exceptionnels, les êtres vivants se sentent bien et peuvent être dits heureux. Mais ils peuvent être bien-heureux de diverses manières : à la manière des lions oisifs et belliqueux ou des laborieux et paisibles castors, voire des hiboux qui consacrent leurs journées entières à la contemplation (plutôt platonicienne) de ce qu'ils ne voient jamais ou des bêtes curieuses qui n'épargnent rien et risquent parfois leurs vies pour voir effectivement et de leurs propres yeux ce qui se passe autour d'eux. De tous ces bonheurs animaux (plus ou moins animés), le plus parfait est, par définition, celui du Sage (qu'il soit seulement contemplatif ou en plus agissant). Car l'animal parfait c'est en fait le parfait animal qu'est pour nous le Sage aristotélicien, y compris sa variante stoïcienne. Et peu nous importe que, pour Aristote, l'animal dit humain est sage par « pur hasard », tandis qu'il est censé l'être « nécessairement » d'après les Stoïciens. Car dans les deux cas l'animal en cause n'y est, à dire vrai, pour rien [26].

*

Ce qui vaut pour la soi-disant Anthropo-logie que les Stoïciens développent dans leur *Éthique*, vaut également pour l'ensemble du Système philosophique stoïcien (dédogmatisé). Ce Système reste authentiquement aristotélicien en ce sens qu'il s'achève et se parfait nécessairement dans et par une Phénoméno-logie qui se réduit en fait à ce qui est pour nous la Bio-logie hégélienne (la section bio-logique du Système du Savoir se contentant de re-produire la Bio-logie aristotélicienne, qui a, d'ailleurs, peu varié depuis son développement par Aristote lui-même).

Au fond et en gros, le Système dit stoïcien n'est donc qu'une re-production de celui d'Aristote. Toutefois, les Stoïciens ont essayé et parfois réussi à éliminer de ce Système les séquelles platoniciennes (d'origine éléatique) qui s'y trouvent encore et qui se ramènent essentiellement à la « *seconde* transcendance ou à la transcendance de l'Être-donné « divin » (par rapport à la Réalité-objective (« idéelle »), et à ce qui s'ensuit). Et c'est ce qui permet de dire que les Stoïciens ont élaboré une sorte de Néo-aristotélisme (encore que certains Péripatéticiens semblent avoir fait la même chose). Ceci d'autant plus que les Stoïciens ont souvent poussé le développement (correct) du Système d'Aristote plus loin que ne l'a pu ou voulu faire son auteur (et ne semblent l'avoir fait les Aristotéliciens qui s'appelèrent Péripatéticiens). De ce point de vue, un Chrysippe est plus aristotélicien qu'Aristote lui-même. Et c'est pourquoi il est bon de re-dire les dires stoïciens si l'on veut bien comprendre tout ce qu'a dit ce dernier.

Quant aux *remaniements* du Système d'Aristote tentés par certains Stoïciens, ils se ramènent en dernière analyse à une tentative de supprimer (aussi) la « *première* transcendance », à savoir la transcendance spécifiquement aristotélicienne de la Réalité-objective (« divine » au sens de « céleste ») par rapport à l'Existence-empirique (« terrestre » au sens de « sublunaire »).

En principe, cette tentative pourrait constituer un « progrès philosophique » important, puisque l'immanence de la Réalité-objective (« physique ») et de l'Être-donné (« mathématique ») à l'Existence-empirique (inanimée ou cosmique, vivante ou mondaine et historique) constitue le fond même du Système du Savoir hégélien (ou de l'a-théisme qu'est l'anthropo-théisme de Hegel). Mais en fait il n'en est rien. Car chez la plupart des Stoïciens la prétendue suppression (qui est « dialectique » chez Hegel) de la (première) transcendance semble avoir été purement verbale (le « Feu pur » ou « subtil » remplaçant l'« Éther » d'Aristote), tandis que dans les rares cas où elle ne le fut peut-être pas (ce qui est peut-être aussi le cas d'un Strabon), elle a abouti à une suppression complète (nullement « dialectique) » de toute distinction entre l'Existence-empirique et la Réalité-objective, voire à la simple identification de celle-là à celle-ci.

Or, dans la mesure où il en est ainsi, le Système stoïcien (dogmatisé) a une tendance naturelle à se trans-former en Théorie dogmatique (pseudo-philosophique) ou, tout au moins, à chercher un compliment dans une telle Théorie. En effet, l'Existence-empirique n'étant plus re-présentée dans et par le Système néanmoins censé être « total », les Phénomènes ne trouvent plus leur place (en tant que détachés de leurs *hic et nunc*, se transforment en Notions) dans le Discours et se présentent à l'état isolé, en tant que « révélations » ou « expériences », silencieuses, c'est-à-dire comme des « données immédiates de la conscience », cette « conscience » religieuse, scientifique ou morale. Dans la mesure où les Stoïciens firent exclusivement appel à la Conscience morale (Gewissen; cf. *Stoa*, 113, 123 sq., 128 sq., 170, 222; cf. 335) ils développèrent une Théorie dogmatique moraliste (pseudo-philosophique) qui, en dépit de son allure « philosophique », n'est plus une philosophie du tout (d'où son énorme et permanent succès auprès des masses intellectuelles). Mais rien n'empêche un Intellectuel stoïcien de faire aussi appel à l'Expérience religieuse ou morale.

En principe comme en fait, la suppression (discursive ou « dialectique ») de la « *première* transcendance » n'a pu se faire que dans le monde judéo-chrétien. Ce sont des Physiciens judéo-chrétiens du xvie siècle qui supprimèrent définitivement et complètement l'Éther d'Aristote, tout en maintenant une distinction claire et nette entre la Réalité-objective immanente à l'Existence-empirique et cette Existence-empirique elle-même, qui fut re-prise par les Savants naturalistes comme phé-noménale au sens aristotélicien (ou biologique) et qui fut comprise (en outre) comme spécifiquement humaine par les Humanistes savants, grâce aux Théologiens judéo-musulmans et catholiques. C'est sur cette base judéo-chrétienne et savante que Kant put édifier son Système en tant que Parathèse synthé-tique de la Philosophie. Et si la Philosophie parathétique kan-tienne (Théandrique) conserve encore ou re-produit des séquelles platoniciennes d'Aristote (en maintenant la [simple] transcen-dance de l'Être-donné « divin », par ailleurs immanent à la Réalité-objective, ainsi qu'à l'Existence-empirique en tant qu'« incarnation » phénoménale, d'ailleurs d'aspect humain), il a suffit à Hegel de les supprimer (« dialectiquement ») pour trans-former cette Para-thèse déjà synthétique de la Philoso-phie en l'authentique Syn-thèse qu'est le Système du Savoir hégélien. Or, rien de tel ne saurait être fait à partir du Stoïcisme philosophique.

Sans doute, des thèmes judéo-chrétiens se trouvent ou se re-trouvent çà et là dans les écrits païens stoïciens parvenus jusqu'à nous. Et leur recherche peut être passionnante. Mais elle serait sans valeur dans une INTRODUCTION DU SYS-TÈME DU SAVOIR. D'une part, parce que, étant tardives, ces théories peuvent être de simples « emprunts » faits à une tradition juive ou chrétienne. D'autre part, parce que ces thèmes sont, chez les païens, beaucoup moins « purs » que chez les Juifs ou chez les « convertis » au Christianisme. Mais enfin et surtout, parce que les Stoïciens n'ont fait aucun effort pour introduire ces théories « aberrantes » dans leur Système philosophique, qui reste purement païen, voire polythéiste au sens d'Aristote. Chez les Stoïciens que nous connaissons (Sénèque, Épictète et Marc Aurèle y compris), ces thèmes sont des dires (ou des redites) de caractère « privé », qui contre-disent, en fait et pour nous, ce qu'ils disent par ail-leurs en tant que Philosophes (aristotéliciens) et qui n'inté-ressent donc nullement la Philosophie.

En principe et en fait, l'introduction des thèmes (théolo giques ou anthropologiques) judéo-chrétiens dans la Philoso-phie aboutit à la Parathèse synthétique kantienne (la trans-formation complète de ces théories théologiques en fonction de la Philosophie complètement transformée par elles, ainsi que celle de la Philosophie, ainsi trans-formée, en fonction de la transformation de ces thèmes, s'effectuant dans et par le Système du Savoir hégélien), qui « synthétise » (d'une façon parathétique) les Parathèses thétique et antithétique de Platon et d'Aristote (en tant que compromis, partiels et partiaux, entre la Thèse et l'Anti-thèse posées respectivement par Parménide et Héraclite en fonction de l'Hypo-thèse philosophique pro-posée par « Thalès »). Par conséquent, le chemin qui mène à Kant et aboutit à Hegel ne peut commencer que par un compromis (plus ou moins compromettant) entre le Platonisme et l'Aristotélisme. Or, les Stoïciens s'y sont partout et toujours refusés (de peur, peut-être, de se compromettre).

Certains Stoïciens (tels que Posidonius, semble-t-il) ont peut-être exposé un « retour à Aristote », mais aucun n'a osé faire le moindre pas sur le chemin du retour qui ramena la Philosophie (kantienne) à Platon (ne serait-ce que partiellement, bien que nullement d'une façon partielle) : les Stoïciens dits platonisants n'ont en fait repris que ce qui était déjà « aristotélicien » chez Platon lui-même (sans d'ailleurs prendre garde à ce qu'il pouvait y avoir d' « ironique » dans les Dialogues où celui-ci re-dit ou pré-dit les dires d'Aristote).

Il semble que le retour à Platon et donc l'avance vers Kant n'a été tenté ni par les Aristotéliciens péripatéticiens ni par les Néo-aristotéliciens stoïciens. En principe, l'Histoire ne recule pas de l'Anti-thèse vers la Thèse, mais avance de celle-ci à celle-là. Et c'est pourquoi, en fait, l'histoire de la Philosophie comporte non pas un (Néo-) aristotélisme platonisant, mais un (Néo-) platonisme qui essaie (d'ailleurs en vain) de s'accommoder d'Aristote et qui constitue pour nous ce que les historiens modernes ont appelé le *Néo-platonisme*.

Pour nous, le Néo-platonisme est en fait une tentative (éminemment «parathétique » et donc « contradictoire ») d'*ajouter* purement et simplement ce qu'il y a d'essentiel dans le Système d'Aristote (notamment dans sa Phénoméno-logie) au Système de Platon, maintenu tel quel dans l'essentiel (notamment en ce qui concerne l'Onto-logie et l'Énergo-logie). On peut faire remonter cette « mosaïque » néo-platonicienne, qu'on appelle parfois « Éclectisme », à Antiochus d'Ascalon, qui ne peut être dit « stoïsant » que dans la mesure où il est « aristotélicien » et qui ajoute en fait les dires d'Aristote à ceux de Platon, en prétendant à tort que les deux ne disent qu'une seule et même chose, qui ne serait d'ailleurs que redite par les Stoïciens. Mais le père bien connu et universellement reconnu du Néo-platonisme éclectique est en fait Plotin. Quoi qu'il en soit, la Philosophie a rempli des siècles de son histoire pour se rendre compte que Platon avait raison lorsqu'il disait qu'Aristote le contre-disait, ce que celui-ci a d'ailleurs re-dit lui-même à satiété. Et c'est en vue de supprimer cette contra-diction (en principe « dialectiquement », mais en fait sans succès) que Kant élabora son Système (parathétique) systéma-tique, la suppression (« dialectique ») effective (et définitive) étant l'œuvre originale de Hegel.

Afin de comprendre le comment et le pourquoi de cette œuvre, il nous faut commencer par voir ce que furent les prodromes néo-platoniciens (païens) de la Parathèse synthé-tique kantienne. C'est donc du *Néo-platonisme* qu'il me faut maintenant parler, pour terminer ma re-présentation d'ensemble de la Philosophie païenne.

1, page 32.

On sait qu'en tant que Sceptique théorique, Ænésidème s'éleva surtout contre le Causalisme. En fait, il a pré-dit pour nous ce qu'avait dit Hume, en le re-disant sans le savoir. Du point de vue philosophique, cet anticausalisme d'un Héraclitéen authentique est intéressant. Il semble qu'Ænésidème ait fort bien compris le sens de la portée du Causalisme (aristotélicien) et se rendait parfaitement compte du fait que celui-ci implique et suppose la *finitude* de l'Être, voire de tout ce dont on parle, vu que la Causalité authentique est nécessairement « cyclique ». Or, ceci réunit, bien entendu, les bases mêmes de l'Héraclitéisme. Celui-ci exclut donc le Causalisme proprement dit (aristotélicien ou « biologique », voire « astrologique »), mais implique le simple Légalisme (« cosmologique » ou, si l'on veut, « platonicien »), vu que celui-ci est non pas « cyclique », mais « ouvert ». C'est dire que le Cosmos d'Héraclite est en fait et pour nous, tout aussi inanimé ou minéral que le Cosmos (bien entendu : *aisthetos*) de Platon (sans l'être « exclusivement », du moins d'une façon explicite). Aristote avait donc raison de dire que Platon construisait son Idéo-logie sur la base d'un Monde phénoménal purement (ou exclusivement) héraclitéen, en oubliant (tout comme l'a fait Héraclite) qu'en fait, le Monde où l'on vit et dont on parle est [aussi, du moins pour nous; mais « exclusivement », pour Aristote lui-même] une *Bio*-sphère.

2, page 48.

La fin de la *Métaphysique* de Théophraste est particulièrement significative à ce point de vue : « Ainsi, ceux qui assignent [comme Platon et les Pythagoriciens (et, en fait,) aussi Aristote] une action-causale à Dieu, admettent que même Dieu ne peut pas guider toutes choses vers ce qui est le mieux; mais même *si* Dieu le fait en général, ce n'est que dans la mesure où c'est *possible*; et, probablement (!), il n'aurait même pas choisi de le faire, si de ceci doit résulter la destruction de l'ensemble de ce qui existe [-empiriquement], étant donné que cet ensemble est constitué par des *contraires* et dépend des *contraires* [aristotélo-platoniciens, voire héraclitéens; or, d'après Platon et Aristote, ceci n'est vrai que pour le *Cosmos aisthetos* ou le Monde sublunaire, tandis qu'il n'y a pas de «contraires», ni de *Cosmos noetos* platonicien, dans l'*Ouranos* aristotélicien; mais, précisément, Théophraste ne veut parler que du Monde «terrestre»]; même parmi les Choses premières nous observons, de toute évidence, beaucoup d'événements qui se produisent au hasard...; et il semblerait que parmi les choses sensibles *(sic)*, les corps célestes possèdent l'ordre au moins au degré le plus haut, et parmi les autres choses, les objets mathématiques [et non les Idées «utopiques»], étant donné que ceux-ci sont de ce point de vue antérieurs même aux corps célestes; car si tout n'est pas ordonné dans ces objets, du moins est-ce la plus grande partie; à moins évidemment que quelqu'un admette que [toutes] les Formes sont du genre de celles que Démocrite assigne aux Atomes; mais, en tout cas, ce sont là des questions que nous devons étudier...; car c'est le principe [ou début] de l'étude de l'Ensemble-des-choses *(sympantos)*, c'est-à-dire de l'effort de déterminer les *conditions* dont dépendent les choses-qui-existent [-empiriquement] et les *relations* dans lesquelles elles se trouvent *les unes avec les autres* » (*Met.*, IX, 33-34). Ce qui veut dire : toute Physique démocritéenne (voire Énergo-métrie ou -graphie), soit Science naturelle « péripatéticienne » (voire Phénoméno-graphie ou -métrie).

3, page 63.

En règle générale, à quelques rares exceptions près (dont celle de Cléanthe est seule à être sûre), les Stoïciens sont profondément areligieux. En tout cas, le Monde stoïcien authentique est antithéo-logique, vu que, d'une part, le Sage est absolument autarcique ou autonome (n'ayant besoin de rien ni de personne, y compris Dieu, pour pouvoir être parfaitement heureux) et que, d'autre part, le Bonheur apathique du Sage équivaut à la béate félicité de Dieu et des Bienheureux (humains ou démoniaques) (cf. *ibid.*, 126 sq., 141, 146, 169 sq., 213, 255; quant à l'attitude religieuse, voire théo-logique [et donc amorale] prise par certains stoïciens, cf. *ibid.*, 81 sq., 99, 103, 112, 136 sq., 343). En ce qui concerne l'efficacité de l'Ordre et donc de l'Activité (négative) en général, elle est de toute évidence incompatible avec le « causalisme » ou le « fatalisme » stoïcien bien connu, dont l'Apathie stoïcienne s'accommode par contre fort bien, vu qu'il s'agit, pour être « vertueux » et de ce fait « heureux » (en ayant la conscience tranquille) de se con-former à tout sans « nier » quoi que ce soit (d'ailleurs dans un Monde censé être soustrait au souverain bon plaisir de qui que ce soit d'humain ou de divin).

4, page 64.

La terminologie a dû être flottante, car les Pyrrhoniens semblent avoir indéfiniment parlé d'*ataraxie* et d'*apathie*. Mais pour nous (depuis Hegel) il y a en fait une différence essentielle entre l'Ataraxie (ou l' « apathie ») pyrrhonienne et l'Apathie des Stoïciens.

5, page 64.

Nous connaissons très mal le Monde dogmatique des autres « Sceptiques » de l'Antiquité païenne. Il semble cependant qu'elle fut du Type de celle développée par Pyrrhon-Timon. Mais tous les Sceptiques ne se trans-formaient pas en Moralistes dogmatiques. Certains de ceux qui ne se contentaient pas de leur Scepticisme et passèrent au Dogmatisme, ont préféré au Moralisme la Théologie ou la Science dogmatique, ce qui semble avoir été respectivement le cas des Académiciens et des « positivistes » à la Sextus Empiricus. Quant à Ænésidème, on voudrait croire qu'il se contenta d'être un philosophe (ne serait-ce qu'héraclitéen).

6, page 76.

Il s'agit de « matières » éminemment « théologiques », ayant trait à des dieux concrets, d'ailleurs « mineurs ». Or, voici ce que dit, en la matière, Platon dans le *Timée :* « Quant aux autres Divinités, raconter et connaître leur origine est une tâche qui nous dépasse, et il faut faire confiance à ceux qui ont parlé avant nous; descendant de ces Dieux, à ce qu'ils disaient [et c'est ce qui se disait aussi dans la famille de Platon], ils connaissaient sans doute exactement leurs aïeux; et il est impossible de ne pas accorder créance à des enfants des Dieux, même quand ils parlent sans démonstrations vraisemblables, ni rigoureuses; mais il faut les croire, comme le veut l'usage, quand ils assurent qu'ils débitent là leurs histoires de famille » (*Tim.*, 40, d-e). Or, l'auteur de l'*Epinomis* a repris à son compte et avec un imperturbable sérieux ce passage visiblement ironique, qui fut, d'ailleurs, relevé comme tel par l'empereur Julien, pour se moquer à son tour de la Théologie dogmatique (cette fois judéo-chrétienne). D'une manière générale, la notion de Révélation est « critiquée » et rejetée par Platon dans l'*Ion*, où le Thème du Rhapsode et de la Poésie n'est qu'un prétexte et un camouflage. Platon se sert dans ce Dialogue d'un argument *ad hominem :* aucun Intellectuel, pas même un « Ion » (qui ne prétend pas à l'originalité, mais se contente d'être le [meilleur!] exégète d'un Livre « révélé »), n'est vraiment « satisfait » lorsqu'on lui montre (discursivement) que ses discours ne font que re-dire passivement ce qu'un autre a dit, sans pouvoir « démontrer » lui-même ce qui a été dit, et ce qu'il re-dit; et cela même si l'Autorité (humaine ou divine) lui donne la « certitude subjective » de *(Gewissheit)* ou la « foi » en ce qui est dit. C'est-à-dire : le discours ne peut *satisfaire* l'homme qui l'émet ou l'absorbe (en le comprenant) qu'à condition d'être un *Savoir* (discursif), c'est-à-dire un Discours qui dé-montre sa « vérité » (pour Platon : « exclusive »; pour Hegel : uni-totale) en montrant (discursivement) qu'il ne saurait être contre-dit (pour Platon : parce que l'on se contre-dirait soi-même en le contre-disant;

pour Hegel : parce que le Savoir [« absolu »] dit *tout* ce que l'on peut dire sans contre-dire).

7, page 76.

La Théologie (tout comme les Sciences naturelles) n'a été que le violon d'Ingres de Plutarque (cf. notamment pour sa Théologie les traités *De iside* et *De ei*), qui fut un authentique Moraliste (dogmatique). Toutefois, on trouve chez Plutarque des rudiments d'une Théorie de la Révélation (cf. notamment *De defectu oracul.* et *De genio Socr.*), tandis qu'il ne parle que fort peu de la Conscience morale et pas du tout de l'Expérience sensible. Quant aux Néopythagoriciens, nous les connaissons trop mal pour pouvoir les individualiser. Il se pourrait cependant qu'un Numénius ait fait plus et mieux que de développer une Théologie dogmatique, en esquissant une Philosophie dogmatique à base platonicienne et donc d'orientation théologisante, qui fut reprise par Plotin.

8, page 77.

Il n'y a pas de doute que Julien et Damascius (ainsi que le problématique Salluste le Philosophe, ami de Julien ou simple prête-nom de Damascius) connaissaient à fond l'œuvre de Platon et la comprenaient parfaitement. Mais rien ne dit qu'ils furent eux-mêmes d'authentiques Platoniciens. Car on pourrait tout aussi bien dire que les deux (ou les trois) penchaient vers un Dogmatisme scientifique (amorcé par un Sextus Empiricus?), qui ne serait « aristotélicien » que dans la mesure où est « aristotélicienne » la Science dogmatique d'un Théophraste ou d'un Straton et qui s'inspirerait d'une Physique dite « épicurienne », remontant (peut-être par le truchement d'un Eudoxe) jusqu'à Démocrite lui-même. Quant aux autres Néo-platoniciens, beaucoup étaient peut-être plus Platoniciens et moins Théologiens qu'on ne le pense d'habitude. Sans doute, Julien se moque des balivernes « théologiques » du « divin » Jamblique et Damascius tourne en ridicule le « sage » Proclus. Mais il le faisait dans des écrits nettement satiriques et il est évident que Damascius, tout au moins, exagérait volontairement et beaucoup. D'ailleurs, le cas de Proclus est beaucoup trop complexe pour que l'on puisse le trancher avant de l'avoir étudié à fond, ce qui est loin d'être mon cas. Quoi qu'il en soit, les grands commentateurs de la Philosophie parathétique païenne, en commençant par Porphyre, semblent avoir très bien su ce qu'est la Philosophie proprement dite et s'être très peu intéressés à la Théologie dogmatique, même « néo-platonicienne ». En tout cas, les *Mystères égyptiens et autres* du pseudo (!) Jamblique sont entièrement consacrés à une « réfutation » des « objections » que Porphyre fit à la Théologie en général, et peut-être même au Dogmatisme en tant que tel. Tout ceci demande à être vu de plus près. Malheureusement, la plupart de ceux qui se sont penchés sur les écrits néo-platoniciens furent non pas des philosophes, mais des intellectuels dogmatiques, avides d'exotisme théologique. Aussi bien ont-ils pris au sérieux jusqu'aux plus évidentes railleries d'un Julien, d'un Salluste et même d'un Damascius (Zeller ayant été le seul à éprouver, quand même, quelques scrupules, en ce qui concerne ce dernier, tandis que Burckhardt ne semble pas avoir été dupe de la soi-disant et prétendue « piété » de Julien l'Apostat).

9, page 82.

A dire vrai, nous connaissons fort mal l'histoire du Platonisme postplatonicien et préplotinien. On ne peut donc pas affirmer qu'il y a vraiment eu éclipse complète et reprise proprement dite. Plusieurs indices parlent au contraire en faveur d'une tradition platonicienne ininterrompue, plus ou moins « occulte ». D'une part, on connaît très peu de choses de l'Ancienne Académie et, d'autre part, il est fort possible que le soi-disant « scepticisme » de la Nouvelle Académie ait volontairement recouvert et camouflé un Platonisme authentique. Par ailleurs, on pourrait peut-être retrouver ce même Platonisme chez les « Néo-pythagoriciens », voire chez les Platoniciens « pythagorisants », notamment chez *Numénius*. S'agit-il chez ce dernier d'une Théologie dogmatique platonisante ou d'un Platonisme dogmatisé? Quant à moi, je ne saurais le dire. En tout cas, Plotin ne se présente pas comme un novateur, ne serait ce que dans le sens d'un « retour à Platon », et personne ne présente comme tel Ammonius Saccas. Quant à l'Aristotélisme, il est difficile de départager ce que celui-ci doit aux Stoïciens et aux commentateurs péripatéticiens d'Aristote. D'une manière générale, il est difficile de déterminer l'apport philosophique dû à tel ou tel autre Stoïcien. Il semble cependant que *Chrysippe* fut sinon le seul, du moins le plus important philosophe authentique qui se soit réclamé du Stoïcisme. *Zénon* fait plutôt figure d'un Moraliste dogmatique (d'inspiration aristotélicienne), tandis que *Cléanthe* se présente comme un Théologien (moralisant). Après Chrysippe, le Stoïcisme semble se limiter au développement (ou à des redites) de la Morale dogmatique zénonienne, *Posidonius*, ayant peut-être esquissé une Science dogmatique (d'inspiration aristotélicienne). Du point de vue philosophique, ce dernier semble représenter, avec *Panétius*, un retour à l'Aristotélisme authentique. Quant au Néo-platonisme, je l'expose en interprétant l'œuvre de Plotin, vu que je connais très mal ses successeurs.

10, page 98.

On peut dire que l'« aristocratisme » d'Aristote a défiguré l'éthique aristotélicienne, qui aurait dû être tout aussi « bourgeoise » qu'est « bourgeois » l'Aristotélisme authentique (pour le caractère « bourgeois » de la morale stoïcienne, voir *Stoa*, 140, 143, 146 sq., 169 sq., 238, 248 sq., 254, 347; cf. cependant 221, 242, 257).

11, page 112.

Pour le caractère *dogmatique* du Stoïcisme (la Conscience morale ou toute « donnée irréductible », en fait silencieuse et ineffable), voir *Stoa*, 23 sq., 42 sq., 93-95, 105, 124, 135, 137, 144, 159, 214, 347. On peut signaler à cette occasion que certains Stoïciens (notamment Cléanthe) ont remplacé la donnée de la Conscience morale par celle de la Révélation (religieuse) : cf., par exemple, *Stoa*, 81 sq., 99, 103, 112, 136 sq., 343. Mais, en règle générale, les Stoïciens ont été des Moralistes au sens propre, c'est-à-dire profondément areligieux (« divins » parce que vertueux, mais non vertueux parce que « divins ») : cf., par exemple, *Stoa*, 126 sq., 141, 146, 169 sq., 213, 255.

12, page 117.

En fait et pour nous, cette différence entre Zénon et Chrysippe se réduirait à peu près à ceci. D'après Zénon, le détachement d'une essence (donnée dans et par la Perception animale) de son *hic et nunc*, c'est-à-dire la trans-formation de cette essence en sens, est un acte de la Raison (humaine), qu'il appelle *Synkathatesis;* ce n'est qu'après que la Raison a trans-formé une essence en sens, en la détachant de son *hic et nunc* perçu (ou « monadique »), que la Conscience (humaine) peut rapporter une essence à ce sens, ce qui constitue (l'acte de) la *Katalepsis;* dans la mesure où la Conscience constate que l'essence présentée dans et par une Perception (animale) correspond à un sens qui s'y rapporte, cette Perception se trans-forme en une Re-présentation (humaine) compréhensive *(phantasia kataleptikê)* ou « vraie » et la notion (développable en discours) dont le sens se rapporte à cette essence qui lui correspond est une « vérité (discursive) », par définition « universelle » ou valable partout et toujours, voire « nécessairement » *(koinôs nomos).* D'après Chrysippe, dans certains cas, l'essence présentée dans et par une Perception (humaine) se détache « spontanément » de son *hic et nunc* en se trans-formant de ce fait en sens; c'est le cas des Perceptions compréhensives *(phantasia kataleptikê);* une telle Perception provoque « automatiquement » et à la fois toute la *Katalepsis*, c'est-à-dire la constatation (par une Conscience humaine) de la correspondance d'une essence (présentée dans et par une Perception qui est en fait une Re-présentation compréhensive) au sens qui s'y rapporte (et qui est cette même essence, qui s'est spontanément détachée de son *hic et nunc*), et la *Synkatatesis*, interprétée comme une constatation (par la même Conscience humaine) du fait que le sens de la notion (formée par cette Conscience en tant que *Logos*, d'ailleurs « droit », l'essence en question s'étant trans-formée en sens à la suite de son détachement « spontané », de son *hic et nunc*) se rapporte à l'essence qui lui correspond (en tant que présentée dans son *hic et nunc* par la Perception ou Re-présentation compréhensive); cette notion est alors une « vérité discursive » *(koinôs nomos)* et la Raison qui la forme est « droite » *(orthos logos).* — La façon de voir de Zénon serait alors plus « hégélienne » que celle de Chrysippe. Mais la différence est plus apparente que réelle, aucune des deux théories n'étant en ait « hégélienne », les deux étant authentiquement aristotéliciennes. Car, d'après Zénon, c'est uniquement la « *droite* Raison » qui est censée opérer le détachement de l'essence de son *hic et nunc*, c'est-à-dire sa trans-formation en sens. Or, Zénon explique tout aussi peu en quoi consiste la « droiture » de la Raison que Chrysippe ne dit pourquoi certaines Perceptions sont « compréhensives » (c'est-à-dire détachent du *hic et nunc* les essences qu'elles présentent) et d'autres non. En fait, à moins d'admettre l'intervention du « hasard », il faut dire que dans les deux cas il s'agit de la différence entre le « normal » ou le « sain » et l'« abnorme » ou le « malade ». Or, ce sont des notions « biologiques », essentiellement aristotéliciennes (voir, pour l'*orthos logos*, *Éth. Nic.*, VI, début), qui n'a rien à voir avec l'Activité (= Négativité, = « Liberté ») hégélienne proprement dite. Or, s'il en est ainsi, l'essence qui se trans-forme « automatiquement » en sens du fait de se détacher « naturellement » du *hic et nunc* de l'objet en cause (ou de son corps), devrait se lier tout aussi « automatiquement » au *hic et nunc* de la notion en question (ou de son morphème), ce lien nouveau étant ainsi tout aussi « naturel » que l'ancien. Autrement dit, le lien entre les soi-disant sens et morphèmes de la prétendue notion serait non pas « arbitraire » ou « quelconque », mais tout aussi « nécessaire » que celui entre l'essence et le corps d'un authentique objet : toutes les Choses seraient donc « naturelles » (ou « vitales ») et aucune ne serait « magique », voire véritablement discursive, ou vraiment humaines. En re-disant, en fait, Aristote, ni Zénon, ni Chrysippe ne rendent donc compte, pour nous, du phénomène du Discours *(Logos)*.

13, page 118.

Si, au lieu de combler les lacunes discursives de la Phénoméno-logie, les Évidences servent de points de départ à un développement discursif, la Phénoméno-logie se transforme en une Phénoméno-graphie et la Philosophie dogmatisée devient une théorie dogmatique (théologique, scientifique ou morale), qui peut revêtir un aspect plus ou moins « philosophique ». Toute -*graphie* peut, d'ailleurs, dégénérer en -*métrie*, si on enlève au discours graphique toute espèce de sens, tout en maintenant sa « coïncidence » avec ce dont il parlait.

14, page 124.

Puisque l'on fait abstraction de *ce dont* on parle, on peut parler aussi de ce que l'on *dit* sans parler *de* quoi que ce soit, voire en parlant *à* quelqu'un. C'est ainsi que la *Logique* stoïcienne est plus « abstraite » ou « formelle » que celle d'Aristote. Et c'est pourquoi elle traite non seulement de la « forme » du Discours théorique, mais encore de celle du Discours pratique (Prière, Ordre, Commandement) [cf. *S.V.F.*, II, 186 sqq., 193, 197 sq., 237; *Stoa*, 362].

15, page 126.

Il ne faut, d'ailleurs, pas oublier que dans la première version du Système d'Aristote qui se trouvait dans le *Peri philosophias*, le Premier-moteur était *mobile;* il mettait et entretenait tout en mouvement, en se mouvant éternellement soi-même. C'est cette conception que Platon mettait dans la bouche du « Timée » = Eudoxe. Ainsi, qu'elle soit empruntée par Aristote à Eudoxe ou suggérée au second par le premier, la notion d'un Premier-moteur *mobile* est certainement une notion authentiquement aristotélicienne. Il est plus que probable qu'Aristote n'immobilisa son Premier-moteur qu'à la suite des critiques ironiques de Platon (que nous connaissons grâce au *Timée*) et rien ne dit qu'Eudoxe l'ait suivi dans cette voie. Quoi qu'il en soit, l'immobilisation du Premier-moteur accentue l'élément platonicien dans l'Aristotélisme, celui-ci s'écartant ainsi d'Héraclite et se rapprochant de Parménide. Ici encore le retour des Stoïciens à la notion d'un Premier-moteur *mobile* est donc une « épuration » de l'Aristotélisme : l'Aristotélisme stoïcien est moins « platonisant » que celui d'Aristote.

16, page 128.

D'une part, les Stoïciens semblent distinguer entre le Feu (en acte) qui « remplit » l'ensemble de la Spatialité (c'est-à-dire aussi la partie qui reste « vide » tant que le Cosmos est astral) et cette Spatialité elle-même. Dans ce cas, le Feu serait en Opposition-irréductible ou en Inter-action avec la Spatialité, qui serait Matière dans et par cette Inter-action même. En tant que Matière entièrement transformée (par Zeus) en Feu, la Spatialité (= Être-donné) serait donc objectivement-réelle *en entier*. Mais, d'autre part, les Stoïciens semblent distinguer entre le Feu « céleste » ou « divin » (analogue à l'Éther aristotélicien) et la Matière (informée) « élémentaire ». Dans ce cas, le Feu serait la Spatialité en tant que telle ou en tant qu'Être-donné et celui-ci ne serait objectivement-réel qu'en tant que Cosmos.

17, page 138.

Tout comme Aristote, les Stoïciens n'ont pas admis l' « immortalité individuelle ». Si le *Logos* humain survit à la Psyché, il ne le fait qu'en tant que *Logos* divin, qui est en fait le Nous *non* discursif, d'ailleurs, unique et un. (Le cas de Platon est moins net, car il n'est pas exclu que chaque « âme » humaine soit pour lui une « Idée », voire un élément-constitutif de l'Idée-de-l'âme ou de l'Ame-idéelle.)

18, page 140.

Il ne faut pas confondre le *Hasard* aristotélicien avec le caractère *statistique* des « lois » de la Physique moderne (« quantique »). Par définition, le Hasard échappe, d'après Aristote, à tout savoir pro-

prement dit : rien de ce qui dépend du hasard ne peut être « géné-
ralisé » ou « prévu », ni donc « démontré » : le Hasard est « indéterminé ». Au contraire, la Physique moderne est rigoureusement
« déterministe » : les « lois quantiques » (statistiques) sont « nécessaires », c'est-à-dire « valables partout et toujours » et c'est dire
que la Réalité-objective est complètement et parfaitement « déterminée ». Mais les « lois » ne sont « nécessaires » que dans la mesure
où elles sont statistiques : c'est la « loi des grands nombres » qui
permet d'éliminer les paramètres indéductibles ou imprévisibles qui
incarnent le « hasard ». Par conséquent, la pseudo-notion stoïcienne
d'une « nécessité » *non* statistique est contradictoire dans les termes.
Par ailleurs, la statistique présuppose le caractère *non* structuré des
éléments en cause. Par conséquent, l'Existence-empirique par définition « monadique » exclut en fait la statistique et la « nécessité »
stoïciennes. Ceux-ci auraient pu la trouver dans la Réalité-objective,
s'ils ne l'avaient pas, à tort, « monadisée ». En le faisant à la suite
d'Aristote, ils doivent, tout comme lui, faire en fait appel à la seule
« monstration » lorsqu'ils parlent du « Ciel » (censé être objectivement-réel, mais en fait phénoménal). Et ils ont de toute façon tort
de vouloir éliminer le Hasard aristotélicien du Monde « terrestre ».

19, page 152.

Si la structure du Système stoïcien est : *Logique → Éthique → Physique*, la Logique se présente [comme chez Hegel] en tant que discours sur le « *Logos* divin », c'est-à-dire comme un développement
(discursif) « de la pensée de Dieu avant la création du Monde ».
Par contre, si le Système stoïcien comporte la séquence (plus courante, d'ailleurs) : *Logique → Physique → Éthique*, la *Logique* est
présentée comme un discours sur le « *Logos* humain », c'est-à-dire
sur la manifestation discursive du comportement « naturel » (« vertueux ») de l'Homme (au sein du Cosmos pris et compris en tant
qu'Effet « naturel » de la Cause « divine »).

20, page 156.

Par ailleurs, les Stoïciens (Posidonius) ont bien vu que les Animaux (même « architectes » ou « ingénieurs », tels que les araignées
ou les abeilles) ne *comptent* et ne *mesurent* pas et ils en concluent
qu'aucun animal ne possède le discours *(Logos)* proprement dit. La
-*métrie* est donc rattachée à la -logie.

21, page 160.

On rapporte, il est vrai (cf. *Stoa*, 334), que Posidonius aurait admis
la possibilité d'un « langage sans paroles » (entre des « esprits purs »).
S'il en était ainsi, les Sens (non discursifs) seraient pour lui des Idées
platoniciennes, transcendantes par rapport aux Phénomènes. Plus
exactement, les « Esprits » (ou « Ames incorporelles ») capables de
(se) comprendre sans (se) parler, seraient eux-mêmes des Idées

(« individuelles »?) ayant une réalité-objective située « entre » l'Être-donné (divin et parfaitement « silencieux », voire « ineffable ») et l'Existence-empirique phénoménale (discursive). Mais, d'une part, le témoignage en question est peu sûr. D'autre part, Posidonius semble avoir été « néo-platonicien » avant la lettre (à l'instar d'un Antiochus d'Ascalon), en essayant de « combiner » l'Aristotélisme (stoïcien) avec un Platonisme plus ou moins authentique. Quoi qu'il en soit, la plupart des Stoïciens ne semblent pas avoir admis qu'un Sens puisse être détaché de tout morphème (tout en admettant qu'il peut être lié à n'importe lequel).

22, page 170.

Pour nous, les Stoïciens commettent une double « erreur » (d'ailleurs aristotélicienne). D'une part, ils ont tort de considérer *tous* les sens comme « universels »; car il y a en fait des notions d'objets « particuliers » (celle de Napoléon, par exemple). D'autre part, ils ont tort aussi d'affirmer que toutes les essences sont « particulières »; car il y a en fait des essences « spécifiques », « génériques », etc. Autrement dit, les Stoïciens identifient à tort les essences non particulières aux Sens : en fait, le sens *CHEVAL* de la notion CHEVAL se rapporte à l'essence de l'espèce chevaline, qui est autre chose que l'essence d'un cheval particulier (même si l'espèce chevaline elle-même n'est pas autre chose que l'ensemble de tous les chevaux). Ils ont tort aussi de considérer les essences particulières comme objectivement-réelles (bien que les corps des objets particuliers qui les incarnent le soient). En fait, les *Logoi spermatikoi* ne sont chez les Stoïciens que des résidus aristotéliciens des Idées platoniciennes. En tant que *Logoi*, celles-ci s'incarnent dans des objets qui se forment de ce fait en tant qu'objets animaux (cycliques).

23, page 177.

Chrysippe semble avoir introduit la notion de *Chora*, qui est ce qu'il y a de *commun* au *Topos* et au *Kenon* (la *Chora* étant *Topos* dans la mesure où elle est « remplie » par le Corps, ce qu'elle n'est que partiellement, du moins tant qu'il y a un *Cosmos*). *Chora* serait alors très proche de *Spatialité*, mais n'a quand même rien à voir avec la Temporalité (Pohlenz, II, 37).

24, page 181.

Si Prantl sous-estime les progrès que les Stoïciens ont fait faire à la « Logique » d'Aristote, il a quand même raison en ce sens que la *Logique* stoïcienne n'est qu'une variante de la « Logique formelle » de celui-ci.

25, page 185.

La théorie aristotélicienne de l'Éther se heurte à deux difficultés, en fait insurmontables, qu'Aristote essaya (en vain) de camoufler.

D'une part, en tant que Matière « non élémentaire », l'Éther aurait dû être soustrait à l'expérience sensible ou à la perception; or, si les *sphères* célestes sont effectivement im-perceptibles, les *astres* qui y sont fixés sont parfaitement *visibles*, bien qu'ils soient censés être faits de la même matière « éthérée ». D'autre part, en tant qu' « incorruptible », l'Éther ne devrait pas comporter de « contraires »; or, bien que les Formes célestes (sphères et astres) ne s'incarnent que dans la seule Matière éthérée, elles sont soumises à (ou engendrent) un mouvement (circulaire) qui admet en fait deux sens contraires. Aristote essaie de lever la première difficulté (cf. *De coelo*, II, 7) en disant que la lumière et la chaleur qui semblent émaner des astres sont en réalité l'effet de la friction éprouvée par l'air (« élémentaire ») à la suite de leurs mouvements; mais il ne dit pas pourquoi les sphères elles-mêmes restent imperceptibles, bien que le mouvement des astres soit censé être le leur. Quant à la deuxième difficulté, Aristote ne s'en tire que grâce à un sophisme (cf. *ibid.*, I, 4) : il prétend que les deux sens (contraires) possibles d'un mouvement circulaire sont en fait équivalents (de sorte que le mouvement contraire à un sens donné serait « sans objet » ou « inutile »), vu qu'en partant d'un point A on arrive dans les deux cas au même point B ; or, il suffirait d'introduire un point C entre les points A et B pour constater que si dans un cas la séquence est ABC, elle est ACB dans l'autre cas, de sorte que si le mouvement ne va que de A à B, il passe par C dans un cas, mais non dans l'autre.

26, page 195.

On peut signaler à cette occasion la doctrine pseudo-stoïcienne du Sage que l'on trouve développée par Philon dans *Quod omnis probus liber sit*. A première vue, Philon y re-dit simplement ce que disent les Stoïciens (cf. éd. Loeb, vol. IX, p. 23 sq.) : le Sage n'est NI Esclave (puisqu'il ne *craint* rien, pas même la mort), *ni* Maître (vu qu'il ne recherche pas la gloire, c'est-à-dire la reconnaissance par autrui) [encore qu'il soit (automatiquement) « reconnu » par les autres Sages, qui sont d'ailleurs seuls à être « reconnus » par lui-même]. Mais, en fait et pour nous, Philon veut dire autre chose qu'eux en les redisant. Pour lui, le Sage est en fait un Religieux et celui-ci est, par définition, Maître (puisqu'il est prêt à sacrifier sa vie pour obtenir ou maintenir la reconnaissance [par Dieu]) ET Esclave (puisqu'il craint la mort au point de demander grâce [à Dieu] afin de conserver ou d'obtenir la vie [éternelle]). Si le Sage stoïcien est ainsi un phénomène spécifiquement bourgeois (le Bourgeois « parfait » étant, d'ailleurs, l'Intellectuel), le Religieux philonien préfigure le Citoyen : sauf que c'est Dieu et Dieu seul qui est censé pouvoir lui donner la reconnaissance qu'il recherche (au prix d'une soumission absolue et unilatérale, qui suppose, et conditionne, l'immortalité). Par ailleurs, le Religieux de Philon a ceci de commun avec le Sage stoïcien qui lui aussi est « libre » au sens d' « indépendant » des « conditions extérieures ». Mais si le Sage est « laïque » en ce sens que sa vie dans l'ici-bas est « heureuse » quelles que soient les circonstances dans lesquelles il vit, le Religieux est partout et toujours « malheureux » dans la vie mondaine quelle qu'elle soit et ne peut être « bienheureux » que dans l'au-delà, c'est-à-dire après sa mort (qui est ainsi un « bien » terrestre). C'est sur la notion *religieuse* de la « Sagesse » que se greffent, chez Philon, les thèmes judaïques, qui n'ont rien à voir avec la doctrine stoïcienne du Sage.

III. L'ÉCLECTISME SOCRATIQUE (PAIEN)
EN TANT QU'HOMOLOGUE
DE LA PARA-THÈSE SYNTHÉTIQUE
DE LA PHILOSOPHIE. LE NÉO-PLATONISME [1]

Ce qu'on appelle traditionnellement le « Néo-platonisme » se présente, dans l'histoire de la Philosophie, comme un *Éclectisme* où les éléments empruntés au Platonisme, d'ailleurs dogmatisé, coexistent avec ceux provenant de l'Aristotélisme, dogmatisé lui aussi, notamment en tant que Stoïcisme. Les Néo-platoniciens eux-mêmes se rendaient d'ailleurs compte du caractère éclectique de leur philosophie. Ainsi, par exemple, en parlant d'Ammonius Saccas, Hiéroclès dit qu'il fut le premier (après de nombreux « prédécesseurs ») à montrer que Platon et Aristote étaient d'accord en ce qu'il y avait d'important et de nécessaire dans leurs doctrines (cf. Photius, cod. 214, p. 172, a, 173, b; cod. 251, p. 461, a). Et Simplicius affirme encore que « Aristote est le meilleur commentateur de Platon » (cf. *In de an.*, 245, 17). Afin de préciser la place qu'occupe, dans l'évolution chrono-logique de la Philosophie, cet Éclectisme *parathétique*, voire « secondaire » et socratique, par rapport à l'Éclectisme *thétique*, voire « primaire » ou présocratique, il est utile de rappeler brièvement le schéma dialectique du Discours en tant que tel ou pris dans son ensemble.

Le Discours se pose comme *élémentaire* ou *pratique* et s'oppose à soi-même en tant qu'*exclusif* ou *théorique*. La durée-étendue de ces deux *genres* op-posés (dont le second sup-pose le premier sans que celui-ci le pré-suppose) est in-définie, mais dans un *hic et nunc* donné, le Discours se pro-pose dans son ensemble en tant que troisième *genre*, qui est celui du Discours *synthétique* ou *philosophique*. C'est ce dernier discours qui finit par s'im-poser en tant que Discours *intégral* ou *uni-total*, qui constitue le Système du Savoir (en tant que Sagesse discursive). Le Discours élémentaire se dé-compose en trois *espèces*, auxquelles s'op-posent, une à une, les trois *espèces* du Discours exclusif. Ainsi, aux espèces pratiques de la *Prière* thétique, de l'*Ordre* antithétique et du *Commandement* parathétique s'opposent respectivement les espèces théoriques de la *Théologie*, de la *Science* et de la *Morale*.

Chacune des trois *espèces* du Discours exclusif se développe en trois *stades* successifs. Chacun se pose dans un stade (thétique) *axiomatique*, auquel s'op-pose le stade (antithétique) *sceptique*, mais finit par s'im-poser dans son stade (parathétique) *dogmatique*. Toutefois, dans la mesure où le Discours (théorique) sceptique nie ou annule le Discours (théorique) dans son ensemble, il annule également la distinction entre les espèces de celui-ci, de sorte qu'il n'y a qu'une seule *espèce* de Scepticisme (théorique). Par contre, le stade sceptique se dé-compose en trois types (successifs), qui sont, si l'on veut, les espèces qui lui sont propres. Le type thétique est le *Formalisme*, qui maintient la « forme » (le morphème) discursive, en se contentant d'annuler le « contenu » (le sens) du Discours. Le type antithétique est le *Nihilisme*, qui réduit le Discours (théorique) au silence. Enfin, le type parathétique est le *Relativisme*, qui assimile au silence l'ensemble du Discours (théorique), en ne maintenant les sens discursifs que dans la mesure où ceux-ci s'annulent mutuellement ou se contre-disent les uns les autres.

A son état axiomatique, le Discours théorique est, en fait, multiple en lui-même : il se présente à nous comme plusieurs théories (axiomatiques) différentes, c'est-à-dire, en dernière analyse, « contraires » ou contra-dictoires. Mais chacune de ces théories « ignore » toutes les autres et se comprend comme unique, sinon dans son genre, du moins dans son espèce. Ainsi, à son stade axiomatique, le Discours théorique ne prend ni l'attitude du ET-ET ni même celle du SOIT-SOIT. La multiplicité immanente au Discours (théorique) axiomatique n'est explicitée que par et pour le Tiers. Mais dans la mesure où ce Tiers est sceptique, le ET-ET explicité par lui (dans le Discours axiomatique) est pour lui un NI-NI. Dans la mesure où les sens des différents discours axiomatiques se contre-disent deux à deux, *aucun* d'eux n'est valable pour le Discours sceptique. Aussi bien n'y a-t-il pas non plus de sens d'op-poser les Discours (axiomatiques) théologiques aux scientifiques ou de proposer à leur place un discours moraliste.

Dès que le ET-ET (implicite) du Discours axiomatique a été trans-formé en NI-NI (explicite) du Discours sceptique, ce NI-NI peut être à son tour trans-formé en SOIT-SOIT (explicite) du Discours dogmatique. Dans la mesure où le Scepticisme (théorique) a réduit (ou assimilé) au silence le Discours axiomatique, le Discours théorique ne peut se maintenir qu'en faisant appel à ce silence, voire en se l'incorporant. Or, dans la mesure où le Discours théorique fait appel (pour se « justifier » en tant que « vrai » au sens d' « exclusif ») à l'Expérience *silencieuse*, il atteint le stade dogmatique. Dans la mesure où il fait excluvement appel à l'Expérience *religieuse*, c'est-à-dire aux données immédiates de la seule conscience transcendante, le Discours théorique se présente comme une *Théologie* dogmatique. Il se présente comme une *Science* dogmatique lorsqu'il fait (« exclusivement ») appel aux « données immédiates de la seule conscience extérieure », c'est-à-dire à l'Expérience sensible (voire à l'Expérimentation). Enfin, s'il fait (« exclusivement ») appel à l'Expérience *morale* de la (seule) conscience *intérieure (Gewissen)*, il se présente comme une *Morale* dogmatique. Ainsi, chacune des trois espèces du Discours dogmatique s'impose en excluant les deux autres, c'est-à-dire en im-posant une seule des variantes (possibles) de chacune des trois espèces du Discours axiomatique (dogmatisé) à l'exclusion de toutes les autres.

Le Discours théorique culmine donc en une seule Théologie dogmatique et en une seule Science dogmatique qui s'excluent mutuellement, en excluant de ce fait la seule et unique Morale dogmatique qui prétend pouvoir et devoir se substituer aux *deux* à la fois. Or, dans la mesure où une théorie dogmatique fait appel à un élément-constitutif *silencieux*, voire *ineffable*, elle est soustraite à la contra-*diction* : tant à la contra-diction « spécifique » qu'à celle des « variantes ». Ne se contre-disant plus soi-même, le Discours dogmatique échappe aux attaques du Scepticisme et ne peut plus être transformé en Discours sceptique. Autrement dit, chacune des trois espèces du Discours dogmatique peut se maintenir in-définiment dans son identité (« exclusive ») avec elle-même, dans l'exacte mesure où elle implique des éléments non discursifs.

Ainsi s'achève le développement du Discours *théorique* qui peut être appelé « *primaire* » (ou *aphilosophique*) parce qu'il ne sup-pose que le seul Discours pratique et « ignore » le Discours philosophique. Mais quelle que soit la durée-étendue du Discours dogmatique, il suffit qu'il soit posé (ou im-posé) pour qu'il puisse être trans-posé (ou trans-formé) en Discours *synthétique* ou *philosophique* (qu'on appellera « *primaire* » lui aussi).

Par définition, la Philosophie est une recherche de la Sagesse (discursive). Le Discours philosophique est donc *synthétique* parce qu'il tend (explicitement) à se développer en discours *intégral*, qui est le Système du Savoir. Or, si le discours intégral ou uni-total doit inclure même le discours qu'il est lui-même (tandis que le Discours théorique est *exclusif* précisément parce qu'il s'exclut soi-même de ce dont il parle), il ne peut *a fortiori* inclure un discours quel qu'il soit (ni combler ses lacunes par des éléments non discurs:fs). Les Discours (théoriques) théologique, scientifique et moraliste répondent à la question de savoir ce que doit être l'Univers (c'est-à-dire le monde où l'on parle) pour qu'y soit possible le Discours (pratique) réduit respectivement à la seule Prière, ou au seul Ordre, ou au seul Commandement. Mais le Discours philosophique doit répondre à la même question en tenant compte du fait que le Discours (pratique) est Prière, Ordre et Commandement « à la fois » (sans perdre de vue que le Discours est aussi théorique et que la Philosophie est elle-même un genre du Discours). On peut donc dire, si l'on veut, que la Philosophie est un Discours qui est *à la fois* théologique, scientifique et moraliste. Seulement, il ne faut pas oublier qu'elle est ainsi tout autre chose que la Théologie, la Science et la Morale théorique, vu que celles-ci s'excluent mutuellement (chacune s'op-posant d'ailleurs au Discours pratique et ne parlant que du discours qu'elle est elle-même).

En fait, c'est en « complétant » chacune des trois espèces du Discours (pratique et théorique) par les deux autres (ou en procédant à la synthèse discursive des trois) que le Discours philosophique élimine les lacunes discursives (que les théories dogmatiques comblent par des éléments-constitutifs silencieux) et, en intégrant ainsi le Discours, y introduit aussi celui qu'il est lui-même. Or, la troisième espèce du Discours (pratique et théorique) ne se pro-pose (« exclusivement ») que dans la mesure où elle sup-pose les deux premières espèces en tant qu'op-posées l'une à l'autre ou comme s'excluant mutuellement. Autrement dit, la troisième espèce ne se pro-pose que comme un « compromis » parathétique qui sup-pose l'opposition antithétique (ou thétique) des deux premières [et c'est pourquoi ce compromis, par définition « contra-dictoire », ne peut s'im-poser que silencieusement en tant que « devoir » pratique ou « dogme » théorique]. Par conséquent, dans la mesure où le Discours philosophique procède à une Synthèse de la Thèse et de l'Anti-thèse, elle supprime-dialectiquement les *deux* espèces (op-posées) du Discours (pratique et théorique) et, de ce fait, elle supprime-dialectiquement la troisième (qui sup-pose les deux premières). Ainsi la Philosophie ne pose pas de Théologie exclusive (qui réduirait le Discours pratique à la seule Prière); elle ne peut donc pas lui op-poser une Science exclusive (qui réduirait le Discours pratique au seul Ordre); par conséquent, elle n'a nul besoin de proposer à leur place une Morale exclusive (qui réduirait le Discours pratique au seul Commandement). La Philosophie ne pro-pose qu'un seul et même discours synthétique, qu'elle finit par im-poser comme le Discours uni-total qu'est le Système du Savoir [celui-ci n'étant plus un troisième *genre* du Discours, qui se pro-pose à la place des deux pre-miers qui sont sup-posés en tant qu'op-posés, mais le Discours en tant que tel et pris dans son ensemble achevé].

Il nous faut voir maintenant par quoi commence et comment se développe le Discours synthétique qui finit par s'intégrer en Discours uni-total ou en Système du Savoir.

Le Discours philosophique naît du refus d'accepter les « don-nées *immédiates* de la conscience », c'est-à-dire, les Expériences *silencieuses* (censées montrer silencieusement l'Ineffable), voire de l'intention de combler les lacunes du Discours (théorique) par des éléments-constitutifs *discursifs*. Or, dès qu'on refuse l'appel à l'Expérience (silencieuse), il n'y a plus aucun moyen (discursif) de « justifier » l'exclusion soit de la Science (théo-rique) au seul profit de la Théologie (théorique), soit de celle-ci au seul profit de celle-là, soit des deux à la fois au seul profit de la Morale (théorique). Ne pouvant exclure de son Discours (synthétique) aucune des trois espèces discursives, la Philoso-phie doit les y inclure toutes les trois. Or, l'inclusion des trois espèces discursives (axiomatiques) en un seul et même Discours (théorique) a déjà été effectuée par le Sceptique. Ainsi, le *début* du Discours synthétique s'apparente, en un certain sens, au Discours (théorique) sceptique. Tout comme le Sceptique, le Philosophe *débutant* loge à la même enseigne la Théologie et la Science, sans vouloir ni pouvoir y substituer une Morale exclusive.

Dans la mesure où l'on veut parler d'un début « sceptique » de la Philosophie, on devrait parler d'un « Scepticisme » *phi-losophique*. Mais étant donné que ce « Scepticisme » diffère « essentiellement » du Scepticisme théorique (appartenant à un autre « genre » du Discours), il vaudrait mieux ne pas appeler « sceptique » le « doute » (« socratique » et « cartésien ») qui constitue le *début* de la Philosophie. Il serait préférable d'appe-ler ce *début* d'allure « sceptique » de la Philosophie non pas « Scepticisme philosophique » (par opposition au Scepticisme théorique *a*philosophique ou antiphilosophique), mais « Pro-pédeutique philosophique », voire « Philosophie négative » ou « dialectique » (par opposition à la Philosophie « positive » ou « synthétique », qui naît du « doute » philosophique).

La différence essentielle entre le Scepticisme (théorique) et la Philosophie dialectique se traduit par le fait que le « doute » sceptique aboutit à la dogmatisation du Discours (théorique), tandis que le « doute » dialectique inaugure une dé-dogmati-sation de ce même Discours. Or, la dogmatisation du Discours (théorique) sup-pose sa *réduction au silence* par le Scepticisme, tandis que sa dé-dogmatisation par le Philosophe ouvre le chemin au Discours uni-*total* (du Sage). Autrement dit, le Sceptique (théorique) ne loge à la même enseigne la Théologie, la Science et la Morale que pour les réduire au silence toutes les trois, tandis que le Philosophe (« dialectique ») ne le fait que pour pouvoir en parler sans lacunes discursives. Or, cette différence provient du fait que le Sceptique est un Théoricien qui, en tant que tel, admet (« sans discussion ») le caractère *exclusif* du Discours (théorique) et donc de la Théologie, de la Science et de la Morale (qui se contre-disent en se réduisant ainsi mutuellement au silence, dans la mesure même où elles s'excluent les unes les autres), tandis que la Dialectique philosophique s'apprête à procéder à leur *synthèse* discursive (qui supprime dialectiquement tant la Thèse que l'Anti-Thèse qui se contre-disent et donc aussi la Para-thèse « contradictoire »).

C'est à cette synthèse du Discours que procède la Philosophie « positive » dès que la Philosophie « négative » a dé-dogmatisé le Discours théorique. Or, cette Philosophie « synthétique » se développe en deux étapes. Ou en trois si l'on veut compter comme troisième étape du Discours synthétique le Discours intégral ou uni-total qu'est le Système du Savoir.

La Première Philosophie (positive) peut être appelée « présocratique ». Et nous verrons tout à l'heure qu'elle engendre une nouvelle *modalité* du Discours théorique, que l'on peut appeler « secondaire » ou « *pseudo*-philosophique » (par opposition au Discours théorique « primaire » ou « *aphilosophique* ») et qui se développe, lui aussi, en une première étape, également « présocratique ».

Par définition, le Discours philosophique n'exclut aucun des trois genres discursifs. Mais il ne faut pas oublier que la Philosophie proprement dite, qui est non pas sagesse discursive, mais seulement recherche de celle-ci, n'est pas encore la Syn-thèse du Discours thétique élémentaire et du Discours antithétique ou exclusif que sera le Système du Savoir, mais seulement la Para-thèse des deux. Le Discours synthétique, en tant que distinct du Discours intégral ou uni-total est donc, en fait et pour nous, un Discours *parathétique*. En tant que parathétique, le Discours philosophique est, d'une part, homologue au Discours (théorique) dogmatique, le Dogmatisme étant la parathèse de l'Axiomatisme thétique et du Scepticisme antithétique. C'est d'ailleurs pour cette raison que la Philosophie débute par une Propédeutique *dialectique* qui est analogue au Scepticisme théorique. Et c'est pour cette raison que tant qu'elle n'est pas transformée en Sagesse, la Philosophie a une tendance naturelle à dégénérer en Paraphilosophie, en se *dogmatisant*. D'autre part, en tant que parathétique, la Philosophie est plus particulièrement homologue à la Morale (dogmatique), qui est la parathèse de la Théologie thétique et de la Science antithétique. C'est pour cette raison que la Parathèse synthétique (kantienne) de la Philosophie, qui précède immédiatement sa transformation en Système du Savoir, se présente essentiellement comme une Éthique (« primat de la Raison pratique »).

D'une manière générale, la Para-thèse se distingue de la Syn-thèse par le fait qu'elle est une synthèse ou intégration *partielle*, qui commence par être plus ou moins *partielle*, au profit de la Thèse d'abord et de l'Anti-thèse ensuite. Or, puisque la Philosophie débute par une Propédeutique « dialectique » (ou Philosophie « négative ») qui a pour but de dé-dogmatiser le Discours dogmatique, en vue d'*intégrer* (sans les annuler à l'instar du Scepticisme) la Théologie, la Science et la Morale qui restent *séparées* dans le Discours théorique (axiomatique et dogmatique), le caractère *partiel*, voire *partial* de l'intégration parathétique qui constitue la Philosophie « positive » (non transformée en Système du Savoir) doit se traduire par le « primat » d'abord de la Théologie (dé-dogmatisée ou « *métaphysique* »), puis de la Science (dé-dogmatisée ou « Physique ») et enfin de la Morale (dé-dogmatisée, qu'on peut appeler « *Éthique* »), comprise comme un « compromis équitable » entre la Théologie et la Science.

Dans le développement chrono-logique de la Philosophie, c'est Parménide qui développe la thèse philosophique, où *prime* la Théologie, sans *exclure*, bien entendu la Science, ni donc la Morale ou l'Éthique (et qui, tout en étant homologuée au Discours dogmatique, est analogue au Discours axiomatique, tandis que ses débuts « dialectiques » ou « négatifs » sont analogues au Formalisme sceptique). Quant à l'Anti-thèse philosophique, où prime, d'une façon non exclusive, la Science, elle est développée par Héraclite (étant analogue dans son aspect « positif » au Discours sceptique, tandis que ses débuts « négatifs » sont analogues au Nihilisme sceptique). Le caractère parital des intégrations philosophiques thétique et antithétique disparaît dans l'intégration parathétique, mais celle-ci reste néanmoins *partielle*. D'où le primat « socratique » de la Philosophie (analogue au Discours dogmatique dans son aspect « positif » et au Relativisme sceptique dans son aspect « négatif »).

Or, la trans-formation de la Thèse et de l'Anti-thèse de la Philosophie (« présocratique ») en Parathèse philosophique (« socratique ») s'effectue dans et par un processus chrono-logique assez complexe qu'il s'agit maintenant de préciser.

Le caractère *partial* des intégrations philosophiques (para-thétiques) thétique et antithétique est conditionné par leur caractère *partiel*. Or, étant *partiels*, ces deux discours philosophiques sont par définition « lacunaires ». Les philosophes authentiques s'en rendent compte (par l'aspect propédeutique, dialectique ou négatif de leurs philosophies) et ils considèrent, par conséquent, les Systèmes en cause comme « provisoires », c'est-à-dire, comme susceptibles de se transformer en Système du Savoir, sans être eux-mêmes un Système du Savoir. Mais des intellectuels qui absorbent un tel système en « ignorant » la Propédeutique dialectique que ce système sup-pose, sont natu-rellement portés à le considérer comme « définitif », c'est-à-dire à le (mé-) comprendre comme Système du Savoir. Mais puisque le Système en cause est « lacunaire », ce sont ses lacunes discursives mêmes qui sont maintenant présentées comme « définitives ». Dans la mesure où ces intellectuels ne renoncent pas à la discursivité et refusent donc de faire appel aux Expé-riences silencieuses, ils peuvent être considérés comme des adeptes de la Philosophie « positive ». Mais dans la mesure où ils « ignorent » la Philosophie « négative », ils ne sont que des *para*philosophes. C'est en tant que *para*philosophes que ces intellectuels considèrent les notions qui ne sont pas *déduites* en fait à l'intérieur d'un Système donné en raison des lacunes discursives que celui-ci comporte, comme des notions *indé-ductibles* en principe, c'est-à-dire comme des « Évidences » (discursives). Autrement dit, la Philosophie (authentique) dégé-nère chez et par eux en *Para*philosophie, dans la mesure même où ils la *dogmatisent*, en déduisant un Système philosophique (authentique) donné à partir de certaines Évidences qui sont censées être discursives, tout en étant indéductibles [ce qui est, bien entendu, une *contradictio in adjecto*].

C'est ainsi que la philosophie de Parménide dégénère en un Système dogmatisé ou paraphilosophique éléatique, tandis que la philosophie d'Héraclite dégénère en un Système para-philosophique et dogmatisé héraclitéen. Bien entendu, ces deux Systèmes paraphilosophiques « contraires » continuent à se contre-dire en fait et pour nous. Mais pour les adeptes de l'un de ces Systèmes, sa contradiction par les adeptes de l'autre est sans valeur, précisément parce que le Système est dogmatisé. En effet, en tant que dogmatisé, un Système paraphilosophique est (correctement) déduit à partir de notions « évidentes » : or, « on ne nie pas l'évidence ».

Dans la mesure où les paraphilosophes sont encore des philosophes, ils ne dogmatisent pas le Système « contraire » au leur. Tout en soustrayant à la « critique » leur propre système en raison de la [soi-disant] « évidence de ses « principes », ils ne tiennent pas compte de la prétendue « évidence » des principes dont est déduit (correctement) le Système (dogmatisé) contraire. Autrement dit, ils dé-dogmatisent le Système contraire, tout en dogmatisant le leur. Ainsi, ils croient « prouver » leur Système non seulement en le soustrayant à la « critique » extérieure en tant qu'évident et « irréfutable », mais encore en « réfutant » le système contraire. S'ils « ignorent » la Propédeutique dialectique qu'engendre le Système « positif » qu'ils ont dogmatisé, ils « retrouvent » cette Philosophie « négative » lorsqu'ils ont affaire au Système contraire.

Toutefois, un paraphilosophe peut « ignorer » (ou « oublier ») complètement la Philosophie « négative ». Il constatera alors que les *deux* Systèmes (contraires) sont « évidents » et donc « irréfutables ». Du coup, leur Philosophie « positive » (dogmatisée) devient une para-philosophie *éclectique* et leur permet vis-à-vis de la Philosophie (dogmatisée) l'attitude explicite du ET-ET.

Nous connaissons fort mal la paraphilosophie présocratique en général et son époque éclectique en particulier. Mais il est à peu près certain que la coexistence d'un Éléatisme dogmatisé ou paraphilosophique avec un Héraclitéisme paraphilosophique finit par engendrer une Paraphilosophie éclectique (présocratique), où la prédominance (plus ou moins grande) d'éléments-constitutifs éléatiques ou héraclitéens aboutit finalement à l'*équilibre* entre les deux.

Bien entendu, cet équilibre étant en fait instable, il devait être tôt ou tard rompu. Mais il pouvait l'être de deux façons différentes, bien que complémentaires, voire combinables.

Lorsqu'un philosophe authentique se trouve en présence d'une Paraphilosophie, il commence par lui appliquer les méthodes « dialectiques » de la Philosophie « négative » : il « met en doute » ses prétendues Évidences et la dé-dogmatise de ce fait. Or, lorsqu'on dédogmatise l'Éclectisme présocratique, on le décompose en ses éléments constitutifs authentiquement philosophiques, qui sont non pas l'Éléatisme et l'Héraclitéisme dogmatisés, mais les Systèmes (contraires) de Parménide et d'Héraclite authentiques. Alors, le philosophe peut (et doit) procéder à l'intégration de ces deux Systèmes, voire à leur synthèse, dans et par une Philosophie « positive ».

En fait, la Syn-thèse de la Thèse parménidienne et de l'Anti-thèse héraclitéenne est le Système du Savoir hégélien, qui est une trans-formation de leur Parathèse socratique (que le Système du Savoir sup-pose et qui pré-suppose celui-ci). Par opposition à l'intégration (ou synthèse) totale qu'est le Système du Savoir, la Para-thèse est une synthèse (ou intégration) *partielle*, qui, de ce fait, commence par être (plus ou moins) *partiale*, d'abord (chez Platon) au profit de la Thèse (parathèse thétique) et ensuite de l'Anti-thèse (Parathèse antithétique aristotélicienne), pour finir par être équitable ou « équilibrée » (Parathèse synthétique kantienne). Cependant, la Parathèse authentiquement philosophique diffère essentiellement de l'Éclectisme paraphilosophique, précisément parce qu'elle n'est pas dogmatisée (étant, si l'on veut, un Éclectisme dé-dogmatisé). Dans la mesure où l'Éclectisme opère avec des notions soi-disant « évidentes », c'est-à-dire discursivement isolées du fait même d'être considérées [à tort] comme indéductibles, c'est-à-dire à la fois in-dé-montrables et « irréfutables », il ne peut que les *additionner* au sein d'un Système paraphilosophique, sans pouvoir les *fusionner* en un seul et même discours philosophique (ne serait-ce que lacunaire). Pour se servir d'une image, on peut dire que l'Éclectisme (paraphilosophique) se contente d'un « mélange *mécanique* » des « principes » philosophiques contraires (d'ailleurs dogmatisés ou dégénérés en Évidences), tandis que la Para-thèse (philosophique) procède à leur « fusion », voire à leur « synthèse *chimique* », qui *modifie* les principes eux-mêmes (tandis que leur « mélange » les laissait tels quels) précisément parce que les « principes » non dogmatisés (ou dé-dogmatisés) ne sont pas (ou cessent d'être) *isolés* les uns des autres, mais font partie d'un discours unique. C'est parce que le discours parathétique reste encore « lacunaire » et incomplet que sa « synthèse chimique » n'est pas encore l' « intégration *organique* » qu'est le Discours uni-total ou le Système du Savoir (où chaque élément-constitutif discursif est une fonction de l'*ensemble* du discours, tandis que dans la Para-thèse c'est le discours, d'ailleurs inachevé, qui est une fonction de ses éléments-constitutifs, d'ailleurs incomplète).

En principe, la Parathèse (socratique) est d'abord thétique (platonicienne), puis antithétique (aristotélicienne) et enfin synthétique (kantienne). Or, elle l'est aussi en fait et ce fait peut être « expliqué » si l'on admet que la Philosophie parathétique (ou socratique) a eu la même *origine* (historique) que la Philosophie thétique ou antithétique (présocratique), voire la Philosophie tout court. Or, la Philosophie a eu pour origine (chrono-logique) une Propédeutique « dialectique » qui a dé-dogmatisé le Discours théorique à son stade « primaire » d'abord, puis à son stade dogmatique et dans son espèce moraliste. On peut donc supposer (avec de bonnes raisons historiques) que la Philosophie parathétique (socratique) débute non pas par un

« retour » à Parménide et à Héraclite, mais par une Propédeutique « dialectique » qui lui est propre et qui a été appliquée non pas à l'Éclectisme paraphilosophique, mais à un Discours dogmatique moraliste « secondaire » (présocratique). Ce serait alors l'application de la Philosophie (socratique) « négative » au Discours théorique « secondaire » (présocratique) qui aurait déterminé le caractère parathétique de la Philosophie (socratique) « positive ».

Ceci étant admis, il nous faut voir ce qu'a été le *Discours théorique « secondaire »* en cause.

On peut dire que pour le Tiers, l'Éclectisme dogmatisé paraphilosophique et l'héraclitéisme dogmatisé ou paraphilosophique se présentent chacun comme une sorte de théorie axiomatique (« secondaire »). En effet, puisque chacun des deux Systèmes n'admet que sa propre « évidence » (quasi « axiomatique »), on peut dire que chacun d'eux « ignore » l'autre et que c'est seulement le Tiers qui les « reconnaît » tous les deux. Dans la mesure où ce Tiers (alors intéressé) n'accepte que le fait que chacun des deux Systèmes (dogmatisés) se prétend « irréfutable », il les maintient tous les deux, en prenant ainsi l'attitude (explicite) du ET-ET propre à l'Éclectisme paraphilosophique. Mais dans la mesure où le Tiers (alors « désintéressé ») n'accepte que le fait que chacun des deux Systèmes prétend « réfuter » l'autre, il les nie tous les deux, en prenant ainsi l'attitude (explicite) du NI-NI propre au Scepticisme théorique. Étant donné qu'il s'agit de Systèmes (para-) *philosophiques* et non de *Théories* axiomatiques proprement dites, ce Scepticisme (théorique) est non pas « primaire » mais « secondaire ». On peut, si l'on veut, l'appeler « philosophique » au sens d'*anti*philosophique (puisqu'il nie non pas la Théorie [axiomatique], mais la Philosophie). Seulement, il faut alors préciser qu'il n'est que *pseudo*-philosophique, vu qu'il « nie » non pas la Philosophie authentique, mais la *Para*philosophie (présocratique). Autrement dit, c'est la *dogmatisation* de la Philosophie qui est « niée » par le Scepticisme « secondaire ».

En raison de son attitude « antidogmatique », le Scepticisme (présocratique) pseudo-philosophique (antiphilosophique) est analogue à la Philosophie (socratique) « négative ». On peut l'appeler, si l'on veut, une Pseudo-*philosophie* « négative ». Mais il n'est qu'une *Pseudo*-philosophie (en fait antiphilosophique), d'une part parce qu'il « ignore » la Philosophie authentique (sur laquelle il n'a d'ailleurs aucune prise) et ne « reconnaît » que la *Paraphilosophie* et, d'autre part, parce qu'il ne dé-dogmatise celle-ci que pour la *réduire au silence* (en « niant » ainsi la Philosophie dé-dogmatisée, c'est-à-dire authentique).

Au contraire, la Philosophie (socratique) « négative » ne dé-dog-matise la Paraphilosophie (présocratique) qu'en vue de *combler ses lacunes discursives*. C'est pour cette raison que la Propédeu-tique dialectique (socratique) aboutit à une Philosophie «positive» *authentique* (bien que parathétique), tandis que le Scepticisme pseudo-philosophique (ou la Pseudo-philosophie « négative ») engendre une *Pseudo*-philosophie (« positive ») qui n'est, en fait et pour nous, qu'un Discours *théorique* dogmatique, qui prend une « allure » philosophique dans la mesure où il utilise des notions d'origine philosophique pour rendre (discursivement) compte des Empirismes *silencieux* auxquels il fait appel pour « justifier son attitude (explicite) du SOIT-SOIT. Étant donné que ces notions peuvent être empruntées soit à Parménide, soit à Héraclite, le dogmatisme pseudo-philosophique présocratique présente soit une allure « éléatique », soit une allure « héracli-téenne ». Et, dans chaque cas, il est, par définition, soit théolo-gique, soit scientifique, soit enfin moraliste.

Par la force des choses, la Théologie pseudo-philosophique prend une allure « éléatique », tandis que la Science prend une allure « héraclitéenne » et ce n'est que dans la Morale que ces deux éléments se combinent dans des proportions variables et finissent par s'équilibrer (dans le Monde judéo-chrétien). Or, c'est en premier lieu à la dé-dogmatisation de la Morale pseudo-philosophique (présocratique) que s'applique la Philosophie « négative » (socratique), en vue de procéder, par la Philosophie « positive », à une synthèse (parathétique) de la Morale avec la Science et la Théologie. C'est donc la nature de la Morale (pré-socratique) pseudo-philosophique qui dé-dogmatise la Philo-sophie (socratique) « négative » qui détermine le caractère de la Philosophie (socratique) « positive » qui résulte de cette dé-dog-matisation.

Plus particulièrement, si la Syn-thèse philosophique qu'est le Système du Savoir se produit non pas dans le Monde païen, mais dans le Monde judéo-chrétien, c'est parce que le Monde païen ne parvient pas (par définition) à une syn-thèse de la maîtrise thétique et de la servitude antithétique (qui s'effectue dans et par la sagesse discursive hégélienne), ni même à leur Parathèse *synthétique* (qui est la Philosophie kantienne), où ces deux éléments-constitutifs s'*équilibrent* (sans s'*intégrer* au sens propre du terme). Car le Monde est précisément *païen* dans la mesure où il y a une *prépondérance* ou un « *primat* », soit de la Maîtrise, soit de la Servitude.

Si (dans la Phénoméno-logie) la Syn-thèse de l'Action thétique du Maître (qui est Lutte) et de l'Action antithétique de l'Esclave (qui est Travail) est le Discours *uni-total* qu'est le Système du Savoir ou la Sagesse discursive, leur Parathèse est « à la fois » Action-*discursive* (thétique) du Citoyen (Discours élémentaire) et Discours-*agissant* (antithétique) de l'Intellectuel (Discours exclusif), ainsi que Contemplation discursive (parathétique) du Philosophe (Discours synthétique). Or, si le Citoyen (parathétique) est Aristocrate dans son aspect thétique et Plébéien dans son aspect antithétique, il est Bourgeois dans son aspect parathétique. De même, l'Intellectuel (parathétique) thétique (aristocratique) est *axiomatique*, tandis qu'il est *sceptique* en tant qu'antithétique (plébéien) et *dogmatique* en tant que *parathétique* (bourgeois). Par ailleurs, si la Théologie (axiomatique ou dogmatique) est thétique (aristocratique), la Science est antithétique (plébéienne) et la Morale parathétique (bourgeoise). Or, en tant que thétique, la Théologie est *théiste*, tandis que la Science est *athée*.

On peut donc dire que la Syn-thèse de la Maîtrise et de la Servitude est en dernière analyse la suppression-dialectique de la contra-diction (ou de l'opposition discursive) entre le Théisme (religieux) et l'Athéisme (scientifique). Or, si cette suppression s'achève par et dans l'Anthropothéisme hégélien, elle est amorcée dans et par la Théandrie judéo-chrétienne. En effet, si l'Homme est Ange pour le Théologien théiste et Bête pour la Science athée, et s'il n'est ni Ange ni Bête, mais « Esprit » pour le Système du Savoir, c'est parce que cet « Esprit » est une transformation du « Dieu » judéo-chrétien (et non du *Theos* païen) qui est et Bête et Ange à la fois, dans la mesure où il est aussi Homme. Si l'Homme est *angélique* dans la mesure où Dieu s'incarne en lui, il est aussi *animal*, vu qu'en lui Dieu s'incarne (l'Homme judéo-chrétien étant ainsi un Animal-divin ou un Dieu devenu homme, tandis que le Sage hégélien est un Dieu-animal ou animé, c'est-à-dire l'Esprit, voire un homme devenu Dieu).

Dans la mesure où la Sagesse hégélienne supprime dialectiquement l'opposition discursive (la contra-diction) entre la Théologie théiste (païenne) et la Science athée (païenne), elle les supprime elles-mêmes en tant que Thèse et Anti-thèse, et elle supprime aussi de ce fait la Para-thèse. Le Système du Savoir, n'étant ni Théologie ni Science, n'est pas non plus Morale. En tant que parathèse de la Théologie thétique et de la Science antithétique, la Morale les sup-pose toutes deux et ne peut donc pas les supprimer : elle doit au contraire les inclure. Or, dans la mesure où il y a dans la Morale une prépondérance ou un « primat » soit de la Théologie (théiste), soit de la Science (athée), la Morale est, par définition, païenne. Au contraire, également par définition, la Morale judéo-chrétienne représente un équilibre de ces éléments-constitutifs théologique et scientifique.

Sans doute, la Philosophie en tant que telle est homologue à la Morale (théorique). C'est pourquoi chaque système philosophique implique un élément-constitutif moraliste (éthique). Mais chacun implique aussi des éléments théologues et scientifique. Or chacun d'eux peut être prépondérant ou bénéficier d'un « primat ». Ainsi, la Philosophie de Parménide est une Théologie (scientifico-) morale, tandis que celle d'Héraclite est une Science (théologico-) morale. Quant à la philosophie « socratique », elle est une Morale scientifico-théologique ou théologico-scientifique. Ainsi, la philosophie de Platon est une Morale (scientifico-) théologique est celle d'Aristote une Morale (théologico-) scientifique.

Or, nous avons admis que le Platonisme est ce qu'il est parce que la philosophie « négative » de Platon a eu pour objet la Morale *théologisante* présocratique (« traditionnelle »), tandis que la nature de l'Aristotélisme vient du fait que la philosophie « négative » d'Aristote s'appliquait à la Morale *socratiste* présocratique (« sophistique »). Autrement dit, ce n'est pas parce que Platon s'est inspiré de Parménide (en dé-dogmatisant l'Éléatisme paraphilosophique, voire l'Éclectisme présocratique) que son Éthique et donc l'ensemble de sa philosophie « positive » est théologisante. C'est au contraire parce que son Éthique, et donc l'ensemble de sa philosophie positive, était théologisante (à la suite d'une dé-dogmatisation de la Morale théologisante *théorique*) qu'on trouve chez lui une prépondérance d'Éléatisme. Et il en va de même pour Aristote.

Si nous appliquons le même raisonnement à Kant, nous devons dire que le caractère équilibré de son éthique (et donc de toute sa philosophie) provient non pas d'une synthèse (d'ailleurs parathétique) directe d'éléments platoniciens et aristotéliens, ni encore moins d'éléments parménidiens et héraclitéens, mais de la dé-dogmatisation d'une Morale *théorique* équilibrée. Or, nous avons vu que cette Morale est par définition non pas païenne, mais judéo-chrétienne. C'est donc parce que Kant avait dé-dogmatisé (dans et par sa philosophie « négative ») la Morale judéo-chrétienne (par définition « équilibrée ») qu'il avait « équilibré » (par et dans sa philosophie « positive ») les éléments platoniciens et aristotéliciens, voire éléatiques et héraclitéens.

Nous savons cependant que, du point de vue historique, la Morale (théorique dogmatique) judéo-chrétienne à laquelle Kant avait affaire impliquait des éléments (pseudo-philosophiques) platoniciens et aristotéliciens (stoïciens), et donc éléatiques et héraclitéens. Il s'agissait donc d'une Morale théorique dogmatique, à la fois « secondaire » ou pseudo-philosophique et parasocratique. Nous devons donc admettre l'existence d'un Discours théorique « secondaire » socratique (postérieur au Discours « secondaire » présocratique, lui-même postérieur au Discours « primaire »). Or, l'existence de ce Discours est attestée historiquement.

La structure chrono-logique du Discours « secondaire » socratique est d'ailleurs, par définition, analogue à celle du Discours « secondaire » présocratique. Dans la mesure où le Platonisme est la Parathèse *thétique* de la Philosophie, tandis que l'Aristotélisme est sa Parathèse *antithétique*, les deux philosophies authentiques (parathétiques) de Platon et d'Aristote peuvent être dogmatisées pour les raisons mêmes pour lesquelles furent dogmatisées les philosophies authentiques (antithétiques) de Parménide et d'Héraclite. Or, le Platonisme et l'Aristotélisme dogmatisés coexistent de la même façon dont ont coexisté l'Éléatisme et l'Héraclitéisme dogmatisés, qui coexistèrent d'une façon quasi axiomatique. Tout comme la première, cette deuxième coexistence de deux systèmes paraphilosophiques « contraires » (qui s'« ignorent » mutuellement) donne lieu à une *attaque* (théorique) *sceptique* [et non à une *critique* philosophique] « négative » ou « dialectique », [car celle-ci s'applique à la Théorie dogmatique et non à la Philosophie dogmatisée], qui provoque une dégénérescence des deux paraphilosophies (mésinterprétées par le Scepticisme pseudo ou antiphilosophique dans le sens de quasi-théories axiomatiques) en théories dogmatiques pseudo-philosophiques.

On obtient ainsi un *deuxième* Discours théorique « secondaire » que l'on peut appeler « socratique » (le premier étant appelé « présocratique »). En tant que sceptique, ce Discours est pseudo-philosophique au sens d'antiphilosophique. C'est ce deuxième Scepticisme antiphilosophique qui est l'homologue théorique de la propédeutique dialectique et de la philosophie « négative » de Kant. Quant au Dogmatisme (théorique) pseudo-philosophique qui en résulte, il se présente d'abord comme une Théologie platonisante, puis comme une Science aristotélisante et enfin comme une Morale qui n'est pas seulement païenne, voire théologisante (théiste) et donc platono-éléatique ou scientiste (athée) et donc aristotélo-héraclitéenne, mais encore judéo-chrétienne et « équilibrée ». C'est la dé-dogmatisation de cette Morale (pseudo-philosophique) « équilibrée » (d'origine judéo-chrétienne) par la philosophie « négative » ou « critique » de Kant qui engendra la philosophie « positive » kantienne, qui se présente à nous comme un développement (à peu près « correct », sinon « complet ») de la Parathèse synthétique philosophique.

Dans la mesure où la Parathèse kantienne est *synthétique* (et non thétique ou antithétique), elle ne peut pas être dogmatisée. Aussi bien n'y a-t-il pas eu de Kantisme paraphilosophique. Par conséquent, le Kantisme n'a pas pu engendrer un *troisième* Discours théorique « secondaire » : il n'y a donc eu que *deux* Scepticismes antiphilosophiques et *deux* Dogmatismes pseudo-philosophiques, l'un étant présocratique et l'autre socratique au sens de prékantien. Autrement dit, il n'y a en tout que *trois* Discours théoriques : *un* Discours « primaire » et *deux* Discours secondaires. De même, on peut dire qu'il n'y a eu que *deux* Discours philosophiques, l'un étant présocratique et l'autre socratique. Mais étant donné qu'il y a eu *trois* (ou *cinq*) Philosophies « négatives » (et « critiques »), à savoir celles de Parménide-Héraclite, de Platon-Aristote (« Socrate ») et de Kant, on peut parler, si l'on veut, de *trois* Discours philosophiques, l'un étant présocratique (éléatique et héraclitéen), l'autre socratique (platonicien et aristotélicien) et le dernier kantien (à moins que l'on préfère parler seulement d'une Philosophie prékantienne et d'une Philosophie kantienne).

Puisqu'il n'y a pas de *Paraphilosophie* kantienne, il n'y a pas non plus d'Éclectisme kantien ou postkantien, de même qu'il n'y a pas non plus de Philosophie postkantienne authentique. En effet, le Système philosophique de Kant a été « immédiatement » trans-formé (par Hegel) en Système du Savoir qui est non pas une Philosophie, mais la Sagesse (discursive).

Sans doute dans la mesure où le Système du Savoir achève et parfait la Philosophie (authentique) en tant que telle ou prise dans son ensemble, il parfait et achève non seulement la Philosophie « positive », mais encore la Philosophie « négative ». Le Système du Savoir implique donc en tant qu'Introduction, une Propédeutique « dialectique » ou « critique ». Seulement, à la différence de celle des Philosophes, la Dialectique critique ou la Critique dialectique du Sage s'applique, en l'absence d'une *Para*philosophie kantienne et donc d'un Dogmatisme *pseudo*-philosophique kantien, à la philosophie authentique de Kant lui-même. Or, la « critique » de Kant par Hegel prend et comprend le Kantisme comme la Parathèse synthétique de la Philosophie. La « critique » hégélienne du Kantisme s'applique donc (en fait et pour nous comme pour elle-même) à la Philosophie en tant que telle, prise et comprise dans l'ensemble de son développement chrono-logique. Or, l'intégration (si l'on veut « dialectique » ou « critique », voire « négative ») du développement chrono-logique de la Philosophie prise dans son ensemble n'est rien d'autre ni de plus que la trans-formation de celle-ci en Système du Savoir (qui est, si l'on veut, « synthétique » ou « positif »). Ainsi, la Propédeutique dialectique est une partie intégrante du Système du Savoir lui-même, qui, étant le Discours uni-total ou « intégral » est, si l'on veut, à la fois « dialectique » et « synthétique », voire « négatif » (ou « critique ») et « positif ».

S'il n'y a pas et ne peut pas y avoir d'Éclectisme kantien (ou postkantien), il peut néanmoins y avoir et il y a eu un Éclectisme socratique, de sorte qu'il y a eu non pas une, mais *deux* Paraphilosophies (une présocratique et une socratique, les deux étant prékantiennes), dont chacune a été non seulement « thétique » et « antithétique », mais encore « parathétique » (aucune ne pouvant être, par définition, vraiment synthétique).

Ayant déjà eu l'occasion de parler du premier Éclectisme (présocratique), c'est du deuxième Éclectisme (socratique) que nous devons donc maintenant nous occuper.

L'Éclectisme (par définition *para*philosophique) est par définition un « *mélange* mécanique » de deux philosophies « contraires » *dogmatisées*. Or, si le premier Éclectisme a été une « mosaïque » faite en « additionnant » des « principes » (d'ailleurs dégénérés en Évidences discursives) empruntés aux philosophies (préalablement dogmatisées) de Parménide et d'Héraclite (ces « principes » étant utilisés dans des proportions diverses, mais toujours maintenus tels quels, en dépit de leur coexistence « additive » dans la « mosaïque » qu'ils constituaient ou s'« ajoutant » les uns aux autres), le *deuxième* Éclectisme ne pouvait utiliser que les « principes » qui se trouvaient dans le Platonisme ou l'Aristotélisme (préalablement dogmatisés), en n'utilisant des « principes » éléatiques et héraclitéens (dégénérés en Évidences discursives) que dans la mesure où ils étaient repris par ces derniers.

Or, nous connaissons fort mal la Paraphilosophie platonicienne. Il nous est donc généralement impossible de savoir d'où l'Éclectisme socratique a emprunté ses éléments platoniciens. Il se peut qu'il ait puisé dans la paraphilosophie de l'Ancienne Académie ou dans la « doctrine ésotérique » paraphilosophique des Académies moyennes et nouvelles. Mais il est plus probable que la source a été trouvée dans les doctrines paraphilosophiques des « Platoniciens néo-pythagorisants » (tels que Albinus, Apulée ou Plutarque), voire des « Néo-pythagoriciens » proprement dits (notamment chez Numénius). Il aurait pu d'ailleurs puiser chez eux tous à la fois.

Par contre, nous connaissons beaucoup mieux la Paraphilosophie aristotélicienne, vu que le Stoïcisme n'est rien d'autre (dans la mesure où il n'est pas une Théorie dogmatique) qu'un Aristotélisme dogmatisé, voire un Néo-aristotélisme paraphilosophique. Sans doute, l'Éclectisme socratique a pu puiser ses éléments aristotéliciens dans l'Aristotélisme dogmatisé par les Péripatéticiens proprement dits (en supposant qu'ils l'aient fait), que nous ne connaissons pour ainsi dire pas. Ici encore notre connaissance des « sources » de cet Éclectisme sont défectueuses. Mais il suffit de savoir qu'il a puisé dans la source stoïcienne pour pouvoir l'identifier.

Or, le fait est que chez certains « Néo-platoniciens » que nous connaissons, des éléments platoniciens (d'origine inconnue) voisinent avec des éléments aristotéliciens dont l'origine stoïcienne ne fait pas de doute. Aussi bien pouvons-nous les classer parmi les tenants de l'Éclectisme socratique. D'ailleurs (si l'on excepte le peu que nous savons d'Antiochus d'Ascalon et de ses « émules » ex-stoïciens), nous ne connaissons pas d'autres Éclectiques.

Par conséquent, parler du deuxième Éclectisme paraphilosophique (socratique) n'est pour nous rien d'autre que d'interpréter ce qu'on appelle le Néo-platonisme comme un Éclectisme où des éléments dogmatisés platoniciens sont mélangés avec des éléments aristotéliciens (ou stoïciens), les deux sortes d'éléments étant utilisés tels quels en tant qu'« évidents ».

Or, il s'en faut de beaucoup que tous ceux qu'on appelle des « Néo-platoniciens » soient de tels « éclectiques ». Seulement, ceux qui ne le sont pas, ne sont *ni* aristotéliciens (ou néo-aristotéliciens c'est-à-dire stoïciens) *ni* platoniciens (ou néo-platoniciens), mais tout autre chose et certainement pas des « éclectiques ». Aussi bien, vaut-il mieux ne pas les appeler « Néo-platoniciens » du tout. Quoi qu'il en soit, je ne parlerai de ces soi-disant « Néo-platoniciens » (tous plus ou moins « épicuriens » et « athées », voire « démocritéisés ») que dans une note. Dans le texte même qui suit, je ne parlerai que du

« NÉO-PLATONISME » EN TANT QU'ÉCLECTISME (SOCRATIQUE)

Antiochus d'Ascalon semble avoir été le premier à affirmer (en radicalisant, peut-être, la doctrine de son maître Philon) la nécessité et la possibilité de réduire à une seule Philosophie les philosophies réputées « contraires » développées dans les Écoles rivales. Il a reconnu [à juste titre], d'une part que le Stoïcisme n'était qu'une variante (selon lui purement terminologique) de l'Aristotélisme et, d'autre part [à tort] que le Platonisme et l'Aristotélisme épuisent à eux deux toutes les possibilités philosophiques. Par ailleurs, il a nié [à tort] la contra-diction entre Platon et Aristote, en réduisant [à tort] la polémique entre les Écoles platoniciennes et aristotéliciennes à une simple « querelle de mots ». Quoi qu'il en soit, Antiochus présente sa propre doctrine comme un Platonisme authentique, d'ailleurs identique tant à l'Aristotélisme proprement dit qu'à sa variante dite stoïcienne. Du coup, il a pu abandonner et « réfuter » le « scepticisme » académique de ses prédécesseurs.

On pourrait peut-être expliquer l'avènement d'un Antiochus de la façon suivante.

En reprenant à leur compte la polémique entre les Platoniciens et les Aristotéliciens, les Sceptiques (antiphilosophiques) s'appliquèrent à « réfuter » les deux Philosophies « contraires » à la fois. Les Académiciens se rendirent compte de l'impossibilité de « réfuter » les « réfutations » sceptiques et, pour y échapper, se réfugièrent dans l'« ésotérisme » (d'ailleurs déjà préconisé par Platon lui-même, mais abandonné, semble-t-il, dans l'Ancienne Académie à tendance eudoxienne qui s'est consacrée au développement, à la dogmatisation du Platonisme, voire à l'élaboration d'un Dogmatisme théorique pseudo-philosophique à allure platonicienne, certainement théologique et, peut-être aussi scientifique, sinon moraliste). Ayant ainsi « caché » leur propre doctrine (qui semble avoir résulté d'une dé-dogmatisation du Platonisme paraphilosophique de l'Ancienne Académie et qu'ils considéraient comme celle de Platon lui-même), les Académiciens (moyens et nouveaux) purent se solidariser (en apparence) avec le Scepticisme, en ne se servant en fait des arguments sceptiques que contre l'Aristotélisme dogmatisé, d'ailleurs moins péripatéticien que stoïcien, en comprenant peut-être déjà le Stoïcisme comme une simple variante de l'Aristotélisme. Somme toute, l'Académie n'avait besoin de son « scepticisme » que pour « réfuter » les Aristotéliciens dogmatisés, péripatétiques ou stoïciens et, de ce fait, la prétendue « réfutation » du Platonisme par ces derniers. Ainsi, lorsque Antiochus s'avise de ne voir dans l'Aristotélisme dogmatisé, d'ailleurs explicitement identifié au Stoïcisme, qu'une simple variante verbale du Platonisme (dogmatisé lui aussi), il n'a plus besoin du Scepticisme (antiphilosophique) et il peut faire cause commune contre celui-ci avec les Stoïciens et les autres Aristotéliens paraphilosophiques, en dogmatisant ou re-dogmatisant (par une sorte de retour à l'Ancienne Académie) le Platonisme authentique. Du coup, il n'y avait plus de raison de dissimuler l'existence d'une (para-) philosophie académique positive appelée « platonicienne », mais explicitement identifiée aux deux philosophies aristotéliciennes (dogmatisées) qui l'ont combattue. Par conséquent, en devenant (avec Antiochus) en fait « éclectique », l'Académie a pu cesser d'être à la fois « sceptique » (et ceci dès Philon) et « ésotérique » et se consacrer (à partir d'Antiochus) à ce qui était censé être une paraphrase de la philosophie (dogmatisée) unique et une qui aurait été développée pour la première fois par Platon et déjà paraphrasée par Aristote, les Péripatéticiens et les Stoïciens.

Quoi qu'il en soit, le fait est qu'Antiochus a explicité le caractère *dogmatique* du Platonisme académique, en faisant explicitement appel à l'« Évidence ». Mais, son soi-disant « Platonisme » (dogmatisé) était [pour nous] une « mosaïque » ou un « mélange mécanique » fait de notions (dogmatisées) platoniciennes, (probablement empruntées au Platonisme dogmatisé de l'Ancienne Académie) et aristotéliciennes (essentiellement puisées dans l'Aristotélisme dogmatisé stoïcien) sans qu'il ait d'ailleurs réussi à utiliser (en les dogmatisant) *toutes* les notions « fondamentales » de Platon et d'Aristote (en abandonnant notamment celle de l'Idée).

Rien d'étonnant donc que, dans ces conditions, les Aristotéliciens (péripatéticiens et stoïciens) ne se reconnussent pas dans l'Éclectisme d'Antiochus et essayassent de « réfuter » la « cinquième » Académie fondée par ce dernier, en faisant contre elle cause commune avec le Scepticisme.

Or, si un « retour » à Platon à partir d'Aristote est effectivement contre-nature, une « avance » à partir de Platon vers l'Aristotélicisme était au contraire « toute naturelle ». Par conséquent, si les Aristotéliens péripatéticiens et stoïciens ne se laissèrent pas tenter par l'Éclectisme académique, les Platoniciens suivirent volontiers Antiochus, du moins en ce qui concerne l'*intention* « éclectique » d'*ajouter* des ou les notions aristotéliciennes (d'ailleurs dogmatisées) aux notions (dogmatisées) platoniciennes, quitte à en sacrifier quelques-unes, afin d'éviter des « contradictions » trop apparentes. Ainsi, le Platonisme dit « moyen » ou « néo-pythagorisant » d'un Plutarque, d'un Albinus ou d'un Apulée (les deux derniers remontant d'ailleurs à un certain Gaias) présentait déjà des tendances (explicitement ou implicitement) « éclectiques » (encore qu'un Atticus semble avoir repris la tradition d'une « réfutation » de l'Aristotélisme). Pourtant, tous les Platoniciens ne semblent pas avoir été prêts à payer le prix de l'Éclectisme que payèrent Antiochus et la Cinquième Académie et qui consiste à abandonner une partie des notions platoniciennes (dogmatisées) en vue de pouvoir ajouter à celles qui restent des notions aristotéliciennes (dogmatisées elles aussi). En tout cas, nous avons des vestiges de ce Platonisme (dogmatisé) « exclusif » dans les écrits dits « néo-pythagoriciens » d'un Nichomaque de Gérasa (qui semble avoir développé une paraphilosophie platonicienne de tendance « scientifique », ainsi qu'une formalisation d'aspect « arithmétique » du Platonisme, voire une science dogmatique pseudo-philosophique d'allure platonicienne) ou d'un Numénius (chez qui le Platonisme semble avoir dégénéré en une paraphilosophie de tendance théologique qui ne fut d'ailleurs peut-être déjà rien de plus qu'une Théologie dogmatique pseudo-philosophique d'allure platonicienne). C'est ce Platonisme (paraphilosophique) non mélangé avec l'Aristotélisme qui semble être la source des Théologies dogmatiques pseudo-philosophiques proprement dites « hermétiques », « chaldéennes », voire « gnostiques » (que certains Néo-platoniciens cherchèrent à introduire dans leur propre paraphilosophie éclectique, mais dont d'autres, parmi eux, cherchèrent à se distancer).

Quant au Néo-platonisme proprement dit (qui fut inauguré, semble-t-il, par un certain Ammonius Saccas, dont nous ne savons pratiquement rien, mais à peine moins que de ses élèves Origène et Herennius), il hérita d'Antiochus (qu'on a pu, de ce fait, appeler avec raison le « père » du néo-platonisme) l'*Éclectisme* inauguré par celui-ci, c'est-à-dire l'intention *explicite* d'établir ou de ré-tablir l'unité et l'unicité de la Philosophie en tant que telle en *additionnant* dans une seule et même « mosaïque » *toutes* les notions « fondamentales » développées par Platon et par Aristote (sans affirmer cependant, à la suite d'Antiochus, leur prétendue « identité », mais en niant néanmoins, du moins implicitement, leur caractère en fait contradictoire). Ce Néo-platonisme emprunte ses notions aristotéliennes (dogmatisées) surtout au Stoïcisme (notamment de Posidonius), tandis que ses notions platoniciennes (dogmatisées) semblent avoir été surtout puisées dans le Platonisme dit « moyen » d'un Numénius (que Plotin a été accusé de « plagier », peut-être avec raison; cf. Porphyre, Vie de Plotin). Cependant, afin d'éviter des contradictions trop voyantes, cet Éclectisme « néo-platonicien » n'a pu utiliser (contrairement à son intention explicite et à sa prétention) qu'une partie des notions dogmatisées (« évidentes») qui se trouvent respectivement dans les Paraphilosophies platonicienne et aristotélicienne en cause (les abandons étant, contrairement aux apparences qu'on se donnait, plus étendus du côté platonicien que du côté aristotélicien, voire stoïcien).

C'est pratiquement dans cette forme dite « néo-platonicienne » de l'Éclectisme paraphilosophique que la Philosophie païenne s'est maintenue jusqu'aux extrêmes limites du Paganisme à quelques rares exceptions près. Et c'est cette Paraphilosophie éclectique « néo-platonicienne » qui est en fait et pour nous le « pendant » (si l'on veut : permanent) de la Parathèse synthétique de la Philosophie proprement dite que Kant a pu élaborer à la fin d'un long processus de confrontation des notions « fondamentales » (d'ailleurs dogmatisées) de la Philosophie païenne (essentiellement parathétique) avec les principales théories (d'ailleurs dogmatiques et tant théologique que scientifique et moraliste) d'origine judéo-musulmanochrétienne qui constituent l'ensemble de ce que l'on appelle les périodes judéo-hellénistique, « patristique », « scolastique » et « moderne » de l'histoire de la Philosophie (occidentale).

Or, ce que les historiens modernes de la Philosophie appellent traditionnellement « Néo-platonisme » se présente, à première vue, comme une sorte de nébuleuse, qui s'est constituée au cours d'une longue évolution commençant avec Ammonius Saccas et se terminant (approximativement) avec Damascius. Toutefois, en y regardant de plus près, il n'est pas impossible d'établir une différenciation dans le magma «néo-platonicien » et d'en dégager au moins deux doctrines, à la fois (para-)*philosophiques* et *éclectiques* au sens indiqué plus haut.

Pour y arriver, nous devons, d'une part, éliminer du soi-disant « Néo-platonisme » tout ce qui appartient en fait au Dogmatisme théorique pseudo-philosophique, le Dogmatisme en cause étant d'allure « exclusivement » platonicienne (voire antiaristotélicien) et de tendance « exclusivement » théologique (voire antiscientifique sinon antimoraliste). Il s'agit non seulement d'écrits « hermétiques » de toute sorte ou d'« oracles » chaldéens ou autres, mais encore de développements pseudo-philosophiques du genre de ceux qui se trouvent, par exemple dans l'écrit (pseudo)-jambliquien sur les Mystères égyptiens. En bref, nous devons rejeter résolument du domaine même paraphilosophique, toutes les élucubrations magico-mystiques chères à maint partisan ancien et moderne du « Néo-platonisme », mais étrangères aux Néo-platoniciens (anciens) vraiment dignes de ce nom, et persiflées d'ailleurs, avec verve et humour par un Julien ou un Damascius. Mais il faut, d'autre part, éliminer encore ceux des soi-disant « Néo-platoniciens » qui ne le sont que de nom, et encore non pas pour eux-mêmes, ni peut-être même pour leurs contemporains (« avertis »), mais uniquement pour les historiens modernes, par définition peu accessibles à l'ironie socratique ou au simple humour des anciens auteurs en question.

De ce second point de vue, c'est toute la soi-disant ÉCOLE

DE PERGAME qui doit être éliminée du « Néo-platonisme », même au sens des historiens modernes et probablement de tout Platonisme, quel qu'il soit.

Nous ne savons pratiquement rien d'Édésius, c'est-à-dire du soi-disant fondateur de la prétendue « École », sauf qu'il fut un élève de Jamblique, qu'il quitta l'École (« syrienne ») fondée par celui-ci et qu'il voulut se retirer dans la vie privée, mais enseigna à Pergame sur la demande de ses amis. Toutefois, il n'a rien écrit et ne confia ses opinions personnelles qu'à un petit cercle d'amis, qui n'en parlèrent non plus à personne, de sorte qu'Eunape dut attendre vingt ans auprès de l'un de ces amis (Chrysanthe) pour qu'on commence à lui parler de la philosophie de Jamblique, dont il ne nous dit d'ailleurs rien (cf. Eunape, 377 sq., 391 sq.). Quant à l'autre ami d'Édésius qui fut MAXIME (ami de Julien), Eunape n'en dit que peu de choses et, en tout cas, rien de bien (cf. *ibid.*, 427-461), en laissant entendre qu'il s'agissait d'un aventurier et d'un imposteur (de grand style), probablement athée. Or, c'est probablement l'imposteur et l'aventurier qui semble avoir attiré le futur empereur Julien (cf. *ibid.*, 435), celui-ci ayant besoin d'un « homme de main » pour sa propagande du Paganisme dans des milieux séduits par le Christianisme et donc par définition « superstitieux ». Quant à l'ami d'Édésius nommé Priscus, tout ce qu'Eunape sait en dire, c'est que ce fut un homme extrêmement secret, qui ne confiait à personne ses pensées : ce qui lui a permis de ne pas être inquiété après la mort de Julien (cf. *ibid.*, 461-465). Quant à EUSÈBE, son autre « ami » (qui fut le maître de Julien en philosophie), Eunape se contente de nous rapporter une remarque volontairement ambiguë, faite en présence de Julien et suivie d'un refus de s'expliquer plus clairement (la remarque était d'ailleurs peu favorable au soi-disant « mysticisme » de Maxime; cf. *ibid.*, 433 sq.). Sans doute, le dernier des amis d'Édésius, Chrysanthe, auprès de qui Eunape passa toute sa vie, a été plus « gentil » envers ce dernier et a dû lui parler de certaines choses. Mais, d'une part, celui-ci ne nous en dit rien. D'autre part, rien ne nous dit que le maître ait parlé franchement à son élève, à première vue un peu « naïf ». Quoi qu'il en soit, il se déclare grand admirateur d'Édésius et de tous ses « amis » (à la seule exception de Maxime, par trop « cynique » à son goût) et notamment du grand « ami » de ces « amis » que fut l'empereur Julien (qui se garda, d'ailleurs, d'appeler Eunape auprès de lui, lorsque Chrysanthe refusa, contrairement à Maxime, de donner suite à son appel, ce qui laisse penser que Julien ne jugea pas le naïf « pergamien » digne de sa confiance). Or (qu'Eunape l'ait su ou non), JULIEN n'a nullement été un « néo-platonicien » au sens courant du mot et il ne fut rien moins qu'un « mystique » (qui aurait pris au sérieux les impostures « magiques » d'un Maxime). Et on peut en conclure que tout le groupe des « amis » du dénommé Édésius qui enseigna à Pergame avait pris une attitude « voltairienne » vis-à-vis de tout ce qui est religion et, notamment, vis-à-vis de la « mystique » dite néo-platonicienne, en professant une doctrine que nous connaissons mal mais qui, tout en étant résolument hostile à la Para-philosophie en général et à l'Éclectisme en particulier, ne semble avoir eu que fort peu de choses en commun avec le Platonisme authentique, ou même avec l'Aristotélisme proprement dit.

En ce qui concerne l'empereur JULIEN, une lecture tant peu attentive de ses Discours montre clairement qu'il s'est moqué de Jamblique, précisément à cause du « mysticisme » de ce dernier et qu'il a persiflé (dans le style de l'ironie « socratique », voire en bon « voltairien ») non seulement les « mystères » de la mère des dieux, mais encore le culte d'Apollon (qu'il a lui-même propagé pour des raisons politiques et « idéologiques », en essayant de substituer aux « mystères » chrétiens à la mode, jugés dangereux, un Paganisme « mystérieux », censé devoir être « mystique », pour les moins mystifiés », mais présenté par Julien lui-même comme une « mystification » à ses amis fidèles plus ou moins philosophes, tels que le mystificateur professionnel et le grand administrateur Salluste) [cf. le Discours dédié à Salluste; aussi la Consolation, où Julien nous dit que Salluste fut le seul à qui il put parler franchement]. Quant aux opinions « philosophiques » de Julien, nous n'en savons pas grand-chose. Mais la façon dont il confronte Platon et Aristote laisse supposer qu'il reprend à son compte la critique aristotélicienne de la Théorie des idées et donc du Platonisme proprement dit. Et sa prédilection pour Théophraste ainsi que son évidente sympathie pour la critique de la théorie aristotélicienne de l'Éther par Xénarque nous fait croire que même l'Aristotélisme authentique était pour lui encore trop « platonicien ». Enfin, quelques remarques de Julien (volontairement sibyllines) font croire qu'il était enclin à une sorte de « matérialisme » athée d'allure épicuro-démocritéenne (et donc, en tant que philosophie, d'origine héraclitéenne) allant de pair avec une sympathie avouée pour le Cynisme ancien (pris en tant que morale dogmatique), censé devoir et pouvoir être parfaitement compatible avec l'activité d'un authentique empereur romain [2].

Tout ceci serait confirmé par l'opuscule *Sur les dieux et les hommes*, attribué à SALLUSTE, si son auteur est bien l'admi-

nistrateur et ami de Julien. En effet, le dernier chapitre de
l'écrit oppose nettement (bien que d'une façon camouflée destinée à n'être comprise que par les vrais philosophes) la Philosophie (en tant que Sagesse discursive et agissante) à toute
espèce de « mystique » aspirant à l'Au-delà, tandis que le
chapitre central (XVII) contient (de nouveau à l'usage des
seuls « initiés » à la Philosophie) une sorte de profession de foi
athée et « matérialiste ».

Nous ne savons pas très bien quel fut le destin des doctrines
philosophiques « antimystiques », voire antiplatoniciennes (ou
même antiaristotéliciennes) chères au groupe des « amis »
d'Édésius (« École de Pergame ») après leur mort. Sans doute
pourrait-on retrouver ses traces dans les écrits et fragments
de maints auteurs donnés par les historiens modernes comme
des « Néo-platoniciens ». Mais il faut attendre DAMASCIUS
pour les voir réapparaître au grand jour (du moins aux yeux
d'un lecteur « averti », car elles continuent à être « ésotériques »
et à se cacher derrière une allusion « ironique » à un Néo-platonisme qui est d'autant plus « caricatural » qu'il est ensuite
caricaturé).

Dans la prétendue « biographie » du soi-disant « diadoque »
Isidore (un *Don d'Isis* qui semble n'avoir jamais existé), Damascius se moque, d'une manière générale, de tout ce qui est « mystique » ou magique (dans l'écrit perdu *Sur les paradoxes*) et, en
particulier du « Néo-platonisme » magique et mystique, particulièrement florissant dans l'École néo-platonicienne d'Athènes.
Et c'est très certainement ce même Damascius qui a publié,
sous le pseudonyme de « Marinos » (cf. *Vita Procli*) une ironique
« biographie » de Proclus (dont il a suivi les cours) où celui-ci
est littéralement « traîné dans la boue », en l'associant ainsi à
Plutarque, Syrianus, Domninus et autres « mystiques » ridi-
culisés dans la *Vita Isidori*. Quant au *Commentaire du Parménide*
et aux *Apories sur les premiers principes* (qui semblent constituer le prolongement du *Commentaire*), ils ne sont pas faciles
à comprendre. Il s'agit en tout cas d'une critique sévère du
Commentaire de Proclus (qui se présente généralement sous
la forme d'une parodie, d'ailleurs « camouflée », de celui-ci)
qui semble aboutir à un rejet du Néo-platonisme en tant que
tel, peut-être au profit d'une sorte de « matérialisme athée »
proche de celui de Julien et de celui d'Édésius, comme le font
croire certaines remarques qui se trouvent dans la *Vita Isidori* [3].

Quoi qu'il en soit, Damascius semble avoir eu beaucoup plus
d'affinité avec l'Aristotélisme qu'avec le Platonisme (du moins
avec le Platonisme « traditionnel » de son époque, dans la
mesure où il s'agit d'un « Platonisme » dogmatisé, voire trans-

formé en une Théologie dogmatique, d'allure pseudo-philosophique « magico-mystique ») et plus de sympathie pour Théophraste (et Straton) que pour Aristote lui-même, sans parler de son amour avoué pour les médecins et les autres savants « positivistes » disciples de Damascius. SIMPLICIUS semble avoir réaffirmé l'harmonie entre Platon et Aristote, ce qui ferait de lui un authentique Néo-platonicien. N'empêche qu'il commente Aristote (et le *stoïcien* Épictète) et non plus Platon. Et PRISCUS se consacre à Théophraste.

Ainsi, il ne semble pas que l'ÉCOLE D'ATHÈNES, au sens traditionnel du mot « Néo-platonisme », ait survécu à Proclus. A en croire Damascius, cette École, fondée par PLUTARQUE D'ATHÈNES, fut « néo-platonicienne » au pire sens de ce mot. Sans doute pourrions-nous l'admettre en ce qui concerne ce Plutarque et ses deux successeurs à la tête de l'École, SYRIANUS et DOMNINUS, car nous n'en savons presque rien. Mais Damascius met PROCLUS dans le même panier, ce qui nous donne à réfléchir. Même en admettant que celui-ci fut un « illuminé » (ce qu'il faut bien faire si l'on ne veut pas admettre que lui aussi s'occupait de propagande dans les milieux « superstitieux » et ne prenait pas lui-même à la lettre ses élucubrations théosophiques), on ne peut nier qu'il fut un philosophe (ou plus exactement un paraphilosophe) et un authentique Néo-platonicien au sens que j'ai attribué à ce terme. Or, s'il en est ainsi, ses prédécesseurs à Athènes pouvaient l'être eux aussi, n'étant des « mystiques » qu'aux yeux des « positivistes » du genre de Damascius.

Il en va à peu près de même pour ce qu'on appelle l'ÉCOLE D'ALEXANDRIE. Sans doute Damascius se plaît à ridiculiser une Hypatie (cf. *Vita Isidori*, 164). Mais, après tout, il ne nie pas qu'elle s'est sérieusement occupée de mathématique et d'astronomie. Et si le poétique SYNÉSIUS s'est converti au christianisme, il est devenu évêque et rien ne dit qu'il ne fut qu'un simple illuminé. Quant à HIÉROCLÈS, il s'agit certes d'un « croyant » (d'ailleurs contaminé par le judéo-christianisme) mais la précision de son analyse de l'attitude religieuse ne permet pas de lui dénier toute culture philosophique, qui pourrait bien être néo-platonicienne (même si son *Commentaire des Vers d'or* ne le montre pas). Quant aux autres « Néo-platoniciens » alexandrins, il s'agit surtout de commentateurs qui commentaient d'ailleurs Aristote plus volontiers que Platon, ainsi que de savants tel que le médecin Asclépiodote qui trouva grâce même auprès du « positiviste » que fut Damascius (cf. *Vita Isidori*).

Par conséquent, s'il nous faut éliminer du Néo-platonisme

les antiplatoniciens tels que le groupe des amis d'Édésius (École de Pergame) et Damascius ainsi que peut-être les élèves de celui-ci (c'est-à-dire l'ensemble de l'École d'Athènes postérieure à Proclus), rien ne nous oblige d'en écarter, eu tant que « mystiques » ou théologiens dogmatiques pseudo-philosophiques les membres de l'ÉCOLE D'ALEXANDRIE et ceux de l'ÉCOLE D'ATHÈNES entre Plutarque et Proclus (inclusivement). Quant à JAMBLIQUE et ses élèves (tels que Théodore d'Asinè, Sopatros d'Apamée et Dexippe), notre perplexité est semblable à celle que nous éprouvons à l'égard des débuts de l'École d'Athènes. Car Julien se moque de Jamblique d'une façon très semblable à celle dont Damascius se moque de Proclus et des siens. A le croire, il faudrait exclure l'ÉCOLE DE SYRIE du domaine de la Philosophie. Mais ici encore, nous ne savons pas si l'Empereur « positiviste » n'exagérait pas. Après tout, il y a eu peut-être une volonté de « propagande » chez Jamblique (qui n'est probablement pas l'auteur de l'écrit dogmatique *Sur les mystères égyptiens* et qui copia Aristote dans son *Protreptique*) et ce qui semble n'être (dans les écrits que nous connaissons) qu'une théologie dogmatique pseudo-philosophique a peut-être quand même été chez et pour lui une (para-) philosophie éclectique authentiquement « néo-platonicienne » (peut-être explicitée dans ses écrits perdus).

Reste alors (si l'on exclut, comme trop peu connus, des néo-platoniciens tels que Ammonius ou ses élèves Origène et Hérennius ainsi qu'Amélius, élève de Plotin), PLOTIN et son élève PORPHYRE. En ce qui concerne le premier, nul ne voudra contester son appartenance au Néo-platonisme proprement dit, dont il est en un certain sens le « fondateur ». En tout cas, on ne trouve presque rien de « mystico-magique » dans ses écrits (les quelques passages « démonologiques », d'ailleurs peut-être interpolés, ne pouvant faire oublier son attitude franchement hostile à l'astrologie et aux « magies » de tout genre). Quant à PORPHYRE, il y a la fameuse *Grotte des Nymphes* (qui est d'ailleurs une œuvre littéraire, destinée au « grand public » et à la « propagande » du Paganisme que l'auteur n'avait nul besoin de prendre lui-même à la lettre et qui a peut-être un double sens comparable à celui des écrits de Julien), mais il y a aussi et surtout une activité scientifique et un penchant avoué pour Aristote qui s'est traduit par de nombreux commentaires. Enfin, il ne faut pas oublier que l'écrit *Sur les mystères égyptiens*, franchement « mystico-magique » est une réponse à des « questions » qui furent posées par Porphyre et qui sont surtout des « critiques » à la fois radicales

et « ironiques » de la Théologie dogmatique en général et des
pratiques « magico-mystiques » en particulier.

En résumé, même en écartant tout ce qui est « aberrant »
(dans un sens ou dans l'autre) ou « douteux », on ne réduit pas
à néant le Néo-platonisme tel qu'il a été défini plus haut,
c'est-à-dire comme un Éclectisme (paraphilosophique) qui
remonte (au moins) à Antiochus d'Ascalon et qui a pour objet
de « concilier » Platon et Aristote en « additionnant » le plus
possible des notions (dogmatisées) platoniciennes et aristotéliciennes prises et comprises soit en tant que différentes mais
« complémentaires », soit comme purement et simplement
« identiques ». Cette intention « éclectique » est d'ailleurs attestée tant chez le « premier » Néo-platonicien que fut Ammonius
Saccas (cf. F. Ueberwegs, 618) que par Hiéroclès et par Simplicius, qui fut l'un des derniers, en passant par Plotin, Porphyre
et Proclus, pour ne pas parler de Jamblique et des autres Néo-
platoniciens quelque peu « douteux ». Cependant, ce n'est que
dans l'École d'Athènes et notamment dans Proclus que cet
Éclectisme est à la fois parfaitement *explicité* en tant que tel et
développé *complètement*, voire « systématiquement ».

Il nous faut voir, maintenant, ce qu'est, en fait et pour nous,
le Néo-platonisme qui est compris (par nous et par lui-même)
comme un Éclectisme qui ré-unit en un seul et même « mélange
mécanique » les notions « fondamentales » (d'ailleurs dogmatisées) qui furent développées séparément soit par Platon, soit
par Aristote.

Mais étant donné l'insuffisance de nos (et de mes) connaissances, je renonce à re-présenter le Néo-platonisme pris dans
son ensemble (d'Ammonius Saccas, voire d'Antiochus d'Ascalon à Simplicius ou... Boèce), en essayant de re-produire sa
situation chrono-logique ou « dialectique » propre. Je me bor-
nerai à résumer (en me servant du schéma propre au Système
du Savoir hégélien, déjà utilisé pour Platon et Aristote, ainsi
que pour les Stoïciens) les deux doctrines qui constituent pour
nous les deux extrêmes *connus* et *sûrs* de la durée-étendue de
l'Éclectisme (para-) philosophique « néo-platonicien » et païen.

Je ne parlerai donc que de l'Éclectisme plotinien et de celui
développé par Proclus, l'un représentant le commencement et
l'autre la fin de l'évolution chrono-logique de ce que j'appelle
« Néo-platonisme ».

Or, le début plotinien, voire porphyro-plotinien, du Néo-
platonisme diffère sous trois rapports de son achèvement procléen. D'une part, si la *tendance* éclectique est propre aux deux
« termes extrêmes », elle n'est pleinement *explicitée* que dans

le dernier, tandis que dans le premier elle est plutôt *implicite*. D'autre part, si les deux termes utilisent une seule et même *méthode* éclectique, qui consiste à « additionner » les notions utilisées (dogmatisées) en les laissant telles quelles, cette méthode reste *implicite* (« inconsciente ») chez Plotin, tandis qu'elle est pleinement *explicitée* chez Proclus (et peut-être déjà chez ses prédécesseurs de l'École d'Athènes). Enfin, ces deux différences conditionnent une troisième, à savoir le fait que jusqu'à Proclus (du moins à en juger d'après les écrits que nous connaissons) une partie seulement des notions (dogmatisées) platoniciennes et aristotéliciennes a pu être utilisée en fait par l'Éclectisme néo-platonicien (qui prétendait cependant n'en exclure aucun) tandis que Proclus les utilise toutes (précisément en raison de l'*explication* ou de la prise discursive de conscience tant de l'*intention* que de la *méthode* éclectiques, qui n'est pour nous qu'un moyen de camoufler les contra-dictions qui existent en fait entre les notions « contraires » d'origines platonicienne et aristotélicienne « additionnées » par ou « mélangées » dans l'Éclectisme néo-platonicien) [4].

C'est pour rendre compte de cette triple différence entre le début et l'achèvement du Néo-platonisme que j'intitulerai les deux sections de mon analyse de l'Éclectisme néo-platonicien respectivement :

        1. L'Éclectisme implicite plotino-porphyrien

et

        2. L'Éclectisme explicite de Proclus.

1. *L'Éclectisme implicite plotino-porphyrien.*

Il n'est pas facile de dire si Plotin a été un *philosophe* proprement dit (ne serait-ce qu'au sens de paraphilosophe) et, si oui, ce qui a été son *originalité* philosophique.

A en croire ce que laisse entendre Porphyre, c'est lui qui a transformé le théologien « mystique » que fut le disciple d'Ammonius en véritable philosophe, qui a fait faire à la Philosophie un progrès net et définitif [5]. En effet, Porphyre répartit les écrits de Plotin entre trois périodes, la première précédant sa propre collaboration avec son « maître » et la dernière étant postérieure à sa séparation définitive de celui-ci, et il a soin de souligner que seuls les écrits de la deuxième sont philosophiquement valables (ceux de la première étant « désordonnés » et ceux de la dernière « séniles ») [cf. *Vita Plotini*, 6].

Quoi qu'il en soit, certains écrits plotiniens de l'époque

« porphyrienne » ont un caractère incontestablement philosophique en ce sens que Plotin y (re-)pose (explicitement) la
question du Concept et y répond en parlant (explicitement)
du Discours en tant que tel, y compris de celui qui est
sien. Cependant, même dans ses écrits proprement philosophiques, Plotin fait constamment appel à l'*Évidence*, ce qui
nous montre qu'il développe partout et toujours des notions
philosophiques *dogmatisées* (qu'il semble avoir empruntées
à d'autres sous cette forme déjà dogmatisée ou paraphilosophique et qu'il ne dé-dogmatise certainement pas, étant
ainsi lui-même fort éloigné de toute Philosophie « négative »,
voire de la Propédeutique « dialectique » ou « critique » que
pratiquèrent tous les philosophes authentiques et qui carac-
térisera plus tard la Parathèse synthétique proprement dite
développée par Kant, à la suite d'une dé-dogmatisation de
la théorie judéo-chrétienne). Cependant, l'*Évidence* plotinienne
reste paraphilosophique, c'est-à-dire discursive et ne dégénère
jamais en *Expérience* silencieuse, qu'elle soit transcendante
ou religieuse (Révélation), extérieure ou sensible (Empirie
[*Erfahrung*] et Expérimentatio [*Experiment*], voire intérieure
ou morale (Conscience morale [*Gewissen*]) [6]. Par conséquent,
si l'Éclectisme plotino-porphyrien (implicite) est par définition *para*philosophique en ce sens qu'il développe des notions
philosophiques (déjà) *dogmatisées*, il est aussi para*philosophique* dans la mesure où il est autre chose qu'une Théorie
dogmatique (pseudo-philosophique) d'allure religieuse (théologique) ou moraliste, comme c'est le cas de la plupart des
écrits (« populaires ») appartenant respectivement à la première et à la dernière période de Plotin, c'est-à-dire aux
époques pré- et postporphyriennes.

En admettant ainsi le caractère (para-) philosophique de
l'Éclectisme porphyro-plotinien, il nous faut poser la question
de son « originalité », voire des rôles respectifs de Plotin et de
Porphyre dans sa conception et son développement.

Si l'on veut croire ce que Porphyre écrit entre les lignes,
Plotin ignorait tout d'Aristote lorsqu'il quitta Ammonius. Il
n'aurait pris contact avec l'Aristotélisme que grâce à Porphyre.
Le fait est que les écrits plotiniens (d'ailleurs plutôt *pseudo*-
philosophiques) que Porphyre a groupés comme appartenant à
une « première période » ne développent pratiquement pas de
notions (paraphilosophiques) spécifiquement aristotéliciennes.
Or, ceci n'est pas de nature à nous surprendre, car rien ne
laisse supposer qu'Ammonius ait été un « innovateur » en
matière de Philosophie. Sans doute, Hiéroclès rapporte qu'Ammonius identifiait le Platonisme avec l'Aristotélisme. Mais,

d'une part, cela parle plutôt (en supposant la « probité intellectuelle » probable d'Ammonius) en faveur d'une ignorance de ce qu'est en fait ce dernier. D'autre part, cette identification remonte (au moins) à Antiochus (dont la « probité intellectuelle » est plus que douteuse). Or, si on a pu dire que celui-ci abandonna en fait le Platonisme sous prétexte de son « identité » avec l'Aristotélisme et se contenta de paraphraser uniquement ce dernier (d'ailleurs sous sa forme stoïcienne), rien n'empêche de supposer qu'après avoir proclamé l' « identité » de l'Aristotélisme (d'ailleurs plus ou moins ignoré) avec le Platonisme, Ammonius se contenta au contraire d'une paraphrase (plus ou moins « personnelle ») des doctrines platoniciennes traditionnelles (d'ailleurs dogmatisées). Dans ce cas, la (para-)philosophie d'Ammonius ne serait qu'une des multiples variantes de ce qu'on appelle le « Platonisme moyen » ou « pythagorisant » (à moins qu'elle n'ait été, en fait, une Théologie dogmatique platonisante). Or, d'une part, cette hypothèse semble confirmée par le fait que ni Ammonius lui-même ni aucun de ses disciples (Plotin y compris) n'ont prétendu à l' « originalité » : non seulement par rapport à Platon (ce qui va de soi), mais encore vis-à-vis des Platoniciens qui les précédèrent (ce qui serait peu naturel, s'ils avaient vraiment innové par rapport à eux). D'autre part, on peut voir une confirmation de cette même hypothèse dans les accusations qui faisaient de Plotin un « plagiaire » de Numénius (cf. *Vita Plotini*, 17). Si ces accusations ont quelque fondement (et l'absence d'une réaction de la part de Plotin lui-même laisse supposer qu'il en était bien ainsi), il s'ensuivrait que les écrits « ammoniens » de la « première période » plotinienne (censée avoir été préporphyrienne) étaient fort peu « originaux ». Or, on y trouve déjà toutes les notions qui sont généralement taxées de spécifiquement « néoplatoniciennes », telles que les notions de la fameuse Triade « intelligible » : *Hen*-Nous-Psyché, de la « descente » des âmes individuelles dans le Monde phénoménal (qui n'a d'ailleurs rien à voir avec la notion judéo-chrétienne de « Chute ») et de leur « remontée » à la suite d'une « intuition intellectuelle » du *Cosmos noetos* (à partir de ce Monde) qui peut culminer par moments en « extases » (mais n'a rien à voir avec la Rédemption chrétienne). Toutes ces notions (d'ailleurs dogmatisées) seraient donc, en fait, purement platoniciennes (au sens du « Platonisme moyen », c'est-à-dire du Platonisme *dogmatisé* ou *para*philosophique) et n'auraient rien à voir avec ce que nous entendons par Néo-platonisme, c'est-à-dire avec un Éclectisme (para-) philosophique qui « ajoute » aux notions essentiellement platoniciennes (dogmatisées) des notions spécifiquement aristotéliciennes (dogmatisées, d'ailleurs, elles aussi).

Or, Porphyre défend énergiquement Plotin contre toute accusation de « plagiat », notamment en ce qui concerne Numénius (dont il s'applique, d'ailleurs, à diminuer l'importance; cf. *Vita*, 17, *in fine*). Plus exactement, Porphyre mentionne un traité d'Amélius *Sur la différence* [*!*] *des dogmes de Plotin et de Numénius*. Mais il a soin de nous signaler que cet écrit *lui fut dédié* par l'auteur. Ce qui peut vouloir dire qu'Amélius reconnaît que c'est à Porphyre que Plotin doit l' « originalité » de sa doctrine par rapport à celle de Numénius (ou d'Ammonius) (d'ailleurs mé-comprise par Plotin comme étant identique à la philosophie platonicienne authentique, que Plotin ignorait d'ailleurs) [7]. Quoi qu'il en soit, en citant un passage de la lettre de dédicace d'Amélius (où il est question de l'originalité de Plotin par rapport à Numénius), Porphyre ajoute ce qui suit : « J'ai été conduit à publier cette lettre pour faire voir que des gens de son temps pensaient qu'il [Plotin] faisait le beau parleur tout en copiant Numénius; ils le traitaient d'intarissable bavard et ils le méprisaient parce qu'ils ne comprenaient pas ce qu'il disait; c'est qu'il... ne se hâtait pas de vous découvrir l'enchaînement nécessaire de syllogismes qu'il prenait pour point de départ dans son développement; j'éprouvai d'ailleurs la même impression lorsque je l'entendis pour la première fois; aussi, je lui présentai une réfutation, où j'essayais de montrer que *les intelligibles [c'est-à-dire les Idées] étaient en dehors de l'Intelligence;* il se la fit lire par Amélius, puis sourit en disant : c'est ton affaire, Amélius, de résoudre les difficultés...; Amélius écrivit un livre assez long contre mes objections [sans convaincre Porphyre, puisque] à mon tour, je répliquai à son écrit; Amélius répondit encore à mon livre; enfin, *je* compris avec peine [et sans que, semble-t-il, les écrits d'Amélius et de Plotin y aient été pour quelque chose] la doctrine de Plotin et changeai d'opinion; je composai une palinodie que je lus au cours » (*Vita*, 18). Et il se peut que Porphyre veuille nous suggérer que c'est seulement à la suite de cette lecture que le Néo-platonisme « plotinien » se constitua en doctrine philosophique à la fois « compréhensible » et « originale ». Or, dire que les Idées sont *en dehors de l'Intelligence*, n'est-ce pas re-dire ce que disait Aristote en contre-disant Platon (à la suite, peut-être, d'Eudoxe), à savoir que les prétendues Idées platoniciennes sont en fait *à l'intérieur du Monde phénoménal* (en tant qu'Espèces)? S'il en était ainsi, Porphyre aurait commencé par opposer un Aristotélisme authentique (ou dogmatisé) au pur Platonisme (dogmatisé) professé par Plotin (à la suite d'Ammonius). Ce n'est que peu à peu qu'il aurait découvert dans les « intuitions » peut-être « géniales », mais foncièrement « obscures » et « chaotiques » de Plotin (qui ne savait d'ailleurs rien d'Aristote) une possibilité de « concilier » les deux doctrines (d'ailleurs dogmatisées) prétendument « contraires » ou contra-dictoires. C'est cet Éclectisme plotino-porphyrien qui aurait constitué ce que nous appelons le Néo-platonisme, développé tout d'abord dans des écrits de Plotin appartenant à la « période moyenne », au cours de laquelle celui-ci a écrit pour ainsi dire sous la dictée de son « élève » [8]. Le fait est que les écrits de Plotin que Porphyre attribue à cette période (et donc, implicitement, à sa propre influence) sont caractérisés, en règle générale, d'une part, par l' « addition » aux notions (dogmatisées) purement platoniciennes de notions (dogmatisées) spécifiquement aristotéliciennes (notamment dans le grand traité *Sur les catégories*, qui constitue le noyau central des écrits en cause et qui traite d'ailleurs de l'un des thèmes favoris de Pythagore) et, d'autre part, par une critique (implicite ou explicite) du Platonisme (dogmatisé) « pur », voire antiaristotélicien, d'ailleurs traditionnel, qui caractérise les écrits plotiniens de la « première période » (une telle critique explicite se trouve notamment dans le grand traité *Contre les Gnostiques*, en lesquels nous pouvons voir une des variantes du Platonisme moyen) [9].

Quoi qu'il en soit, nous pouvons être d'accord avec Porphyre en ce sens que le Néo-platonisme n'est, en fait, à la fois (para-) philosophique et « original » que dans la mesure où il est un Éclectisme qui « additionne » (sans les « synthétiser », ni encore moins les « intégrer ») les (ou du moins des) notions (dogmatisées) respectivement platoniciennes et aristotéliciennes, en affirmant, d'une part ([avec raison] contre leur « identification » [erronée] par un Antiochus ou un Ammonius, voire un Hiéraclès), leur *différence* « spécifique » et, d'autre part [à tort cette fois-ci], leur [soi-disant] caractère *complémentaire* (et non pas contra-dictoire), ce qui permet [d'avoir l'illusion] de les maintenir toutes *telles quelles* [contrairement à ce que fera plus tard Kant, qui les « synthétise » après les avoir dé-dogmatisées]. Et peu nous importe au fond que ce Néo-platonisme ait été développé pour la première fois par Plotin tout seul ou par le seul Porphyre, ou enfin par les deux à la fois, dans une « collaboration » qu'il nous serait d'ailleurs difficile de préciser et même d'établir.

Il s'agit maintenant de faire voir ce caractère *éclectique* du Néo-platonisme (para-) philosophique plotinien ou, si l'on préfère, porphyro-plotinien. Or, pour le dire tout de suite, l' « addition » éclectique néo-platonicienne a été grandement favorisée par le fait que Platon n'a pratiquement pas développé de Phénoméno-logie proprement dite, tandis qu'Aristote consacre le gros de son effort au développement de celle-ci, son Onto-logie restant d'ailleurs assez rudimentaire au sein de l'Aris-totélisme (même stoïcien), tandis que celle de Platon fut explicitée, paraphrasée et développée par les diverses Écoles platoniciennes et notamment par celles du Platonisme dit « moyen ». Sans doute reste-t-il qu'Aristote a explicitement contre-dit l'Énergo-logie « idéologique » de Platon dans et par sa propre Énergo-logie « astrologique ». C'est donc surtout et avant tout dans le domaine de l'Énergo-logie que le Néo-platonisme plotinien a dû opérer son « mélange mécanique » éclectique, en affirmant à la fois, mais en prétendant ne pas se « contredire », que les Idées étaient non seulement « trans-cendantes », c'est-à-dire « platoniciennes », mais encore et « en même temps » immanentes au Monde phénoménal et au *Logos* humain, étant ainsi aussi « aristotéliciennes ». Et c'est en croyant pouvoir tenir compte de cette « ambivalence » de la Réalité-objective (qui était censée impliquer les Ames indivi-duelles ou « atomiques », au sens platonicien du mot) que le Néo-platonisme a pu, en fait, développer à la fois (en préten-dant ne pas « se contredire ») une Onto-logie spécifiquement platonicienne ou « hénothéiste » et une Phénoméno-logie exclu-sivement aristotélienne ou « biologique » (en fait stoïcienne).

C'est ce que j'essaierai de montrer en résumant les unes après les autres les trois Parties du Système (para-) philoso-phique plotinien, en le prenant d'ailleurs dans son ordre « déduc-tif »[10].

L'Onto-logie plotinienne.

Considérée en elle-même, l'Onto-logie (d'ailleurs dogmatisée ou paraphilosophique) de Plotin est purement (sinon « exclu-sivement ») platonicienne. En confrontant la « première hypo-thèse » du *Parménide* avec les deux célèbres passages relatifs au *Hen-Agathon* qui se trouvent dans la *République* et dans la VIIe lettre et en relisant tout ceci à la lumière de l'ensemble des Dialogues (vraiment authentiques) de Platon, on trouve l'essentiel de ce que l'on retrouvera (sous une forme dogmati-sée) chez Plotin en fait d'Onto-logie proprement dite. Or, on ne retrouve chez Plotin que ce qui se trouve déjà dans maints écrits platonisants ou « pythagorisants » (para- ou pseudo-philosophiques) parvenus jusqu'à nous (de ceux d'un Plutarque aux écrits « hermétiques » et « gnostiques », en passant par les fragments d'un Numénius). Ainsi, du moins à première vue, Plotin ne semble faire preuve d'aucune « originalité » dans ce domaine.

Comme chez Platon, l'Onto-logie plotinienne traite du « Principe » *(arkhê)* qui est « absolument *premier* » en ce sens que *tout* [ce dont on parle] le sup-pose, tandis que lui-même se pose sans sup-poser quoi que ce soit d'autre que soi-même, et même sans pré-supposer autre chose. Ce Principe absolument *premier* est censé être absolument *un* : au point de n'avoir aucune *structure* qui lui soit propre et qui introduirait en lui une quelconque Différence, sans parler d'Opposition ou de Distinction proprement dite. On peut donc dire aussi que le Principe-premier est absolument *homogène* : au point qu'il n'y a même pas en lui de Parties qui se *distingueraient* les unes des autres et *s'opposeraient* au Tout ou en *différeraient* seulement. Ce principe est donc *un* en ce sens qu'il n'est aucunement *différencié*. N'étant pas différencié en lui-même, il ne diffère aucunement de soi-même : pas même dans le sens où une partie diffère de son tout. Il est donc tout soi-même, de sorte qu'il est lui-même un *Tout*. Plus exactement, cet Un premier ou « primordial » est *le* Tout (qui est *un*) : car n'étant pas différencié en soi-même, il ne diffère pas non plus d'autre chose que lui-même, en ne s'opposant ainsi à rien et en ne se distinguant de rien. Par conséquent, en tant que Tout, le Premier-principe est bien plus *un* qu'à proprement parler *unique*. Comme chez Platon, l'Un-qui-est-tout ou le Tout-qui-est-un est, chez Plotin, l'*Hénade* et non pas une *Monade* (qui est par définition différenciée en elle-même et distincte de ce qu'elle n'est pas).

Or, comme chez Platon (et chez les Platoniciens « moyens »), l'Onto-logie est chez Plotin une Théo-logie, d'ailleurs ni *poly*- ni *mono*-, mais (« exclusivement ») *héno*-théiste. Car le *Hen* (ou l'Hénade qui n'est ni Dyade ni Monade) est *Theos* en ce sens qu'il est *transcendant*, et même *doublement* transcendant, tout comme chez les Platoniciens « moyens » et chez Platon lui-même. Car l'Hénade se pose en ne pré-supposant ni l'Existence-empirique (phénoménale) ni même la Réalité-objective (idéelle), qui pourtant sup-pose (en tant que Tout [structuré]) l'Un et qui est elle-même sup-posée par l'Existence-empirique, sans qu'elle pré-suppose pour autant cette dernière. Pour parler un langage « imagé », d'ailleurs platonicien, on peut dire que l'Hénade est « divine » parce qu'elle est « en dehors » non seulement de la durée-étendue du *Cosmos aisthetos*, voire du Monde où l'on vit et donc de l'Univers où l'on parle, mais encore « au-delà » de l'Espace-temps objectivement-réel (d'ailleurs

« idéel » et donc à la fois « éternel » et « u-topique ») qu'est le *Cosmos noetos*.

Pour Plotin, qui en tant que Praticien, voire dans sa « vie privée », est essentiellement un Religieux (encore plus, peut-être, que Platon, mais certainement autant que maint autre Platonicien), le *Hen doublement* transcendant (qui est l'homologue philosophique du *Theos* de la Théorie théologique *païenne*) est aussi l'*Agathon* ou le Bien (« absolu » ou « supérieur ») en ce sens qu'il est l'Amour aimé (de tous [plus ou moins consciemment]) et aimant (tout [« sans distinction », mais « distinguant » néanmoins ceux qui l'aiment]), qui se manifeste (dans le Monde phénoménal) dans et par la Béatitude des Extases amoureuses (ou en tant que celle-ci). En comparaison avec cette plaisante Béatitude, aucun Plaisir sensible ou sensuel n'est vraiment satisfaisant et en l'absence des plaisirs béats l'homme insatisfait est triste et malheureux (parfois inconsciemment), en dépit de toutes ses prétendues « satisfactions » mondaines, y compris le soi-disant « bonheur » qu'il éprouve dans la vie et les joies dites « pures » de la contemplation de ce bas monde.

Cette infrastructure religieuse du Platonisme plotinien ou autre, qui donna une allure théologisante (héno-théiste) à l'Onto-logie de Platon lui-même, n'a en fait rien à voir avec les (trois *-logies* qui constituent la Philosophie « systématique » proprement dite, vu que le Bien qu'est l'Amour religieux en question est censé être à la fois *silencieux* (en tant qu'Amour-de-Dieu) et *ineffable* (en tant que Dieu-aimant). « De même que, pour voir la Nature intelligible [le *Cosmos noetos*], il ne faut plus avoir aucune image des choses sensibles et contempler ce qui est *au-delà* du Sensible [du *Cosmos aisthetos*], *de même*, pour voir ce qui est *au-delà* de l'Intelligible, il faut écarter tout *intelligible* [c'est-à-dire toute *Notion* proprement dite, par définition *discursivement développable*]. On apprend bien, grâce à l'Intelligible [et donc par le Discours] l'existence [= l'être-donné] de ce Terme supérieur [qu'est le *Hen-Agathon-Theos*]; mais pour savoir [d'une façon *silencieuse*] *quel* il est, il faut *abandonner* l'Intelligible [et le Discours]. Sa [soi-disant] qualité, c'est d'ailleurs *de n'en pas avoir* : qui n'a pas de quiddité n'a pas non plus de qualité [qui serait *discursive* en ce sens qu'elle permettrait de *dire* ce que c'est]. Vous nous voyez peiner dans l'incertitude de ce qu'il faut *dire* : c'est que nous *parlons* [ou plutôt, essayons en vain de *parler*] d'une chose [en fait] *ineffable* et nous lui donnons des *noms* [à tort, d'ailleurs; encore qu'il s'agisse moins de " mots " ou de Notions proprement dites (" définissables ") que de " noms propres " ou de Signes] pour la désigner [par des *Signes*] à nous-mêmes comme nous pouvons. Ce *nom* d'Un ne contient [en tant que Notion] peut-être rien que la *négation* du *multiple* [quel qu'il soit, y compris celui qu'est tout Discours proprement dit]. » (V, 5-6). « L'âme s'éloigne de l'unité et n'est pas absolument une. Lorsqu'elle saisit un objet par la Science [discursive] : car la Science est un *discours* et le Discours est *multiple;* elle dépasse [ou plutôt n'atteint pas] l'unité et tombe [ou plutôt reste] dans le nombre et la multiplicité. Il *faut* donc [si l'on veut être bienheureux] *surmonter* la Science [discursive] et ne jamais sortir de notre état d'unité [silencieuse, le Silence étant *un*, vu qu'il ne parle de rien à personne]; il *faut* s'éloigner de la Science [discursive] et de ses objets [dont on *parle*]; il faut [de même] abandonner toute autre *contemplation* [silencieuse], même celle [" esthétique "] du Beau, car le Beau [même idéel ou idéal] est *postérieur* à Lui et *vient* de Lui, comme la lumière du jour vient *tout entière* du soleil. [Le Beau est *beau* parce qu'il *est* (le Néant étant *laid* ou la Laideur même); le Beau sup-pose donc l'Être-donné (sans que celui-ci pré-suppose le Beau, puisqu'on peut *être* sans être *beau*).] C'est pourquoi Platon dit [dans la " première hypothèse " du *Parménide*] qu'on ne peut Le *dire* ni L'*écrire*. Mais nos paroles et nos écrits *dirigent* vers Lui [le Silence béat du " Sage " amoureux sup-pose le Discours philosophique, dernier dans la mesure où celui-ci est théologique et pré-suppose ainsi le Silence religieux] : il nous faut *sortir* du *langage* pour nous éveiller à la *contemplation* [silencieuse]; ils montrent en quelque sorte la voie à celui qui *veut* contempler [c'est-à-dire au Religieux qui veut être aimé par le Dieu qu'il aime]. Car on va jusqu'à lui apprendre [soit par le Discours philosophique (théologisant), soit par la " Prédication " religieuse discursive] la route et le chemin [discursifs]; quant à la *contemplation* [silencieuse], elle est [un acte d'amour et donc] l'œuvre de celui même qui *veut* contempler [l'Aimé] » (VI, 9, 4). « Lorsqu'on Le représente [discursivement] comme une Intelligence [discursive] ou comme un Dieu [qui absorbe et émet des discours], Il est *plus* que cela; et lorsque, par réflexion [discursive], on l'unifie encore [dans et par le *Discours* uni-total qu'est censé être le Système philosophique], Il est toujours bien *plus* que tout ce que l'on peut se représenter [discursivement] de Lui, parce qu'il a *plus d'unité* que la notion [discursivement développable et donc virtuellement " multiple " en elle-même] que l'on a de Lui : car Il est *en soi* [seulement, et non aussi en cet Autre chose qui est, entre autres, Discours] et Il n'a pas d'*attribut* [de sorte qu'on ne peut pas *dire* qu'il est *ceci ou cela*] » (VI, 9, 6).

Quoi qu'il en soit de ce caractère prétendument « ineffable » de l'Être-donné « divin » dont l'Onto-logie théologisante platono-plotinienne *parle* quand même, le fait est qu'elle en dit [d'ailleurs avec raison] qu'il est lui-même absolument *silencieux :* « Il n'a pas de *pensée* [discursive], pour qu'il n'y ait pas en Lui d'altérité [inhérente au Discours en tant que tel, par définition contra-dictoire] » (VI, 9, 6). [Et, bien entendu : « Il n'a pas non plus de volonté » *(ibid.),* à l'encontre du Dieu « unique » de la Théologie *mono*-théiste juive qui est *un* parce que *unique,* c'est-à-dire distinct et distingué de tout ce qui n'est pas lui, en attendant de l'être aussi de lui-même, en tant que Trinité chrétienne.] Aussi bien l'union de l'amant avec l'Aimé, qui actualise l'Amour religieux (et divin), n'est-elle rien moins qu'un *dialogue,* ne serait-ce qu'amoureux. L'acte d'Amour platonique se manifestait dans et par un absolu silence. Quant à la prétendue « ineffabilité » du *Hen-Theos-Agathon,* elle n'est en fait et pour nous, chez Plotin comme chez Platon, que le développement (d'ailleurs discursif) de la notion onto-logique platonicienne (théo-logique au sens de héno-théiste) de l'Être donné *doublement* transcendant (cette notion philosophique théologisante étant homologue à la notion théorique que développe la Théologie de la Divinité païenne). Si l'Hénade « divine », ou l'Être-un doublement transcendant, est censée ne pas être l'Un-qui-*est,* ni au sens d'exister empiriquement, ni même au sens d'être objectivement-réel, la notion onto-logique (théologisante) qui s'y rapporte doit (pour être « vraie ») être (« unique » parce que) *une* au même sens « absolu » qu'est *un* (et de *ce* fait « unique ») l'Être-donné qui lui correspond. Par conséquent, cette soi-disant « notion » ne peut être ni développée en Discours uni-total (par définition multiple en lui-même, en tant qu'intérieurement structuré) ni même « définie », en tant que notion « isolée » par une « opposition-dialectique » à une *(deuxième)* notion « contraire ». De même, la Théologie dogmatique (platonisante) dite « apophatique » aboutit au *Silence* absolu de l'Extase amoureuse et non à un *discours* théologique « positif » susceptible d'être admis et absorbé (compris) sans amour. Plus exactement, toute Théologie dogmatique suppose une Expérience transcendante, voire une Révélation *silencieuse* (qui, en tant qu'acte d'amour du Religieux pour son Dieu, actualise dans les religions l'Amour qui est le Dieu aimé lui-même, du moins en tant qu'aimant le Religieux). Quant à la Théologie dogmatique (pseudo-philosophique) platonisante, elle « rapporte » la notion (onto-logique) parménido-platonicienne du *Hen* (préalablement dogmatisée, ou prise comme « évidente » par le Platonisme paraphilosophique) au *Theos* ineffable silencieusement révélé qui est censé lui « correspondre ». Cette soi-disant « notion » (théologique) de Dieu, qui se rapporte à l'Ineffable (divin) qui lui correspond, est (discursivement) développée en une Théologie « négative » ou « apophantique » (complète) qui, prise et comprise dans son ensemble, équivaut au Silence (du NI-NI). Ce Silence, qui résulte de la Théologie « négative » (discursive) tient lieu et place de la Théologie « positive » (discursive) que celle-ci pré-suppose : c'est une Théologie « positive » réduite au silence. Or, le Silence auquel se réduit la Théologie « positive » et qui pré-suppose par conséquent la Théologie « négative » (discursive), coïncide (en tant que Silence) avec le Silence sup-posé par cette dernière en tant que Révélation (silencieuse) de l'Ineffable divin (silencieux). Bien que le Silence (ineffable), voire l'Ineffable (silencieux) que sup-pose la Théologie « négative » ne pré-suppose nullement (et c'est le moins qu'on puisse dire sans se contre-dire) le Silence que pré-suppose celle-ci, ni dans le Discours qu'elle est elle-même et dont ce Silence (pré-supposé) a résulté. De sorte que prise dans son ensemble, la Théologie dogmatique platonisante ne peut rendre discursivement compte de la Révélation silencieuse qu'elle sup-pose (et qu'elle ne développe en une Théologie « négative » discursive que pour réduire au silence la Théologie « positive » qu'elle pré-suppose) qu'en disant que cette Révélation (silencieuse de l'Ineffable silencieux) est un « miracle », voire une « grâce » absolument « gratuite » ou un « acte d'amour » qu'aucune « raison » (discursive) ne saurait « justifier » ou « expliquer » (vu que toute explication justifiante ou justification explicative équivaudrait à une Théologie positive *discursive*).

C'est pourquoi, à moins qu'elle ne dégénère en Paranotion ou en Signe qui serait le « nom propre » (par définition indéfinissable et indéveloppable) du Dieu, cette prétendue « notion », soi-disant « onto-logique » (au sens de théo-logique) ne peut prétendre à être « définie » et « développée » qu'à condition de dégénérer en Symbole (« mathématique »), c'est-à-dire en Pseudo-notion dénuée de tout espèce de sens. Et si Plotin lui-même semble avoir méprisé les « noms propres » divins et ne pas s'être plu aux jeux « arithmétiques » chers aux Platoniciens « néo-pythagorisants », le Néo-platonisme postplotinien (en fait pseudo-philosophique) s'est souvent abandonné avec passion au charme (pseudo- et paradiscursif) des Symboles (onto-métriques) et des Signes (onto-graphiques).

Or, dans une terminologie hégélienne, la notion (onto-logique) platono-plotinienne de l'Être-donné [pris comme Un (doublement transcendant) et compris comme Dieu « divin » (= aimé) ou Dieu « bon » (= aimant)] signifie (lorsqu'on la développe discursivement d'une façon « correcte » bien que « contradictoire »), que le Concept [qui, en tant qu'Être-donné ou Différence entre l'Être et le Non-être (Néant), n'est NI Sens NI Essence, mais qui croît empiriquement (en se manifestant en tant que Phénomène) à la fois ET comme Essence objective ET comme Sens discursif] est l'Éternel (objectivement-réel en tant qu'Idée uni-totale et comme *Cosmos noetos*) qui n'est éternel (au sens de l'identité de son Présent avec son Passé et son Avenir) que dans et par sa mise-en-relation avec l'Éternité, censée être située « en dehors » ou au-delà non seulement de la Durée-étendue et de l'Espace-temps, mais encore de la Spatio-temporalité elle-même.

Sans avoir une valeur « absolue », le Discours platono-plotinien n'est censé être valable que dans la mesure où il est « véritable » ou « vrai ». Or, chez Plotin comme chez Platon, le critère de la Vérité-discursive (philosophique) [qui reste d'ailleurs apparentée à la Vérité-discursive *théorique* dans la mesure où elle est encore censée devoir *exclure* l'erreur discursive (ce que la vérité philosophique fait et doit faire tant qu'elle n'est pas trans-formée en la Sagesse discursive qu'est le Système du Savoir)] est non pas la coïncidence (héraclitéenne, voire dogmatique) de ce que l'on dit avec ce dont on parle, mais l'identité (parménidienne, voire axiomatique) du Discours [en fait encore partiel et donc partial] avec lui-même, c'est-à-dire précisément son caractère « immuable » ou « éternel ». La preuve qu'on a atteint le Dieu [soit dans l'Extase silencieuse, soit par le Discours véritable ou vrai (qui aboutit d'ailleurs au Silence)], c'est qu'on s'améliore, qu'on n'éprouve plus de *regret* [en distinguant le Présent du Passé], qu'on se remplit de Lui [dans le Présent], que l'on *reste* [dans l'Avenir] auprès de Lui et qu'on ne *cherche* plus autre chose [en distinguant l'Avenir du Présent]. C'est pourquoi le Plaisir [y compris la « Joie pure » que procurent les « beaux discours » (rhétoriques ou synthétiques, c'est-à-dire « héraclitéens)] ne se suffit pas à lui-même : il n'est jamais satisfait du *même* objet [y compris de celui dont on a parlé, car le Rhéteur préfère (se) contre-dire plutôt que (se) re-dire]; un *même* objet ne re-produit pas le Plaisir [pas même la Joie qu'on en a eue en en parlant le premier ou, du moins, pour la première fois]; et l'on se plaît à des objets toujours différents [en cherchant des thèmes discursifs inédits, que la « plume héraclitéenne », réputée « impérissable » est d'ailleurs censée devoir fournir nécessairement, c'est-à-dire partout et toujours] (VI, 7, 26). Cependant, tout comme chez Platon, la Vérité-discursive (philosophique) de Plotin est censée « coïncider » aussi (au sens héraclitéen) avec ce dont elle parle et elle ne peut donc être *éternelle* que dans la mesure où elle « coïncide » avec l'Un (car c'est le Dieu qu'on « atteint » lorsqu'on dit la Vérité, sans jamais chercher à se dé-dire ou à se contre-dire et en se contentant de se re-dire), qui est lui-même l'Éternité elle-même. « L'Être *éternel* ou l'Être qui est *toujours* [c'est-à-dire non seulement dans le Présent, mais encore dans l'Avenir tout comme dans le Passé, sa présence passée étant celle-là même qui est présente comme celle qui est à venir], c'est celui qui n'a absolument aucune tendance à *changer* la nature, celui qui possède *en entier* sa propre vie [présente à la fois en tant que passée et à venir], sans rien *ajouter* ni dans le Passé, ni dans le Présent, ni dans l'Avenir. Un tel Être [*éternel*] *possède* la Perpétuité. La Perpétuité est donc une *manière*-d'être; *manière*-d'*être* qui vient *de* lui et qui est *en* lui. L'Éternité est le sujet *lui-même*, pris *avec* cette manière-d'être qui se manifeste *en* lui [le « sujet » n'étant *éternel* que dans et pour cette « manifestation » *en* lui de l'Éternité *en tant* que telle]. C'est pourquoi l'Éternité [en tant que telle] est chose *auguste :* elle est *identique à Dieu.* La réflexion [discursive onto-logique] nous le dit; et il convient de dire que l'Éternité *est Dieu lui-même* se *montrant* [dans l'Extase amoureuse] et se *manifestant* [par la Vérité-discursive qu'est l'Onto-logie *théo*-logique (*héno*-théiste) tel qu'il est » (III, 7, 5). « On peut donc *dire* que l'Éternité [qui est l'Un] est la Vie *infinie* [nous reparlerons plus tard de ce « vitalisme » aristotélicien de Plotin]; ce qui veut dire qu'elle est une vie totale et qu'elle ne *perd* rien d'elle-même [en devenant passée], puisqu'elle *n'a ni Passé, ni Avenir,* sans quoi elle ne serait pas *totale* » (*ibid.*, *in fine).*

Or, Plotin cite Platon (*Timée,* 37,a) pour dire que l'Éternité *reste* DANS « l'Un », et il ajoute que « ce qui *reste auprès* de l'Un *possède* l'Éternité [étant de ce fait *éternel;* est donc *véritable* ou *vrai,* dans la mesure où il est discursif] » (III, 7, 6). Mais l'Un qui *est* l'Éternité elle-même (et l'unique est une Éternité-qui-est) est « au-delà » ou « en dehors » de l'Espace-temps objectivement-réel et de la Durée-étendue qui existe-empiriquement. Et c'est précisément pourquoi le Concept *éternel,* qui est en relation avec l'Éternité doublement transcendante « montre » et « manifeste » celle-ci non pas en se développ-ant en Discours (« infini » ou héraclitéen, voire uni-total), mais en se « condensant » en Silence absolu (parménidien) : Plotin « résume » sa vérité discursive (philosophique) en se *taisant* et il l'« achève » en ne disant *plus rien* [sans avoir (en fait) *tout* dit].

En résumé, l'Onto-logie (théologisante) de Plotin est plato-nicienne en ce sens que, d'une part, l'Être-donné est « divin » parce que *transcendant* par rapport à l'Univers historique où l'on parle du Cosmos qui existe-empiriquement et du Monde phénoménal où l'on vit et que d'autre part, le *Theos* dont parle cette onto-logie (théologisante) est *doublement* transcendante (de sorte qu'il est seulement *un* ou Hénade divine, mais non encore une pluralité de Dieux, ni un Dieu *unique* (ou divine Monade) puisque situé non seulement « en dehors » de la durée-étendue de l'Existence-empirique, mais encore « au-delà » de la Réalité-objective elle-même et donc sinon de l'Espace, puisque le *Cosmos noetos* n'est pas spatial du tout (chaque Idée ne subsistant qu'en un seul exemplaire), du moins du Temps objectivement-réel, par définition *éternel* (au sens de coéternel à la Réalité-objective éternelle). Aussi bien faut-il, pour pouvoir parler de l'Être-donné (dans une Onto-logie comprise comme une *Théo*-logie, d'ailleurs *héno*-théiste), non pas « aller *au fond* des choses » phénoménales pour voir et montrer (discursivement) ce qui est-donné en tant que « base » (commune) qui est *au-dessous* de leurs fondements objectivement-réels, mais au contraire « s'en *détourner* » et s' « *élever* » pour voir et montrer (en fait : silencieusement) ce qui est censé être *au-dessus* de la Réalité-objective « idéelle » que ces choses « reflètent » de la façon dont les causes profondes, obscures en elles-mêmes, reflètent comme dans un miroir, d'ailleurs trouble et troublé, les lumières ponctuelles qui descendent jusqu'à elles des hauteurs incertaines du ciel étoilé.

« Oui, le Philosophe [théologisant, d'ailleurs " mystique " ou héno-théiste], l'Ami des muses [l'Artiste créateur ou réceptif] et l'Amant [le Religieux] doivent *s'élever* [s'ils veulent atteindre l'Être-donné en tant qu' " indépassable "]. Mais de quelle manière? Tous doivent-ils procéder de la même manière ou chacun d'eux d'une manière différente? Il y a *deux* voies pour ceux qui *montent* et *s'élèvent :* la première part d'*en bas*, la seconde est la voie de ceux qui sont déjà parvenus [en s'élevant au-dessus du Monde phénoménal] dans le Monde intelligible et y ont, en quelque sorte, pris pied [de leur vivant; et ce sont précisément des philosophes théologisants plotiniens]; ils doivent s'y avancer [toujours en s'élevant] jusqu'à ce qu'ils arrivent à la limite *supérieure* de ce Monde [par définition " fini " ou dé-fini], ce qui marque la fin du *voyage* [encore *discursif*] et donc situé dans la durée-étendue de l'Univers historique, mais pouvant avoir lieu dans n'importe quel *hic et nunc* de celle-ci], c'est le moment [le *hic et nunc*] où ils arrivent au *sommet* de l'Intelligible [discursif] » (1, 3, 1). On s'élève jusqu'à ce sommet au moyen de la Dialectique ou de la Division-discursive *(Diairesis)* qui sépare des Phénomènes les Idées

« reflétées » en eux et qui *isole* chacune d'elle *(atomos eidos)* en les ordonnant en une « série » (dont chaque « échelon ») correspond à un Nombre idéal, (d'ailleurs *ordinal*) de façon à faire voir celle qui est à la fois *dernière*, pour celui qui y arrive par « induction » ou en *s'élevant* et *première* dans l'ordre *descendant* (ou « déductif), dans la mesure où cet « ordre » est discursif [ce qu'il n'est, d'ailleurs, que dans la mesure où Plotin, à la différence de Platon, admet l'*évidence* de la notion platonicienne (onto-logique au sens de théo-logique, voire héno-théiste) de l'Être-donné compris comme *Hen-Agathon-Theos*, c'est-à-dire dans la mesure où il maintient la *dogmatisation* du Platonisme]. Chez et pour Platon, la notion (onto-logique au sens de théologique) du *Hen-Agathon-Theos* n'est que la « limite supérieure » *provisoire* d'un discours philosophique (« inductif »), *inachevé* qui se situe d'ailleurs *en dehors* de ce discours; d'où l'impossibilité de « déduire » celui-ci à partir de cette notion-limite. Mais chez Plotin, cette même notion est dogmatisée (comme chez les Platoniciens « moyens »). Autrement dit, elle est pour lui le terme *final* d'un discours philosophique (« inductif ») censé être *complet*. D'où la possibilité, selon lui, d'en « déduire » ce discours. Mais, pour nous, le discours plotinien est tout aussi *incomplet* que celui de Platon : il y a en fait une *lacune* entre le prétendu terme final de l' « induction » et le point de départ de la soi-disant « déduction », cette « lacune » discursive n'étant par définition rien d'autre que le Silence. D'où le fait que Plotin lui-même présente l'aboutissement de l' « induction » qui coïncide (par définition) avec le début de la « déduction », comme un Silence révélant l'Ineffable. Ainsi, dès qu'on nie l'*évidence* de la notion platonicienne du *Hen-Agathon-Theos*, il faut ou bien renoncer à la « déduction » (paraphilosophique) de Plotin, ou bien la « justifier » par un appel à la seule Révélation (silencieuse), en renonçant ainsi à l' « induction » plotinienne [d'ailleurs platonicienne et en substituant à l'Évidence paraphilosophique (onto-logique au sens de théologique) un Dogme (théorique) pseudo-philosophique (théologique)]. Or, l'Être-donné qui est le *Theos* dont parle la Théologie héno-théiste plotinienne est encore *au-dessus* de cette « limite *supérieure* » du *Cosmos noetos*. Et c'est précisément pourquoi cette Théo-logie ne *parle* de l'Être-donné (« indépassable ») que pour *dire* « en fin de compte » qu'il est *ineffable*, en tant que *Theos* (doublement transcendant) qui ne se « révèle » que dans et par le Silence [de l'Extase amoureuse de l'Amant religieux « épris » de la Beauté divine et « pris » par celle-ci] (cf. « Silence »).

Encore une fois, tout ceci est du Platonisme pur (bien que

dogmatisé), qui semble avoir été celui d'Ammonius et qui se retrouve, sous une forme plus ou moins développée, dans maints écrits antérieurs à Plotin ou indépendants de lui. En principe, Plotin lui-même aurait pu s'en tenir à cette Onto-logie purement platonicienne (dogmatisée), en n'introduisant (spontanément ou sous l'influence de Porphyre) des notions spécifiquement aristotéliciennes que dans ses Énergo- et Phénoménologies. Même dans ce cas on serait en présence d'un Éclectisme (paraphilosophique) qu'on s'accorde à appeler « néo-platonicien ». Mais on voit que, sous l'influence de Porphyre ou spontanément, Plotin en fait déteindre son Énergo-logie aristotélicienne (non seulement sur sa Phénoméno-logie, mais encore) sur son Onto-logie (dogmatisée) théo-logique. Ainsi, cette onto-logie se présente elle-même comme *éclectique* ou « néo-platonicienne » en ce sens que des notions spécifiquement aristotéliciennes viennent s'ajouter à celles qui remontent à Platon.

Dans le cas de l'Onto-logie, ce parti pris éclectique est d'autant plus surprenant qu'il aurait été facile à Plotin de nier (à la suite d'un Antiochus d'Ascalon) toute différence entre l'Onto-logie développée par Aristote et l'Onto-logie purement platonicienne (qui fut celle du Platonisme « moyen »). En effet, on trouve dans le fameux livre Λ de la *Métaphysique* des séquelles d'une Théo-logie *héno*-théiste proche de celle de Platon, à savoir celle du *Theos doublement* transcendant, c'est-à-dire, situé « au-delà » de l'*Ouranos* objectivement-réel, lui-même placé « en dehors » du Monde sublunaire qui est lui aussi censé être le Bien, d'ailleurs *silencieux* (non discursif) en et pour soi-même comme pour ceux qui en parlent sans pouvoir dire *ce qu'il* est, mais en disant qu'*il est* [donné en tant qu'Être différent du Néant].

Sans doute, redire de *cette* façon (purement platonicienne) les dires du livre Λ serait les mé-comprendre (même si c'est ainsi qu'il fut compris par Aristote lui-même au moment où il le rédigeait [probablement avant la mort de Platon et peut-être avant la « rupture » avec celui-ci]. D'une part, le Dieu bon ou, plus exactement, le Bien divin est, même pour l'Aristote du Livre Λ, ce qu'il n'a jamais été pour Platon : à savoir *Nous* ou Intelligence, par définition *consciente d'elle-même* (ne serait-ce que *silencieusement* ou d'une manière *non* discursive). Sans doute ce Nous (silencieux) n'est pas le *Logos* (Discours). Mais l'*Ouranos* ne l'est pas non plus et l'Être-donné silencieux tend ainsi à se confondre avec la Réalité-objective, non discursive, elle aussi, le Dieu *un* n'étant alors que l'*une* des « Intelligences célestes », à savoir la *première* [ou la *dernière*, si l'on suit l'« héraclitéen » Protagoras, en faisant de l'*homme* (et non de

Dieu) la mesure de *toutes* choses (les « divines » y compris)].
D'autre part (et c'est encore la même chose), le livre Λ dit du
Theos ce que Platon n'aurait jamais dit de lui, à savoir qu'il
est le *Moteur* [qu'Aristote *immobilise*, il est vrai (probablement
sous l'influence de la critique de Platon dans le *Timée*), mais
après l'avoir fait tourner en rond dans le *Peri philosophias*].
Or, si les mouvements « célestes » sont objectivement-réels,
on peut difficilement nier la réalité-objective (« céleste ») de
leur Moteur premier. En bref, la Théo-logie du livre Λ est un
Polythéisme où l'immobilité du Premier entre ses pairs divins
n'est qu'une séquelle de ce que Platon dit de l'Un dans sa Théologie *héno*-théiste. Et si nous ignorons plus ou moins la façon
dont Aristote lui-même est revenu à la Théo-logie « dynamique »
de ses premiers écrits (peut-être « eudoxiens »), nous savons
que les Stoïciens éliminent de l'Onto-logie les séquelles du
Platonisme en assignant au « Dieu suprême » de leur Théologie (*poly*-théiste) un authentique *mouvement* (essentiellement
cyclique et semble-t-il *circulaire* pendant la « période cosmique »).
    On ne peut donc que reconnaître la compréhension philo-
sophique et la probité intellectuelle de Plotin lorsque celui-
ci se refuse à identifier les Théo-logies de Platon et d'Aristote,
en préférant [faute de mieux] les distinguer tout en les ajoutant telles quelles « bout à bout » dans sa propre Théo-logie
éclectique ou « néo-platonicienne ».
    Sans doute, dans le néo-*platonisme* plotinien, le *Theos*
(Agathon) n'est ni Nous ni Moteur (ne serait-ce qu'immobile).
Mais tout en étant le Un doublement transcendant de Parmé-
nide-Platon, le Bien divin ou le Dieu bon est *aussi* (ou « à la
fois ») le Principe *premier* [d'une « série »] au sens aristotélicien (ou stoïcien) du Terme. Et en tant que *premier* [parmi ses
pairs « divins » au sens d' « idéels », voire d' « intellectuels »
ou d' « intelligibles »], le Premier plotinien est, tout comme il
l'est (en fait et pour nous) chez Aristote, la *Cause* du Cosmos
(non seulement du Cosmos « idéel », mais encore du Monde
phénoménal). Or, étant la Cause (première ou dernière, mais
en tout cas mouvante en tant que commencement efficient ou
comme forme finale) d'un Monde qui est *vivant* (comme il l'est
pour « Timée », c'est-à-dire en tant que mouvement *cyclique*),
le *Theos* platonien aurait dû être *Vie* en soi-même (tout comme
il l'est pour les Stoïciens, sinon peut-être Aristote lui-même
[qui ne semble jamais avoir oublié la cruelle ironie de la tirade
finale du *Timée*]). Sans doute Plotin le nie explicitement [car
il ne se croit pas obligé d'introduire dans sa « mosaïque » des
notions en l'occurrence stoïciennes qui ne remontent pas à des
dires explicites d'Aristote lui-même] : « Est-ce que la Vie est

un bien, *en tant que telle*, si on la considère isolément et dénuée de
de toute *autre* propriété? Est-ce seulement la Vie qui *vient*
du Bien qui est un bien; donc une certaine vie déterminée par
un élément *différent* d'elle et qui lui *vient* du Bien? Mais encore,
qu'est cette vie *déterminée* [par le Bien]? Celle *du* Bien? Mais [même]
cette Vie *n'appartient pas* au Bien : elle est *issue* de Lui » (VI, 7,
18, vers le milieu). Ainsi, d'après Plotin, la Cause *divine* de la
Vie n'est pas une *vie* divine : le Dieu soi-disant « bon » est un
Bien qui se situe « au-delà » de toute vie [et donc, en fait et
pour nous (et peut-être même pour Plotin), même au-delà de
la mort]. Seulement, il ne s'agit ici encore que d'une séquelle
du Platonisme, que les Stoïciens avaient déjà éliminée de l'Aristotélisme authentique et qu'élimineront bientôt du Néo-platonisme les « successeurs » de Plotin (comme c'est notamment
le cas de Proclus). Et l'on ne voit d'ailleurs pas pourquoi celui-ci
se refuse d'appeler « Vie » divine (sinon Dieu *vivant*) la
Cause (première ou dernière « unique » au sens de *une*) de
l' « Émanation », c'est-à-dire précisément du mouvement
(éternel) *cyclique* (et circulaire) du Monde phénoménal (ou
même la cause du *Cosmos noetos*, qui, bien qu'*immobile*, est
censé être la *Vie* par excellence : « La *véritable* Vie sous le
règne [éternel] de Cronos, [c'est-à-dire] de Dieu qui est *satiété*
et *intelligence* »; V, 1, 4, début).

Quoi qu'il en soit, l'Un divin de Plotin est sans conteste *Cause*
de tout, au même titre qu'est Cause (sinon « matérielle », du
moins formelle au sens, à la fois, d'efficiente et de finale) l'Intelligence divine (Nous) aristotélicienne. « C'est par l'Un que tous
les êtres ont l'existence objectivement-réelle [voire " idéelle "
ou empirique; *ou :* l'essence; *ou :* sont ce qu'ils sont] aussi bien
les Substances [au sens aristotélicien] qui sont des êtres au
premier sens du mot que les Attributs qui sont, comme on dit,
dans les êtres [en tant que Monades]. Quel être existerait s'il
n'était *un*? Séparés de l'unité, les êtres n'existent pas » (VI, 9,
1, début). « L'Un n'est aucune des choses [objectivement réelles
au sens d' " idéelles "] qui sont dans l'Intelligence [dans le
Cosmos noetos] : mais *de lui viennent* toutes les choses » [y
compris celles qui existent empiriquement] (V, 1, 7, milieu).
« L'Un est cause de la Cause [au sens étroit]. Il est donc Cause
en un sens *éminent* et plus *véritable* que le Nous : il entretient
à la fois toutes les causes qui doivent *naître* de Lui pour constituer le Nous » (VI, 8, 18, 3e tiers).

Or, en tant que Cause première, l'Un de Plotin n'est en fait
et pour nous précisément que le Premier-moteur aristotélicien.
Et c'est ce qu'il est — aussi — pour Plotin lui-même : « Le
Bien est le Père de la Puissance intellectuelle qui *circule* [tout

comme l'*Ouranos* d'Aristote] autour de Lui [cet " autour "
n'étant, d'ailleurs, qu'une façon de parler, au fond tout aussi
peu néo-platonicienne qu'aristotélicienne, ou même stoïcienne;
car, pour Plotin comme pour Aristote et les Stoïciens, l'Un
" enveloppe " bien plutôt le Cosmos]. Il est le *modèle* dont le
Nous, en son unité *multiple* [au même titre que sont multiples
les Moteurs divins sidéraux d'Aristote] est l'*image* [ce qui est,
par contre, bien platonicien]. Cette Puissance est n'e comme
Nous, parce qu'elle se *meut* en plusieurs sens [tout comme les
Moteurs sidéraux] tandis que le *Bien* reste immobile [tout
comme le Premier-moteur aristotélicien] avant elle et l'engendre
par la Puissance qui est en Lui » (VI, 8, 18 milieu). Ainsi le
Theos présenté d'abord par Plotin comme l'Un parménido-
platonicien se re-présente maintenant en tant que Cause
(héraclito-) aristotélicienne *immobile* du Mouvement cosmique
(céleste) *circulaire* (éternel), voire comme l'Origine de celui-ci,
qui en est aussi sa Fin [11].

Seulement voilà! En fait et pour nous, cette notion aristotélicienne (d'ailleurs dogmatisée) de la Cause n'a rien à voir avec
la notion platonicienne de l'Un (dogmatisée elle aussi). Re-dire
cette Théologie poly-théiste d'Aristote après avoir re-dit Platon,
c'est contre-dire ce que disait ce dernier dans sa Théologie
*héno*théiste. Et on a l'impression que Plotin lui-même s'en doute
quelque peu, puisqu'en parlant de l'Un il dit par ailleurs : « *De*
Lui *viennent* toutes choses : de Lui *vient* [comme chez Aristote]
le premier **Mouvement, qui n'est pas** *en* lui [tout comme pour
Aristote]; *de* Lui *vient* le Repos [platonicien] dont il *n'a pas
besoin* [contrairement à ce que disait, semble-t-il, Platon] :
car Il n'est NI en mouvement, NI en repos » (V, 5, 10).

Ainsi, en voulant re-dire à la fois (et tels quels) ET les dires
de Platon ET ceux d'Aristote, Plotin n'évite de se contre-dire
qu'en ne disant rien du tout, c'est-à-dire, en se réfugiant dans
le NI-NI silencieux d'une soi-disant « Théologie » prétendument
« apophatique ». Mais, pour nous, en re-disant Aristote Plotin
dit en fait le contraire de ce qu'il dit lorsqu'il re-dit Platon, du
moins dans son Onto-logie théologisante (d'ailleurs dogmatisée)
censée être à la fois [et par impossible] *héno-* et *poly*-théiste.

Or, cette contra-diction onto- (ou théo-) logique a son origine
dans le caractère contra-dictoire de l'Énergo-logie de Plotin,
qui est l'origine et la base de l'Éclectisme néo-platonicien pris
dans son ensemble.

Il nous faut donc voir maintenant ce qu'est

L'Énergo-logie plotinienne.

Lorsqu'on considère l'Onto-logie néo-platonicienne en général et celle de Plotin en particulier, sa composante (« additive ») platonicienne apparaît comme nettement dominante, non seulement à la surface, mais encore dans le fond. On pourrait même dire que cette Onto-logie est *éclectique* d'une façon non pas primaire, mais dérivée : si le Nous divin d'Aristote est venu s'ajouter, en tant que Moteur-immobile, au *Hen-Agathon-Theos* parménido-platonicien absolument détaché de toutes les choses mondaines (sans jamais réussir, d'ailleurs, à se greffer sur ce dernier), c'est uniquement parce qu'il fallait faire mouvoir, à partir de l'Être-donné (divin), l'*Ouranos* aristotélicien objectivement-réel qui, chez les Néo-platoniciens, était censé devoir non pas se substituer, comme chez Aristote, à la Réalité-objective « idéelle » imaginée par Platon (inspiré par Démocrite), mais être « éternellement » coprésente avec cette dernière. De même, cette coprésence du Ciel aristotélicien avec le *Cosmos noetos* « supracéleste » (voire u-topique) de Platon a obligé les Néo-platoniciens à re-présenter l'Existence-empirique à la manière d'Aristote ou, plus exactement, des Stoïciens, l'absence d'une Phénoméno-logie élaborée chez Platon leur permettant de réduire au minimum, dans leurs propres développements phénoméno-logiques (d'ailleurs chez eux aussi très peu élaborés), l'apport d'éléments-constitutifs platoniciens à leur mosaïque et d'y utiliser presque exclusivement des éléments dont l'origine remonte à Aristote.

Autrement dit, la volonté consciemment *éclectique* de Plotin (ou de Porphyre) ne se manifeste d'une façon primaire et directe que dans et par l'Énergo-logie dite « néo-platonicienne », où la Réalité-objective est présentée comme étant « à la fois » (au sens de « partiellement » ou, si l'on préfère, « à moitié ») franchement « transcendante » au sens de Platon et « cosmique » (sinon « mondaine ») au sens d'Aristote. Et c'est en quelque sorte en débordant le cadre de l'Énergo-logie et par simple voie de « conséquence logique » que les éléments-constitutifs aristotéliciens sont venus *s'ajouter* à ceux provenant de Platon, pour constituer les parties onto- (ou théo-) et phénoméno- (ou bio-) logiques de la mosaïque qu'est en fait et pour nous le soi-disant « Système » des Néo-platoniciens proprement dits, c'est-à-dire de tous ceux qui se sont engagés dans la voie dont le trajet fut établi par Plotin ou par Porphyre.

Cet état de choses est d'ailleurs parfaitement naturel. Pour nous, l'originalité philosophique d'Aristote par rapport à Platon se réduit à la substitution d'une Éternité située « à l'intérieur » du Temps (au sens large) à l'Éternité qui se situe « en dehors » de toute Temporalité, cette substitution ayant pour conséquence une conception du Temps (au sens large) « à l'image de l'Éternité » [pour se servir de la formule que Platon utilise dans le *Timée*, où il essaie de « réfuter » cette notion eudoxo-aristotélicienne en faisant voir le caractère « absurde » de ses « conséquences logiques »], c'est-à-dire l'affirmation de la *circularité* du Temps objectivement-réel et, par voie de conséquence, de la Durée-étendue qui existe-empiriquement en tant qu'ensemble de Phénomènes qui sont *cycliques* en raison même du caractère *circulaire* de leur durée. Mais, en fait, l'opposition entre Aristote et Platon s'est présentée à eux-mêmes (ainsi qu'à leurs contemporains et à l'ensemble de la Tradition philosophique) sous la forme d'une négation par le Disciple de la « transcendance » ou de la « séparation » *(charismos)* du *Cosmos noetos* imaginé par le Maître et donc des « Idées atomiques » qui sont les éléments-constitutifs de ce « Monde idéel » (d'ailleurs *u*-topique ou *supra*-céleste). Il ne serait cependant pas correct de dire qu'Aristote a suivi Eudoxe lorsque celui-ci a voulu faire descendre *sur terre* les Idées de Platon. [En tout cas, le « Quatrième » est absent (en raison d'une « indisposition » visiblement « diplomatique ») lorsque « Timée » expose à « Socrate » = Platon les merveilleux résultats de cette brillante entreprise (d'ailleurs probablement moins « ridicule » que ne veut nous le faire croire l'auteur du Dialogue en cause, éminemment « ironique »). Le fait est qu'Aristote désavoue explicitement (et peut-être à la suite d'une critique par Platon; cf. *Met.*); la re-matérialisation par Eudoxe des Idées atomiques platoniciennes, imaginées par Platon à la suite d'une « idéalisation » des atomes démocritéens. Par ailleurs, et quoi qu'en ait dit Aristote lui-même, Platon semble avoir eu raison lorsqu'il interpréta l'Aristotélisme dans un sens « nominaliste » (cf. notamment le *Parménide* et le *Cratyle*) : les Essences aristotéliciennes, génériques ou spécifiques, n'existent-empiriquement en dehors des « individus » qui les incarnent qu'en tant que Sens de notions plus ou moins générales incarnées par des « mots » (probablement « artificiels » ou « conventionnels », mais peut-être aussi « naturels », au sens « sophistique » ou « cratylien » du terme). Ainsi, en obligeant les Idées atomiques platoniciennes (par définition in-divisibles et donc non réparties entre une pluralité d'objets phénoménaux d'une « espèce » donnée) de quitter le « lieu supracéleste » (d'ailleurs nullement spatial) que leur avait assigné Platon, Aristote (contrairement à Eudoxe) ne les fit descendre que dans le Ciel (qui est, d'ailleurs, un *lieu* au sens propre ou spatial de ce mot, bien que *ce* « lieu propre » des ex-Idées transformées en

Astres est censé être *supra*terrestre). C'est en tant que Moteurs-immobiles (ou « divins ») des Sphères célestes que les Idées atomiques de Platon maintiennent leur réalité-objective dans le Système (para-) philosophique d'Aristote.

En principe, la volonté *éclectique* de «compléter» le Système de Platon par celui d'Aristote aurait pu être satisfaite de la façon la plus simple (du moins en ce qui concerne l'Énergo-logie) par l'affirmation d'une coprésence « additive » (d'ailleurs « éternelle ») du *Cosmos noetos* authentiquement platonicien avec l'*Ouranos* compris à la façon aristotélicienne. Mais, en fait, Plotin a eu affaire non pas à Aristote (ni aux Péripatéticiens proprement dits, qui semblent avoir abandonné la Philosophie au profit de la « Science pure »), mais aux Stoïciens. Or, ceux-ci avaient, non pas certes éliminé l'Éther, mais au contraire étendu celui-ci (en tant que *Pneuma*) à l'ensemble du Cosmos. Il aurait donc fallu que les Néo-platoniciens fassent coexister à un même niveau (énergologique) le *Cosmos noetos* de Platon avec l'ensemble du Monde au sens courant du terme. Mais l' « attitude religieuse » de Plotin (sinon de Porphyre) s'opposait à une conception aussi « mondaine » et préserva ainsi le Néo-plato-nisme de la « dégénérescence » philosophique qui réduisit en fait le soi-disant « Système » stoïcien (du moins dans la mesure où celui-ci se présentait comme un *Néo*-aristotélisme, censé « corriger » les « erreurs » d'Aristote) à deux parties seule-ment (voire à une seule, dans la mesure où le Dieu stoïcien fut lui-même présenté comme objectivement-réel et, d'ailleurs, « cyclique »). Cependant, la « critique » de la notion aristotéli-cienne de l'Éther avait fait suffisamment de chemin (grâce non seulement aux Physiciens du type de Straton, mais encore aux Philosophes tels que Xénarque) pour que Plotin (ou Porphyre) puisse considérer (à la suite d'Aristote) le Monde supraterrestre au sens aristotélicien du mot comme suffisamment « distingué » (ou « séparé » autrement que par le seul « éloignement » spatial) de la durée-étendue de l'Existence-empirique pour pouvoir être placé aux côtés de la Réalité-objective « idéelle » qu'est le *Cosmos noetos* platonicien (situé, d'ailleurs, « juste au-dessous » de l'Être-donné compris comme l'Un divin, de façon que le Divin soit aussi vraiment *un* et non pas seulement *plusieurs*). En d'autres termes, malgré son sincère désir de respecter les divinités astrales traditionnelles, Plotin (ou Porphyre) avait déjà compris (du moins en fait et pour nous, sinon pour lui-même) le Monde sidéral comme le feront plus tard les Savants judéo-chrétiens, à savoir comme un Monde *phénoménal* ou un Phénomène « mondain » (bien qu'encore censé être plus « noble » que le Monde terrestre [en attendant d'être situé par Copernic *au-dessous* de ce dernier, la Terre en mouvement s'élevant par moments au-dessus du Soleil]). Autrement dit, Plotin fut obligé de substituer à l'*Ouranos* d'Aristote un autre « Monde » objectivement-réel au sens (non pas platonicien, mais) aristotélicien, afin de pouvoir affirmer sa coprésence avec un *Cosmos noetos*, objectivement-réel lui aussi, mais au sens de Platon.

Du point de vue terminologique, la situation se présente chez Plotin comme suit.

Le terme parménidien de *Hen* est réservé à l'Être-donné compris à la façon de Platon. Quant à l'Existence-empirique, comprise à la façon d'Aristote (ou, plus exactement, des Stoïciens), elle est généralement désignée (dans son ensemble) par le terme traditionnel (d'origine peut-être héraclitéenne) de *Cosmos* (*aisthetos*, ou tout court). Mais en ce qui concerne la Réalité-objective, Plotin a dû innover (en imposant sa nouvelle terminologie au Néo-platonisme tout entier). Tout en maintenant le terme platonicien de *Cosmos noetos* (qui ne se trouve d'ailleurs pas dans les écrits conservés de Platon), Plotin se sert pour le désigner du terme technique de *Nous*, emprunté certes à Aristote, mais compris (et développé) dans un sens authentiquement platonicien. Enfin, en s'inspirant de la terminologie stoïcienne (qui remonte elle-même à celle du *Timée*, probablement d'origine eudoxienne), Plotin appelle *Psyché* la « partie » (ou « moitié ») aristotélicienne de la Réalité-objective dédoublée dont il parle dans son Énergo-logie.

Cette terminologie (et notamment la façon dont s'en sont servis Plotin et les Néo-platoniciens postérieurs) a créé beaucoup de malentendus dans la Tradition philosophique et chez les historiens modernes de la Philosophie. En effet, on a à première vue l'impression d'avoir partout affaire à une « Triade » ou « Trinité » néo-platonicienne, dont les « hypostases » s'appellent respectivement *Hen*, *Nous* et *Psyché*. Mais, en fait, il n'en est rien, du moins pour nous.

D'une part, d'après Plotin, le *Nous* en tant que Réalité-objective (« divine » au sens d' « idéelle » ou de « *simplement* transcendante ») est non pas *co*-ordonnée à l'Un compris en tant qu'Être-donné (« divin » au sens de « *doublement* transcendant »), mais nettement et incontestablement *sub*-ordonné à celui-ci. Le Dieu-*un* néo-platonicien n'est ni dé-*doublé* ni *trine* et il n'est même pas « unique » au sens judéo-chrétien du mot : il n'est « unique » que dans la mesure où il est *un;* il est « un et unique » seulement dans le sens où est « unique et un » l'Un parménido-platonicien. Ainsi, le « divin » Nous (objectivement-réel) n'est pas un élément-constitutif de l'Un « divin » ou de l'Un-tout-seul, qui est *seul* à être *un* précisément parce qu'il est *seulement* un et non pas deux, ou trois ou une pluralité quelconque. Le Nous est en *deçà* de l'Un qui est au-*delà* de lui et il faut « dépasser » la Pluralité objectivement-réelle (« divine » au sens d' « idéelle ») pour être en relation « directe » avec l'Unité, voire l'Unicité qu'est l'Être-donné « unique et un » ou l'unique Dieu-un des Néo-platoniciens. « Il faut donc [si l'on veut être en relation directe avec l'Être-donné pris et compris en tant que Dieu-un] *surmonter* la Science [par définition *discursive* et donc *multiple* en elle-même] et ne jamais *sortir* de notre état d'*unité* [sinon d'unicité]; il faut *s'éloigner* de la Science [discursive] et de ses objets [qui constituent dans leur ensemble le Nous en tant que *Cosmos noetos*]; il faut *abandonner toute* autre contemplation [discursive ou silencieuse], même celle du Beau [qui est la Révélation (silencieuse) « immédiate » du Nous en tant que tel]; car le Beau [objectivement-réel au sens d'idéel ou d'idéal] est [« logiquement »] postérieur à Lui [qui est l'Être-donné « unique et un »] et *vient de* Lui, comme la lumière du jour vient tout entière du soleil » (VI, 9, 4, début). S'il y a une révélation *discursive* de la Réalité-objective, l'Être-donné ne se révèle que dans et par le *Silence* absolu. En tant que Théo-logie héno-théiste, l'Onto-logie de Plotin ne parle donc que de l'Hénade (en disant, d'ailleurs, qu'elle est ineffable ou l'Ineffable silencieux), et si elle parle aussi de la Dyade ou de la Trinité, voire de la Pluralité quelconque, c'est uniquement pour *nier* leur présence dans le Dieu-un qu'est l'Être-donné en tant que tel. Par conséquent, d'après Plotin, le *Hen* en tant qu'unique Dieu-un reste l'Un-tout-seul et ne constitue pas une *Dyade* avec le Nous, qui est d'ailleurs multiple en lui-même. Ainsi, même si le Nous avec la Psyché sont en fait Deux, cette Dyade ne constitue pas de *Triade* ou de Tri-nité avec ou dans le Dieu « unique et un », qui reste un *seulement*, étant le *seul* à l'être [au point de ne pouvoir se « révéler » que *silencieusement*, ne pouvant même pas se révéler (discursivement) en tant que l'Être donné comme *différent* du Néant ou du *Non*-être, c'est-à-dire en tant que Monade ou Unité structurée en elle-même en tant que Tri-nité].

D'autre part, le Tout dont parle Plotin dans son Système philosophique (tri-parti) est [comme il se doit depuis « Socrate », voire Platon et Aristote] un édifice à trois étages et trois étages seulement, où la Réalité-objective « divine » est logée au-dessus de l'Existence-empirique « mondaine » et au-dessous de l'Être-donné qui est le Dieu-un. « De même que, pour voir [discursivement (en tant qu'« idéelle », voire « vraie » ou « véritable ») ou silencieuse (en tant qu'« idéale », voire « belle » et juste)] la

Nature intelligible [c'est-à-dire le Nous en tant que *Cosmos noetos* objectivement-réel], il ne faut plus avoir aucune image des choses sensibles [qui constituent dans leur ensemble le *Cosmos aisthetos* qui existe-empiriquement en tant que Monde où l'on vit] et contempler ce qui est *au-delà* du Sensible [ou de l'Existence-empirique], de même, pour voir ce qui est *au-delà* de l'Intelligible [ou du Nous objectivement-réel, c'est-à-dire pour « voir » l'Être-donné (en tant que Dieu-un)], il faut *écarter* tout intelligible [et donc « dépasser » la Réalité-objective (« divine » au sens d' « idéelle ») dans son ensemble] » (V, 5, 6, milieu). Par conséquent, si l'Être-donné est *transcendant* par rapport à la Réalité-objective qui *transcende* l'Existence-empirique, le *Theos*, le Nous et le *Cosmos (aisthetos)* plotiniens ne constituent pas de Triade au sens d'une Tri-nité. Et si, en « s'écartant » aussi peu qu'on voudra [ce qui ne peut d'ailleurs se faire qu'en « descendant, vu qu'il n'y a *rien* au-*delà* de l'Être-donné, *tout* étant en *deçà* de celui-ci : « on s'arrête alors à un terme extrême après lequel il n'est plus possible de *monter :* c'est là le Premier » (VI, 7, 25)] du Dieu-un on pénètre « immédiatement » dans la Réalité-objective « idéelle », tandis que l'on atteint, d'une façon tout aussi « immédiate », cette même Réalité-objective dès que l'on « s'écarte » tant soit peu de l'Existence-empirique « mondaine » (ce qu'on ne peut d'ailleurs faire qu'en « s'élevant », vu qu'il n'y a en *deçà* que le Néant pur [de la « Matière » informe] : « au *maximum* d'éloignement se trouvent les choses sensibles » (VI, 7, 42, *in fine*). Tout ce qui est, d'après Plotin, « en dehors » de l'Être-donné et de l'Existence-empirique doit se situer « à l'intérieur » de la Réalité-objective plotinienne. S'il y a une *Triade* ou Tri-nité dans le Système de Plotin, celle-ci doit donc être « exclusivement » objectivement-réelle, tout comme doit être objectivement-réelle « exclusivement » la *Dyade* « primordiale », en tant que source et base de toute *Pluralité* quelle qu'elle soit. En bref, si seule la Réalité-objective peut être, pour Plotin, triadique ou trine, c'est elle et elle seulement qui doit être dé-*doublée* ou divisée en *deux*, afin de pouvoir être *plusieurs*.

Or, la Réalité-objective plotinienne serait *Deux* effectivement, si la Psyché était, pour Plotin, objectivement-réelle au sens même où l'est, pour lui, le *Cosmos noetos* platonicien, qu'il appelle *Nous* pour se servir d'un terme cher à son cher Aristote, bien que ce terme signifie chez celui-ci tout autre chose que ce qu'il signifiait pour son Maître. Et c'est précisément ce que Plotin affirme explicitement, en disant que la Psyché et le Nous forment dans leur ensemble un seul et même « Monde intelligible » ou « divin », dont ils sont d'ailleurs les deux limites

« extrêmes » (respectivement « inférieure » et « supérieure »), en constituant avec le Moyen terme (ou le *Mesotês* aristotélicien) la seule et unique « Trinité » ou Triade de Plotin. « Ainsi l'Ame, cet être *divin* [ou objectivement-réel au sens d' " éternel ", voire de " *simplement* transcendant "], issu des Régions supérieures [c'est-à-dire de la Réalité-objective " idéelle " qui est le *Cosmos noetos*], *vient* [de ces Régions] à l'intérieur d'un Corps [qui existe-empiriquement en tant que pur Phénomène " mondain "] : elle, qui est *la dernière des Divinités* [c'est-à-dire des multiples Idées atomiques objectivement-réelles (simplement) transcendantes par rapport à l'Existence-empirique " mondaine ", mais situées en *deçà* de l'Être-donné qu'est le Dieu-un], *vient* ici [c'est-à-dire dans le Monde où nous vivons (en parlant)] » (IV, 8, 5, milieu). « [En deçà de l'Être-donné qui est (unique et) *un*], il y a *deux* Natures [et deux seulement] : la Nature-intelligible [ou le *Cosmos noetos*] et la Nature-sensible [ou le *Cosmos aisthetos*]; il est mieux pour l'Ame d'*être* dans l'Intelligible [objectivement-réel], mais il est *nécessaire*, avec la nature qu'elle a, qu'elle participe à l'Être-sensible [qui existe empiriquement]; ...c'est qu'elle occupe dans les êtres un rang *intermédiaire* : elle a une *portion* d'elle-même qui est *divine* [ou objectivement-réelle au sens d' " idéelle ", voire " éternelle "], mais placée *à l'extrémité* [inférieure] des Êtres-intelligibles [objectivement-réels] et *aux confins* [supérieurs] de la Nature-sensible [c'est-à-dire du Monde où nous vivons], elle *donne* à celle-ci quelque chose d'elle-même [en *restant* néanmoins " éternellement " ce qu'elle *est* en tant que telle, à savoir (simplement) transcendante ou divine, voire objectivement-réelle au sens d'idéelle ou d'éternelle] » (IV, 8, 7, début).

Quoi qu'il en soit des relations de la Réalité-objective avec l'Être-donné et l'Existence-empirique, elle constitue en elle-même un seul et même « Monde » éternel, « idéel » ou « divin ». Mais tout en étant « unique (en son genre) », ce « Monde » n'est pas *un* au sens où est *un* l'Un unique qu'est le Dieu-un. Car ce « Monde divin » n'est *un* qu'en étant (aussi) *multiple* et c'est en tant que l'Un-multiple qu'il est « unique (en son genre) ». Le Nous « est une *Unité* multiple; ...il est l'Unité *totale* » (VI, 7, 17, milieu) : la Réalité-objective « idéelle » ou « divine » est *uni-totale* et le *Cosmos noetos* plotinien, ou l'Uni-totalité objectivement réelle, est « unique » parce que seul à être à la fois (spécifiquement) multiple et (essentiellement ou génériquement) un.

Mais, pour Plotin comme déjà pour Platon, pour pouvoir être *multiple*, la Réalité-objective doit se *dé-doubler* et le *Cosmos noetos* ne peut avoir *plusieurs* éléments-constitutifs (qui sont les Idées atomiques) qu'à condition d'être *double* lui-même, en étant non pas *un* (seul) « Monde », mais *deux* « Mondes », qui n'est un « Monde » objectivement-réel « unique » que dans la mesure où ils sont objectivement-réels *tous les deux*, en étant *seuls* à l'être. Or, à la suite de Platon, Plotin parle effectivement dans son Énergo-logie d'une *Dyade* objectivement-réelle, en affirmant que la Réalité-objective, prise et comprise en tant qu' « essentielle » ou « intelligible » (c'est-à-dire « idéelle » au sens d' « éternelle »), voire comme l'ensemble de *tout* ce qui est « vraiment » ou « véritablement » en ce sens qu'on peut en parler « en vérité » (et sans rien en exclure) dans un Discours unique et un (c'est-à-dire « cohérent », ou dé-fini parce que « résumable » en une seule Notion qui peut se développer, sans s'annuler elle-même, en une Définition discursive), est nécessairement non pas l'Un, mais *Deux*, bien qu'elle le soit tout en restant *une* (vu que c'est d'une seule et même Réalité-objective que l'on parle partout et toujours, du moins lorsqu'on dit *vrai*). « On [Platon dans le *Parménide*] a dit que si une Chose [quelconque] *vient de* l'Un, elle doit être *autre* que Lui : étant *autre*, elle n'est pas *une*, car l'Un est *un* [et rien d'autre]; si elle n'est pas *une*, mais *Deux*, voilà *déjà* nécessairement la *Multiplicité* et, avec elle, la Différence [qui est donc exclue de l'Un, celui-ci n'étant pas par conséquent l'Être-*donné* ou l'Être-*différent*-du-Néant] et l'Identité [l'Un n'étant donc ni *Identité*-du-différent ou Temporalité ni même Différence-de-l'*identique* ou Spatialité], la Qualité [en fait phénoménale] et tout le reste » (V, 3, 15, *in fine*). Or, de toute façon, on ne peut pas dire sans se contre-dire que la Réalité-objective *discursive* (ou l' « être-véritable » dont on *parle* « en vérité ») qu'est le Nous plotinien est *une* au point de ne pas être ne serait-ce que *deux :* « l'Être-pensant [discursivement] lui-même ne doit [c'est-à-dire ne " peut "] pas rester un être *simple* [comme est " simple " le soi-disant Être-donné plotinien qu'est l'Un]; et [ceci] d'autant moins qu'il se *pense* [c'est-à-dire *parle* de] lui-même : car c'est là se dé-*doubler*, même s'il n'énonce pas formellement [c'est-à-dire en émettant un discours censé devoir être absorbé par quelqu'un d'autre que celui qui l'émet] ce qu'il a dans l'esprit [en tant qu'un *discours*, ne serait-ce que " virtuel "] » (V, 3, 10, *in fine*). Or, « il [le Nous] est lui-même [à la fois] *objet* de pensée [discursive] et aussi [sujet] pensant [ou discourant] : le voilà donc déjà *double;* mais après lui viennent *tous* les autres objets [*multiples*] de sa pensée [discursive, d'ailleurs *une* au sens de dé-finie ou " cohérente ", de sorte qu'en étant *double* il est *multiple* lui aussi, puisqu'il ne pense discursivement que *soi-même*] » (V, 4, 2, début).

La Réalité-objective, comprise par Plotin (à la suite de Platon) comme « idéelle » ou *discursive* au sens de « vraie » ou « véritable » est donc nécessairement *double* ou dé-*doublée* et c'est en tant que Deux qu'elle est aussi *multiple* (ou *totale*), tout en restant (discursivement) *une*. Mais, encore une fois, la *Dyade* objectivement-réelle (« divine » ou « idéelle » au sens d' « éternelle ») ne constitue pas une *Triade* ou une Tri-nité avec l'Être-donné censé être l'Un qui n'est qu'*un*. « Il faut *bondir* [vu qu'il y a transcendance au sens d'une " solution de *continuité* "] jusqu'à l'Un et ne plus rien Lui *ajouter*, mais *s'arrêter* là par crainte de *s'écarter* de Lui, et se garder complètement de procéder jusqu'à *deux :* sinon vous avez Deux; non pas un Deux ou l'Un *entrerait* comme unité, mais le Couple [Dyade] qui est [logiquement] *postérieur* à l'Un » (V, 5, 4, début). « Dans le *nombre* Deux, il y a une unité *plus* une autre; mais il n'est pas possible que Un soit *cette* unité, qui est *liée* avec une autre dans le nombre Deux; Un doit exister *en lui-même*, [logiquement] *avant* cette unité qu'on *lie* à une autre » (V, 6, 4, début). Ainsi, pour Plotin, l'Être-donné est l'Un-tout-seul parménido-platonicien, qui est Hénade et donc ni Dyade, ni Triade, ni encore moins Tri-nité ou Monade trinitaire ou triadique. Et il n'y a pas de Triade « primordiale » ou irréductible dans le Système plotinien, parce que l'Être-donné qui est *un* « ne s'ajoute pas » (tout comme chez Platon) au *deux* objectivement-réel.

Par conséquent, d'après Plotin (et Platon), la Réalité-objective (idéelle) est *seule* à être Deux, comme elle est *seule* à être (de ce fait) « multiple » (d'une façon d'ailleurs dé-finie ou « finie ») au sens d'*uni*-totale, vu qu'elle seule reste *une* tout en se multipliant (si l'on veut « sans *fin* », mais à l'intérieur de ses propres *limites*). Mais elle est *deux* nécessairement et la Dyade en tant que telle est donc nécessairement objectivement-réelle (ou, si l'on veut, « éternelle » ou « idéelle », voire « divine »). Et c'est cette Dyade objectivement-réelle (« irréductible ») qui est le *Couple* constitué par la Psyché et le Nous.

En fait et pour nous, ce Couple est, chez Plotin, l'accouplement « contre-nature » du *Cosmos noetos* platonicien avec l'*Ouranos* d'Aristote, l'Éther *exclusivement* céleste étant d'ailleurs au préalable trans-formé par le Stoïcisme en *Pneuma omni*-présent. C'est le *Cosmos aisthetos* (ou le Monde où l'on vit) qui est engendré dans et par cet accouplement (d'ailleurs en tant que « bâtard ») : l'époux platonique, d'ailleurs idéel ou idéal, féconde l'épouse céleste, qui de ce fait anime et meut la Matière (qui n'est *rien* en elle-même), en en formant (en l'informant grâce à ce qu'elle reçoit elle-même du père) un Monde mouvant, dont elle est l'unique Ame *une,* qui est *une* parce que *unie* à son *unique* époux.

Mais en fait et pour nous, en cessant d'être platonique, l'union plotinienne du Ciel aristotélicien avec le Monde supra-céleste de Platon est une union « contre-nature » et elle l'est au point que Plotin ne peut en parler qu'en se contre-disant et donc en annulant lui-même tout ce qu'il ose en dire. Car le fait est dans la mesure où le Concept (étant ET Essence ET Sens) est censé être éternel, il ne peut être qu' « en même temps » ce qu'il est dit être, et il n'a pas le droit (ni la possibilité) d'être en ce sens « à la fois » *ante rem* comme il l'est chez Platon (pour qui il n'est NI Sens NI Essence) et *in re* comme il le fut pour Eudoxe (en tant qu'Essence seulement), même s'il ne doit l'être qu'en vue de pouvoir exister-empiriquement *post rem* seulement en tant que Sens (aristotélicien). En devant être « à la fois » *avant, pendant* et *après,* il ne peut l'être « en même temps » qu'en l'étant *partiellement* ou en se *divisant* au sens *spatial* du terme. Or, ce qui se divise ainsi en *deux* est de ce fait même *tri*-parti, vu qu'il y a nécessairement, entre les *deux* qu'il devient, l'*entre*-deux qui est un *troisième* élément-constitutif ou le Moyen terme (aristotélicien) qu'on ne peut éliminer même lorsque les deux « se touchent », du moins si on veut pouvoir *distinguer* ceux-ci, sans les « confondre » dans quelque chose qui ne serait que *un.*

On pourrait dire aussi qu'en constatant une contradiction « irréductible » entre les éléments-constitutifs platonicien et aristotélicien de sa « mosaïque » énergologique, Plotin (ou Porphyre) a été poussé vers un « compromis », en introduisant à cette fin un troisième terme « médiateur ». Et on verra alors qu'un Moyen-terme *unique* ne lui suffisait pas et qu'il a dû le dé-doubler à son tour et donc y introduire un nouveau terme moyen.

Cette décomposition en trois de chaque nouveau moyen terme engendré par les dé-doublements successifs du premier *Mesotês* objectif-réel imaginé par Plotin (ou par Porphyre) fait l'objet du développement historique du Néo-platonisme, qui atteint son point culminant et son terme final avec Proclus. Chez Plotin lui-même, ce processus à trois temps n'a été qu'a-morcé et il ne se manifeste chez lui que sous la forme d'une « confusion mentale » qui le fait re-dire à plusieurs reprises ce qu'il a dit pour la première fois en se contre-disant, chacune de ces redites étant une « variation » de cette contra-diction fondamentale du Néo-platonisme.

Quoi qu'il en soit, toutes les fameuses Triades néo-platoni-ciennes se situent, en fait et pour nous, à l'intérieur de l'Énergo-logie des divers Néo-platoniciens. Et il nous faut d'abord voir l'effet de la triplication néo-platonicienne sur l'Énergo-logie de Plotin lui-même [12].

« Le Nous n'est pas *un seul* être, il est *tous* les êtres et, par conséquent, *plusieurs* êtres; s'il y a *plusieurs* êtres, ils ne sont pas les *mêmes* et il doit y avoir des êtres de *premier* rang, de *second* rang et ainsi de suite selon leur dignité» (III, 3, 3, milieu).
Dans le contexte cité, Plotin semble avoir en vue le *Nous* au sens étroit, c'est-à-dire en tant que distingué de la *Psyché* et du *Logos*. Il y aurait alors une pluralité hiérarchisée au sein du Nous proprement dit lui-même. Ce qui serait en accord à la fois avec Platon, dans la mesure où celui-ci parle des Idées comme de Nombres (idéels) *ordinaux*, et avec Proclus, qui parlera explicitement d'une tri-partition (d'ailleurs richement subdivisée) du Nous au sens propre. Mais en ce qui concerne Plotin lui-même, le passage cité peut également s'appliquer au « Nous » pris au sens large, désignant l'ensemble de la Réalité-objective, c'est-à-dire tout ce qui est situé « entre » l'Être-donné, qui est l'Un, et l'Existence-empirique, qui est sinon la Matière informe (puisque celle-ci est Non-être ou Néant pur), du moins la Forme matérialisée en tant que *Cosmos aisthetos*.
Quoi qu'il en soit de ce passage, il n'y a pas de doute que Plotin admet explicitement une tri-partition hiérarchisée du Nous au sens large. Cette tri-partition provient du parti pris « éclectique » du Néo-platonisme, qui voudrait concevoir la Réalité-objective « à la fois » (au sens de : « en même temps ») comme le *Cosmos noetos* de Platon et l'*Ouranos* d'Aristote, la hiérarchisation de ces deux « extrêmes » (d'ailleurs « médiatisés » par un « moyen terme » spécifiquement néo-platonicien) devant assurer la « priorité » du Platonisme authentique par rapport à l'Aristotélisme quel qu'il soit.
« De prime abord » et « par priorité », la Réalité-objective (le Nous au sens large) est conçue par Plotin en tant que *Cosmos noetos* platonicien, qui n'est rien moins que *Logos* ou « Pensée-discursive » et qui n'est même pas à proprement parler une « Pensée-*intuitive* » au sens où l'est le *Nous* aristotélicien. « Il n'est pas exact de dire que les Idées [platoniciennes] sont des *pensées*, si on le prend en ce sens qu'une chose devient ou est ce qu'elle est *après* que le Nous en a eu la *notion* [ne serait-ce qu' " intuitive " ou non discursive]; car il faut que l'*objet* de la notion soit [chrono-logiquement] *antérieur* à cette notion » (V, 9, 7, *in fine*). Il s'agit donc bien d'une Réalité-*objective* au sens platonicien du mot et c'est l'Idée uni-totale objectivement-réelle qui constitue pour Plotin ce qu'il appelle le *Nous* au sens

propre ou étroit du terme. « Si donc la pensée est pensée *d'un objet* intérieur à l'Intelligence (Nous), cet *objet* intérieur est une Forme, et c'est là l'Idée. Qu'est donc l'Idée? Une Intelligence ou [plus exactement] une *substance* intellectuelle [c'est-à-dire " idéelle " au sens de Platon, c'est-à-dire " *supra*sensible "]; chaque Idée n'est pas *différente* de l'Intelligence; elle *est* une Intelligence; l'Intelligence *complète* [ou, si l'on veut, le Nous aristotélicien] est faite de *toutes* les Idées, et chacune des Idées [platoniciennes], c'est chacune des Intelligences [si l'on veut " aristotéliciennes " ou " célestes ", voire " astrales ", qui ne seraient donc rien d'autre que des Idées platoniciennes] » (V, 9, 8, début). Le Nous plotinien au sens étroit est donc le *Cosmos noetos* ou l'Idée uni-totale objectivement-réelle, « éternelle » au sens d'*immobile* et donc *extérieure* au devenir du *Cosmos aisthetos* ou « transcendante » par rapport à celui-ci (puisque en relation avec une Éternité censée être « en dehors » du Temps). « Cette Intelligence [complète ou cette Idée uni-totale] est *en elle-même* [et non pas dans l'Existence-empirique mondaine, tant terrestre que céleste, ni d'ailleurs dans l'Être-donné, le *Hen* étant transcendant par rapport au Nous et donc doublement transcendant par rapport au *Cosmos aisthetos*]; elle se possède elle-même, *immobile* et éternelle satiété d'elle-même » (V, 9, 8, milieu). Le Nous plotinien au sens étroit n'est donc pas le Nous d'Aristote : il n'est ni l'unique intelligence du *Theos* ni encore moins les intelligences multiples des divinités astrales. Sans doute les Intelligences aristotéliciennes sont-elles « immobiles »; mais en tant que *motrices*, elles sont toutes (la « première » y compris) *dans le Temps* (cyclique) et elles ne sont « éternelles » qu'en tant que totalité *du Temps* (cyclique); de plus, elles sont toutes « spatiales », en se situant soit à l'intérieur de l'espace céleste, soit à la périphérie de la sphère cosmique. Par contre, tout comme le *Cosmos noetos* de Platon, le Nous plotinien est éternel et immobile parce que *en dehors* du Temps et de l'Espace : « au lieu du Temps, il y a l'Éternité; le lieu là-bas [c'est-à-dire le *Cosmos noetos* qu'est le Nous], c'est l'intériorité réciproque des Idées » (V, 9, 10, milieu).

Somme toute, le Nous de Plotin, pris au sens étroit de ce terme, n'est rien d'autre que le Concept platonicien. Tout comme l'Un en tant que *un*, le Nous n'est NI Sens d'une Notion NI Essence d'un Objet. Mais en tant que Deux et donc multiple, voire comme dé-doublé et donc multiplié en lui-même (cf. IV, 3, 1, et V, 1, 5), le Nous est « à la fois » ET Essence ET Sens, du moins dans la mesure où nous en parlons comme de ce qui « se reflète » dans la Matière en tant que Monde où nous vivons. « L'acte de l'Intelligence [c'est-à-dire de l'Idée dans son aspect subjectif, qui s'actualise en tant que Sens du Discours] et l'acte de l'Être [c'est-à-dire de l'Idée dans son aspect objectif, qui s'actualise en tant qu'Essence de l'Objet] sont un acte *unique* [en tant qu'actualisation du Concept], ou plutôt l'Intelligence [ou l'aspect subjectif du Concept] et L'Être [ou l'aspect objectif du même Concept uni-total] ne font qu'*un*. l'Être et l'Intelligence sont une nature *unique* [c'est-à-dire le Concept que Plotin appelle généralement " Nous " au sens étroit, tout en distinguant le " Nous " pris dans un sens encore plus étroit du Nous qu'il appelle ici " Être "]; nature *unique* aussi, les Êtres [c'est-à-dire les Essences non incarnées, qui ne se distinguent pas, en tant que telles, des Sens], l'Acte de l'être [c'est-à-dire l'Entéléchie qui informe la Matière en Corps d'un Objet " spécifique "] et l'Intelligence [c'est-à-dire le Sens de la Notion qui se rapporte à l'Essence de l'Objet qui lui correspond]; nature *unique* les pensées prises en ce sens [c'est-à-dire en tant qu'éléments-constitutifs du Concept qui " se reflète " dans la Matière comme Cosmos (voire comme Monde où l'on vit et Univers où l'on parle), chacune de ces " pensées " étant " à la fois ", tout comme l'est leur ensemble uni-total], l'Idée [comprise comme Concept (platonicien), censé être objectivement-réel], la Forme de l'être [comprise comme Essence platonicienne " idéelle ", c'est-à-dire transcendante par rapport à l'Objet qui y " participe " (en tant que son " image " ou son " reflet " dans la Matière)] et son Acte [c'est-à-dire l'Essence en tant qu'Entéléchie aris-totélicienne]. C'est nous qui les *séparons* [en en *parlant*] et les imaginons [discursivement] l'un *avant* l'autre [en disant que l'Idée transcendante (platonicienne] est chrono-logiquement antérieure à cette même Idée prise en tant que " paradigme " (eudoxien ou " timéen ") du Cosmos (" créé "), qui est anté-rieur à son incarnation dans la Matière trans-formée de ce fait en Corps d'un Objet]; car autre est *notre* intelligence [discursive] qui *morcelle*, autre est l'Intelligence indivisible [c'est-à-dire l'Idée uni-totale platonicienne] qui ne *morcelle* ni l'Être [c'est-à-dire la Réalité-objective idéelle] ni les êtres [qui existent-empiriquement, en y séparant l'Essence et le Sens et en dis-tinguant ceux-ci respectivement du Corps et du Morphème] » (V, 9, 8, *in fine*).

Le dernier passage cité (d'ailleurs assez obscur, parce que déjà « confus ») est spécifiquement « néo-platonicien » en ce sens qu'on y trouve une « mosaïque » de notions platoniciennes et aristotéliciennes. Mais ces dernières n'y sont introduites que pour être interprétées dans le sens des premières. Dans l'ensemble, le Nous plotinien, pris au sens étroit ou en tant que Concept, est compris dans un sens platonicien, c'est-à-dire comme l'Éternel en relation avec l'Éternité située en dehors du Temps. « L'attribut *éternel* ne se dit-il pas des Êtres intelligibles [c'est-à-dire des Idées et du Nous qui est l'uni-totalité de celles-ci]? *La nature du paradigme*, dit Platon, est *éternelle*. L'*Éternité* [elle-même] est donc bien autre chose que la Nature intelligible [qui est l'*Éternel*], puisque l'Éternité *environne* cette Nature [*éternelle*], qu'elle est *en* elle [sans être dans le Temps] ou qu'elle lui est présente [la Nature éternelle étant elle-même *hors* du Temps]. L'un [l'Éternel] et l'autre [l'Éternité] sont des êtres augustes, sans doute; mais ce n'est pas une preuve de leur *identité;* car peut-être [et même certainement] ce caractère chez l'une [c'est-à-dire la Nature *éternelle*] *vient*-il de l'autre [c'est-à-dire de l'Éternité transcendante qui est l'Un]. L'une et l'autre contiennent les mêmes choses; oui; mais l'une [la Nature éternelle] les contient comme ses *parties* [c'est-à-dire en tant que passées, présentes et à venir, même si, dans l'Éternel, le Présent est identique à l'Avenir et au Passé], tandis que l'Éternité est un tout qui ne se *partage* pas [ne serait-ce qu'en Passé, Présent et Avenir identiques], mais appartient tout *entier* [en tant que *nunc stans*] à *toutes* les choses qu'on appelle *éternelles* [c'est-à-dire toujours identiques à ce qu'elles ont été et seront] » (III, 7, 2, milieu). « Ce qui est *éternel*, ce *n'est* pas l'Éternité, mais ce qui *participe* à l'Éternité... [Et en parlant de l'Éternité], je ne parle pas de la *succession* sans fin *dans* le Temps » *(ibid.).* « L'Éternité [est] une vie qui persiste dans son identité, qui est toujours *présente* à elle-même dans sa totalité... Tel un point, [le *nunc stans* qu'est l'Éternité]... est toujours dans le *présent*, et il n'a *ni* Passé *ni* Futur... L'Être stable [c'est-à-dire l'Un en tant qu'Être-donné] qui n'admet pas de modification dans l'avenir et qui n'a pas changé dans le passé, voilà l'Éternité [tandis que l'Éternel, tout en restant identique à lui-même, se " modifie " au moins en ce sens qu'il se présente dans les " modes " du Passé et de l'Avenir, et donc aussi dans celui du Présent] » (III, 7, 3). « D'ailleurs, il faut mettre l'*identité* dans l'Éternel [cette Identité excluant toute distinction, y compris celle entre le Passé, le Présent et l'Avenir], et la *diversité* dans le Temps [ne serait-ce que celle qui distingue le Présent en tant que tel de l'Avenir et du Passé quels qu'ils soient]; sans quoi l'Éternité ne se distingue pas du Temps » (IV, 4, 15, milieu).

Tout cela est incontestablement du Platonisme pur (bien que dogmatisé) et on pourrait donc croire que Plotin n'introduit des notions énergo-logiques aristotéliciennes que pour les infléchir dans le sens de Platon. Mais en tant que Néo-platonicien, Plotin doit re-dire à la fois tant Platon qu'Aristote. La Réalité-objective ou le Nous au sens large doit donc être pour Plotin non seulement le *Cosmos noetos* platonicien (ou « Nous » au sens étroit), mais encore Forme ou Essence, voire Entéléchie au sens aristotélicien (ou stoïcien) de ces mots. L'éclectisme néo-platonicien se traduit chez Plotin par l'ambivalence de la notion fondamentale du Temps. D'une part, comme nous venons de le voir, Plotin suit Platon dans l'essentiel, puisqu'il met le Concept éternel en relation avec une Éternité située *hors* du Temps. Cependant, s'il avait suivi Platon jusqu'au bout, il aurait dû lui aussi maintenir la notion héraclitéenne d'un Temps « linéaire » et « infini », voire in-défini. Or, en fait, Plotin introduit dans son Système la notion du Temps aristo-télicien, c'est-à-dire « circulaire » ou « cyclique ». Mais, en fait et pour nous, comme d'ailleurs pour Aristote lui-même, le Temps n'est « cyclique » que dans la mesure où il *implique* l'Éternité. Or, introduire l'Éternité (parménidienne) dans le Temps (héraclitéen) et donc dans l'Espace, ce n'est pas seulement affirmer la « circularité » (aristotélicienne) du Temps, mais encore nier la transcendance (platonicienne) de l'Éternité par rapport à la Spatio-temporalité. Autrement dit, c'est mettre le Concept éternel en relation avec une Éternité située *dans* le Temps. Et ceci équivaut à passer nécessairement (même si on ne le fait qu'implicitement) du Platonisme quel qu'il soit à un pur Aristotélisme. Par conséquent, Plotin se contre-dit (implicitement, c'est-à-dire en fait et pour nous, mais non pour lui-même) par le fait même qu'il affirme à la fois (d'ailleurs explicitement) tant la transcendance (platonicienne) de l'Éter-nité par rapport à la Spatio-temporalité que la circularité ou la cyclicité du Temps et donc l'immanence (aristotélicienne) de l'Éternité à la Spatio-temporalité. Et c'est cette contra-diction fondamentale de l'Éclectisme néo-platonicien qui se traduit, à partir de Plotin, par un dé-doublement de la notion énergo-logique de base et par l'introduction dans l'Énergo-logie d'un « moyen terme » destiné à ré-unir les deux « extrêmes », en fait « contraires » ou « contradictoires ».

Il semble que Plotin lui-même ne s'était pas rendu compte du fait que, tout en conservant la notion platonicienne de l'Éternité (transcendante), c'est à Aristote qu'il empruntait la notion du Temps (circulaire). Il prétend en tout cas avoir hérité du seul Platon ces deux notions fondamentales (en fait contra-dictoires). Et il peut le faire parce qu'à son époque il ne semble pas avoir été choquant de prendre le *Timée* au sérieux et à la lettre [13].

Dans le *Timée*, la notion (eudoxo-aristotélicienne) du Temps cyclique ou circulaire est exprimée par une formule disant que le Temps est une *image* de l'Éternité (*Tim.*, 37, d.) Cette formule est (volontairement) ambiguë. Elle a une allure platonicienne (Eudoxe ayant prétendu développer un authentique « Platonisme »), en raison de la présence du terme « image ». Mais une « image » authentiquement platonicienne est le « reflet » de l'Un dans *deux* « miroirs » non rigoureusement «parallèles », de sorte que l'« image » platonicienne est nécessairement indéfiniment (« infiniment ») *multiple*. Ce qui donne, dans le cas du Temps, une série linéaire « infinie » de points « instantanés » reflétant l'Éternité « ponctuelle » « immobile et une » (le *nunc stans;* cf. *Tim.*, 37, d). Or, « Timée » parle explicitement d'un Temps *circulaire*, qui « imite » l'Éternité (en tant qu'« image éternelle »; *ibid.*) en se déroulant *en cercle* (*ibid.*, 38, a). Il s'agit donc bien d'un Temps « aristotélicien », dont la notion même contre-dit (pour nous, comme pour Platon et pour Aristote, sinon pour Eudoxe) la notion platono-parménidienne de l'Éternité transcendante («*immobile* et *une*» et non développée en une *multiplicité* de *mouvements* circulaires).

Sans doute Plotin (ou Porphyre) s'est-il douté de cette contra-diction (et peut-être même beaucoup plus qu'il ne veut nous le faire croire) et son recours à l'autorité du *Timée* est pleine d'hésitation. « Il faut d'abord chercher ce qu'est l'Éternité, *selon l'opinion de ceux* [à savoir les Platoniciens authentiques] qui affirment qu'elle *diffère* du Temps [au point d'être *transcendante* par rapport à celui-ci]; car l'Éternité *immobile* [parménido-platonicienne] du modèle une fois connue, nous aurons *peut-être* une idée plus claire de son image, puisqu'*on dit* [dans le *Timée*, 37, d] que le Temps est une image de l'Éternité; mais si l'on imagine ce qu'est le Temps [aristotélicien], avant d'avoir contemplé l'Éternité [platonicienne], on peut, par *réminiscence*, remonter du sensible à l'intelligible [et aussi : de l'Aristotélisme au Platonisme], pour se représenter l'être [l'Un en tant qu'Éternité] auquel ressemble le Temps, *s'il est vrai* que le Temps ressemble à l'Éternité » (III, 7, 1, *in fine*). Et, dans le contexte cité, Plotin se garde bien de dire que *c'est* vrai.

Mais ailleurs, l'autorité du *Timée*, prise à la lettre, est reconnue sans réserves. « Il *faut* donc que le Nous contienne l'archétype du *Cosmos* [*aisthetos*] et qu'il soit [lui-même] un *Cosmos noetos*, celui que Platon dans le *Timée* appelle l'*Animal* en soi » (V, 9, 9, milieu). Or, définir le *Cosmos noetos* platonicien comme *Animal*, c'est résumer (comme le fait Platon lui-même à la fin du *Timée*) toute l'Énergo-logie étio-logique d'Eudoxe, qui est à la base (et probablement à l'origine) de la Phénoméno-logie bio-logique aristotélicienne et que Platon combat âprement (par l'ironie) dans le *Timée*. Car le contexte du passage cité montre clairement que Plotin suit Eudoxe (et Aristote) et interprète le *Comos noetos* non pas comme l'*archétype* (platonicien) du *Cosmos aisthetos*, mais comme sa *cause* (aristotélicienne) : « Étant donné la Raison séminale [stoïcienne, c'est-à-dire la Forme aristotélicienne] d'un animal et la Matière [aristotélicienne] qui reçoit cette Raison [eudoxienne] [celle-ci étant donc *immanente* à la Matière], il est *nécessaire* qu'un animal *se produise* [de sorte que la Forme en question est incarnée *partout et toujours* dans la Matière informée en corps d'animaux d'une " espèce " éternelle, n'ayant ainsi nul besoin de subsister *en dehors* de ces corps pour faire l'objet d'un savoir véritable, c'est-à-dire d'une notion *éternelle*]; de même, étant donné la *Nature* intellectuelle [c'est-à-dire le *Cosmos noetos* en tant que Cause du *Cosmos aisthetos*] qui contient en elle toutes les *puissances* [aristotéliciennes], s'il n'y a aucun obstacle [dû au " hasard " aristotélicien] et aucun intermédiaire entre elle et l'être capable de la recevoir, il *faut* que cet être soit ordonné et que cette Nature l'ordonne [en tant que son Entéléchie aristotélicienne et son *Logos spermatikos* stoïcien] » (V, 9, 9) [14].

Quoi qu'il en soit de l'autorité du *Timée*, il n'y a pas l'ombre d'un doute que Plotin avait introduit dans son « Système » éclectique la notion aristotélicienne du Temps *circulaire* [tout en y maintenant la notion platonicienne de l'Éternité « ponctuelle» ou transcendante] et qu'il en a accepté toutes les conséquences phénoméno-logiques (et donc énergo-logiques ainsi qu'onto-logiques) [tout en maintenant des doctrines platoniciennes que ces conséquences contre-disent en fait]. Les passages qu'on pourrait citer à l'appui sont innombrables, mais il suffira d'en reproduire deux ou trois. « La preuve, c'est l'accord des âmes [humaines] avec l'ordre du *Cosmos* [*aisthetos*] : elles n'agissent pas *isolément*, mais elles *combinent* leurs descentes et elles sont *en accord* avec les *mouvements circulaires* du *Cosmos* [*aisthetos*]; leurs conditions, leurs vies et leurs volontés ont leurs *signes* [et non leurs causes, insiste par ailleurs Plotin, mais sans que cette réserve apparemment antiaristotélicienne et prétendument platonicienne change en fait le fond aristotélo-stoïcien des choses] dans les figures formées par les *planètes* et s'unissent pour émettre en quelque sorte un seul thème mélodique... Il n'en pourrait être ainsi si le Cosmos n'agissait *conformément aux Intelligibles* [conçues comme des *causes* eudoxo-aristotéliciennes] et n'avait des passions correspondantes aux mesures [eudoxiennes] des *périodes* [cycliques] des âmes, de leur rang et de leurs vies dans des carrières de différents genres [déterminées par les *espèces* aristotéliciennes auxquelles elles appartiennent] soit *dans le « Cosmos noetos »* [eudoxien], soit *au Ciel* [aristotélicien], soit qu'elles se détournent vers un lieu inférieur [où elles sont des Entéléchies de corps animaux de l'espèce *homo sapiens*] » (IV, 3, 12, milieu). « Le mot *Logos* implique que chaque être pâtit ou agit non pas *au hasard* [comme les Démocritéens l'admettent dans tous les cas et Aristote dans certains] et selon la rencontre [fortuite] des événements [le hasard étant l'intersection de deux ou de plusieurs " séries causales "], mais d'une manière *nécessaire* [comme l'admettent les Stoïciens ou Aristotéliciens consé-quents]... C'est l'âme, où résident les raisons séminales, à la fois *ante rem*, en tant qu'Idée platonicienne (ou plus exactement comme leurs " réminiscences ") et *post rem*, en tant que sens des notions discursives [qui connaît les résultats] c'est-à-dire les efforts nécessaires de ses propres actions [en tant que causes] : dans les *mêmes* circonstances, les *mêmes* effets doivent se produire; d'après ces principes [de la Causalité eudoxo-aristotélo-stoïcienne] elle saisit et *prévoit* ces effets [de la cause qu'elle est elle-même] et elle *conclut* les conséquences en vertu de cette liaison [causale]; elle lie les antécédents et les conséquents, et les conséquents *deviennent* [*cycliquement*] *à leur tour des antécédents* parce qu'elle part toujours du moment présent [dans un temps *circulaire*] » (III, 3, 16, milieu). « Comme le Sensible n'en prendrait rien de plus en s'étendant davantage (car il sortirait ainsi des limites du *Cosmos* [*aisthetos*], il s'est décidé à tourner en cercle » (VI, 4, 2, milieu). « Le Cosmos a un corps qui, toujours, *échappe et s'écoule;* dans ce *changement incessant,* Dieu a seulement le pouvoir de lui imposer un même type *spécifique* : ce que la volonté divine conserve *éternellement identique,* ce ne serait pas l'unité *numérique* [de l'individu], mais l'unité *spécifique* du Cosmos [c'est-à-dire les *espèces* aristotéliciennes qui le constituent] » (II, 1, début) [Cf. aussi : II, 8, 20, 33, 36, 39, 42, 121, 135; III, 13, 55, 57, 131, 136, 162; IV, 65, 72, 79, 93, 107, 109, 117, 135, 139, 143; V, 33, 94, 123, 164; VI[1], 108, 113, 179, 210; VI[2], 40, 88, 90, 118, 182].

On ne saurait être plus aristotélicien ou stoïcien (voire, si l'on veut, eudoxien) et donc antiplatonicien. En effet, l'Énergo-logie étio-logique exposée dans les passages cités détermine nécessairement une Phénoméno-logie bio-logique des « espèces éternelles », qui sup-pose une trans-formation du *Cosmos noetos* u-topique platonicien avec l'*Ouranos* d'Aristote, où chaque « Idée » est le Moteur-immobile d'un mouvement circulaire, c'est-à-dire éternellement identique à lui-même dans un Temps cyclique. Pourtant, Plotin n'est pas aristotélicien sans réserves.

Tout comme Aristote et Platon (à la suite d'Héraclite)
Plotin se rend compte que l'on ne peut (comme l'a fait Parménide) exclure du Système philosophique la notion du Temps
si l'on veut rendre compte de l'Homme en tant que Vie (Zoé)
et Discours *(Logos)*. Mais on a souvent l'impression qu'en
adoptant la notion aristotélicienne du Temps *circulaire*, Plotin
ne s'est pas rendu compte de ce qu'a vu Platon et de ce qu'Aristote et les Stoïciens n'ont jamais voulu admettre; à savoir le
fait que si la notion du Temps *circulaire* rend compte du phénomène de la Vie, elle rend impossible celui du Discours [ou de la
Liberté]. Pourtant (tout comme les Stoïciens et Aristote d'ailleurs), Plotin a vigoureusement insisté sur la différence « essentielle » ou « générique » qui distingue l'Homme « libre » et
parlant de l'Animal soumis au cycle « nécessaire » de son
existence *silencieuse*. « L'homme n'est pas *resté* tel qu'il a été
créé, parce qu'il possède, *à la différence* des Animaux, un principe *libre* » (III, 3, 4, début) dit par exemple Plotin, en re-disant
textuellement les dires de l'Anthropo-logie judéo-chrétienne.
Et il semble s'être parfois rendu compte du fait que cette notion
de la « Liberté » (qui est à la base du Discours proprement dit,
qui distingue lui aussi l'Homme de l'Animal) sup-pose celle
d'un Temps « linéaire » (sinon « infini ») où prime l'Avenir.
Car c'est parfois en ce sens judéo-chrétien que Plotin interprète
la notion (pseudo-) platonicienne d'un Temps qui « imite »
l'Éternité. « Dire que le Temps est la vie de l'Ame consistant
dans le *mouvement* par lequel l'Ame *passe* d'un état de vie à un
autre état de vie — ne serait-ce pas dire quelque chose? l'Éternité, c'est une vie dans le *repos* et l'*identité* à elle-même et
infinie [en ce sens qu'elle n'a pas de commencement qui différe-
rait de la fin]. Or, le Temps est l'*image* de l'Éternité et doit être
à l'Éternité comme le *Cosmos aisthetos* est au *Cosmos noetos;*
donc, au lieu de la vie *intelligible*, une *autre* vie, qui appartient
à *cette* puissance *de l'Ame* et qu'on appelle *vie* par homonymie;
au lieu du mouvement du Nous, le mouvement d'une *partie
de l'Ame*, au lieu de l'*identité*, de l'*uniformité*, de la *permanence*,
le *changement* de l'activité toujours différente; au lieu de l'in-
divisibilité [de chaque Idée atomique] et de l'unité [de toutes les
Idées], une *image* [seulement] de l'unité, l'Un [ou l'Éternité] qui
est dans le continu [spatio-temporel]; au lieu d'une infinité qui
est *un tout* [dé-fini], un *progrès* incessant à l'infini [c'est-à
à-dire in-défini]; au lieu de ce qui est tout entier *à la fois* [mais
non *en même temps* puisqu'il est en dehors du Temps], un tout
qui doit venir *partie par partie* et qui est *toujours à venir*. Ainsi,
le *Cosmos aisthetos imitera* ce tout *compact* et infini du *Cosmos
noetos*, en *aspirant* à des acquisitions *sans cesse nouvelles* dans

l'existence; son être sera alors l'*image* de l'Être intelligible. Mais, n'allons pas prendre le Temps en dehors de l'Ame [mondaine], pas plus que l'Éternité [platonicienne] en dehors de l'Être [intelligible ou idéel]; il n'*accompagne* pas l'Ame, il ne lui est pas *postérieur;* mais il se *manifeste en* elle, il *est en* elle et il lui est *uni*, comme l'Éternité à l'Être intelligible » (III, 7, 11, *in fine*).

Ce texte nous montre que Plotin s'était rendu compte (du moins par moments) du fait que la notion platonicienne du Concept, censé être éternel et en relation avec une Éternité située *hors* du Temps, implique nécessairement la notion héraclitéenne (reprise par Platon) d'un Temps « linéaire », d'ailleurs « ouvert » ou « infini » au sens d'in-défini, qui contre-dit, lorsqu'on la développe, le développement de la notion aristotélo-stoïcienne d'un Temps circulaire ou « cyclique ». Car si Plotin dit dans ce texte que l'Éternité (ou l'Un parménido-platonicien, qui est non pas « *dans* le continu » spatio-temporel, mais *hors* de lui) est « *uni* à l'Être intelligible » (ou au *Cosmos noetos* platonicien, qui n'est ni spatial ni temporel), il dit aussi, du moins implicitement, que cette Éternité est *en dehors* du Temps (voire de l'Espace-temps) qui *est dans* l'Ame (stoïcienne, c'est-à-dire dans l'Essence objectivement-réelle du *Cosmos aisthetos* aristotélicien) et qui se *manifeste en* elle (en tant que durée-étendue de l'Existence-empirique phénoménale de ce même Cosmos), et il en déduit explicitement que le Temps (et la Durée, sinon l'Espace et l'Étendue) est un continu « infini » *linéaire* qui ne revient jamais sur ses pas, mais constitue « un *progrès incessant* à l'infini » conditionnant « des acquisitions *sans cesse nouvelles* dans l'existence [-empirique] », ce qui est tout autre chose que la re-production indéfinie des « cycles » biologiques. Ainsi, le passage cité est purement platonicien et donc aussi antiaristotélicien que possible. Mais on y trouve autre chose encore que du Platonisme pur. Car on y trouve aussi une ébauche de la notion judéo-chrétienne d'un Temps (ou plutôt d'une Durée-étendue [dans sa variante « sceptique », voire kantienne ou « romantique »] caractérisé par le primat de l'avenir et donc, en fait et pour nous [dans la mesure où il est *fini*] essentiellement « historique » ou spécifiquement humain. En effet, dans ce Temps, le Tout « est toujours *à venir* », de sorte qu'il ne peut se présenter comme un tout que grâce à la présence de l'Avenir (ou d'un projet d'avenir) dans le Présent (qui implique aussi le Passé, en tant que souvenir de ce qui s'est passé). Ainsi, le terme *progrès* doit être pris ici non pas au sens héraclito-platonicien d'une *modification* incessante sans sens défini, mais au sens judéo-chrétien de l'*avance* dans une seule et même direction, qui est celle de l'Avenir pro-jetée dans un Présent dé-terminé par le Passé [ce qui suppose, en fait, la *finitude* hégélienne du Temps « linéaire »].

Bien entendu, Plotin comprend et développe dans le passage cité cette notion judéo-chrétienne du Temps où prime l'Avenir, dans un sens [non pas hégélien, mais] théiste (voire religieux) qui est celui de la Théologie et de la philosophie chrétiennes, celle de Kant (et des Romantiques) y compris. Sans doute, la durée-étendue de l'Existence-empirique (humaine) est-elle censée être un *progrès* au sens propre et se manifester en tant que tel, vu qu'elle a un sens parce qu'elle a un but; mais ce but est conçu comme une fin qui n'est jamais aussi un terme. L'Exis-tence-empirique est « un progrès *incessant* à l'infini », de sorte que prise dans son ensemble, elle doit être comprise comme « toujours *à venir* » et donc jamais « venue », la durée-étendue historique étant elle-même interprétée comme une aspiration « à des acquisitions *sans cesse* nouvelles » et donc à jamais insatisfaite. La *fin* de l'Existence-empirique, qui est censée être toujours le *but* de sa durée-étendue sans jamais pouvoir être son *terme*, est donc nécessairement « infini » au sens d'in-défini ou d'in-déterminé, à moins d'être déterminé et dé-fini par un terme qui est *éternel* en ce sens qu'il se situe « de toute éternité » dans l'Éternité *extérieure* à l'ensemble de la durée-étendue de l'Exis-tence-empirique et qui est pour la Théologie chrétienne (et « romantique », sinon pour la Philosophie kantienne) le Dieu transcendant d'origine parménido-platonicienne, mais triplé en lui-même en vue d'impliquer un Discours *(Logos)* divin susceptible de dé-finir, en s'incarnant, le Discours historique, vu qu'il dé-termine ainsi, en tant que l'alpha et l'oméga, l'al-phabet humain.

Quoi qu'il en soit, Plotin n'a pas su ou voulu développer la notion judéo-chrétienne du Temps en un Système philosophique (parathétique synthétique) spécifiquement chrétien (ou kan-tien). Son Système éclectique reste foncièrement païen et il n'y a pas de place pour la notion d'un Temps où il y aurait un véritable primat de l'Avenir. En fait, l'« aspiration » qu'il a en vue dans le texte cité n'est ni une sage activité hégélienne effectuée en vue d'une fin pleinement satisfaisante, ni un élan judéo-chrétien, religieux ou romantique, vers un avenir censé devoir toujours rester lointain, mais le désir païen de l'Éter-nel, conçu à la suite d'Aristote et des Stoïciens comme un éternel Retour, le soi-disant amour des choses à venir n'étant ainsi en fin de compte qu'une nostalgie d'un *Passé* éternellement présent. « Considère le *Nous* pur : ...tu y vois une vie *permanente*, une pensée qui ne s'exerce *pas* sur *l'avenir*, mais sur ce qui *est-*

déjà, ou plutôt sur ce qui est *toujours déjà*, et sur l'*éternel présent* » (VI, 2, 8, début).

Ainsi, la notion héraclito-platonicienne du Temps « linéaire » in-défini, voire la notion judéo-chrétienne ou kantienne du Temps [« infini »] où prime l'Avenir que nous trouvons dans le texte cité, ne remplace nullement chez Plotin la notion aristotélo-stoïcienne d'un temps circulaire ou cyclique dé-terminé et dé-fini par le primat du Passé. Bien qu'elles se contre-disent en fait et pour nous, ces deux notions coexistent dans le « Système » éclectique ou « néo-platonicien » de Plotin. Et Plotin ne s'interdit pas de développer ailleurs la notion aristotélicienne du Temps cyclique, en explicitant ses conséquences sans voir apparemment qu'elles contre-disent cette notion même de « Liberté » qui est censée distinguer, d'après lui, l'existence-empirique spécifiquement humaine (ou historique) de la vie purement « naturelle » ou animale.

Ainsi, par exemple, on peut lire ce qui suit chez Plotin : « *Tous* les animaux vivent donc conformément à la Raison universelle [au *Logos* cosmique], aussi bien tous ceux qui sont dans le ciel [en tant qu'astres] que les autres qui sont répartis dans le Cosmos [terrestre, ceux de l'espèce *homo sapiens* y compris] : aucune partie du Cosmos, si importante soit-elle, n'a le pouvoir de *changer* les Raisons [ou les Essences] mêmes [les *Logoi spermatikoi*] des êtres ni ce qui dérive en eux de ces raisons; elle peut bien y produire une modification [locale et temporaire] en un sens meilleur ou pire, mais non pas les faire sortir de leur propre nature [éternelle]; elle les rend pires ou bien en affaiblissant [d'une façon purement quantitative, par une " maladie "] leur force *corporelle*, ou bien en devenant *par accident* [c'est-à-dire " par hasard "] cause de méchanceté [" pathologique "] pour l'*âme* qui est en *sympathie* [stoïcienne] avec elle et a reçu d'elle son penchant [" maladif "] vers la Terre [qui n'est pas le " lieu naturel " de ces êtres animaux d'origine céleste]; ou bien encore elle fait de la mauvaise constitution du corps [" malade "] un obstacle à l'activité [" naturelle "] de l'être tendu vers elle : le corps [" malade "] est alors comme une lyre désaccordée et incapable de *recevoir* l'accord *exact* qui produit des sons musicaux [" beaux " en tant que " normaux "] » II, 3, 13, *in fine*.

Et nous voilà de nouveau en pleine Bio-logie stoïco-aristotélicienne, où la notion du « hasard », chère à Aristote, voisine d'ailleurs, en la contre-disant, avec celle du « déterminisme universel » introduite dans l'Aristotélisme par les Stoïciens, le tout sup-posant nécessairement une Énergo-logie étiologique au sens d'« astrologique » qui implique la notion aristotélo-stoïcienne d'un Temps circulaire ou « cyclique », qui contre-dit la notion héraclito-platonicienne du Temps « linéaire » et « indéfini ».

Somme toute, l'Éclectisme « néo-platonicien » de Plotin est déterminé par le désir de faire coexister en un seul et même Système philosophique la notion platonicienne de l'Éternité (transcendante) et la notion aristotélicienne du Temps (cyclique) qui se contre-disent mutuellement en fait et pour nous puisque la *transcendance* de l'Éternité par rapport au Temps implique nécessairement la notion (platonicienne) du Temps *linéaire* (in-défini), tandis que la notion (aristotélicienne) du Temps *cyclique* exige la présence de l'Éternité *dans* le Temps. Cette contra-diction n'est qu'implicite dans l'Onto-logie plotinienne, car la notion du Temps (ou même de l'Éternel) n'y intervient pas explicitement, et Plotin peut y développer la seule notion platonicienne de l'Éternité qui se substitue à celle de la Spatio-temporalité. La contra-diction reste également implicite dans la Phénoméno-logie plotinienne, puisque la notion de l'Éternité (ou même de l'Éternel) n'a pas besoin d'y être explicitée, de sorte que Plotin peut se contenter du développement de la seule notion aristotélicienne du Temps (ou, plus exactement, de la Durée-étendue). Mais dans l'Énergo-logie plotinienne, qui parle de l'Éternel et donc du Temps (ou de l'Espace-temps) objecti-vement-réels, les notions de l'Éternité et du Temps s'expli-citent toutes les deux en se contre-disant dans la mesure où la première est platonicienne et la seconde aristotélicienne.

Dans la mesure où l'Énergo-logie plotinienne dit *à la fois* que la Réalité-objective est un *Cosmos noetos* au sens de Platon, qui se situe *en dehors* de l'Espace et du Temps, par ailleurs *linéaire* et « ouvert » (voire hors de l'Étendue, d'ailleurs illimi-tée, et de la Durée censée être « indéfinie ») et un Cosmos (ne serait-ce que « céleste ») au sens aristotélicien du terme et donc situé *dans* le Temps et dans un Temps *cyclique* (voire dans une Étendue sphérique et dans une Durée circulaire), cette Énergo-logie s'annule, en fait et pour nous, en tant que discours. Mais puisque ce discours plotinien se développe nécessairement dans le temps, Plotin ne pouvait pas dire l'un et l'autre *en même temps;* aussi bien a-t-il pu avoir l'illusion de ne pas se contre-dire, quitte à dire tantôt l'un et tantôt l'autre, dans un perpé-tuel « flottement ».

Ce flottement se produit tout au long des écrits de Plotin, mais quelques exemples suffiront pour nous le faire voir.

Souvent, Plotin développe la notion de Réalité-objective en se servant du terme (aristotélicien) *Nous*, pris en son sens large. Mais nous constatons alors que ce *Nous* est tantôt « immobile » au sens « absolu » auquel est « immobile » et « immuable » le *Cosmos noetos* de Platon, tantôt soit mû lui-même par un mouvement circulaire dans un Temps cyclique (à l'instar du Ciel d'Aristote), soit mouvant circulairement le Ciel en tant que Moteur-immobile aristotélicien.

« Le Nous se *meut* en restant *immobile; car il *tourne* sur lui-même. C'est ainsi que le Cosmos, en se mouvant *en cercle*, reste pourtant à la même place » (II, 2, 3, *in fine*) [15]. Il se peut cependant que le Nous au sens large ne « tourne sur lui-même » qu'en tant que Psyché, tandis qu'il reste immobile en tant que Nous au sens étroit. Car « voici les relations des [trois] Principes entre eux : placez le Bien au centre [du cercle, ce *point* central étant l'image du *nunc stans* qu'est l'Un en tant qu'Éternité], le Nous [au sens étroit] en un cercle *immobile*, et l'Ame en un cercle *mobile*, et mû par le *désir* [aristotélicien] » (IV, 4, 16, *in fine*). N'empêche que même alors le tout a une allure nettement aristotélicienne : l'Éternité (en tant qu'Être-donné) est *dans* un Temps (objectivement réel) qui est de ce fait *circulaire* et qui détermine une Durée cyclique, d'ailleurs étendue, de même que le Temps est aussi Espace, l'Éternité elle-même étant spatialisée. Et, néanmoins, dans la Réalité-objective, « au lieu du Temps, il y a l'Éternité; le Lieu là-bas, c'est l'intériorité réciproque des notions », de sorte qu'on est quand même bien loin de l'Énergo-logie aristotélicienne.

La contra-diction entre Platon et Aristote ne se manifeste pas seulement chez Plotin par les « flottements » qu'on constate dans ses écrits. Ces flottements ne pouvaient certes pas passer inaperçus, ni satisfaire ceux qui les constatèrent, en commençant par leur auteur lui-même. Celui-ci a donc dû essayer de supprimer la contra-diction autrement encore qu'en développant *alternativement* l'une et l'autre des deux notions contradictoires en cause : il tenta de les maintenir *simultanément* dans une seule et même parathèse, par définition « spatiale » au sens de non temporelle. Seulement, Plotin ne put pas ou ne voulut pas faire ce que fit plus tard Kant : il ne remania pas les notions fondamentales (pour lui, dogmatisées) de Platon et d'Aristote, mais essaya de les additionner en les maintenant telles quelles dans un « Système » philosophique volontairement éclectique, qu'on appelle depuis « néo-platonicien » et qui représente le type le plus pur de la contra-diction parathétique, tout en camouflant très habilement le fait que ce soi-disant « Système » (en fait paraphilosophique) est un discours « contradictoire dans les termes ».

En fait, la notion fondamentale de l'onto-logie platonicienne, à savoir celle de l'Éternité *extérieure* au Temps, ou de l'Un

immobile *qui ne meut rien*, voire du *Theos* doublement transcendant *non* incarné, contre-dit, la notion onto-logique de base
aristotélicienne, qui est celle de l'Éternité *dans* le Temps ou du
Moteur-immobile, voire du *Theos* qui supprime (dialectiquement)
sa deuxième transcendance en s'*incarnant* dans le ciel éthéré.
Pour nous, comme pour Aristote lui-même, la notion du *Theos*
aristotélicien est parathétique en ce sens que ce Dieu est « à
la fois » (ou, si l'on veut « en même temps ») *unique* et *un*, en tant
que *transcendant* par rapport au Ciel, c'est-à-dire extérieur (au
sens spatial) à la Sphère céleste, et *multiple* en tant qu'*immanent* au Ciel, c'est-à-dire comme *incarné* dans les corps éthérés
des sphères célestes. En fait, comme pour nous et probablement
pour Platon et Aristote, la notion aristotélicienne du Dieu
doublement transcendant, c'est-à-dire du Premier-moteur extra-
céleste, qu'Aristote appelle aussi Nous, tout en l'appelant, à la
suite de Platon, *Theos* et, du moins implicitement, *Agathon*,
contre-dit la notion platonicienne homologue de l'*Agathon-
Theos doublement* transcendant, que Platon appelle aussi *Hen*,
du moins implicitement, mais non pas *Nous*.

Sans nul doute, Plotin (ou Porphyre) s'est rendu compte de
la contra-diction entre ces deux notions (païennes) de l'Être-
donné (doublement) transcendant ou « divin ». Mais il a cru
pouvoir éliminer cette contra-diction en supprimant la notion
aristotélicienne du *Theos* (unique et un) au profit de celle de
Platon. Ainsi (les « flottements » mis à part), l'Onto-logie plotinienne ne développe qu'une seule notion onto-logique fondamentale, à savoir la notion parménido-platonicienne de l'Éternité située *hors* du Temps (voire hors de la Spatio-temporalité)
où l'Être-donné *unique et un* au sens propre et fort du terme est
absolument *transcendant* par rapport à tout ce qui est autre
chose que lui-même. Si l'Être-donné aristotélicien est *spatial*
en ce sens qu'il est soit la « surface » du Cosmos sphérique, soit
l'espace « vide » (« infini » au sens d'Euclide) extra-cosmique,
l'Être-donné platono-plotinien est en dehors de la Spatialité
en tant que telle. « Il possède l'infinité parce qu'il n'est pas
multiple, et parce qu'il n'y a rien pour le limiter; il n'est ni
mesurable ni dénombrable, parce qu'il est un; il n'a donc de
limite ni *en autre chose* [n'étant pas l'espace *extérieur* à la
Sphère cosmique et donc limité par celle-ci] ni *en lui-même*
[n'étant pas non plus la surface qui limite la Sphère cosmique],
sans quoi il serait *au moins double* [à savoir limitant et limité],
il n'a donc ni figure, ni parties, ni forme [pas même « spirique »
(cf. la " 1re hypothèse " du *Parménide*)] » (V, 5, 11, début).
Si l'Être-donné aristotélicien est *immobile*, dans la mesure où
il reste (doublement) transcendant, il est néanmoins *moteur* et

c'est en tant que Moteur qu'il s'incarne dans les Sphères célestes, à la fois motrices et *mues*. Mais la (double) transcendance de l'Être-donné platono-plotinien est « absolue » en ce sens qu'il n'a aucune relation avec ce qui n'est pas lui, pas même celle qu'a le Moteur avec le Mobile qu'il meut, en se mouvant soi-même (en tant qu'incarné) ou en restant immobile (en tant que transcendant) : par conséquent, « il n'est ni un mouvement ni un repos » (V, 5, 10, milieu). Étant absolument *transcendant*, cet Être-donné est vraiment *unique* et étant absolument *unique*, il est parfaitement *un*, au point qu'on peut le définir comme *A-pollon*, « qui est la *négation* de la pluralité » (V, 5, 6, milieu). Il est donc aussi la négation de toute *dualité*, y compris celle du pensant et du pensé, même si le pensant ne pense que soi-même, comme le fait l'Être-donné aristotélicien. « S'il est Être [au sens de Réalité-objective] il est Nous et, s'il est Nous, il est Être; la Pensée [en tant que Nous] est inséparable de l'Être [en tant qu'Essence censée être objectivement-réelle] : donc penser, c'est être *multiple* [ou dé-doublé] et non pas *un;* qui n'est point *multiple* ne doit point posséder la pensée; ...d'ailleurs, ce qui est [en tant qu'Être-donné] au-delà de l'Essence [censée être objectivement-réelle] est aussi au-delà de la Pensée [en tant que Sens]; il n'est donc pas absurde qu'il [le Bien] *ne se connaisse pas lui-même :* il n'a rien à apprendre en lui, puisqu'il est *un;* mais [bien entendu] il ne doit pas non plus [tout comme le Moteur-immobile aristotélicien] connaître les autres choses » (V, 6, 6, *in fine*).

La terminologie traditionnelle platonicienne et aristotélicienne permet à Plotin, d'une part, de souligner le caractère platonicien, voire antiaristotélicien de sa notion onto-logique fondamentale et, d'autre part, de faire semblant de rester néanmoins fidèle non seulement à Platon, mais encore et tout autant à Aristote. Sans doute, Platon et Aristote appellent-ils tous les deux l'Être-donné (doublement) transcendant *Theos;* et Plotin n'a aucune difficulté à les suivre. Mais pour souligner l'authenticité de son platonisme, Plotin préconise le terme d'*Agathon*, explicite chez Platon et seulement implicite chez Aristote. Pour souligner les origines parménidiennes du platonisme, Plotin se sert aussi souvent du terme *Hen*, qui se trouve chez Platon au moins implicitement, mais qu'Aristote évite volontairement et en connaissance de cause. Enfin, Plotin n'applique jamais au *Hen-Agathon-Theos* le terme aristotélicien de *Nous*, que Platon évite aussi et également en pleine connaissance de cause.

Ainsi, Plotin peut faire semblant de croire que le *Nous* aristotélicien n'a rien à voir avec le *Hen-Agathon-Theos* platonicien.

Mais il doit dire alors, ou bien que le Système aristotélicien est tronqué, n'ayant pas d'Onto-logie du tout, ou bien qu'Aristote n'a pas lui-même développé d'onto-logie parce qu'il acceptait telle quelle celle de Platon (en la maintenant comme première partie de son propre Système). Plotin semble effectivement admettre que dans le Système aristotélicien l'Onto-logie est purement platonicienne. Pour Plotin (et tous les Néo-platoniciens), lorsque Aristote et les siens parlent de *Nous*, ils ont eux-mêmes en vue ce que les Platoniciens de Platon, (voire les Éléates et les « Pythagoriciens ») ont appelé *Theos, Agathon* ou *Hen;* mais, en parlant du Nous les Aristotéliciens se réfèrent en fait (c'est-à-dire pour les Néo-platoniciens) à ce qui s'appelle chez Platon *Idée,* c'est-à-dire à ce que les Platoniciens ont appelé *Cosmos noetos* ou à ce que j'appelle Réalité-objective. Or, de même que dans l'Onto-logie Plotin s'est servi exclusivement de termes empruntés à Platon et aux Platoniciens, il a surtout utilisé dans son Énergo-logie le terme Nous emprunté à Aristote. Et de même qu'il a fait semblant de croire que dans le Système aristotélicien l'Onto-logie était identique à celle de Platon, il a prétendu que dans le Système platonicien l'Énergo-logie ne différait pas de celle d'Aristote [16].

Tout comme Antiochus d'Ascalon, Plotin niait donc toute contra-diction entre Platon et Aristote. Mais à l'encontre de celui-ci, Plotin ne disait pas qu'Aristote (re-dit par les Stoï-ciens) ne faisait que re-dire ce qu'avait dit Platon. Les deux disaient certainement tout autre chose, dans la mesure où l'un développait l'Onto-logie et l'autre l'Énergo-logie. Si l'on n'en tient pas compte, si l'on comprend à tort l'Énergo-logie aristo-télicienne comme une soi-disant Onto-logie, on a l'impression qu'Aristote contre-dit ce qu'a dit Platon. De même, si l'on comprend à tort l'Onto-logie platonicienne comme une soi-disant Énergo-logie, on a l'impression que Platon contre-dit par avance ce que dira Aristote. Mais si l'on compare l'Onto-logie aristotélicienne avec l'Onto-logie platonicienne et l'Énergo-logie platonicienne avec l'Énergo-logie aristotélicienne, on constate, du moins d'après Plotin, que les deux disent dans les deux cas une seule et même chose. Sauf qu'Aristote n'aurait [presque] pas développé explicitement les sup-positions onto-logiques de l'Énergo-logie que Platon a développées d'une façon explicite, tandis que Platon a [quelque peu] négligé les conséquences phénoméno-logiques de cette même Énergo-logie, explicitement développées par Aristote. D'où la possibi-lité de les mé-comprendre tous les deux et de s'imaginer qu'ils se contre-disent l'un l'autre.

Pour Plotin, comme pour tous les Néo-platoniciens, Platon

et Aristote ont développé un seul et même Système philosophique (d'ailleurs dogmatisé) qui est aussi le sien. La partie
onto-logique de ce Système a été explicitement développée par
le seul Platon et c'est donc aux seuls écrits de celui-ci que doit
être empruntée l'Onto-logie néo-platonicienne. Par contre,
Platon n'a développé la Partie phénoméno-logique du même
Système que sporadiquement et généralement sous la forme
de mythes, tandis que les développements phénoméno-logiques
sont nombreux et précis chez Aristote et les Aristotéliciens, les
Stoïciens y compris. La Phénoméno-logie néo-platonicienne sera
donc empruntée surtout aux textes aristotéliciens (voire stoïciens) et ce sont ces textes qui seront utilisés pour interpréter
les « mythes » phénoméno-logiques de Platon, y compris celui
du *Timé* [17]. Quant à l'Énergo-logie, il était difficile de nier que
Platon et Aristote l'avaient développée explicitement tous les
deux. Plotin devait donc se servir ici de textes tant platoniciens
qu'aristotéliciens et il lui a été, par conséquent, particulièrement difficile d'affirmer qu'ici encore Platon et Aristote ne se
contre-disaient pas, l'un ne faisant que pré-dire ou re-dire les
dires de l'autre.

C'est ce qu'ont pourtant affirmé tous les Néo-platoniciens, en
commençant par Plotin lui-même.

Pour pouvoir le faire, Plotin a dû procéder de la façon suivante.

Tout d'abord, Plotin voulait être un Platonicien pur, sans
devenir pour autant antiaristotélicien. Il a cru y réussir en
adoptant une Onto-logie purement platonicienne, c'est-à-dire
en développant la notion onto-logique fondamentale (d'ailleurs
dogmatisée) du *Theos-Agathon*, en l'interprétant en tant que
Hen parménido-platonicien, mais non en tant que *Nous* aristotélicien : autrement dit, il a simplement escamoté l'Onto-logie
d'Aristote, en ne conservant dans son propre système éclectique
que celle de Platon. Mais Plotin voulait aussi être Aristotélicien,
sans devenir pour autant antiplatonicien. Il a cru y parvenir
en adoptant une Énergo-logie purement aristotélicienne, c'est-
à-dire en développant la notion énergo-logique fondamentale
(d'ailleurs dogmatisée), en l'interprétant en tant que *Nous* aristotélicien, ce Nous étant censé ne pas avoir de signification
onto-logique. Mais ne pouvant escamoter purement et simplement l'Énergo-logie platonicienne, il a dû interpréter la notion
énergo-logique fondamentale (d'ailleurs dogmatisée) du *Cosmos noetos* platonicien de façon que son développement ne
contre-dise pas le développement de la notion aristotélicienne
(dogmatisée elle aussi) du *Nous* objectivement-réel. Or c'est
précisément ici qu'il a complètement échoué, en dépit de toutes
ses astuces, par ailleurs remarquables.

Pour être purement aristotélicien, le *Nous* doit être défini comme *Acte pur*, le *Nous* en acte étant d'une part, le *Moteur* qui meut tout sauf soi-même, et d'autre part, la *Pensée* qui ne pense rien sauf elle-même. Et c'est bien ce qu'est [aussi] le Nous plotinien (et néo-platonicien en général). « L'être du *Nous* est son acte, et il n'y a rien *à quoi* tende cet acte : le *Nous* reste en *lui-même;* en se pensant, le *Nous* exerce son activité *en lui-même* et *sur lui-même;* et, si quelque chose vient de lui, c'est encore parce qu'il agit *en lui-même* et *sur lui-même* » (V, 3, 7, milieu). Mais puisque, tout en étant le *Nous* (purement) aris-totélicien, la Réalité-objective néo-platonicienne doit être aussi le *Cosmos noetos* (purement) platonicien, on est obligé de dire que l'*Idée* uni-totale platonicienne n'est rien d'autre que la *Pensée* uni-totale du *Nous* aristotélicien qui, étant *un*, pense *tout* en se pensant soi-même et en ne pensant rien d'autre que soi. « Le *Nous* se pense parce qu'il est Intelligence; il se pense tel qu'*il* est; il pense ce qu'*il* est, par sa *propre* nature et en se tournant vers lui-même; en voyant les êtres, c'est *lui-même* qu'il voit; et ce qu'il voit en acte, c'est *son* acte, c'est-à-dire lui-même; le *Nous* et l'acte du *Nous* ne font qu'un; il voit tout entier par lui tout entier » (V, 3, 6, début). « Qu'est-ce donc que l'Idée? une intelligence et une substance intellectuelle; chaque Idée n'est pas différente du *Nous :* elle est un *Nous;* le *Nous complet* est fait de *toutes* les Idées, et chacune des Idées, c'est chacun des *Nous* » (V, 9, 8, début). Autrement dit, chaque Idée platonicienne est censée être un Nous aristotélicien, de sorte que le *Nous* d'Aristote ne serait rien d'autre que le *Cosmos noetos* ou l'Idée uni-totale de Platon.

Ce n'est pas Plotin lui-même qui a trouvé cette astuce [18]. Mais, depuis Plotin, — elle est le pivot et la base de tous les systèmes éclectiques païens ou « néo-platoniciens ». Et c'est elle qui est censée devoir et pouvoir supprimer la contra-diction entre Platon et Aristote. Mais, en fait et pour nous, elle ne fait que camoufler cette contra-diction.

Les Idées de Platon sont « immobiles » au point de ne pas être même *motrices* et le *Cosmos noetos* platonicien n'est pas la *cause* du Monde phénoménal, tandis que le *Nous* d'Aristote *meut* ce monde en tant que Premier-moteur (voire comme Fin dernière) et il est aussi sa *cause*, sinon « matérielle », du moins « formelle », c'est-à-dire à la fois « première » en tant qu'« efficiente » et « dernière » en tant que « finale ». Or, chez Plotin aussi « le *Nous produit* les êtres *l'un après l'autre*, en menant en quelque sorte *partout* sa *course vagabonde*, mais sans sortir de lui-même [comme une sphère qui tourne sur elle-même], parce qu'il est naturel au véritable *Nous* de se *parcourir* soi-même; sa *course* s'accomplit au milieu des Essences qui *l'accompagnent* dans toutes ses *allées et venues;* mais comme il est *partout,* cette *course* est une *station* en soi » (VI, 7, 13, milieu). Mais ce même *Nous* est aussi censé être un *Cosmos noetos transcendant,* que le Monde phénoménal « imite » ou « reflète », sans qu'il « participe » lui-même à celui-ci d'une façon quelconque, que ce soit en tant que *Moteur* ou comme autre *Cause* quelle qu'elle soit.

Que dire, sinon que Plotin se contre-dit en le disant. Si chaque « Idée » soi-disant platonicienne est un *Nous* aristotélicien, chacune est un Moteur (prétendument « immobile ») qui tourne une sphère céleste à laquelle il est fixé, et le *Cosmos noetos* n'est alors rien d'autre que l'*Ouranos* aristotélicien, voire la Psyché stoïcienne, en tant qu'uni-totalité des Raisons séminales qui déterminent les cycles éternels des êtres phénoménaux, qui sont tous censés être plus ou moins vivants. Et c'est ce que dit effectivement Plotin. Mais s'il appelle parfois *Ciel* le *Cosmos noetos,* il a quand même soin de préciser qu'il s'agit d'un ciel *intelligible* (cf. III, 2, 4, milieu), c'est-à-dire non corporel, voire objectivement-réel (au sens d'idéel) et non phénoménal, et ceci est quand même tout autre chose que d'être un *corps,* même si celui-ci est « céleste », c'est-à-dire non pas « élémentaire », mais « éthéré ».

Somme toute, Plotin se contre-dit dans la mesure où il essaie de rattacher son Énergo-logie à la fois à une Onto-logie platonicienne et à une Phénoméno-logie aristotélicienne, voire stoïcienne. La notion du *Cosmos noetos* qui sup-pose l'Être-donné compris comme le *Hen* parménido-platonicien contre-dit celle du *Nous* qui pré-suppose l'Existence-empirique comprise comme un Monde phénoménal (céleste et terrestre) aristotélo-stoïcien. Ainsi, la notion plotinienne de la Réalité-objective se dé-double en une notion énergo-logique platonicienne et en une notion énergo-logique aristotélicienne, qui se contredisent mutuellement.

Plotin (ou Porphyre) se rend compte de cette contra-diction puisqu'il distingue au sein du *Nous* au sens large (censé être à la fois platonicien et aristotélicien), d'une part un Nous au sens étroit, plus ou moins identique au *Cosmos noetos* de Platon, et, d'autre part, un deuxième terme, en fait « contraire », qu'il appelle tantôt *Logos,* tantôt *Physis* et qui est aristotélicien au sens de stoïciens. Et puisqu'il se rend compte du caractère contra-dictoire de ces deux « termes extrêmes », il essaie de supprimer cette contra-diction en intercalant entre eux un « moyen terme » censé être « médiateur », généralement appelé *Psyché.* Et c'est alors dans cette notion plotinienne de l'Ame que se condensent les contra-dictions « néo-platoniciennes » entre Aristote et Platon [19].

Cette contra-diction qui se maintient tout au long du Néo-platonisme, se manifeste chez Plotin, d'une part, par une variation terminologique et par un flottement des trois « termes » énergo-logiques. D'autre part, déjà Plotin essaie de s'en tirer en subdivisant soit les termes extrêmes, soit, le plus souvent, le terme moyen.

Toute l'histoire du Néo-platonisme n'est rien d'autre que l'histoire de ces flottements et de ces subdivisions amorcés par Plotin. Nous verrons plus tard leur aboutissement chez Proclus. Mais il nous faut d'abord en donner quelques exemples empruntés à Plotin lui-même (sans la moindre intention d'épuiser le sujet, d'ailleurs).

Traditionnellement, le soi-disant « Système » néo-platonicien est interprété en fonction de la Triade fondamentale : *Hen-Nous-Psyché*. Dans ce cas, on peut dire que la notion néo-platonicienne du *Hen* est une notion (en fait onto-logique) purement parménido-platonicienne (dogmatisée); que celle de la *Psyché* est une notion (en fait phénoméno-logique) purement héraclito-aristotélicienne (dogmatisée, voire stoïcienne), tandis que la notion (dogmatisée) du *Nous* est une notion en fait énergo-logique) hybride ou « éclectique » (spécifiquement « néo-platonicienne »), où les éléments platoniciens et aristotéliciens coexistent en se contre-disant. C'est alors que la notion néo-platonicienne du *Nous* au sens large se dé-double (en fait et pour nous, mais généralement aussi pour les Néo-platoniciens eux-mêmes) en la notion plus ou moins platonicienne, d'un *Nous* au sens étroit et en la notion, en fait aristotélicienne ou stoïcienne, du *Logos (spermatikos)*, la contra-diction entre ces deux notions suscitant la recherche (plus ou moins explicite) d'un « moyen terme » proprement « néo-platonicien ».

Mais, en fait, la structure du soi-disant « Système » néo-platonicien est beaucoup moins précise et elle reste « flottante » tant chez Plotin que chez la plupart de ses émules.

Chez Plotin lui-même, c'est généralement l'élément platonicien qui prédomine (plus ou moins fortement) dans l'éclectisme néo-platonicien. A la notion (onto-logique) purement parménido-platonicienne du *Hen* s'associe alors une notion (énergo-logique) d'un *Nous* purement platonicien (Nous en tant que *Cosmos noetos transcendant*) qui tend à « platoniser » la notion (phénoméno-logique) de la *Psyché*. Celle-ci est alors dite faire partie du « Monde intelligible » au même titre que le *Nous :* la Psyché est censée être *transcendante* par rapport au Monde sensible, en éternellement *non incarnée*. C'est le schéma :

$$[Hen \rightarrow (Nous \rightarrow \text{Psyché})] \rightarrow Cosmos\ aisthetos$$

$$\begin{bmatrix} \text{« Monde intelligible »} \\ \text{platonicien} \end{bmatrix} \quad \begin{bmatrix} \text{« Monde sensible »} \\ \text{aristotélicien} \end{bmatrix}$$

Mais, chez les Néo-platoniciens, la Phénoméno-logie qui déve-loppe la notion de *Cosmos aisthetos* est nécessairement aristoté-licienne (en fait dogmatisée, c'est-à-dire stoïcienne), car autre-ment, ils ne seraient pas les Éclectiques qu'ils voulaient être. Or, dans la mesure où la Psyché est (plus ou moins) assimilée à une Idée platonicienne (par définition « transcendante » ou « séparée »), elle ne peut pas être comprise comme une *Entélé-chie* ou un *Logos spermatikos*, voire une *Physis*. La Phénoméno-logie aristotélo-stoïcienne reste ainsi sans aucune liaison avec l'Énergo-logie platonicienne (liée à l'Onto-logie parménido-platonicienne qu'est la Théo-logie du *Hen-Agathon-Theos*). Pour établir une liaison avec l'Énergo-logie platonicienne, on introduit alors en celle-ci la notion aristotélo-stoïcienne de la *Physis*, ce qui équivaut à un dé-doublement de la notion de la *Psyché*. La notion néo-platonicienne (en fait ni énergo-, ni phénoméno-logique) se décompose alors en la notion (pseudo-) platonicienne de la *Psyché* au sens étroit et en la notion aristotélo-stoïcienne de la *Physis*. Ces deux notions étant contra-dictoires, elles suscitent un « moyen terme » qui peut être la notion « éclec-tique » ou hybride du *Logos*, censé être à la fois « idée » plato-nicienne et « sperme » stoïcien.

On a alors les deux variantes schématiques suivantes :

Si le *logos* est plus Idée que Sperme on aura :

$$[(Hen \rightarrow Nous) \rightarrow (Logos] \rightarrow \text{Psyché} \rightarrow [Physis) \rightarrow Cosmos\ aisthetos]$$

$$\begin{bmatrix} \text{« Monde intelligible »} \\ \text{platonicien} \end{bmatrix} \qquad \begin{bmatrix} \text{« Monde sensible »} \\ \text{aristotélicien} \end{bmatrix}$$

où c'est la notion de *Psyché* (au sens étroit) qui joue le rôle de « moyen terme » hybride (spécifiquement néo-platonicien), qui ne supprime la contra-diction entre le *Logos* « platonicien » et la *Physis* aristotélicienne que dans la mesure où elle est contradictoire en elle-même.

Si le *Logos* est plus Sperme qu'Idée, on aura :

$$[(Hen \rightarrow Nous) \rightarrow (\text{Psyché}] \rightarrow Logos \rightarrow [Physis) \rightarrow Cosmos\ aisthetos]$$

$$\begin{bmatrix} \text{« Monde intelligible »} \\ \text{platonicien} \end{bmatrix} \qquad \begin{bmatrix} \text{« Monde sensible »} \\ \text{aristotélicien} \end{bmatrix}$$

où le rôle du « moyen terme » contradictoire est joué par la notion (spécifiquement néo-platonicienne) du *Logos*.

Ou bien, c'est au contraire l'élément aristotélicien qui prédomine (plus ou moins fortement) dans le Système éclectique néo-platonicien. La notion héraclito-aristotélicienne (ou stoïcienne) de la *Psyché* s'associe alors à une notion purement aristotélicienne du *Nous*, qui est alors en fait (plus ou moins) « immanente » au *Cosmos aisthetos* [qui est alors « éternel » au sens d' « incréé »] dans la mesure où il *n'est pas* transcendant au sens où l'est le *Hen* parménido-platonicien [cette transcendance se traduisant par le « mythe » de la *création* du Monde sensible]. C'est alors le schéma :

$$[Hen] \rightarrow [(Nous \rightarrow Psyché) \rightarrow Cosmos \; aisthetos]$$

$$\begin{bmatrix} \text{« M. int. »} \\ \text{plat.} \end{bmatrix} \quad [\text{« Monde sensible » aristotélicien}]$$

Mais, même chez ces Néo-platoniciens, l'Onto-logie doit rester purement platonicienne, car autrement, ils ne seraient plus des Éclectiques. Ainsi, chez eux, l'Onto-logie platonicienne reste sans liaison avec l'Énergo-logie aristotélicienne [liée à une Phénoméno-logie héraclito-aristotélicienne (ou stoïcienne)]. Pour établir une liaison entre l'Énergo-logie aristotélicienne et l'Onto-logie platonicienne, il faut introduire la notion énergologique platonicienne du *Cosmos noetos*. Le *Nous*, d'abord conçu dans ce cas comme un *Logos* héraclito-aristotélicien, se dé-double alors en la notion stoïcienne du *Logos* proprement dit et en la notion platonicienne du *Cosmos noetos*, appelé *Nous* au sens étroit. La contra-diction entre ces deux notions suscite alors un « moyen terme » qui peut être la notion (spécifiquement néo-platonicienne elle-même contradictoire) de la *Vie (Zoé)*. On a alors le schéma suivant :

$$[Hen \rightarrow (Nous] \rightarrow Zoé \rightarrow [Logos) \rightarrow Psyché \rightarrow Cosmos \; aisthetos]$$

$$\begin{bmatrix} \text{« Monde intelligible »} \\ \text{platonicien} \end{bmatrix} \quad [\text{« Monde sensible » aristotélicien}]$$

Autrement dit, on a, dans ce cas, une décomposition de la notion du *Nous* au sens large en :

$$Nous \rightarrow Zoé \rightarrow Logos,$$

tandis que, dans le premier cas, c'est la notion de la Psyché au sens large qui se décomposait, soit en :

$$Psyché \rightarrow Logos \rightarrow Physis,$$

soit en :

$$Logos \rightarrow Psyché \rightarrow Physis.$$

En combinant cette dernière formule avec la première, on obtient le schéma complet suivant :

$$Hen \rightarrow (Nous \rightarrow Zoé \rightarrow [Logos) \rightarrow Psyché \rightarrow Physis] \rightarrow Cosmos \; aisthetos$$

Dieu plat.	Monde intelligible	Monde sensible
(parménido)	néo-platonicien	aristotélicien
		(stoïcien)

Ce dernier schéma semble se rencontrer aussi chez Plotin, mais on en trouve encore d'autres. D'une manière générale, les notions du *Logos* et de la *Psyché* sont particulièrement « flottantes » et il y a une perpétuelle confusion entre elles et celles du *Nous* pris au sens étroit ou large.

Je me contenterai d'en donner quelques exemples sans essayer d'en préciser la situation.

Le dédoublement de la Psyché.

« Voici notre principe : la *Psyché* gouverne le Cosmos selon le *Logos :* elle est comparable au Principe qui, en chaque animal [= être vivant] façonne les parties de cet animal et les coordonne avec l'ensemble dont elles sont les parties; l'*ensemble* contient *toutes* les parties, mais chaque *partie* ne contient qu'*elle-même;* dans cet animal, les influences *extérieures* [à une partie donnée, voire à l'animal pris dans son ensemble, cet ensemble n'étant qu'une partie du Cosmos] sont tantôt contraires et tantôt conformes à la volonté de la *Physis;* mais, dans le *Cosmos* [*aisthetos*], tous les êtres sans exception sont coordonnés à l'ensemble [qu'est ce Cosmos], puisqu'ils en sont les parties : ils ont reçu de lui leur *Physis* et collaborent par leur tendance *propre* à la Vie *universelle* » (II, 3, 13, début).

A l'exception de la notion aristotélicienne du « hasard » (pratiquement « perturbation » de la « Nature ») dû à l'intervention de la Matière, toutes les notions sont ici purement stoïciennes [et ceci d'autant plus que les Stoïciens, tout en niant le Hasard (c'est-à-dire tout en réduisant en fait toute la

Matière aristotélicienne à la seule Matière éthérée), admettaient eux aussi des « influences *contraires* à la volonté de la Physis », précisément dans le sens indiqué par Plotin] : Psyché, *Logos*, *Physis*, Zoé, Cosmos. Mais la mise en relation, par Plotin, de ces notions stoïciennes laisse entrevoir un « flottement » spécifiquement néo-platonicien. La Psyché est dite « gouverner » le Cosmos « selon » le *Logos*. Or, la Psyché elle-même est définie comme l'ensemble des *Logoi spermatikoi* stoïciens. La « Psyché » de Plotin est donc un *Logos spermatikos* au sens stoïcien, tandis que le *Logos* plotinien est ce que les Stoïciens appellent « Psyché » [au sens d' « Ame du Monde »]. Par ailleurs, la Psyché plotinienne semble être distinguée de la *Physis*, apparemment identifiée avec le *Logos*. Mais en tant que *Logos spermatikos* d'un animal, la Psyché n'est rien d'autre que la *Physis* de celui-ci. On pourrait préciser en disant que le *Logos* est la *Physis* du Cosmos en tant que tel ou pris dans son ensemble, tandis que la Psyché est l'ensemble des *Logoi spermatikoi* des animaux constituant le Cosmos, chacun de ces *Logoi* étant la physis de l'animal en cause. On aurait alors le schéma :

Logos → (Psyché = *Physis*) → *Cosmos aisthetos*.

Voyons maintenant quelle est la relation de cette (double ou triple) Psyché avec le Nous.

« Est-ce que les *Logoi* [*spermatikoi*] contenus dans la Psyché sont des pensées?... Le *Logos spermatikos* qui agit dans la Matière est une puissance productrice *naturelle* : elle n'est ni une pensée, ni une vision... C'est la *partie principale* de la *Psyché* qui agit *d'abord* en modifiant la *Psyché génératrice* engagée *dans* la Matière... La cause modificatrice, c'est la puissance qui *en elle* porte les *Logoi* [*spermatikoi*], et non la réflexion *sur* ces *Logoi* : cette puissance est dans la Psyché la plus capable d'agir. Or, elle agit selon les *Idées* : il faut, si elle les *donne* qu'elle les *tienne* du *Nous*. Donc, les *Nous* les *donne* à la *Psyché* du *Cosmos* [Ame universelle]; la [première] Psyché, qui est [immédiatement] *après* le Nous, les *donne* à la [deuxième] Psyché, qui vient [immédiatement] *après* elle-même, en l'éclairant et en l'informant; celle-ci enfin, rangée [immédiatement] *à côté* de l'action, produit les choses [sensibles qui constituent le *Cosmos aisthetos*]. Sa production est tantôt sans obstacles et tantôt entravée [par l'action de la Matière aristotélicienne, cette Cause " matérielle " dé-formant par endroits et par moments, c'est-à-dire " par hasard ", l'action de la Cause " formelle " (efficiente et finale) qu'est la Psyché]; en ce dernier cas, comme elle a reçu [du Nous, par la médiation de la Psyché

supérieure] la capacité de produire, comme elle est pleine de
Logoi (non pas les *Logoi primitifs*, il est vrai) [qui sont les
Idées platoniciennes constituant le *Nous* en tant que *Cosmos
noetos*, mais les *Logoi spermatikoi* stoïciens, qui sont les Formes
aristotéliciennes agissant en tant qu'Entéléchies ou *Physei*],
elle produira tout de même (selon la capacité qu'elle a *reçue*),
mais il naîtra d'elle, évidemment, une chose inférieure » (II,
3, 17). » ... Si nos paroles sont justes, la Psyché du Cosmos
[l'Ame universelle] doit contempler les êtres excellents [à savoir
les Idées platoniciennes] et se porter toujours vers la Physis
intelligible [qu'est le *Nous* platonicien ou le *Cosmos noetos
transcendant*] et vers le *Theos* [ou le *Hen-Agathon* parménido-
platonicien]; elle s'en remplit et, quand elle s'en est une fois
remplie... il naît d'elle une *image* [platonicienne], qui est sa
limite inférieure; cette *image* est la puissance productrice des
choses [c'est-à-dire la Psyché inférieure engagée dans la Matière];
elle est la *dernière* des puissances productrices [c'est-à-dire
« intelligibles »] : au-dessus d'elle, il y a la partie supérieure de
la Psyché, qui est emplie des Formes [aristotéliciennes] par
le Nous [platonicien]; *au-dessus* de tout est le *Nous démiurge*
[ou le *Cosmos noetos* platonicien interprété comme cause formelle
aristotélicienne du *Cosmos aisthetos*] qui donne à la [première]
Psyché, qui vient [immédiatement] après elle, les Formes
[plus exactement les Idées platoniciennes contenues dans le
Nous, qui se sont transformées en Formes aristotéliciennes du
fait de leur réception par la (première) Psyché] dont les traces
[platoniciennes] se trouvent dans la réalité du troisième rang
[qu'est le *Cosmos aisthetos*, par ailleurs aristotélicien ou stoïcien].
On [c'est-à-dire Platon et les siens] a raison de dire que le
Cosmos [platonicien] est une *image*, ou un *reflet* qui se re-produit
sans cesse [dans un « miroir », « matériel » au sens de spatio-
temporel, voire étendu et durable, cette re-production étant
la production *cyclique* du *Cosmos aisthetos* « éternel » au sens
aristotélo-stoïcien]; la *première* [*Hen-Agathon-Theos*] et la
deuxième [Nous au sens de *Cosmos noetos*] réalités sont *immobiles* [au sens platonicien]; la *troisième* [*Cosmos aisthetos*] l'est
aussi [au sens aristotélicien], mais elle est engagée dans la
Matière et elle est [de ce fait] *mue* par accident [comme la
Planète aristotélicienne l'est par la Sphère éthérée. Tant qu'il y
aura un Nous et une Psyché [qui sont depuis toujours et sont
toujours], les *Logoi spermatikoi* s'en écouleront dans cette *espèce
inférieure* de la Psyché [qui engendra de ce fait le Cosmos
stoïcien « éternel » au sens de « cyclique »] (II, 3, 18).

Et nous voici en plein éclectisme néo-platonicien et au centre
de la « confusion », voire du « flottement » propre à Plotin.

Faisons pour le moment abstraction du dédoublement de la notion du *Nous* au sens large en celle de *Nous* au sens étroit et propre, qu'est le *Cosmos noetos* platonicien, et en celle du *Nous* « démiurgique » qui est emprunté au *Timée* et qui est donc en fait aristotélicienne (voire eudoxienne), le *Cosmos noetos* de Platon étant ici compris comme la Cause formelle d'Aristote. Bornons-nous à constater le dédoublement de la notion de la Psyché en la notion de la Psyché « supérieure », encore semi-platonicienne (puisque cette Psyché est *transcendante* ou « séparée », n'étant pas « engagée dans la matière », ni même productrice (dans l'immédiat) des choses et en celle de la Psyché « inférieure », franchement aristotélo-stoïcienne, vu qu'il s'agit en fait de la *Physis* en tant qu'ensemble des *Logoi spermatikoi* « engagés dans la matière » et « producteurs (éternels) de choses sensibles (cycliques) ». Or, la deuxième Psyché est une « image » au même titre que le *Cosmos aisthetos :* la coupure entre le Monde intelligible (platonicien) et le Monde sensible (aristotélicien) passe donc à travers la Psyché (néo-platonicienne).

Si nous appelons la première Psyché *Logos* et la deuxième *Physis,* nous obtenons alors le schéma suivant :

$$Hen \rightarrow Nous \rightarrow (Logos [\rightarrow] Physis) \rightarrow Cosmos\ aisthetos$$

(Monde int. plat.)　　　　　(Monde sens. aristotélicien)

où la Psyché néo-platonicienne s'est dédoublée en un *Logos* semi-platonicien en une *Physis* franchement aristotélo-stoïcienne.

Mais il n'est pas difficile de voir qu'en fait cette Psyché est triple, car elle implique un « moyen terme » entre ses deux « extrêmes ». En effet, le *Logos reçoit* les Idées platoniciennes du *Nous* et la *Physis* les *donne* (en tant que Formes aristotéliciennes). « Entre » les deux, il y a donc, en fait, la Psyché proprement dite qui trans-forme les Idées *reçues* par le *Logos* en Formes *données* par la *Physis.* Du point de vue logique et axiologique (voire chrono-logique, bien que non chronologique à cause de la « cyclicité »), la possession, voire la trans-formation des Idées par la Psyché est « postérieure » à la réception des Idées par le *Logos* et antérieure à la donation des Formes par la *Physis.* La Psyché « possède », sans rien « recevoir » ni « donner » et ce qu'elle « possède » ainsi est « à la fois » (ou « en même temps ») ET Idée platonicienne ET Forme aristotélicienne, c'est-à-dire NI Idée (seulement) NI (seulement) Forme. Autrement dit, la Psyché au sens étroit n'est NI entièrement transcendante par rapport au *Cosmos aisthetos,* NI entièrement

immanente à lui, étant « à la fois » (et « en même temps »)
ET immanente ET transcendante partiellement. Et c'est dire
qu'il s'agit d'une notion spécifiquement parathétique (d'ailleurs
dogmatisée) et donc « contradictoire dans les termes ».

Dans le passage cité, Plotin évite d'expliciter cette contra-
diction spécifiquement néo-platonicienne entre les « extrêmes »
platoniciens et aristotéliciens, en n'explicitant. pas le « moyen
terme ». Mais, si nous le faisons pour lui, nous obtenons le
schéma suivant de la Psyché au sens large :

Logos (pseudo-platonicien) → *Psyché* (néo-platonicienne)
→ *Physis* (stoïcienne),

le *Logos* faisant partie du « Monde intelligible » platonicien, la
Physis appartient au « Monde sensible » aristotélicien et la
« Psyché » spécifiquement néo-platonicienne se situe entre ces
deux Mondes, dans un pseudo-Monde où et dont on ne peut
parler qu'en se contre-disant et au sujet duquel Plotin préfère
se taire [20].

La tripartition du Nous.

Nous avons vu un exemple des cas où, chez Plotin, le Platonisme déborde sur l'Aristotélisme, en introduisant dans la
notion originairement aristotélicienne de la Psyché un élément
d'origine platonicienne sous la forme de la notion du *Logos*
(ou de la Psyché au sens étroit). Dans l'exemple cité, ce débor-
dement n'a pas empêché le mouvement inverse d'une péné-
tration de l'Aristotélisme dans le Platonisme, sous la forme du
dédoublement du *Nous* en *Nous* proprement dit platonicien
et en *Nous* démiurgique d'origine eudoxo-aristotélicienne. Mais,
en principe, le dédoublement et la tripartité consécutive de la
notion de la Psyché permettent de maintenir celle du Nous dans
sa pureté platonicienne.

Considérons maintenant un exemple du cas inverse, où la
notion de la Psyché est purement aristotélo-stoïcienne (Psyché
comprise comme *Logos*, identifiée à la *Physis* prise en tant
qu'ensemble de *Logoi spermatikoi*) et où c'est la notion originairement platonicienne du Nous qui se dédouble en une
notion platonicienne et une notion aristotélicienne, qui suscitent, dans et par leur contradiction, une troisième notion
spécifiquement néo-platonicienne, d'ailleurs en fait éclectique et
donc « contradictoire », mais censée, chez Plotin faire fonction
de « moyen terme » et prétendument « dialectique ».

Il y a beaucoup de textes où apparaît un dédoublement de la Psyché (cf. IV, 3, 27, etc.; IV, 4, 10, 13; IV, 9, 3), mais rares sont ceux où la tripartition de celle-ci est explicitée. Ces textes nous montrent que la doctrine plotinienne de la Psyché a évolué, mais qu'elle est restée « flottante ».

Le même « flottement » se retrouve dans les textes relatifs au Nous, d'ailleurs beaucoup moins nombreux que ceux qui ont trait à la Psyché. Cependant, le dédoublement du *Nous*, lui aussi, se présente chez Plotin dans plusieurs variantes et la tripartition est ici parfois explicitée, sous des termes d'ailleurs différents.

En fait, le schéma de la triplication du *Nous* est le même que celui de la tripartition de la Psyché. Ici comme là, la tripartition résulte d'un dédoublement dû à la volonté « éclectique », spécifiquement néo-platonicienne de faire coexister dans un seul et même Système les notions fondamentales des Systèmes de Platon et d'Aristote : le « moyen terme » éclectique (en fait contradictoire) étant censé « médiatiser » les deux « extrêmes ».

D'une manière générale, la Réalité-objective (ou le *Nous* au sens large) est conçu comme le « moyen terme » des « extrêmes » de l'Être-donné (ou du *Hen-Agathon-Theos*) et l'Existence-empirique (ou le *Cosmos aisthetos*, la Hylé étant conçue comme pur *Non*-être ou Néant). Dans le langage imagé (« mythique ») des Néo-platoniciens, le Nous « reçoit » son contenu positif du *Hen* et le « donne » au Cosmos (en le « projetant » sur le Néant « matériel », qui le « réfléchit » comme un miroir, la « réflexion » du *Hen* sur l' « infini » matériel ou sur la Matière « indéfinie » de la Hylé étant le *Cosmos aisthetos*, « quantifié » par une « participation » aux « Nombres idéels » constituant le *Cosmos noetos*, c'est-à-dire, la « projection » du *Hen* sur la « Dyade indéfinie » ou l' « infini immatériel »). Or, le *Hen* étant parménido-platonicien, le *Nous* « reçoit » de lui des Idées platoniciennes; et le *Cosmos aisthetos* étant héraclito-aristotélicien (stoïcien), il lui « donne » des Formes aristotéliciennes. « Entre » le *Nous* qui « reçoit » (les Idées) d'un autre que lui et le *Nous* qui « donne » (les Formes) à d'*autres* que lui, se situe le *Nous* « lui-même », qui « possède », sinon *par*, du moins *en* et *pour lui-même* tout ce qu'il « reçoit » (ou « avait reçu ») et « donne (ou « donnera », au sens chrono-logique, mais compte tenu du caractère « éternel » de ce « processus », voire de la « circularité » du Temps en tant que tel). Or, si le *Nous* qui « reçoit » les Idées est essentiellement platonicien, tandis que le Nous qui « donne » les Formes est essentiellement aristotélo-stoïcien, le *Nous* qui « possède » est spécifiquement néo-platonicien, étant censé « être à la fois » ET platonicien ET aristotélicien en ce sens qu'il n'est NI aristotélicien *seulement*, NI *seulement* platonicien.

Mais, si le schéma de la tripartition est en fait toujours le même, les termes qui désignent les deux « extrêmes » et leur « moyen terme » varient chez Plotin en fonction du flottement des définitions qu'il en donne.

Sans nul doute, Plotin n'a inauguré ni le dédoublement du *Nous* ni sa tripartition. Des Éclectiques « néo-platoniciens » inconnus l'ont fait avant lui (mais probablement à la même époque). Plotin essaie de s'opposer à ces innovations, en y voyant à juste titre le danger d'une multiplication « indéfinie » des « principes » et en se refusant par avance à leur foisonnement, qui fera la joie d'un Proclus. Car, pour Plotin comme pour Platon, *un* et *deux* font non seulement *trois* mais encore *indéfiniment plusieurs*.

« Il ne faut pas non plus admettre [comme le font certains] *plusieurs Nous*, dont l'un *pense* et l'autre *pense qu'il pense* [l'un étant seulement " conscient " et l'autre " conscient *de soi* "]... Si, outre ce second *Nous* qui pense que le premier pense, l'on introduisait un *troisième Nous* [en poursuivant le même raisonnement] qui affirmerait penser que le second pense que le premier pense, l'absurdité serait encore plus manifeste : pourquoi alors ne pas aller à l'infini? » (II, 9, 1, *in fine*). « Or, cette multitude même fait ressembler la Nature intelligible à la Nature sensible et inférieure : dans l'Intelligible [c'est-à-dire dans la Réalité-objective " idéelle " qu'est le *Cosmos noetos* platonicien], il faut viser à admettre le plus petit nombre d'êtres possibles » (II, 9, 6, milieu).

Malheureusement, pour Plotin lui-même et en raison même de son éclectisme ou « néo-platonisme », « le plus petit nombre possible est non pas un, mais deux; et donc au moins trois, mais, en fait, indéfiniment plus ».

Sans doute : « Si le Principe de toutes choses [c'est-à-dire le *Hen-Agathon-Theos*] est tel qu'il a été décrit [par Plotin à la suite de Platon], il ne peut y avoir une nature plus *simple* que lui [vu qu'il est absolument *un*]. On ne dira [donc] pas qu'il y a ce Principe *en puissance* et ce Principe *en acte*... Mais cette division [en puissance et acte] ne se trouve pas non plus dans la réalité [immédiatement] postérieure à l'Un [c'est-à-dire dans le *Cosmos noetos* platonicien] : et l'on ne doit pas imaginer qu'il y a un *Nous en repos* [dont le mouvement ne serait qu'en puissance] et un *Nous en mouvement* [actualisé]. Le *Nous* est *toujours* comme il est, son acte [éternel] est *stable* et *identique* [tout comme l'est l'Éternité située hors du Temps]. Il appartient à la [seule] Psyché de se *mouvoir* [en passant ainsi de la puissance à l'acte [vers lui et autour de lui] de la façon dont le Cosmos aristotélicien tourne autour ou, plus exactement, à l'intérieur du Nous, en fonction du " désir " qu'il a de s'identifier à lui] » (II, 9, 1, milieu).

Néanmoins, le passage cité continue comme suit : « Quant au *Logos* qui *vient du* Nous *dans* la Psyché, il *donne* le Nous *à* la Psyché [elle-même] et non point à une nature *intermédiaire* entre le Nous et la Psyché » *(ibid.).*

S'il n'y a pas de « moyen terme » entre le *Nous* et la Psyché, c'est que le *Logos* fait partie du *Nous* (au sens large) : celui-ci se *dédouble* donc en *Nous* au sens étroit [qui « reçoit » les Idées platoniciennes du *Hen* parménidien] et en *Logos* [qui « donne » à la Psyché héraclito-stoïcienne les Formes aristotéliciennes]; et ces deux « extrêmes » appellent un « moyen terme ».

Plotin a donc tort de critiquer les Néo-platoniciens [« gnostiques »] qui ont explicité la tripartition du Nous (au sens large). « Ils n'ont pas compris le texte [du *Timée;* 39, e] : ils y ont vu un *Nous en repos*, qui *contient* en lui tous les êtres [idéels], un autre *Nous* qui les *contemple*, un autre enfin qui *réfléchit* (souvent d'ailleurs ils remplacent le *Nous* qui *réfléchit* par la Psyché *démiurgique*); ils pensent que Platon, par ce Nous qui *réfléchit* désigne le Démiurge » (II, 9, 6, milieu).

Or, chez Plotin lui aussi, c'est non pas le *Nous*, mais la Psyché (en tant que *Physis* ou *Logos*) qui joue le rôle de Démiurge du *Timée*. Mais son *Logos* du texte précité est bel et bien le « *Nous-qui-réfléchit* » des « Gnostiques » qu'il prétend « réfuter » : c'est le *Nous* qui « donne ». Quant au « *Nous-qui-contient* » c'est le *Nous* qui « reçoit » ou, si l'on veut, qui « a reçu ». Et le « *Nous-qui-contemple* » est le *Nous* qui « possède », voire le *Nous* « lui-même », qui ne « reçoit » plus rien et qui ne « donne » encore rien, mais a tout par lui-même en soi-même [21].

Bien entendu, le *Logos* « qui *donne* le *Nous* à la Psyché » n'est pas le *Logos* « cosmique » dont Plotin parle ailleurs (III, 3, 3, milieu) et dont il dit : « Le *Logos* cosmique *suit* de la Psyché cosmique et cette Psyché *suit* du *Nous*. » Ce « *Logos* cosmique » est donc « postérieur » à la Psyché, tandis que l'autre *Logos* lui est « antérieur »; et n'étant pas « intermédiaire » entre la Psyché et le *Nous*, il est donc partie intégrante de ce dernier, pris au sens large. Celui-ci comporte par conséquent au moins *deux* éléments-constitutifs : le *Nous* au sens étroit et le *Logos*. Et c'est certainement ce *Logos* que Plotin a en vue lorsqu'il dit : « Il faut donc que le *Nous* contienne l'*archétype* du *Cosmos* [*aisthetos*] et qu'il soit [par conséquent lui-même] un *Cosmos noetos*, celui que Platon dans le *Timée* appelle l'Animal en soi [et qui est en fait la *Physis* ou le *Logos sper-matikos* eudoxo-aristotélo-stoïcien] » (V, 9, 9).

Parfois Plotin parle d'un autre *Logos* encore : « Ce *Logos* donc, ce n'est point le *Nous pur* ou *Nous en soi;* il n'est pas non plus la Psyché *pure,* mais il en *dépend;* il est comme un rayon lumineux *issu à la fois* du *Nous et* de la Psyché; le *Nous* est la Psyché *qui se conforme* au *Nous* engendrant ce *Logos,* qui est une *Vie* possédant un *Logos* secret;... l'acte du *Logos* a le pouvoir *d'informer* les choses conformément à la vie qui est *en lui* » (III, 2, 16, milieu). Mais ce *Logos postérieur* à la Psyché ne peut pas la rendre *conforme au Nous :* c'est le *Nous* qui lui est *antérieur* qui doit la rendre telle. Or, ce *Nous* qui « informe » la Psyché n'est rien d'autre que le *Logos* dont il a été question plus haut et qui fait partie du Nous au sens large. « Le *Nous* [au sens large] en *donnant* à la Matière quelque chose de lui-même fait tout sans agitation ni mouvement : ce qu'il donne, c'est le *Logos* qui *procède* du *Nous* [au sens étroit]; du *Nous* [au sens étroit] *émane* le *Logos* et il en émane à chaque instant, aussi longtemps que le *Nous* est *présent dans* les êtres [sensibles, c'est-à-dire dans la mesure où le *Nous* en tant qu'ensemble d'Idées platoniciennes ou comme *Cosmos noetos* au sens de Platon est aussi un ensemble de Formes aristotéliciennes en tant que *Logos* stoïcien ou ensemble des *Logoi spermatikoi*] » (III, 2, 2, milieu).

Le *Logos* fait donc partie du *Nous* au sens large, mais il est le *Nous* (au sens étroit) qui « donne » à la Psyché [et par son truchement au *Cosmos aisthetos*], en « se donnant » à elle. « Poros [du *Banquet*] est le *Logos* venu des êtres intelligibles et intelligents [c'est-à-dire des Idées platoniciennes], quand il *s'épanche* [en se temporalisant] et en quelque sorte *se déploie* [en se spatialisant]; alors le *Logos s'approche* de la Psyché et *vient* en elle. Car, tant que le *Logos* est *dans* le *Nous* [au sens large], il reste *enroulé sur lui-même* [ni spatial ni temporel] et ne laisse entrer en lui rien d'étranger [c'est-à-dire de « matériel », voire de « négatif »] » (III, 5, 9, début).

Il faut distinguer entre un *Logos* [objectivement-réel] qui fait partie du *Nous* (au sens large) et un « *Logos* cosmique » [qui existe-empiriquement], d'ailleurs lui-même double ou triple. « Il y a un *Logos* qui *se manifeste* [en tant que Phéno-mène] dans les Formes visibles des êtres [qui existent-empiri-quement]; *Logos* de *dernier* rang, inerte, et désormais incapable de produire un autre *Logos;* et, au-dessus, un *Logos parent* de celui qui a produit la Forme [c'est-à-dire du Démiurge ou du *Nous* en tant que *Logos* objectivement-réel, qui informe le Cosmos par le truchement de la Psyché]; il a *la même* puissance

que celui-ci et il *produit* la Forme [ou l'Essence] dans l'être
engendré [qui existe-empiriquement en tant que Phénomène] »
(III, 8, 2, *in fine*). « Pour *toute* espèce de *Logos*, il y a donc un
Logos de dernier rang [qui est le *Logos spermatikos* des Stoï-
ciens], *issu* de la Contemplation (il est contemplation en ce
sens qu'il est *objet* de contemplation[et non *sujet*contemplant]);
et il y a un *Logos supérieur* qui se *divise* en *Logos qui change
selon les êtres* et qui est *analogue* non pas à la *Physis* mais à
la Psyché [en tant que Nous pathétikos d'Aristote] et en *Logos*
qui est dans la *Physis* et qui *est* la *Physis* elle-même [en tant
qu'Entéléchie aristotélicienne] » (III, 8, 3, milieu).

On a donc le schéma suivant :

Nous (et Logos) ⌣ *Logos cosmique* («*Logos* supérieur»dédoublé en) :

Psyché ⌣ « *Logos* qui change » « *Logos* qui est *Physis* »
selon les êtres

(*Sens* de dis-   *Logoi spermatikoi* («*Logos* de dernier rang »)
cours humain)   (ESSENCE des Objets naturels)

(« *Logos* qui change selon les êtres » = ensemble des Ames
humaines discursives, voire le Nous pathétique d'Aristote;
Logos qui est *Physis* = ensemble des Ames animales, voire
l'Entéléchie aristotélicienne; *Logos* du dernier rang = ensemble
des Ames végétatives, voire des *Logoi spermatikoi* stoïciens.)
Quelles que soient les subdivisions du « *Logos* cosmique »
et ses relations avec la Psyché (cf. IV, 2, 1, milieu et IV, 3,
5, *in fine*), il est clair qu'il est seulement *parent* du *Logos* qui
fait partie du Nous et non *identique* à lui. Et il est tout aussi
clair que le « *Logos* démiurgique » fait seulement *partie* du
Nous (au sens large), sans l'être *tout entier*. Or, du moment
que le *Nous* est dé-*doublé*, il doit être au moins *triple*.
« Le *Nous possède* les êtres [objectivement-réels]; la Psyché
cosmique les *reçoit* éternellement [du *Nous*];... la *Physis* est
le *reflet* de cette Psyché sur la Matière : à la *Physis*, et même
avant elle [?!] finissent les êtres [objectivement-]réels et nous
sommes parvenus au degré le plus bas de la réalité[-objective]
intelligible [ou « idéelle »]; à partir de là, il n'y a plus que des
images [platoniciennes] des essences [c'est-à-dire les Idées].
La *Physis agit* sur la Matière et elle est *passive* à l'égard de
la Psyché; la Psyché qui est *avant* elle et *voisine* d'elle agit sans
pâtir; mais la Psyché [lointaine] *qui est en haut* n'agit plus
sur les corps et sur la Matière » (IV, 4, 13, *in fine*). Or, « la

Psyché *qui demeure* [*en haut*] est le *Logos* un *du Nous* et c'est de *cette* Psyché [= *Logos*] que sont issus les *Logoi* [*spermatikoi*] particuliers » (IV, 3, 5, *in fine*). Mais si la « Psyché cosmique » *reçoit* les Idées (ou les Formes), c'est qu'on les lui *donne*. Et qui les lui donnerait, sinon la « Psyché qui est en haut », c'est-à-dire le *Nous* en tant que *Logos*. Mais le *Nous possède* des Idées : il les *possède* donc en tant que *Nous* au sens étroit et il les *donne* en tant que *Logos*. Seulement, le *Nous* (au sens large) ne *possède* les Idées et ne *donne* les Formes que parce qu'il les a reçues (du *Hen*). Il faut donc intercaler le *Nous-qui-possède* entre le *Nous-qui-donne* (ou *Logos*) et le *Nous-qui-reçoit*. [Psyché cosmique = Psyché-qui-reçoit; *Physis* = Psyché-qui-donne; le « moyen terme », qui devrait être la Psyché-qui-possède, n'est pas explicité dans ce passage.]

En règle générale, lorsque Plotin explicite la tripartition du Nous au sens large, il appelle « *Nous* » au sens étroit le *Nous-qui-possède*, en appelant « Être » (ou « Essence » : *Ousia*) le *Nous-qui-reçoit*, le *Nous-qui-donne* étant souvent identifié avec la Psyché (ou l'une des Psychés, à savoir avec la « Psyché-qui-demeure »), mais parfois appelée *Logos*. Il y a d'ailleurs dans le *Nous*, un autre *Logos;* il est dans le Nous parce qu'il est lui-même pensée (Nous) »); cf. par exemple, II, 7, 3, *in fine*). Mais la terminologie variable et la tripartition reste « flottante » même dans les (rares) cas où elle est explicitée. Pour faire voir ce flottement, je me contenterai de citer quelques textes, sans les « interpréter » au sens propre du mot.

Lorsque Plotin explicite la tripartition du *Nous*, il introduit parfois le terme *Zoé*, pour désigner le *Nous-qui-donne*, le *Nous* (au sens étroit) désignant alors le *Nous-qui-possède* et le *Nous-qui-reçoit* étant appelé *Ousia* (Essence ou Être) [22]. C'est ce qu'il fait, par exemple, dans le passage suivant :

« On admire le *Cosmos aisthetos*...; mais que l'on remonte à son Modèle [idéel] et à sa réalité [-objective] véritable, que l'on voit là-bas tous les Intelligibles qui ont eu ce Modèle [qui est le Nous au sens large ou le *Cosmos noetos*], [première-ment] l'Éternité [ou, plus exactement, l'Être-*éternel*], [deuxiè-mement] la Connaissance interne d'eux-mêmes et [troisième-ment] la Vie : que l'on voie [premièrement] le pur Nous [au sens étroit d'Essence ou d'Être-éternel] *(Ousia)* qui est leur chef [en tant que « premier » *Nous* ou *Nous-qui-reçoit* (immé-diatement de l'Un)] et [deuxièmement] la prodigieuse Sagesse [*Sophia* ou *Nous* au sens étroit de Connaissance-de-soi ou de *Nous-qui-possède*] et, [troisièmement] la Vie, la véritable vie sous le règne de Cronos, du Dieu qui est satiété *(coros)* et *Nous*; car il contient en lui tous les Êtres immortels [c'est-à-dire éternels], tout Nous, tout *Theos*, toute psyché, dans une immobilité éternelle [ou en tant que réalités-objectives idéelles au sens de Platon, c'est-à-dire transcendantes ou « séparées » du *Cosmos aisthetos* »] (V, 1, 4, début).

Regardons maintenant de plus près ces trois éléments-constitutifs du *Nous* au sens large, c'est-à-dire de la Réalité-objective plotinienne.

Le *premier* de ces éléments-constitutifs est le *Nous-qui-reçoit.* C'est l'Être-donné (qui est, en tant que tel, l'Un *doublement* transcendant ou le *Theos* proprement dit, « absolument » *unique* et « exclusivement » *un*) pris en tant qu'objectivement-réel. Ou, si l'on préfère, c'est la Réalité-objective (*simplement* transcendante, c'est-à-dire « idéelle » ou « divine ») comprise en tant que « recevant » l'*unité* de son Essence (ou Être-idéel, « vrai » ou « véritable ») multiple « directement » ou « immédiatement » de l'Un, tandis que sa multiplicité lui vient de la « Dyade indéfinie » (qui est le *Non*-un, voire le *Non*-être ou le Néant pur). C'est dire que le « premier » *Nous* au sens étroit, que Plotin appelle parfois *Ousia* (Essence objectivement-réelle ou Être idéel, voire l'Être-éternel ou l'ensemble de tout ce qui *est* « vraiment » ou « véritablement », c'est-à-dire d'une façon objectivement-réelle, précisément parce que ce Tout est *éternellement* ce qu'il est), n'est rien d'autre que l'Idée uni-totale de Platon, appelée par les Platoniciens *Cosmos noetos.* C'est le « Modèle » qui « se reflète » dans la « Matière » (ou dans le Néant « matériel », voire « matérialisé » dans et pour cette « réflexion » même de l'Être-donné), tout en restant « séparé » de son propre « reflet » ou de l'«image» qui le révèle à l'Homme en tant que Phénomène. Et rien ne nous dit (chez Plotin comme chez Platon) que cette Réalité-objective (simplement) transcendante ou « idéelle » (voire « divine ») *se révèle* à elle-même (ou au *Theos*) en tant qu'« intuition intellectuelle » (Nous; *noesis*) ni, encore moins, comme « pensée discursive » *(dinasia)* ou Discours *(Logos).* Prise en elle-même (ou comme *distinguée* de l'Un, en tant que *multiple*) cette Réalité-objective (simplement transcendante) n'est ni Nous ni *Logos,* mais *Arithmos* ou ensemble (uni-total) de Nombres idéaux (ordinaux).

Aussi bien est-ce dans des termes authentiquement platoniciens que Plotin décrit le *Nous* au sens étroit d'*Ousia*, c'est-à-dire le premier élément-constitutif du *Nous* au sens large. Mais, tout en parlant de l'*Ousia* purement platonicienne, il parle en même temps du *Nous* au sens étroit et propre, qui est, en fait, un sens aristotélicien.

« Le *Nous* [au sens d'*Ousia*] *est* toute chose : il a *en lui* toutes les choses qui restent *immobiles* et à la même place [et qui sont, de ce fait, *éternelles*, en se situant *en dehors* du Temps (qui est la mesure *du Mouvement*) et, si l'on veut, de l'Espace]; il *est seulement* et ce mot *il est* lui convient *toujours* [la Réalité-objective *éternelle* étant *identique* dans son Présent à ce qu'elle a été dans son Passé et sera dans son Avenir] : à nul moment [de sa présence *éternelle*] il n'est *à venir*, car, même à ce moment, il *est* [d'une manière réellement-objective] il *est;* jamais non plus il n'est *dans le passé*, car en cette région [de la Réalité-objective *éternelle*] rien ne *passe*, tous les êtres y sont éternellement *présent :* ils restent *identiques*, parce qu'ils *s'aiment* eux-mêmes dans cet état [ce qui vaut plutôt pour le *Nous-Agathon-Theos* d'Aristote, voire pour le *Hen-Agathon-Theos* de Platon, que pour l'Idée platonicienne]. Chacun d'eux est un *Nous et une Ousia* (Être idéel ou Essence) : leur ensemble est *tout le Nous et toute l'Ousia*, le *Nous* faisant subsister l'*Ousia* en la pensant [ce qui n'est pas platonicien, mais néo-platonicien, d'origine aristotélicienne] et l'*Ousia*, comme objet de pensée [ce qui n'est pas originairement l'Idée de Platon] *donnant* au *Nous* la pensée [*de* quelque chose] et l'existence [objectivement-réelle] en tant qu'Idée » (V, 1, 4, milieu). Il faut dire, cependant, que ce dernier membre de phrase n'est pas correct même du point de vue de Plotin et des Néo-platoniciens en général, car le *Nous* néo-platonicien n'est pas *causa sui*, étant causé *par l'Un*, même en tant qu'*Ousia* ou Idée platonicienne. Et c'est ce que Plotin dit lui-même dans la phrase qui suit : « Mais la Pensée [du *Nous* au sens large, qui est le « second » *Nous* au sens étroit aristotélicien, voire pseudo-aristotélicien ou néo-platonicien, et non l'*Ousia* ou « premier *Nous* au sens étroit, authentiquement platonicien] a une *cause différente* d'elle-même [la notion de *cause* étant aristotélo-stoïcienne et non platonicienne, tandis que la notion d'une cause de la Pensée du *Nous* (ou du *Nous* en tant que Pensée) qui serait différent du *Nous* lui-même est non pas aristotélicienne, mais spécifiquement néo-platonicienne, d'origine platonicienne] qui est *aussi* la cause de l'*Ousia;* l'une et l'autre *à la fois* ont une cause [aristotélicienne] *différente* d'eux-mêmes [à savoir l'Un. Il faut dire cependant, pour éviter une contradiction avec la fin du passage précité, que l'Un est la cause *immédiate* de la seule *Ousia*, qui est à son tour la cause immédiate de la Pensée : autrement dit, l'Un (parménido-platonicien) est la cause (aristotélicienne) de la Pensée, c'est-à-dire du « second » *Nous* (néo-platonicien d'origine aristotélicienne) non pas d'une façon immédiate, mais par la médiation de l'*Ousia*, c'est-à-dire du « premier » *Nous* (platonicien) : en d'autres termes, c'est l'*unification* de la pluralité des *Essences* par l'Un (parménido-platonicien) qui *révèle* le *Cosmos noetos* (platonicien) à lui-même en tant que *Pensée* (néo-platonicienne d'origine aristotélicienne ou comme Pensée *qui se pense elle-même*)]. Car ils [la Pensée et l'Essence] existent ensemble et ne se quittent pas l'un l'autre; mais à eux *deux* [c'est-à-dire en tant que *Dyas* et donc *Pluralité*, dé-finie par l'*Unité* qui vient de l'Un] ils forment cette chose *unique*, [voire uni-totale qu'est le Nous au sens large] qui est *à la fois* [le " second "] Nous [au sens étroit] et *Ousia* [ou le " premier *Nous* " au sens étroit], pensée *et chose pensée* [ou Idée platonicienne en tant que pensée par le *Nous* néo-platonicien d'origine aristotélicienne], *Nous*, parce qu'elle pense [comme le *Nous-Agathon-Theos* d'Aristote], *Ousia* parce qu'elle est pensée [bien qu'elle ne soit pensée que parce qu'elle est *Ousia*, comme Plotin l'a dit à la fin du premier passage cité]. Car il ne peut y avoir Pensée sans Altérité et Identité. Les termes primitifs sont donc : le *Nous* [au sens large], l'*Ousia* [ou " premier " *Nous* au sens étroit], l'Altérité et l'Identité [qui caractérisent le " second " Nous au sens étroit, ainsi que le couple du contraire Mouvement-Repos] car il faut y ajouter le Mouvement et le Repos; le Mouvement, puisqu'il y a *Pensée* et le *Repos afin que la Pensée* reste la même [c'est-à-dire " éternelle " au sens de " vraie " ou " véritable "]; il faut l'Altérité [ou la Dyade indéfinie platonicienne] *pour qu'il* y ait une chose *pensante* distincte de l'objet *pensé;* supprimez l'Altérité, c'est l'unité *indistincte* et le *Silence* [de l'Un ineffable; ce qui ne veut pourtant pas dire que le " second " *Nous* est, pour Plotin, Discours ou Logos au sens propre, celui-ci n'étant tout au plus que le " troisième " Nous]; il faut aussi l'Altérité pour que les choses *pensées* se distinguent entre elles; et l'Identité puisqu'elles [c'est-à-dire les choses *pensées*] sont une unité par soi [tout en n'étant chacune et toutes, *une* que par l'Un] et qu'il y a en toutes quelque chose de *commun;* leur différence *spécifique* [aristotélicienne] est l'Altérité [platonicienne ou la Dyade indéfinie] » *(ibid.).*

En bref, c'est dans la Pensée, c'est-à-dire dans le « second » *Nous* au sens étroit (d'origine aristotélicienne) que Plotin situe les cinq soi-disant « catégories » dont Platon parle (ironiquement) dans le *Parménide* (145,e-147,e) et dans le *Sophiste* (254, d-e) et qui semblent avoir été établies dans l'École de Mégare (et probablement adoptées par Eudoxe). Or, après avoir introduit ces « catégories » pseudo-platoniciennes, Plotin parle des catégories aristotéliciennes (qu'il a d'ailleurs remaniées dans un écrit spécial; VI, 1-3) « *De* cette *multiplicité* de termes [immanente au " second " *Nous*, mais provenant du " premier "], *naissent* [en tant que " troisième " *Nous*] le Nombre

[" idéel " ou " ordinal " platonicien] et la Quantité (aristotélicienne, mesurée par les Nombres " arithmétiques " ou " cardinaux "); et le caractère propre [aristotélicien] de chacun des
êtres [objectivement-réels] est la Qualité [aristotélicienne]. *De
ces* termes [c'est-à-dire des Catégories aristotéliciennes], pris
comme Principes [aristotéliciens] *viennent* les autres choses [qui
constituent dans leur ensemble (uni-total) le *Cosmos aisthetos*
aristotélo-stoïcien]. Tel est ce *Dieu multiple* » (V, 1, 4, *in fine*
et V, 1, 5, début). Or, qu'est en fait ce « troisième dieu »? Par
malheur, la suite du passage en question est confuse, voire
corrompue. Elle se lit comme suit : « Il [le Dieu multiple] existe
en la Psyché qui est *attachée par son être* à ces régions, à condition qu'elle *veuille* ne pas les quitter [sans que Plotin (et Platon) dise pourquoi elle pourrait ne pas le vouloir). Proche du
Nous et ne faisant *pour ainsi dire qu'un* avec lui, elle ques-
tionne [le *Nous*; ou elle-même?] : quel est le terme *simple,
antérieur* à lui, la *cause* de son être [qui provient de l'Un] et de
sa multiplicité [qui provient de la Dyade] qui *produit* le Nombre?
Car le Nombre n'est pas primitif : l'Unité vient *avant* la Dyade
[indéfinie]; la Dyade [indéfinie], *née de* l'Unité, est *limitée* par
elle, et d'elle-même elle est *il*limitée; c'est lorsqu'elle est limitée [par l'Un] que *naît* le Nombre : le Nombre, c'est-à-dire
l'*Ousia* [l'Essence ou Être-idéel, voire l'Idée objectivement-
réelle platonicienne]; mais la Psyché elle aussi est Nombre...
Ce que l'on appelle Nombre et Dyade indéfinie dans le *Cosmos
noetos*, ce sont des *Logoi* [*spermatikoi* multiples] et un Nous
[unique]; il y a *d'abord*, [c'est-à-dire *avant le Nous* en tant que
multiplicités d'Essences ou d'Idées, mais *après* l'Un] la Dyade
indéfinie, qui est reçue par ce qui est comme le substrat [l'*hypokeimenon* aristotélo-stoïcien] des Intelligibles [ou des Idées platoniciennes comprises en tant que Formes aristotéliciennes,
immanentes à la Matière intelligible qu'est la Dyade indéfinie];
puis le Nombre qui naît de cette Dyade *et* de l'Un; le Nombre
[idéel platonicien] EST Forme [aristotélicienne]; toute chose
est informée par les Formes [aristotélo-stoïciennes] qui sont
NÉES DANS le Nombre [platonicien]; si donc, en un sens, elle
reçoit la Forme [aristotélo-stoïcienne] de l'Un [parménido-
platonicien], en un autre sens, elle le reçoit du Nombre [plato-
nicien]. [Le *Nous*] est comme une *vision en acte* [conformément
à Aristote]; car la Pensée intellectuelle est une *vision* qui
s'exerce; cette *unité* [du *Cosmos noetos* platonicien] comprend
donc *deux* choses [dans la mesure où il est le *Nous* aristotélicien : à savoir Ce-qui-voit et Ce-qui-est-un, même si le *Nous*
ne contemple que soi-même] » (V, 1, 5). Qu'est donc le « Dieu
multiple »? Sans nul doute, il n'est pas le *Cosmos aisthetos*

(bien que Plotin prenne au sérieux et à la lettre la tirade ironique qui achève le *Timée*, où ce Cosmos est appelé « Dieu
visible »). Par contre, il n'est pas impossible d'identifier le
« Dieu multiple » avec le Nous au sens large, par opposition
à la fois à l'Un et à la Psyché. Cependant, Plotin dit que *ce*
« Dieu » « existe *en* la Psyché ». Or, il ne pourrait pas le dire
du *Nous* pris dans son ensemble, vu que l'Idée uni-totale platonicienne qu'est le « premier » *Nous* au sens étroit ou le *Nous*
en tant qu'*Ousia* est (simplement) *transcendant* par rapport à
la Psyché qui est *immanente* au *Cosmos aisthetos* (donnée en
tant que Psyché *incarnée*) et que le « second » *Nous* ou le
Nous au sens propre de « Pensée *intuitive* » (aristotélicienne)
est autre chose que la « Pensée discursive » de la Psyché. Mais
de quelle Psyché s'agit-il dans ce passage? De celle qui *n'a
pas quitté* le *Nous* ou le *Cosmos noetos* au sens large de ces
mots. *Cette* Psyché (transcendante au *Cosmos aisthetos*) est dite
non seulement « *proche* du *Nous* », mais encore « ne faisant
pour ainsi dire *qu'un* avec lui ». Plotin semble reprendre ici à
son compte ce qui a peut-être été le sentiment intime de Platon, à savoir que la Psyché (en tant qu'ensemble uni-total des
Ames humaines, voire chacune de ces Ames) est une Idée et
donc un Nombre idéel (« ordinal »), qui fait partie intégrante
du *Cosmos noetos* (simplement) transcendant par rapport au
Cosmos aisthetos [l'Idée-âme *s'incarnant* (pour un temps) dans
celui-ci tandis que les autres idées se *reflètent* seulement en ce
Monde ou, plus exactement, dans la Matière, en constituant le
Monde phénoménal par cette « réflexion »].

C'est ce que Plotin dit explicitement ailleurs : « Il ne faut
pas croire que tout ici-bas est *image* [platonicienne ou " reflet "
de l'Idée objectivement-réelle dans la Matière " néantissante "]
d'un Modèle [qu'est l'Idée ou le Monde idéel], ni que l'Ame
[humaine incarnée] est *image* d'une Psyché en soi [ou " reflet "
dans la Matière de l'Idée-âme ou de l'Ame-idéelle]; une Ame
diffère de l'autre en dignité [tout comme chaque Idée, qui est
un Nombre idéel " ordinal " diffère de toutes les autres par
son " ordre de perfection " qui mesure son " éloignement " de
l'Un], et elle est, *même ici-bas* [c'est-à-dire en tant qu'*incarnée*]
une Ame *en soi* [c'est-à-dire une Idée objectivement-réelle],
mais non peut-être au même sens que lorsqu'elle est là-bas
[où chaque Idée est " atomique ", c'est-à-dire une et *unique*
en son genre, tandis qu'il y a *plusieurs* " espèces " du " genre "
Ame incarnée et *plusieurs* " exemplaires " de la même espèce].
Chaque âme *véritable* [discursive (?), c'est-à-dire non animale]
possède la Justice et la Tempérance [qui sont des Idées objec-
tivement-réelles]; même dans *nos* âmes [humaines], il y a une

Science *(epistêmê)* [discursive (?)] *véritable* [c'est-à-dire éternelle partout et toujours identique à elle-même], faite non pas
[comme l'Opinion *(doxa)* même " juste "] des *images* et des
reflets des Idées dans le Lieu sensible [c'est-à-dire dans le
Néant qu'est la Matière en tant que Durée-étendue], mais des
mêmes choses [idéelles, objectivement-réelles et éternelles] qui
sont là-bas et qui sont ici d'une *autre* manière que là-bas [à
savoir non plus en tant qu' " atomiques ", mais comme divi-
sées et multipliées]. Car les Idées [utopiques] ne sont pas
localement séparées de nous; donc, dès que l'Ame s'est *dégagée*
du Corps, elle est là-bas comme [le sont toutes] les [autres]
Idées : le *Cosmos aisthetos* est en un *seul* endroit, mais le *Cosmos
noetos* est *partout* [ou *nulle part*]; donc, tout ce que l'Ame
ainsi disposée [c'est-à-dire en tant que non dé-formée par son
incarnation et contemplant non pas le reflet de l'Idée objective-
réelle dans et par la Matière néantissante, mais cette Idée
elle-même] *perçoit* ici-bas [en tant qu'Existence-empirique
phénoménale] *est* là-bas [en tant que Réalité-objective idéelle].
Par conséquent, si l'on comprend par Choses sensibles [qui
existent-empiriquement] les choses *visibles* [ou phénoménales],
il y a là-bas non seulement des êtres [objectivement-réels
idéels] correspondant [en tant que Modèles des Images] à ceux
du *Cosmos aisthetos* [bien que tout Phénomène, ni tout dans un
Phénomène ne " reflète " une Idée], mais bien d'autres [que
la Matière ne " reflète " pas et qui ne font donc pas partie
du *Cosmos aisthetos*]; mais, si l'on y comprend aussi l'Ame et
ce qui est *dans* l'Ame [sans être dans le *Cosmos aisthetos*] il y
a ici *tout* ce qu'il y a là-bas [sans qu'il y ait là-bas tout ce
qu'il y a ici » (cf. V, 9, 14)] (V, 9, 13). Ainsi, la Psyché même
incarnée (mais non *en tant qu'*incarnée) est un élément-constitutif
du *Cosmos noetos* ou du Nous aux sens larges de ces termes.
Mais cette Psyché (simplement) *transcendante* est distincte de
l'Ame-du-Monde *immanente* au *Cosmos aisthetos* (et donc des
Ames quelles qu'elles soient, *en tant qu'*incarnées). Et la Psyché
objectivement-réelle, « idéelle » ou « noétique », n'est pas *tout*
le Nous au sens large. Elle n'est pas le « premier » Nous au
sens étroit qu'est l'*Ousia* (ou Idée platonicienne au sens propre)
ou le Nous-qui-*reçoit*, en « recevant » d'une façon *immédiate*
l'unité objectivement-réelle de sa multiplicité (provenant de la
Dyade indéfinie) de l'Être-donné qui est l'Un. Elle n'est pas
non plus le « second » *Nous* au sens étroit, voire le *Nous* (pseudo-
aristotélicien) au sens propre, ou le *Nous-qui-possède*, en prenant possession de sa Multiplicité objectivement-réelle en tant
que Pensée « intuitive unique et une » (son *unité*, provenant de
l'Un, étant *médiatisée* par la *totalité* venant *immédiatement* de

l'*Ousia*). Elle n'est que le « troisième » *Nous* au sens étroit ou le *Nous-qui-donne*, en *donnant* au *Cosmos aisthetos* (par l'intermédiaire de l'Ame du Monde qui s'y est incarnée et y est immanente) les Formes (aristotélo-stoïciennes, appelées parfois Nombres pseudo-platoniciens, parfois Catégories aristotéliciennes et parfois *Logoi spermatikoi* stoïciens) qu'elle a *reçues* en tant que Pensées (pseudo-aristotéliciennes) du « second » *Nous* qui les *reçoit* du « premier » en tant qu'Essences (ou Idées platoniciennes) prenant de l'Un par l'intermédiaire de la Dyade indéfinie. Et c'est ce « troisième » Nous au sens étroit ou Nous-qui-*donne* que Plotin appelle tantôt *Psyché* (comme dans le passage précité), tantôt *Logos* (cf., par exemple, II, 7, 3, *in fine*), mais parfois aussi *Zoé*, comme dans le passage cité au début du présent développement ou dans le passage suivant : « Pour la Psyché [au sens large], il faut dire qu'il y a *antérieurement* à la Psyché cosmique [qui existe-empiriquement en tant qu'incarnée ou immanente au *Cosmos aisthetos*], une Psyché *en soi* [objectivement-réelle et éternelle au sens d'idéelle] qui est *ou bien* [?!] la Vie en général, *ou bien* [?!] cette Vie qui est dans le *Nous* [en tant que son troisième et dernier élément-constitutif] *avant* que la Psyché [cosmique proprement dite] ne soit *née* [dans le Temps en tant que Durée-étendue] et *afin* qu'elle naisse [cette Vie " néotique " étant ainsi la *cause* (aristotélicienne) formelle, efficiente et finale, de la Psyché cosmique qui informe la Matière néantissante, en la trans-formant en *Cosmos aisthetos* (aristotélo-stoïcien) qui existe-empiriquement en tant que Phénomène (qui dure et qui s'étend)] » (V, 9, 14, *in fine*).

Mais avant de parler de la Zoé qui est le troisième Nous, résumons ce que Plotin dit du *premier*.

L'Être-donné (*doublement* transcendant ou « divin » au sens propre et fort) est « exclusivement » *un* : c'est le *Hen-Agathon-Theos* (silencieux et ineffable). On ne peut *parler* de l'Être qu'en parlant aussi du *Non*-être. Or si l'Être (dont-on-parle ou l'Être-donné) est *un*, le *Non*-être n'est pas *un*, étant ainsi (indéfiniment ou « infiniment ») multiple et donc aussi (et « d'abord ») *deux* : c'est la Dyade indéfinie *(aoristos Dyas)*. En tant que *Non*-être, la Dyade indéfinie est Néant pur (silencieux et ineffable lui aussi dans son *isolement* de l'Être). Étant co-ordonnée (dans l'Être-donné) à l'Être-un en tant que Néant-multiple, la Dyade indéfinie est « Matière ». C'est en limitant ou dé-finissant la Matière infinie ou in-définie que l'Être-donné se trans-forme en Réalité-objective, multiple au sens d'uni-totale, qu'est le *Cosmos noetos* en tant qu'ensemble des Essences. Ces Essences ou Idées objectivement-réelles sont *immanentes* à la Matière dyadique et de ce fait l'Être-donné ou l'Un leur est *transcendant*. Mais le *Cosmos noetos* (éternel) est lui-même (simplement) *transcendant* par rapport au *Cosmos aisthetos* (qui existe-empiriquement en tant que Durée-étendue phénoménale), qui n'est que le « reflet » de la Réalité-objective idéelle. Il faut donc distinguer entre le Néant dyadique matériel qui est *trans-formé* par l'Un en *Cosmos noetos* et la Matière au sens étroit et propre, qui *reflète* seulement ce Cosmos objectivement-réel en tant que Cosmos phénoménal. D'où, chez Plotin (comme chez Platon), *deux* « Matières » *dyadiques* (l'une devenant, chez Aristote, la Matière éthérée et l'autre la Matière élémentaire, elle-même double). « Les uns [à savoir les Stoïciens] admettant que les Corps [qui existent-empiriquement en tant que Phénomènes de la Durée-étendue] sont les *seules* réalités... attribuent un *corps* à la Matière et la définissent un *Corps* sans qualités [c'est-à-dire sans aucune forme]... Les autres [à savoir les Péripatéticiens] disent qu'elle est incorporelle [du moins en tant qu'Éther]. Quelques-uns [dont Plotin lui-même] disent qu'il y en a *deux* espèces [ce que dit aussi Aristote, en suivant Platon] : l'une qui est le substrat des *Corps* (phénoménaux), l'autre *antérieure* à celle-ci et qui est, dans l'Intelligible, le substrat des Formes [objectivement-réelles] et des Essences incorporelles » (II, 4, 1). « Elle [la Pensée] *divise* [par la *Diairesis* platonicienne] tant qu'elle peut, et elle va jusqu'à la profondeur de l'Être. Cette profondeur, c'est la Matière, et c'est pourquoi la Matière est *ténébreuse* [c'est-à-dire ineffable, en tant que *Non*-pur, qui reste après l'élimination complète (par la *Diairesis*) de l'A à partir du Non-a (cf. II, 4, 10, début)]... Mais ce Principe ténébreux est bien *différent* dans les Choses intelligibles [objectivement-réelles] et dans les Choses sensibles [phénoménales] : la Matière y est d'un genre aussi *différent* que la Forme qui s'ajoute à elles. La Matière divine reçoit [de l'Un] une limite *définie*, et elle possède la Vie (Zoé) bien fixée d'un *Nous*... Dans les Corps, la Forme n'est qu'une image; son sujet [c'est-à-dire la Matière corporelle], aussi est donc une *image* [de la Matière divine]. Là-bas, la Forme est une Réalité[-objective]; son sujet [c'est-à-dire la Matière divine] aussi est donc [objectivement-] réel... » (II, 4, 5, début).

Certes, tout ceci n'est pas clair (et l'identification de la Matière divine avec la Psyché [par exemple, II, 4, 3, début] n'éclaircit pas les choses), mais c'est purement platonicien. [Car les Idées platoniciennes, tout comme les Formes aristotéliciennes, sont *immanentes* en ce sens qu'elles sont *inséparables* de la Matière qu'elles informent et qui les incarne, celle-ci se réduisant à néant en tant que-déformée : sauf que les Idées ne sont immanentes qu'à la **Matière** « intelligible », tandis que les Formes le sont à la Matière « sensible » (éthérée ou élémentaire)]. Le premier *Nous* au sens étroit ou le *Nous-qui-reçoit*, que Plotin appelle parfois *Ousia*, n'est rien d'autre que le *Cosmos noetos* au sens platonicien de ce terme (terme qui ne se trouve d'ailleurs pas encore chez Platon lui-même).

Seulement, sur ce « premier » *Nous*, purement platonicien, vient se greffer, chez Plotin, un « second » *Nous*, d'origine aristotélicienne. C'est que l'Éclectisme néo-platonicien veut conjuguer l'Être-donné parménido-platonicien avec une Existence empirique aristotélo-platonicienne, qui *incarne* les Idées au lieu de les *refléter* seulement. Or, la Réalité-objective platonicienne qu'est le premier *Nous* plotinien ne peut que se *refléter* dans la Matière *corporelle* ou phénoménale et non s'*incarner* en elle. Ce n'est que la Réalité-objective aristotélicienne qui peut le faire. Mais celle-ci sup-pose un Être-donné qui est non pas un *Hen (-Agathon-Theos)*, mais un *Nous (-Agathon-Theos)*, c'est-à-dire un Être qui *pense* (ne serait-ce que soi-même) et qui *meut* (ne serait-ce qu'en restant immobile). Or [se] penser, c'est [se] dé-*doubler* et donc [se] multiplier. Si l'Être divin (le *Theos*) doit être l'Un, le *Nous* qui n'est pas *un* n'est pas l'Être divin *(Theos)* : en tant que dé-doublé ou multiple (même s'il est uni-total), il est la Réalité-objective. Mais cette Réalité-objective aristotélicienne, *motrice* et *pensante*, n'est pas la Réalité-objective « immobile » platonicienne : si cette dernière est le *premier Nous*, celle-là est le second. C'est le *Nous* qui *possède* (en tant que Pensée [intuitive]) les Essences *reçues* (de l'Un par l'intermédiaire de la Dyade) par le premier. Et ce deuxième *Nous* est la Réalité-objective spécifiquement néo-platonicienne. Car si, contrairement à la Réalité-objective purement platonicienne (qu'est le premier *Nous*), cette Réalité-objective *pense* et [se] meut [tout en restant en repos], tout comme le *Nous* aristotélicien, cette Pensée qui meut en se pensant *elle-même* (et en restant ainsi immobile) est non pas Être-donné divin ou *Theos*, comme elle l'est chez Aristote, mais l'Être trans-formé (par la Dyade) en Réalité-objective. Au lieu de supprimer le *Cosmos noetos* platonicien, Plotin le maintient en y introduisant le Nous aristotélicien, en le faisant ainsi passer de la *première* place qu'il occupait chez Aristote, à la *seconde*. Au lieu de se penser lui-même, le *Nous* néo-platonicien pense le *Cosmos noetos* platonicien (le *Hen* ne pensant rien du tout, pas même soi-même, tout comme chez Platon). Et ce sont les Idées platoniciennes (qui constituent le premier *Nous* purement platonicien) *pensées* par le (second) *Nous* (d'origine aristotélicienne) qui sont les Formes (aristotélo-stoïciennes) qui in-forment la

Matière (phénoménale) en s'y incarnant en tant que *Cosmos aisthetos* (stoïcien). Or, en tant que *non*-(encore-) incarnées, ces Formes constituent le (troisième) *Nous* que Plotin appelle parfois Zoé.

La notion de ce *troisième Nous* est elle aussi spécifiquement néo-platonicienne, puisque née du désir éclectique de faire coexister les notions platoniciennes et aristotéliciennes fondamentales dans un seul et même « Système », en fait paraphilosophique. On peut dire, en effet, que ce *Nous* n'est rien d'autre que le *Logos* ou la Psyché des Stoïciens, interprétés dans le sens de la (simple) *transcendance* platonicienne. Ou bien on peut dire que ce *Nous* est le *Cosmos noetos* platonicien destiné non pas à se *refléter* dans la Matière, mais à l'*informer* en s'y *incarnant*. Ainsi, nous venons de voir que Plotin appelle parfois ce troisième *Nous* : *Psyché*. Mais il distingue immédiatement cette Psyché *noétique*, objectivement-réelle au sens d'idéelle ou (simplement) *transcendante* par rapport au *Cosmos aisthetos*, de la Psyché *cosmique,* authentiquement stoïcienne et donc *immanente* à ce Cosmos. Et il procède de même lorsqu'il appelle ce *Nous* : *Logos*. « Si le Corps [phénoménal] est fait (d'après Aristote) de toutes les Qualités [" formelles "] plus la Matière, la Corporéité [qui est une Qualité] est bien une forme [aristotélicienne]. Et si elle est un *Logos* [*spermatikos* stoïcien] qui *produit* le Corps en *s'ajoutant* au reste [c'est-à-dire aux autres Qualités et à la Matière], il est évident que ce Logos a *incluses* en elle, *toutes* les Qualités... Le Corps, c'est la Matière plus le *Logos* [*spermatikos*] qui est *en elle*, mais ce *Logos* [(stoïcien) *immanent*] est en lui-même [c'est-à-dire en tant que non incarné ou (simplement) *transcendant*, comme l'est l'Idée platonicienne] une Forme [platonicienne] *sans* Matière, même si elle n'est jamais en fait [et d'après Aristote] *séparée* de la Matière [contrairement à ce qu'est l'Idée platonicienne authentique]. Il y a d'ailleurs, *dans* le *Nous*, un autre *Logos* [spécifiquement néo-platonicien] qui en est *séparé* [tout comme l'Idée platonicienne]; il est *dans* le *Nous* parce qu'il est *lui-même Nous* » (II, 7, 3). Mais ce *Logos* qui *est Nous* n'est pas le *premier* Nous : car celui-ci, étant l'Idée platonicienne, se *reflète* seulement dans la Matière, mais ne s'y *incarne* pas en l'informant. Il n'est pas non plus le *second Nous* : car celui-ci *reste* en lui-même en se pensant soi-même (ou, plus exactement, en pensant le premier *Nous*). Bien que transcendant et non incarné, ce *Logos* informe la Matière (phénoménale) en tant que *Logos spermatikos*. Et c'est en tant qu'Idée (pseudo-) platonicienne susceptible d'une incarnation stoïcienne que ce *Logos* spécifiquement néo-platonicien est le troisième et dernier élément-constitutif du *Nous* plotinien au sens large, élément qui est non plus l'*Essence* (platonicienne) ni la *Pensée* (aristotélicienne) de celui-ci, mais sa *Vie* (non pas aristotélicienne ou stoïcienne, mais néo-platonicienne).

Plotin ne dit pas clairement que ce troisième *Nous* « logique » (ou « psychique », voire « biologique ») est Pensée *discursive* ou Discours au sens propre [« *Nous*, qui est *sans langage*, mais plein de pensées » (VI, 2, 21, début); « une pensée qui n'est pas la pensée *discursive* » (*ibid.*, milieu)]. Il ne l'identifie pas non plus explicitement avec le Démiurge du *Timée* (qu'il a cependant le tort de prendre au sérieux). Mais il n'y a pas de doute qu'il le *distingue* des deux premiers et que, pour lui, ce Logos « noétique » est censé servir de « moyen terme » [d'ailleurs dé-doublé en *Nous*-pensée (intuitive) et *Nous*-vie (discursive?)] entre les « extrêmes » du premier Nous purement platonicien et la Psyché cosmique (ou le *Logos spermatikos*) purement stoïcienne [qui se dé-double parfois en les « extrêmes » de la Psyché au sens étroit (pseudo-platonicienne) et de la *Physis* (franchement aristotélo-stoïcienne), avec le *Logos spermatikos* comme « moyen terme » (spécifiquement néo-platonicien)]. C'est ce *Nous* « logique » qui est le « lieu » des Catégories aristotéliciennes (le Second *Nous* étant celui des cinq « catégories » pseudo-platoniciennes), plus ou moins identifiées avec les Nombres pseudo-platoniciens : il est l'ensemble des Formes aristotéliciennes, pris en tant que *un* (encore) incarné. Et nous pouvons dire que ces Formes sont les Idées platoniciennes que « Timée »-Eudoxe a déjà fait descendre de la sphère « utopique » dans le *Cosmos aisthetos* (de ce fait « divinisé ») tout d'abord « céleste », mais ensuite aussi « sublunaire ».

En fait et pour nous, les notions « extrêmes » de l'Énergo-logie éclectique néo-platonicienne se contre-disent en se réduisant mutuellement au *silence*, le silence étant ainsi leur « résultante ». Pour pouvoir continuer à *parler*, il faut re-dire indéfiniment le « moyen terme » qui en résulte. Proclus le fera en le multipliant en lui-même, mais Plotin n'ose pas aller trop loin dans cette direction et se contente de re-parler de façon différente d'un « moyen terme » unique. Je me contenterai de citer une ou deux de ces redites variées.

« L'Un [qui est l'Être-donné, proprement divin ou *doublement* transcendant] n'est pas *lui-même* l'Être [objectivement-réel ou *simplement* transcendant], mais le *générateur* de l'Être [objectivement-réel]. Et l'Être est comme un *premier né*... La chose engendrée [c'est-à-dire le " premier " *Nous* ou la Réalité-objective en tant qu'*Ousia* platonicienne] *se retourne vers lui* [comme l'Être-donné aristotélicien " se retourne " vers *soi-*

même], elle est fécondée [par *lui*], et tournant son regard vers *lui* [et non vers soi-même], elle devient [deuxième] *Nous* [pseudo-aristotélicien]; son *arrêt* [ou *repos* platonicien], par rapport à l'Un [et non par rapport à elle-même, ce qui serait son *immobilité* (motrice) aristotélicienne, voire un *mouvement* immobile (= circulaire)] la produit comme *Ousia* [ou premier *Nous* platonicien]; et son regard *tourné* vers *lui*, comme [second] *Nous* [pseudo-aristotélicien qui, chez le jeune Aristote, *tournait* en lui-même ou sur lui-même, de même que dans le *Timée*]. Et puisqu'elle s'est *arrêtée* pour le regarder, elle devient *à la fois Nous et Ousia*. Étant semblable à l'Un, elle *produit* [ou " donne "] comme lui [en tant que *troisième Nous* (néo-platonicien)] en épanchant sa *multiple* puissance. Ce qu'elle produit est une *image* [pseudo-platonicienne] d'elle-même;... cet acte [aristotélicien du troisième *Nous*] qui *procède* de l'*Ousia* [ou du premier *Nous* platonicien], est la Psyché; et dès cette génération [aristotélicienne], le [troisième] *Nous* reste *immobile* [comme le Premier-moteur aristotélicien]; de même, l'Un [parménido-platonicien] qui est *avant* le *Nous* [au sens large], reste *immobile* [comme le Premier-moteur] en engendrant le *Nous* [comme le Nous aristotélicien engendre le Cosmos]. Mais la Psyché, elle, ne reste pas *immobile* en produisant; elle se *meut* pour engendrer une *image* [pseudo-platonicienne] d'elle-même, en se *tournant* vers l'*Ousia* d'où elle vient, elle est fécondée; et, en avançant d'un *mouvement* différent et de sens *inverse*, elle engendre cette *image* d'elle-même qui est la Sensation et, chez les Platoniciens, la *Physis* [stoïcienne]. Pourtant, rien n'est *séparé* par une *coupure* de ce qui le précède » (V, 2, 1). Et le *Nous* qui engendre la Psyché (stoïcienne) en restant *immobile* est le *troisième Nous* au sens étroit ou le Nous-qui-donne et qui est la Vie du *Nous* au sens large. « Ainsi toutes choses *sont* le Premier et *ne sont pas* le Premier; elles sont le Premier parce qu'elles en *dérivent* [d'une façon aristotélo-stoïcienne]; elles *ne sont pas* le Premier, parce que celui-ci *reste* en lui-même [d'une façon parménido-platonicienne], en leur donnant l'existence [d'une façon stoïcienne]. Toutes choses sont donc comme une *Vie* [néo-platonicienne] qui s'étend en ligne droite » (V, 2, 2, *in fine*.)

Veut-on plus de confusion encore? En voici un exemple : « Quel est cet Intelligible qui voit le *Nous*? Quel est ce *Nous* qu'il voit comme étant lui-même? Il ne faut pas [avec Aristote] chercher un Intelligible tel que la couleur ou la forme *dans les corps;* l'Intelligible [platonicien] leur est *antérieur*. Le *Logos spermatikos* [pseudo-stoïcien] qui les *produit*, ne leur est déjà pas *identique* [comme l'est le *Logos* stoïcien, que Plotin appelle parfois *Physis*] : il est *invisible* [c'est-à-dire objectivement-réel au sens de non phénoménal] par nature [*physei!*]. A plus forte raison les Intelligibles [platoniciens] le sont : leur nature [*physei!*] est *la même* que celle des êtres qui les possèdent [c'est-à-dire les Idées platoniciennes], comme le *Logos spermatikos* [stoïcien] est identique à la Psyché [stoïcienne] en qui il réside » (V, 3, 8, début). Enfin, pour terminer, une autre variante encore, où la confusion est à son comble.

« Ce qui est fait de *tous* les êtres [objectivement-réels ou de toutes les Essences], avons-nous dit, c'est le [second] Nous et même chaque Nous [individuel, divin ou céleste et peut-être même terrestre ou humain] [23]; quant à l'Être [objectivement-réel pris dans son ensemble ou l'Essence uni-totale en tant que telle], nous avons posé qu'il est *antérieur* à tous les êtres [objectivement-réels qui constituent son uni-*totalité* par leur *multiplicité*], qui en sont les espèces ou les parties; vu que le Tout est *antérieur* à ses parties (cf. III, 7, 4), l'Être [l'Essence, *Ousia*] *n'est pas encore* le [second] Nous, et le [second] Nous avons-nous dit, lui est *postérieur* » (VI, 2, 19, *in fine*). Mais si l'Être est antérieur au *Nous* [au sens étroit], il est néanmoins postérieur à l'Un, puisque celui-ci est « au-delà de l'Essence et de l'Être » (cf. *Rép.*, 509, b). Or, il n'y a rien « entre » l'Un et le Nous [au sens large]. l'Être ou l'Essence est donc *Nous* au sens large : mais étant *antérieur* au *Nous* au sens étroit ou propre, l'Être est lui-même un *Nous* au sens étroit, à savoir le *premier*, le *second* étant le *Nous* au sens propre ou la Pensée [non discursive]. « Il faut donc bien savoir que toute pensée *vient d'un être* et qu'elle est la *pensée d'un être*. Unie à la chose dont elle provient, elle a pour *sujet* l'être *dont* elle est la pensée [et qui est l'Idée platonicienne, c'est-à-dire l'*Ousia* ou le premier *Nous*]; elle naît en *s'ajoutant* en quelque sorte à cet être [de sorte que le Tout ou le *Nous* au sens large, c'est-à-dire l'Être pensé ou l'Être-qui-pense, voire la Pensée-qui-est, est (parathétiquement) " à la fois " *en partie* Idée (platonicienne) et *en partie* Pensée (aristotélicienne)] dont elle est l'*acte* [aristotélicien], et dont elle *complète* la *puissance* [l'Idée (platonicienne) étant ainsi la Pensée (aristotélicienne) en puissance, cette Pensée étant l'acte de l'Idée], mais sans rien engendrer elle-même [le second *Nous* prend seulement *possession* de l'Être qui est (déjà) *engendré* par l'Un (dans la Dyade indéfinie) ou *reçu* de lui par le (premier) *Nous*] : elle n'est que *l'achèvement* de l'Être [c'est-à-dire de l'Idée] *dont* elle est la Pensée. Si la Pensée [ou le deuxième *Nous*] est ainsi *unie* à l'Essence [c'est-à-dire à l'Idée ou au premier *Nous*] et la fait exister [en l'actualisant en tant qu'objectivement-réelle], elle ne peut être [contrairement à ce que dit Aristote] dans le Principe d'où elle provient [c'est-à-dire dans l'Être-donné qu'est l'Un]; car si elle était en lui, elle *n'engendre-rait* rien. Ayant puissance d'*engendrer*, elle engendre *en elle-même* : son acte, c'est l'Essence [bien qu'elle vienne d'être dite être l'acte de l'Être]; elle est *avec* l'Essence et *dans* l'Essence : Pensée et Essence ne sont pas des choses *différentes* [mais deux (premiers) éléments-constitutifs d'une seule et même chose, qui est le *Nous* au sens large : le second *Nous* (aristotélicien) est " avec " le premier *Nous* (platonicien), il est " dans " celui-ci; en fait et pour nous, le premier *Nous* (-qui-reçoit) est l'Être (soi-disant objectivement-réel au sens d' " idéel ") en tant qu'Idée platonicienne, qui est " à la fois " ET Sens ET Essence et qui est " engendré " par l'Un (qui n'est NI Sens NI Essence et donc non pas Réalité-objective ou " Être " platono-aristoté-licien, mais Être-donné hégélien); ce premier *Nous* s'actualise en tant que second *Nous* (-qui possède) qui est ainsi son acte, cet acte de l'Idée platonicienne étant *Sens* SEULEMENT (à savoir le soi-disant " Sens " de la Pensée aristotélicienne pré-tendument *non* discursive ou " éternelle "); ce second *Nous* s'actualise à son tour en tant que troisième *Nous* (-qui-donne), qui est ainsi son acte, cet acte au Sens aristotélicien étant l'*Essence* SEULEMENT, c'est-à-dire la Forme aristotélicienne qui, en tant qu'*incarnée* dans la Matière, est non plus *Nous* néo-platonicien (au sens large), mais Psyché (voire *Logos* ou *Physis*) stoïcienne]; et si cette Nature [c'est-à-dire le *Nous* au sens large] se pense *elle-même* [comme le dit Aristote, qui a le tort de le dire non pas du *Nous* mais du *Theos*], il n'y a qu'une différence logique [discursive (?)] entre le Sujet pensant [qui est *un* et qui est le second *Nous*] et l'Objet pensé [qui est le premier *Nous*] qui est une *multiplicité*, comme on l'a montré plusieurs fois. Voilà donc l'acte *premier*, celui qui fait *exister* l'Essence [en tant qu'*actualisée* ou comme *pensée*]; et l'Essence est l'*image* [pseudo-platonicienne] d'un autre Principe [que le *Nous* au sens large, à savoir de l'Un], assez grand pour *engendrer* [et non pas seulement *actualiser*] l'Essence [c'est-à-dire le premier *Nous*, qui est le second *en puissance*]. Si cet acte [qui actualise l'Essence en tant que Sens ou Pensée] était l'acte *du* Bien [de l'Un], elle [la Pensée qui actualise l'Essence] ne serait rien qu'acte *du* Bien [et non acte de l'Essence] et elle n'aurait aucune existence *en elle-même* [c'est-à-dire dans le *Nous* (au sens large) et donc hors de l'Un]. Mais, puisqu'elle est l'acte *premier* et la pensée *première* [du Nous au sens large] il n'y a *avant* elle [c'est-à-dire " avant " le Nous au sens large, c'est-à-dire dans l'Un] NI acte [ou Essence] NI Pensée [ou Sens]. Donc, en montant, on passe [du Nous, c'est-à-dire] de l'Essence [platonicienne] et de la Pensée [aristotélicienne], à l'Un [parmé-

nido-platonicien, c'est-à-dire] à ce qui n'est plus NI Essence,
NI Pensée » (VI, 7, 40, début).

Il serait fastidieux d'accumuler les textes plotiniens. Sans
doute pourrait-on, en les interprétant (et les dé-dogmatisant)
trouver un sens philosophique en eux tous. Mais aucune interprétation ne peut éliminer ni les contradictions impliquées
dans leur ensemble, ni le caractère contradictoire (parathétique)
de chacun d'eux. Car tous font partie d'un « Système » éclectique, voire d'une Parathèse qui n'est même pas synthétique,
puisque ce soi-disant « Système » paraphilosophique se contente
d'additionner à la Parathèse thétique (dogmatisée) de Platon
la Parathèse antithétique (dogmatisée) d'Aristote (voire des
Stoïciens).

Sans doute, en parlant du *Hen-Agathon-Theos*, Plotin développe correctement (tout en la dogmatisant) l'Onto-logie de
la Parathèse thétique parménido-platonicienne [d'ailleurs par
définition contra-dictoire] et il développe tout aussi correctement (en la dogmatisant elle aussi) la Phénoméno-logie de la
Parathèse antithétique héraclito-aristotélicienne (ou stoïcienne)
en parlant de la *Psyché* (cosmique, ainsi que du *Logos*, voire de
la *Physis* qu'elle implique et qui informe la Matière « corporelle »
en *Cosmos aisthetos*). Mais la coexistence (en quelque sorte
« spatiale » et non « temporelle ») de l'Onto-logie thétique
(dogmatisée) avec la Phénoméno-logie antithétique (dogmatisée)
dans un seul et même (soi-disant) « Système » (paraphilosophique) rend celui-ci nécessairement « incohérent » (et non
seulement contra-dictoire) et donc indéfiniment variable et
varié, voire « flottant » et « confus » dans ses termes mêmes. Et
cette « incohérence » (paraphilosophique) typiquement « éclectique » se concentre dans la partie spécifiquement néo-platonicienne du soi-disant « Système » de Plotin, c'est-à-dire dans
sa théorie du *Nous* (au sens large). Étant censé servir de « moyen
terme » entre les « extrêmes » [en fait contra-dictoires] de l'Onto-
logie platonicienne et de la Phénoméno-logie aristotélicienne,
cette Énergo-logie porphyro-plotinienne est compromise du fait
même qu'elle se développe en tant que « compromis » (parathétique, d'ailleurs paraphilosophique) entre deux « thèses
contradictoires » (dogmatisées). De ce fait, ce « moyen terme »
(dogmatisé) se dé-compose lui-même en deux « extrêmes »
(contra-dictoires), le premier étant une sorte d'Énergo-logie
paraplatonicienne et le second une variante de l'Énergo-logie
para-aristotélicienne. Et ces « extrêmes » engendrent à leur
tour un « moyen terme » (contradictoire lui aussi), sous la
forme d'une (troisième) Énergo-logie spécifiquement néo-
platonicienne.

La contra-diction entre les Énergo-logies de Platon et d'Aristote se réduit en fait à la contradiction entre l'affirmation et la négation de la (simple) *transcendance* de la Réalité-objective par rapport à l'Existence-empirique : l'Idée (objectivement-réelle) platonicienne est *séparée* du *Cosmos aisthetos* (se situant *en dehors* de la Durée-étendue phénoménale), tandis que la Forme (objectivement-réelle) aristotélo-stoïcienne est *immanente* à ce Cosmos (se situant, en tant que nécessairement *incarnée, dans* cette Durée-étendue). Or, l'*addition* éclectique (paraphilosophique) exclut le Temps tout autant que le font les *Parathèses* (philosophiques) thétique et antithétique. La Réalité-objective « éclectique » doit donc être « à la fois », au sens de « en même temps », ET (simplement) transcendante (en tant qu'Idée platonicienne) ET *non* transcendante (= immanente) (en tant que Forme aristotélicienne) à l'Existence-empirique, ce qu'elle ne peut faire qu'en l'étant *partiellement :* elle doit être *en partie* Idée platonicienne et *en partie* Forme aristotélicienne, le *Nous* au sens large *se partageant* ainsi (quasi spatialement) en *deux Nous* au sens étroit, le premier étant l'*Ousia* ou *Cosmos noetos* au sens de Platon et le dernier la Forme aristotélicienne ou le *Logos* au sens des Stoïciens [chez qui il est d'ailleurs identique non seulement à la Psyché (qui est la *Physis* aristotélicienne), mais encore au *Theos*, qui est lui aussi *immanent* au *Cosmos aisthetos*, d'ailleurs mé-compris comme l'*Ouranos* d'Aristote (la Matière « corporelle » étant en fait « éthérée » au sens aristotélicien en non pas « élémentaire »)]. Seulement, l'Idée *transcendante* et la forme *non* transcendante se contre-disent et s'excluent mutuellement, en compromettant ainsi soit l'*unité* du Système, soit son caractère *discursif* (dans la mesure où elles se réduisent mutuellement au silence en tant qu'éléments-constitutifs d'un seul et même discours). C'est pour éviter cette rupture d'unité (ou cette « incohérence ») sans se condamner pour autant au silence que Plotin (à la suite de ses précurseurs) *intercale* entre les deux parties « extrêmes » du *Nous* une troisième *partie* « moyenne ». C'est le *Nous* pris au sens étroit et propre, d'ailleurs para-aristotélicien : c'est la notion d'une Pensée censée être non discursive. Dans et par cette Pensée « intuitive » [dont la notion (dogmatisée) est spécialement « éclectique » ou néo-platonicienne] l'*Ousia* ou l'Idée platonicienne se trans-forme en *Sens* trans-formé à son tour en *Essence* aristotélo-stoïcienne par et dans le *Logos* (appelé aussi Psyché noétique), censé être « à la fois » ET (encore) transcendant (en tant que noétique) ET immanent (en tant que Psyché ou *Logos* cosmique).

En un sens, c'est ce troisième *Nous* qui joue chez Plotin le rôle de « moyen terme » (compromettant) entre l'Onto-logie platonicienne et la Phénoméno-logie aristotélicienne : c'est en lui que le *Logos* en tant qu'Idée-Forme est « à la fois » ET *hors* du *Cosmos aisthetos* ET *en* lui, sans pouvoir l'être *partiellement* (du moins chez Plotin, car Proclus le décomposera à plusieurs reprises) et c'est donc la notion de ce troisième Nous qui explicite la contra-diction « éclectique » (paraphilosophique) du Néo-platonisme. Mais en un autre sens, cette même contra-diction est explicitée par la notion du deuxième *Nous*. En effet, la Forme (objectivement-réelle) aristotélicienne sup-pose un *Theos* (= Être-donné divin) qui *meut* en se *pensant* soi-même (c'est-à-dire en restant immobile), tandis que le *Hen* néo-plato-nicien, tout comme le *Theos* platonicien, ne pense *rien* et ne se *meut* pas. D'où la nécessité (d'abaisser le *Theos* aristotélicien et) d'introduire dans la Réalité-objective le *Nous* qu'Aristote inter-prétait (à tort) comme Être-donné, en l'y situant *avant* le *Logos*. Mais en le plaçant *après* l'*Ousia*, c'est-à-dire en l'obligeant à penser non plus soi-même, mais le *Cosmos noetos* platonicien, Plotin en fait une entité « éclectique » : ce deuxième *Nous* n'est pas le *Nous* aristotélicien, puisqu'il pense autre chose que soi-même (à savoir le *Cosmos noetos* platonicien); mais il n'est non plus ni Idée ni Forme, puisque les Idées de Platon *pensent* tout aussi peu que les Formes d'Aristote.

Cette Pensée (aristotélicienne) qui pense les Idées (platoni-ciennes) est la *Vie (Zoé)* de la Réalité-objective ou du *Nous* au sens large (et spécifiquement néo-platonicien). Aussi bien le terme de *Zoé* désigne-t-il chez Plotin tantôt le troisième, tantôt (comme chez Proclus) le deuxième *Nous* au sens étroit. Et c'est cette notion spécifiquement néo-platonicienne de *Vie* qui est essentiellement « contradictoire » (au sens de parathétique), pré-cisément parce que cette Vie est censée être *éternelle*, c'est-à-dire non pas (aussi) *temporelle*, mais (exclusivement) « spa-tiale ».

Il est inutile d'interpréter tous les textes où Plotin parle (explicitement ou implicitement) de la *Zoé*, car cette interpréta-tion ne pourrait qu'expliciter la contra-diction (parathétique) fondamentale de l'Éclectisme, la Paraphilosophie (éclectique) néo-platonicienne que j'ai déjà mise en évidence (cf., par exemple, I, 4, 3; II, 3, 13; III, 7, 11; V, 1, 4; V, 3, 8 et 16 sq.; V, 9, 14; VI, 6, 18; VI, 7, 8, 18 et 21; VI, 9, 9). Mais, pour ter-miner, je citerai un passage, où Plotin nous parle de son propre « embarras », tout en prétendant, d'ailleurs, pouvoir se tirer d'affaire.

« Lorsque vous êtes *embarrassés* à ce sujet, lorsque vous vous demandez où placer ces [trois] réalités [à savoir l'Être donné, ou le *Hen*, la Réalité-objective ou le *Nous*, l'Existence-empirique ou la Psyché] auxquelles le Raisonnement [philoso-phique, par définition discursif] vous amène, rejetez dans les Êtres de *second* rang ces Formes [aristotéliciennes et ces Idées platoniciennes] que vous croyez vénérables et n'allez pas donner au Premier [à l'Un] ces attributs de *second* rang, pas plus que vous ne donnez ceux du *troisième* aux Êtres du *second* rang; mettez les Êtres du second rang [c'est-à-dire le *Nous* en tant qu'ensemble d'Idées platoniciennes, de Sens para-aristotélicien et d'Essence stoïcienne] *autour* du Premier [c'est-à-dire dans une " spatialité " *simultanée*] et les Êtres du troisième rang [c'est-à-dire la Psyché cosmique et le *Cosmos aisthetos*] *autour* du Second [puisqu'elles sont tout aussi *éternelles* (c'est-à-dire " spatiales ") que le *Nous*]. Ainsi vous les laisserez chacun *à leur place* [" simultanément "]; vous suspendez les choses infé-rieures aux choses supérieures, *comme si* elles *circulaient* autour de centres qui *demeurent* en eux-mêmes [ce soi-disant " mouve-ment " (et donc le Temps qui le " mesure ") n'étant qu'un " comme-si ", d'ailleurs " circulaire ", c'est-à-dire analogue au " repos " (le prétendu " Temps " circulaire ou " éternel " étant une " image " de l'Éternité]... En plaçant de *telles* choses [c'est-à-dire les Idées] au *second* rang, il [Platon] dit que celles qui sur-viennent *après* elles, au *troisième* rang, dépendent d'elles; et il place clairement [?!] *autour* de choses du *troisième* rang celles [du *quatrième* (???) rang] qui en proviennent, en mettant notre *Cosmos aisthetos dans* une Psyché. Donc la Psyché [ou l'Être de troisième rang] est suspendue au *Nous* [ou à l'Être de second rang] et le *Nous* à l'*Agathon* [ou à l'Être du premier rang] : *toute* chose est donc suspendue à lui par des *intermédiaires* [ou " moyens termes ", l'autre " extrême " étant le Néant " maté-riel "], qui sont ou [" spatialement "] *proches* de lui [comme le *Nous*] ou *voisins* de ceux qui en sont *proches* [comme le *Cosmos aisthetos* est voisin de la Psyché qui est proche du Nous proche de l'Un], et au maximum d'*éloignement* [" spatial "] se trouvent les choses *sensibles* [du quatrième (?) rang] qui sont suspendues à la Psyché » (VI, 7, 42).

Ce résumé du soi-disant « Système » porphyro-plotinien est tout aussi « contra-dictoire » que son développement pris dans son ensemble. *D'une part*, ce « Système » semble être purement platonicien : l'Être-donné (l'Un) est transcendant par rapport à la Réalité-objective [qui comprend non seulement le *Nous*, mais même la Psyché, le *Nous* étant dans ce contexte l'Idée platonicienne et la Psyché la Forme aristotélicienne (voire le *Logos* stoïcien), d'ailleurs en tant qu'*incarnable*, ou incarnée *en puissance* mais non *en acte*], qui est elle-même (simplement) transcendante par rapport à l'Existence-empirique; autrement dit, l'Idée *éternelle* est mise en relation avec l'*Éternité* qu'est l'Un et qui est *en dehors* du « Temps » qu'est la Durée-étendue phénoménale). Mais, *d'autre part*, Plotin prétend [à tort] que Platon a placé « notre *Cosmos aisthetos dans* une Psyché, celle-ci étant *suspendue* à l'Un (par des intermédiaires) ». Or, de ce fait, le « système » plotinien, prétendument «platonicien », prend une allure purement aristotélicienne : la Durée-étendue phénoménale est dans l'Éternel (objectivement-réel), celui-ci étant mis en relation avec l'Éternité (« par des *intermédiaires* », c'est-à-dire sans solution de continuité). Mais, dire que le Cosmos est *dans* la Psyché, c'est dire que la Psyché (du coup franchement stoïcienne) est *dans* le Cosmos. Et c'est ce que Plotin dit effectivement, puisqu'il dit que le Cosmos est *autour* de la Psyché, qui est elle-même *autour* du Nous qui, lui-même, entoure le *Hen*. L'Éternel est donc mis en relation (« médiatisée » mais « continue ») avec une Éternité qui se situe *dans* le « Temps » qu'est la Durée-Étendue; or, le « Temps » qui *implique* l'Éternité est lui-même *éternel*, c'est-à-dire, par définition, *circulaire;* c'est pourquoi, chez Plotin, tout tourne en rond autour de l'*Agathon-Theos*, tout comme c'est le cas chez Aristote. C'est uniquement parce que Plotin veut pouvoir dire que l'*Agathon-Theos* est *Hen* (platonicien) et non pas *Nous* (aristotélicien) qu'il ne parle du Mouvement (et du « Temps ») circulaire que dans le mode [kantien avant la lettre] du *comme-si :* il dit que tout se *meut* en restant (« en même temps ») *immobile* et que tout reste *immobile* en se *mouvant* (« en même temps »). En parlant de tout ce qui est immobile *comme si* tout était en mouvement, Plotin doit parler de tout ce qui se meut *comme si* tout était immobile. Il se contre-dit ainsi lui-même, en annulant de ce fait, en fait et pour nous, tout ce qu'il dit en développant son soi-disant « Système » électrique [24].

On pourrait dire que Plotin est un pur Platonicien (du moins en dernière analyse) puisque son *comme-si* permet d'éliminer l'ensemble de son apparent aristotélisme. Il faut même le dire si l'on prend comme point de départ fixe son Ontologie, qui est effectivement platonicienne : si l'Éternité qu'est l'Être-donné compris comme *Hen-Agathon-Theos* (*doublement* transcendant) se situe *en dehors* de la Spatio-temporalité, l'Éternel objectivement-réel est « idéel » ou « utopique » (c'est-à-dire «séparé» ou *simplement* transcendant) et la Durée (-étendue) phénoménale qui *n'implique* pas l'Éternité, est non pas « circulaire » ou « cyclique » (c'est-à-dire aristotélo-stoïcienne), mais aussi « indéfinie » (« infinie ») ou « linéaire » (c'est-à-dire platonicienne). Mais si l'on prend comme point de départ fixe la Phénoménologie plotinienne, en fait aristotélo-stoïcienne, il faut dire que Plotin est un pur aristotélicien, puisque alors tout est *Vie* ou *Mouvement*. C'est l'apparent platonisme de Plotin qui pourra alors être éliminé grâce à sa méthode du *comme-si*. En effet, le caractère « cyclique » ou *circulaire* du Mouvement (éternel) qu'est la Vie aristotélicienne (ou stoïcienne) paracosmique [Vie en laquelle s'est trans-formé le Fleuve héraclitéen (« infini ») en se fermant sur lui-même, c'est-à-dire en revenant « finalement » à son point de départ] permet de parler de tout [c'est-à-dire du Tout-ce-dont-on-parle, ou de l'Être-donné] *comme si* le Tout (en fait mobile) était l'éternel Repos platonicien, d'ailleurs « ponctuel », voire l'Éternité platonicienne « instantanée » *(nunc stans)*. Ainsi, Plotin peut re-dire Aristote en parlant *comme si* il re-disait Platon, tout comme il peut re-dire Platon en parlant *comme si* il re-disait Aristote.

Or, puisque la Phénoménologie aristotélicienne se trouve dans le « Système » éclectique néo-platonicien *au même titre* que l'Onto-logie platonicienne, c'est l'*ensemble* de ce « Système » qui est développé dans le mode du *comme-si* et dans ce mode *seulement*. Aussi bien pouvons-nous dire qu'à partir de Plotin, le Néo-platonisme ne *dit* donc rien du tout au sens propre et fort du terme. Les Néo-platoniciens parlent *comme si* ils se taisaient et ils se taisent *comme si* ils parlaient. Et ils le font, parce que, en parlant, ils se contre-disent.

Quoi qu'il en soit, il nous reste à voir (rapidement) ce qu'est la

Phénoméno-logie plotinienne.

Tout comme Platon et contrairement à Aristote (ainsi qu'aux Péripatéticiens et à certains Stoïciens tels que Posidonius), Plotin s'est totalement désintéressé du *Cosmos aisthetos* tant céleste que sublunaire. En fait de Phénoméno-logie, on ne trouve guère dans les *Ennéades* que quelques rudiments d'Anthropologie, d'ailleurs réduite aux seules Psychologie et Éthique. Le *corps* humain et l'animal dans l'Homme intéressent Plotin tout aussi peu que la Nature non humaine dans son ensemble.

Cependant, bien que Plotin n'ait pour ainsi dire pas parlé explicitement de la Nature proprement dite, tout ce qu'il en dit implicitement est purement aristotélicien, au sens de stoïcien. Ce qui caractérise, en effet, une Phénoméno-logie en tant que Bio-logie aristotélo-stoïcienne, c'est l'affirmation de la *cyclicité* de tous les phénomènes en cause, voire de la *circularité* du Temps phénoménal et de la Durée-étendue.

Or, cette affirmation, rarement explicitée, est implicitement partout et toujours présente dans les écrits de Plotin. Aussi bien suffit-il de citer quelques-uns des rares textes explicites sur la question.

« Le Cosmos, dit-on [à la suite d'Aristote] est éternel : il a *toujours eu* et il *aura toujours* le Corps qu'il possède [présentement]. Si l'on ramène à la volonté du *Theos* la raison de cette éternité [cosmique (comme le font certains " mythes " de Platon, notamment dans le *Timée*, 41, a)], on dit *peut-être* [!] vrai, mais on ne nous éclaire pas du tout [en ce qui concerne la Phénoméno-logie]. De plus, les éléments se trans-forment les uns dans les autres; sur terre, les animaux sont sujets à la destruction, et, seule, leur *espèce* se conserve [comme l'a établi Aristote]; on jugera qu'il en est *sans doute* [!] de même dans le Cosmos [comme le disent les Stoïciens, qui admettent la cyclicité cosmique, c'est-à-dire le " retour éternel " des Phénomènes dans leur ensemble et dans une re-production indéfinie du Cosmos phénoménal en tant que tel]. Le *Cosmos* [*aisthetos*] a un corps [céleste et terrestre] qui, toujours, *s'échappe et s'écoule* [comme l'a constaté Platon à la suite d'Héraclite]; dans ce *changement incessant* [d'allure héraclitéenne], Dieu [en tant que *Theos* stoïcien, voire Nous ou (premier) Moteur-immobile aristotélicien] a seulement le pouvoir de lui imposer un *même type spécifique;* ce que la volonté divine [pour parler le langage des " mythes " de Platon] conserve *éternellement identique* [en quelque sorte comme une Idée platonicienne] ce ne serait pas l'unité *numérique* [c'est-à-dire, par exemple, le Cosmos qui existe en ce moment], mais l'unité *spécifique* du Cosmos [de sorte que le Cosmos actuel, qui re-produit exactement le Cosmos précédent, sera exactement re-produit par le Cosmos suivant, les Cosmos identiques successifs étant séparés les uns des autres par un état chaotique igné de l'Existence-empirique dans son ensemble] » (II, 1, 1, début). « Admettons l'opinion [aristotélicienne] suivante : le Ciel avec tout ce qui est en lui a l'éternité *individuelle* [ou " numérique "], et les choses qui sont sous la Sphère de la lune ont l'éternité *spécifique.* Il faut alors montrer comment un être *corporel* [céleste ou terrestre] peut garder son individualité au sens propre et son identité avec lui-même, bien qu'il soit de la nature d'un Corps [quel qu'il soit, c'est-à-dire de l'Existence-empirique en tant que telle] d'être en un *écoulement perpétuel.* Car c'est là l'opinion des Physiciens [présocratiques] et de Platon lui-même, au sujet des corps célestes *aussi bien que* des autres corps... Il admet évidemment l'opinion d'Héraclite qui dit que " le soleil même est en perpétuel devenir ". Ce n'est pas là [c'est-à-dire en ce qui concerne les astres] un embarras pour Aristote, *si l'on admet* son hypothèse du cinquième corps [c'est-à-dire la Matière éthérée]. Mais si on ne l'admet pas [et Plotin ne l'admet pas], si le Corps du Ciel est fait des mêmes choses que les animaux terrestres... » (II, 1, 2, début)... « comment donc la matière et le corps du Cosmos peuvent-ils concourir à l'*immortalité* [s'entend : spécifique] du Cosmos, puisqu'ils *s'écoulent* toujours? Le Corps *s'écoule*, dirons-nous [avec Aristote et les Stoïciens], mais non pas *au-dehors* [comme l'admet Platon à la suite d'Héraclite, voire d'Anaximandre]; il *reste dans* le Cosmos et n'en sort pas; il *reste* donc *le même* et ne subit ni augmentation ni diminution [en raison de la conservation éternelle de la quantité de la Matière]; *il ne vieillit même pas* [ce qui veut dire précisément que le Temps cosmique, c'est-à-dire la durée-étendue du Cosmos phénoménal est *circulaire* (voire *sphérique*)] » (II, 1, 3, début). Pourquoi le Ciel se meut-il d'un mouvement *circulaire* [le Temps qui le mesure, c'est-à-dire sa Durée-étendue étant de ce fait *cyclique*]? Parce qu'il imite le Nous [compris comme un Nous aristotélicien et donc aussi comme un *Moteur-immobile*]... C'est un mouvement qui *revient sur lui-même*, mouvement de la Conscience, de la Réflexion et *de la Vie;* jamais il ne *sort* de *son cercle*, et il n'y fait rien entrer *d'ailleurs*... Le mouvement *circulaire* est donc composé d'un mouvement [rectiligne ou in-défini] du Corps et du mouvement [circulaire, c'est-à-dire quasi immobile] de la Psyché; le Corps se meut par nature en ligne *droite* [in-définie], et la Psyché *retient* le Corps [en *limitant* ou dé-finissant le mouvement de celui-ci]; des *deux* ensemble, du Corps in-définiment mobile et de la Psyché [quasi] immobile [puisque restant toujours au même endroit, en tournant autour de son propre centre immobile], vient le mouvement *circulaire* [qui est donc un mouvement *vital* ou *vivant*, d'ailleurs *conscient de soi* en tant que tel] » (II, 2, 1, début).

Il serait fastidieux d'insister et de citer davantage. Les textes ci-dessus suffisent pour montrer que, dans sa Phénoméno-logie, Plotin suit fidèlement Aristote (ou, plus exactement, les Stoïciens) puisqu'il affirme lui aussi le caractère *circulaire* de la durée-étendue de l'Existence-empirique en tant que telle et dans la nature *cyclique* du Cosmos phénoménal, pris tant dans son ensemble que comme ensemble de tous ses éléments-constitutifs, *cycliques* eux aussi. Or, une Phénoméno-logie qui admet la *circularité* de la Durée-étendue et donc la cyclicité de l'Existence-empirique est, en fait et pour nous, une Étiologie aristotélicienne, voire une Bio-logie stoïcienne. En effet, dans la durée-étendue, de ce qui existe-empiriquement en tant que *cycle*, c'est le Passé qui dé-termine l'Avenir, de sorte que celui-ci est partout et toujours, voire « nécessairement » Effet d'une *Cause* « antérieure » (d'ailleurs à re-venir). [Dans la mesure où le Passé dé-termine ou dé-finit l'Avenir par le *truchement* du Présent, la présence n'est *vivante* qu'au sens de *végétale*, car c'est seulement pour nous que ce qui est à venir est le « but » de tout ce qui est présentement passé, en étant l'effet futur du passé présent. Mais si le Passé dé-termine « immédiatement » un Avenir qui dé-finit de ce fait le Présent en le « média-tisant », cet Avenir se présente lui-même en tant que but et le Présent est ainsi projeté et donc présenté à soi-même étant présent en tant que Phénomène, bien que, pour nous, cette présence phénoménale continue à être, en fait, la présenta-tion d'un Passé dé-finissant l'Avenir ou d'une Cause anté-rieure dé-terminant un futur Effet.] Dans tous les cas, la Phénoméno-logie qui admet une durée-étendue [*sphéro-*]*cyclique* de l'Existence-empirique est, pour nous, une *Bio-logie*, toute Biologie authentique étant en fait *causale* ou *étio*logique au sens propre du mot, comme elle l'est déjà pour Aristote et pour les Stoïciens, et comme elle le reste pour Plotin.

Sans doute, pour se conformer aux dires de Platon, Plotin refuse de distinguer, avec Aristote, entre la Matière élémentaire ou terrestre et la Matière céleste ou éthérée. Mais, en fait, dans la mesure où il le fait, c'est la Matière élémentaire qu'il supprime et non l'Éther aristotélicien; et, en le faisant il re-dit simplement les dires stoïciens. Autrement dit, s'il gagne en rigueur et uniformité dans la mesure où il admet la *cyclicité* du Ciel et donc de l'ensemble du *Cosmos aisthetos* (« confla-gration cosmique » et « retour éternel »), il perd du point de vue du bon sens, en supprimant le « hasard » aristotélicien, vu que pour lui, comme pour les Stoïciens, les cycles vitaux terrestres doivent être tout aussi parfaitement dé-terminés (en dépit des apparences) que les cycles célestes ou astraux (leurs formes spatiales étant cependant de toute évidence encore moins *circulaires* que les orbites planétaires phénomé-nales dont Platon se plaisait à souligner l'évidente « imper-fection »). Aussi bien Plotin a-t-il dû subir le même sort que les Stoïciens, en réintroduisant en fait l'Éther, après l'avoir nié en paroles, afin de justifier la différence manifeste entre l'ordre (relatif) sidéral et le (quasi total) désordre sublunaire. Et c'est ainsi que l'on trouve chez Plotin des passages d'allure stoïcienne, qui sont en fait et pour nous (et peut-être pour lui-même) purement aristotéliciens.

« Voici notre principe : la Psyché [cosmique] *gouverne* le *Cosmos* [*aisthetos*] selon le Logos [cosmique]; elle est comparable au principe qui, en chaque Animal [au sens de vivant; et *tout* est *vivant* en ce sens dans le Cosmos], *façonne* les parties de cet Animal et les *coordonne* avec *l'ensemble* dont elles sont les parties;...dans *cet* Animal [particulier], les influences *extérieures* [à lui] sont tantôt *contraires* et tantôt conformes à la volonté de la *Physis* [c'est-à-dire de sa *Physis particulière*]. Mais, dans le Cosmos [pris dans son ensemble], *tous* les êtres [vivants particuliers] sont *coordonnés à l'ensemble*, puisqu'ils en sont les parties; ils ont reçu de lui leur *Physis* [particulière] et *collaborent* par leur tendance [naturelle] *propre* [dans la mesure où celle-ci n'est pas perturbée par des « influences *extérieures* »] à la *vie universelle* » (II, 3, 13, début).

Tout ceci est bien stoïcien et le *Cosmos aisthetos* est tout entier inséré dans un « nexus causal » absolument « nécessaire » et sans aucune faille (c'est-à-dire présent partout et toujours dans la Durée-étendue). Mais lorsque Plotin pense aux errements des hommes et aux défaillances des corps humains, c'est en bon aristotélicien qu'il reparle du « hasard » (dû à la « Cause *matérielle* », c'est-à-dire à l'élément-constitutif de l'Existence-empirique qu'est la « Matière *élémentaire* »). « Tous les Animaux [ou vivants particuliers, les hommes y compris] vivent donc conformément au *Logos* cosmique [stoïcien, étant dé-terminés partout et toujours, c'est-à-dire « nécessairement »], aussi bien tous ceux qui sont dans le Ciel [c'est-à-dire les Astres] que les autres qui sont répartis dans le Cosmos [sublunaire] : aucune partie du Cosmos, si importante soit-elle, n'a le pouvoir de *changer* les *Logoi* [*spermatikoi*] même des êtres, ni ce qui dérive [nécessairement] en eux de ces raisons. [Cependant, et en contradiction avec le Système stoïcien qui n'admet qu'une Matière unique, en fait éthérée, mais en accord avec Aristote et le simple bon sens], elle [c'est-à-dire une *partie* du Cosmos, s'entend *sublunaire*] peut bien y produire une *modification* en un sens *meilleure* ou pire [c'est-à-dire plus ou moins conforme à la trajectoire *circulaire* " idéale " (au sens de " spécifique ") de l'animal individuel]; mais non pas les faire *sortir* de leur propre *Physis* [c'est-à-dire de les faire changer d'*espèce*]; elle les rend pires, ou bien en affaiblissant leur force *corporelle* [c'est-à-dire en ne matérialisant pas complètement la Forme spécifique en tant que cause efficiente], ou bien en devenant *par accident* [c'est-à-dire " par hasard "] cause de méchanceté pour l'âme [prise en tant que Forme *incarnée* ou comme Entéléchie du corps animal] qui est en sympathie avec elle et a reçu d'elle [c'est-à-dire de la Matière *élémentaire* qui l'incarne] son penchant vers la terre [que la Matière *éthérée* ne donne évidemment pas aux Formes qu'elle incarne en tant qu'astres]; ou bien encore, elle fait de la mauvaise constitution du corps [c'est-à-dire de l'incapacité de la Matière élémentaire d'incarner parfaitement la Forme spécifique] un obstacle à l'activité [causale au sens de formelle, tant efficiente que finale] de l'être [formel] tendu vers elle : le corps est alors comme une lyre désaccordée et [matériellement] incapable de recevoir l'accord [formel] exact qui produit des sons musicaux [c'est-à-dire beaux parce que harmonieux] » (II, 3, 13, *in fine*).

En bref, tout animal [particulier et terrestre] peut être « par hasard » (ou pour des « raisons matérielles ») *imparfait* au sens de malade et c'est dire qu'il n'est que « par hasard » *parfait* au sens de *sain* de corps et d'esprit. Et c'est dire que le « vice » soi-disant moral n'est en fait qu'une maladie (psycho-somatique) et la prétendue « vertu » qu'une plus ou moins parfaite ou bonne santé. Aussi bien est-il inutile d'ajouter qu'en fait et pour nous la Phénoménologie plotinienne, qui ne fait que re-dire celle d'Aristote et des Stoïciens, ne peut impliquer (sans se contre-dire) une Anthropologie proprement dite qui, même en tant qu'Éthique, part nécessairement du Discours et de la Liberté (Négativité), même si elle ne le fait qu'implicitement, en allant jusqu'à les nier d'une façon implicite.

Sans doute, tout comme Aristote et les Stoïciens, Plotin nous parle du « Libre arbitre » et de la « pensée discursive » qui sont censés distinguer l'Homme de l'Animal proprement dit. Mais tout comme les Aristotéliciens authentiques, il ne peut en parler qu'en se contre-disant, dans des dires « populaires » qui ne peuvent pas s'insérer dans son Système philosophique sans le contre-dire et donc l'annuler discursivement.

En résumé et en bref, la Phénoméno-logie plotinienne prise en elle-même ou isolément du reste du Système néo-platonicien, se présente à nous comme purement aristotélo-stoïcienne, c'est-à-dire comme une Étiologie (d'ailleurs dogmatisée) qui est, en fait, une Bio-logie (pour laquelle le Ciel lui-même est tout aussi « vivant » que l'Homme, celui-ci étant « vivant » *seulement*, tout comme l'Animal, sinon comme la Plante).

Mais si nous tenons compte du fait que la Phénoméno-logie de Plotin fait partie d'un « Système » volontairement éclectique, d'ailleurs néo-platonicien, où elle est censée être rattachée discursivement (d'une façon prétendument « cohérente ») à une Énergo-logie qui est semi-platonicienne parce que censée être elle-même discursivement rattachée à une Onto-logie purement parménido-platonicienne, nous devons nous attendre à trouver dans cette Phénoméno-logie aristotélo-stoïcienne des discours phénoménologiques platoniciens (plus ou moins explicités) qui le contre-disent (plus ou moins explicitement). Or, lorsqu'on lit les *Ennéades,* cette attente n'est nullement déçue, comme le montre, par exemple, le passage suivant, où Plotin met sa Phénoméno-logie (stoïcienne) en relation avec sa propre Énergo-logie (paraplatonicienne).

« Il y a un Cosmos *véritable* [à savoir le *Cosmos* " *noetos* " objectivement-réel] et il y a l'ensemble des choses visibles [c'est-à-dire le *Cosmos aisthetos*], qui est l'*image* [platonicienne] de ce *Cosmos* [*noetos* paraplatonicien]. Le *Cosmos* [*noetos* objectivement-] réel *n'est en rien* [étant ainsi " u-topique " ou non spatial]; mais les choses [phénoménales] qui viennent *après* lui, s'il *doit* en exister [ce que Platon n'a jamais pu " justifier " dans et par son propre Système], sont nécessairement *en ce Cosmos* [*noetos plotinien;* ce que Platon n'aurait jamais dit de son propre *Cosmos noetos*] puisqu'elles *dépendent* absolument de lui [le *Cosmos noetos* plotinien étant aussi une *Cause* aristotélicienne du *Cosmos aisthetos,* ce que le Cosmos platonicien n'est pas], et puisqu'elles ne peuvent être sans lui [c'est-à-dire sans une Cause (formelle) *efficiente*], ni en repos, ni en *mouvement.* N'allons pas croire [cependant] qu'elles sont en lui comme en un lieu [ce qui est conforme à Platon, mais contradictoire dans les termes], ...mais qu'elles s'appuient et se reposent sur lui [tandis que chez Platon elles le " reflètent " seulement] parce qu'il *est partout* [étant donc quand même *spatial,* sinon *étendu* à proprement parler] et qu'il *contient* tout. ... Si, sur ce *Cosmos* [*noetos* objectivement-] réel, se *fonde* une chose *différente* de lui [à savoir le *Cosmos aisthetos*], cette chose *participe* de lui [d'après un terme platonicien qui, s'il a un sens quelconque, ne peut avoir qu'un sens aristotélo-stoïcien] » (VI, 4, 2, début). Quoi qu'il en soit, la durée-étendue de l'Existence-empirique est bien *circulaire,* vu que le *Cosmos aisthetos* « s'est décidé *à tourner en cercle :* ne pouvant *embrasser* l'être universel [c'est-à-dire la Réalité-objective], ne pouvant pas davantage *pénétrer* en lui [bien qu'il vienne d'être dit se situer *en* lui], il se contente d'occuper un lieu et un rang où il se maintient dans le voisinage de l'être [objectivement-réel, voire à " égale distance " de celui-ci] qui, à la fois [au sens de " en même temps " parathétique] lui *est* présent [d'après Aristote] ET ne lui *est pas* présent [d'après Platon] » (VI, 4, 2, milieu). En bref, le *Cosmos aisthetos* (stoïcien) est censé tourner autour [de l'intérieur, sinon de l'extérieur] non pas du Nous-*Agathon-Theos* aristotélicien, mais du *Cosmos noetos* (para-) platonicien (d'ailleurs non seulement « immobile », mais encore « u-topique ») mis en relation avec le *Hen-Agathon-Theos* parménido-plotinien. Or, cette mise en rapport du *Cosmos aisthetos* avec un *Cosmos noetos* mis en relation avec le *Hen-Agathon-Theos* supprime, en fait et pour nous, la *cyclicité* du premier et donc la *circularité* de sa durée-étendue, bien que Plotin continue à l'affirmer dans le passage suivant : « Comment un être *inétendu* [tel que le *Cosmos noetos* platonicien ou " u-topique "] peut-il *se juxtaposer* [spatialement] au corps [*étendu*] du Cosmos? [se demande Plotin. Et il y répond, en désespoir de cause, en se contredisant, en fait et pour nous et probablement même pour lui-même] : elle [la " nature intelligible ", c'est-à-dire le *Cosmos noetos* platonicien] n'est pas *dans le temps* [tout comme elle n'est pas dans l'Espace], mais *en dehors* du Temps [en tant que l'Éternel mis en relation avec une Éternité parménido-platonicienne située elle-même *hors* du Temps] : le Temps [en tant que Durée-étendue] *s'épanche* [selon *une* dimension]; l'Éternité [et l'Éternel] *reste* en son identité. Elle *domine* le Temps [ce qui est aristotélicien, mais non platonicien], et par l'infinité de sa puissance elle est supérieure au Temps qui *semble* [à Plotin, mais non à Aristote qui ne parle nullement du Temps circulaire dans le mode du *comme-si*] avoir progressé en multiplicité et qui est comme une *ligne* qui *paraît* se prolonger sans fin, bien qu'elle dépende [en fait, d'après Aristote et Eudoxe] d'un point *central* autour duquel elle *tourne* [ce " point " étant l'Éternité aristotélicienne située *dans* le Temps]; partout où cette ligne [temporelle] s'avance, elle *garde* l'image [eudoxienne dont Platon se moque dans le *Timée*] de ce point qui, lui, ne se *déplace* pas [étant Moteur-immobile] et autour duquel elle s'enroule *circulairement;* ...elle [l'Existence-empirique ou le *Cosmos aisthetos*] *circule*, en durées égales aux divisions du Temps [circulaire] autour de la Puissance immobile et plus grande qu'elle *qui l'a produite* [d'après Eudoxe-Aristote, mais non d'après Platon] dans toute son existence [circulaire] » (VI, 5, 11, milieu). Du coup, « elle [à savoir la " Nature primitive " ou le *Cosmos noetos*, cette fois-ci aristotélo-stoïcien] est *présente* [*dans* le *Cosmos aisthetos*, de ce fait aristotélo-stoïcien]; mais comment? Comme une *Vie (Zoé)* une [aristotélo-stoïcienne] » (VI, 5, 12, début).

Seulement voilà! En fait et pour nous, si l'Éternité est *hors* du « Temps »; celui-ci *n'est pas* circulaire et le Cosmos n'est pas Vie aristotélo-stoïcienne. Et il ne l'est pas même pour Plotin lui-même qui, après avoir écrit la phrase précitée, parle (après s'être demandé : « Si l'on demande *encore* comment [le *Cosmos noetos* est " présent " dans le *Cosmos aisthetos*] »)... de l'*Extase*.

En redevenant platonicien, Plotin ne voit plus dans le *Cosmos aisthetos* (aristotélo-stoïcien) qu'une *image* (platonicienne), qu'un simple reflet (platonicien) de la Réalité-objective (platonicienne) *transcendant* dans et par le Néant pur qu'est le Non-être (ou le Non-un) en tant que Spatio-temporalité ou « Matière ». « Par ce Non-être, vous êtes devenu *quelqu'un* [c'est-à-dire un être particulier ou un " individu " qui existe-empiriquement en tant que Phénomène dans la Durée-étendue] et vous n'êtes [en tant que Psyché] l'être *universel* [objective-ment-réel au sens d'idéel, idéal ou d'u-topique] que si vous abandonnez ce Non-être [ce qui n'aurait aucun sens pour un Animal aristotélo-stoïcien, qui se réduirait lui-même au néant en " abandonnant " *toute* Matière (élémentaire ou éthérée)]. Vous vous *agrandissez* dans vous-même en *abandonnant* le reste, et, grâce à cet *abandon*, l'Être-universel est *présent* [en vous, puisque, en tant que Psyché (momentanément) dé-matérialisée (dans et par l'Extase), vous êtes vous-même une Idée platonicienne (par rapport à laquelle le *Hen-Agathon-Theos* n'est plus que *simplement* transcendant)]. Tant que vous êtes *avec le reste*, il ne se *manifeste* pas [en tant que Psyché humaine (non incarnée)]. Il n'est pas besoin qu'*il vienne* pour être présent [en vous ou en tant que vous]; c'est *vous* qui êtes *parti* [tant que vous ne *quittez* pas la Matière a-néantissante, soit dans l'Extase ou par la Mort] » (VI, 5, 12, milieu).

Seulement voilà! S'il faut quitter le *Cosmos aisthetos*, c'est que le *Cosmos noetos* est *au-delà* de lui, et il n'est *au-delà* que parce que l'*Agathon-Theos* est l'*Hen* et lui-même *au-delà* du Multiple quel qu'il soit (même « idéel ») et donc parti *hors* de la multiplicité spatio-temporelle. Du coup, le Cosmos est non pas Vie, mais Image morte et Reflet inanimé et la durée-éten-due de l'Existence-empirique est non pas cyclique, mais linéaire, dont il n'y a pas de *Savoir* (éternel) au sens propre du mot. Et Plotin est alors forcé de dire (en redisant Platon), mais en contre-disant sa propre Phénoméno-logie aristotélo-stoïcienne, que la Psyché cosmique et, partant, l'Ame humaine, « assiste donc à ce *changement perpétuel* [héraclito-platonicien] » (II, 3, 16, milieu).

La Psyché voit : « au lieu d'une infinité, qui est *un tout* [c'est-à-dire au lieu de l'Éternel qu'est le *Cosmos noetos* " u-topique " uni-total], [d'une Durée-étendue qui est], un *progrès incessant* à l'infini; au lieu de ce qui est tout entier *à la fois* [ne serait-ce que comme le Mouvement circulaire et l'Existence-empirique cyclique], un *tout qui doit venir* partie par partie et qui est *toujours à venir*,... en aspirant à des acquisitions *toujours nou-velles* de l'existence [-empirique] » (III, 7, 11, *in fine*).

« D'où elle conclut, par exemple [d'une façon assez para-doxale, mais très platonicienne] que les générations succes-sives vont *en empirant* [probablement parce que en *progressant* dans la Durée-étendue, on ne peut que *s'éloigner* de ce qui n'est jamais nulle part] » (II, 3, 16, milieu).

Dans la mesure où, en se souvenant de son Énergo-logie (liée à une Onto-logie authentiquement platonicienne), Plotin contre-dit sa propre Phénoméno-logie (aristotélo-stoïcienne), il aime à re-dire les « mythes » de Platon relatifs à la « chute de l'Ame ». Mais introduits dans la Parathèse éclectique ou néo-platonicienne de Plotin, ces dires sont tout aussi « déplacés » que dans la Parathèse thétique de Platon lui-même (ce qu'Aristote avait si bien vu, probablement parce que son Maître l'avait pré-vu lui aussi : sinon pourquoi aurait-il parlé un langage de *comme-si* « mythique »).

En effet, les Parathèses (thétique et antithétique) qui excluent la Temporalité de leurs Onto-logies respectives qui ne connaissent que l'Éternité, ne sauraient, sans contre-dire leurs Énergo-logies qui ne connaissent que l'Éternel, parler de la Négativité judéo-chrétienne (voire hégélienne) essentiellement temporelles dans leurs Phénoméno-logies. Et c'est pourquoi ni Plotin ni Platon n'ont jamais pu rendre compte, même dans leurs « mythes », du comment et pourquoi de la « Chute » d'une Ame censée être *originairement* « parfaite ». Sans doute, en disant que l'Ame humaine est une Idée platonicienne paradoxalement incarnée à la façon d'une Forme aristotélicienne [étant peut-être pour Platon, voire pour Plotin, la *seule* Idée susceptible de s'incarner de la sorte], on rend compte du phénomène de l'Extase [et de la Morale ascétique que celle-ci suppose] et l'on « justifie » le phénomène de la Mort en tant qu'un « bien ». Mais rien ne peut « expliquer » ou « justifier » l'incarnation de l'Ame idéelle. Pour « justifier » ou « expliquer » cette incarnation, il faut comprendre l'Ame humaine comme une Forme aristotélicienne, voire comme un *Logos spermatikos* stoïcien, qui n'est d'ailleurs pas autre chose que l'Entéléchie d'un Corps *animal* ou seulement *vivant*, pour lequel la Mort est un « mal » et qui ne connaît aucune « Extase ». C'est pourquoi, lorsque Plotin oublie qu'il est un Religieux et ne pense pas à ses propres Extases amoureuses, mais parle en Philosophe « systématicien », il développe une Phénoméno-logie purement aristotélo-stoïcienne (ce qui lui permet, d'ailleurs, de se présenter, conformément à son désir paraphilosophique, comme un « Éclectique » ou Néo-platonicien), où les Êtres dits « humains » sont en fait eux aussi des Êtres phénoménaux sourds et muets, tout aussi « cycliques » ou déterminés causalement que les bêtes et les plantes, voire les « minéraux », tant sublunaires ou « météorologiques » que célestes. Tout au plus peut-on dire alors que si les orbites des Astres sont des cercles parfaits,

tandis que les êtres non humains se meuvent sur des trajec-
toires fermées mais sinueuses, les Ames (humaines « vertueuses » au sens d' « ascétiques ») décrivent des ellipses plus
ou moins allongées, qui les font séjourner tantôt dans les régions
sublunaires (où leur cours est généralement « perturbé »), mais
parfois aussi dans les sphères célestes (d'ailleurs aristotéliciennes).

« Et les Ames humaines? [Lorsqu'elles ne sont pas encore
incarnées et résident en tant qu'Idées dans le *Cosmos noetos*
platonicien], elles voient [déjà!] leurs [en fait futures] *images*
[platoniciennes] comme dans le miroir [platonicien] de Dio-
nysos et, d'en *haut*, elles s'élancent vers elles [sans que l'on
puisse dire pourquoi et comment, si l'on ne veut pas dire
qu'elles le font " nécessairement ", c'est-à-dire " cycliquement "]. Elles ne tranchent pourtant pas leurs liens avec
leurs Principes qui sont des *Nous* [c'est-à-dire des Idées para-
platoniciennes, voire *elles-mêmes*, dans la mesure où elles
restent " là-haut ", tout en descendant " ici-bas "] : elles ne
descendent pas avec *leur Nous* [qui reste donc une Idée " séparée " ou platonicienne]; elles vont [sur leur trajectoire] jusqu'à
la Terre, mais leur tête *reste* fixée *au-dessus* du Ciel [dans le
Cosmos noetos u-topique]. Il arrive pourtant [en fait *nécessairement*] qu'elles descendent assez bas, parce que leur partie
intermédiaire [c'est-à-dire leur Psyché au sens étroit, voire
elle-même en tant qu'Idée *incarnée*, ou Forme aristotélicienne,
qui est Entéléchie de leur Corps] est *contrainte* de donner tous
ses *soins* en quelque sorte *médicaux* au corps *besogneux* [et
plus ou moins *malade*] jusqu'où elles s'étendent [en parcourant
leurs orbites]. Mais leur père Zeus [qui n'est certainement pas
le *Hen-Agathon-Theos*, ni même le Nous premier ou second,
mais tout au plus le troisième ou la Zoé objectivement-réelle]
a pitié [?] de leur *fatigue* [qui est déjà une sorte de *maladie*
du corps]; il *rend* périssables les liens [en principe *éternels* au
sens de *nécessaires*] qui les attachent à la *peine;* et il leur
donne [contrairement aux " *lois* de la Nature "] un repos
temporaire, en les libérant de leur corps, afin qu'elles puissent,
elles aussi [c'est-à-dire tout en ayant été incarnées, re-] *venir*
dans la Région intelligible [u-topique], où *reste* éternellement
la Psyché cosmique *sans* se tourner vers les choses d'ici-bas
[ce qui paraît, d'ailleurs, absolument normal]. En effet, [confor-
mément aux Stoïciens] le Cosmos possède tout ce qu'il faut
pour se suffire à lui-même, et le possède *toujours;* les limites
de sa *durée*[-étendue] sont fixées par des *Logoi immuables*
[c'est-à-dire *éternels*]; au bout d'un temps donné [qui est une
période cosmique stoïcienne], il revient *toujours* au même état,

dans l'alternance mesurée de ses *vies* [aristotélo-stoïciennes] *périodiques* [ou cycliques]. Il fait concorder les choses d'ici avec celles de là-bas et les *conforme* à celles de là-bas [la Forme aristotélicienne toujours incarnée étant ainsi con-forme à l'Idée platonicienne toujours immatérielle]; *tout* est *déterminé* par l'*assujettissement* à un *Logos* [stoïcien] *unique; tout* y est réglé [par une " loi de la Nature "], AUSSI BIEN *la descente et la montée des âmes* que tout le reste. La preuve, c'est *l'accord* des Ames avec l'ordre du Cosmos; elles n'agissent pas *isolément*, mais elles *combinent* leurs descentes et elles sont *en accord* avec le mouvement CIRCULAIRE du Cosmos; leurs conditions, leurs *vies* et leurs [soi-disant] volontés ont [conformément à Eudoxe, à Aristote et aux Stoïciens, mais contrairement à Platon] leurs signes [mais non leurs *causes* (aristotéliciennes) au sens propre du mot] dans les figures formées par les planètes et *s'unissent* pour émettre en quelque sorte *un seul* thème mélodique » (IV, 3, le début).

Le Cosmos tout entier, céleste et sublunaire, humain et non humain, n'est donc qu'un ensemble de mouvements circulaires, qui peut certes émettre des *sons* (si l'on veut harmonieux), mais où rien ne saurait *parler* au sens propre du terme, en pouvant dire sans se contre-dire, qu'il le fait « en toute *liberté*», cette Liberté discursive pouvant être aussi une Négation de tout ce qui est. En tout cas, d'après le texte cité, l'Homme n'a aucun titre spécial qui assignerait à lui seul le Discours (Logos) *libre* qu'est la Liberté (l'Action) *discursive*. Si cet Homme plotinien (en fait aristotélo-stoïcien) était libre de parler, n'importe quelle autre chose qui existe-empiriquement pourrait en faire autant et parler de sa propre liberté. Mais en fait et pour nous, sinon pour Plotin lui-même (du moins explicitement), aucun être dans son Monde n'est susceptible de le faire, ce Monde étant sans doute *vivant*, mais essentiellement *muet* et *sourd* aux Discours proprement dits que l'on ne se contente pas d'écarter, mais qu'on *comprend* en « entendant » aussi leur *sens*.

*

Si nous prenons pour point de départ ce résumé de la Phénoméno-logie purement aristotélo-stoïcienne de Plotin, nous pouvons en déduire une Énergo-logie également aristotélicienne (si nous distinguons le Ciel éthéré du Monde sublunaire élémentaire) ou stoïcienne (si nous faisons descendre sur Terre le Ciel aristotélicien, en supprimant la Matière élémentaire au profit du seul Éther), qui parle d'une Réalité-objective (d'ailleurs *éternelle*) immanente à la durée-étendue (d'ailleurs *cyclique*) de l'Existence-empirique phénoménale (d'ailleurs vivante). Et nous en déduirons alors une Onto-logie aristotélo-stoïcienne elle aussi, qui parle de l'Être-donné comme d'une Cause (en fait à la fois matérielle et formelle, d'ailleurs finale au sens d'efficiente) ou d'un Moteur (d'ailleurs immobile et de ce fait *transcendant*, ne serait-ce que *simplement*, puisque incarné en tant que Moteur, soit dans le Cosmos tout entier, soit seulement dans sa sphère céleste).

Mais en tant que Religieux et « Mystique », Plotin ne pouvait pas admettre cette déduction onto-logique dans sa philosophie. Il tenait fermement à l'Onto-logie parménido-platonicienne de l'Être-donné éminemment *divin* (au sens des Païens) puisque doublement transcendant. Or, en prenant *cette* Ontologie comme point de départ, nous aurions dû en déduire une Énergo-logie également platonicienne, qui parlerait d'une Réalité objective (simplement) *transcendante*, et d'une Phénoméno-logie platonicienne elle aussi, pour laquelle les Phénomènes ne sont que des *images* ou des reflets de la Réalité-objective, d'ailleurs partout et toujours *changeant*, voire s'en allant indéfiniment à la dérive, sans esprit de retour (sauf le « Miracle » qu'est la « conversion » d'une Ame humaine « *élue* », dont on ne peut d'ailleurs rien dire sans se contre-dire, ne serait-ce que dans un discours irrémédiablement « mythique »). Sans doute faudrait-il renoncer alors à tout *Savoir* proprement dit relatif à l'Existence-empirique. Or, si le religieux Plotin s'était facilement résigné à renoncer à toute « Science naturelle », la notion (platonicienne) de l'*anéantissement* dé-finitif de tout ce qui dure et s'étend *en dehors* des Idées et de Dieu, l'homme nommé Plotin y compris, semble avoir effrayé cet homme plus encore que la notion (aristotélo-stoïcienne) d'un retour quand même *éternel*, bien qu'in-fini au sens d'in-défini (en ce qui concerne du moins la *durée*). Par ailleurs, si le modeste Plotin semble avoir été prêt à s'effacer devant le divin Platon, il n'osait pas traiter le grand Aristote en quantité négligeable. Enfin, une déduction purement platonicienne ou purement aristotélicienne n'aurait pas permis au subtil Porphyre de présenter (à lui-même et aux autres) le Système de Plotin qu'il nous dit avoir « inspiré », comme un Système *néo*-platonicien, ce qu'il semble avoir à tout prix voulu faire (tout Philosophe étant nécessairement aussi un Intellectuel « individualiste » ou « vaniteux », dans la mesure même où il n'est pas encore un Sage).

Quoi qu'il en soit, Plotin a voulu re-dire à la fois Platon *et* Aristote (en étant peut-être *le premier* à les re-dire tous les deux, tout en les laissant se contre-dire) et il le fit en redisant la Phénoméno-logie aristotélicienne (ou stoïcienne) à la suite d'une Onto-logie platonicienne. D'où la nécessité d'intercaler entre les deux un « moyen terme » *mixte* ou « éclectique » sous la forme d'une Énergo-logie spécifiquement néo-platonicienne où la « médiation » entre Aristote et Platon n'est d'ailleurs, en fait et pour nous, qu'un compromis paraphilosophique du type parathétique, compromettant parce que contradictoire dans les termes, ceux-ci n'étant dans ce cas que simplement coprésents.

A vrai dire, tant que la Philosophie n'a pas introduit dans son discours synthétique (virtuellement uni-total) la notion judéo-chrétienne (d'origine théologique) de la Négativité, voire de la Temporalité, elle ne pouvait pas faire autre chose en fait de « synthèse » des Parathèses thétique et antithétique. En attendant la réception du discours (théologique) judéo-chrétien sur la Chute de l'Homme et l'Humanisation de Dieu, la Philosophie païenne socratique, après s'être dogmatisée, ne pouvait que développer l'Éclectisme dit « néo-platonicien » élaboré par Plotin (ou par Porphyre), en multipliant ses « moyens termes » en fait contra-dictoires. La contra-diction du soi-disant Système éclectique néo-platonicien étant concentrée dans l'Énergo-logie plotinienne, c'est surtout celle-ci qui fut re-dite par ses émules d'une façon multiple et variée, en étirant la décomposition du moyen terme contradictoire en extrêmes qui se contre-disent et qui suscitent de ce fait un moyen terme nouveau [25].

En négligeant les intermédiaires, c'est de la *dernière* variation néo-platonicienne que je voudrais dire maintenant quelques mots [26].

2. *L'Éclectisme explicite de Proclus.*

On connaît assez mal l'évolution du Néo-platonisme entre Plotin et Proclus. Aussi bien les avis sont-ils très partagés en ce qui concerne l'originalité de ce dernier. En fait, il est tout aussi difficile de se prononcer dans son cas que dans celui de Plotin lui-même. Il est par contre certain que Proclus fut le dernier philosophe « original » dans l'histoire du Néo-platonisme et de la philosophie païenne en général. Damascius mis à part, il n'y a eu, après Proclus, que des commentateurs plus ou moins éclectiques ou « néo-platoniciens » des œuvres de Platon et d'Aristote. Quant à Damascius, il mit un point final à toute l'évolution de la philosophie antique, en s'attaquant à la notion même de la (double) transcendance qui caractérise le Paganisme [sans admettre pour autant la notion judéo-chrétienne d'Incarnation].

Il est d'ailleurs intéressant de noter que l'Éclectisme « néo-platonicien » semble avoir rencontré une opposition résolue tout au long de son histoire. En tout cas, à côté des Néo-platoniciens proprement dits, à tendance théologisante ou « mystique », on rencontre des philosophes dits « néo-platoniciens » eux aussi, qui préconisent un « retour aux sources » : soit, plus rarement, à Platon, soit, plus souvent, à Aristote; soit, au-delà des deux, à la philosophie présocratique, voire au « matérialisme » athée épicuro-démocritéen. Ainsi, on trouve à côté de Plotin un Porphyre, qui semble avoir préconisé un « positivisme » aristotélisant, tout en admettant la « révélation » extatique silencieuse de l'ineffable *Hen-Agathon-Theos* parménido-platonicien. De même, en regard de Jamblique on a un empereur Julien qui ne lui épargne pas ses sarcasmes et qui semble se réclamer (comme toute l'École de Pergame dont il faisait partie) moins d'Aristote lui-même que de Théophraste ou de Straton, sans être le moins du monde choqué par le « matérialisme » épicurien. Enfin, Damascius prend vis-à-vis de Proclus une attitude en tout point analogue à celle que Julien prenait vis-à-vis de Jamblique.

Mais si l'on fait abstraction des philosophes postplotiniens qui ne sont « néo-platoniciens » que de nom, il faut reconnaître l'existence d'une évolution linéaire du Néo-platonisme proprement dit, d'ailleurs théologisant ou « mystique », qui transforma le Système de Plotin en celui de Proclus. Bien qu'on ne connaisse que fort mal cette évolution, il n'y a pas de doute qu'elle fut l'œuvre de plusieurs philosophes (ou, plutôt, de paraphilosophes). Il semble d'ailleurs que cette évolution, qui n'a pas dépassé le stade atteint par Proclus, n'ait pas remonté au-delà de Plotin ou de Porphyre, en « ignorant » tous les prédécesseurs « néo-platoniciens » de ces derniers et en ne recherchant chez Aristote et chez Platon, voire chez les philosophes présocratiques, que ce qui avait été repris dans le Système plotino-porphyrien.

Il est difficile de dire dans quelle mesure Porphyre a servi d'« intermédiaire » entre Proclus et Plotin. Mais il semble que Jamblique (ainsi que Théodore d'Asiné) ait joué dans cet ordre d'idées un rôle décisif. Quant au rôle joué par l'École d'Alexandrie, il est très peu clair, mais il ne semble pas que cette École ait contribué à la formation du système procléen. On peut supposer, par contre, que Proclus doit beaucoup à ses prédécesseurs de l'École d'Athènes, à Syrianus notamment [27].

Si l'on veut caractériser l'ensemble de l'évolution qui trans-

forma le Système plotino-porphyrien en Système procléen, on
peut dire que chez Plotin le « flottement » dans les notions
« moyennes » est au maximum et leur « tripartition » à peine
amorcée, tandis que chez Proclus cette « tripartition » atteint
une ampleur jamais dépassée, le « flottement » ayant pratiquement disparu. Partout où Plotin ne fait que tâtonner, Proclus
prétend avoir trouvé la solution finale et explicité toutes les
articulations du Système définitif. C'est dire que chez Proclus
la dogmatisation du Système philosophique est à son comble.
Plotin semble s'être encore rendu compte du fait que la simple
« addition » du Platonisme et de l'Aristotélisme dogmatisés
ne parvient pas à combler toutes les « lacunes » du Système
(paraphilosophique) « éclectique », celui-ci n'intégrant d'ailleurs pas tous les éléments-constitutifs des Systèmes platonicien et aristotélicien. Autrement dit, Plotin se rendait compte
et admettait le caractère dogmatique de son Système, déduit
à partir d'Évidences discursives qui ne constituaient pas dans
leur ensemble un Discours uni-total, c'est-à-dire complet et
continu. Par contre, « honnêtement » ou non, Proclus présentait son « Système » comme un tel discours. D'une part, il prétendait [à tort] avoir intégré dans ce Système tous les éléments-
constitutifs platoniciens et aristotéliciens. D'autre part, il
présentait [à tort] son Système explicitement « éclectique »
comme un Discours non seulement *un* ou « cohérent », mais
encore *total* en ce sens qu'il était censé n'impliquer aucune
« lacune » discursive. Autrement dit, Proclus prétendait avoir
développé le Système du Savoir, qui ne fut développé en fait
que par Hegel.

Or, en fait et pour nous, le Système procléen est à la fois
parathétique et paraphilosophique, c'est-à-dire non seulement
« contradictoire », mais encore « lacunaire ». Tout d'abord, ce
Système est, tout comme celui de Plotin, un « compromis »
partiel entre le Platonisme et l'Aristotélisme, en ce sens qu'il
n'intègre qu'une *partie* des notions fondamentales de Plotin et
d'Aristote (la part utilisée par Proclus n'étant d'ailleurs pas
plus étendue que celle déjà utilisée par Plotin). Ensuite, l'ensemble des notions platoniciennes et aristotéliciennes utilisées
ne constituant chez Proclus, comme chez Plotin, qu'un Discours en fait « lacunaire », Proclus, comme Plotin, ne peut présenter son Système comme définitif qu'en le dogmatisant,
c'est-à-dire en trans-formant en Évidences (ou en notions discursives mais indéductibles) les notions philosophiques authentiques qu'il emprunte à Platon et à Aristote. Enfin, ces notions
dogmatisées ou trans-formées en Évidences ne se contre-
disent pas moins chez Proclus qu'elles ne le faisaient chez

Plotin, la contradiction entre ces notions étant celle-là même entre les notions philosophiques authentiques de Platon et d'Aristote.

Cela étant, la méthode « éclectique » de Proclus ne diffère en rien de celle utilisée par Plotin, qui consiste à prendre comme « termes extrêmes » une notion platonicienne et une notion aristotélicienne (chacune des deux étant préalablement dogmatisée) et à intercaler entre elles en guise de « moyen terme » une notion « éclectique » néo-platonicienne et néo-aristotélictoire. Cette notion « moyenne » étant par définition « contradictoire » (et d'ailleurs ni platonicienne ni aristotélicienne, mais spécifiquement « néo-platonicienne »), on la dé-compose en ses éléments-constitutifs « extrêmes », platonicien et aristotélicien, le résidu « éclectique » jouant le rôle d'un « terme moyen ». Et ainsi de suite.

Nous avons vu que Plotin s'est contenté d'une seule « tripartition » du « moyen terme » de son Système « éclectique » qu'est la notion du Nous au sens large (la notion du *Hen-Agathon-Theos* étant purement platonicienne et celle de la Psyché purement aristotélicienne). Mais ses écrits contiennent plusieurs variations de cette unique tripartition. Par contre, Proclus ne retient qu'une seule des variantes plotiniennes (à savoir la tripartition du *Nous* en *Ousia-Nous-Logos*, qu'il appelle respectivement *Ousia*-Zoé-*Nous*), mais pousse beaucoup plus loin le processus même de tripartition, en procédant à de multiples dé-compositions du « moyen terme » résultant de l'unique tripartition plotinienne de la notion éclectique fondamentale qu'est le *Nous* au sens large du Système « néo-platonicien ».

En fait, ce processus de tripartition « éclectique » (paraphilosophique) peut être poursuivi indéfiniment, vu qu'il n'aboutit jamais à une suppression dialectique de la contradiction parathétique (qui ne peut d'ailleurs s'opérer qu'à partir de la Parathèse synthétique ou kantienne de la Philosophie). Tout arrêt est donc en fait arbitraire et il ne peut être « expliqué » (sinon « justifié ») que par des motifs « psychologiques ». En principe, rien n'empêche Proclus lui-même ou l'un quelconque de ses « successeurs » d'aller au-delà de la dernière tripartition qu'il avait opérée. Mais le fait est que Proclus semble avoir atteint ou même dépassé la mesure. En tout cas, personne ne semble avoir essayé d'aller plus loin que lui dans cette direction et les écrits de ses émules (dits « chrétiens ») parvenus jusqu'à nous témoignent du désir de réduire sensiblement le nombre des tripartitions qui se trouvent dans les œuvres connues de Proclus.

Cela étant, nous pouvons dire (avec Damascius) que Proclus est allé, en fait, jusqu'au bout de l'impasse qu'est la Philosophie (parathétique) païenne. De ce point de vue il est donc, si l'on veut, l'homologue de Hegel. Si Hegel a dit tout ce qu'on peut dire sans se contre-dire (en parlant aussi de ce que l'on dit et du fait qu'on le dit), Proclus a dit (pratiquement) tout ce que l'on peut dire en se contre-disant, c'est-à-dire en re-disant la Thèse et l'Anti-thèse, voire les Parathèses thétique et anti-thétique de la Philosophie, sans trans-former celles-ci en une Parathèse synthétique unique (trans-formable en Système du Savoir).

Or, si la Parathèse synthétique (kantienne) pré-suppose la suppression dialectique de la notion du Concept dans et par celle du Temps, cette même Parathèse qui pose la relation du Concept [éternel] avec le Temps et donc du Temps avec le Concept, sup-pose l'introduction (ou intégration) dans le Discours synthétique qu'est la Philosophie du Discours (exclusif) dogmatique non seulement *scientifique* (hellénistique ou païen), mais encore *théologique* (judéo-chrétien), la coexistence de ces deux Discours exclusifs dans le Discours philosophique de la Parathèse synthétique se présentant comme l'Éthique qu'est cette Philosophie (kantienne), qui sera trans-formée en Sagesse (discursive) dans et par le Système du Savoir (hégélien). On peut donc dire que c'est le refus de Proclus de se « convertir » (« explicable », sinon « justifiable », par des motifs purement « psychologiques ») qui l'a obligé de parcourir jusqu'au bout l'impasse païenne, en montrant ainsi à tous qu'il n'y avait là aucune issue philosophique.

C'est à la fin du Moyen Age seulement que tous ont reconnu ce qu'aurait pu voir déjà un contemporain de Proclus et ce qu'a effectivement vu un Damascius. Mais c'est quand même grâce à Proclus qu'on a fini par le voir pour toujours et partout. Car c'est par des paraphrases (très simplifiées) du Système procléen que débuta sinon la Théologie judaïque, du moins la soi-disant « philosophie » prétendument « chrétienne » (dite « patristique »). Ce n'est que petit à petit que les scolastiques réussirent à dé-composer l'Éclectisme paraphilosophique procléen en ses composantes authentiquement philosophiques. On commença par en dégager l'Aristotélisme et l'on constata qu'il était impossible d'introduire dans le Discours (parathétique antithétique) aristotélicien le Discours (dogmatique) théologique judéo-chrétien. On se tourna ensuite vers le Platonisme qu'on dégagea plus ou moins de sa fange procléenne, mais on aboutit au même résultat décevant (à l'époque de la Renaissance). En abandonnant ainsi Proclus et le Néo-platonisme en général (abstraction faite des rechutes à la Malebranche), on se trouva alors en présence d'une Philosophie réduite aux seuls systèmes parathétiques, d'ailleurs contra-dictoires, de Platon et d'Aristote dont aucun ne rendait compte de la Théologie dogmatique judéochrétienne. Force fut donc à ceux des philosophes qui voulurent rester chrétiens de chercher autre chose. Et ils s'y attelèrent à partir de Descartes, jusqu'à ce que Kant ait pu développer la Parathèse synthétique transformable en Système du Savoir.

On peut dire, si l'on veut, que c'est Kant qui est l'homologue chrétien du païen Proclus. C'est en christianisant le Système philosophique procléen que Kant a permis à Hegel de le trans-former en Système du Savoir. C'est Kant qui a ouvert une brèche judéo-chrétienne dans le mur auquel s'est heurté Proclus au bout de l'ignorance philosophique païenne. Sans doute, Kant a opéré sur les notions fondamentales platoniciennes et aristotéliciennes pures (d'ailleurs parvenues jusqu'à lui très indirectement, à travers les philosophes « cartésiens » ou « modernes ») et non sur des notions éclectiques ou néo-platoniciennes. Mais si les prédécesseurs scolastiques de Descartes n'avaient pas défait ce qu'avait fait Proclus, Kant n'aurait jamais pu trans-former en Parathèse synthétique les Parathèses thétique et antithétique de la Philosophie. La « synthèse chimique » kantienne du Platonisme et de l'Aristotélisme n'a été possible que grâce à leur « mélange mécanique » opéré par Proclus à la suite de Plotin.

Dans le schéma du développement dialectique de la Philosophie, il n'y a pas de place pour le Néo-platonisme, vu que celui-ci n'est rien d'autre qu'une simple coprésence des Parathèses thétique et antithétique dans un seul et même soi-disant « Système » éclectique, en fait dogmatisé, c'est-à-dire paraphilosophique. Mais un schéma de l'évolution chronologique de la Philosophie doit réserver une place au développement de la Paraphilosophie éclectique « socratique » (païenne) et donc à son terme final qu'est le Système procléen.

Cependant, étant donné qu'il s'agit chez Proclus, bien plus d'un jeu de l'esprit que d'une philosophie proprement dite et que son prétendu Système se situe au fond d'une impasse philosophique, il n'y a pas lieu de re-produire ce Système dans la présente INTRODUCTION, qui a pour but d'introduire historiquement le Système du Savoir hégélien en re-produisant le chemin philosophique qui y mène. Mais, puisque le Système procléen est l'homo-logue paraphilosophique du Système du Savoir et en quelque sorte sa « caricature », il n'est pas dénué d'intérêt, en vue d'une comparaison avec Hegel, de rappeler en ce lieu le but que s'était posé Proclus, la méthode dont il se servait pour l'atteindre, ainsi que le résultat auquel il est parvenu, en illustrant ce rappel par une analyse de l'exemple particulièrement typique qu'est la théorie procléenne des Idées, où sont censées être réconciliées toutes les positions contradictoires [déjà présentées par Platon dans le *Parménide*] qui seront reprises au Moyen Age dans la querelle dite des Universaux.

Ainsi, le présent *chapitre*, consacré à l'Éclectisme explicite de Proclus, se décompose en trois *sections* :

a. Le but et la méthode;
b. La Structure du Système;
c. L'exemple de la Théorie des Idées.

Une courte *Conclusion* sera consacrée à la comparaison de Proclus avec Hegel, qui permettra d'amorcer la *Transition* de la Philosophie païenne à la Philosophie judéo-chrétienne médiévale et moderne.

a) *Le but et la méthode.*

La Tradition fait remonter à Antiochus d'Ascalon la Paraphilosophie éclectique « socratique ». Mais cette même Tradition nous apprend qu'Antiochus niait l'originalité de toutes les philosophies autres que celle de Platon, notamment des philosophies stoïcienne et aristotélicienne. Sans doute, en fait et pour nous, le Système antiochien a dû être éclectique en ce sens qu'il comportait une simple coprésence de notions contradictoires platoniciennes et aristotéliciennes, ou plus exactement stoïciennes, vu que toutes les notions utilisées semblent avoir été dogmatisées. Mais, pour Antiochus lui-même, son Système n'était qu'une paraphrase de celui de Platon, la paraphrase prenant une allure aristotélicienne ou stoïcienne là où Aristote et les Stoïciens se sont eux-mêmes contentés de paraphraser ou de développer des notions platoniciennes, sans les déformer. Par contre, Antiochus a dû avoir rejeté toutes les notions stoïciennes et aristotéliciennes qui, à ses propres yeux, contredisaient les notions platoniciennes, en expliquant cette apparente contra-diction par le fait qu'Aristote et les Stoïciens ont mécompris Platon partout où ils le contre-disaient.

Autrement dit, pour Antiochus, le Système platonicien était en fait le Système du Savoir, c'est-à-dire le Discours uni-total qui disait *tout* ce que l'on peut dire sans se contredire. Tout ce qui contre-disait ce Système (notamment du côté des Aristotéliciens et des Stoïciens) devait donc être équivalent au

Silence, c'est-à-dire « contradictoire dans les termes ». C'est ainsi qu'Antiochus pouvait se considérer comme purement et authentiquement platonicien et refuser d'être taxé d'éclectique. Sans doute, le Système de Platon ne pouvait en fait donner l'illusion d'être le Système du Savoir qu'à condition d'être, d'une part, dogmatisé (les « lacunes » du discours platonicien étant présentées comme des Évidences discursives) et, d'autre part, complété par l'addition de notions aristotéliciennes (dogmatisées elles aussi). Ainsi, le prétendu Système « socratique » d'Antiochus est pour nous à la fois paraphilosophique et éclectique, mais il n'est, pour son auteur, ni l'un ni l'autre.

Lorsqu'on passe à Plotin, l'Éclectisme socratique se présente sous une forme déjà un peu plus consciente. Plotin semble reconnaître ou tout au moins ne pas contester que son Système comporte des éléments-constitutifs non seulement platoniciens, mais encore aristotéliciens ou stoïciens. De ce point de vue, Plotin reconnaît donc le caractère « éclectique » de son Système (qui, du fait d'être dogmatisé, se présente à ses propres yeux comme Système du Savoir). Mais il ne semble pas avoir admis l'existence d'une contra-diction entre les notions platoniciennes et aristotélo-stoïciennes. Selon lui, l'Aristotélisme authentique (parfois mécompris et déformé par les Stoïciens) implique toutes les notions d'origine platonicienne, en y ajoutant certaines autres, qui ne se trouvent pas chez Platon, mais qui ne contre-disent nullement celles développées par ce dernier. Tout simplement, Platon avait quelque peu négligé la Phénoméno-logie et cette lacune avait été comblée par Aristote, suivi des Stoïciens. Aristote aurait, par contre, négligé l'Onto-logie (ou la Théo-logie), mais heureusement complété Platon dans le développement de l'Énergo-logie.

Somme toute, Plotin se considérait comme un [néo-]platonicien parce que, à l'instar de Platon, il mettait l'accent sur l'Onto-logie. Mais il aurait tout aussi bien pu s'appeler [néo-]aristotélicien, vu que, selon lui, Aristote complétait Platon sans le contre-dire. Certes, pour nous, les notions platoniciennes et aristotéliciennes utilisées (dans la forme dogmatisée) par Plotin se contre-disaient mutuellement et celui-ci tenait en fait compte de cette contra-diction dans la mesure où il se servait (ou en était peut-être l'inventeur, d'ailleurs probablement inspiré par Porphyre en ce point) de la méthode « éclectique » (parathétique) du « moyen terme » spécifiquement néo-platonicien intercalé entre les « termes extrêmes » purement platonicien et aristotélicien. Mais Plotin ne semble pas avoir lui-même explicité le caractère contra-dictoire des éléments-constitutifs platoniciens et aristotéliciens de son Système et c'est pourquoi nous pouvons qualifier d'*implicite* l'Éclectisme plotinien.

Tout comme Antiochus d'Ascalon, Plotin reconnaissait en fait le caractère paraphilosophique de son Système, vu qu'il admettait (à la suite des Stoïciens) que celui-ci ne pouvait être déduit qu'à partir d'Évidences indéductibles. Mais lui non plus ne voyait pas qu'en dogmatisant les Systèmes de Platon et d'Aristote il abandonnait en fait le Platonisme et l'Aristotélisme authentiques. Par ailleurs, contrairement à Antiochus, Plotin reconnaissait que son système était « éclectique » en ce sens qu'il impliquait des notions *différentes*, les unes étant d'origine platonicienne et les autres aristotélicienne. Toutefois, à la différence de Proclus, il n'admettait pas encore, du moins explicitement, que ces notions étaient non seulement différentes, mais encore mutuellement contra-dictoires.

D'une manière générale, l'Éclectisme socratique d'Antiochus à Plotin avait pour but avoué de « réconcilier » Aristote avec Platon, voire l'Aristotélisme ou le Stoïcisme avec le Platonisme. L'Éclectisme « inconscient » d'Antiochus croyait pouvoir y arriver en niant toute différence entre Platon et Aristote, tandis que l'Éclectisme *implicite* de Plotin admettait la différence, mais niait la contra-diction. Ainsi, en *complétant* Platon par le seul Aristote ou Aristote par le seul Platon, Plotin croyait avoir trans-formé ces deux Systèmes *philosophiques*, c'est-à-dire *incomplets* (et *différents* en raison de la nature de leurs lacunes respectives), en un seul et même Système du Savoir ou Discours uni-*total*. En se servant d'une image, on peut dire que le Système du Savoir était, pour Plotin, une statue composée de deux pièces, d'abord séparées, à savoir d'une tête platonicienne et d'un corps aristotélo-stoïcien, ces pièces étant collées l'une à l'autre par Plotin lui-même au moyen d'une colle spécifiquement néo-platonicienne (ou plotinienne, voire porphyro-plotinienne) dont la couche devait d'ailleurs être aussi mince et invisible que possible.

Quant à Proclus, l'opposition entre Platon et Aristote l'impressionnait beaucoup moins que ses prédécesseurs et il ne semble plus s'être préoccupé, comme eux, des polémiques entre Platoniciens, Péripatéticiens et Stoïciens, d'ailleurs pratiquement éteintes à l'époque où il vivait. En ne voulant ni faire taire ces polémiques ni « réconcilier » Aristote et Platon, Proclus ne voyait dans le Système néo-platonicien (notamment plotinien) que des « notions abstraites » et il n'avait pas de « motif psychologique » pour « ignorer » leurs évidentes contra-dictions. Et c'est ainsi que Proclus a pu *expliciter* l'Éclectisme *implicite* plotinien.

Quoi qu'il en soit, Proclus admet *explicitement* le caractère *contra-dictoire* des éléments-constitutifs de son Système (ainsi que de ceux de tous ses précurseurs néo-platoniciens ou « éclectiques ») ou, plus exactement, de ses deux « termes extrêmes », dont il sait d'ailleurs (tout comme ses prédécesseurs, mais sans y attacher lui-même l'importance qu'y attachent ces derniers), qu'ils remontent respectivement à Platon et à Aristote, qui se contre-disaient donc effectivement (directement ou par le truchement de leurs émules). Or, loin d'être un défaut (dû au hasard historique de leurs origines respectives), la nature contradictoire des « termes extrêmes » du Système néo-platonicien est au contraire la garantie, voire la condition nécessaire (et suffisante) de son caractère *total*. Puisque *S est P* et *S est Non-p* ou *S n'est pas P* épuisent à eux deux les possibilités discursives, un Discours qui dit « à la fois » que S est P et Non-p ne peut être qu'un Discours total. Ce n'est pas parce que Platon disait P où Aristote dit Non-p, ou inversement, que Proclus veut dire ET P ET Non-p. Il le dit parce qu'il veut développer complètement le Système du Savoir qui est par définition un Discours *total* et parce qu'il ne peut développer le Discours *totalement* qu'en développant les deux notions « contraires » à la fois. Même si Aristote n'avait jamais contre-dit Platon, Proclus aurait introduit dans son Système les notions « contraires » aux notions platoniciennes. En tout cas, il construit parfois des contra-dictions *a priori*, sans se préoccuper de la question de savoir si elles s'étaient déjà présentées au cours de l'histoire. Proclus contre-disait lui-même tout ce qu'il disait parce que c'est en contre-disant ce que l'on dit qu'on peut dire *tout* ce que l'on peut dire (en parlant ainsi de *tout* ce dont on peut parler).

Certes, le Système du Savoir est un Discours non seulement *total*, mais encore *un*, c'est-à-dire « cohérent ». Or, la simple coprésence de notions qui se contre-disent rend le Discours « contradictoire dans les termes », c'est-à-dire « incohérent », voire équivalent au Silence. Il faut donc à tout prix *supprimer* le caractère « contradictoire » du Discours philosophique, tout en y *conservant* la contra-diction. Et Proclus croit pouvoir y parvenir en *sublimant* la « contradiction » entre les « termes extrêmes » en un « moyen terme » contra-dictoire, mais censé être « cohérent ». Ce n'est donc plus pour « concilier » Platon et Aristote, ni pour faire cesser les « polémiques » entre philosophes, mais pour développer un Discours uni-total, voire le Système du Savoir, que Proclus use et abuse des «moyens termes » éclectiques ou néo-platoniciens, probablement introduits dans la Philosophie par Plotin (ou par Porphyre) et déjà largement utilisés par un Jamblique ou un Syrianus.

En bref, le *but* unique de Proclus est le développement du Système du Savoir (au sens hégélien) comme Discours uni-total qui dit tout ce qu'on peut dire sans se contredire. Ce n'est pour ainsi dire que par hasard que Proclus re-dit Platon et Aristote (voire les Stoïciens) en parlant lui-même de façon à pouvoir contre-dire tout ce qu'il a dit. Mais la *méthode* (néo-platonicienne) dont se sert Proclus est telle que son discours (à la différence de celui de Hegel) reste tout aussi *éclectique* que les discours de ses prédécesseurs néo-platoniciens. Au lieu d'une *suppression-dialectique (Aufhebung)* de la contra-diction (qui *supprime* celle-ci en la *conservant* en tant qu'effectivement *sublimée*), il y a une simple coprésence des « termes extrêmes » contra-dictoires, de sorte que le dernier des « moyens termes » multiples de Proclus est tout aussi « contradictoire » que l'unique « terme moyen » de Plotin. Sans doute, Proclus n'a jamais voulu le reconnaître lui-même. Mais dans la mesure où il a lui-même *explicité* le caractère contra-dictoire des « termes extrêmes » (sans pour autant supprimer-dialectiquement la contra-diction), son Éclectisme de fait est pour nous *explicite* [28].

La *méthode* qu'utilisa Proclus est loin d'être originale ou nouvelle. C'est la méthode « éclectique » par excellence, qui fut utilisée par tous les Néo-platoniciens. Découverte peut-être par Porphyre, cette méthode se trouve déjà appliquée dans les *Ennéades* et semble avoir été la base même des Systèmes de Jamblique et de Syrianus. Mais de tous les auteurs que nous connaissons, c'est Proclus qui a appliqué la méthode néo-platonicienne de la façon la plus explicite : il en a tiré le maximum, en l'utilisant en pleine connaissance de cause. C'est donc en analysant les œuvres de Proclus que l'on se rend le mieux compte du caractère spécifique de la méthode « éclectique » néo-platonicienne dans son opposition à la méthode « dialectique » hégélienne.

La méthode « dialectique » ou « synthétique » de Hegel, qui détermine la structure du Système du Savoir hégélien, n'est rien d'autre que le schéma du développement discursif complet de la notion du Concept identifié au Temps ou, plus exactement, à la Spatio-temporalité. Ainsi, le schéma du Discours uni-total qu'est le Système du Savoir, c'est-à-dire du développement discursif complet de la notion du Concept (identifié au Temps) est le même que le schéma de l'existence-empirique achevée de ce Concept lui-même : la durée-étendue du Discours uni-total est la re-production (indéfinie ou « cyclique ») de la durée-étendue de la production (unique) du Concept dans son existence-empirique complète.

Pour que le Discours soit uni-*total*, il doit, par définition, développer complètement, non seulement la notion du *A*, mais encore celle du *Non-a*. Toutefois, en raison de sa durée-étendue finie, le Discours ne peut le faire ni « instantanément », ni « en même temps » : il doit développer *d'abord* la notion du A et *ensuite* celle du *Non-a* (vu que celle-ci sup-pose l'autre qui la pré-suppose). Or, le Discours ne peut être *uni*-total ou « cohérent » que dans la mesure où il dit (en parlant du A *d'abord* et ensuite du *Non-a*) que *tout* ce dont il parle a été *d'abord* A *seulement* et *à la fin seulement* Non-a, étant *entre-temps partiellement* ET A ET Non-a (ce qui n'est NI A, NI Non-a étant *ineffable*). Plus exactement, si le début du Dis-cours uni-total est le développement de la Thèse *A*, sa fin (but et terme) n'est pas le développement de l'Anti-thèse *Non-a*. Car si, à la fin, *tout* est *Non-a* et *Non-a seulement,* il n'y a plus de A du tout, ni donc de Non-a non plus : le terme ou le but du Discours uni-total qui développe complètement le Système du Savoir est non pas l'*Anti*-thèse Non-a, mais la *Syn*-thèse qui n'est précisément rien d'autre que [la re-dite indéfinie de] ce Discours lui-même, disant [et re-disant] que si, au début, tout était A, *rien* ne l'est plus à la fin, le Tout ayant été entre-temps partiellement A et partiellement Non-a. En d'autres termes, le Discours uni-total, qui développe d'abord la Thèse, puis l'Anti-thèse et ensuite la Para-thèse, se re-dit en développant la Syn-thèse, qui parle de ce Discours lui-même en disant qu'il est la révélation discursive complète de l'existence-empirique achevée du Concept, la durée-étendue de cette existence-empirique a été d'abord thétique, puis anti-thétique et enfin para-thétique, avant de devenir (définitive-ment) syn-thétique. En se re-disant (indéfiniment), le Discours uni-total « circulaire » qu'est le Système du Savoir ne fait que re-produire la durée-étendue « linéaire » et « finie » de l'exis-tence-empirique du Concept dont il développe la notion dans et par sa propre durée-étendue discursive, elle aussi « finie », mais « cyclique ».

Or, toute la Philosophie antique ou païenne, celle de Proclus y compris, se refuse à identifier le Concept avec le Temps (comme le fait Hegel) ou même à le mettre en relation avec celui-ci (comme l'a fait Kant). Dans la mesure où cette Philo-sophie évite tant le Silence « thétique » parménidien (qui *identifie* pour ainsi dire le Concept avec l'Éternité) que le Bavardage « anti-thétique » héraclitéen (qui *oppose* le Concept *à l'Éternité* de façon à le rendre éternellement « temporel » ou coéternel à un Temps « infini », voire « in-défini », le Concept devenant de ce fait lui-même indéfinissable), elle comprend le

Concept comme l'Éternel et elle ne le met en relation qu'avec l'Éternité située soit en dehors du Temps (par le Platonisme), soit à l'intérieur de celui-ci (par les Aristotéliciens). Ainsi, dans la mesure où le Néo-platonisme ne recherchait rien d'autre ni de plus qu'une « somme » éclectique du Platonisme et de l'Aristotélisme, il ne pouvait pas faire autre chose que de comprendre le Concept, à la suite de Platon et d'Aristote, comme l'Éternel mis en relation avec l'Éternité (l'éclectisme néo-platonicien se réduisant à situer l'Éternité « à la fois » dans le Temps et hors du Temps).

C'est dire que les Néo-platoniciens ne pouvaient pas transformer le ET-ET parathétique en le D'ABORD-ENFIN synthétique. Ayant constaté (à l'occasion de l'opposition soit entre Platon et Aristote, soit entre Parménide et Héraclite) que la notion du Concept pouvait être discursivement développée SOIT en tant que Thèse (parménidienne), SOIT en tant qu'Anti-thèse (héraclitéenne), et continuant à supposer que le Concept éternel était en relation avec l'Éternité, ils devaient admettre la coprésence éternelle de la Thèse ET de l'Anti-thèse dans l'Éternité elle-même, de sorte que le SOIT-SOIT antithétique se trans-formait nécessairement pour eux en un ET-ET parathétique.

Plus exactement, c'est Parménide et Héraclite qui se trouvaient dans l'attitude antithétique du SOIT-SOIT, l'un affirmant la Thèse seulement par la négative de l'Anti-thèse : non- (- (Non-a) = A) et l'autre seulement l'Anti-thèse (par la négation de la Thèse : Non-a = Non-a). Le premier Éclectisme (ou l'Éclectisme présocratique) avait essayé d'« additionner » telles quelles la Thèse parménidienne et l'Anti-thèse héraclitéenne, leur « mélange mécanique » étant ainsi censé pouvoir et devoir *se substituer* aux deux, les *deux* y étant re-prises *intégralement*. C'est « Socrate » qui a explicité le caractère irrémédiablement « contradictoire » d'un tel « mélange », en montrant à Platon, suivi par Aristote, qu'il fallait *modifier* la Thèse et l'Anti-thèse pour pouvoir trans-former la contradiction du SOIT-SOIT en un ET-ET non « contradictoire ». Le Concept étant censé être l'Éternel mis en relation avec l'Éternité, la temporalisation du SOIT-SOIT a été exclue par les « Socratiques ». Ainsi, le ET-ET parathétique ne reprenait que partiellement le SOIT-SOIT antithétique, de sorte que ni Platon, ni Aristote n'ont voulu *substituer* leurs Systèmes respectifs à ceux de Parménide ET d'Héraclite, en prétendant qu'ils les re-disaient *complètement* tous les *deux*. La Philosophie parathétique ou « socratique », qui se considérait comme la Philosophie « proprement dite », excluait l'Éléatisme et l'Héraclitéisme « purs » comme des « cas limites » de la Philosophie. Or, si toute la Philosophie « socratique » (= parathétique) est *partielle*, son étape « prékantienne » a été encore *partiale*, le Platonisme accordant une prépondérance aux éléments-constitutifs parménidiens, tandis que l'Aristotélisme l'accordait aux éléments héraclitéens. De ce fait, le ET-ET parathétique se présentait aux philosophes postaristotéliciens comme un SOIT-SOIT contra-dictoire, les ET-ET platonicien et aristotélicien se contre-disant l'un l'autre.

Ce n'est que Kant (le « deuxième Socrate ») qui a vu et montré (à Hegel) qu'il fallait *modifier* tant le Platonisme que l'Aristotélisme si l'on voulait trans-former le SOIT-SOIT contra-dictoire platono-aristotélicien en un ET-ET censé pouvoir être « cohérent » qui, tout en restant partiel (ou parathétique), cesserait d'être partial. Or, la trans-formation kantienne des Parathèses thétique et antithétique en Parathèse synthétique équivaut à la mise en relation du Concept, compris comme l'Éternel, avec le Temps (le caractère parathétique, voire « partiel » et « contradictoire » de cette trans-formation étant d'ailleurs déterminé précisément par le maintien du caractère *éternel* du Concept).

La mise en relation du Concept (éternel) avec le Temps étant spécifiquement judéo-chrétienne, le paganisme ne pouvait l'admettre. Pour les Néo-platoniciens, le Concept restait l'Éternel mis en relation avec l'Éternité. Par conséquent, pour eux, la coprésence des Parathèses thétique et antithétique devait être coéternelle avec l'Éternité elle-même. Les Néo-platoniciens étaient donc obligés, s'ils voulaient trans-former le SOIT-SOIT platono-aristotélicien en ET-ET, de maintenir *telles quelles* tant la Parathèse thétique de Platon que la Parathèse antithétique d'Aristote. En d'autres termes, les Néo-platoniciens ne pouvaient être que des Éclectiques.

A l'instar des Éclectiques présocratiques, les Éclectiques néo-platoniciens prétendaient développer un Système censé devoir se *substituer* aux deux Systèmes qui constituaient le SOIT-SOIT qu'ils voulaient transformer en ET-ET, vu que le Système éclectique était censé pouvoir les re-dire intégralement tous les deux. Seulement, si les Éclectiques présocratiques prétendaient re-dire Parménide et Héraclite, les premiers Néo-platoniciens excluaient ces derniers de leurs re-dites, en ne prétendant re-dire que Platon et Aristote qui excluaient eux aussi de leurs re-dites partielles et partiales les dires éléato-héraclitéens « purs ».

L'originalité de Proclus (ou peut-être de Syrianus si Proclus ne fait que re-dire les dires de ce dernier) consiste à compléter l'Éclectisme « socratique » du Néo-platonisme plotinien par une reprise de l'Éclectisme « présocratique ». Autrement dit, Proclus a voulu *substituer* son Système éclectique non seulement aux Systèmes parathétiques de Platon et d'Aristote, mais encore aux Systèmes antithétiques de Parménide et d'Héraclite, en prétendant les redire *intégralement* tous les *quatre*, la re-dite combinée de Platon et d'Aristote n'étant d'ailleurs rien d'autre qu'une re-dite de Plotin, qui avait déjà intégralement re-dit les dires platono-héraclitéens.

Ainsi, le but poursuivi par Proclus était déjà celui même que poursuivra Hegel, à savoir le développement discursif complet du Système du Savoir, c'est-à-dire du Discours uni-total qui dit *tout* ce que l'on peut dire sans se contre-dire, en re-disant « à la fois » les dires de Parménide et d'Héraclite, qui développèrent respectivement la Thèse et l'Antithèse de la Philosophie. Mais à la différence de Hegel, Proclus essaie d'atteindre ce but en se servant d'une *méthode* inadéquate, vu que, comme tout païen, il refuse de *temporaliser* le Concept de façon à pouvoir faire coïncider le schème de la durée-étendue du développement discursif de la notion de Concept avec celui de la durée-étendue de l'existence-empirique de ce Concept lui-même.

Pour Proclus, comme pour tous les Païens (et donc pour tous les Éclectiques), il y a donc une coprésence éternelle au sein de l'Éternité elle-même non seulement de la Thèse et de l'Anti-thèse, mais encore des Parathèses thétique et antithétique (ce qui exclut précisément l'opposition de la Parathèse synthé-tique et partant de la Syn-thèse proprement dite). En symbo-lisant la coprésence *éternelle* par une ligne *droite*, on peut représenter comme suit la structure du Système procléen que Proclus présentait [à tort] comme Système du Savoir :

(A)	(A et Non-a)	(Non-a)
(Parménide)	(Platon + Aristote = Plotin)	(Héraclite)

Dans la mesure où, à la suite d'une mise en relation (païenne) du Concept avec l'Éternité, A et Non-a coexistent éternel-lement (de toute éternité), la « logique » exige que le « moyen terme » plotinien, voire platono-aristotélicien *se substitue* aux « termes extrêmes » éléatique et héraclitéen (vu que *rien* n'est *jamais* A seulement ou *seulement* Non-a). Mais l'« originalité », pour ne pas dire l'« absurdité » du soi-disant Système de l'éclec-tisme procléen consiste à affirmer l'éternelle coexistence du moyen terme avec les deux termes extrêmes, c'est-à-dire à prétendre que Parménide et Héraclite ont eu, ont et auront *toujours* raison, tout comme Platon et Aristote.

Or, d'une part Platon et Aristote savaient parfaitement que leurs Systèmes respectifs ne recouvraient en fait entièrement ni la Thèse de Parménide ni l'Anti-thèse d'Héraclite. Et Plotin ne l'avait ni nié ni oublié en fait. Il y avait donc en quelque sorte deux « lacunes » entre les « termes extrêmes » parménido-héraclitéens et le « moyen terme » platono-aristoté-licien, que Proclus devait essayer de « combler », s'il voulait, dans et par son Système, compléter l'Éclectisme socratique ou néo-platonicien par l'Éclectisme présocratique. D'autre part, Plotin (ou Porphyre) a ré-affirmé la contra-diction entre Platon et Aristote que l'Éclectisme d'un Antiochus d'Ascalon cherche à nier ou à camoufler. Le « moyen terme » platono-aristotélicien se décompose donc à son tour en deux « termes extrêmes », que Plotin (ou Porphyre) voulut maintenir tous les deux, en croyant pouvoir annuler leur contra-diction par et dans un nouveau « moyen terme », spécifiquement néo-platonicien. Ainsi, Proclus devait maintenir dans son Système ce par quoi les Néo-platoniciens croyaient avoir comblé la « lacune » entre la Parathèse thétique et la Parathèse antithétique.

Le schéma du Système procléen se présente donc en définitive de la façon suivante :

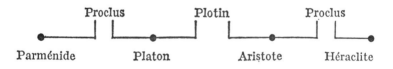

Parménide   Proclus   Platon   Plotin   Aristote   Proclus   Héraclite

Or, Proclus (ou l'un de ses prédécesseurs) a reconnu le carac-tère contra-dictoire du « moyen terme » spécifiquement néo-platonicien ou plotinien et il a donc décomposé à nouveau ce « moyen terme » en deux « termes extrêmes », en essayant d'annuler leur contra-diction par et dans un « moyen terme » nouveau.

En résumé, Proclus a dû s'atteler à (ou poursuivre) deux tâches parallèles : d'une part combler les deux « lacunes » entre les « termes extrêmes » et le « moyen terme » et, d'autre part, décomposer à nouveau ce dernier jusqu'à l'élimination de la contra-diction qu'il implique.

Schématiquement, l'apport de Proclus (ou de Syrianus, voire de Jamblique) se présente donc comme suit, au sein du Système procléen :

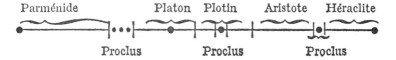

Parménide   Platon   Plotin   Aristote   Héraclite

Proclus   Proclus   Proclus

Bien entendu, en fait et pour nous, ces tentatives de combler des « lacunes » sont tout aussi absurdes que sont vains les efforts d'éliminer la contradiction en décomposant le « moyen terme ». Nous verrons que Proclus a voulu combler la « lacune » parménidienne par son absurde « théorie » des Hénades, tandis que la « lacune » héraclitéenne lui a permis d'introduire dans son soi-disant Système une non moins absurde « théorie » de Magie. Mais on ne peut pas parler dans ces deux cas de méthode proprement dite, vu que les développements soi-disant discursifs en question sont, en fait, dénués de toute espèce de sens [d'où la tentative de Proclus de présenter sa « théorie » des Hénades comme une « Arithmétique »].

Quant à la méthode de décomposition du « moyen terme », elle n'est que la méthode plotinienne (ou porphyrienne) appliquée « systématiquement » et réitérée avec le but évident d'étendre ou d'embrouiller, voire... de dégoûter le lecteur (cette dernière réaction étant celle de Damascius). Dans la mesure où une notion P se révèle être contradictoire, Proclus la décompose en deux notions cohérentes P′ et Non-p′, qui se contredisent mutuellement et il intercale entre les deux une nouvelle notion P″, où P′ et Non-p′ se retrouvent à nouveau, quitte à la décomposer à son tour et à répéter le processus *quantum satis*. En affirmant, bien entendu, que l'ensemble des notions ainsi créées sont éternellement coprésentes au sein de l'Éternité elle-même.

Tout cela serait simplement puéril s'il n'y avait pas, chez Proclus, d'une part, la pleine conscience du fait que ses méthodes de combler les « lacunes » et de décomposer les « moyens termes » ne permettaient pas de développer le Discours philosophique en Discours uni-total, voire de trans-former la Philosophie en Système du Savoir et, d'autre part, une astuce extrêmement ingénieuse qui lui a permis de présenter (peut-être sincèrement) son Système, en dépit de ses « lacunes » et de ses contra-dictions (que Proclus reconnaissait lui-même, tout en les dissimulant aux yeux des autres), comme « vrai » au sens de « définitif ».

Damascius semble avoir été le premier (et peut-être le seul) à avoir repéré et critiqué l'astuce de Proclus. Mais ne voulant pas lui non plus temporaliser le Concept (c'est-à-dire se « convertir » philosophiquement au judéo-christianisme), il n'a pas pu (ou voulu) entrevoir la solution hégélienne du problème philosophique et s'est contenté de conclure de sa critique du Système procléen à l'impossibilité de la Philosophie en tant que telle.

Quoi qu'il en soit, l'astuce de Proclus mérite un rapide examen.

Il aurait été facile, pour Proclus, de revenir à la Thèse éléatique, en transformant le Système éclectique néo-platonicien en une simple paraphrase du Poème de Parménide. Il lui aurait suffi, pour le faire, d'admettre à la fois (avec Parménide) la nature finie de ce dont on parle et le caractère contra-dictoire de tout ce que l'on en dit. Le Système néo-platonicien se présenterait alors comme une re-dite (mise à jour et systématisée) de la IIᵉ Partie du *Poème* parménidien, c'est-à-dire comme un discours qui, d'une part, dit *tout* ce qu'on peut dire et, d'autre part, *contre-dit* tout ce qu'il dit, en opposant à chaque thèse platonicienne une antithèse aristotélicienne. Ainsi, le Discours pris dans son ensemble se réduirait lui-même au silence et ce Silence définitif ou « éternel » se présenterait discursivement comme la seule « révélation » adéquate de ce qui *est* de toute *éternité* ou de l'Éternité-qui-est, voire de l'Être unique et un, c'est-à-dire privé de toute structure spatio-temporelle et donc en fait ineffable. En montrant le caractère contra-dictoire du Discours (censé être fini ou dé-fini), on démontre le caractère ineffable de l'Être-éternel ou de l'Éternité-qui-est (censée être in-finie ou in-définie). Et puisque cette démonstration discursive consiste à réduire au silence (en explicitant toutes ses contra-dictions) le Discours qui se contre-dit nécessairement du fait même qu'il s'efforce vainement de parler de ce qui est, en fait, ineffable, elle aboutit au Silence permanent qui est la révélation éternelle de l'Éternité elle-même.

Or, s'il était facile, pour Proclus, de ramener le Système néo-platonicien à la Thèse éléatique, il ne lui était pas plus difficile de la réduire à l'Anti-thèse héraclitéenne. Il lui aurait suffi pour le faire, d'admettre à la fois (avec Héraclite) la nature in-finie (ou in-définie) de ce dont on parle et le caractère contra-dictoire de tout ce que l'on en dit. Le Système éclectique néo-platonicien pourrait alors développer indéfiniment (voire « éter-nellement ») les contra-dictions inhérentes au Discours en tant que tel, en présentant ce développement contra-dictoire in-défini comme la révélation discursive adéquate de la durée-étendue in-finie de ce dont on parle.

C'est peut-être parce que Proclus s'est lui-même rendu compte de la possibilité de ramener le Néo-platonisme SOIT à l'Éléa-tisme pur, SOIT au pur Héraclitéisme, qu'il n'a voulu faire

NI l'un, NI l'autre seulement, mais essayer de faire ET l'un ET l'autre à la fois. Mais il se peut aussi qu'il ne lui ait pas paru possible d'« ignorer » les Parathèses platonicienne et aristotélicienne, en se contentant de redire la Thèse ou l'Antithèse de la Philosophie. Ou, plus probablement encore, sa vanité d'intellectuel lui interdisait de *revenir* à quoi que ce soit en *re*-disant qui que ce soit et le poussait à avancer quelque chose d'inédit qui lui soit propre.

Quoi qu'il en soit, Proclus se décide à re-dire à la fois non seulement Parménide et Héraclite, mais encore Platon et Aristote, sachant [avec raison] qu'il sera le premier à le faire et croyant [à tort] que personne ne le contre-dira, vu qu'il aura dit *tout* ce que l'on peut dire.

Or, ce que Parménide et Héraclite avaient en commun, c'est l'affirmation du caractère nécessairement contra-dictoire du Discours et c'est cette attitude commune vis-à-vis du Discours qui les opposait à Platon et à Aristote, qui affirmaient en commun que le Discours pouvait et devait avoir un caractère non contradictoire. Pour pouvoir re-dire les dires parménido-héraclitéens et platono-aristotéliciens, Proclus devait donc dire à la fois que le Discours est et n'est pas contra-dictoire. Il pouvait le faire en admettant, d'une part, avec Platon et Aristote, que le discours platonicien était tout aussi cohérent que le discours aristotélicien et, d'autre part, avec Parménide et Héraclite, que le Discours pris dans son ensemble se contre-disait nécessairement, vu que cet ensemble était constitué par un discours platonicien et un discours aristotélicien qui se contre-disaient mutuellement (ce qui n'était nié ni par Platon, ni par Aristote). Par ailleurs, si Parménide cherchait le « critère de vérité » dans la seule absence de contra-diction, Héraclite croyait pouvoir le trouver dans l'adéquation de ce que l'on dit avec ce dont on parle. En constatant le caractère nécessairement contra-dictoire du Discours, Parménide devait donc conclure à la nature silencieuse de la Vérité ou du Vrai, tandis que Héraclite, postulant la nature « contraire » de ce dont on parle, pouvait admettre la vérité d'un discours (in-défini) qui se contre-disait. Quant à Proclus, il essaya d'accepter à la fois les deux « critères ». D'une part, le discours platonicien est vrai (au sens parménidien) parce que *cohérent*, et il en va de même du discours aristotélicien. D'autre part, l'ensemble du Discours est vrai (au sens héraclitéen) bien que contra-dictoire, parce que l'ensemble de ce dont il parle est constitué par deux éléments « contraires », qui sont respectivement révélés d'une façon *adéquate* par les discours platonicien et aristotélicien qui, tout en étant cohérents en eux-mêmes, se contre-disent mutuellement en constituant à eux deux le Discours pris dans son ensemble.

Autrement dit, le Discours total est vrai, d'une part, au sens parménidien parce que chacun des deux composantes discursives (platonicienne et aristotélicienne) est *cohérente*, et, d'autre part, au sens héraclitéen, à cause de l'*adéquation* entre son ensemble de caractère contra-dictoire et la nature « contraire » de ce dont il parle. Dans la mesure où le Discours parle de la durée-étendue in-définie de l'Existence-empirique in-finie, il peut développer indéfiniment ses contra-dictions, tout en restant adéquat à ce dont il parle et en se présentant ainsi comme un Bavardage « scientifique » du type héraclitéen. Mais dans la mesure où le même Discours parle de l'Être-donné fini et dé-fini, il finit par s'annuler soi-même en tant que Discours, en contre-disant tout ce qu'il dit d'une manière dé-finie, et il se réduit ainsi au Silence « mystique » du type parménidien. Toutefois, la Vérité silencieuse de la cohérence parménidienne (voire de l'absence de *contra*-diction due à l'annulation de toute *diction*) ne supprime pas la Vérité discursive (contra-diction) de l'adéquation héraclitéenne, vu que l'une se réfère à ce monde, tandis que l'autre révèle l'Au-delà. On peut dire aussi que la totalité « subjective » formée par le Silence (par définition « cohérent ») et l'ensemble du Discours (nécessairement « contradictoire ») est « vraie » aux sens parménidien et héraclitéen du mot; d'une part parce qu'on ne peut pas dire que le Silence et le Discours qui constituent cette Totalité se contre-disent mutuellement et, d'autre part, parce que la Totalité « objective » est elle-même constituée par un Ici-bas discursif composé de « contraires » et un Au-delà unique et un, ineffable et muet.

D'ailleurs, ce n'est pas seulement la totalité formée par le Discours et le Silence qui est « vraie » au sens parménidien et héraclitéen du mot, mais aussi l'ensemble du Discours lui-même, constitué par les éléments platonicien et aristotélicien, cohérents en eux-mêmes, mais se contredisant mutuellement. C'est que l'Ici-bas auquel se rapporte l'ensemble du discours est constitué dans son ensemble par deux Mondes « contraires », l'un étant immanent ou terrestre *(Cosmos aisthetos)* et l'autre céleste ou transcendant. Si le discours platonicien est vrai au sens parménidien parce qu'il est cohérent en lui-même, il est aussi vrai au sens héraclitéen, parce qu'il est adéquat à ce dont il parle, à savoir au Monde transcendant. De même, le discours cohérent aristotélicien est vrai non seulement au sens parménidien, mais encore au sens héraclitéen, en raison de son adéquation au Monde immanent dont il parle. Quant au caractère contra-dictoire du Discours pris dans son ensemble (platono-aristotélicien), il est l'expression discursive adéquate du caractère « opposé » ou « contraire » des deux Mondes en question. L'ensemble du Discours est donc vrai au sens héraclitéen. Mais étant contra-dictoire, il ne peut être vrai au sens parménidien. Seulement, il suffit de le finir ou de le dé-finir en l'arrêtant au moment opportun, c'est-à-dire après avoir contre-dit tout ce qu'on avait dit (auparavant) pour le réduire au silence, en établissant ou rétablissant, de ce fait, la Vérité parménidienne qui est la révélation silencieuse de l'Éternité qu'est l'Être unique et un. Toutefois, rien n'empêche de prolonger indéfiniment le Discours contra-dictoire, qui restera vrai au sens héraclitéen dans la mesure où une matière in-finie peut se trans-former sans fin en incarnant des formes dé-finies par leurs « contraires ».

On peut dire, en résumé, que la méthode de Proclus consiste à épuiser, en parlant, toutes les possibilités ou « impossibilités » discursives.

Or, le schéma général du Discours est (en fait et pour nous, comme pour Proclus lui-même et déjà pour Platon) le suivant :

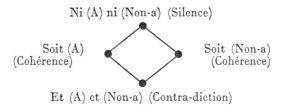

Ni (A) ni (Non-a) (Silence)

Soit (A)　　　　　　　　　　　Soit (Non-a)
(Cohérence)　　　　　　　　　　(Cohérence)

Et (A) et (Non-a) (Contra-diction)

En construisant un système d'après ce schéma, Proclus obtient la structure suivante :

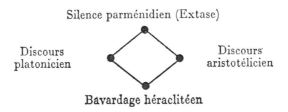

Silence parménidien (Extase)

Discours　　　　　　　　　　　Discours
platonicien　　　　　　　　　aristotélicien

Bavardage héraclitéen

Ce Système est « parménidien » en ce sens qu'il permet à la fois de développer la totalité du Discours contra-dictoire et de le réduire entièrement au silence. Mais il est aussi « héraclitéen » dans la mesure où Proclus rapporte à cette Totalité

« subjective » du Discours réduit au Silence, la Totalité « objective » suivante, qui est censée lui correspondre parfaitement :

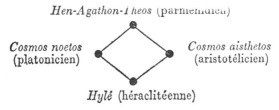

Hen-Agathon-Theos (parménidien)

Cosmos noetos (platonicien) *Cosmos aisthetos* (aristotélicien)

Hylé (héraclitéenne)

Ainsi, le Système procléen ne contre-dit ni Platon, ni Aristote, vu qu'il les re-dit tous les deux, et qu'il n'est contre-dit par aucun d'eux, du moins en ce sens qu'ils admettent eux aussi tant la coprésence des « contraires » dans la Matière que leur absence dans l'Au-delà. Les deux rendent la Matière responsable du Bavardage « héraclitéen » qu'est le Discours indé-fini (que d'aucuns appellent à tort « scientifique ») qui se rapporte aux «contingences» de ce monde qui lui correspondent. Et si Aristote n'a pas lui-même parlé du *Hen* doublement transcendant (parménido-platonicien), c'est peut-être parce qu'il admettait avec Parménide et Platon qu'il était ineffable et ne croyait pas nécessaire de le redire.

Cependant, Platon aurait contre-dit Proclus, dans la mesure où celui-ci redisait Aristote; et ce dernier en aurait fait autant, dans la mesure où Proclus redisait Platon. Et c'est pour supprimer cette contra-diction de son Système par Platon et Aristote que Proclus essaie à son tour de supprimer la contra-diction entre Aristote et Platon dans et par le Moyen terme néo-platonicien (plotino-porphyrien), en le décomposant à plusieurs reprises, avec le succès que l'on sait.

Ainsi, le Système spécifiquement procléen a reçu la structure définitive suivante :

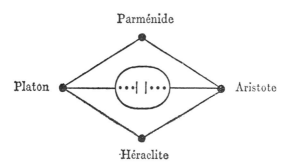

Parménide

Platon   Aristote

·Héraclite

Ce schéma permet de comparer le Système éclectique de Proclus avec le Système du Savoir hégélien et de voir le pourquoi de l'échec du Néo-platonisme et de la réussite de Hegel.

Pour Hegel, qui identifiait le Concept avec la Spatio-temporalité, le Système pouvait et devait être temporalisé dans ses deux aspects subjectif et « objectif ». Ainsi, d'une part, la durée-étendue du Discours pris dans son ensemble pouvait être vraie au sens héraclitéen du mot, vu qu'elle devait se rapporter à une Totalité qui lui correspond en s'étendant et en durant elle-même. D'autre part, l'ensemble du Discours pouvait être vrai au sens (parménidien) de la cohérence, vu qu'il devait être (spatio-) temporalisé dans sa signification même, de sorte que la contra-diction du ET-ET était non pas annulée dans un NI-NI ineffable, mais supprimé-dialectiquement par un D'ABORD-ENFIN discursivement cohérent.

Au contraire, pour Proclus qui identifiait le Concept à l'Éternel mis en relation avec l'Éternité, le Discours ne pouvait être vrai au sens (héraclitéen) de l'adéquation qu'à condition de se rapporter à un Éternel qui lui corresponde et de lui être coéternel. Or, dans un Discours censé être éternel, les sens « contraires » doivent être éternellement coprésents : loin de s'y trans-former en un D'ABORD-ENFIN cohérent, le SOIT-SOIT s'y présente du début jusqu'à la fin comme un ET-ET contra-dictoire. Ainsi, dans la mesure où Proclus ne veut pas que son Discours (par définition contra-dictoire) dégénère en Bavardage indéfini héraclitéen et l'arrête en conséquence, il le réduit fatalement au Silence parménidien : il ne cesse de se contre-dire qu'en ne disant plus rien.

On se rend mieux compte de cette situation en confrontant les schémas du Système procléen et du Système du Savoir hégélien :

Proclus   *Hegel*

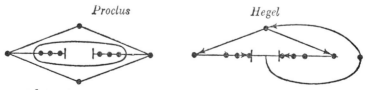

L'Éclectisme « total » de Proclus se traduit par le fait qu'il se contente d'additionner toutes les Parathèses thétiques et antithétiques, c'est-à-dire tous les « compromis » (partiels) *partiaux* entre Platon et Aristote, qui accordent une plus ou moins grande prépondérance aux dires soit de l'un, soit de l'autre. D'où la *lacune* sur la ligne médiane du Schéma en cause. Or, cette lacune (qui correspond à la Parathèse synthétique, où le compromis reste partiel en cessant d'être partial) ne pouvait être comblée que dans un Système judéo-chrétien et elle ne fut effectivement comblée que par Kant. En impliquant le Système kantien, le Système du Savoir hégélien est donc plus « total » (complet) que le Système de Proclus, et c'est ce qui l'en distingue : la ligne médiane du Schéma n'est plus interrompue.

Cependant, en fait et pour nous, la Parathèse synthétique est tout aussi contra-dictoire que les Parathèses thétique et antithétique, vu que si celles-ci se contre-disent l'une l'autre, celle-là les contre-dit toutes les deux. Toutes ces contra-dictions ne se suppriment-dialectiquement que dans et par la temporalisation (athée) du Discours effectuée par Hegel. Et c'est là la différence essentielle entre le Système du Savoir hégélien et le Système éclectique de Proclus.

Dans le Système du Savoir hégélien, le NI-NI primordial n'est pas, comme chez Proclus, le Silence éternel de l'Éternité transcendante ineffable, mais la « première » Question qui est l'Intention de parler. C'est en réponse à cette Question spécifiquement humaine que se développe le Discours essentiellement humain, en posant d'abord la Thèse et en lui op-posant ensuite l'Anti-thèse. Sans doute, dans ce Discours, les SOIT-SOIT contraires coexistent pendant un certain temps en tant qu'un ET-ET contra-dictoire, mais s'ils sont coprésents dans le Système du Savoir hégélien, ils ne s'y présentent pas, comme chez Proclus, en tant que coéternels. Ainsi, au lieu d'être éternellement réduits à l'éternel Silence dans la Matière, les contradictions discursives se trans-forment finalement (en se supprimant-dialectiquement) en Discours uni-total (temporalisé) cohérent, qui n'est rien d'autre que le Système du Savoir lui-même, c'est-à-dire la Réponse (complète) finale à l'unique Question du début.

D'où la différence essentielle entre les schémas procléen et hégélien de la Totalité « objective » qui correspond à la Totalité « subjective » du Discours qui s'y rapporte :

Proclus

Theos (parménidien)

Logos (plato-nicien) — *Cosmos* (aristo-télicien)

Hylé (héraclitéenne)

Hegel

Hylé

Cosmos — *Logos*

Anthropos

Ces schémas font voir que la différence entre Proclus et Hegel est double. D'une part, l'Homme se substitue à Dieu. D'autre part, la place qu'occupait Dieu est prise par la Matière.

La substitution de l'Homme à Dieu signifie le remplacement de l'Identité éternelle par la Négativité temporelle. Or, cette substitution est d'origine judéo-chrétienne et c'est Kant qui y procéda le premier dans le Système philosophique. Seulement, si le Judéo-christianisme a anthropomorphisé le *Theos* païen, il ne le déplaça pas : En devenant Homme, le Dieu judéo-chrétien resta l'Alpha et l'Oméga du Système (objectif et subjectif) qu'était le *Theos* païen. Autrement dit, dans la mesure où la Négativité était non pas le milieu ou le centre du Discours judéo-chrétien, mais son origine ou son début, qui est aussi sa fin, c'est-à-dire son terme et son but, elle fut prise et comprise non pas comme immanente ou humaine, mais comme transcendante ou divine. Et elle resta telle chez Kant, le schéma du Système kantien étant ainsi le suivant :

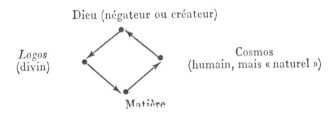

C'est Hegel qui procéda le premier à une rotation de 180° (athée) du Système (théiste) « socratique » (platono-aristotélicien et kantien). Ce qui donne, du point de vue purement formel, le schéma suivant :

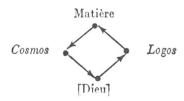

Mais ce changement formel du Système entraîne nécessairement une modification de son contenu. D'une part, le fait que l'Alpha et l'Oméga du Système du Savoir hégélien est non plus Dieu, mais la Matière (d'ailleurs elle aussi ineffable, parce que identique ou unique et une, et partant silencieuse), signifie que le Discours uni-total qu'est ce Système sup-pose le Silence total qui précède le début du Discours, en pré-supposant la Totalité silencieuse qui suivra sa fin. Autrement dit, le Système du Savoir se pose comme un Discours dé-fini en tant que fini, c'est-à-dire pro-posé comme temporel, au sens de temporaire. Le Discours uni-total qu'est le Système du Savoir n'est donc pas un *Logos* éternel ou divin.

D'autre part, le fait que le Milieu ou le centre du Système du Savoir hégélien est non plus la Matière identique ou l'Identité matérielle (par définition ineffable et muette), mais une Négativité (par définition discursive) qui sup-pose un Cosmos (naturel) en pré-supposant le *Logos* (tandis que la Négativité judéo-chrétienne pré-supposait tout en ne sup-posant rien) signifie que la Négativité hégélienne est non pas divine, mais humaine. Le discours uni-total qu'est le Système du Savoir est donc un Logos temporel ou humain.

Ainsi, la « rotation » hégélienne (vraiment « copernicienne ») trans-forme la Théandrie judéo-chrétienne en Anthropothéisme, qui substitue le *Logos* humain (athée) au *Logos* divin (judéochrétien), qui remplace le Silence (païen) auquel Proclus réduisit l'ensemble de la Philosophie antique, en faisant coexister dans son Système éclectique « total » toutes les contra-dictions successivement explicitées par celle-ci.

La réduction au silence, par Proclus, de l'ensemble de la Philosophie païenne fut parfaitement comprise de Damascius, qui mit ainsi un point final au développement de cette Philosophie.

L'astuce de Proclus consiste à faire appel à un Au-delà ineffable chaque fois qu'il se voit obligé de contre-dire ce qu'il dit en parlant (dans l'Ici-bas) de l'Ici-bas. S'il est impossible de le faire en parlant de Quelque-chose, SOIT de A seulement, SOIT seulement Non-a, de sorte qu'on est obligé de dire « à la fois » ET A ET Non-a, il n'y a là aucun mal, vu qu'il y a Autre-chose « en dehors » du Quelque-chose, cet Autre-chose n'étant NI A, NI Non-a. Si le Discours qui révèle un Quelque-chose qui est ET A ET Non-a, se contre-dit en le disant et se réduit de ce fait au silence, ce Silence révèle un Autre-chose qui est ineffable précisément parce qu'il n'est NI A, NI Non-a. En d'autres termes, l'Autre-chose n'est rien de ce qu'est le Quelque-chose et c'est en ceci que consiste sa *transcendance :* l'Autre-chose transcendant n'est pas quelque chose. A quoi Damascius répond que, dans ce cas, l'Autre-chose n'est rien du tout, ce qui veut dire qu'il n'y a pas de Transcendance.

La critique (athée) par Damascius, de la notion (théiste) de Transcendance, s'effectue en deux étapes. Il commence par

362 *Les Néo-platoniciens*

montrer que le processus de « transcendantalisation » est, par définition, infini au sens d'in-défini. En effet, si la contradiction entre A et Non-a oblige à postuler un Quelque-chose qui n'est ni A ni Non-a et qui est ainsi « transcendant » par rapport à tout ce qui est soit A, soit Non-a, le Discours pris dans son ensemble doit parler « à la fois » ET de ce qui est (A et Non-a) ET de ce qui n'est (ni A ni Non-a), de sorte que l'ensemble du Discours est de nouveau contra-dictoire. Le principe de la transcendantalisation exige donc qu'on dépasse ce nouveau ET-ET par un nouveau NI-NI : au-delà du Quelque-chose qui est non seulement A et Non-a, mais qui n'est encore ni A ni Non-a, il y a un Autre-chose, qui n'est ni l'un (A et Non-a) ni l'autre (ni A ni Non-a). Or, déjà le premier Transcendant était absolument unique et un, vu que toute distinction en était exclue; et il était de ce fait absolument ineffable. La méthode de transcendantalisation oblige donc à poser *au-delà* du premier Un unique transcendant, un deuxième Transcendant unique et un : on obtient ainsi un Au-delà ineffable qui se situe au-delà de l'Au-delà et qui se révèle dans et par un Silence qui est au-delà du Silence. Ce qui est, de toute évidence, parfaitement absurde.

Quoi qu'il en soit, il est évident qu'une fois mis en mouvement, le processus de transcendantalisation ne peut plus être arrêté; du moment que l'on admet un seul Transcendant ineffable, on peut en admettre autant que l'on voudra. Or, c'est ici que commence la deuxième étape de la critique de la Transcendantalisation par Damascius.

Du moment que la transcendantalisation est in-définie, le Transcendant est non pas l'Un unique, fini et dé-fini, mais l'In-fini sans but, ni terme, démuni de toute structure. D'ailleurs, si tous les Transcendants sont ineffables, il n'y a aucun moyen de les distinguer les uns des autres, vu que tous les silences se valent. Or, le Discours contra-dictoire équivaut au Silence : dire de Quelque-chose qu'il est A et Non-a à la fois revient à ne rien en dire du tout, à savoir ni qu'il est A, ni qu'il est Non-a. Ainsi, le NI-NI qu'est le *Theos* équivaut au ET-ET qu'est la Hylé [30]. Mais, puisque le Transcendant ineffable est in-fini au sens d'in-défini, il vaut mieux l'appeler non pas « Dieu », mais « Matière ».

Damascius lui-même semble avoir déduit de ce raisonnement une sorte d'Athéisme matérialiste, voire de Matérialisme athée. Mais il s'est en même temps rendu compte du fait qu'il renonçait par là à toute Philosophie, étant donné que le « Matérialisme » discursif est par définition incapable de déduire le Discours qu'il est lui-même. En réduisant Proclus au silence,

Damascius croyait avoir réduit au silence (d'ailleurs désespéré) tout Discours humain et donc la Philosophie en tant que telle. Mais, en fait et pour nous, Damascius n'avait réduit au silence, voire à la Contra-diction, que la Philosophie païenne, qui, en excluant délibérément la (Spatio-) temporalité, « ignorait » volontairement la Négativité anthropogène. Pour nous, le *Theos* païen était en fait Hylé parcequ'il était non pas Négativité ou Totalité, mais Identité pure, par définition ineffable et muette. En ignorant la Négativité judéo-chrétienne la Philosophie païenne a été incapable (comme l'a vu Damascius) de déduire discursivement le Discours (humain) en général et, en particulier le Discours qu'elle était elle-même.

Ne pouvant pas se déduire discursivement soi-même en tant que Discours, la Philosophie païenne (qui était encore pour Damascius la seule Philosophie concevable, bien qu'en fait « impossible ») se présentait à elle-même comme un Discours « lacunaire », déduit de « Principes premiers » (discursifs) eux-mêmes discursivement indéductibles. Les Philosophes païens authentiques reconnaissaient ce caractère « lacunaire » de leurs discours philosophiques et l'expliquaient par le fait que la Philosophie était un Discours *(Logos)* non pas divin (ou éternel), mais humain (ou temporel). Certains considéraient que les « lacunes » du Discours philosophique humain étaient « définitives », la Philosophie (humaine) ne pouvant jamais se transformer en Sagesse (divine). D'autres espéraient que ces « lacunes » finiraient par se combler, sinon pendant la vie et au cours de l'histoire, du moins après la mort, dans l'Au-delà. Quant aux Intellectuels, par définition moins « patients » que les Philosophes, ils tentèrent de se tirer « immédiatement » de cette difficulté philosophique soit en niant le caractère lacunaire de la Philosophie (païenne), soit en comblant les lacunes admises de celle-ci par des Expériences ineffables.

Nier l'existence des lacunes philosophiques revenait à dogmatiser la Philosophie. La présence d'une « lacune » dans le Discours signifie qu'il est impossible de déduire discursivement la « première » notion, qui se situe en deçà de cette « lacune », à partir de la « dernière » notion située au-delà de celle-ci. Ainsi, nier l'existence de la « lacune » signifie présenter les deux notions-limites qui l'encadrent comme des notions « absolues », l'une étant une notion « dernière » absolument parlant et l'autre une notion absolument « première ». C'est cette notion « première », par définition indéductible, qui se présente alors comme une Évidence.

Mais au lieu de nier l'existence des « lacunes » dans le Discours philosophique, on peut les reconnaître en prétendant pouvoir les combler par des Expériences qui sont censées révéler ce qui correspond aux « lacunes » discursives et ce que le Discours lui-même ne révèle donc pas. Dans ce cas, le Discours reste entrecoupé de silences, mais au lieu de le morceler, ces silences le complètent et le rendent uni-total, vu qu'ils révèlent (tout) ce que le Discours ne révèle pas, tout en révélant (tout) ce qui n'est pas ineffable. Seulement, en fait et pour nous, le Discours qui est censé pouvoir et devoir être « complété » par des silences (révélateurs) n'est plus un Discours philosophique authentique. Il n'est même plus le Discours para-philophique qu'était le Discours dogmatisé par la trans-formation en Évidences (discursives) des notions-limites qui suivent « immédiatement » les lacunes discursives reconnues comme telles, mais présentées comme discursivement « irréductibles ». Un Discours dont les lacunes ont été comblées par des silences révélateurs n'est en fait et pour nous rien d'autre qu'une Théorie dogmatique, théologique, scientifique ou moraliste.

Dans le cas de la Théologie dogmatique, les Expériences qui comblent les lacunes du Discours proprement dit se présentent comme des Révélations divines. D'une manière générale, les Expériences qui comblent les lacunes du Discours sont, en fait et pour nous, par définition non discursives. Dans la mesure où ces Expériences révèlent quelque chose, ce Quelque-chose est, par définition, une chose ineffable, qui ne peut correspondre à aucune Notion proprement dite qui s'y rapporterait. Ce qui se rapporte à un Ineffable (révélé dans et par une Expérience silencieuse) qui lui correspond est soit une Paranotion purement « graphique » (une « image »), soit une Pseudo-notion dénuée de tout espèce de sens (discursif) ou un Symbole. Mais les Expériences en fait silencieuses sont souvent interprétées par ceux qui s'en servent (discursivement) comme un « Langage » *sui generis*, essentiellement ou spécifiquement différent du Discours *(Logos)* proprement dit ou humain. Ainsi, dans le cas de la Théologie dogmatique, l'Expérience révélatrice est généralement présentée comme la Révélation d'un Dieu qui se révèle (à l'Homme) dans et par un Langage spécifiquement divin. Étant essentiellement différent du Discours *(Logos)* humain, le Discours *(Logos)* divin ne peut pas être (discursivement) déduit à partir de ce dernier. Mais le Discours divin peut être inséré dans le Discours humain dans la mesure même où celui-ci comporte des lacunes discursives (la présence de ces lacunes le spécifiant précisément en tant qu'humain). Or, dans la mesure où toutes les lacunes du Discours humain sont comblées par le Discours humain, l'ensemble se présente comme un Discours (divino-humain ou humano-divin) uni-total, que la Théologie dogmatique présente au Philosophe comme étant la Sagesse (soi-disant « discursive ») que celui-ci recherche depuis toujours, mais ne trouve jamais, du moins tant qu'il ne fait pas appel à la Révélation (soi-disant « discursive ») divine.

Or, ici encore, Proclus combine d'une façon fort astucieuse les trois attitudes possibles vis-à-vis de la Philosophie païenne, par définition « lacunaire », qu'il développe lui-même. D'une part, il présente son Discours comme une Théologie dogmatique, où les lacunes du discours proprement humain sont comblées explicitement par des Révélations exprimées en langage divin (qu'il emprunte notamment aux *Oracles chaldéens* et aux *Hymnes orphiques*), qui complètent son propre discours sans pouvoir en être déduites. Mais, d'autre part, le discours (lacunaire) procléen se présente aussi comme une Philosophie dogmatisée (à savoir comme une paraphilosophie éclectique) entièrement déduite à partir d'Évidences discursives ou de pseudo-) notions indéductibles ou « premières » qu'il prétend avoir utilisées toutes, sans en omettre aucune. Ainsi, tout en se reconnaissant lacunaire, ce discours prétend avoir dit *tout* ce que dire se peut (en langage humain).

Enfin l'astuce de Proclus consiste à transposer dans ce dont il parle la structure même de ce qu'il en dit. Les lacunes discursives sont censées se rapporter à quelque chose qui leur correspond, de même que quelque chose correspond aux discours qui s'y rapportent. Mais si le discours proprement dit se rapporte à des entités qui *participent* à des entités autres et sont *participées* par d'autres entités, ce qui correspond aux lacunes discursives ne participe à rien et n'est participé par rien. Or, dans la mesure où quelque chose qui n'est ni participant ni pratiqué s'insère dans l'ensemble de ce qui est et participé et participant, il est naturellement encadré, d'une part, par un participant non participé et, d'autre part, par un participé non participant.

On obtient ainsi le schéma suivant :

Or, ce qui participe à quelque chose dans le plan de l'Être, peut être déduit, dans le plan du Discours, à partir de la notion qui se rapporte à ce à quoi ce quelque chose participe. De même on peut déduire à partir de la notion qui se rapporte à quelque chose qui est participé tout ce qui participe à ce quelque chose. Mais ce qui n'est ni participé ni participant ne correspond à

aucune notion proprement dite, vue que la soi-disant « notion »
qui s'y rapporterait ne saurait ni être déduite elle-même d'une
autre notion, ni servir de point de départ à une déduction
quelconque. Quant à l'entité qui participe à une autre sans être
elle-même participée par d'autres, elle correspond à une (para-)
notion déductible dont on ne peut rien déduire d'autre, tandis
que l'entité qui est participée par d'autres sans participer elle-
même à aucune autre correspond à une (pseudo-) notion indéductible servant de point de départ à une déduction.

En d'autres termes, le discours lacunaire procléen, complété
par des emprunts faits au Discours divin et rendu ainsi uni-
total, est censé être vrai non seulement au sens parménidien,
en raison de sa cohérence, mais encore au sens héraclitéen, parce
qu'il se rapporte d'une façon adéquate à une Totalité qui lui
correspond. En effet, si les notions « dernières » se rapportent
à des participants non participés qui leur correspondent, les
participés non participants correspondent aux notions « premières » qui s'y rapportent, c'est-à-dire précisément à ce qui
fait fonction d'Évidences dans le Discours procléen. Quant à
ce qui n'est ni participant ni participé, ceci ne correspond à
aucune notion proprement dite, faisant partie adéquate du
Discours humain : ce qui s'y rapporte se présente comme une
lacune de ce Discours, comblée par un « Oracle » ou Discours
divin.

En résumé et en bref, Proclus croyait avoir trouvé une
méthode qui lui permît non seulement de re-dire tout ce qui avait
été dit avant lui, voire de le compléter de façon à dire tout ce
que dire se peut, mais encore de combler les lacunes du discours
qui en résulte et qui est, d'ailleurs, « évident » (parce que « correctement » et complètement déduit de l'Ensemble de toutes les
Évidences discursives), par des emprunts faits au Discours
divin, de sorte que l'ensemble du Discours se présente comme
un Discours (divino-humain) uni-total, voire comme le Système du Savoir ou la Sagesse (soi-disant discursive) que recherchait la Philosophie et qui est le Système d'une Théologie dogmatique, justifiée par la Révélation divine qu'il est capable
d'expliquer.

Bien entendu, tout ceci n'est, en fait et pour nous (comme déjà
pour Damascius et peut-être pour Proclus lui-même) que pure
illusion due à de multiples tours de passe-passe extrêmement
astucieux. Car, en y regardant de plus près, on voit que Proclus
réussit uniquement à réduire au silence son propre discours, en
explicitant lui-même toutes les contra-dictions de celui-ci.

Mais nous avons intérêt à dire brièvement ce qu'est la

Structure du Système (explicitement éclectique) qui résulte de la *méthode* que Proclus utilise pour la développer.

b) *La structure du Système.*

Par définition, le Système explicitement éclectique de Proclus (qui se présente comme un Discours soi-disant uni-total, d'ailleurs non seulement « baignant » dans le Silence, mais encore « entrecoupé » de Silences) doit être « à la fois » non seulement platonicien et aristotélicien, mais encore éléatique et héraclitéen. Or, d'une part, Parménide ne rend compte (par le Silence, voire par la réduction au silence du Discours en tant que tel) que d'un « concept » identifié avec l'Éternité, finie et dé-finie en tant que « ponctuelle », tandis qu'Héraclite ne tient compte (dans le Bavardage, voire dans le développement d'un Discours sans fin, c'est-à-dire sans but ni terme) que d'un « concept » identifié avec le « Temps », in-défini ou infini en tant que « linéaire ». D'autre part, Platon et Aristote cherchent à rendre compte, par un Discours fini ou défini, d'un « concept » qui est compris comme un Éternel vrai en relation avec une Éternité qu'ils situent respectivement *hors* du « Temps » et *dans* celui-ci.

Le Système éclectique procléen doit donc impliquer « à la fois » quatre notions « contraires » : d'une part celles de l'Éternité sans durée et du Temps sans limites et, d'autre part, celles de l'Éternel rapporté à des Éternités situées respectivement hors et dans le Temps. Il nous faut donc voir d'abord comment Proclus y arrive.

On se rendra mieux compte de la situation en se servant d'un schéma graphique.

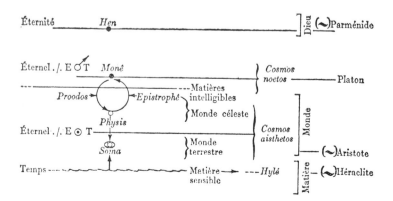

Dans la mesure où le Système procléen est un Discours qui *implique* le Silence (vu que son point de départ est l'Ineffable « divin » qui ne coïncide pas avec son « point d'aboutissement » qui est la « Matière » ineffable, de sorte que l'ensemble « achevé » du Discours n'est qu'une réponse à la Question qui l'a engendré, la Hylé dont on finit par parler n'étant que le *Theos* dont on voulait parler à l'origine), il se réfère (silencieusement) à l'Éternité parménidienne : le *Hen* de Proclus, dans la mesure où il n'en parle que pour dire qu'il est ineffable, ne diffère pas du *Hen* de Parménide. Mais tandis que, chez Parménide, le Discours est réduit dans son ensemble au seul Silence qui « révèle » l'Ineffable unique et un, les Silences procléens (relatifs à Dieu et à la Matière) sont censés encadrer un Discours qui prétend être « vrai » en ce qu'il peut être (indéfiniment) re-produit en restant identique à lui-même. Si l'Identité (de « cohérence ») de ce Discours garantit sa « vérité éléatique », sa « vérité héraclitéenne » exige que le Cycle « subjectif » (discursif) se rapporte à un Cycle « objectif » qui lui corresponde, à moins d'être rapporté à un Éternel correspondant, lui-même mis en relation avec l'Éternité transcendante. Or, Proclus re-dit la solution aristotélicienne sans contre-dire pour autant celle de Platon.

D'après Proclus, « en plus » de l'Éternité (éléatique) qui se situe hors du Temps ou, plus exactement, qui n'est pas en relation avec quoi que ce soit, c'est-à-dire pas même avec elle-même, il y a encore une Éternité (aristotélicienne) située dans le Temps, la relation du Temps avec cette Éternité rendant celui-ci « cyclique ». Autrement dit, « pendant » que Quelque-chose (le *Hen*) *reste* « éternellement » dans l'identité (« ponctuelle ») avec soi-même, un Autre-chose *s'en sépare* (s'éloigne) « de toute éternité » afin de pouvoir « éternellement » y *revenir*. Or, plus exactement, le Quelque-chose qui se sépare (s'éloigne) de soi-même est la *même*-chose que ce qui *revient* à soi. Pourtant, ce Quelque-chose qui se sépare de soi pour y revenir ou qui revient à soi pour s'en séparer, est *autre* chose que le Quelque-chose qui ne *revient* pas à soi pour la simple raison qu'il ne s'en *sépare* pas.

Quoi qu'il en soit, si le Silence impliqué dans le Système de Proclus « révèle » l'Éternité « ponctuelle » (éléatique), le Discours (« systématique ») procléen se rapporte à l'Éternité « cyclique » (aristotélicienne). Dans la mesure où l'on *parle* de Quelque-chose, il faut dire (à moins de se contre-dire) que ce Quelque-chose n'est (toujours) la *même*-chose que parce qu'il est aussi (toujours) *autre* chose. On ne peut parler de quelque chose comme de la même-chose que parce qu'il y a aussi autre chose; mais si cette autre chose n'était pas elle aussi la même-chose (que le Quelque-chose dont on parle), on ne pourrait pas en parler non plus.

Or, si le Quelque-chose (dont on se tait) est l'Un parménidien, l'Autre-chose (dont on parle) est le Multiple. La multiplication de l'Un doit donc aller de pair avec l'unification du Multiple : le Multiple unifié est la même-chose que l'Un multiplié (tout en étant autre chose que l'Un (« divin ») qui ne se multiplie pas [et que le Multiple (« matériel ») qui ne s'unifie pas]).

Proclus appelle *Proodos* la multiplication (ou re-multiplication de l'Un, en appelant *Epistrophê* l'unification (ou ré-union) du Multiple. On pourrait dire que ce Retour se rapporte au Départ qui lui correspond : ce sont deux processus identiques, allant en sens inverse, l'aboutissement de l'un étant le début de l'autre. Et Proclus prétend que la *Proodos* est le développement complet (« objectif ») du Cosmos qui se révèle dans et par le développement complet (« subjectif ») du Discours *(Logos)* qu'est l'*Epistrophê*. C'est par et dans le Système (discursif) procléen que la Multiplicité cosmique est ramenée à l'Unité (ineffable) dont elle a dérivé (de toute éternité) et... dont elle dérivera à nouveau (éternellement). Le cercle du Discours uni-total correspond au Cosmos cyclique qui lui correspond.

Mais, en fait et pour nous, il n'en est rien, car, par définition, un processus *cyclique* ne peut pas être *discursif*. Pour que l'*Epistrophê* puisse être un Discours (uni-total, c'est-à-dire cir-culaire, voire cyclique), la *Proodos* devrait être *unique* (c'est-à-dire historique, voire non reproductible parce que provenant d'une *négation* ou de la Négativité). Or, Proclus ne pouvait pas admettre l'unicité de la *Proodos*, parce que, dans ce cas, il n'aurait pas pu comprendre le Concept comme l'Éternel mis en relation avec une Éternité quelle qu'elle soit. Et il devait le faire pour rester *païen*, voire platonicien ou aristotélicien. Or Proclus *voulait* être l'un et l'autre !

L'Éternité aristotélicienne, c'est-à-dire l'Éternité immanente au Temps, est représentée chez Proclus, comme chez Aristote, par le Temps « cyclique », constitué par la série (in-définie) des « cercles » (« parfaits ») dont une moitié (« descendante ») est la *Proodos* et l'autre (« remontante ») l'*Epistrophê*. Mais Aristote substitua son Éternité immanente à l'Éternité transcendante éléatique, tandis que Proclus voulait la *maintenir* « en plus ». Il devait donc mettre le Concept (compris comme l'Éternel, à l'instar d'Aristote et de Platon) en relation avec les *deux* Éter-nités. Autrement dit, il lui fallait « ajouter » à l'élément-consti-tutif aristotélicien de son propre Système, un élément plato-nicien [31].

Proclus le fait en raisonnant de la façon suivante :

Puisque toute *Proodos* est non seulement *suivie* par une *Epistrophê*, mais encore *précédée* par elle, il n'y a, dans le « cercle » en question, ni *avant* ni *après* proprement dits (ni donc dans la série des cercles, c'est-à-dire dans le Cycle). Le Cercle « systématique » est donc non pas chrono-logique, mais seulement « logique » au sens d' « éternel ». Si la *Proodos* précédait seulement l'*Epistrophê*, on pourrait dire que c'est le processus qui engendre l'Effet à partir de la Cause (« formelle » au sens d'*efficiente*). Si l'*Epistrophê suivait* seulement la *Proodos*, on pourrait dire qu'il s'agit du processus qui ramène l'Effet à sa Cause (« formelle » au sens de *finale*). Mais puisque la *Proodos* suit l'*Epistrophê* tout autant qu'il la précède, tandis que l'*Epistrophê* précède la *Proodos* autant qu'elle la suit, on ne peut dire ni l'un ni l'autre (à moins de vouloir parler, comme le semble faire Proclus, d'une soi-disant Cause « formelle », qui ne serait ni efficace ni finale). Autrement dit, il faut dire (« aussi ») qu'il n'y a pas de *processus* du tout; c'est-à-dire ni Départ ni Retour, mais seulement un (éternel) Maintien.

Proclus appelle cet éternel Maintien — *Monê*. De toute évidence, l'unique *Monê* aurait dû se substituer au couple *Proodos-Epistrophê* au lieu de s'y ajouter (ou, plus exactement, c'est ce couple qui s'y ajoute). Car il s'agit évidemment de l'Idée platonicienne éternellement « désincarnée », par opposition à l'éternelle ré-incarnation de l'Entéléchie aristotélicienne. Mais Proclus veut maintenir les deux « à la fois », pour en faire une *Triade* « systématique » : *Monê-Proodos-Epistrophê*, qu'on peut écrire :

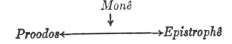

$$\begin{array}{c} \textit{Mon\^e} \\ \downarrow \\ \textit{Proodos} \longleftarrow \hspace{3cm} \longrightarrow \textit{Epistroph\^e} \end{array}$$

Pour « justifier » cette Triade (en fait contra-dictoire), Proclus définit *Monê* comme éternelle *présence* de l'Effet dans la Cause, l'*Epistrophê* étant le retour éternel de l'Effet dont la *Proodos* l'a séparé. Du moment que le Retour est tout aussi « éternel » que la Séparation, puisque l'Effet revient vers la Cause « au même moment » où il s'en éloigne, il ne le quitte jamais et y est donc présent toujours. En d'autres termes, Proclus définit comme ce qui est une cause formelle aristotélicienne « à la fois » ET efficiente ET finale. Mais, en fait, *Monê*, n'étant NI Cause finale NI Cause formelle, est une Forme qui n'est pas une Cause du tout, c'est-à-dire précisément une Idée platonicienne, qui reste sur place sans même tourner en rond.

Seulement, si Proclus distingue l'unique *Monê* platonicienne du couple aristotélicien *Proodos-Epistrophê*, il ne veut pas l'identifier avec l'Un parménidien. Or, de toute évidence, il ne peut distinguer l'Idée (uni-totale) de l'Un (unique et un) qu'en introduisant (à la suite de Platon) un Quelque-chose qui le distingue et qui est autre chose que l'Idée et l'Un, qui, sans cet Autre-chose, seraient la même chose. Cet Autre-chose, qui fait de l'Idée autre chose que l'Un, est la *Matière intelligible* (plotinienne) que Platon appelait *Dyade indéfinie* et qui, en reflétant l'Un, est le *Support (Hypokeimenon)* de l'Idée qu'est ce « reflet ».

Cependant, l'éclectique Proclus distingue l'Un platonicien reflété par la Dyade, de l'Un éléatique qui ne se reflète en rien. Ainsi, « en plus » (et « en dessous ») du *Hen* de Parménide, Proclus a un *Cosmos noetos* platonicien, auquel il « ajoute » un *Cosmos aisthetos* aristotélicien. En d'autres termes, « en plus » de l'Éternité éléatique qui n'est pas en relation avec rien, Proclus a « à la fois » l'Éternel platonicien se rapportant à cette Éternité et coéternelle à elle, et l'Éternel aristotélicien se rapportant à l'Éternité immanente à un Temps qui est cyclique du fait même de cette immanence, et coéternel à ce Temps éternel.

Mais comment distinguer les deux Éternités, voire les deux Éternels, c'est-à-dire le *Cosmos noetos* et le *Cosmos aisthetos?* Si tout ce qui se sépare du Quelque-chose (de l'Un) y revient « en même temps » ou « éternellement », si le *Proodos* et l'*Epistrophê* sont coéternels, et si leur éternelle coprésence est leur coïncidence dans le Maintien éternel qu'est la *Monê* qui est « à la fois » ET Séparation ET Retour, — quelque chose ne peut être autre chose que *Monê* que s'il y a un Quelque-chose qui n'est NI Retour NI Séparation. Or, ce Quelque-chose qui est autre chose que *Monê* est l'antipode de celle-ci dans le Cercle « logique ».

Sans doute, la *Proodos* est un « éloignement » et l'*Epistrophê* un « rapprochement ». Or, sur le Cercle, on se rapproche du point de départ dans la mesure même où l'on s'en éloigne : toute *Proodos* est donc aussi *Epistrophê* et toute *Epistrophê* est *Proodos*, de sorte que tout le Cercle est *Monê*. Il semble donc que l'Idée platonicienne absorbe l'Entéléchie aristotélicienne et que (« en dessous » de l'Un) il n'y a de place que pour le *Cosmos noetos*, et non pour le *Cosmos aisthetos* (ce qui est d'ailleurs naturel, vu qu'il n'y a pas de *lien* du tout, de sorte qu'il n'y a effectivement une « place » que pour l'u-topique).

Pourtant, en y regardant de plus près, on voit que *Monê* n'est le Cercle formé par *Proodos-Epistrophê* qu'à l'exception du point qui est son antipode. En effet, en ce point précis, l'éloignement a déjà cessé, mais le rapprochement n'a pas encore commencé. Et puisque Séparation et Retour sont coéternels, leur absence simultanée est tout aussi éternelle que leur simultanée présence. Si leur coprésence éternelle est la *Monê* ou l'Éternel platonicien, c'est-à-dire le *Cosmos noetos*, leur coabsence est l'Entéléchie ou l'Éternel aristotélicien, c'est-à-dire le *Cosmos aisthetos* ou, plus exactement, la *Physis*.

Or, si la *Monê* s'étend en un cercle qui est le *Cosmos noetos* platonicien, la *Physis* est instantanée ou ponctuelle. Et puisque cet Instant est par définition éternel, il risque de se confondre avec le *Nunc stans* de la ponctuelle Éternité éléatique. D'où la nécessité, pour Proclus comme pour Aristote, de trouver quelque chose qui en fait autre chose en en faisant une même chose. Seulement, pour distinguer la Physis non seulement du *Hen* parménidien, mais aussi de la *Monê* platonicienne, il faut faire appel non plus à la Matière intelligible de Platon, mais à la Matière sensible d'Aristote qui est d'ailleurs celle d'Héraclite.

La Matière héraclitéenne est le « fleuve » du Temps in-fini au sens d'in-défini. C'est en se plongeant dans ce Fleuve que la *Physis* in-forme la Matière sensible, en la trans-formant en un Corps *(Soma)* qui l'incarne en tant qu'Entéléchie. Le caractère éternel de la *Physis* instantanée se traduit alors par la suite in-finie des Corps (ou matières formées) éphémères. Le Temps linéaire héraclitéen devient ainsi cyclique ou aristotélicien : il est coéternel à l'Éternité qui l'a rendu cyclique en s'y introduisant [32].

Seulement, l'éclectique Proclus refuse de suivre Aristote jusqu'au bout et de trans-former *toute* la Matière héraclitéenne en Matière aristotélicienne (éthérée ou élémentaire). Le fini dé-finit l'in-fini, mais ne le finit pas : si le Temps in-fini est co*éternel* à l'Éternel (cyclique), celui-ci n'est pas co*temporel* [comme chez Kant, où l'Éternel cesse d'ailleurs d'être cyclique] au Temps in-défini [qui est coprésent avec le *Nunc stans* de l'Éternité ponctuelle, sans que celle-ci soit sa con-temporaine].

En définitive, Proclus « ajoute » au *Nunc stans* de l'Éternité éléatique le Temps in-défini héraclitéen, en situant « entre » les deux « à la fois » l'Éternel platonicien (où le Passé et l'Avenir sont coprésents dans le Présent) et l'Éternel aristotélicien (où le Passé se re-présente dans le Présent en tant qu'Avenir). On a ainsi, tout en haut, l'Un de Parménide; puis, en dessous, le *Cosmos noetos* de Platon, situé entre le *Hen-Agathon-Theos* et l'*aoristos Dyas;* en dessous encore, le *Cosmos aisthetos* aristotélicien, situé (avec son « entresol » terrestre et son « bel étage » céleste) entre le Nous et la Hylé (éthérée et élémentaire); la base et le fondement de tout ce bel édifice, dont le sommet disparaît dans les nuages, étant malheureusement le Fleuve d'Héraclite qui, n'ayant ni commencement ni fin, n'a pas non plus de fond [33].

Si le but (explicite) de l'éclectisme de Proclus, c'est-à-dire le désir de « mélanger » Platon et Aristote en *y* « ajoutant » Parménide et Héraclite, détermine la structure *macroscopique* du soi-disant « Système » procléen, sa *méthode* éclectique détermine la structure *microscopique* de ce prétendu « Système ».

Cette méthode (sinon inaugurée, du moins utilisée par Plotin) consiste à décomposer chaque notion éclectique, par définition « contradictoire », en trois notions (dont chacune est censée être « cohérente ») qui constituent une *Triade* en ce sens que la troisième (le « Moyen Terme ») n'est rien d'autre que la coprésence des deux premières (les « Termes extrêmes »), dont chacune est (en principe) « cohérent~ », mais qui se contrediraient mutuellement si elles ne s'exclu. nt pas l'une l'autre.

La méthode éclectique consiste précisé.,ent à dé-composer la notion « contradictoire » donnée en ses deux éléments-constitutifs « contraires » et à annuler leur contra-diction en les « éloignant » l'une de l'autre de façon à en faire des « Termes *extrêmes* », dont chacun est « en dehors » de l'autre et l' « ignore » bien plus qu'il ne l'exclut ou le contre-dit. Autrement dit, en tant qu'*extrêmes*, les « Termes » n'existent plus l'un pour l'autre, chacun n'existant que par et pour soi (étant censé ne pas se contre-dire soi-même). Ainsi, les deux Termes extrêmes ne coexistent que dans et par un troisième Terme, qui est le Terme moyen, la présence du Moyen terme n'étant rien d'autre, ni de plus que la coprésence des Termes extrêmes. Or, l'astuce de l'Éclectisme procléen consiste à dire que le Moyen terme ne peut pas être « contradictoire », vu qu'il est la simple coprésence de deux Termes qui se présentent [en tant que termes *extrêmes!*] sans se contre-dire [ni eux-mêmes ni mutuellement]. Plus exactement, la notion « primitive » (non décomposée) était « contradictoire » parce qu'elle était *une;* les Termes extrêmes (qu'on « isole » dans la notion « primitive ») ne se contre-disant pas parce qu'ils sont *deux* au sens fort du mot, étant parfaitement « isolés » ou absolument « séparés » l'un de l'autre; le Moyen terme [ne se contre-dit pas soi-même et] ne contre-dit que les deux Termes extrêmes (qui ne se contre-disent pas eux-mêmes) parce qu'il est un *troisième* Terme, tout aussi « isolé » ou « séparé » des deux autres que ceux-ci le sont l'un de l'autre.

Bien entendu, tout ceci n'est, pour nous, qu'un tour de

passe-passe. Même si l'on admet (par impossible) que des, Termes extrêmes (qui sont en fait la Thèse et l'Anti-thèse) existent « isolément » ou chacun pour soi, c'est-à-dire sans coexister au sens propre, vu qu'ils sont « indépendants » l'un de l'autre au point de s' « ignorer » mutuellement, il faut dire que leur coprésence, qui se présente en tant que Moyen terme, est nécessairement la présence de leur contra-diction, le Terme moyen étant ainsi « contradictoire ». Or, cet « isolement » même des Termes extrêmes n'est pas admissible. Car si l'on peut dire (à la rigueur) que la Thèse peut « ignorer » l'Anti-thèse en « ignorant » le fait qu'elle pré-suppose celle-ci en se posant (ou en « faisant abstraction » de ce fait), l'Anti-thèse ne peut pas « ignorer » la Thèse qu'elle contre-dit par définition, vu qu'elle la sup-pose en s'y op-posant.

D'ailleurs, Proclus l'admet lui-même implicitement, puisqu'il dé-compose le Moyen terme en deux nouveaux Termes extrêmes et en un nouveau Terme moyen, en procédant ainsi de la même façon que dans le cas de la notion « primitive », reconnue « contradictoire ». Et nous verrons qu'il n'a aucune raison valable pour arrêter ce processus de dé-composition.

Pour nous, Proclus échoue, en fait, parce qu'il essaie d'*annuler* la Contra-diction sans vouloir la *supprimer-dialectiquement*. Autrement dit [voulant rester païen], il refuse de *temporaliser* le Discours *(Logos)* [en développant le Sens (spatio-temporel) du Discours dans la même Durée-étendue que son Morphisme]. Le Concept restant *éternel* et mis en relation avec l'*Éternité* (hors du Temps ou dans le Temps), le sens du Discours (qui est le développement de la notion du Concept) se différencie dans l'Espace sans s'intégrer dans le Temps. Si le *morphisme* du Discours procléen a une durée-étendue, son *sens* est censé être « éternel ». Par conséquent, ce Sens ne se développe pas en *étapes consécutives* dont chacune précède celle en laquelle elle se trans-forme, mais se *différencie* en éléments-constitutifs *simultanés* (« éternels ») dont l'un *s'ajoute* à tous les autres sans se substituer à aucun. Ainsi, non seulement aucune des trois notions « dérivées » (les deux Termes extrêmes et le Moyen terme) ne se trans-forme en l'un des deux autres, chacune étant éternellement présente en tant que telle, mais la notion « primitive » (simple) elle-même est coéternelle avec la notion « dérivée » (triple). Ce qui permet, d'ailleurs, à Proclus de ne pas se contre-dire explicitement en décomposant (en deux nouveaux Termes extrêmes) un Moyen terme qu'il dit être « cohérent » (c'est-à-dire simple et non pas double ou triple). Car de même que la notion « primitive » (simple) ne se trans-forme pas en une notion « dérivée » (triple) qui s'y substituerait, mais reste éternellement coprésente avec elle, de même le Moyen terme de la notion « dérivée », censé être « cohérent » ou « simple », ne se transforme pas en une nouvelle notion, qui serait « triple » en ce sens qu'elle est susceptible de se décomposer ou, plus exactement, d'être dé-composée (en trois) de toute éternité, mais est coéternel avec cette notion qui est ainsi *autre* sans être *nouvelle*.

N'étant pas *temporalisé*, le Discours procléen ne se présente pas *à sa fin* (en tant qu'achevé) comme étant la Réponse à la Question qu'il était *au début*. Étant censé être *éternel*, ce Discours est dès le début ce qu'il est à la fin. Il n'a donc ni début ni fin discursifs et, n'étant pas une réponse à une question (qui, par définition, doit *précéder* la réponse), il n'est pas un Discours du tout. Son début et sa fin étant coéternels, il ne s'achève pas par une *déduction* de son commencement, aucun de ses éléments-constitutifs coprésents ne pouvant être *déduit* des autres. Les éléments-constitutifs de ce soi-disant Discours ne sont donc pas des notions proprement dites (par définition *déductibles* et *développables*), mais des paranotions *isolées* les unes des autres. C'est dire qu'elles sont toutes des *Dogmes* (paradiscursifs), de sorte qu'avec Proclus la Philosophie est *entièrement* dogmatisée [la Philosophie dogmatisée par Proclus étant l'ensemble des Philosophies *païennes*, c'est-à-dire des Philosophies qui mettent le Concept, pris comme l'Éternel, en relation avec l'Éternité (et non avec le Temps)].

Or, tant que le Discours n'est pas temporalisé, il n'y a pas du suppression-dialectique de la contra-diction qu'il développe. Ce Discours est donc et reste « contradictoire dans les termes » et puisqu'il n'est rien d'autre que la simple « somme » de tous ses Termes (extrêmes et moyens), c'est chacun de ceux-ci qui se contre-dit. Proclus aurait donc pu dé-composer chacune des paranotions dont la coprésence (« éternelle ») constituait l'ensemble de son soi-disant Discours, qui serait de ce fait « infini » et donc, n'étant jamais dé-fini, privé de toute espèce de sens. Et l'on verrait alors les paranotions (ou les Dogmes « graphiques ») « dégénérer » en *pseudo*-notions ou Symboles (par définition privées de toute espèce de sens) et le « Système » paraphilosophique se transformer en pures Mathématiques.

Proclus a dû s'en rendre plus ou moins compte lui-même, puisque (à la suite de Platon) il avait tendance à assigner un « Nombre » à chacune de ses notions. Mais étant non pas taciturne, mais bavard, il n'a pas voulu renoncer au Discours. D'où une « Mathématique » procléenne pseudo-philosophique et une « arithmétisation » de la paraphilosophie de Proclus. D'où, aussi, l'arrêt (purement arbitraire) du processus de la dé-composition de ses notions éclectiques. N'étant pas tempo-ralisé, le soi-disant Discours « systématique » (censé être uni-total) de Proclus ne commence pas par une Hypo-thèse qui serait la Question. Le Discours débute par une Thèse, voire par une « Notion » (qui ne *répond* à rien). Mais même d'après Proclus, cette *première* « Notion », par définition indéduc-tible, n'est qu'un Symbole mathématique, à savoir le *Un* (par définition « ineffable »). Et il en est de même de sa *dernière* « Notion » (qu'il appelle « Matière »), qui est le Symbole du *Multiple* mathématique (également ineffable). C'est entre les deux qu'il situe tout ce qu'il croit être des Notions proprement dites, mais ce qui n'est en fait qu'un ensemble de paranotions (ou de Dogmes discursifs). Chacune de ces paranotions étant « contradictoire », Proclus aurait pu les dé-composer toutes. Mais, pour éviter que ce processus soit in-fini ou indé-fini, ce qui trans-formerait ces paranotions en Symboles et sa Paraphilosophie en Mathématique, Proclus ne dé-compose ni les Termes extrêmes de la première dé-composition de sa première « Notion », ni le Moyen terme de sa « dernière » dé-composition (ce Terme « final » étant la Matière [qui se dé-compose, d'ailleurs, elle-même (de toute éternité) d'une façon in-finie ou in-définie, d'où son caractère « symbolique » (mathématique) ou « ineffable »]). Quant aux autres para-notions, Proclus les décompose toutes, en arrêtant dans chaque cas le processus après avoir atteint un nombre de « notions » dérivées suffisant pour épuiser la catégorie des choses qui sont censées y correspondre (pratiquement des dieux de la Théologie hellénistique contemporaine, si nécessaire augmentée par des « dieux » de son cru). Cependant, pour sauvegarder la fiction du caractère « cohérent » de ses paranotions, Proclus ne les dé-compose pas directement (ou « immédiatement » au sens non temporel du terme). A chaque notion non dé-composée (et censée être in-décomposable) il *ajoute* (sauf aux deux pre-mières) une notion dé-composée (en deux Termes extrêmes et un Moyen terme) qui lui est coéternelle.

La dé-composition étant censée être un processus *discursif*, dire d'une « notion » qu'elle n'est pas *dé-composable* signifie que son « sens » ne peut pas être développé en un discours. Or, en fait, une « notion » dont le « sens » est in-développable *discursivement* n'est pas un Sens *discursif* : ce n'est pas un *Sens* au sens propre du terme, et la soi-disant « notion », discursi-vement in-développable n'est pas une *Notion* proprement dite, mais un Symbole (mathématique), par définition privé de toute espèce de sens. Or, Proclus reconnaît lui-même cet état de choses, puisqu'il dit que toute chose n'est « connaissable » (discursivement) que dans et par ses « effets » (c'est-à-dire en tant que « cause » de ceux-ci). Puisque c'est la « séparation » de l'effet d'avec sa cause qui correspond à la dé-composition (= développement discursif ou dé-duction) de la notion qui se rapporte à cette cause, la « notion » in-décomposable ne se rapporte à aucune cause qui lui correspondrait, ni donc à aucun effet d'une cause quelconque. La « notion » in-décomposable se rapportant à quelque chose qui n'est ni cause (d'un effet), ni effet (d'une cause), le Quelque-chose qui correspond à cette « notion » est donc, par définition, « inconnaissable » (discursivement). Autrement dit, cette soi-disant notion n'a effectivement aucun *sens* (discursif), et elle n'est ainsi qu'un *Symbole* (mathématique) dont on ne peut rien déduire (discursivement) et qui est lui-même (discursivement) indéductible.

Dans la mesure où le Système procléen implique de tels *symboles* (c'est-à-dire des « notions » non décomposées parce que in-décomposables), il se rapporte à des Ineffables qui lui correspondent et qui se « révèlent » précisément dans et par les *Silences* qui sont les pseudo-notions purement *symboliques* (= mathématiques).

Pour que le Système soit philosophique et non mathématique, pour qu'il soit Discours et non Silence, les symboles qui le constituent doivent être dé-doublés en pseudo-notions, qui sont en fait des Symboles au sens propre du mot (qui « révèlent » silencieusement l'Ineffable) et en notions proprement dites ou discursives, par définition dé-composables. Pour nous, ces Notions ne sont en fait que des *para*notions, vu que chacune d'elles vient « immédiatement après » un symbole dont elle ne peut pas être discursivement déduite (par définition, puisque le symbole est « silencieux »). Une telle paranotion est donc soit une Évidence (discursive), soit l'« expression » (discursive) de l'Expérience (silencieuse) que le Symbole re-présente (silencieusement). Pour nous, elle est dans le premier cas une Notion paraphilosophique ou une notion (philosophique) dogmatisée, tandis qu'elle n'est, dans le second cas, qu'un Dogme théorique, voire une notion pseudo-philosophique. Quant à Proclus, il semble admettre les deux solutions, puisqu'il fait généralement appel « à la fois » à l'Évidence et à la Révélation (des Oracles chaldéens, des Hymnes orphiques, etc.). Mais quelle que soit la « justification » de la notion (para- ou pseudo-philosophique) en cause, Proclus la traite comme s'il s'agissait d'une notion (philosophique) authentique : il prétend la dé-velopper ou la dé-composer complètement et dire ou -dé-duire tout ce qui en est dé-ductible.

Étant donné que Proclus ne temporalise pas son Système, le développement de celui-ci spatialise seulement le Discours (ou son Sens) : les notions dé-composables ne se substituent pas (dans le Temps) aux notions in-décomposables, mais leur sont coéternelles. De même, la notion dé-composée (en deux Termes extrêmes et en un Moyen terme), c'est-à-dire les trois notions qui résultent de la dé-composition d'une notion dé-composable ne se substituent pas à celle-ci, mais coexistent avec elle de toute éternité. On a ainsi une coprésence éternelle (= spatiale) de trois ou, si l'on préfère, de cinq « notions » (au sens large) : la (pseudo-) notion in-décomposable ou « simple » (Symbole [mathématique]); la (para-) notion dé-composable, mais non dé-composée, qui est « une » (Évidence ou Dogme); la « triple » notion dé-composée, voire la Triade constituée par les trois notions qui résultent de la dé-composition de la notion dé-composable (qui « fait pendant » à la notion in-décomposable. Si le Symbole qu'est la (pseudo-)notion indécomposable n'a aucun sens (discursivement développable), la (para-)notion dé-composable (mais non décomposée) en a un. Seulement, si ce « sens » est discursivement développable (d'autres notions pouvant en être déduites), il n'est pas lui-même dé-ductible (vu qu'il se situe « immédiatement après » un symbole, c'est-à-dire une pseudo-notion in-développable). Quant aux (trois) notions qui résultent de la dé-composition de la notion dé-composable (une), elle est un sens discursif proprement dit, puisque ce sens est à la fois discursivement développable et lui-même déduit (à partir du sens de la notion développable qui est située « immédiatement devant » lui).

Reste à savoir si ces trois ou cinq « notions » se contre-disent ou non mutuellement et si elles sont « contradictoires » ou « cohérentes » en elles-mêmes. En ce qui concerne la *première* (la pseudo-notion « simple » ou le Symbole), elle ne peut ni contre-dire les autres, ni se contre-dire elle-même pour la simple raison qu'elle ne *dit* rien (et ne peut donc pas non plus être contre-dite). La *deuxième* (la paranotion qui est « à la fois » Évidence paraphilosophique et Dogme pseudo-philosophique) est, si l'on veut, « contradictoire » en ce sens qu'elle se contre-dirait *si* elle était dé-veloppée en tant que telle, c'est-à-dire en tant que *une* (bien que non « simple » à la différence de la première) : car elle serait alors une ET multiple; or le Multiple et l'Un se contre-disent mutuellement. Mais cette notion est *une* précisément dans la mesure où elle *n'est pas* dé-veloppée (tout en étant dé-veloppable) ou « multipliée ». Dans la mesure où elle reste (éternellement) *une*, rien n'en est (jamais) déduit (nulle part) : rien n'est dit qui puisse la contre-dire, et puisqu'elle est *une*, elle ne peut pas non plus se contre-dire soi-même. Il est vrai que la notion non développée (dé-veloppable) est éternellement coprésente avec elle-même en tant que dé-veloppée (ainsi qu'avec elle-même en tant qu'in-développable). Mais puisque la Triade qu'est la notion dé-veloppée (triple) n'est rien d'autre que le dé-veloppement de la notion dé-veloppable (une), elle ne peut pas contre-dire celle-ci : ce qui est dé-duit ne contre-dit pas, mais re-dit (sous une forme dé-veloppée ou multiple) ce que dit (sous une forme une, sinon simple) ce dont c'est déduit.

Or, si la Triade ne contre-dit ni la notion in-décomposable (Hénade), ni la notion dé-composable non dé-composée (Monade), elle ne se contre-dit pas non plus elle-même, du moins d'après Proclus. En effet, la Triade notionnelle ou la Notion triple (ni « une », ni « simple ») est constituée par deux Termes extrêmes qui ne se contre-disent pas parce qu'ils sont « séparés » l'un de l'autre au point de s' « ignorer » mutuellement, et par un Terme moyen qui ne contre-dit aucun des Termes extrêmes, vu qu'il les re-dit tous les deux (en tant que ne se contre-disant pas).

La dernière question est alors de savoir si les trois « notions » qui constituent la Triade sont « cohérentes » en elles-mêmes. « Théoriquement » (mathématiquement) on peut donner huit réponses différentes à cette question : toutes sont cohérentes; deux quelconques le sont (trois cas); une quelconque l'est (trois cas); aucune n'est cohérente. Mais si l'on tient compte du fait que les notions en cause ont un *sens* (ne serait-ce que para-philosophique), on peut exclure les cas où l'un des Termes extrêmes serait cohérent et l'autre non (car il n'y a aucune raison de « préférer » l'un à l'autre [le Principe de l'Identification disant, d'ailleurs, que si A a un sens, Non-a en a un lui aussi]), ainsi que celui où le Moyen terme serait le seul « cohérent » (vu qu'il est le seul à être « double », les deux autres étant «simples», et vu que c'est en lui que ceux-ci sont coprésents). Restent les trois cas où tous les trois sont «cohérents», où aucun ne l'est et où le Moyen terme est seul à être «contradictoire ».

Si Proclus se prenait lui-même à la lettre, il aurait dû donner la première de ces réponses : la Notion développable se développe en une Triade dont les trois Termes sont « cohérents ».

Le Système procléen aurait alors la structure suivante :

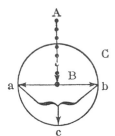

A = (pseudo-) notion in-développable
  (Symbole)
B = (para-) notion développable
  (Évidence et Dogme)
C = notion développée en :
  a-b = Termes extrêmes
  c = Terme moyen.

Le Système procléen n'étant pas temporalisé, il n'y a aucune relation chrono-logique, ni donc « logique » entre le cercle C et le point A qui est lui (spatialement) extérieur : A étant un Symbole, c'est-à-dire une (pseudo-) notion in-développable, B n'en est pas dé-duit. A et B sont « éternellement » (c'est-à-dire spatialement) coprésents. C'est cette simple coprésence qu'indique la ligne en pointillé qui les unit. Elle est ininterrompue pour montrer qu'il n'y a rien « entre » (spatialement) A et B et la flèche indique que B est « au-dessous » (spatialement) de A, de sorte que l'on « descend » (de l'espace) lorsqu'on passe (on ne sait trop comment, c'est-à-dire « quand ») de A à B. On peut dire que A est le « Centre » (unique et un), ou qu'il n'est un « centre » d'aucune « périphérie ». Par contre, la notion développable (mais non développée) B est le centre du Cercle C et on peut dire (comme on l'a souvent dit!) que ce Centre « coïncide » (spatialement) avec la Périphérie, vu que c'est une seule et même notion que le Centre B du Cercle C (qui est son développement) en tant que non développée et la périphérie de ce même Cercle en tant que développée. Or, vu que le développement est triadique, la notion développée est représentée par trois points : *a*, *b*, *c*, situés sur la périphérie du cercle C, qui est la notion développée prise dans son ensemble, les trois points étant le résultat (ici définitif) de son développement (ici complet). L'orientation des deux flèches qui vont de B vers *a* et *c* indiquent l' « éloignement » (spatial) maximum de ces points l'un de l'autre, ce qui fait d'eux des Termes *extrêmes*. La double flèche qui relie *a* et *b* avec *c* indique que *a* et *b* se re-trouvent en *c*, y étant coprésents, tandis que le fait que les *trois* points se trouvent sur un seul et même Cercle montre qu'ils sont tous coéternels. Enfin, l'absence de flèche entre B et *c* indique que B ne se développe pas « immédiatement » (au sens spatial de « directement ») en *a*, *b* et *c*, mais que le développement (direct) de B en *a* et *b* sert de « relais » (ou de « médiation » au sens spatial) au développement (indirect) de B en *c* [34].

On a souvent voulu faire un rapprochement entre le schéma fondamental de la structure du Système de Proclus et le schéma de base de la dialectique hégélienne. Mais, bien entendu, ces deux schémas n'ont rien de commun, vu que le premier est purement « spatial » (« éternel »), tandis que le second est (spatio-) temporel. Le schéma procléen est censé re-présenter des relations purement « logiques » entre les entités (qui correspondent à des éternelles notions qui s'y ra-portent) éternellement coprésentes, tandis que le schéma hégélien re-produit les trans-formations chrono-logiques des notions (qui se rapportent à des entités qui leur correspondent) et leur intégration dans et par le Discours uni-total qu'est le Système du Savoir et qui a comme étendue ce schéma lui-même.

Des représentations graphiques appropriées peuvent faire voir ces différences essentielles :

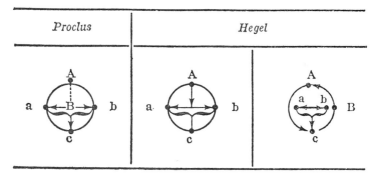

Proclus   Hegel

Chez Proclus, A re-présente l'Éternité silencieuse et ineffable, correspondant au Silence (« mystique » ou « extatique ») qui s'y rapporte; A est donc coéternel au Discours (censé être « circulaire », c'est-à-dire uni-total) et reste ainsi éternellement « en dehors » de celui-ci. Chez Hegel, A est la Spatio-temporalité prise et comprise en tant que le Silence qui pré-suppose le Discours et que le Discours sup-pose; A est l'Intention-de-parler, voire la Question à laquelle *répond* le Discours uni-total.

Chez Proclus, B est l'Éternel coéternel à l'Éternité, discursivement dé-veloppable, mais non encore dé-veloppé en Discours *(a-b-c)*. Si l'on veut, le B de Proclus est donc l'homologue du A de Hegel. Mais, d'une part, le A hégélien est « premier », tandis que le B procléen est « deuxième »; d'autre part, le A de Hegel se trans-forme (en tant que Question) en Discours *(a-b-c)* (en tant que Réponse), tandis que le B de Proclus (correspondant à la Notion non développée qui s'y rapporte en tant que telle) est éternellement coprésente aux (trois) entités *a-b-c* (qui correspondent au Discours censé s'y rapporter en tant que triple ou uni-total). Ainsi, on a chez Proclus, trois ou si l'on veut cinq (1 + 1 + 3) entités (et « notions ») coéternelles, tandis que, chez Hegel, A se trans-forme en *c*, voire *d'abord* en *a*, qui se trans-forme *ensuite* en *b*, la coexistence de *a* et de *b* se trans-formant *enfin* en *c*.

Cependant, chez Hegel, ce n'est pas la fin (le but et le terme) du Discours (uni-total) : c'est la Para-thèse (contra-dictoire) qui réduirait l'ensemble du Discours au Silence, si elle ne se trans-formait pas en Syn-thèse B. C'est cette trans-formation finale et définitive (spécifiquement hégélienne) qui achève et parfait le Discours en tant qu'uni-total, car, étant l'intégration de la *totalité* du Discours qui la précède (et qu'elle sup-pose en tant que la pré-supposant), elle est la Réponse unique et une à la Question qui engendre le Discours en tant que tel et à laquelle ce Discours répond par son ensemble achevé. On peut donc dire, si l'on veut, qu'il y a, chez Hegel, un *Départ (Proodos)* de A qui se termine en *c* et un *Retour (Epistrophê)* à partir de *c* vers A, qui s'achève dans et par la trans-formation de A en B, c'est-à-dire de la Question totale en une Réponse unique et une (la re-transformation de B en A ayant pour seule conséquence une re-production du Discours uni-total ou « circulaire », dont le « sens » va de A à B en passant par *c*).

Or, il n'y a rien de tel chez Proclus. Chez lui, c'est la « dernière »

(la plus « basse ») entité de la « série verticale » A→B→ $\left[\begin{array}{c} a \\ b \end{array} \right\} \to c \right]$.

Ainsi, en fait et pour nous, le schéma procléen ne va pas au-delà de la Para-thèse, l'ensemble du « Système » de Proclus se réduisant lui-même au Silence par un développement discursif de ses contra-dictions implicites.

Sans doute Proclus parle-t-il d'une *Proodos* allant de A à *c* et d'une *Epistrophê* ramenant de *c* à A. Il semble même vouloir dire que la *Proodos* est un processus « objectif » (bien que « idéel », intelligible, *noetos*), tandis que l'*Epistrophê* serait un processus « subjectif » (voir discursif, *intellectuel*, *noeros*), le « point d'inflexion » étant « objectif » et « subjectif » à la fois *(noetos kai noeros* ou *noesis)*. Mais puisque, pour Proclus, les entités A, B et *(a, b, c)* sont coéternelles ou coprésentes de toute éternité, il n'y a, chez lui, aucun *processus* du tout et le Départ y est tout aussi impossible que le Retour. En fait, le schéma procléen reste purement « spatial » en ce sens que le soi-disant « processus » qu'il re-présente est *réversible*, c'est-à-dire précisément *non* temporel, tandis que le schéma hégélien ne peut être parcouru (produit et re-produit) que dans un seul « sens » (ce qui lui procure, précisément, un *sens* discursif). Chez Hegel, la Descente de A à *c* (par *a* et *b*) ne représente qu'une « moitié » du Discours circulaire, qui peut et doit être complétée par une *autre* « moitié », qui est la Montée de *c* à A (par B, mais non par *a* et *b*). Chez Proclus, le « cercle » est « complet » tant à la Descente qu'à la Montée : dans les deux cas il s'agit d'un seul et même « cercle », qu'il suffit de retourner (spatialement) sens dessus dessous pour passer d'un cas à l'autre.

Ici encore, une juxtaposition de graphiques permet de se rendre compte de la différence essentielle entre le schéma de la Dialectique hégélienne et de celui de la structure (pseudo-dialectique) du Système procléen :

Proclus	Hegel
Descente Montée	

La différence essentielle entre les Schémas procléen et hégélien permet de comprendre pourquoi le Système du Savoir re-produit l'Histoire universelle de l'Humanité, tandis que le « Système » de Proclus re-présente un « ensemble » (en principe « bien ordonné ») de dieux éternels, qui coexistent (spatialement) de toute éternité. D'ailleurs, Proclus triche quelque peu lorsqu'il dit (conformément au schéma ci-dessus) que sa *Proodos* est un processus réversible, l'*Epistrophê* le re-parcourant à rebours. En effet, le simple « renversement » (spatial) de son schéma donnerait le schéma suivant :

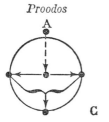

Proodos

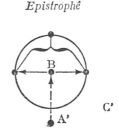

Epistrophê

Or, s'il faut « descendre » vers la Notion éternelle discursivement développable B en partant de l'Éternité silencieuse et ineffable qu'est A, il faut « remonter » à cette Notion à partir de A', par définition ineffable et silencieuse [35]. Le [pseudo-] Discours (censé être uni-total) qui dé-veloppe la Notion B en un cercle [pseudo-] discursif C, voire en une Triade [pseudo-] discursive (pseudo-dialectique) *a-b-c* doit donc être « déduit » en dernière analyse (à la descente) du Dieu éternellement ineffable (A), et (à la remontée) de la Matière éternellement silencieuse (A'). Or, cet Ineffable silencieux dé-doublé (A et A') est censé devoir non pas se trans-former en Discours, mais rester « éternellement » ce qu'il est (à savoir Silence ineffable), le Discours doit être « momentané » : il doit se réduire lui-même en silence dans la mesure même où il se développe.

Sans doute, de ce point de vue, Proclus est en accord avec lui-même, puisque son Discours n'est rien d'autre ni de plus que le Développement de la Para-thèse (philosophique), par définition contra-dictoire. Mais cela signifierait que son « Système » soi-disant philosophique n'est pas discursif à proprement parler, mais soit « graphique », soit « symbolique ». En tant qu'équivalent au silence ineffable qui est le principe ou l'origine *(arkhê)* de la *Proodos (*A = *Theos)*, ce « Système » est un ensemble de Symboles (mystiques ou mathématiques). En tant qu'équivalent à l'Ineffable silencieux qui est l'origine ou le « principe » de l'*Epistrophê*, ce même « Système » est un ensemble de signes (graphies ou « noms propres »). Or, si Proclus semble admettre l'équivalence entre son « Système » et les Mathématiques (comprises en tant qu' « ensemble » de « nombres »), et s'il co-ordonne à ses « notions » prétendument philosophiques des « noms propres » divins empruntés à la Théologie hellénistique et des « images » tirées de la mythologie païenne, il affirme néanmoins le caractère *discursif* de son Système et donc la « cohérence » de son discours [para-] philosophique (éclectique).

Cependant, en fait et pour nous, le Cercle « réversible » du schéma procléen n'est pas discursif au sens propre du mot : vu qu'il est censé devoir être parcouru dans les *deux sens*, il ne peut avoir de *sens* du tout. Ce Cercle re-présente tout au plus un « cycle » biologique (par définition silencieux, sinon ineffable).

Ainsi, en définitive, le Système (paraphilosophique) éclectique procléen situe (spatialement) « entre » le *Theos* éléatique (A) et la Hylé héraclitéenne (A') un Cosmos éternel qui est platonicien ou u-topique, en tant qu'immobile, et aristotélicien ne vivant que tournant en rond (parfaitement dans le Ciel et d'une façon approximative sur Terre).

Quoi qu'il en soit, nous avons supposé jusqu'à présent que toutes les trois notions *a-b-c* (en lesquelles est dé-veloppée la notion B) sont « cohérentes ». Or, en fait, Proclus rejette cette possibilité et admet que toutes les trois sont « contradictoires », de sorte que chacune doit être re-décomposée en deux Termes extrêmes et en un Terme moyen.

Il nous faut donc voir pourquoi il le fait.

Si les trois notions *a-b-c* étaient « cohérentes », c'est-à-dire « dernières » ou « définitives » au sens d'in-décomposables (d'après le schéma triadique pseudo-dialectique), le « contenu du Système procléen aurait dû être le suivant :

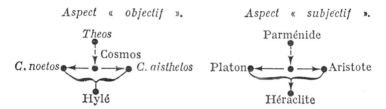

Or, pour Proclus (qui, en tant que Théoricien, n'était rien moins qu'un savant et qui fut probablement plus un Moraliste qu'un Religieux proprement dit), le Moyen terme entre les Termes extrêmes qui sont le Cosmos idéel (platonicien) et le Cosmos vivant (aristotélicien), est non pas la Matière, mais l'Homme, voire l'Ame-humaine (dans et par laquelle s'effectue l'*Epistrophê*). Par ailleurs (en tant que [para-] philosophe [éclectique]), il ne pouvait pas admettre que la contra-diction entre le Platonisme et l'Aristotélisme soit supprimée dans et par un Héraclitéisme [qui n'est, en fait, nullement un « mélange » des deux]. Enfin (en tant qu'Intellectuel), Proclus ne voulait pas s'exclure de son propre Système, en admettant qu'il n'y avait apporté aucune contribution « originale » ou « personnelle ».

Plotin (et probablement les autres Néo-platoniciens) aurait pu se contenter de l'interprétation suivante du schéma éclectique (pseudo-dialectique) :

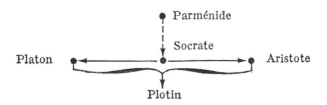

Mais Proclus n'a pas accepté cette interprétation. D'une part, parce que son éclectisme explicite ne pouvait pas s'accommoder d'une exclusion d'Héraclite. D'autre part parce qu'il tenait à son « originalité ». Or, cette « originalité » a, en fait, consisté dans une décomposition du Moyen terme (spécifiquement néo-platonicien) dans le schéma (néo-platonicien) éclectique. Le schéma procléen devait donc avoir la forme suivante :

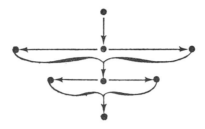

En principe, Proclus aurait pu donner l'interprétation suivante de ce schéma procléen :

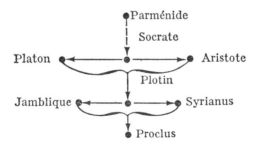

En effet, plusieurs passages des écrits de Proclus peuvent être compris en ce sens. Mais cette interprétation exclut Héraclite (de sorte que le Discours « systématique » ne peut plus prétendre être uni-*total*) et elle assigne à Proclus un rang « inférieur » à celui de Plotin et même à ceux de Jamblique et de Syrianus. Or, en dépit des paroles aimables qu'il prodigue à leur égard, il est bien clair que Proclus ne voulait re-présenter ces trois Néo-platoniciens que comme ses propres « précurseurs ». Quoi qu'il en soit, Proclus donne au schéma éclectique procléen (à *deux* étages) l'interprétation (« subjective ») suivante :

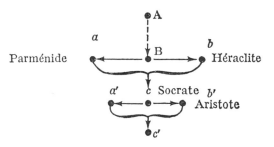

Proclus [= Néo-platonisme « achevé »,
c'est-à-dire pleinement développé.]

Le fait que dans l'aspect « subjectif » aucune philosophie (par définition discursive) ne re-présente les entités A et B de l'aspect « objectif » n'inquiète nullement Proclus vu que A est absolument ineffable et que B est silencieux (n'étant pas développé en discours)[36]. Quant à l'aspect « objectif » dans son ensemble, nous verrons plus loin comment Proclus l'a interprété.

Mais quoi qu'il en soit de l'interprétation (objective et subjective) du schéma éclectique procléen par Proclus lui-même, le fait est que ce schéma ressemble à s'y méprendre au schéma hégélien. En fait, il suffit de supprimer B pour qu'ils deviennent identiques. Mais on évitera toute méprise en constatant qu'une telle suppression signifie précisément une *temporalisation* du schéma procléen (qui, d'éclectique qu'il était, devient dialectique). Alors A devient l'Hypo-thèse; *a* et *b* deviennent respectivement Thèse et Anti-thèse; *c* est la Para-thèse qui se dé-compose (sans se maintenir « en même temps » en tant que non dé-composée) en Parathèses thétique (*a'*), antithétique (*b'*) et synthétique (*c'*). Or, la Parathèse synthétique (transformable en Syn-thèse ou en Système du Savoir hégélien) est non pas néo-platonicienne ou procléenne (éclectique ou païenne), mais kantienne (judéo-chrétienne). Ainsi, dans le schéma (dialectique) chrono-logique hégélien, le Néo-platonisme se situe « ailleurs » que dans le schéma « spatial » procléen :

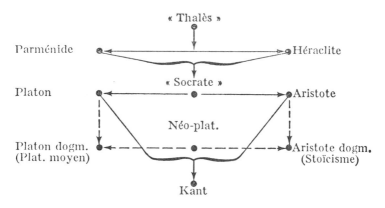

Dans le schéma hégélien (chrono-logique), Thalès *cède* la place à Parménide et Héraclite, auxquels *se substitue* Socrate, qui est *remplacé* par Platon et Aristote qui *cèdent* leur place à Kant. Par contre, dans le schéma procléen (« logique », c'est-à-dire « spatial », voire éclectique ou païen), « Thalès » garde éventuellement le silence, tandis que l'Éléatisme et l'Héraclitéisme coexistent de toute éternité avec un Socratisme éternel, où le Platonisme et l'Aristotélisme sont éternellement coprésents, leur éternelle coprésence dans l'Éternité étant précisément la Vérité éternelle qu'est censé être le Néo-platonisme, achevé et parfait [de toute éternité (par Proclus??)].

Mais peu importe pour le moment. Ce qui importe, c'est que Proclus présente le premier couple de Termes extrêmes comme « cohérent » et donc in-décomposable, tandis qu'il dé-compose le Terme moyen, en le présentant comme « contradictoire » (le triple produit de la dé-composition du Moyen terme étant d'ailleurs éternellement coprésent avec ce Terme pris en tant qu'unique et un, bien que lui-même coexistât de toute éternité avec les deux premiers Termes extrêmes in-décomposables, coéternels avec le premier Terme non décomposé dans l'Éternité qu'est le Terme premier, qui est le Premier en tant que tel).

Ainsi, le schéma éclectique procléen (spatial ou « logique ») a ceci de commun avec le schéma dialectique hégélien (spatio-temporel ou chrono-logique) que les premiers Termes extrêmes *a* et *b* (Thèse et Anti-thèse) sont « simples », tandis que le premier Moyen terme *c* (Para-thèse) est « composé » et donc dé-composable. Proclus admet donc (implicitement) le caractère « composé » ou « contradictoire » du Moyen terme « socratique », puisqu'il le décompose (explicitement) en deux Termes

extrêmes nouveaux *a'* et *b'* et en un nouveau Moyen terme *c'*.
Or, chose curieuse entre toutes, Proclus ne réitère pas simplement son schéma de la tri-partition. En principe, il aurait dû
affirmer que les nouveaux Termes extrêmes *a'* et *b'* sont
« simples » ou « cohérents » et donc in-décomposables, le nouveau Moyen terme étant le seul à être dé-composé, vu qu'il
est seul à être « composé » ou « contradictoire ». Mais, en fait,
Proclus dé-compose les *trois* termes *a'*, *b'* et *c'*. Pour nous,
Proclus admet donc, en fait, le caractère contra-dictoire non
seulement de la Para-thèse (socratique) prise dans son ensemble,
mais encore de chacun de ses éléments-constitutifs, c'est-à-dire
des Parathèses thétique, antithétique et synthétique (qui est
d'ailleurs remplacée chez lui par la « Thèse » éclectique néo-
platonicienne). Mais, bien entendu, cette « coïncidence » entre le
schéma procléen (éclectique) et le schéma hégélien (dialectique)
est purement « formelle », vu qu'il s'agit, dans le premier, de
coprésence « éternelle » (c'est-à-dire spatiale ou « logique » et,
dans le second, de trans-formation (spatio-temporelle ou chrono-
logique).
    A dire vrai, le caractère « éternel », voire spatial ou non
didactique du schéma éclectique devrait inciter Proclus à ne
faire aucune distinction (« formelle ») entre les Termes extrêmes
et le Moyen terme, en les dé-composant tous ou en n'en
dé-composant aucun (ce qui serait vraiment « logique »). Mais
ayant fait du schéma éclectique néo-platonicien (ou socratique)
un simulacre du schéma dialectique, dans la mesure où il ne
dé-compose pas les premiers Termes extrêmes *(a* et *b)* tout en
dé-composant le Moyen terme *(c)*, Proclus a voulu conserver
cet avantage « formel » (qui donne à sa « logique » un *semblant*
de chrono-logie et permet de faire semblant qu'il y a dans le
Système un Départ et un Retour, voire un Cercle fermé, c'est-
à-dire achevé) en distinguant entre les dé-compositions des
Termes extrêmes *(a'* et *b'* et celle du Moyen terme *c')*. Nous
verrons, en effet, que si la dé-composition de *c'* est *verticale*
(et en ce sens « semblable » à une dé-composition proprement
dite ou dialectique, c'est-à-dire *chrono*-logique), celle de *a'* et
de *b'* est *horizontale* (produisant ainsi non pas une véritable
dé-composition ou « déduction *dialectique* », mais un dé-veloppement ou une « déduction *logique* »). Ou, si l'on préfère, avant
de passer au développement « horizontal » des Termes extrêmes,
Proclus procède à leur dé-composition « verticale » (qui est bien
entendu coéternelle à la dé-composition verticale du Moyen
terme). Mais les deux « verticales » des Termes extrêmes sont
« plus courtes » (spatialement) que la « verticale » du Moyen
terme et les premières s'arrêtent (au sens spatial) là où com-

mence (au sens spatial) cette dernière. Autrement dit, les soi-disant dé-compositions de a' et b' ne « dépassent » pas (au sens spatial) le « niveau » (spatial) de c', tandis que la dé-composition de c' (en a'', b'', c'') occupe (spatialement) le niveau spatial qui est « immédiatement » au-dessous de celui de a'-b'-c', voire de c. Ce qui revient à dire, comme nous le verrons, que la dé-composition (ou plutôt le dé-veloppement) de a' et b' est fini, tandis que celui de c' est in-fini; du moins au sens d'in-défini.

Mais cette différence entre les Termes extrêmes et le Moyen terme ne se montre qu'à la fin du « processus », c'est-à-dire dans l'ensemble de l'espace (à deux dimensions [ou à trois?]) occupé par le schéma tout entier. Au début du « processus », c'est-à-dire dans le schéma incomplet, cette différence se perd (à moins qu'on ne la représente en distinguant entre les deux horizontales extrêmes et la verticale moyenne [auquel cas le dé-veloppement au sens propre, c'est-à-dire la « déduction *logique* » devrait s'effectuer dans une troisième dimension, perpendiculaire à la surface du papier sur lequel sont portés les deux (pseudo-) dé-compositions horizontales et la dé-composition verticale]). Le schéma du Système procléen incomplet ou « ouvert » est alors le suivant :

Variante à deux dimensions　　　　　*Variante à trois dimensions*

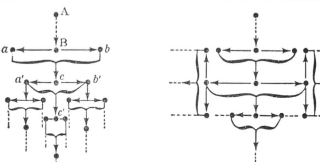

Quoi qu'il en soit de ces deux variantes, il nous faut voir maintenant ce que serait le Système procléen (en fait et pour nous et probablement pour Proclus lui-même) s'il n'arrêtait pas (d'ailleurs « arbitrairement ») les dé-compositions de tous ses éléments-constitutifs ou « termes » ou s'il ne faisait pas de distinction entre la dé-composition des Termes extrêmes et la dé-composition du Moyen terme.

Si Proclus avait admis un développement in-défini (ou « infini ») de tous les (trois) Termes, sans distinguer entre le

développement « logique » (déduction) et le développement
« dialectique » (dé-composition), son « Système » aurait été,
pour nous, un « ensemble ordonné » de Symboles (par définition dénués de sens discursif) « coéternels », qui se rapporterait à une Spatialité (à trois dimensions) qui lui correspondrait de toute éternité. En fait, un tel « Système » purement
« géométrique » ou « topologique » ne comporterait aucune
dé-composition et se développperait (« logiquement ») par simple
« déduction » (*tous* les développements étant « horizontaux »,
leur tri- ou multi-plicité correspondant à la tri- ou multi-plicité
des Dimensions de la spatialité). Mais Proclus distingue, en
fait, entre les développements des Termes extrêmes et celui du
Moyen terme, du moins en ce sens que (comme nous le verrons) seul ce dernier développement est censé être in-défini et,
étant in-défini, réversible. En d'autres termes, les Termes
extrêmes sont développés (en fait « horizontalement », c'est-
à-dire « logiquement » ou « spatialement ») en un ensemble
d'éléments-constitutifs qui sont *coéternels* au sens platonicien,
tandis que le Moyen terme se développe en un « cercle » ou
« cycle », qui est *éternel* au sens aristotélicien. Pour nous, cela
signifie que le « Système » procléen est, en fait, un ensemble
(ordonné) de Symboles (mathématiques), se rapportant « éternellement » à un ensemble (ordonné) spatio-temporel (à $2 + 1$
ou à $3 + 1$ dimensions), qui leur correspond de toute éternité
et à la dé-composition (*in*-définie ou *réversible*) du Moyen terme
correspond à la « série infinie » des nombres entiers (positifs
et négatifs, ayant le 0 pour « point d'inflexion »), tandis que le
(double ou triple) développement des Termes extrêmes correspond à une multiplicité spatiale (à deux ou à trois dimensions [37]).
En un sens, Proclus admet lui-même le caractère « symbolique », voire mathématique de son Système, vu qu'il laisse
sans réponse explicite la question de savoir si les développements « horizontaux » (« déductions logiques ») sont finis et
définis, ou in-définis et donc indéfinissables (tant dans leur
ensemble qu'en ce qui concerne leurs éléments-constitutifs) et
qu'il affirme explicitement le caractère in-défini (sinon « infini »
au sens de l' « infini actuel ») des dé-compositions « verticales »
(qui sont, d'ailleurs, *pseudo*-dialectiques du seul fait d'être
« réversibles » ou « cycliques »). Il dit, en effet, que l'ensemble
de « tous les dieux absolus [de la *Physis*] constitue une multitude *incompréhensible*, qui ne peut pas être *mesurée* par la
raison humaine » (*Theol. Plat.*, p. 395; Rozan, 171, 6) [sans préciser, d'ailleurs, si le caractère in-défini de cette multiplicité
est dû uniquement aux développements horizontaux de la
« notion » de la *Physis*, ou (aussi?) aux dé-compositions de ses

trois Termes, voire seulement à celle du seul Moyen terme].
Par ailleurs, Proclus ne peut pas ne pas admettre que l'ensemble de son Système équivaut au Silence qui révèle l'Ineffable « primordial » qu'est le *Hen* [ainsi que la Hylé]. Enfin,
il admet volontiers l'équivalence entre son Système et l'ensemble des Mathématiques « pures » (Géométrie et Arithmétique) qu'il admire et vénère au plus haut point. Mais bien
qu'il réussisse tout aussi peu que Platon à situer les Mathématiques à l'intérieur de son Système, Proclus se refuse de les
substituer à celui-ci, en admettant explicitement son caractère
« symbolique », c'est-à-dire en le privant de tout sens discursif [38].

Afin de conserver un sens discursif, c'est-à-dire définissable,
aux éléments qui constituent le Système procléen, c'est-à-dire
en vue de construire son Système avec des Notions (ne serait-ce
que paraphilosophiques) et non avec des Symboles (mathématiques), Proclus devait admettre le caractère dé-fini ou fini tant
de ses développements que de ses dé-compositions. En ce qui
concerne les développements (« logiques ») [dont nous reparlerons plus loin], Proclus se contente de ne pas dire explicitement
qu'ils se prolongent in-définiment ni à l'infini, tout en n'osant
pas affirmer ouvertement qu'ils sont tous dé-finis ou finis
[probablement parce qu'il se savait incapable de le dé-montrer,
ne pouvant pas définir effectivement toutes les notions dont il
se sert, en *finissant* l'ensemble (systématique) qu'elles constituent]. Quant aux dé-compositions (pseudo-dialectiques), Proclus affirme explicitement leur caractère fini (et donc le caractère dé-fini, voire défini ou tout au moins définissable des éléments-constitutifs de ces dé-compositions, d'ailleurs « éternels »
ou coprésents, la décomposition étant ainsi « instantanée »),
allant jusqu'à indiquer des nombres (finis) fixes. Mais les notions
procléennes étant en fait éclectiques et donc parathétiques,
c'est-à-dire contra-dictoires, les nombres qu'il indique sont,
pour nous, purement « arbitraires ». Et Proclus l'admet lui-
même, du moins implicitement, non seulement parce qu'il dit
explicitement que, « en principe », le nombre des notions
« physiques » est in-défini, mais encore parce que les nombres
affectés aux différentes dé-compositions ne peuvent pas être
justifiés par le schéma général de ces dé-compositions mêmes,
en étant même parfois incompatibles avec celui-ci (tout en
étant toujours divisibles par trois). Sans parler du fait qu'il y a,
en la matière, plusieurs flottements dans les écrits procléens.

Quoi qu'il en soit, comme nous le verrons plus loin, le caractère dé-fini tant des dé-veloppements (horizontaux ou logiques)
que des dé-compositions (verticales ou pseudo-dialectiques)

n'annule aucunement, dans le Système procléen, toute différence entre les uns et les autres. En effet, la tripartition (pseudo-dialectique, parce que « éternelle » au sens de « cyclique » ou « reversible ») n'est propre qu'aux seules dé-compositions, tandis que tous les développements restent linéaires (et d'ailleurs « irréversibles », parce que « éternels » au sens d'« instantanés », voire de purement « spatiaux »). Par contre, si *toutes* les dé-compositions doivent être dé-finies ou finies, il n'y a plus, en fait, de différence essentielle ou spécifique entre les Termes extrêmes et le Moyen terme. Or, comme nous l'avons vu, Proclus tenait à maintenir cette différence. En effet, si Proclus ne pouvait pas admettre le caractère « contradictoire » (« incohérent ») des Termes extrêmes que sont le Platonisme et l'Aristotélisme (qui se contre-disent mutuellement en étant censés ne pas se contre-dire eux-mêmes), il devait reconnaître le caractère « contradictoire » du Moyen terme néo-platonicien ou porphyro-plotinien, dans la mesure même où il voulait le dé-composer (ne serait-ce que pour se donner l'occasion d'être « original », en apportant au Néo-platonisme une « contribution personnelle »). Sans doute, Proclus aurait pu ne dé-composer que ce seul Moyen-terme, en se contentant de développer « horizontalement » les deux Termes extrêmes. Et il est difficile de savoir pourquoi il ne l'a pas fait [39]. Mais ne l'ayant pas fait, il devait chercher un moyen de distinguer entre les dé-compositions « extrêmes » et la dé-composition « moyenne ». Or, du moment qu'il dé-composait le Moyen terme, il ne pouvait plus dire que celui-ci se distinguait des Termes extrêmes du seul fait que ceux-ci étaient *doubles* ou *deux*, tandis que lui était *unique* et *un*.

Sans doute, Proclus aurait pu affirmer une différence essentielle entre les Termes extrêmes et le Moyen terme, en disant que la dé-composition de ce dernier ne peut se rapporter à la « réalité » qui lui correspond (tout au moins dans le « secteur » de la Physis) qu'à condition d'être in-défini, tandis que l'ensemble de tout ce qui correspond aux dé-compositions dé-finies des Termes extrêmes qui s'y rapportent est lui aussi fini. Mais, d'une part, il ne semble pas avoir dit (du moins explicitement) que même dans la *Physis*, la dé-composition du Moyen terme est seule à être in-définie, celle des Termes extrêmes s'arrêtant après un nombre fini d'étapes [peut-être parce que Proclus savait ne pouvoir dé-montrer aucun de ces nombres, ni même la finitude en cause]. D'autre part, Proclus ne voulait certainement pas trop insister sur l'aveu [qu'il faut d'ailleurs inscrire à son actif philosophique] qu'une dé-composition qui est dé-finie dans le Système se rapporte à une « réalité » qui est censée lui correspondre tout en étant elle-même infinie. Aussi bien a-t-il eu recours (comme toujours dans les cas difficiles) à un pur artifice, injustifié et injustifiable.

En fait, dans le Système procléen, *tous* les termes sont dé-composés et *toutes* les dé-compositions sont censées être définies et finies. Seulement, les dé-compositions des Termes extrêmes s'arrêtent avant celle du Terme moyen (ce qui signifie, d'ailleurs, chez Proclus, que les premières sont plus *courtes* que la dernière). Ainsi, Proclus croit avoir montré (ne serait-ce qu'implicitement) qu'il y a une différence essentielle entre les Termes extrêmes, d'une part et, d'autre part, le Terme moyen. Mais il a assez de pudeur philosophique pour ne pas insister explicitement sur une telle différence.

Quoi qu'il en soit, le schéma (incomplet) du Système procléen (inachevé ou « ouvert ») se présente en définitive comme suit (si l'on fait abstraction des développements « horizontaux » proprement dits) :

[voir ci-contre]

Dans ce schéma, les cercles autour des points a'', b'' et c'' indiquent que ces points doivent être dé-composés d'après le même principe que les points a', b' et c'. Autrement dit, on obtient la structure complète de la Triade T_3, en procédant à une tripartition des 27 points « finaux » de la Triade T_2, de façon à obtenir $3 \times 27 = 81$ points « finaux ». Et ainsi de suite pour les Triades T_4, T_5, etc. (du moins « en principe » car, en fait, il en va tout autrement dans le schéma complet du Système procléen achevé) : Ainsi, le Moyen terme est décomposé chaque fois de la même façon que chacun des Termes extrêmes. Mais on voit que, dans l'ensemble du schéma, la dé-composition « moyenne » ou « médiane » est plus longue que les deux dé-compositions « extrêmes ». Quant à la ligne en pointillé, au-dessous du point c'', elle montre que la dé-composition continue vers le bas, et l'absence d'une flèche sur cette ligne indique que, sinon « en fait », du moins « en principe », cette dé-composition se poursuit « vers le bas » d'une façon sinon dé-finie, du moins in-définie.

Ce schéma ne fait pas voir, d'ailleurs, qu'il ne s'agit pas de dé-compositions proprement dites ou « verticales ». Mais le fait que seule la dé-composition moyenne est graphiquement verticale, les deux dé-compositions extrêmes étant horizontales, symbolise bien la différence procléenne entre les Termes extrêmes et le Terme moyen. Si l'on voulait introduire dans ce schéma les développements « horizontaux proprement dits, il

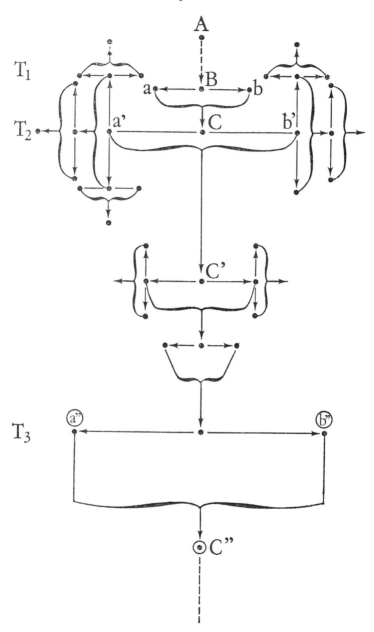

faudrait ajouter une troisième dimension et dresser des lignes droites perpendiculaires à la surface du papier, en chacun des points finaux des dé-compositions schématisées horizontalement et verticalement.

Mais il nous faut voir d'abord ce qu'est au juste le développement horizontal procléen.

Du point de vue « formel », le *développement horizontal* procléen est, pour nous comme pour Proclus lui-même, un développement *logique* au sens aristotélicien (ou eudoxo-aristotélicien) du mot. Il s'agit essentiellement de ce que la Logique traditionnelle (« formelle » ou « aristotélicienne ») appelle *Déduction* et *Induction*, c'est-à-dire, d'une part de la dé-composition des Genres en Espèces, voire des Familles en Genres et, d'autre part, de la re-composition des Espèces en Genres, voire des Genres en Familles [40].

Ce qui caractérise ce Développement « aristotélicien » (ou eudoxo-aristotélicien) déductif et inductif, c'est le fait que, d'après Aristote (qui semble avoir suivi en ce point Eudoxe, voire les Mégariques (cf. *Théét.*, *Soph.* et *Polit.*), la dé-composition ne s'effectue pas (comme l'avait dit Platon) par *négation* [de sorte que la re-composition ne comporte pas la négation de la négation]. Par conséquent, cette dé-composition n'est pas nécessairement *dichotomique* (comme l'est la *Diairesis* platonicienne) et elle peut aboutir, en principe, à un nombre quelconque (pair ou impair) de membres. Du coup, les éléments-constitutifs « isolés » qui résultent de la dé-composition ne s'opposent pas en tant que Thèses et Anti-thèses et ne coexistent donc pas non plus en tant que Para-thèse (ni, encore moins comme Syn-thèse) : ils se situent tous, pour ainsi dire, sur le même niveau et ils ne devraient pas se répartir « à gauche » et « à droite » d'une ligne (idéelle ou réelle) « médiane » [bien que, sur ce point, Aristote ne soit pas très conséquent et reste plus « platonicien » qu'il n'aurait voulu l'être et qu'il présente avoir été, vu qu'il se voit obligé de distinguer entre, d'une part, les deux Extrêmes (sinon « contradictoires » du moins « contraires ») et, d'autre part, le Milieu *(Mesotês)*]. Quoi qu'il en soit, la dé-composition déductive des Familles (Genres) en Genres (Espèces) sup-pose la « communauté » des Genres (Espèces) dans la Famille (Genre), tandis que la re-composition inductive la pose (en la pré-supposant).

Ainsi, le Développement horizontal procléen comporte la fameuse *Koinonia tôn genôn*, c'est-à-dire un « mélange » des « genres » que Platon trouvait chez Eudoxe et chez Aristote et assimilait à la simple « confusion mentale », et que Proclus

« neutralise » en maintenant « en même temps » dans son Système un Développement vertical du type platonicien, essentiellement dichotomique, voire tri-parti, aboutissant à des
notions in-dividuelles et isolées les unes des autres *(atoma eidê)*,
bien que hiérarchisées et réparties en « gauches » et « droites »
(voire « paires » et « impaires »).

Dans ma terminologie, le Développement horizontal procléen est un développement (discursif) *logique* ou une déduction
logique, que l'on peut appeler *Déduction* au sens propre (qui est
un Discours seulement *spatialisé*, constituant le domaine des
« jugements analytiques » au sens de Kant ou du *Verstand* au
sens de Hegel). Cette Déduction diffère essentiellement de la
Dé-composition au sens propre, ou Dé-composition dialectique
qui constitue le développement (discursif) *dialectique* [qui est
le Discours *temporalisé* (ou spatio-temporalisé), constituant le
domaine des « jugements synthétiques » au sens de Kant ou de
la *Vernunft* au sens de Hegel]. On peut dire, si l'on veut, que la
Dé-composition proprement dite est une « déduction » *dialectique*, tandis que la *Déduction* proprement dite est une « décomposition » *logique* [l'homologue « dialectique » de l'Induction
logique étant l'Intégration ou la Re-composition « synthétique »
qu'est le Discours uni-total ou le Système du Savoir (« dialectique » au sens étroit équivaut à « philosophique » et « logique »
au sens propre à « scientifique » ou « théorique ») : le Système
du Savoir re-compose « synthétiquement » ce que la Théorie a
composé « inductivo-déductivement » et ce que la Philosophie
a décomposé « dialectiquement »]. Ce qui caractérise cette
Dé-composition, c'est le fait qu'elle procède *par négation*, en
opposant à la Thèse (positive) une Anti-thèse (négative), la
Thèse et l'Anti-thèse s'excluant mutuellement (chacune excluant
donc aussi la Para-thèse qui les implique (partiellement) toutes
les deux), mais coexistant néanmoins dans et par la, ou en
tant que Para-thèse, qui les implique (partiellement et par-
tialement) toutes les deux, tout en les excluant en tant que
s'excluant (et l'excluant). C'est cette Para-thèse (purement
« spatiale ») qui se trans-forme (en se temporalisant) en Syn-
thèse. Plus exactement, la Para-thèse se présente et reste
présente en tant que Syn-thèse dans la mesure même où l'Anti-
thèse se supprime-dialectiquement en supprimant-dialectiquement la Thèse, c'est-à-dire en refoulant celle-ci dans un passé
qu'elle lui cède entièrement et en se projetant dans un avenir
qu'elle se réserve à elle seule (la coprésence de l'« Anti-thèse »
à venir avec la Thèse passée étant précisément la Syn-thèse qui
n'est « éternelle » qu'à partir du moment où elle s'est présentée
dans le Présent en tant que l'Avenir du Passé qu'était la

coprésence de la Thèse et de l'Anti-thèse de la Para-thèse).
De même que la « Logique transcendantale » de Kant voulait
compléter et non remplacer la « Logique formelle » (aristotélicienne), la « Dialectique » hégélienne ne remplace pas cette
dernière, mais la complète seulement, de même qu'elle ne remplace pas, mais « prolonge » [en la temporalisant] la « dialectique » platonicienne [purement « spatiale »]. Autrement dit,
le Système du Savoir hégélien ressemble (à première vue) au
Système procléen en ce sens qu'il comporte lui aussi « à la fois »
un Développement « vertical » (authentiquement dialectique,
voire synthétique) et un Développement « horizontal » (authentiquement « logique »). Aussi bien le schéma fondamental (la
« cellule » schématique) du Système du Savoir peut-il être représenté graphiquement de la façon suivante :

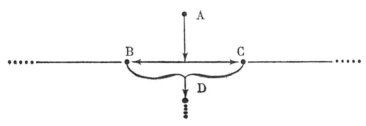

Ce schéma signifie que « en plus » de la dé-composition (dialectique) de la notion (hypo-thétique) A en notions (thétique) A
et (antithétique) B (B = Non-a) et de la re-composition (dialectique voire « synthétique », s'il s'agit de la Syn-thèse) de
ces deux notions en la notion (parathétique, voire synthétique)
C, il y a aussi (« en même temps ») un développement logique
(une déduction) des notions B et C (et de la notion D, si elle est
synthétique, auquel cas elle coïncide avec la notion A, A s'étant
trans-formé en D). [D'ailleurs, puisque le développement logique
est purement « spatial » (ou « éternel »), il peut s'effectuer
(sinon avant, du moins longtemps) après que les notions à
développer B et C se soient transformées (temporellement,
voire temporairement s'il s'agit de la Para-thèse) en D.] Ce développement logique de la notion B ou C est sa « définition »
(aristotélicienne) dans la mesure où ce développement est fini :
au sens sinon de « terminé » (« achevé »), du moins de dé-fini,
c'est-à-dire d'« achevable » dans un avenir « défini ».
Toutefois, il faudrait se garder de dire (comme on l'a fait
parfois) que le Développement vertical procléen est « dialectique » au sens de Hegel. Il n'est en fait que *pseudo*-dialectique
(ou paradialectique, de même que, comme nous le verrons plus

loin, le Développement horizontal procléen est non pas authentiquement « logique », mais *para*logique). Et c'est ce qu'il
nous faut voir maintenant [41].

Si l'on ne craignait pas l'anachronisme, on pourrait dire
que Proclus a « spatialisé » la Dialectique hégélienne. On
pourrait dire aussi, si l'on veut, que Hegel a « temporalisé » la
(pseudo-) dialectique procléenne (en la transformant ainsi en
Dialectique authentique, par définition temporelle ou chrono-
logique). Le fait est, cependant, que la pseudo-dialectique de
Proclus est et reste purement « spatiale » en ce sens que la
Para-thèse ne se substitue pas (dans le temps) à la Thèse et à
l'Anti-thèse, mais est censée être coéternelle avec celles-ci
(ce qui exclut, précisément, sa trans-formation en Synthèse).
Chez et pour Proclus, la Négation (qui est, en fait et pour nous,
essentiellement temporelle et donc temporaire) et prise et
comprise dans le sens purement spatial d'Extériorité (la Parathèse étant chez lui, comme il se doit, une « neutralisation du
Positif et du Négatif par leur coprésence spatiale, voire le
partage de l'espace « neutre » en une partie « positive » et une
partie « négative »), ce qui lui enlevait toute sa signification
« active » ou « dynamique », c'est-à-dire vraiment « négative »
au sens de « négatrice ». Ainsi, la pseudo-dialectique procléenne
n'est, en fait et pour nous, que cette paralogique du « mélange »
et de la « confusion » que Platon reprochait (semble-t-il à tort)
à Eudoxe et à Aristote. [De plus, Proclus ne se contente pas de
construire une pseudo-dialectique (pseudo-platonicienne) à
l'image de la logique aristotélicienne; il déforme celle-ci à
l'image de cette pseudo-dialectique, en en faisant une paralogique, qui correspond bien à la caricature que Platon a faite
de la logique eudoxo-aristotélicienne dans le *Sophiste* et le
Politique].

Pour Platon, la « Logique » eudoxo-aristotélicienne était
« sans intérêt » (philosophique), tandis que, pour Aristote, la
dialectique dichotomique *(diairesis)* platonicienne était « sans
objet » (scientifique ou théorique). Or, l'intérêt de Proclus
exigeait la coprésence des deux dans son propre Système et il
y assigne un « objet » aux deux. Mais, pour pouvoir le faire, il
a dû déformer l'un et l'autre.

Chez Aristote, il n'y avait pas de Négation du tout et sa
« décomposition logique » n'était donc pas dichotomique. Elle
aboutissait à un nombre quelconque (mais non infini ou in-
défini, voire in-déterminé) de Termes, qui ne comportaient pas
de Termes *extrêmes* proprement dits, c'est-à-dire de notions
« contradictoires ». Mais, par la force des choses, la décomposition étant finie au sens de dé-finie), il y avait des Termes

« extrêmes » (les « notions contraires ») et un Terme « médian »
(« neutre », pouvant d'ailleurs être « vide »), qui coexistaient
avec tous les autres (« extérieurs » et « intermédiaires »). Chez
Platon, il y avait Négation et donc deux Termes extrêmes au
sens propre (notions « contradictoires »), mais il n'y avait et
ne pouvait y avoir que ces deux. Car le second Terme extrême
étant la *négation* du premier, il ne pouvait pas coexister avec
lui (en tant que Moyen terme), ni dans le temps, ni même dans
l'espace. Plus exactement, ces Termes ne pouvaient pas être
coéternels. Aussi bien Platon affirmait-il que le Terme positif
était u-topique, tandis que le Terme négatif était spatial et
occupait tout l'espace. Inversement, seul le Terme positif
était éternel, tandis que le Terme négatif était temporel,
c'est-à-dire « temporaire », même sa durée (étendue) était
égale à celle du temps. Or, puisque Platon n'admettait pas
cette « synthèse » (parathèse) de l'Éternité et du Temps qu'était
censé être, d'après Aristote, le Temps cyclique (eudoxien),
il ne pouvait pas admettre de Moyen terme ou de Terme
« médian », qui serait « neutre » en ce sens qu'il serait « à la
fois » positif ou éternel et négatif ou temporel (sinon temporaire) [42].

C'est ici que Proclus intervient. D'une part, il « écarte »
les Termes « extérieurs » (« contraires ») aristotéliciens jusqu'à
en faire des Termes « extrêmes » (« contradictoires ») platoniciens. Mais, d'autre part [en oubliant qu'il a introduit la
Négation, par définition temporelle], il prétend que ces Termes
extrêmes (pseudo-platoniciens) sont tout aussi coéternels
(c'est-à-dire « spatiaux ») que l'étaient les Termes extérieurs
aristotéliciens. Du coup, le Terme « médian » aristotélicien
devient un Moyen terme (inexistant chez Platon) où les Termes
extrêmes sont coprésents et qui leur est coéternel (vu que la
coprésence de ceux-ci est censée être éternelle).

On pourrait être tenté de dire à la défense de Proclus qu'il
a ainsi découvert et introduit dans la Philosophie la notion
de la Para-thèse, tout en y maintenant les notions de
la Thèse et de l'Anti-thèse, introduites et découvertes par
Platon (ou par « Socrate ») [43]. Mais on verrait à la réflexion que
cette soi-disant défense est en réalité une condamnation
(« définitive »). Car en disant que sa soi-disant Parathèse
(prétendument « synthétique ») est coéternelle à ses soi-disant
Thèse et Anti-thèse, Proclus parle en fait de quelque chose qui
n'a rien à voir avec ce que sont pour nous la Thèse, l'Anti-thèse
et la Synthèse de la Dialectique authentique ou hégélienne.
Il s'agit, dans le Développement vertical de Proclus, de notions
qui ne sont ni « dialectiques » (ni au sens de Hegel, ni même au

sens de Platon [qui a bien vu le caractère *temporel* de l'Anti-thèse et qui ne s'est « trompé » que parce qu'il croyait au caractère « éternel », voire « spatial » de la Thèse]), ni même logiques (au sens aristotélicien), mais paralogiques. Et nous verrons que Proclus introduit ces notions paralogiques même dans son Développement horizontal (dans la mesure où il y introduit la notion [eudoxo-aristotélicienne] de support).

Mais voyons de plus près ce qu'est le *Développement horizontal* procléen.

D'après Proclus, son Système néo-platonicien est une « somme » [éclectique] des Systèmes de Platon et d'Aristote. Dans son aspect « vertical », ce Système est purement platonicien, tandis que dans son aspect « horizontal » il est, d'une part, purement aristotélicien et, d'autre part, spécifiquement néo-platonicien, dans la mesure où il établit un «trait d'union» entre le Platonisme et l'Aristotélisme.

Pour mieux comprendre la situation, il est utile de rappeler le schéma de la *Diairesis* de Platon lui-même :

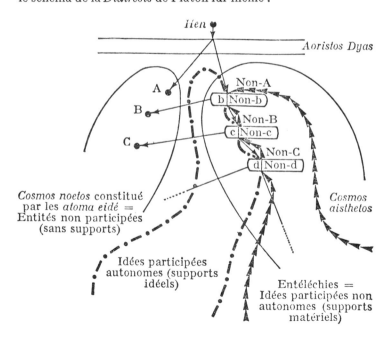

Chez Platon, le *Hen-Agathon-Theos* (doublement transcendant) se différencie (en se dé-doublant), dans et par la Négation qu'est la Dyade indéfinie, en un ensemble d'Idées atomiques A, B, C... (simplement transcendantes) et en un ensemble (immanent) d'Images ou de Reflets (dé-doublés et donc multipliés) sur le Néant qu'est la Matière (= Espace) : Non-A, Non-B, Non-C... Plus exactement, chacun de ces Reflets est double en ce sens qu'il implique un élément « positif » *(a, b, c...)* et un élément « négatif » (Non-a, Non-b, Non-c...); à l'état isolé, les éléments positifs sont précisément les atomoï, c'est-à-dire A, B, C..., tandis que l'élément négatif isolé se réduit au Néant; le *Cosmos aisthetos* est constitué par le « mélange » des deux éléments, c'est-à-dire l'ensemble des Images ou Reflets Non-*a*, Non-*b*, Non-*c*...

Chez Proclus, l'ensemble des Idées atomiques platoniciennes A, B, C... (qui correspondent, chez Platon, à l'ensemble des Nombres idéels ordinaires, à moins de leur être identiques) constitue la série « verticale » du Système, c'est-à-dire le *Cosmos noetos* pris en tant qu'ensemble bien ordonné d'entités *non participées*. Ces entités résultent, comme chez Platon, d'une différenciation du *Hen* dans et par l'*Aoristos dyas* (= le couple *Peras-Apeiron*). Mais, *cette* différenciation se limite, chez Proclus, au seul *Cosmos noetos* et ne constitue pas, à elle seule, le *Cosmos aisthetos*. Ce qui donne une structure pseudodialectique, voire paralogique de l'aspect vertical du Système :

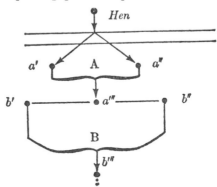

Quant au *Cosmos aisthetos* platonicien, Proclus l'interprète dans un sens éclectique ou néo-platonicien. Chez Platon, on a Non-$x = y$ et $y = z +$ Non-y, les z étant les Idées atomiques du *Cosmos noetos* et les Non-z les Images ou Reflets du *Cosmos aisthetos*. Chez Proclus, le *Cosmos aisthetos* est constitué par l'ensemble des Non-$x = y$, de sorte que les z en font partie tout comme les Non-z. Cependant, Proclus maintient la différence essentielle entre les z et les Non-z, par suite de quoi son

Cosmos aisthetos se décompose en *deux* Mondes (coexistants) :
en celui des *z* et en celui des Non-*z*. Or, le *Cosmos aisthetos*
constitué par les Non-*z* est, chez Proclus, non pas platonicien,
mais aristotélicien. Autrement dit, chaque Non-*z* est non pas
une Image du *z* ou son Reflet dans le Non-qu'est la Matière
(Espace = Vide = Néant) mais une Forme qui informe la
Matière et qui s'incarne en elle en tant qu'Entéléchie (individuelle). Quant aux *z*, Proclus les situe « entre » les *x* du *Cosmos
noetos* platonicien et les Non-*z* du *Cosmos aisthetos* aristotélicien.
Si les *x* sont des entités u-topiques, c'est-à-dire (simplement)
transcendantes par rapport au *Cosmos aisthetos*, les *z* et les Non-*z*
sont *immanents* à celui-ci. Seulement, le *Cosmos aithetos* procléen
est lui-même double : si les Non-*z* sont incarnés dans une
Matière élémentaire (sensible), les *z* ne s'incarnent que dans une
Matière idéelle (suprasensible) [qui est, comme chez Platon,
autre chose encore que l'Éther aristotélicien, que les Néo-
platoniciens associent à la Matière élémentaire au sein du
Cosmos aisthetos proprement dit, à la fois céleste et terrestre].
Les *z* constituent ainsi un Cosmos spécifiquement néo-
platonicien, destiné à servir de trait d'union entre le *Cosmos
noetos* purement platonicien et le *Cosmos aisthetos* proprement
dit, purement aristotélicien. Ce qui revient à dire que la notion
de ce « Cosmos » intermédiaire » est purement parathétique,
voire « contradictoire ».

D'une part, on peut dire que les *z* sont des Images ou des
Reflets (platoniciens) des Idées atomiques sur ou dans la Matière
idéelle (ces Idées étant elles-mêmes, si l'on veut, les Reflets
du *Hen* sur l'*Aoristos Dyas*, voire sur le couple : *Peras-Apeiron*).
D'autre part, ces mêmes *z* sont les *Modèles* (au sens eudoxien
du *Timée*) imités par les Non-*z*. Seulement, ces Non-*z* sont non
pas les Reflets (platoniciens) des *z* dans ou sur la Matière
élémentaire (et éthérée), mais des Entéléchies (eudoxiennes
ou aristotéliciennes) incarnées dans celle-ci (également d'après
le *Timée*).

Si Proclus avait voulu rester purement platonicien, il aurait
pu dire que les *x* sont des Reflets du *Hen* sur la Dyade indéfinie,
tandis que les *z* sont des reflets de ces Reflets sur la Matière
idéelle, les Non-*z* étant les reflets de ces (deuxièmes) Reflets
sur la Matière élémentaire (et éthérée). Inversement, s'il avait
voulu rester purement aristotélicien, Proclus aurait dû dire
que l'Un (différencié) s'incarne d'abord dans la Dyade, que
ces Incarnations de l'Un s'incarnent ensuite dans la Matière
idéelle et que, enfin, ces (deuxièmes) incarnations s'incarnent
dans la Matière élémentaire et éthérée. Mais, dans ces deux cas,
la complication par rapport à Platon et à Aristote n'aurait

aucune raison d'être. Car la seule raison de ces complications éclectiques ou néo-platoniciennes est le désir de « concilier » le Platonisme avec l'Aristotélisme. Or, pour y arriver, et en admettant, comme c'est naturel, que c'est le *Cosmos aisthetos* proprement dit qui est aristotélicien, tandis que le *Cosmos noetos* proprement dit est platonicien, il faut dire, non pas que le *Hen s'incarne* dans la Dyade indéfinie pour *se refléter* dans la Matière élémentaire ou éthérée (après que ces incarnations se furent incarnées ou reflétées dans la Matière idéelle), mais que l'Un *se reflète* dans l'Indéfini dyadique pour *s'incarner* dans la Matière éthérée et élémentaire (après que ces reflets se furent reflétés ou incarnés dans la Matière idéelle). Et c'est ce que Proclus dit effectivement. Car, pour lui, le *Hen se reflète* seulement dans le couple *Peras-Apeiron*, les Idées « atomiques » de la série verticale des Entités dite *non participées* n'étant que des Images (platoniciennes) de l'Un (doublement) transcendant. Par contre, les Formes « in-dividuelles » des séries horizontales *s'incarnent* dans la Matière éthérée et élémentaire en tant qu'Entéléchies (aristotéliciennes). Quant aux Idées « divisibles » ou Formes « générales », elles sont « à la fois » des incarnations et des reflets : en tant qu'*Images* (platoniciennes) des Idées « atomiques » elles *se reflètent* sur la Matière idéelle, mais en tant que *Modèles* « généraux » (eudoxiens d'après le *Timée*) des Entéléchies « individuelles » incarnées, elles *s'incarnent* dans cette Matière suprasensible. Ce qui revient à dire (en se contredisant) que chaque Forme « générale » est « à la fois » *séparée* de la Matière éthérée et élémentaire, où s'incarnent les Formes « individuelles » (= Entéléchies) dont elle est le Modèle commun (unique), et *incarnée* dans cette Matière en tant que *différenciée* en Formes « individuelles ». On peut dire aussi que chaque Forme « générale » est « à la fois » *unique et une*, en tant que Modèle commun de plusieurs Formes « individuelles » de la même espèce, et *différenciée et multiple*, en tant qu'ensemble de ces dernières. Et ce qui vaut pour les individus de la même espèce vaut aussi pour les espèces d'un même genre : la Forme « générique » est à la fois *unique et une* en tant que Modèle commun de plusieurs Formes « spécifiques » et *différenciée et multiple* en tant qu'ensemble de celle-ci. Autrement dit, à l'échelon des Idées reflétées sur la Matière idéelle et incarnées en elle, Proclus admet la fameuse *koinonia tôn genôn*, c'est-à-dire la « confusion » ou le « mélange » des espèces dans le genre (voire des individus dans l'espèce) que Platon reprochait dans le *Sophiste* au Système de l'Étranger d'Élée, en fait eudoxo-aristotélicien.

Quoi qu'il en soit, le caractère parathétique du *Cosmos*

aisthetos spécifiquement néo-platonicien est facile à établir. Le *Cosmos noetos* proprement dit est, chez Proclus, purement platonicien, en ce sens que les Idées « atomiques » qui le constituent sont des entités éternelles en relation avec une Éternité située en dehors du Temps. De même, le *Cosmos aisthetos* proprement dit est, chez lui, purement aristotélicien, puisque les Formes « individuelles » (= Entéléchies) qui le constituent sont des entités éternelles en relation avec une Éternité située dans le Temps (qui est de ce fait cyclique). Par contre, le Cosmos « intermédiaire » proprement néo-platonicien est constitué par des Formes « générales » (spécifiques et génériques) qui sont des entités éternelles en relation avec une Éternité qui est « à la fois » hors du Temps (dans la mesure où ces entités sont des modèles de Formes individuelles) et dans celui-ci (dans la mesure où elles sont des ensembles de Formes individuelles incarnées). Ce qui est évidemment « contradictoire dans les termes ».

Le caractère parathétique ou contradictoire du Système procléen se reflète jusque dans sa terminologie (qui n'est, d'ailleurs, peut-être pas originale).

Proclus appelle *non participées* les entités qui constituent la série verticale, voire le *Cosmos noetos* proprement dit, purement platonicien. Il précise, par ailleurs, que ces entités n'ont pas de *support (hypokeimenon)* [le rôle de Support étant joué ici par la Dyade indéfinie ou le couple *Peras-Apeiron*]. Ces entités (d'ailleurs « atomiques » au sens fort) sont donc absolument transcendantes par rapport au *Cosmos aisthetos*, en ce sens qu'elles sont u-topiques. Quant aux Formes individuelles (= Entéléchies), Proclus les appelle des entités *participées dépendantes*, qui ont pour Support la Matière éthérée et élémentaire. Or, d'une part, on ne peut pas dire que ces entités sont vraiment *participées* (au sens platonicien) par les phénomènes, vu qu'elles y sont *incarnées* en tant qu'Entéléchies (aristotéliciennes). D'autre part, pour établir un raccord entre le *Cosmos aisthetos* proprement dit ou aristotélicien et le *Cosmos noetos* platonicien, il faut dire que les Formes « individuelles » *participées* par ou, plus exactement, incarnées dans les Phénomènes matériels (éthérés ou élémentaires), *participent* (au sens platonicien) à des entités « transcendantes », c'est-à-dire, chez Proclus, à des Formes « générales » (spécifiques ou génériques). C'est précisément pourquoi Proclus les appelle des entités [éternelles] participées *dépendantes* [au lieu de dire, plus correctement, qu'il s'agit d'entités *incarnées* (au sens aristotélicien) qui *participent* (au sens platonicien) à des entités « supérieures »]. Quant aux entités [éternelles] « intermédiaires (spécifiquement néo-platoniciennes), Proclus les appelle *participées* indépendantes ou *autonomes*. Ces entités sont effectivement *participées* (au sens platonicien), vu qu'elles sont les Modèles que les Entéléchies « imitent ». Mais le qualificatif *autonome* révèle leur caractère parathétique. D'après Proclus, elles sont *autonomes* doublement. D'une part, elles le sont par rapport aux Formes « individuelles », car si ces dernières ne sauraient subsister sans elles, elles pourraient se maintenir sans celles-ci : d'après Proclus, les individus de la même espèce sup-posent cette Espèce, de même que les Espèces de même genre sup-posent ce Genre, tandis que le Genre pré-suppose à la rigueur, mais ne sup-pose pas sa différenciation en espèce, de même que l'Espèce ne sup-pose pas et peut-être ne pré-suppose même pas sa décomposition en individus. D'où la nécessité de postuler un Support *idéel* des Formes « générales », différent du Support *matériel* des Formes « individuelles ». Et, en effet, si les Formes générales s'incarnaient dans la Matière élémentaire (ou éthérée), elles coïncideraient (en se différenciant) avec l'ensemble des Formes individuelles. D'autre part, ces Formes générales sont nécessairement *autonomes* par rapport aux Entités u-topiques, car si elles ne l'étaient pas, elles *participeraient* à ces dernières et celles-ci ne seraient donc pas *non participées* (d'où la nécessité de postuler un Support idéel autre que la Dyade indéfinie). Seulement, s'il en est ainsi, il n'y a plus aucune liaison, ni aucun rapport entre le *Cosmos noetos* platonicien et le *Cosmos aisthetos* néo-platonicien constitué par les Formes générales (incarnées dans la Matière idéelle) auxquelles participent les Formes individuelles (incarnées de la Matière éthérée et élémentaire), vu que ces Formes générales autonomes participées ne participent elles-même à rien du tout (n'étant même pas des Images ou des Reflets des Idées atomiques, puisque, dans ce cas, celles-ci seraient *participées*).

En d'autres termes, Proclus ne réussit pas à établir une liaison entre l'aspect vertical et l'aspect horizontal de son Système, qui n'est pas, de ce fait, un Discours *uni*-total. Mais si, pour nous, les développements « logiques » (déductions) et le développement « dialectique » (dé-composition) sont absolument séparés chez Proclus, lui-même les *mélange*, au contraire, ses déductions étant, en fait, pseudo-dialectiques et ses dé-compositions paralogiques.

Plus exactement, on peut distinguer chez Proclus trois développements essentiellement différents, voire irréductibles les uns aux autres. Il y a, premièrement, le développement « vertical », en fait *pseudo-dialectique;* deuxièmement, le développement « horizontal » proprement *logique* (« déductif ») et, enfin, troisièmement, un développement également « horizontal » qui est en fait *empirique* (« inductif »), mais que Proclus présente sous la forme d'un développement (quasi vertical) paralogique ou, si l'on préfère, pseudo-dialectique.

Schématiquement, la situation peut être représentée comme suit :

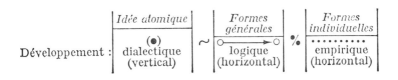

Il y a d'abord un développement « vertical » (ou pseudo-dialectique) qui décompose [le *Hen* et] les entités du *Cosmos noetos* en Idées atomiques, d'après le schéma parathétique :

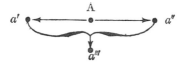

Le signe (●) du schéma ci-dessus représente une Idée atomique (qui est le dernier résultat in-décomposable de la dé-composition pseudo-dialectique). Le signe ～ indique qu'à chaque Idée atomique, qui est une entité *non participée* sans Support, « correspond » (d'une façon « indéfinissable ») une Forme générale (représentée par le signe 0 qui est une *entité participée autonome* avec Support idéel. C'est une Forme *générique* qui se développe (horizontalement) en plusieurs Formes *spécifiques*, d'après le schéma *logique* (« déductif ») (eudoxo-aristotélicien) représenté par le signe → :

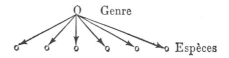

Enfin, chaque Forme spécifique se développe (horizontalement) en plusieurs Formes individuelles (= Entéléchies) avec

Support matériel. Or, si Proclus admet qu'il y a autant de Formes individuelles que d'Individus phénoménaux (matériels au sens de éthérés ou élémentaires), son Système n'indique ni la nature du rapport (représenté par le signe ./.) entre les Formes individuelles de la même Espèce et la Forme spécifique correspondante, ni le nombre de ces Formes individuelles (représentées par les signes...). En fait, il ne peut s'agir que d'une relation *logique* « inductive (au sens eudoxo-aristotélicien), c'est-à-dire « empirique » : c'est en démontrant les phénomènes de la même espèce que l'on établit le nombre des Entéléchies qui constituent l'ensemble des Formes individuelles qui « correspondent » (d'une façon « indéfinissable ») à la Forme spécifique en question. D'ailleurs, d'après Proclus (qui s'écarte ici d'Aristote) ce dénombrement « inductif » ou empirique » équivaut à une « déduction » logique en ce sens que le nombre établi des Formes individuelles est « éternel », tout comme est éternelle la Forme spécifique (unique) : les Formes individuelles disparaissent et se créent tout aussi peu que les Formes générales (spécifiques ou génériques). Cependant, d'après Proclus (qui s'écarte ici de nouveau d'Aristote), la Forme spécifique (incarnée de la Matière idéelle) est autre chose que l'ensemble des Formes individuelles de la même espèce (incarnées dans la Matière éthérée ou élémentaire). De même, la Forme générique est autre chose que l'ensemble des Formes spécifiques du même genre.

Par ailleurs, le schéma complet (formel) du Système procléen est déterminé par deux principes généraux. D'une part, Proclus affirme que l'on peut « déduire » plus de Formes spécifiques à partir d'une Forme générique qui « correspond » à une Idée atomique « plus proche » du *Hen*, que d'une Idée qui en est « plus éloignée » : sous prétexte que ce qui est plus proche de l'Un est de ce fait plus *un* ou moins multiple ou différencié. D'autre part, il admet que le nombre des Formes individuelles qui « correspondent » aux Formes spécifiques d'une Forme générique moins différenciée est plus grand que celui des Formes individuelles qui « correspondent » à une Forme générique moins un, c'est-à-dire plus éloignée de l'Un : sous prétexte que, en tant que Cause efficiente, la Forme spécifique qui est « plus proche » du *Theos* (« moteur ») est plus « puissante » ou « efficace » que celle qui en est plus éloignée, de même qu'elle est aussi plus « universelle » en tant que Cause finale, du fait même de sa « proximité » de l'*Agathon*.

Cela étant, on obtient le schéma (formel) général suivant du Système procléen [le schéma du développement horizontal de a''' devant être reproduit pour les Idées atomiques a' et a''; etc.] :

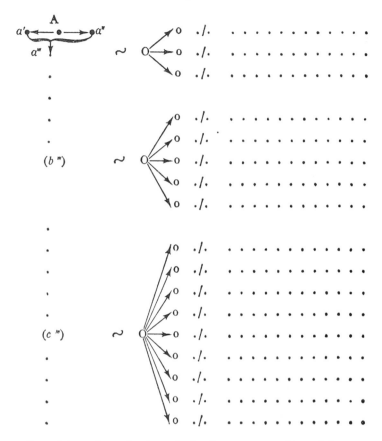

Ce schéma formel général du Système procléen doit être complété en y introduisant des signes représentant les divers Supports qu'admet Proclus. Or, les dires de celui-ci, assez peu précis en la matière, admettent plusieurs interprétations, dont aucune ne cadre d'ailleurs parfaitement avec tout ce qu'il dit.

D'une part, on pourrait dire que tout ce dont on parle n'est que reflet ou incarnation du *Hen-Agathon-Theos*, qui reste néanmoins (doublement) transcendant à tout ce que l'on dit, en tant qu'ineffable. Dans cette formule, les Idées atomiques sont les Reflets du *Hen* sur la Dyade indéfinie, voire sur le couple *Peras-Apeiron;* les Formes générales sont les Images du *Hen* dans la Matière idéelle, les Formes individuelles sont ses Incarnations dans la Matière éthérée et élémentaire. Ce qui pourrait être schématisé comme suit :

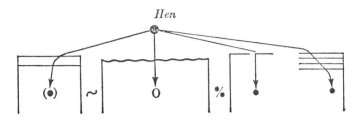

Dans ce cas, la hiérarchie procléenne des trois ou quatre types d'entités éternelles se réduirait à celle des trois ou quatre types de « Matière ». Mais, cette façon de voir les choses est peu conforme à ce que dit généralement Proclus.

On se rapproche davantage de ce qu'il dit en admettant que l'ensemble des Idées atomiques est le résultat de la « diffusion » de l'unique « rayon lumineux » issu du *Hen* à la suite de son passage à travers le milieu réfringent qu'est la *Dyas*. En se « projetant » sur le « miroir » qu'est la Matière idéelle, chaque Idée atomique s'y « reflète » en tant qu'une Forme générique qui, en pénétrant dans cette Matière, est « décomposée » en plusieurs Formes spécifiques (« monochromatiques »). Enfin, c'est en « pénétrant » dans le « milieu opaque » qu'est la Matière éthérée et élémentaire que chaque Forme spécifique est « diffusée » en plusieurs Formes individuelles (« sources ponctuelles »). Ce qui donnerait le schéma suivant :

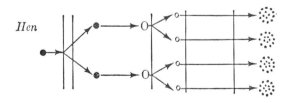

Mais, si les schémas de la Dyade et du Support idéel sont à peu près conformes à ce que dit Proclus (sans d'ailleurs distinguer nettement entre la nature du Support des Formes génériques et celle du Support des Formes spécifiques), celui du Support matériel est beaucoup trop simple. Car, d'après Proclus, la relation entre une Forme individuelle et son Support matériel est beaucoup plus complexe que ne le laisserait supposer le schéma.

Cette complexité tient au fait que, si les Idées atomiques et les Formes générales sont des entités éternelles au sens de Platon, les Formes individuelles le sont au sens d'Aristote. En effet, puisque l'Individu phénoménal est temporel au sens de temporaire, puisqu'il naît et ne se maintient qu'en se re-produisant, sa Forme individuelle ne peut être éternelle qu'en étant cotemporelle à un Temps *cyclique* infini. Autrement dit, chaque Forme individuelle doit éternellement « descendre » dans la Matière (éthérée ou élémentaire) pour s'y maintenir (pendant un certain temps) en tant qu'Entéléchie d'un Corps organisé et « remonter » en tant que Forme individuelle pour « re-descendre » en qualité d'Entéléchie nouvelle (« de *même* forme ») d'un Corps nouveau (la Forme et la Matière restant toujours les mêmes) [44].

Or, d'après Proclus, le cycle aristotélicien constitué par la *Proodos* et l'*Epistrophê* est équivalent à la dé-composition procléenne des entités éternelles platoniciennes. Proclus introduit donc cette dé-composition verticale (pseudo-dialectique) dans son développement horizontal (qui devient, de ce fait, paralogique) [45]. Autrement dit, chaque Forme individuelle est dé-composée d'après le schéma (parathétique) procléen :

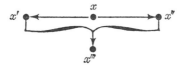

La Forme individuelle n'est une entité *éternelle* que dans la mesure où elle est à la fois x' et x'', x' se trans-formant (éternellement) en x''' dans la *Proodos* et x''' se trans-formant en x'' (= x') par l'*Epistrophê*. Et c'est en tant que x''' que x s'incarne dans son Support matériel en tant qu'Entéléchie d'un Corps, qui est la Matière informée par la Forme individuelle qu'est x. On serait donc tenté de représenter les choses par le schéma suivant :

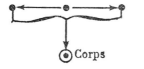
Corps

Matière idéelle

Matière éthérée et
élémentaire

Mais pour des raisons qui nous échappent (et probablement par simple analogie, d'ailleurs injustifiée), Proclus applique son schéma « dialectique » à la Matière elle-même : autrement dit le schéma de la dé-composition de la Forme individuelle se reflète dans la Matière comme sur un miroir, de sorte qu'on obtient le schéma suivant :

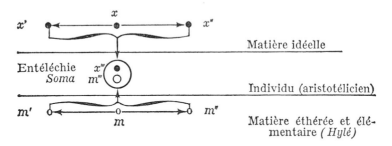

A dire vrai, Proclus dit que le Support des Formes individuelles est matériel et non idéel. Mais ceci ne semble être qu'une inconséquence de sa part. Car le schéma ci-dessus cadre assez bien avec ce qu'il dit par ailleurs, à savoir qu'entre la *Hylé* et la *Physis* (qui est la dernière couche du *Cosmos noetos* platonicien au sens large) il y a la couche du Soma, qui est précisément le *Cosmos aisthetos* (aristotélicien au sens propre).

Dans la mesure où une Forme individuelle x a un Support idéel, elle est une *Physis*, qui est encore, dans une certaine mesure, une Idée platonicienne (ou, en tant que x' et x'', c'est-à-dire en tant que A et Non-a, un Phénomène platonicien ou le Reflet d'une idée dans la Matière). Mais, en tant que x''', cette Forme a un support matériel et elle est alors une Entéléchie aristotélicienne. Dans la mesure où cette Entéléchie informe la Matière, celle-ci s'individualise en m (qui est dyadique en tant que m' et m'') qui incarne cette Forme individuelle en tant que m''', ou Corps individuel, l'ensemble Entéléchie + Corps étant l'Individu aristotélicien.

Ainsi, le *Cosmos aisthetos* aristotélicien, qui est un ensemble d'Individus, c'est-à-dire de matières informées en des Corps, voire des Formes incarnées ou d'Entéléchies, se situerait entre le *Cosmos noetos* platonicien (au sens large), qui est un ensemble d'Idées atomiques reflétées dans une Matière idéelle, et la Hylé. Dans la mesure où les Formes seraient individualisées par la Matière idéelle, cette Hylé pourrait être héraclito-platonicienne, c'est-à-dire « infinie » au sens d'in-définie. Mais si c'est elle qui individualise les Formes (comme chez Aristote), elle devrait être [parménido-] aristotélicienne; c'est-à-dire dé-finie et finie.

Quoi qu'il en soit, Proclus admet qu'un seul et même Corps peut être associé avec plusieurs Entéléchies spécifiquement et génériquement différentes [46]. Autrement dit (sans que les textes nous permettent de choisir entre les deux variantes possibles) ou bien plusieurs Formes individuelles, dont chacune appartient à une espèce quelconque d'un genre donné (tous les genres en cause étaient différents), « se combinent » pour constituer une Forme individuelle « mixte » qui informe la Matière en un Corps dont elle est l'Entéléchie (« combinée »); ou bien le Corps qu'est la Matière informée par une Forme individuelle donnée qui est son Entéléchie, incarne également d'autres Formes individuelles, qui séjournent dans l'Individu en cause sans vraiment faire corps avec lui (comme par exemple l'Ame immortelle humaine qui séjourne temporairement dans un Corps mortel humain). Ce qui donnerait les deux schémas suivants :

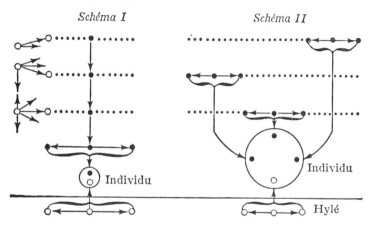

Schéma I   *Schéma II*

Ce que Proclus dit généralement des rapports entre le corps humain et la Psyché humaine, ou le Nous de l'homme semble supposer le Schéma II. Mais le Schéma I semble impliqué dans ce qu'il dit de l'incarnation des Formes individuelles appartenant à des genres qui correspondent à des étages différents de la série verticale des idées atomiques. Il dit, en effet, qu'il est impossible d'incarner une Forme inférieure sans incarner aussi les Formes supérieures, tandis que l'inverse est parfaitement possible et même nécessaire, vu que le nombre des Formes individuelles diminue au fur et à mesure que l'on descend dans la hiérarchie. Or, ceci est bien conforme au Schéma I :

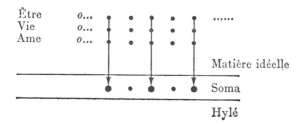

Être   o...
Vie   o...
Ame   o...

Matière idéelle

Soma

Hylé

Ainsi, par exemple, ce qui possède une Ame possède aussi nécessairement une Vie et un mode d'Être, tandis qu'on peut être vivant (et donc étant) sans être animé et *être* sans avoir de vie.

Quoi qu'il en soit, nous pouvons résumer ce qui précède en disant que, dans le Système procléen, chaque Idée atomique dite non participée et privée de Support autre que la Dyade « correspond » à une Forme générale, dite participée autonome, avec un Support idéel, c'est-à-dire à une Forme générique unique dont se déduisent plusieurs Formes spécifiques. A chacune de ces Formes spécifiques, « correspond » un certain nombre de Formes individuelles (dites participées dépendantes, avec un Support matériel) dont chacune se dé-compose pour s'incarner dans la Matière éthérée ou élémentaire, plusieurs de ces Formes pouvant s'incarner dans un seul et même corps (chacune séparément ou en se continuant entre elles). C'est cet ensemble de Formes « idéelles » ou « matérielles » qui constituent chez Proclus le développement horizontal ou « logique » de son Système.

En retenant tout ce qui a été dit sur la composante « horizontale » du Système procléen, il suffit de préciser sa structure « verticale » pour obtenir un *schéma formel complet*.

En fait et pour nous, la série « verticale » du Système procléen est une série in-finie au sens d'in-définie. Et Proclus l'admet lui-même, puisqu'il dit que la dé-composition de la *Physis* représente « une multitude incompréhensible qui ne peut pas être mesurée par l'intellect humain » (*Théol. pl.*, p. 395). Toute limitation de la série verticale est donc parfaitement arbitraire. Or, Proclus limite arbitrairement non seulement le nombre des « étages » de la série verticale, mais encore les dé-compositions des deux derniers de ces « étages » (*Psyché* et *Physis*).

En ce qui concerne le *nombre des étages*, Proclus se laisse incontestablement guider par la tradition néo-platonicienne, établie probablement par Jamblique et définitivement fixée chez Syrianus. Ici, la « forme » du Système est déterminée par son « contenu ». Le développement « dialectique » (en fait parathétique) est arrêtée par Proclus dès qu'il se trouve en possession des « catégories » fondamentales dont l'ensemble constitue le [soi-disant] Système néo-platonicien [en fait éclectique].

Peut-être déjà dès l'Ancienne Académie et certainement dans le Platonisme moyen, l'Onto-logie, l'Énergo-logie et la Phénoméno-logie platoniciennes se présentent comme les développements des notions du *Hen*, du *Nous* et de la *Psyché*. Les décompositions néo-platoniciennes (annoncées par Plotin et Porphyre) de ces deux dernières notions introduisent dans le Système dit platonicien, mais en fait éclectique, les notions du *On* et de la *Zoé* qui s'intercalent entre celles du *Hen* et du *Nous* (au sens étroit), ainsi que la notion (aristotélo-stoïcienne) du *Logos (spermatikos)* ou de la *Physis*, qui s'intercale entre la notion de la Psyché (au sens étroit) et celle du *Cosmos aisthetos* (aristotélo-stoïcien) ou du *Soma*, qui précède immédiatement la notion de la Hylé. Ainsi, le développement vertical du Système procléen devait avoir huit « étages » fondamentaux : *Hen, On, Zoé, Nous, Psyché, Physis, Soma* et *Hylé*.

Dans cette « série verticale », le *Hen* et la Hylé sont les deux « Termes extrêmes », d'ailleurs ineffables (le *Hen* correspondant au NI-NI et la Hylé au ET-ET) qui encadrent un « Moyen Terme » sextuple. Ce Moyen terme aurait pu être décomposé en deux Triades : *On-Zoé-Nous* et *Psyché-Physis-Soma*. Dans ce cas, la première Triade résulterait de la dé-composition (parathétique) d'une notion qui pourrait être appelée *Nous* au sens large, et la seconde de la dé-composition (parathétique) d'une notion qu'on pourrait appeler Psyché au sens large. Le caractère éclectique du Système exige que la Notion du *Nous* ait un caractère platonicien et celle de la Psyché un caractère aristotélicien. Seulement, ces deux notions constitueraient alors un couple de Termes extrêmes qui n'aurait pas de Moyen terme. Autrement dit, la contra-diction entre le Platonisme et l'Aristotélisme resterait entière et serait explicite, la « coupure » passant entre le *Nous* et la Psyché. Par ailleurs, le Moyen terme sextuple n'est pas homogène. En effet, ses cinq premiers membres sont *transcendants* par rapport à la Hylé, tandis que le sixième (Soma) est *immanent* à la Matière. En d'autres termes, les cinq premiers membres sont des entités platoniciennes, c'est-à-dire éternelles en raison de leur relation avec une Éternité située *hors* du Temps, tandis que le Soma est une entité aristotélicienne, qui n'est éternelle qu'en raison de sa relation avec une Éternité située *dans* le Temps (cyclique). La « coupure » entre le Platonisme et l'Aristotélisme se situe donc encore « dans le vide », c'est-à-dire dans une « lacune » qui sépare le Soma (aristotélicien) de la *Physis* (platonicienne).

Ceci étant, il est plus naturel de considérer comme Termes extrêmes, d'une part, la Hylé et, d'autre part, l'ensemble formé par le *Hen* et les cinq premiers membres de ce que nous avons d'abord considéré comme Moyen Terme. Le nouveau Moyen terme serait alors le Soma.

Hen || (On → Zoé → Nous → Psyché → Physis) || Soma || Hylé.

Seulement, dans ce cas, c'est le premier Terme extrême qui n'est plus homogène. En effet, il se dé-compose en deux termes, dont le premier est unique et un, tandis que le second est multiple (quintuple). Ces deux termes se présentent donc comme des Termes extrêmes sans Moyen terme, la « coupure » se situant « dans le vide », c'est-à-dire « entre » le *Hen* et le *On*. Or, le *Hen* pris isolément est purement parménidien, tandis que l'On est déjà spécifiquement platonicien (cf. le *Parménide*). Par ailleurs, la Hylé prise isolément est purement héraclitéenne, tandis que le Soma est spécifiquement aristotélicien. Il est donc naturel de considérer le *Hen* parménidien et la Hylé héraclitéenne comme les deux Termes extrêmes qui encadrent un Moyen terme « socratique », voire platono-aristotélicien :

Hen → (On → Zoé → Nous → Psyché → Physis) → || Soma || Hylé.

Seulement, dans ce cas, le Moyen terme n'est pas homogène et se présente comme deux Termes extrêmes sans Moyen terme propre, la « coupure » passant de nouveau « entre » la *Physis* (encore purement platonicienne) et le Soma (déjà purement aristotélicien). Or, le premier Terme extrême de ce prétendu Moyen terme est *quintuple* et il peut être dé-composé de façon à établir un « raccord » entre le Platonisme et l'Aristotélisme. En effet, on peut le présenter comme constitué par deux Termes extrêmes, dont le premier *(On)* est purement platonicien (au sens du *Parménide*) et le second *(Physis)* purement aristotélicien (ou stoïcien). Le Moyen terme platono-aristotélicien (ou éclectique, voire néo-platonicien) de ces Termes extrêmes serait alors le Nous au sens large, qui se dé-composerait à son tour en deux Termes extrêmes, la Zoé étant encore « platonicienne » (du moins au sens, en fait eudoxien, du *Timée*) et la Psyché déjà aristotélicienne (au sens du même *Timée*, ce qui permet aux Néo-platoniciens de la considérer comme « platonicienne »). Le Moyen terme situé entre les deux Termes extrêmes qui sont la Zoé et la Psyché serait le Nous au sens étroit, censé être « à la fois » (au sens parathétique de « en partie », voire « à moitié ») platonicien et aristotélicien, c'est-à-dire spécifiquement néo-platonicien (ou éclectique). En d'autres termes, le Nous en tant que résultat de la première Triade (encore platonicienne) On → Zoé → Nous coïnciderait « partiellement » ou « à moitié » avec le Nous qui est l'*origine* de la deuxième Triade (déjà aristotélicienne) : Nous → Psyché → *Physis*. Le problème éclectique du Néo-platonisme serait ainsi résolu.

Proclus est donc naturellement porté à diviser le Système néo-platonicien comme suit :

Parménidien || « Socratique » || Héraclito-aristotélicien

Hen || *(On → Zoé → No* χ *us → Psyché → Physis)* || Soma → Hylé
platonicien aristotélicien
néo-platonicien

Mais prise telle quelle, cette division systématique n'était pas satisfaisante pour l'esprit de Proclus. En effet, si le premier Terme extrême *(Hen)* est purement parménidien, le second (Soma → Hylé) est héraclito-aristotélicien, la Hylé (isolée) étant encore purement héraclitéenne, mais le Soma déjà aristotélicien. Or, la réapparition de l'élément aristotélicien dans le Moyen terme, à savoir dans la Triade Nous → Psyché → *Physis*, donne, dans le Système, une prépondérance indue à l'Aristotélisme. Pour « équilibrer » ce Système, il faudrait opposer au (deuxième) Terme extrême héraclito-aristotélicien un (premier) Terme extrême parménido-platonicien (la primauté du terme platonicien donnant une allure « platonicienne » à l'ensemble du Système éclectique néo-platonicien). Cette « correction » aurait, d'ailleurs, pour avantage de mieux expliciter et mettre en valeur le rôle véritable joué dans l'histoire de la Philosophie [païenne] par le Néo-platonisme en général, et par Proclus en particulier. En effet, si les deux Termes extrêmes étaient respectivement (parménido-) platonicien et (héraclito-) aristotélicien, leur Moyen terme se présenterait comme purement et spécifiquement néo-platonicien. On n'aurait alors pas besoin d'expliciter les composantes platonicienne et aristotélicienne de ce Terme [en fait éclectique], qui apparaîtrait [à tort] comme homogène. Or, ce Terme (néo-platonicien) est effectivement la dé-composition (néo-platonicienne) d'une seule et même notion (en fait éclectique, mais que les Néo-platoniciens font passer pour purement « platonicienne », en se référant au *Timée*), qui est celle du Nous au sens le plus large (N_1). En effet, on obtient le Moyen terme (néo-platonicien) quintuple en décomposant d'abord (parathétiquement) cette notion N_1 en deux Termes extrêmes : On et *Physis*, ayant pour Moyen terme la notion du Nous au sens « moyen » (N_2), et en dé-composant (parathétiquement) ensuite cette dernière en deux nouveaux Termes extrêmes : Zoé et Psyché qui auront pour (dernier) Moyen terme la notion du Nous au sens étroit (N_3) [47].

Or, le fait est que la « correction » en question est non seulement possible, mais même nécessaire du point de vue de l'Éclectisme néo-platonicien explicité par Proclus. En effet, le deuxième Terme extrême (Soma→Hylé), qui n'est rien d'autre que le *Cosmos noetos* aristotélicien (ou stoïcien), est non pas double, mais triple, puisque (d'après Aristote) le Soma est une Matière (Hylé) informée ou une Forme *(Morphê)* matérialisée. Le deuxième Terme extrême se dé-compose donc comme suit :

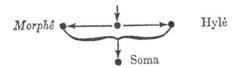

Morphê   Hylé

Soma

Cependant, il suffit d'y expliciter les seuls Soma et Hylé, vu que la *Morphê* n'est précisément rien d'autre que le Moyen terme quintuple (On→*Physis*) pris dans son ensemble en tant que Moyen terme aristotélicien.

Si l'on compare maintenant ce deuxième Terme extrême au premier, on constate que le *Hen* est homologue à la *Morphê*. Or (d'après Platon) il y a aussi dans l'Univers (c'est-à-dire dans le Monde où et dont on *parle*) un homologue de la Hylé, qui est la Dyade indéfinie. En parlant un langage aristotélicien, on peut dire que, d'après Platon, la Dyas est in-formée par l'Un qui s'y « incarne » (tout en restant aussi « transcendant »), la Dyas informée ou le *Hen* (parménidien) « incarné » étant le *Cosmos noetos* (platonicien). Ainsi, le premier Terme extrême se dé-compose d'une façon analogue à celle du premier :

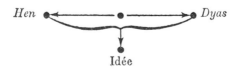

Hen   *Dyas*

Idée

Mais ici encore, il suffit d'expliciter le *Hen* et la *Dyas*, vu que l'Idée n'est rien d'autre que le quintuple Moyen terme, pris dans son ensemble en tant que platonicien. D'ailleurs, puisque les aspects platonicien et aristotélicien sont censés être deux aspects « complémentaires » d'un seul et même Moyen terme (néo-platonicien), on peut dire que l'Idée (platonicienne) qui est le *résultat* de la première Triade (extrême) coïncide avec la *Morphê* (aristotélicienne), qui est l'*origine* de la dernière Triade (extrême).

Le schéma complet du Système procléen se présenterait alors comme suit :

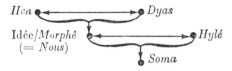

Ce qui peut s'écrire aussi :

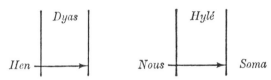

Ou bien encore :

$$Hen \to Dyas \;\|\; Nous \;\|\; Hylé \to Soma$$

Mais dans la mesure où Proclus voulait rester païen, il ne pouvait pas attribuer une valeur « positive » à la Négativité, voire à la Négation. Comme pour tous les philosophes païens le Mal était, pour Proclus, le Non-bien, et non pas le Bien le Non-mal. Par ailleurs, comme tout théiste, Proclus considérait la « Matière » comme une Négation et la « Forme » (Idée, Logos ou Nous, par définition « divins ») et non pas la « Forme » (*Logos* ou Discours humains) comme une Négation de la « Matière ». Ainsi, comme pour tous les païens théistes ou théistes païens, la « Matière » (négative) était pour lui le Mal et la « Forme » (positive) le Bien. Ce qui signifie que la « Forme » devait « précéder » la « Matière » : sinon chronologiquement, du moins « logiquement » [tandis que dans le Système du Savoir athée ou anthropothéiste, la Matière précède chronologiquement la Forme qu'est le *Logos* humain]. Or, le Soma implique des Formes, tandis que la Hylé en est totalement dépourvue. Par conséquent, le Soma doit « précéder » la Hylé, de sorte que l'on obtient le schéma suivant :

$$Hen \rightarrow Dyas \ //Nous \ // \ Soma \rightarrow Hylé.$$

Si l'on décompose maintenant le Nous (N_0) en $On \rightarrow Nous$ $(N_1) \rightarrow Physis$, en décomposant le Nous (N_1) en $Zoé \rightarrow Nous$ $(N_2) \rightarrow Psyché$, on obtient tous les « étages » du développement, d'ailleurs « vertical », du Système procléen :

$$Hen \rightarrow Dyas \rightarrow On \rightarrow Zoé \rightarrow Nous \rightarrow Psyché \rightarrow Physis \rightarrow Soma \rightarrow Hylé.$$

Ainsi, le Système complet se développe en neuf « étages », d'ailleurs coéternels (la suite des étages étant « logique » et non chrono-logique).

Le nombre (neuf) des « étages » étant établi, il nous reste à voir, pour obtenir le *Schéma formel complet* du Système pro- cléen, comment se décompose chacun de ces « étages ». La dé-composition parathétique, adoptée par Proclus avec tous les Néo-platoniciens, étant par définition triadique, on pourrait supposer que chaque « étage » se décompose en trois Termes (deux étant « extrêmes » et le troisième « moyen »), de sorte que l'on aurait en tout $9 \times 3 = 27$ « notions fondamentales » ou « catégories » procléennes. Mais il est évident que ce schéma simpliste ne pouvait pas être le sien.

D'une part, le tout premier étage *(Hen)*, qui est à l'origine de toute la série verticale, est par définition absolument *un*, de sorte que sa dé-composition est nulle; ce que nous pouvons exprimer en écrivant : $(1)_0$. D'autre part, le neuvième et der- nier étage (Hylé), qui est à la fin de la série (sinon en tant que but, du moins en tant que terme), se dé-compose, par définition, à l'infini ou in-définiment; ce qui peut s'écrire : $(9)\infty$. Quant au huitième ou avant-dernier étage (Soma), sa décomposition est non pas « dialectique » (en fait parathétique), mais « logique », voire « empirique ». Car, par définition, le Soma ($= Cosmos$ *aisthetos*) est constitué par l'ensemble de toutes les Formes individuelles incarnées, c'est-à-dire des Individus (aristotéli- ciens) de toutes espèces et de tous genres. Or, le nombre des individus d'une espèce donnée ne peut être établi (semble-t-il) d'après Proclus qu'empiriquement (ou par « induction »). Pour cette raison, le nombre des éléments qui constituent le 8e étage est, systématiquement parlant, un nombre *quelconque* (qui est cependant fini, même s'il n'est pas dé-fini). Quant au nombre des espèces somatiques ou « matérielles », il est égal au nombre des Formes spécifiques « idéelles » (entités participées dépendantes), qui peut être « déduit » du nombre des Formes génériques (« idéelles ») en développant « logiquement » chacune de celles-ci. Enfin, le nombre des Formes génériques (entités participées autonomes) devrait être, en principe, égal aux nombres d'éléments (non participés) en lesquels se dé-compose l'étage précédent, c'est-à-dire la *Physis*. Mais nous verrons que Proclus limite ce nombre à 12, ce qui, de toute évidence, est nettement insuffisant. Il semble donc qu'il introduit au sein du 8e étage somatique des développements (logiques ou empiriques) qui restent indéterminés du point de vue « systématique ». Ainsi, en tout état de cause, le nombre des éléments qui composent cet étage est bien *quelconque*, tout en étant, par définition, fini. Ce qui peut être exprimé en écrivant : $(8)_N$.

Il nous reste à préciser les dé-compositions des étages (2), (3), (4), (5), (6) et (7), qui ne sont ici ni nulles, ni in-finies, ni même quelconques, mais, par définition, finies et dé-finies.

Puisque, chez Proclus, la dé-composition est toujours parathétique, c'est-à-dire *tri*-partie et puisque, d'après lui, la multiplicité des « étages » augmente en raison de leurs « éloignements » respectifs de l' « étage » premier et non décomposable, c'est-à-dire de l'Un, il serait naturel que le premier « étage » dé-composé soit triple et que dans chaque « étage » $n + 1$, chacun des termes non décomposés de l' « étage » n soit dé-composé en trois. Ainsi, les six « étages » dé-composés auraient respectivement 3, 9, 27, 81, 243 et 729 termes. La série « verticale » entière pourrait alors s'écrire :

$$(1)_0 \to (2)_3 \to (3)_9 \to (4)_{27} \to (5)_{81} \to (6)_{243} \to (7)_{729} \to (8)_\infty.$$

Ce qui donnerait $3 + 9 + 27 + 81 + 243 + 729 = 1092$ « catégories », en plus de celles de l'Un et de la Matière (si l'on admet l'arrêt arbitraire de la série verticale à son 7e « étage »).

Or, pour des raisons que je n'arrive pas à comprendre, Proclus dé-compose les six « étages » de sa « série verticale » d'une façon toute différente. En effet, les dé-compositions que l'on trouve dans ses œuvres semblent aboutir à la série suivante :

$$(1)_0 \to (2)_3 \to (3)_9 \to (4)_{27} \to (5)_{72} \to (6)_{12} \to (7)_{12} \to (8)_\infty.$$

Ce qui donne $3 + 9 + 27 + 72 + 12 + 12 = 134$ catégories.

Autrement dit, les dé-compositions des « étages » (5), (6) et (7) sont nettement « anormales ».

En ce qui concerne la dé-composition de l'étage (5) en 72 termes, son schéma numérique semble être le suivant :

$$3 \times \{3 + 3 \times [1 + (2 \times 3)]\} = 3 \times [3 + (3 \times 7)]$$
$$= 3 \times (3 + 21) = 3 \times 24 = 72.$$

Cela à la place de :

$$3 \times [3 \times (3 \times 3)] = 3 \times (3 \times 9) = 3 \times 27 = 81.$$

Si Proclus ne dé-composait chaque fois que le Moyen terme des étages de la série verticale, on aurait :

(2) → (3)   (4)   (5)
$$3 \quad 2 + 3 = 5 \quad 2 + 2 + 3 = 7 \quad 2 + 2 + 2 + 3 = 9.$$
(6)   (7)
$$2 + 2 + 2 + 2 + 3 = 11 \quad 2 + 2 + 2 + 2 + 2 + 3 = 13.$$

S'il dé-composait *tous* les termes de l'étage (3), vu que cet étage résulte de la dé-composition du *Moyen* terme de l'étage (2), mais ne dé-composait par la suite de l'étage n + 1 que les Moyens termes résultants de la dé-composition de l'étage n, on aurait :

(2) → (3)   (4)   (5)
$$3 \quad 3 \times 3 = 9 \quad 3 \times (2 + 3) = 15 \quad 3 \times [2 + (2 + 3)] = 21,$$

etc.

Mais Proclus procède autrement. Il dé-compose « normalement » les étages (2), (3) et (4). Quant à l'étage (5), il le dé-compose, comme il se doit, en partant de la dé-composition qui constitue l'étage (4), c'est-à-dire d'une dé-composition en 3 de chacun des neuf termes qui constituent l'étage (3), elle-même constituée par la dé-composition en 3 de chacun des trois termes qui constituent l'étage (2). Seulement, au lieu de décomposer en 3 chacun des 27 termes de l'étage (4), ce qui donnerait, précisément pour l'étage, une décomposition « normale » en $3 \times 27 = 81$ termes, Proclus ne dé-compose pas les *premiers Termes extrêmes* des 27 triades de l'étage (4), en reprenant ces termes non décomposés tels quels dans l'étage (5).

Si en dé-composant l'étage (5), Proclus ne dé-composait que les *Moyens* termes des 9 triades de l'étage (4), on aurait pour l'étage (5), $9 + 9 + (3 \times 9) = 45$ termes. En dé-composant, comme le fait Proclus, non seulement les *Moyens* termes, mais encore les *deuxièmes* Termes extrêmes des 9 triades en cause, on obtiendrait $9 + [2 \times (3 \times 9)] = 9 + (2 \times 27) = 63$ termes.

Or, Proclus lui-même en obtient 72, c'est-à-dire 63 + 9. Il semble obtenir les 9 termes manquants en reprenant tels quels, dans l'étage (5), les six termes qui constituent l'étage (3) et qui résultent de la tripartition de chacun des trois termes de l'étage (2).

Quelle qu'en soit la raison (en supposant qu'il en ait une, au sens propre du terme), le schéma graphique de la structure de l'étage (5) de la série verticale semble être le suivant :

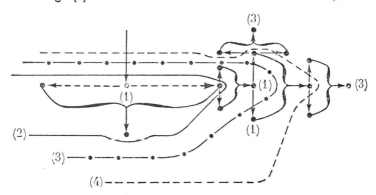

Quant aux structures des étages (6) et (7), d'ailleurs identiques, elles sont absolument aberrantes.

D'une part, Proclus n'explique pas pourquoi le passage à l'étage (7) n'entraîne aucune dé-composition des termes de l'étage (6), bien que, dans son Système, un étage soit défini par le degré de dé-composition de ses termes, conditionné par son « éloignement » de l'étage premier et un, ou non décomposé qu'est l'Un; de sorte que les prétendus étages (6) et (7) devraient n'en faire qu'un, en raison même de l'égalité des nombres de leurs termes. D'autre part, le nombre des termes de l'étage (6)[= (7)] étant inférieur à celui des termes de l'étage (5), celui-ci devrait lui être « postérieur » (au sens spatial de « inférieur »). On aurait ainsi la « série » :

$$(1)_0 \rightarrow (2)_3 \rightarrow (3)_9 \rightarrow (6 = 7)_{12} \rightarrow (4)_{27} \rightarrow (5)_{72} \rightarrow (8)_\infty.$$

Or, Proclus ne l'admet nullement, en situant, avec tous les Néo-platoniciens, la *Physis* « au-dessus » du *Nous* qui occupe la 4e place.

Quoi qu'il en soit, le schéma graphique de la structure des étages (6) et (7) est le suivant :

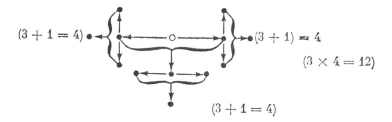

$(3 + 1 = 4)$

Autrement dit, les structures des étages (6) et (7) ne diffèrent de celle de l'étage (3) que par le fait (d'ailleurs « incompréhensible ») qu'elles impliquent, en plus des 9 termes de ceux-ci, les 3 termes de l'étage (2), bien que chacun de ces termes ait déjà été dé-composé en trois dans et par la trans-formation de cet étage en l'étage suivant (4).

Il serait vain de se demander pourquoi Proclus a adopté précisément la structure indiquée ci-dessus et non pas une quelconque autre. Sans doute devait-il avoir ses raisons. Mais, même en admettant que l'on puisse les retrouver, il est certain que ceci n'aidera pas notre compréhension de l'évolution chrono-logique de la Philosophie. Aussi bien, suffit-il de résumer ce qui précède en un schéma graphique général de la structure formelle du Système procléen :

[voir ci-contre]

Il aurait sans doute été plus satisfaisant pour l'esprit (du moins pour un esprit « platonicien », c'est-à-dire plus « esthétique » que « dialectique ») si les « anomalies » admises par Proclus se traduisaient par un schéma du type suivant :

$$(1)_0 \rightarrow (2)_3 \rightarrow (3)_9 \rightarrow (4)_{27} \rightarrow (5)_{63} = (2 \times 27) + 9 \rightarrow$$
$$(6)_{27} \rightarrow (7)_9 \rightarrow (8)_3 \rightarrow (9)_\infty.$$

Dans ce cas, l'Univers [= le Monde (= le Cosmos où l'on vit) où et dont on parle] pourrait être interprété conformément à la conception de Platon, comme dé-doublé en un *Cosmos noetos* « idéel » (= objectivement-réel) et en un *Cosmos aisthetos* « phénoménal » (= existant-empiriquement), le second Cosmos étant le « Reflet » du premier, c'est-à-dire son « Image » (d'ailleurs « renversée ») dans un « Miroir » qui « séparerait » ces deux Cosmos. La dé-composition de l'étage (5) s'effectuerait donc comme suit :

Schéma du Système de Proclus.

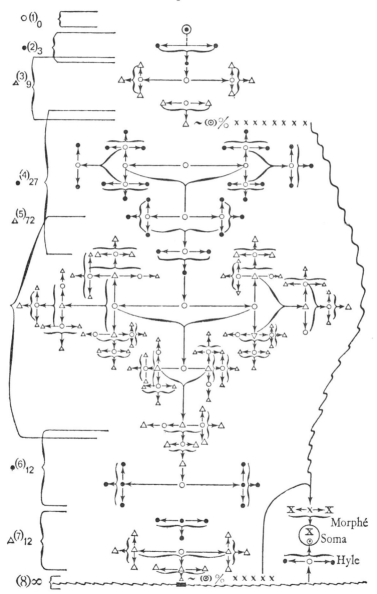

$$(5a)_{27} \leftarrow (5b)_9 \leftarrow (5c)_{27}.$$

Autrement dit, l'étage (5) se dé-composerait d'abord en trois « couches », la « couche » supérieure (5 a) se situant entièrement dans le *Cosmos noetos*, c'est-à-dire, « devant » le Miroir, tandis que la couche « moyenne » (5 b) se situerait « sur la surface » même de celui-ci et la couche « inférieure » (5 c) « derrière » lui [48]. Les 9 termes de l'étage (3) (dont chacun se dé-compose en 3 dans l'étage (4) se situeraient « sur le miroir» et ne seraient donc pas dé-doublés : ce qui peut s'écrire : (5 $b)_9$. Chacun de ces 9 termes se dé-composerait en trois, tout comme dans l'étage (4), et les 27 termes qui en résultent se situeraient « devant le miroir » : (5 $a)$ $_{3 \times 9 = 27}$. Enfin, tous ces termes se « refléteraient » dans le miroir, ce qui donnerait 27 images qui constitueraient la « couche » située derrière le miroir (5 $c)_{27}$. Quant aux étages (6) et (7), ils auraient respectivement les structures des étages (3) et (2) (ce qui donnerait : $(6)_{27}$ et $(7)_9$) vu qu'ils ne sont rien d'autre que des « reflets » de ceux-ci (c'est-à-dire des images renversées, où « devant » devient « derrière » : $(a) \rightarrow (b)$ $\sim$ $(b) \longrightarrow (a)$. Enfin, un étage (7 *bis*), ayant la même structure que l'étage (2), s'intercalerait (en tant que reflet de l'étage $(2)_3$) entre les étages (7) et (8) procléens.

Or, chose curieuse, Proclus admet l'existence d'une sorte d'étage situé entre la Hylé (= (8) ∞) et la *Physis* (= $(7)_{12}$), à savoir le Soma. Nous avons vu, en effet, que le Système procléen (cf. le Schéma précédent) introduit une dé-composition tripartite (parathétique) dans la Matière (éthérée et élémentaire) : chaque « Idée atomique » (prise comme *atomon eidos* platonicienne mais comprise comme *Entéléchie* individuelle aristotélicienne) « provoque » (d'une façon d'ailleurs « incompréhensible ») dans la Hylé l' « apparition » d'un « Atome matériel » voire d'une Individualité matérielle, soit homogène ou altérée, soit composite ou élémentaire), qui se dé-compose en trois termes, le terme moyen constituant le Corps (Soma) individuel de l'Individu phénoménal (aristotélicien) qui a pour « âme » une Entéléchie (aristotélicienne) l'Idée atomique (« platonicienne ») en question, prise en tant que Forme individuelle (aristotélicienne). Plus exactement, l'Idée atomique se dé-compose elle aussi en trois termes, dont le moyen est précisément l'Entéléchie incarnée dans le Soma qui est le moyen terme de la dé-composition tripartite de l'Atome matériel en cause. Ainsi, chez Proclus, la Triade « matérielle » résultant de la dé-composition de la Hylé (prise en tant qu'ensemble d'atomes matériels) est le « reflet dans un miroir », c'est-à-dire l'« image renversée » de la Triade « formelle » qui résulte de la dé-compo-

sition de l'Idée atomique. En faisant abstraction de la Triade
« formelle » (d'ailleurs parfaitement « superflue »), on trouverait
donc, dans le Système procléen, l'étage $(7 \ bis)_3$ recherché, qui
serait l' « image renversée » de l'étage $(2)_3$ [49].

Quoi qu'il en soit, il nous faut encore compléter, ne serait-ce
que mentalement, le Schéma formel ci-dessus du Système procléen, en ajoutant à la Série verticale qu'il représente, les
Séries horizontales qui se « déduisent » des Termes finaux de
chacun des six étages $(2)_3$-$(7)_{12}$ de la « décomposition » de
l'étage $(1)_0$.

Or, la situation est ici assez confuse et flottante chez Proclus. Certes, il est hors de doute que l'étage $(1)_0$ n'a pas de
série horizontale correspondante et que la première de ces
séries correspond au seul Moyen terme de l'étage $(2)_3$. C'est la
fameuse *Série des Hénades*, qui fait totalement défaut chez
Plotin (mais qui semble se trouver chez Syrianus et qui remonte
peut-être à Jamblique, sinon encore au-delà). Mais on ne peut
pas dire avec certitude que, dans les étages suivants, tous les
termes finaux n'ont pas de séries horizontales. Il serait cependant naturel que Proclus n'associe une série horizontale qu'au
Moyen terme des Triades finales de chaque étage, de sorte
qu'il y aurait en tout $1 + 3 + 9 + 18$ (ou 27 si l'on assimile
les 9 termes finaux non décomposés aux Moyens termes)
$+ 3 + 3 = 37$ (ou 28) Séries horizontales dans le Système
procléen. Toutefois, le nombre des séries des étages (6) et (7)
serait alors nettement insuffisant [celui des séries de l'étage (7)
l'étant, d'ailleurs, de toute façon, vu l'insuffisance du nombre
total des Termes finaux de cet étage]. Mais tout ceci nous
importe peu, à vrai dire.

*

Après avoir établi le schéma complet de la structure *formelle*
du Système éclectique procléen, il faut voir ce qu'est son
contenu. Mais ce « contenu » étant tout aussi arbitraire que la
forme, il est inutile de le re-présenter complètement. Trois
remarques de caractère général pourront suffire. *La première* [α]
portera sur la signification de la Triade procléenne en tant
que telle. *La deuxième* [β] aura trait à la division du Système
de Proclus en trois sections principales. *La troisième* et dernière [γ] se rapportera à la place occupée par Proclus dans
l'ensemble de l'évolution historique de la Philosophie.

[α] *La signification de la Triade procléenne.*

Quelle qu'ait été l'originalité de Proclus en la matière (Syrianus et, peut-être, Jamblique ayant pu être ici encore ses « prédécesseurs »), le fait est qu'il a donné une interprétation stéréotype et définitive du sens qu'il faut attribuer à la Triade « dialectique » ou, plus exactement, parathétique propre à l'Éclectisme néo-platonicien.

D'une manière générale, le premier Terme extrême (Thèse) de la Triade néo-platonicienne est censé être purement platonicien et le second (Anti-Thèse), purement aristotélicien, tandis que le Moyen terme (Parathèse comprise comme « synthèse ») se présente comme spécifiquement néo-platonicien ou éclectique, étant « à moitié » platonicien et « à moitié » aristotélicien, du moins en principe.

Or, chez Platon, l'Un (= Éternité) et la Matière (= Temps) étant ineffables, le *Savoir* discursif se rapporte à une Entité éternelle (= Réalité-objective multiple, bien que non spatiale), tandis que les Phénomènes (= durée-étendue de l'Existence-empirique) correspondent à des Opinions (discursives). L'Entité éternelle *(Cosmos noetos)* qui correspond au Savoir discursif *reçoit* de l'Un (ineffable) la réalité-objective à laquelle se rapporte ce Savoir (éternellement vrai au sens d'identique à lui-même), mais ne le *donne* pas au *Cosmos aisthetos*, qui en est de ce fait privé et ne peut correspondre qu'à une Opinion changeante (temporelle au sens de temporaire) qui s'y rapporte. Au contraire, chez Aristote, tout ce à quoi se rapporte le Savoir discursif (y compris le Nous divin qu'est le *Theos* aristotélicien, homologue au *Hen* platonicien) est une Entité éternelle qui *donne* sa réalité-objective (qu'elle ne *reçoit* pas, vu qu'elle l'*a* de toute éternité) aux Phénomènes, ceux-ci correspondant de ce fait eux aussi à un Savoir discursif (par définition éternel), en tant que phénomènes *cycliques*.

C'est à partir de cette contra-diction entre Platon et Aristote que l'Éclectisme (finalement « néo-platonicien ») tenta son « compromis équitable », en raisonnant peut-être comme suit : Si l'Entité platonicienne *reçoit* son « être » (= réalité-objective) sans le *donner,* c'est qu'elle le garde et donc le *possède;* si l'Entité aristotélicienne donne son « être » (= réalité-objective) sans l'avoir *reçu,* c'est qu'elle le *possède* déjà; si donc, conformément au principe même de l'Éclectisme, une Entité-qui-*reçoit* (platonicienne) est éternellement coprésente avec une Entité-qui-*donne* (aristotélicienne), il faut que ces deux Entités (« extrêmes ») coexistent avec une troisième Entité-qui-*possède* (néo-platonicienne ou « moyenne »). Si le discours néo-platonicien était temporalisé, on pourait dire (dans le langage de Hegel) qu'il s'agit là de trois « moments » (consécutifs) d'un seul et même mouvement (dialectique) : moment de la réception qui *précède* la possession; moment de la donation *consécutive* à la possession; moment de la possession *après* la réception et *avant* la donation. Mais, dans le langage « spatial » du Néo-platonisme, il est question de trois Entités coéternelles, dont les « extrêmes » ont leur « être » respectivement *en tant que* reçu et *en tant que* donné, le « moyen » ayant son « être » *en tant que* possédé.

C'est ainsi que la Triade éclectique (parathétique) se présente chez Plotin (et peut-être déjà avant lui) :

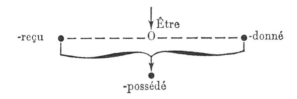

En admettant (avec Platon) que l'être ne peut être possédé que dans la mesure où il a été reçu et en supposant (avec Aristote) qu'on ne possède vraiment que ce que l'on peut donner (et donc ce que l'on donne effectivement tôt ou tard), l'Être-possédé peut être considéré comme une Entité « à la fois » ET platonicienne ET aristotélicienne, dont la notion (néo-platonicienne) n'est cependant pas « contradictoire », vu que la contradiction se situe entre le recevoir et le donner, tandis que l'Entité (néo-platonicienne) en question possède un être qui (en tant que *possédé* par elle) n'est NI reçu NI donné.

Or, d'une part, c'est au seul Être-*donné* que « participent » les Phénomènes. C'est donc à partir du seul *deuxième* Terme extrême que devrait partir la « Série horizontale » procléenne :

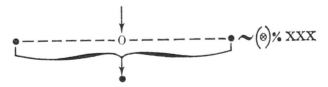

D'autre part, ce sont non pas les Termes extrêmes « purs » et « simples », mais le seul Moyen terme « éclectique », par définition « composé » ou contra-dictoire, qui se dé-compose

dialectiquement (= parathétiquement), en engendrant ainsi la
« Série verticale ».

C'est pourquoi, bien que Proclus ait décomposé, en règle
générale, tous les termes de ses Triades (sauf la première) et
qu'il ait fait partir ses Séries horizontales d'un peu partout, il a
jugé nécessaire d'interchanger comme suit les Termes de la
Triade néo-platonicienne :

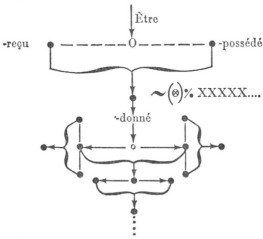

Conformément à ce remaniement, les termes de la Triade
procléenne peuvent être respectivement définis comme : Être-
reçu-à-la-Platon; Être-possédé-à-l'Aristote; Être-donné-à-la-
Proclus, c'est-à-dire donné « à la fois » parce que possédé-à-
l'Aristote et parce que reçu-à-la-Platon. Et c'est cet Être
« moyen » qui est la source « première » ou « éminente » (sinon
unique) tant de la Série verticale que des Séries horizontales [50].

Quant à Proclus lui-même, il définit les termes de sa Triade
fondamentale ou « paradigmatique » en se servant d'un terme
platonicien et de deux termes aristotéliciens, le second de
ceux-ci étant compris dans un sens néo-platonicien ou, si l'on
veut, spécifiquement procléen.

Le premier Terme (extrême), c'est-à-dire l'Être-reçu-à-la-
Platon, est appelé *Hyparxis*. C'est l'Être (idéel au sens d'objectivement-réel) qui se maintient éternellement dans l'identité
(« atomique ») avec soi-même, n'étant ni participé par quoi que
ce soit ni participant à quoi que ce soit; mais il n'est ce qu'il
est, c'est-à-dire *un* en lui-même et *unique* en son genre (voire de
son espèce), que parce qu'il est coéternel avec l'Éternité
unique et une qu'est le *Hen* (ou l'Être donné, d'ailleurs inef-

fable et « donné » ou « révélé » dans et par le Silence « absolu » ou « mystique »).

Le deuxième Terme (extrême), c'est-à-dire l'Être-possédé-à-l'Aristote, s'appelle *Dynamis*, au sens purement aristotélicien de ce mot. D'une part cet Être (objectivement-réel) est seulement *en puissance* (et non *en acte*), vu que c'est en *donnant* ce que l'on a qu'on actualise la possession en tant que sienne : on ne peut pas donner ce que possède autrui. D'autre part cet Être est une *puissance*, vu qu'on a le pouvoir de donner tout ce qu'on possède et que c'est parce qu'on le possède que l'on peut le donner. Et puisqu'il s'agit toujours d'Entité éternelle, l'être qu'on possède vraiment est effectivement donné de toute éternité. Mais, d'après Proclus, on ne possède que ce qu'on a reçu, de sorte que ce deuxième Terme extrême sup-pose le premier qui le pré-suppose, vu que l'on possède éternellement ce qu'on a reçu de toute éternité et que l'on a donné de toute éternité tout ce qu'on possède éternellement.

C'est pourquoi le troisième Terme (moyen) de la Triade procléenne peut être désigné par le terme aristotélicien *Energeia*. Si l'acte sup-pose la puissance en tant que pouvoir d'agir, ce pouvoir pré-suppose l'acte dans la mesure même où il est une action en puissance. Or, dans l'Éternel (cotemporel au Temps cyclique, qui est coéternel à l'Éternité qu'il implique), l'Avenir éternellement présent est identique au Passé, de sorte que rien n'empêche de dire (avec un Aristote platonisant) que l'Acte est « antérieur » à la Puissance (bien que ce qui est aussi en acte soit « postérieur » à ce qui est seulement en puissance).

Cela d'autant plus que, d'après Proclus, l'Être-en-puissance (aristotélicien) qu'est la *Dynamis*, sup-pose l'*Hyparxis*, qu'est un Être-en-acte (platonicien). Et c'est ainsi que l'*Energeia* a, chez lui, un sens « néo-platonicien » : c'est l'Être qui donne tout ce qu'il possède, mais qui ne possède que ce qu'il a reçu.

On peut donc dire, d'après Proclus, que l'*Energeia* aristotélicienne est l'*effet* de la *cause* qu'est l'*Hyparxis* platonicienne. Et c'est pourquoi, lorsqu'il parle en langage aristotélisant, Proclus appelle les trois termes de sa Triade : *Aition, Dynamis, Aitiaton*. C'est en tant que Puissance aristotélicienne que la Cause platonicienne (« non participée ») s'actualise comme un Effet néo-platonicien [c'est-à-dire comme un nouvel « étage » de la Série verticale, l'effet aristotélicien de la cause aristotélicienne (« participée ») qu'est la *Dynamis*, étant le Phénomène, c'est-à-dire l'Entité « participante »]. Mais lorsque Proclus parle un langage platonisant, il appelle les trois termes en cause : *Paragon, Dynamis, Paragemenon*. Ici, la Cause est le Modèle Platonicien et l'Effet, l'Image platonicienne, la *Dynamis* étant l'« incarnation » aristotélicienne du Modèle platonicien en vue de sa « manifestation » en tant qu'Image néo-platonicienne (ou « Reflet ») *dans* le Miroir et non *sur* lui.

D'après Aristote, le Savoir (discursif) se rapporte [non pas à l'Être-en-puissance, mais] à l'Être-en-acte qui lui correspond. Et c'est pourquoi Proclus appelle le troisième terme non seulement *Energeia*, mais aussi *Noesis*. Seulement, d'après lui, si l'*Energeia* actualise la *Dynamis* aristotélicienne, l'acte « premier » est l'*Hyparxis* platonicienne, qui est moins la Cause d'un Effet que le Modèle d'une Image. La connaissance du « second acte » qu'est la puissance actualisée n'est ainsi qu'une re-connaissance *(Anamnesis)* du « premier acte » qu'est l'*Hyparxis*. Et c'est pourquoi Proclus définit la *Noesis* qu'est l'*Energeia* comme étant une *Pronoia :* c'est en voyant les modèles qu'on pré-voit les images; la Science aristotélicienne qui se rapporte à l'*Energeia* n'est rien d'autre que la pré-science qu'est le Savoir platonicien auquel correspond l'*Hyparxis*.

D'une manière générale, Proclus exprime bien l'allure platonicienne, aristotélicienne et néo-platonicienne des trois termes de sa Triade fondamentale en les appelant respectivement : *On, Zoé, Nous*. Car le *On* désigne l'Être-éternel platonicien qui est lui-même éternellement identique à soi-même en tant qu'Individu (A-tome), tandis que la *Zoé* évoque l'Être aristotélicien qui n'est éternel qu'en tant que Cycle vital ou Espèce vivante. Quant au *Nous,* c'est dans le sens spécifiquement néo-platonicien qu'il doit être pris : c'est le Concept éternel qui se rapporte « à la fois » à la Réalité-objective « atomique » de Platon et à la Réalité-objective « cyclique » d'Aristote, qui lui correspondent tous les deux « en même temps ». Et ce Nous est tout autant *Noesis* aristotélicienne que *Pronoia* platonicienne.

Or, l'Être-éternel platonicien est « linéaire » (ou « ponctuel » au sens de « atomique »), tandis que l'Être-éternel aristotélicien est « cyclique » : l'un se *maintient* éternellement, tandis que l'autre *se sépare* perpétuellement de soi-même pour y *revenir* sans cesse. C'est pourquoi Proclus appelle le premier terme de sa Triade : *Monê,* tandis que les deux autres sont appelés respectivement : *Proodos* et *Epistrophê*. Si la Science aristotélicienne des puissances actualisées *éloigne* la Philosophie de la Préscience platonicienne des actes impuissants que sont les Modèles idéaux des Images phénoménales, le Savoir procléen, prétendument « absolu » est censé *ramener* la Sagesse discursive au Platonisme philosophique. Or, d'une manière générale, si l'actualisation vivante d'une puissance vitale *éloigne* ou *sépare* l'Image de son Modèle, la re-connaissance pré-voyante de l'actualité comme étant une éternelle ré-incarnation des

Reflets de l'Être-éternel *ramène* et *réunit* les Reflets images du Modèle qu'ils reflètent. Dans la mesure où l'on *vit* dans le *Cosmos aisthetos* aristotélicien, on est *séparé* du *Cosmos noetos* platonicien. Mais on y *retourne* dans la mesure même où l'on y vit en disant (ou re-disant) ce que disent les Néo-platoniciens, et notamment Proclus.

Ainsi, si la *Proodos* est aristotélicienne, l'*Epistrophê* est néo-platonicienne, parce qu'elle ramène à Platon ceux qu'Aristote en a éloigné. A la fin, le Néo-platonisme ramène l'Aristotélisme au Platonisme dont il est parti. Et c'est une des raisons pour lesquelles Proclus appelle le terme spécifiquement néo-platonicien de sa Triade fondamentale non pas *moyen*, mais dernier. Proclus étant « dernier » et Platon « premier », Aristote ne peut être qu' « intermédiaire ». Et c'est pourquoi Proclus appelle souvent (mais non toujours) les termes de sa Triade respectivement : *Prota, Mesa, Eschata.*

Par ailleurs, dans la mesure où il y a une certaine analogie entre la Série verticale et les Séries horizontales, Proclus indique que l'*Hyparxis* platonicienne est *Amethekton* au sens fort et propre du terme, tandis que la *Dynamis* aristotélicienne est en un certain sens *Metechomenon* (étant « participé » par l'*Energeia*) et que l'*Energeia* peut être dite être *Metechon* (vu qu'elle « participe » à la puissance qu'elle « incarne » en l'actualisant).

Enfin, dans la mesure où la première Triade de la Série verticale ($(2)_3$) se re-produit dans toutes les autres, on peut dire, d'après Proclus, que les homologues du On platonicien sont analogues à la *Peras*, tandis que les homologues de la Zoé aristotélicienne sont analogues à l'*Apeiria* et ceux du Nous néo-platonicien au *Mikton*, vu que le Savoir qu'est ce Nous identifie la série indéfinie des Cycles aristotéliciens avec l'Idée atomique platonicienne.

[β] *La tripartition du Système procléen.*

Si l'on veut répartir les « catégories » procléennes entre les trois Parties du Système du Savoir hégélien, on se heurte à des difficultés insurmontables, qui laissent supposer que Proclus reconnaissait encore moins bien que ses prédécesseurs les limites qui séparent l'Ontologie, l'Énergologie et la Phénoménologie, tout en maintenant la tripartition du Système, établie par Platon.

Si on se laissait guider par le seul principe purement « formel » de la symétrie systématique, le schéma du Système procléen pourrait être remanié de la façon suivante :

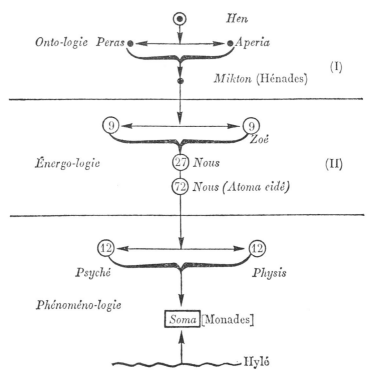

Un coup d'œil sur ce schéma montre immédiatement le caractère artificiel de la dé-composition du Système procléen. En effet, la dé-composition du Moyen terme de la deuxième Triade en un premier « Nous » avec 27 éléments-constitutifs et en un second « Nous » avec 72 éléments-constitutifs ne saurait être justifiée du point de vue systématique (sans parler du caractère systématiquement « inexplicable » des nombres 72 et 12).

Cependant, si l'on fusionne ces deux « Nous » en un Nous unique (avec 27 ou 81 éléments-constitutifs, par exemple), le schéma corrigé du Système de Proclus se dé-compose « naturellement » en *trois* Triades « fondamentales ».

Dans ces conditions, il serait « naturel » de comprendre la première Triade comme une dé-composition de l'Hypo-thèse (qui est, chez Proclus comme chez Platon, substantialisée ou « spatialisée » en une entité « transcendante » ou « séparée », d'ailleurs ineffable, appelée *Hen-Agathon-Theos*) en Thèse,

Anti-thèse et Para-thèse [par définition in-finie au sens d'indéfini]. Le développement discursif de cette Triade constituerait alors l'Onto-logie. Le développement de la deuxième Triade constituant l'Énergo-logie, la troisième Triade devrait alors être développée en une Phénoméno-logie.

Mais tel n'est pas l'avis de Proclus lui-même. Sans doute, d'une part, Proclus reconnaît le caractère *ineffable* du *Hen*. D'autre part, il admet que la première Triade est logiquement [sinon chrono-logiquement] «antérieure» à la deuxième. Proclus aurait dû *exclure* le *Hen* du Discours et par conséquent de son Système (par définition *discursif*) et réduire la première Partie de celui-ci au seul développement discursif de la première Triade, en mettant en évidence la séparation « essentielle » entre cette Triade et la deuxième, qui réside, pour nous, dans le fait que les éléments-constitutifs (non structurés) de la première se *distinguent* les uns des autres tout en étant *identiques* les uns aux autres, tandis que ceux de la deuxième (eux aussi non structurés) se répartissent entre des « genres » *différents*.

Or, Proclus est « inconséquent » de ces deux points de vue. Sans doute, les trois Termes de sa première Triade restent « simples », tandis que ceux de la deuxième sont tous décomposés, de sorte que, en principe, il n'y a, chez lui, qu'un *seul* « genre » de *Mikton*, tandis qu'il y a plusieurs « genres » *différents* de Nous (27 + 72 = 99, qu'on pourrait réduire à 3, à 3 × 3 = 9, à 3 × 9 = 27 ou à 3 × 27 = 81, la dé-composition des Termes extrêmes étant systématiquement superflue). Ainsi, rien n'empêcherait de comprendre les notions procléennes de *Peras*, de l'*Apeiria* et du *Mikton* comme des équivalentes des notions hégéliennes de l'Être (Identité), du Néant (Négativité en tant que Différence) et du Devenir (= Totalité en tant que Spatio-temporalité in-définie). Cependant, si Proclus admet la Spatialité en tant que différence-*de-l'identique*, il rejette la Temporalité, qui est, en fait, *l'Identité-du-différent*. Par suite de quoi les Hénades procléennes, qui constituent dans leur ensemble le *Mikton*, ne se distinguent pas seulement les unes des autres (en tant qu'« unités » identiques), mais *diffèrent* encore entre elles « génériquement » (chacune étant, d'ailleurs, « unique en son *genre* »), chacune étant en outre *différente* (« essentiellement ») du *Hen* (qui est tout aussi *un* que chacune d'elles, mais absolument *unique* alors qu'elles sont plusieurs). Du coup, les Hénades procléennes (non structurées) deviennent pour nous des Atomes (non structurés) répartis entre plusieurs « genres » différents, leur ensemble d'ailleurs « fini », parce que chacun d'eux est censé être dé-fini. Autrement dit, le dévelop-

pement discursif procléen de la première Triade constitue, pour
nous, non pas une *Onto*-logie, mais le début du développement
de ce qui correspond, dans le Système de Proclus, à l'*Energo-
logie* hégélienne. Or, en développant en fait sa première Triade
comme s'il s'agissait d'une Triade énergo-logique, Proclus doit
ou bien admettre l'absence de toute Onto-logie dans son
Système, ou bien présenter celle-ci comme un développement
(soi-disant « discursif ») de la « notion » du *Hen* (pourtant dite
ineffable). Et c'est ce que Proclus fait (à la suite de Platon),
de sorte que sa prétendue Onto-*logie* est même pour lui (du
moins en principe) purement « apophatique », c'est-à-dire, en
fait et pour nous, « silencieuse » [51].

Si l'on passe maintenant à la troisième et dernière Triade
procléenne, il serait « naturel » de considérer son développement
discursif comme constituant la troisième Partie du Système du
Savoir qu'est la Phénoméno-logie hégélienne. Dans ce cas,
les trois Termes de la Triade auraient dû être compris comme
se rapportant respectivement au Cosmos (inanimé), au Monde
(vivant) et à l'Univers (historique ou humain), tous les éléments
constitutifs de cette Triade étant d'ailleurs des *Monades*
hégéliennes, c'est-à-dire des entités non seulement *distinctes*
(comme les Hénades) et *différentes* (comme les Atomes), mais
encore *différenciées* (ou structurées).

Or, Proclus lui-même comprend et développe sa troisième
Triade tout autrement. Sans doute, pour lui aussi, le Soma est
constitué par un ensemble de *Monades* au sens hégélien du mot.
Mais pour lui, le Soma est tout autre chose que le Moyen terme
de la Triade dont la Psyché et la *Physis* sont les Termes
extrêmes. Ou bien, si l'on préfère, le Moyen terme de la Triade
censé être phénoméno-logique est, chez Proclus, non pas la
Psyché (au sens de « âme » *humaine*), comme chez Hegel, mais
le Soma (au sens de « corps inanimé ») qui est, chez Hegel,
le premier des Termes extrêmes (la *Physis* procléenne, en fait
aristotélo-stoïcienne, étant à peu près identique à la Vie hégélienne).

Chose curieuse, c'est la deuxième Triade (censée être énergo-
logique) de Proclus qui est (« en gros ») identique à la Triade
phénoméno-logique de Hegel, le On correspondant au Cosmos,
la Zoé au Monde et le Nous à l'Univers. Et cet état de choses
est pour nous « naturel » puisque, en donnant en fait une interprétation *énergo*-logique à sa première Triade (censée être
onto-logique), Proclus est « naturellement » porté à donner
une interprétation *phénoméno*-logique de sa deuxième Triade
(censée être *énergo*-logique). Toutefois, l'identité de la deuxième
Triade procléenne avec la troisième Triade hégélienne est

uniquement « formelle », vu que la deuxième Triade se rapporte, chez et pour Proclus, à la Réalité-objective (d'ailleurs comprise comme « éternelle » au sens de « idéelle », voir « idéale ») et non à l'Existence-empirique. Or, c'est précisément parce que Proclus ne peut pas rapporter d'une façon quelconque sa troisième *et dernière* Triade à l'Existence-empirique qu'il y remplace le premier Terme extrême, qui aurait dû être le Soma (⌒ On), par ce qui aurait dû être le Moyen terme à savoir la Psyché (⌒ Nous), ou le deuxième Terme extrême (*Physis* ⌒ Zⁿé).

En effet, d'une part, Proclus avait besoin d'un « raccord » entre la Réalité-objective et l'Existence-empirique. D'autre part, il ne pouvait pas nier que le « Corps » ou le Soma au sens propre, existait-empiriquement en tant que durée-étendue. Si donc Proclus avait rapporté au Soma le *premier* Terme (extrême) de sa dernière Triade, il aurait dû admettre que non seulement la *Physis*, mais même la Psyché est non pas une Réalité-objective « ponctuelle » (c'est-à-dire « atomique » et « éternelle »), mais une Existence-empirique *étendue* et *durable* (au sens de non éternelle). Or, Proclus tenait (pour des raisons probablement religieuses) à l'« immortalité de l'âme ». Il fut donc obligé de rapporter le seul Moyen terme (interprété comme Soma au sens de « corps » inanimé) à la durée-étendue de l'Existence-empirique, tandis qu'il rapportait à la Réalité-objective « éternelle » le premier Terme extrême (interprété comme Psyché au sens de « âme humaine ») [ainsi d'ailleurs que le second Terme extrême (probablement en raisonnant « par analogie », c'est-à-dire pour des raisons tant de symétrie systématique que de « sécurité » psychologique ou religieuse), bien qu'il comprît la *Physis* comme une Entéléchie aristotélicienne, voire comme un *Logos spermatikos* stoïcien].

Ainsi, pour Proclus, la Phénoméno-logie se réduisait au développement discursif de la seule notion (aristotélo-stoïcienne) du Soma [qui, du coup, n'impliquait plus, en fait, ni la notion de Vie, ni celle de Discours], les développements des Notions de Psyché et de *Physis* faisant encore partie de ce qu'était pour lui l'Énergo-logie.

Dans ces conditions, la Phénoméno-logie procléenne perdait tout caractère « dialectique » (même au sens de pseudo-dialectique ou parathétique) : la dé-composition (platonicienne) y était remplacée par une déduction (aristotélicienne). Autrement dit, en développant sa Phénoméno-logie, Proclus n'aurait pu que re-dire les dires homologues des Aristotéliciens (plus exactement des Stoïciens, parce que le Système de Proclus était dogmatisé). Et c'est probablement pourquoi il a renoncé à un tel développement au sein de son propre Système [ses *Éléments physiques* n'étant qu'un résumé de la *Physique* d'Aristote, tandis que son Système était développé dans les *Éléments théologiques*] [52].

Ainsi, d'une part, la Phénoméno-logie procléenne est (pour Proclus lui-même) purement aristotélo-stoïcienne (ou « monadique au sens de non triadique et partant non dialectique) parce que Proclus lui-même a préféré incorporer dans son Énergo-logie les deux Termes extrêmes de sa dernière Triade (qui dégénère de ce fait en « monade » dans la mesure même où elle est phénoménologique). D'autre part, l'Onto-logie procléenne est, pour nous (sinon pour Proclus), purement platonicienne (parménidienne) parce que Proclus développe en fait la Triade qui est censée la constituer, d'une façon telle que ce développement fait (pour nous) partie de son Énergo-logie. Par conséquent, toutes les notions spécifiquement néo-platoniciennes et procléennes se concentrent dans cette dernière.

En définitive, la tripartition du Système procléen peut donc être schématisée comme suit :

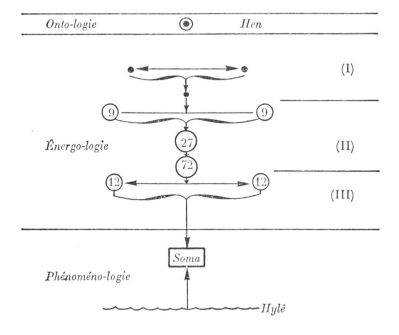

Un simple coup d'œil sur ce schéma montre le caractère « artificiel » du Système procléen du point de vue systématique et explique le pourquoi et le comment des « erreurs systématiques » qui se trouvent dans ce Système.

D'une part, ce Système cumule les « insuffisances » d'une Ontologie purement parménido-platonicienne et d'une Phénoménologie purement héraclito-aristotélicienne (voire stoïcienne), qui se contre-disent d'ailleurs inévitablement l'une l'autre. D'autre part, l'Énergo-logie est nécessairement « déformée » par l'inclusion de notions d'origines ontologique ou phénoménologique. Si la notion soi-disant ontologique de l'Hénade fait, pour nous, partie de l'Énergo-logie procléenne, c'est parce que les prétendues Hénades de Proclus sont en fait beaucoup trop « atomiques » pour ne pas être objectivement-réelles. Mais l'« origine » ontologique de ces Hénades, voire leur « proximité » avec l'Être-donné qu'est le *Hen* procléen, rendent les Atomes qu'elles devraient être beaucoup trop « hénadiques » pour pouvoir être objectivement-réels (dans ce qui par une véritable interaction, fondée sur une *opposition*-irréductible). De même, si Proclus implique la Psyché et la *Physis* dans la Réalité-objective afin de sauvegarder leur caractère « atomique » (« éternel »), leur « origine » phénoménologique, voire leur « proximité » avec l'Existence-empirique rend en fait ces prétendus Atomes beaucoup trop « monadiques » (c'est-à-dire structurés en eux-mêmes) pour pouvoir échapper à la Durée-étendue et être ainsi objectivement-réels. D'ailleurs, si la première Triade procléenne (prétendument ontologique) reste formellement parfaite, Proclus est obligé de mutiler sa troisième Triade (prétendument énergo-logique), en l'amputant de son Moyen terme, qu'il doit reléguer dans sa Phénoméno-logie, vu que cette Triade est la *dernière* de ses Triades énergo-logiques.

Étant « contaminée » par ses deux bouts, l'Énergo-logie procléenne ne pouvait pas rester « saine » dans son corps même. Ainsi, la deuxième Triade procléenne est, d'une part, comprise comme une Triade phénoménologique (en tant que On-Zoé-Nous) et, d'autre part, perturbée dans sa structure formelle elle-même, son Moyen terme étant dé-doublé (et non pas seulement dé-composé d'une façon triadique) en deux Nous différents (le second devant être « déduit » du premier), le second étant d'ailleurs dé-composé d'une façon tout aussi aberrante que la Psyché et la *Physis*. Ce qui n'a, d'ailleurs, rien d'étonnant, vu que, la première Triade étant platonicienne et la troisième aristotélicienne, c'est cette deuxième Triade (spécifiquement néo-platonicienne) qui doit supprimer la contra-diction entre

Platon et Aristote au moyen de la dé-composition procléenne de son Moyen terme.

Dans ces conditions, il serait fastidieux de vouloir analyser de plus près l'Énergo-logie de Proclus. Mais il est utile d'« expliquer » (sinon de « justifier ») les aberrations du Système procléen par ses origines historiques et d'indiquer la place que ce Système occupe dans l'ensemble de l'évolution de la Philosophie.

[γ] *La place du Système procléen dans l'évolution historique de la Philosophie.*

1. En tant qu'héritier d'une longue tradition néo-platonicienne, Proclus ne pouvait pas renoncer à la Triade fondamentale : *Hen-Nous-Psyché*, consacrée par Plotin, qui en hérita du Platonisme moyen (la notion de cette Triade remontant d'ailleurs, sinon à Platon lui-même, du moins à l'Académie et probablement à l'Ancienne Académie). En outre, tout le Platonisme maintenait la notion héraclitéenne de la Hylé, de sorte que Proclus se trouvait en présence de *quatre* notions fondamentales hiérarchisées. Par ailleurs, depuis Platon, la tripartition du Système philosophique était établie et Proclus ne pouvait, bien entendu, pas revenir sur cette acquisition définitive de la Philosophie.

Proclus devait donc répartir ses neuf notions fondamentales : *Hen-Mikton-On-Zoé-Nous-Psyché-Physis-Soma-Hylé* en trois groupes, de façon qu'ils correspondent respectivement aux quatre notions fondamentales platoniciennes : *Hen-Nous-Psyché-Hylé* et constituent les trois Parties (onto-logique, énergo-logique et phénoméno-logique) du Système philosophique. Du point de vue purement formel, il aurait été naturel que Proclus identifie ses notions du *Hen* et de la *Hylé* avec les notions homonymes de Plotin, en faisant correspondre la Triade : *Mikton-On-Zoé* à la notion plotinienne du Nous et la Triade : *Psyché-Physis-Soma* à la notion plotinienne de la Psyché. Ainsi, l'Onto-logie de Proclus coïnciderait avec celle de Plotin (et de Platon), se réduisant à la (pseudo)-notion (discursivement indéveloppable) du *Hen*. Son Énergo-logie serait alors un développement discursif de sa notion triadique du *Nous* (*Mikton-On-Zoé*), homologue au *Nous* plotinien. Enfin, la Phénoméno-logie procléenne serait un développement discursif de sa notion triadique de la Psyché (*Psyché-Physis-Soma*), homologue à la Psyché plotinienne (la notion plotino-procléenne de la *Hylé* jouant chez les deux le rôle d'une notion-limite phénoménologique).

Mais, de toute évidence, Proclus ne voulait pas se contenter d'une Onto-logie purement *apophatique* et voulait tenter (à la suite, probablement, de Syrianus et, peut-être, de Jamblique) un développement *discursif* de la notion du *Hen*, comprise comme celle de l'Être-donné. C'est pourquoi il procède (probablement d'après Syrianus et peut-être d'après Jamblique) à une dé-composition triadique (pseudo-dialectique ou parathétique) de la notion de *Hen* (tout en la maintenant ainsi, en dépit de cette dé-composition, dans sa pureté parménido-platono-plotinienne), en développant son Moyen terme (le *Mikton*). C'est probablement pour souligner le caractère *onto*-logique de ce développement discursif (« logique ») que Proclus appela « *Hén*ades » les entités qui constituent dans leur ensemble le Moyen terme en question. Du coup, Proclus n'avait plus que deux notions énergo-logiques : *On* et *Zoé*. Afin de constituer une Triade (parathétique), il devait considérer ces notions comme deux Termes extrêmes et y ajouter un Moyen terme. C'est ce qu'il fit en appelant ce Moyen terme : *Nous*. C'est donc non pas ce *Nous* procléen, mais l'ensemble de la Triade : *On-Zoé-Nous* qui correspond en fait au Nous plotinien et c'est le développement discursif (pseudo-dialectique et « logique ») qui constitue l'Énergo-logie de Proclus. Cependant, Proclus lui-même semble parfois identifier son Nous (au sens étroit) à celui de Plotin, de sorte qu'il y a chez lui un certain flottement entre la notion d'un *Nous* pris comme Moyen terme de la Triade énergo-logique procléenne et d'un *Nous* compris comme étant le *Nous* plotinien, en principe « simple » au sens de non triadique. Dans cette dernière acception, les notions spécifiquement procléennes : *Mikton, On, Zoé*, s'intercalent entre les notions plotino-procléennes du *Hen* et du *Nous*, en formant avec elles une hiérarchie *linéaire*, semblable à la hiérarchie *Hen* → *Nous* → *Psyché* de Plotin. C'est cette hiérarchisation linéaire (plotinienne) des notions procléennes : *Hen* → *Mikton* → *On* → *Zoé* → *Nous* qui semble expliquer les « anomalies » de la dé-composition (parathétique) de ces notions chez Proclus, qui lui affecte respectivement non pas : 1 — 3 — 9 — 9 — 9 Termes, mais 1 — 3 — 9 — 27 — 81 (ce nombre étant d'ailleurs réduit à 72).

Restent les trois notions procléennes de la Psyché, de la *Physis* et du Soma. Le fait que Proclus ait attribué le même nombre de Termes (le nombre de $3 \times 81 = 243$ étant d'ailleurs arbitrairement réduit à 12) à la Psyché et à la *Physis* montre qu'il était naturellement porté à les considérer comme les deux Termes extrêmes d'une Triade qui avait le Soma pour Moyen terme et qui se développait (parathétiquement et « logiquement ») en une Phénoméno-logie. Mais Proclus voulait lui

aussi maintenir le postulat de l'immortalité (éternité) de l'âme
humaine et il devait donc développer sa notion de la Psyché
comme une notion énergo-logique, tandis que le développement
de sa notion du Soma ne pouvait être que phénoméno-logique.
Il lui restait donc à déterminer la place « systématique » de
sa notion de la *Physis*. S'il avait voulu faire correspondre à
la notion (énergologique) plotinienne de la Psyché ses *deux*
notions (énergologiques) de la Psyché et de la *Physis*, il aurait
dû les interpréter comme les deux Termes extrêmes d'une
Triade, qui exigeait un Moyen terme. Or, dans le Système
procléen, ce Moyen terme ne pouvait être que le Soma et
Proclus ne pouvait certainement pas introduire dans l'Énergo-
logie des notions « somatiques », par définition « temporelles ».
C'est probablement pourquoi Proclus a préféré faire correspondre à la notion plotinienne de la Psyché sa seule notion
Psyché. Dans ces conditions, on s'attendrait à ce qu'il développe
sa notion de la *Physis* comme une notion phénoméno-logique.
Or, il ne le fait pas et la développe comme une notion énergo-
logique. Il le fait peut-être parce qu'il se rend compte que ses
notions de la Psyché et de la *Physis* sont non pas sub-ordonnées,
mais co-ordonnées (en tant que Termes extrêmes de la Triade
qui aurait le Soma pour Moyen terme et que Proclus n'admet
pas). Ainsi, en identifiant sa notion de la Psyché à celle de
Plotin et en interprétant sa notion de la *Physis* comme une
notion énergologique, Proclus est arrivé à ajouter la *Physis*
comme un nouveau terme à la hiérarchie linéaire plotinienne :
Hen → *Nous* → Psyché. En effet, chez Proclus, la *Physis* est
(« logiquement ») « postérieure » à la Psyché. Cependant, au
lieu de pousser la dé-composition (parathétique) de la *Physis*
au-delà de celle de la Psyché (le nombre des termes devant être
respectivement $3 \times 81 = 243$ et $3 \times 243 = 729$), Proclus les
décompose d'une façon identique (en limitant arbitrairement
leurs dé-compositions à 12 termes). *En résumé*, la correspondance entre le Système plotinien et le Système de Proclus
s'établit comme suit :

Chez Plotin, l'Onto-logie se réduit à la seule (pseudo-) notion
du *Hen* (parménido-platonicien), discursivement indéveloppable. Proclus maintient la notion parménido-platono-plotinienne du *Hen* en tant que notion-limite, mais la dé-compose
« en même temps » en la Triade : *Peras-Apeiria-Mikton* et
c'est le développement discursif (parathétique et « logique »)
de cette Triade qui constitue l'Onto-logie procléenne. Ainsi,
au *Hen* plotinien correspond « à la fois » le *Hen* procléen (d'ailleurs identique au *Hen* parménido-platonicien) et la première
Triade procléenne.

Chez Plotin, l'Énergo-logie se réduit en principe au développement discursif (« logique ») de la notion « simple » du Nous (bien que, en fait, cette notion subisse un début de dé-composition parathétique ou triadique). Chez Proclus, l'Énergo-logie est le développement (parathétique et « logique ») des notions *On-Zoé-Nous-Psyché-Physis*, parfois arrangées en deux Triades (dont la deuxième est amputée de son Moyen terme), mais parfois hiérarchisées linéairement.

Ainsi, en un sens, ce sont les cinq notions procléennes *On-Zoé-Nous-Psyché-Physis* qui correspondent dans leur ensemble à la seule notion (« simple ») du *Nous* plotinien. Mais, en un autre sens, ce *Nous* ne correspond qu'aux trois premières notions procléennes, la Psyché procléenne correspondant à celle de Plotin et la *Physis* étant une notion nouvelle (dont on trouve, d'ailleurs, des traces chez Plotin lui-même, notamment dans la notion stoïco-plotinienne du *Logos spermatikos*).

C'est que, chez Proclus comme chez Plotin, les limites entre l'Énergo-logie et la Phénoméno-logie sont floues et fluctuantes. Dans la mesure où l'Ame plotinienne est immortelle, la Psyché de Plotin est une notion énergo-logique, à laquelle correspondent, chez Proclus, les notions de la Psyché et de la *Physis*. Dans ce cas, Plotin développe dans son Énergo-logie *deux* notions *(Nous* et *Psyché)*, tandis que Proclus en développe *cinq (On-Zoé-Nous-Psyché-Physis)*. Mais dans la mesure où Plotin développe en fait sa notion de la Psyché comme une notion phénoméno-logique, on peut dire que cette notion plotinienne (« simple ») correspond à la Triade procléenne : *Psyché-Physis-Soma*, dans la mesure où Proclus lui-même développe en fait ses notions de la Psyché et de la *Physis* comme des notions phénoméno-logiques (les deux Phénoméno-logies utilisant la notion de la *Hylé* comme une notion-limite, d'ailleurs héraclito-aristotélicienne).

On aurait alors, en définitive, le schéma suivant :

	Ontologie	Énergo-logie	Phénoméno-logie	Notion-limite
Plotin	⊙ *Hen* →	→ ⊙ *Nous* →	→ ⊙ *Psyché* ←	*Hylé*
Proclus	⊙ *Hen* (en tant que notion-limite) P Ap M	*On* *Zoé* *Nous*	*Psyché* *Physis* *Soma* ←	*Hylé*

Mais, encore une fois, les choses sont en réalité beaucoup moins simples et beaucoup plus confuses. Car si le schéma ci-dessus correspondait effectivement au Système procléen, il aurait suffi de le « temporaliser » tel quel pour le trans-former en Système du Savoir hégélien. Or, nous verrons qu'une telle transformation n'est en fait possible qu'à partir du Système kantien.

2. Du point de vue « psychologique », on peut expliquer la structure du Système procléen par l'attitude que Proclus a prise vis-à-vis de Plotin et du Néo-platonisme en général. Mais du point de vue « systématique », la structure de ce Système s'explique par la place qu'il occupe dans l'évolution chrono-logique de la Philosophie en tant que telle. C'est dans cette évolution qu'il s'agit maintenant de situer Proclus, en commen-çant par déterminer la « place » qu'il occupe par rapport à l'ensemble de ses « prédécesseurs ».

A la question philosophique relative au Concept, qui a été posée pour la première fois par « Thalès », la Philosophie a répondu « immédiatement » en posant la Thèse éléatique, qui identifie le Concept à l'Éternité, et en lui op-posant l'Anti-thèse héraclitéenne, d'après laquelle le Concept est temporel. C'est en vue de supprimer-dialectiquement la contra-diction entre la Thèse et l'Anti-thèse philosophique (qui réduisent la Philosophie respectivement au Silence absolu ou au Bavardage rhétorique) que « Socrate » inaugura la Para-thèse de la Philo-sophie, selon laquelle le Concept n'est NI l'Éternité seulement, NI seulement un Quelque-chose temporel, mais les deux « à la fois », à savoir un Quelque-chose éternel, voire l'Éternel en tant que tel. Seulement, par la force des choses, la Para-thèse socratique se re-pose « immédiatement » ET comme Para-thèse thétique platonicienne, qui met le Concept éternel en relation avec une Éternité située hors du Temporel (compris comme « linéaire »), ET comme Parathèse aristotélicienne, qui met ce même Concept en relation avec une Éternité située dans le Temporel (compris de ce fait comme « cyclique »). C'est en constatant l'impossibilité d'éliminer (discursivement) l'une de ces deux Parathèses « socratiques » au profit de l'autre que la Philosophie païenne se décida (probablement en la personne d'Antiochus d'Ascalon) à les maintenir telles quelles toutes les deux. Et c'est ce « mélange » éclectique du Platonisme et de l'Aristotélisme qui s'appelle Néo-platonisme et qui s'est main-tenu dans le monde païen jusqu'à Proclus.

Du commencement jusqu'à la fin, l'Éclectisme néo-plato-nicien se développe sur la base de trois notions fondamentales :

le *Hen* purement éléatique; la Hylé purement héraclitéenne; le
« *Nous* » au sens large, spécifiquement néo-platonicien, c'est-
à-dire « à la fois » platonicien et aristotélicien. C'est dans la
notion éclectique du Nous néo-platonicien que se condense la
contra-diction parathétique de la Philosophie païenne. Et
puisque les éléments-constitutifs platonicien et aristotélicien y
sont simplement « mélangés » sans même subir de trans-
formation « chimique », ils ont tendance à se séparer l'un de
l'autre, en laissant entre eux un « vide » ou une « lacune », que
les Néo-platoniciens essayèrent chaque fois de combler par une
nouvelle notion éclectique platono-aristotélicienne.

Le schéma suivant permet de se rendre compte de la nature
« logique », voire chrono-logique du processus qui constitue
l'évolution historique du Néo-platonisme, c'est-à-dire de la
Philosophie parathétique ou « socratique » païenne :

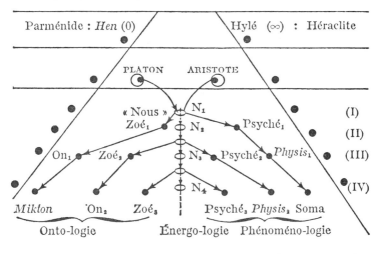

De prime abord (Antiochus d'Ascalon?), le « compromis »
néo-platonicien entre les Parathèses platonicienne et aristotélicienne se contenta d'intercaler entre les notions du *Hen*
(éléatique) et de la Hylé (héraclitéenne) une seule notion éclectique (platono-aristotélicienne) du *Nous* : N_1; de sorte qu'il y a
eu $2 + 1 = 3$ notions fondamentales. Plus tard (Plotin, Porphyre), lorsque la notion éclectique N_1 se décompose en une
notion à prépondérance platonicienne (Zoé) et en une autre
à prépondérance aristotélicienne (Psyché), la lacune entre les
deux étant comblée par une nouvelle notion éclectique du *Nous* :
N_2 (qui peut être compris comme le « résidu » de N_1 après l'élimi-

nation de la Zoé et de la Psyché). On a eu ainsi $2 + 3 = 5$ notions néo-platoniciennes. Encore plus tard (Jamblique?) la notion éclectique N_2 fut décomposée à son tour en une notion à prépondérance platonicienne (à laquelle on conserva le nom de Zoé : Z_2) et en une notion à prépondérance aristotélicienne (que l'on continua à appeler *Psyché : P_2*), le « résidu » constituant une nouvelle notion éclectique du *Nous : N_3*. Du coup, la prépondérance platonicienne a pu être accentuée dans l'ancienne notion de la Zoé (Z_1), qui se transforme de ce fait en une nouvelle notion appelée *On* (O_1), tandis que la prépondérance aristotélicienne s'accentuait dans l'ancienne notion de la Psyché (Ps_1), qui se trans-forme ainsi en une nouvelle notion appelée *Physis* (Ph_1). On obtient ainsi $2 + 2 + 3 = 7$ notions néo-platoniciennes. Enfin (Syrianus?, Proclus), la notion éclectique N_3 se décompose à nouveau en un élément à prépondérance platonicienne toujours appelé Zoé (Z_3) et en un élément à prépondérance aristotélicienne s'appelant encore Psyché (Ps_3) le résidu constituant une nouvelle notion éclectique du *Nous : N_4*. De ce fait, l'élément platonicien de l'ancienne notion de la Zoé (Z_2) a pu être accentué au point de le faire pratiquement coïncider avec l'ancienne notion du *On* (O_1) : d'où son nouveau nom ($Z_2 \to O_2 \to O_1$). Ainsi, l'ancienne notion de *On* (O_1) a pu revêtir un caractère purement platonicien et se trans-former en une nouvelle notion appelée *Mikton*. De même, l'ancienne notion de la *Physis* (Ph_1) a pu se trans-former en une nouvelle notion, purement aristotélicienne, appelée Soma parce que l'élément aristotélicien de l'ancienne notion de la Psyché (Ps_2) a été renforcé au point de faire pratiquement coïncider cette notion avec celle de la *Physis* ($Ps_2 \to Ph_2 \sim Ph_1$). On arriva ainsi à $2 + 2 + 2 + 3 = 9$ notions néo-platoniciennes. Et si ce processus ne se prolongea pas par une nouvelle décomposition de la notion éclectique (procléenne) du *Nous : N_1*, c'est uniquement parce que le Monde païen se trans-forme à cette époque en Monde judéo-chrétien.

Pour nous, l'évolution de l'Énergo-logie néo-platonicienne se réduit, en fait, à une « réduction » progressive de la notion éclectique primitive du *Nous : $N_1 \to N_2 \to N_3 \to N_4 \to$*... Si l'Énergo-logie plotinienne peut être considérée comme un développement discursif de la notion N_1, celle de Proclus se réduit au développement de la Notion N_4 (c'est-à-dire, pratiquement, à sa Théorie des idées, telle qu'on la trouve, par exemple, dans son *Commentaire de Parménide;* voir plus loin). C'est d'ailleurs la partie énergo-logique du Système plotino-procléen qui est spécifiquement « néo-platonicienne », vu que c'est la notion de *Nous* qui est éminemment « éclectique » au sens propre du mot. C'est donc dans l'Énergo-logie que se concentre la « contradiction dans les termes » qui caractérise l'Éclectisme païen ou néo-platonicien, voire « socratique », c'est-à-dire platono-aristotélicien.

Quant à ce qui est pour nous l'Onto-logie néo-platonicienne, elle est en fait un développement discursif d'abord de la notion de la Zoé au sens large (Z_1), puis de la décomposition de cette notion en celles du On (O_1) et de la Zoé au sens plus étroit (Z_2) et enfin de la Triade (procléenne) constituée par les notions du *Mikton*, de l'On trans-formée ($O_2 \sim O_1$) et de la Zoé «résiduelle » (Z_3). On peut dire ainsi que l'évolution de l'Onto-logie néo-platonicienne est une « platonisation » progressive (la notion éléatique du *Hen* y jouant toujours le rôle de notion-limite, tout comme chez Platon lui-même).

De même, l'évolution de ce qu'est, pour nous, la Phénoméno-logie néo-platonicienne se présente, en fait, comme une « aristotélisation » (ou « stoïcisation ») progressive. Au début, cette Phénoméno-logie développe la notion de la Psyché au sens large (Ps_1). Puis, elle développe la décomposition de cette notion en celle de la *Physis* (Ph_1) et de la Psyché au sens plus étroit (Ps_2). Enfin, on a un développement de la Triade (procléenne) constitué par les notions du Soma, de la *Physis* transformée ($Ph_2 \sim Ph_1$) et de la Psyché résiduelle (Ps_3) [la notion héraclitéenne de la Hylé y jouant toujours le rôle d'une notion-limite, utilisée de la même façon que chez Aristote].

Ainsi, pour nous, le Système néo-platonicien (d'ailleurs dogmatisé) serait constitué en fait par une Onto-logie purement platonicienne (au sens du Platonisme moyen), une Phénoméno-logie purement aristotélicienne (ou stoïcienne) et par une Énergo-logie spécifiquement néo-platonicienne, où les éléments platonicien et aristotélicien sont mêlés « mécaniquement ». Mais les Néo-platoniciens eux-mêmes prétendaient « concilier » (en les « mélangeant ») ces deux éléments dans l'*ensemble* de leur soi-disant Système éclectique, ce qui les obligea à déformer tant l'Onto-logie platonicienne que la Phénoméno-logie aristotélicienne, sans réussir pour autant à les « concilier » dans et par leur Énergo-logie spécifiquement néo-platonicienne, voire explicitement éclectique.

3. L'Éclectisme néo-platonicien (procléen) ne fut jamais dépassé par la Philosophie païenne parce que, en fait, la transformation des Parathèses thétique et antithétique en Parathèse synthétique (kantienne) n'est possible qu'en mettant le Concept éternel en relation non plus avec une Éternité quelle qu'elle soit, mais avec le Temps lui-même, voire avec la

Temporalité ou la Spatio-temporalité [ce qui permet (à Hegel) d'identifier le Concept avec cette dernière]. Or, la mise en relation du Concept avec le Temps équivaut à la trans-formation du Paganisme en Christianisme [vu qu'elle équivaut à l'Incarnation du _Theos_, d'ailleurs compris comme _Logos_, ce Discours « divin » étant pour nous humain, puisque signifiant (révélant) l'Action, en fait _négatrice_, qu'est la Création _ex nihilo_].

En tant que païens, les Néo-platoniciens auraient pu tout au plus comprendre le Concept comme un phénomène _temporel_ (comme un Discours sans commencement ni fin, voire sans but ni terme) et revenir ainsi à l'Antithèse héraclitéenne de la Philosophie (d'ailleurs réduit de ce fait à la Rhétorique), mais ils ne pouvaient pas le mettre en relation avec le Temps en tant que tel. Autrement dit, ils ne pouvaient pas devenir « kantiens ». Dans la mesure où, en voulant rester païens, ils ne voulaient redevenir ni Éléates purs ni purs Héraclitéens, ils devaient impliquer le Concept dans l'Éternel et mettre le Concept éternel en relation avec l'Éternité. Mais dans la mesure où ils ne voulaient redevenir ni Platoniciens purs ni purs Aristotéliciens, ils devaient en tant qu'Éclectiques (païens), comprendre cette Éternité comme étant « à la fois » ET hors du Temporel ET dans celui-ci. Et c'est ainsi que la notion néo-platonicienne du Concept est non pas synthétique, mais « éclectique » et donc non seulement parathétique, mais « contradictoire dans les termes ».

Or, c'est principalement le caractère « contradictoire » de la notion néo-platonicienne (éclectique) de l'Éternité qui a permis à la Philosophie de trans-former les Parathèses thétique (platonicienne) et antithétique (aristotélicienne) en Parathèse synthétique (chrétienne ou kantienne), qui se substitua pour toujours à l'Éclectisme néo-platonicien ou païen. Puisqu'on ne pouvait rien dire (sans se contredire) de l'Éternité qui devait à la fois _être_ et _ne pas_ être dans le Temporel ou hors de celui-ci, on finit par ne plus parler de l'Éternité en parlant du Concept. Et c'est ainsi que Kant a pu re-parler du Concept éternel (« socratique ») en le mettant en relation non plus avec l'Éternité, mais avec le Temps en tant que tel [ce qui permit à Hegel de l'identifier avec ce dernier].

En tant que « dernier païen », contemporain du Judéo-christianisme, Proclus opta pour le Paganisme en pleine connaissance de cause. Il savait ce qu'il ne voulait pas et, loin de l'ignorer, il s'y opposait d'une façon explicite.

En tant que païen, Proclus opta d'abord pour le Théisme radical. Aussi bien retrouvera-t-on chez lui à maintes reprises le postulat fondamental du Théisme en tant que tel, d'ailleurs présenté comme une *Évidence* philosophique. Ainsi par exemple lorsqu'il dit : « Les choses *éternelles* sont *meilleures* que celles dont l'acte est selon le temps » (*In Parm.*, VI, 230, col. 1224; Chaignet, III, 66). Ce qui veut dire que l'Homme et l'Histoire *sup*-posent un *Cosmos noetos* éternel ou « divin » (qui ne le sup-pose pas), où tout ce qui a été ou sera se maintient éternellement dans l'identité avec soi-même.

Sans doute, en tant que Théiste convaincu, Kant a fait sienne cette formule païenne. Mais si tout Théisme est d'origine païenne, le Théisme judéo-chrétien de Kant met l'Éternel divin (qui pré-suppose l'Homme et son Histoire) en relation avec le Temps (Incarnation du *Logos* dans un *Cosmos aisthetos* créé *ex nihilo*), tandis que le Théisme spécifiquement païen ne le met en relation qu'avec l'Éternité qu'est le *Theos* doublement transcendant ou le *Hen* éléatique.

Or, c'est précisément ce que dit Proclus : « L'Un est, d'une part, *meilleur* que le *Nous* [= *Cosmos noetos*] et *au-delà* du Nous, parce que tout Nous ET se meut ET est en repos, tandis qu'il a été prouvé [?!] que l'Un NI ne se meut NI n'est en repos; et, d'autre part, *meilleur* que la Psyché [humaine] et au-delà d'elle parce que toute âme participe du temps et qu'il a été prouvé [?!] que l'Un ne participe pas du temps. Or, le Nous *diffère* de la Psyché par *ce même* caractère, à savoir qu'il est pur de l'activité qui agit *dans le temps*, de sorte que par ces explications nous avons fait connaître les trois Hypostases archiques [le terme est de Plotin] » (*ibid.*, chap. III, 51).

Autrement dit, au-delà de la Psyché *temporelle* il y a un *Nous éternel* (= *Cosmos noetos*, qui implique d'ailleurs une Psyché également éternelle), et au-delà du Nous *éternel* il y a l'*Éternité* qu'est le *Hen*. Sans doute Proclus dit-il ailleurs que l'Un n'est « NI l'Éternité NI l'Éternel » (*ibid.*, chap. III, 53). Mais ce n'est là qu'un abus du langage « apophatique ». Ce que Proclus veut dire, c'est que le *Hen* n'est ni l'Éternité (aristotélicienne) située *dans* le Temporel ni l'Éternel (aristotélicien) qui n'est rien d'autre que le Temporel (« cyclique ») impliquant l'Éternité. Ce qui signifie que le *Hen* est précisément l'Éternité (parménido-platonicienne) située hors du Temporel quel qu'il soit.

Par ailleurs, on trouve chez Proclus (cf., par exemple, *Stud. theol.*, 255, 278, 282), en plus de la Triade primordiale *Peiras-Apeiron-Mikton*, une Triade constituée par les notions *Aeon-Chronos-Mikton*. Bien que Proclus semble parfois distinguer ces deux Triades, il s'agit, en fait, de deux aspects complémentaires de la Triade unique qui suit « immédiatement » le *Hen* :

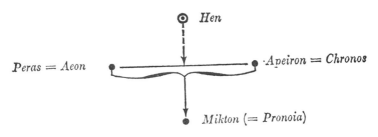

Or, dans la mesure où les Termes extrêmes d'une Triade procléenne (parathétique) sont censés s'interpénétrer dans le Moyen terme (où ils ne font, en fait, que se « mélanger mécaniquement »), il s'agit ici d'une Éternité située *dans* le Temps et d'un Temps impliquant l'Éternité, le *Mikton* étant ainsi l'Éternel (aristotélicien) « cyclique », l'Éternité (platonicienne) située *hors* du Temps devant être identifiée au *Hen* en tant que tel (tandis que le *Peras* est le *Hen* en tant qu'incarné dans l'*Apeiron* qu'est la Hylé).

Si maintenant on tient compte du fait que le *Hen* procléen est une pseudo-notion discursivement indéveloppable et que tout le contenu proprement discursif (non « apophatique ») du Système de Proclus est un développement (parathétique et « logique ») de la Triade primordiale, voire de son Moyen terme qu'est le *Mikton*, on peut dire que Proclus *parle* uniquement ou « exclusivement » de l'Éternel qui est une Éternité située dans le Temps, voire un Temps impliquant l'Éternité. En d'autres termes, Proclus ne parle que de l'Éternel « temporel », voire du Temps « éternel » qu'est le Temps *cyclique* aristotélicien.

C'est ainsi que l'ensemble du Système procléen peut être conforme au Schéma triadique qui a le *Proodos* et l'*Epistaphê* pour Termes extrêmes et le Maintien comme Terme moyen. Autrement dit, tout ce dont *parle* le Système procléen « en vérité » ne se maintient éternellement dans son identité avec soi-même que dans la mesure où il s'agit d'un processus éternel *cyclique*, où chaque chose ne devient autre qu'elle-même que pour redevenir ce qu'elle a toujours été.

En particulier, le principe de la cyclicité est censé devoir s'appliquer à l'Homme dont parle Proclus, comme il le dit clairement lui-même : « Toute Psyché divine [= âme humaine immortelle], quoique sa *période*, à elle, soit mesurée selon un temps différent [mais également cyclique] du temps [cyclique] selon lequel est mesurée la *période* du corps qui lui est attaché et uni, toute Psyché *divine* a cependant un rétablissement égal *(apokatastasis)*, mais elle, selon *son* temps qui dure *toujours*, lui, selon son temps propre. C'est pourquoi elle est du même âge qu'elle-même, et du même âge que lui, *suivant la proportion* » (Chaignet, chap. III, 57 sq.). Ce qui veut dire que si l'âme humaine s'incarne successivement dans des corps toujours différents, elle reste néanmoins éternellement identique à elle-même, vu que ses activités corporelles ne font qu'actualiser dans le temps ce qu'elle y est déjà en puissance, l'ayant déjà été en acte auparavant.

Et Proclus reprend à son compte sans sourciller le fameux paradoxe aristotélicien de l'Histoire cyclique, qui dit qu'en « progressant » l'Humanité se rapproche de ses origines dans la mesure même où elle s'en éloigne. « La chose dont l'acte est *circulaire*, participe du temps *périodiquement* et puisque le même point est fin et commencement, en tant qu'il s'éloigne du commencement il devient plus vieux et en tant qu'il arrive à la fin, il devient plus jeune; car en devenant plus proche de la fin, il devient plus proche de son *vrai* commencement » (*ibid.*, chap. III, 68 sq.).

On n'a pas besoin d'insister sur l'évidente « absurdité » de cette conséquence, qui découle nécessairement du principe même de la Cyclicité. Mais il faut souligner que c'est précisément cette « absurdité » qui permet à Proclus d'interpréter comme Pré-vision *(Pronoia)* ou « Providence » le Moyen terme *(Mikton)* de sa Triade primordiale, le développement duquel constitue l'ensemble (du contenu proprement discursif) de son Système. Le *Mikton* dont *parle* ce Système est *Nous* au sens large et donc aussi *Logos* ou Discours, le discours achevé (parce que circulaire ou cyclique) étant précisément le Système procléen, qui est absolument « vrai » dans la mesure même où il est censé pouvoir pré-voir (pré-dire) tout ce qui pourra être vu (dit), précisément parce que voir (dire) c'est re-voir (re-dire). En bref, Proclus prétend à la Vérité (Sagesse) discursive parce que, en parlant, il ne fait que re-dire ce que Dieu a pré-dit de toute éternité.

Et c'est ainsi qu'apparaît la différence essentielle entre Proclus et Hegel. Sans doute, Hegel dit que son Onto-logie (« Logique ») est « la pensée de Dieu avant la création du Monde ». Mais c'est un *homme* (Hegel) qui le *dit* et il ne peut le *dire* qu'à la *fin* de l'Histoire. Le Système du Savoir hégélien ne *re*-dit pas les dires de Dieu, vu que Dieu était *silencieux* avant que l'Homme parle et il ne pouvait donc rien pré-*dire* du tout. Et la fin de l'Histoire qu'est le *Discours* uni-total où la Sagesse *discursive* ne coïncide pas avec son commencement *silencieux* qui fut le Silence inhumain ou bestial d'un Cosmos vivant (Monde) qui n'était pas encore l'Univers historique. Or, du moment que la fin de l'Histoire est tout autre chose que son commencement, le processus historique est unique et un, sans pouvoir être cyclique, la fin de tout Cycle étant nécessairement tout aussi silencieux qu'était silencieux son commencement et donc le Cycle pris dans son ensemble.

Or, chose curieuse, c'est précisément ce que nous dit, en fait, le Système procléen. Si Proclus prétend y re-voir tout ce que Dieu a pré-vu, il admet que son Dieu ineffable et muet ne *dit* rien du tout. La re-vision systématique procléenne est donc, en dernière analyse, tout aussi silencieuse que la pré-vision divine. Du moins, c'est ce que Proclus aurait *dû* dire de son propre Système. Or, s'il ne le dit, certes pas explicitement, il l'admet implicitement dans la mesure même où son prétendu Système est en fait « contradictoire » et donc équivalent au silence, du moins pour nous.

c) *Exemple de l'Éclectisme procléen : la Théorie des idées.*

Au lieu de reproduire l'ensemble (« incohérent ») du Système procléen, il suffira, en terminant, de donner un exemple particulièrement typique de la méthode « éclectique » qui détermine, chez Proclus, le caractère contradictoire de tout ce qu'il nous dit. Or, c'est dans la Théorie procléenne des idées (qui constitue le noyau de son Énergo-logie) que cette méthode est particulièrement apparente, tout en n'étant jamais explicitée par Proclus lui-même.

C'est dans le *Parménide* que Platon a voulu sinon exposer sa Théorie des Idées, du moins la « démontrer », en « réfutant » les « critiques » d'Aristote (et probablement d'Eudoxe). Il est donc tout naturel que l'exposé le plus complet de la Théorie des idées de Proclus se trouve dans son *Commentaire du Parménide*.

Or, dans le *Parménide*, Platon « justifie » sa théorie des idées par une « réduction à l'absurde » de toutes les autres théories possibles. En posant comme postulat sinon l'actualité, du moins la possibilité du Discours vrai ou de la Visite discursive (la négation de ce postulat équivalant à une négation de la possibilité du Système du Savoir et donc de la possibilité même de la Philosophie), Platon montre [sans le dé-montrer] que ce postulat implique l'axiome de l'éternelle présence d'une multiplicité d'entités éternelles au sens de transcendantes par rapport au Temps (au sens large) et donc au Discours (par définition temporel), chacune de ces entités restant éternellement dans une identité avec soi-même qui exclut tout « mélange » avec les autres ou avec l'Autre quel qu'il soit. C'est l'ensemble de ces Idées atomiques qui constitue la Réalité-objective qu'est le *Cosmos noetos* platonicien. Nier, avec Parménide, la *multiplicité* du Transcendant équivaut à réduire le Discours au Silence absolu. Nier, avec Héraclite, la *transcendance* du Multiple (discursif) équivaut à limiter le Discours au seul Bavardage. A moins de renoncer à la Philosophie, il est donc nécessaire d'admettre une Multiplicité *transcendante* ou un *Transcendant* multiple. Et c'est ce que fait précisément Platon dans et par sa Théorie des idées.

Platon fait d'ailleurs voir, dans le *Parménide*, que si la négation (éléatique) de la Multiplicité ne peut se faire que d'une seule manière, la négation de la Transcendance peut être faite de deux façons différentes, du moins en apparence. On peut dire, comme l'a fait Aristote (peut-être à la suite d'Eudoxe) que les Idées ou les Universaux, c'est-à-dire les Sens (discursifs), sont non pas « au-delà » ou « en dehors », voire « avant » les choses (dont on parle), mais « dans » celles-ci (en tant que leurs Essences). Mais on peut dire aussi, avec les Héraclitéens proprement dits, tels que Cratyle, que les Universaux ne sont pas « avant » les choses parce qu'ils sont « après » elles (en tant que sens des mots qui les désignent). Seulement, d'après Platon, le compromis qu'est censé être le Conceptualisme eudoxo-aristotélicien équivaut, en fait, au Nominalisme héraclitéen radical et se transforme donc nécessairement, tôt ou tard, en ce dernier. En effet, la présence des Idées dans les choses est nécessairement leur coprésence dans celles-ci. Si une seule et même chose ne faisait que « participer » à plusieurs Idées *transcendantes*, ces dernières, en tant que telles, pourraient être et rester isolées les unes des autres, chacune n'étant ainsi identique qu'à elle-même. Mais, si les Idées sont immanentes aux choses, c'est-à-dire si elles ne se présentent qu'en tant que coprésentes aux choses (dont on parle), les Universaux s'interpénètrent en tant que tels et il y a une *koinonia tôn genôn*, c'est-à-dire une « communauté » des genres (et des espèces), qui ne peut conditionner, d'après Platon, qu'une « confusion » des notions ou des sens, voire un « contresens » ou une « contradiction ». Or, un Discours contradictoire ne se réduit au Silence que dans la mesure où il n'est pas achevé, et il ne peut être achevé que s'il est in-défini ou « infini ». Mais le Discours ne peut être infini que si son sens varie et se trans-forme en fonction même de son développement indéfini. Ce qui veut dire que les Univer-saux sont non pas les Essences éternelles ou immuables des choses qui correspondent à ce qu'on en dit, mais les Sens variables ou temporaires des mots qui s'y rapportent.

Ainsi, d'après le *Parménide*, la négation (éléatique) de la multiplicité (du Transcendant) aboutit finalement au Silence absolu, tandis que la négation (héraclitéenne) de la Transcendance (multiple) mène au Bavardage indéfini. Par conséquent, si l'on veut dire sans se contre-dire que le discours (philosophique) qu'on a commencé *peut* être achevé (un jour par quelqu'un, voire demain par soi-même) en tant que Discours vrai, voire comme Système du Savoir ou Sagesse discursive, il faut affirmer dans ce discours qu'on peut et doit parler d'une Réalité-objective irréductiblement multiple ou « atomique », qui est éternellement présente non pas *dans* la durée-étendue de l'Existence-empirique, mais *en dehors* de celle-ci, de sorte qu'elle se présente ou se révèle (discursivement) à l'Homme (en tant que Philosophe) non pas *après* mais *avant* les choses qui existent-empiriquement dans la Durée-étendue [53].

En bref : Ou bien il n'y a pas de Philosophie du tout, ou bien celle-ci doit impliquer une Énergo-logie qui parle d'un *Cosmos noetos* objectivement-réel (d'ailleurs sans durée, ni étendue, même au sens le plus large), constitué par l'ensemble fini et dé-fini d'Idées atomiques platoniciennes. Ce qui signifie, en fait et pour nous, que le Concept (dont la notion est complètement développée dans et par le Discours achevé qu'est le Système du Savoir) est l'uni-totalité de l'Éternel mis en relation avec une Éternité (unique et une) située dans le Temps quel qu'il soit.

Proclus connaissait et comprenait parfaitement le *Parménide*, mais son parti pris « éclectique » lui interdisait de l'accepter tel quel. Pour lui, il s'agissait non pas de « réfuter » Parménide et Héraclite, voire Eudoxe-Aristote-Cratyle, mais de les « concilier » tant entre eux qu'avec Platon. Et c'est précisément ce que Proclus a essayé de faire dans son *Commentaire*.

Dans son *Parménide*, Platon n'expose pas sa propre théorie des idées. Il se contente de la présenter comme l'une des quatre attitudes possibles vis-à-vis du problème de la Transcendance multiple ou du Multiple transcendant et de montrer que les trois autres aboutissent à la négation du Discours *vrai* ou de la Sagesse *discursive* et donc de la Philosophie. Dans la mesure où Proclus n'écrivait pas de dialogues philosophiques (par définition purement « négatifs » ou « polémiques »), mais prétendait exposer le Système du Savoir, il devait donc compléter le *Parménide* par un exposé « systématique » (« positif ») de l'Énergo-logie qu'est la Théorie platonicienne des idées. Et c'est ce qu'il a effectivement fait dans son *Commentaire*. Mais, dans ce même *Commentaire*, il a complètement déformé le *Parménide* de Platon, en ce sens qu'il y a présenté comme des doctrines platoniciennes positives ce qui n'était pour Platon lui-même que des réductions à l'absurde des doctrines éléatiques et héraclitéennes, voire eudoxo-aristotéliciennes et cratyliennes.

Ainsi, en ce qui concerne la « première hypothèse » du *Parménide*, où Platon réduit à l'absurde le « monisme » éléatique en montrant qu'il réduit fatalement tout discours au silence, Proclus la réexpose en tant qu'exposé positif de l'Onto-logie (théologique) du Système du Savoir qu'est censé être son propre Système éclectique, prétendument [néo]-platonicien. Si l'hypothèse de la non-multiplicité du Transcendant aboutit au Silence absolu, c'est que l'Absolu (ou l'Être « absolu », c'est-à-dire doublement transcendant puisque situé au-delà tant de l'Existence-empirique que de la Réalité-objective) est effectivement ineffable, n'étant révélé que dans et par le Silence (mystique). Loin de « réfuter » l'Éléatisme, le *Commentaire* de Proclus l'introduit dans le Système procléen en tant qu'Onto-logie (comprise comme une Théologie « apophatique »).

Quant à l'hypothèse nominaliste des Universaux *post rem*, Proclus renonce également à sa « réfutation » platonicienne, sans doute parce qu'il y voyait, à la suite de Platon, l'aboutissement inévitable de l'Aristotélisme qu'il voulait « sauver » à tout prix, en raison de son parti pris éclectique (ou peut-être aussi parce qu'il voulait introduire dans son Système, non seulement l'Aristotélisme, mais encore l'Héraclitéisme authentique et radical du type Cratylien).

Sans doute, le parti pris éclectique de Proclus lui interdisait d'admettre avec Cratyle que tous les sens des Universaux sont *post rem* et donc infiniment variables en fonction même de leurs définitions, c'est-à-dire de leurs développements discursifs (de ce fait infinis). Mais ce même parti pris l'incitait à appliquer dans ce cas le principe du « compromis » parathétique, qui consiste à dire que les deux discours qui se contre-disent sont vrais tous les deux, mais seulement « en partie ». C'est ainsi que Proclus a explicitement admis dans son *Commentaire* que *certains* Universaux seulement sont (uniquement) *post rem*, tandis que les autres sont (aussi ou uniquement) *ante rem* ou *in re* [54].

Sans doute, en l'admettant, Proclus avait pu se réclamer de Platon, qui niait qu'il y ait une « science » possible des phénomènes, ce qui veut dire précisément que les sens des notions qui s'y rapportent ne sont que des Universaux *post rem*. Seulement, dans la mesure où Platon ne prétendait pas avoir achevé le Discours ou développé le Système du Savoir, il pouvait (sans se contre-dire) laisser sans réponse la question de savoir quels sont les rapports entre le Discours achevé, c'est-à-dire fini et dé-fini, qu'est la Sagesse discursive, et le Bavardage in-défini ou infini qui coexiste avec le Discours philosophique (par définition encore incomplet, mais en principe achevable). Proclus, par contre, qui présentait son propre discours non plus comme une philosophie, mais comme Système du Savoir ou Sagesse (discursive?), c'est-à-dire un discours absolument fini et parfaitement dé-fini, devait nous dire ce qu'il en est du discours extra-philosophique qui se développe indéfiniment « en marge » du discours soi-disant achevé par le développement complet du Système procléen. Or, Proclus ne nous dit rien de tel et n'explique pas comment il peut prétendre avoir *achevé* le discours (philosophique) tout en y affirmant que le discours (non philosophique) peut se développer *indéfiniment*.

Proclus aurait probablement répondu que l'on peut achever le discours qui développe les notions dont le sens est *ante rem* (ou *in re*), sans se préoccuper de celui qui développe les sens qui ne sont que *post rem*. Mais cela équivaut à admettre l'Évidence des Idées (et de toutes les Idées) platoniciennes, c'est-à-dire à dogmatiser le Platonisme. Or si, en fait et pour nous, le Néo-platonisme ne peut se maintenir qu'en tant que paraphilosophie dogmatique (ou Dogme pseudo-philosophique), Proclus prétendait « démontrer » celui-ci sans faire appel à la Révélation (les « Oracles » n'étant cités que pour montrer que son Système « démontré » était en accord avec la Théologie « révélée »). Nous voyons donc que Proclus a échoué en tant que philosophe du fait même qu'il a voulu être « éclectique ».

Proclus a cru pouvoir situer dans son Système la Thèse éléatique de la Philosophie, c'est-à-dire la négation de la Multiplicité [voire l'affirmation de la seule Unité] par Parménide, en incorporant dans son Onto-logie, par ailleurs purement platonicienne, une sorte d'Introduction, où l'Un-tout-seul se présentait silencieusement à l'exclusion de tout multiple réel (ou « idéel »). De même, il a pu prétendre y loger l'Anti-thèse héraclitéenne, c'est-à-dire la négation de la Transcendance [voire de l'Unité] par Héraclite, en admettant une sorte d'Appendice à sa Phénoméno-logie, par ailleurs purement aristotélicienne (ou stoïcienne), où l'on était censé pouvoir parler sans fin de tout ce qui n'est pas objectivement-réel (ou « idéel ») dans l'Existence-empirique [55]. Quoi qu'il en soit, ayant tant bien que mal placé la Thèse et l'Anti-thèse philosophiques respectivement dans son Onto-logie et sa Phénoméno-logie, c'est dans son Énergo-logie que Proclus devait caser l'ensemble de la Para-thèse de la Philosophie, qui se présentait d'ailleurs à lui dans son double aspect platonicien et aristotélicien.

Pratiquement, il s'agissait de « concilier » la théorie des idées « transcendantes » de Platon avec la théorie des idées

« immanentes » d'Aristote. Proclus a cru pouvoir résoudre ce problème en y appliquant la méthode classique du « compromis » parathétique, c'est-à-dire en admettant la « vérité » *partielle* des deux thèses contra-dictoires. Autrement dit, Proclus admettait qu'une *partie* des Idées étaient transcendantes ou platoniciennes, l'autre *partie* étant immanentes ou aristo-téliciennes. Ou bien, ce qui rend peut-être sa pensée d'une façon plus correcte, il affirmait que *toutes* les Idées étaient *en partie* transcendantes et *en partie* immanentes.

De toute façon, nous pouvons dire que pour « concilier » Platon et Aristote, Proclus a cru devoir et pouvoir dédoubler la Réalité-objective (d'ailleurs « idéelle ») en une couche « supé-rieure » platonicienne, proche de l'Être-donné et en quelque sorte tournée vers celui-ci (sans pouvoir en être « déduit ») et en une couche « inférieure » aristotélicienne, proche de l'Existence-empirique vers laquelle elle est pour ainsi dire orientée (sans que celle-ci puisse en être « déduite »). La couche supérieure n'est rien d'autre que le *Cosmos noetos* de Platon constitué par l'ensemble (fini) des Idées « atomiques » [d'ail-leurs bien ordonnées en tant que Nombres ordinaux], dont cha-cune se maintient éternellement dans son identité exclusive avec elle-même et qui se reflètent toutes dans la durée-étendue de l'Existence-empirique comme dans un miroir, en restant elles-mêmes en dehors de celui-ci, c'est-à-dire dans la Durée-étendue qui existe-empiriquement [en s'y incarnant peut-être en tant que Quantités ou Nombres cardinaux]. Quant à la couche inférieure, elle est formée par la totalité (finie) des Idées aris-totéliciennes, c'est-à-dire par l'ensemble uni-total des Espèces et des Genres, qui s'entrepénètrent dans une communauté « universelle » *(koinonia tôn genôn)*, éternellement présente dans l'Existence-empirique en tant qu'Ensemble des Essences qui correspondent aux Sens des notions qui s'y rapportent [et qui se développent dans et par le Discours humain et non par le calcul].

Ce dédoublement procléen de la Réalité-objective signifie pour nous qu'il y a, en fait, chez Proclus une coprésence (éternelle) de deux Temps objectivement-réels, essentiellement différents l'un de l'autre. D'une part, il y a l'éternité (éléatique) temporalisée ou le Temps éternel « linéaire » de Platon, qui est une « image » de l'Éternité ponctuelle dans la mesure où l'éter-nel passé y est éternellement présent parce qu'il se re-présente tel quel dans l'avenir éternel. Ce Temps linéaire a l'éternité ponctuelle en dehors de lui et il est linéaire comme l'est une circonférence infiniment éloignée de son centre. D'autre part, il y a la Temporalité (héraclitéenne) éternisée ou le Temps

éternel « circulaire » d'Aristote, qui implique l'Éternité (ponctuelle) en soi-même comme la circonférence d'un cercle à rayon
fini implique son propre centre. Ce Temps circulaire n'est
d'ailleurs éternel ou infini que dans la mesure où un cercle fini
se re-parcourt indéfiniment lui-même, de sorte que le présent
ne s'y distingue de toute éternité du passé que pour s'identifier
éternellement à lui dans l'avenir.

On trouve ainsi, en fait, chez Proclus une curieuse coprésence
d'Éternité et de Temps prétendument superposés, mais en fait
exclusifs ou incompatibles. Il y a d'abord l'Éternité (ponctuelle) éléatique, qui ne saurait s'accommoder d'un Temps quel
qu'il soit. Puis vient l'Éternité (ponctuelle) platonicienne, qui
prétend pouvoir s'accommoder d'un Temps (linéaire) à condition de l'exclure. Ce Temps (linéaire) platonicien qui exclut
l'Éternité est censé être coprésent avec le Temps (circulaire)
aristotélicien qui l'implique, l'Éternité (platonicienne) qui se
situe hors de tous les Temps pouvant d'ailleurs être difficilement identique à l'Éternité (aristotélicienne) qui est impliquée
dans l'un d'eux. Enfin, il y a la durée-étendue (héraclitéenne)
de l'Existence-empirique, qui n'est ni linéaire ni circulaire,
c'est-à-dire sans rapport aucun avec l'Éternité quelle qu'elle
soit et qui n'est « éternelle » que dans la mesure où elle est
in-finie en tant qu'in-définie (ou « ondulante »). Autrement dit,
dans le prétendu Système procléen, une Éternité sans durée
et une Durée sans éternité encadrent deux Temps éternels, dont
l'un est linéaire parce qu'il se situe en dehors de l'Éternité
ponctuelle, tandis que l'autre est circulaire parce qu'il implique
celle-ci.

Plusieurs indices font penser que Proclus lui-même n'ignorait pas la théorie complexe des Éternités et des Temps qu'impliquait en fait son soi-disant Système. On peut même supposer qu'il voyait le caractère contradictoire de cette théorie, vu
que, tout en la laissant entrevoir, il s'est bien gardé de l'expliciter dans tous ses éléments. En tout cas, en ce qui concerne
sa théorie des idées, il a délibérément mis dans l'ombre son
aspect temporel en ne mettant en avant que son aspect spatial.

D'après Proclus, le *Cosmos noetos* constitué par les Idées
atomiques platoniciennes (objectivement-réelles en tant que
telles) se situe « en dehors » et « au-dessus » de la Communauté
des Idées aristotéliciennes (qui ne sont objectivement-réelles
qu'en tant qu'essences de ce qui existe-empiriquement). Cependant, ici encore, il s'est bien gardé de préciser sa pensée. Si le
Cosmos noetos platonicien est nettement u-topique au sens de
Platon, le lieu *(topos)* de la Communauté aristotélicienne est
laissé dans le vague. Si, à la différence du *Cosmos noetos*, cette

Communauté n'est pas « en dehors » de toute spatialité, elle n'est explicitement située ni dans l'Espace objectivement-réel du Ciel aristotélicien *(Ouranos)*, ni dans la durée-étendue de l'Existence-empirique. Bien que, d'après certains passages, Proclus ait eu tendance à placer dans cette dernière les Idées aristotéliciennes prises comme des *Logoi spermatikoi* (stoïciens) des choses individuelles qui existent-empiriquement, tout en situant dans l'espace céleste (supraterrestre) ces mêmes Idées comprises comme genres ou espèces de ces choses ou prises comme « Intelligences séparées », planétaires et sidérales. Quoi qu'il en soit, le *Cosmos noetos* u-topique se situe « en dehors » du ou des « lieux » où se placent les Idées aristotéliciennes, de sorte que le dédoublement de la Réalité-objective procléenne est non seulement temporel, mais encore spatial.

*

Étant donné que Proclus lui-même n'a jamais voulu ou pu justifier ni le pourquoi du dédoublement (éclectique ou « néo-platonicien ») de la Réalité-objective, ni le comment de la coprésence de ses éléments-constitutifs platonicien et aristotélicien, il serait vain de chercher une justification pour l'Énergologie procléenne, en fait injustifiable, qui se présente comme une Théorie des idées, censée devoir « concilier » les Théories homologues, d'ailleurs « contraires », de Platon et d'Aristote.

Il suffit d'illustrer cette Théorie des idées éclectiques par quelques citations extraites du *Commentaire du Parménide* de Proclus.

« Il y a eu, parmi nos prédécesseurs, quelques-uns qui ont ramené le but de ce dialogue [du *Parménide*] à un exercice de logique, sans tenir compte du titre très ancien qui porte : *sur les Idées* » (trad. Chaignet, I, 61). Autrement dit, pour Proclus, le *Parménide* est un exposé (complet) de la Théorie des idées de Platon. En commentant ce dialogue, Proclus exposera donc (complètement) l'ensemble de sa propre théorie. Or, en introduisant cette théorie (dans son commentaire du *Parménide*, 130, b), Proclus indique très nettement son caractère éclectique : tout en disant qu'il ne fait que commenter l'exposé de Platon, il laisse clairement entendre que la théorie soi-disant platonicienne qu'il commente concilie, en fait, la Théorie des idées de Platon avec celle d'Aristote.

En effet, voici ce qu'il dit : « Il [Parménide] l'interroge d'abord sur l'hypostase des Idées, s'il [Socrate] pense qu'il y a certaines choses *séparables* [objectivement-réelles au sens d' « idéelles »] de plusieurs [qui existent-empiriquement] et qui en soient les *causes...* » (*ibid.*, I, 245). Or, si Aristote reprochait aux Idées platoniciennes d'être *séparées* des choses, c'est parce que, dans ce cas, elles ne pouvaient pas être des *causes* de ces dernières (n' « expliquant » ainsi rien et n'étant donc qu'un dédoublement inutile). Proclus dit donc, implicitement, que, d'après lui, les Idées (néo-platoniciennes) sont « à la fois » des « modèles » (platoniciens) *séparés* de leurs « images » qui sont les « choses », et des *causes* (aristotéliciennes « formelles ») de ces choses, impliquées dans leurs effets.

Seulement, dès le début, Proclus indique (explicitement) que les notions de l'Idée-modèle (transcendante) et de l'Idée-cause (immanente) sont contraires, de sorte que leurs développements discursifs se contre-disent nécessairement. Il l'indique en présentant d'emblée la « solution », c'est-à-dire le « compromis » éclectique (parathétique), qui consiste à dédoubler la Réalité-objective « idéelle » en une couche platonicienne transcendante et une couche aristotélicienne immanente. Car le passage dont le début a été cité plus haut se termine comme suit : « [Parménide interroge Socrate pour savoir si celui-ci] a conçu *avant* les monades [= Idées atomiques] *coordonnées* aux choses, les monades élevées *au-dessus* d'elles, et *avant* les monades *participées* [ou immanentes aux choses] les monades imparticipables [ou transcendantes par rapport aux choses] » (*ibid.*).

Sans doute, les expressions « avant » et « au-dessus » sont ici des métaphores. Mais l'emploi de ces métaphores laisse entendre que Proclus se rendait parfaitement compte que le dédoublement de la Réalité-objective (idéelle) auquel il procédait avait à la fois un aspect temporel et un aspect spatial. En tout cas, le passage cité indique clairement que Proclus accorde une nette « priorité [énergo-]logique » à la composante platonicienne de son Énergo-logie, par rapport à sa composante aristotélicienne. Par ailleurs, en se servant du même mot « monade », Proclus crée l'impression que, chez lui, l'Idée-cause (aristotélicienne) est tout aussi « atomique » que l'est l'Idée-modèle de Platon. Mais si cette terminologie est voulue, elle n'a pour but que de camoufler au début la différence entre les deux Idées. Car, nous verrons plus tard que Proclus admet explicitement que si les « monades séparées » sont vraiment des « atomes » absolument isolés les uns des autres, les « monades coordonnées aux choses » s'entre-pénètrent dans la Communauté *(koinonia)* universelle des espèces et des genres (comme c'est le cas chez Aristote, du moins d'après Platon (cf. le *Sophiste* et le *Politique*).

Quoi qu'il en soit, Proclus ne cache pas que son but est de « concilier » les théories des idées de Platon et d'Aristote. Car il le dit un peu plus loin, dans un passage assez curieux : « Et de ces paroles [de Socrate] dignes de toute confiance, il faut conclure que Socrate a conçu non seulement les *choses définissables* [qui impliquent les Idées (aristotéliciennes) en tant que leurs Essences, correspondant aux Sens des notions " empiriques " qui s'y rapportent], mais les espèces séparables [platoniciennes] elles-mêmes [qui correspondent aux Sens des notions *a priori* qui s'y rapportent *directement*], et qu'il a été amené à poser ces espèces séparables, non pas comme le dit Aristote [dans *Met.*, 987, 6], parce qu'il s'était beaucoup occupé de la *définition* [à l'instar de l'Étranger = Eudoxe du *Sophiste* et du *Politique* raillé par Platon en tant qu'inspirateur d'Aristote], mais parce que, par suite d'un instinct réellement *divin*, il avait eu, lui aussi, la conception [platonicienne] des Idées... » (*ibid.*, I, 246).

L'expression « non seulement » laisse nettement entendre que, d'après Proclus, Socrate est à l'origine tant de la Théorie platonicienne que de la Théorie aristotélicienne des idées. Ce qui est censé suggérer que ces théories sont non pas contradictoires, mais complémentaires. Proclus se présente ainsi comme un nouveau Socrate, qui ré-unit ce qui ne faisait qu'un chez celui-ci et ce que Platon et Aristote avaient indûment séparé, en ne reproduisant chacun qu'une *partie* de la Théorie socratique vraie et véritable.

Les quelques passages cités ci-dessus suffisent pour montrer le caractère consciemment éclectique de la Théorie des idées de Proclus et pour nous faire voir la méthode parathétique qu'il utilise pour « concilier » les Théories d'Aristote et de Platon. Mais quelques citations complémentaires permettront de se rendre mieux compte de la nature de l'éclectisme procléen.

On trouve des passages qui, à première vue, ont une allure purement aristotélicienne, comme, par exemple, celui-ci : « Si donc le Cosmos est un plérome d'espèces diverses, ces espèces seront *éminemment aussi* dans la *cause* du Cosmos... Donc les espèces sont *avant* les sensibles, et en sont les causes *démiurgiques, présubsistantes...* dans la cause une de tout le Cosmos. Et si quelqu'un disait que le Cosmos a une cause non efficiente, il est vrai, mais finale... il a raison en ce sens qu'il pose que le Bien, *comme cause, préexiste* en tout... et cette cause sera non seulement cause finale, mais aussi cause *efficiente* du Tout » (*ibid.*, 250 sq.). Il semble donc que, chez Proclus, le Bien pris en tant qu'Idée uni-totale (c'est-à-dire comme « image » *discursive* de l'Un *ineffable*), n'est rien d'autre que le Nous aristotélicien, pris en tant que *cause*, à la fois efficiente et finale, du Cosmos. Mais les mots « éminemment aussi » introduisent discrètement une composante platonicienne dans ce contexte aristotélicien : les Idées ne sont pas seulement dans les choses, mais *aussi* dans leur cause et elles y sont *éminemment*. Ce qui implique que la cause des choses est *ailleurs* que celles-ci et qu'elle leur est *supérieure*. Et Proclus l'explicite en disant que le Bien, pris comme cause, *préexiste* à l'ensemble de ses effets tandis que le Nous aristotélicien est coprésent au Temps cosmique (circulaire) qui l'implique.

Du coup, le texte à allure aristotélicienne semble recevoir un sens purement platonicien. Ce qui permet à Proclus d'en tirer une conséquence qui est la constatation même que Plotin croyait pouvoir opposer à Aristote : « Deuxièmement il faut admettre [contre Aristote] l'argument [de Platon] qui dit que les choses phénoménales en soi, égales *et* inégales, semblables *et* dissemblables... n'ont jamais et en rien la *dénomination* qui leur convient véritablement. Car quelle égalité y a-t-il dans les choses qui sont *mêlées* d'inégalité?... Donc chacune des choses sensibles n'est pas vraiment ce qu'elle est *dite*, et par conséquent si on considère les corps *célestes*, ils sont sans doute ce qu'ils sont plus exactement que les corps *matériels*, mais en eux-mêmes cependant, on ne trouve pas la parfaite et exacte vérité... Notre âme peut concevoir et engendrer [*a priori*] des choses beaucoup plus exactes et plus pures que les choses phénoménales... et il est évident [*sic!*] que c'est parce qu'elle voit quelque *autre* espèce plus belle et plus parfaite... Car on n'est pas sans prendre contact avec aucune idée [préexistante], sans regarder à quelque chose de plus parfait, qu'elle *nie* que ceci soit réellement beau, que cela soit parfaitement égal. Par le fait même de prononcer ces jugements, elle montre qu'elle voit [*a priori*] le parfaitement beau et l'absolument égal [*avant* d'avoir fait l'expérience sensible du relativement égal et de l'imparfaitement beau] » (*ibid.*, 251).

On trouve dans ce passage une formulation radicale et claire de l'axiome fondamental de tout Théisme quel qu'il soit, selon lequel le Bien (ou l'Un), le Vrai et le Beau sont des entités (et des notions) non pas antithétiques, mais thétiques : le Bien (l'un), le Vrai et le Beau ne sont pas des négations (*trans*-formations) [humaines] du Mal (du Multiple), du Faux et du Laid [naturels ou humains]; c'est le Mal (le Multiple chaotique), le Faux et le Laid qui sont des négations (*dé*-formations) [naturelles ou humaines] du Bien (de l'Un), du Vrai et du Beau [divins]. D'une manière générale, le langage courant a raison de suggérer que c'est le Parfait qui est thétique ou positif. L'imparfait n'étant que sa négation antithétique et une « privation ». Par conséquent, l'Imparfait sup-pose le Parfait [qui ne le pré-suppose pas], qui lui est ainsi « antérieur ».

Jusqu'ici Proclus ne fait que reprendre à son compte l'axiome théiste fondamental, qui est commun à tout le Paganisme et qu'Aristote admet au même titre que Platon. Mais le texte cité reflète un Théisme qui est non seulement païen au sens de non chrétien (ou non kantien), mais encore platonicien au sens de non ou antiaristotélicien. En effet, pour le Christianisme, le Parfait est non seulement *avant* [le *Logos* avant l'Incarnation], mais encore après l'Im-parfait [le *Logos* en tant qu'incarné en Jésus], tandis que, chez Aristote, il n'est avant (en tant que Cause efficiente) et après (en tant que Cause finale) que parce qu'il est aussi pendant l'Imparfait (en tant que Cause formelle au sens large de cause de la perfection, par opposition à la Cause matérielle comme cause de l'imperfection). Or, c'est précisément ce *pendant* spécifiquement aristotélicien que Proclus nie explicitement (avec Platon [et le Christianisme]) dans le passage cité. Car si Aristote était d'accord avec Platon en ce qui concerne le Monde terrestre ou sublunaire il s'en écartait radicalement dans ce qu'il disait du Monde céleste, qui était censé incarner les Idées d'une façon *parfaite*, de sorte qu'il devenait inutile de situer celles-ci avec Platon dans un lieu supracéleste. Or, Proclus est d'accord avec Platon pour nier la perfection du Monde sidéral. D'où la nécessité de situer le *Cosmos noetos en dehors* (« au-dessus » et « avant ») de la durée-étendue de l'Existence-empirique non seulement terrestre, mais encore céleste, qu'Aristote comprenait à tort comme l'Espace-temps objectivement-réel.

D'après le passage cité, Proclus admettait donc, avec Platon et contre Aristote, qu'il y avait un *Cosmos noetos avant* le Ciel et la Terre et *en dehors* du Monde terrestre et sidéral. Mais contrairement à Platon et en accord avec Aristote, il admettait qu'il y avait une Communauté idéelle *immanente* à ce Monde. D'après Proclus, il fallait postuler une intuition directe (*a priori*) des Idées transcendantes platoniciennes pour rendre compte du fait que nous constatons qu'aucune chose sensible ne correspond *parfaitement* à la notion (= « définitive ») qui s'y rapporte. Mais il faut en outre admettre l'expérience (sensible) des Idées immanentes aristotéliciennes, si l'on veut rendre compte du fait que les choses imparfaites sont quand même *concevables* (= définissables). Ce qui justifierait le dédoublement « néo-platonicien » de la Réalité-objective (d'ailleurs « idéelle » ou théiste).

Ayant justifié par un argument emprunté à Platon l'introduction du *Cosmos noetos* platonicien dans son propre Système éclectique, Proclus l'y situe dans un contexte aristotélicien.

Car il dit ceci : « Donc le *Créateur* du Cosmos peut et engendrer et concevoir des espèces... plus parfaites que les espèces phénoménales. Où donc les engendre-t-il? Où donc les voit-il? Évidemment [*sic*] *en lui-même :* car *il se contemple lui-même*, de sorte que lui-même se contemplant *lui-même* et s'engendrant *lui-même*, engendre *en même temps* et crée *en lui-même* des espèces plus immatérielles et plus exactes que les espèces phénoménales [même célestes] » (*ibid.*, 252). C'est donc le *Nous* d'Aristote (du moins de la *Mét.* Λ) qui est le « lieu » des Idées platoniciennes « supracélestes ». Or, ce *Nous* n'est pas seulement le *Hen* parménidien qui, en se *pensant* soi-même se dé-double ou se différencie en un *Cosmos noetos* platonicien qui est dans son uni-totalité l'Idée du Bien *(Agathon); c'*est aussi le *Theos* aristotélicien (le Démiurge eudoxien dont Platon s'est moqué dans le *Timée*) qui *crée* le Monde phénoménal (céleste et terrestre). L'Idée n'est donc pas Cause formelle au sens de Cause finale; elle est aussi Cause efficiente (sinon matérielle). Les choses sont non seulement les reflets ou les images des Idées, mais encore leurs effets (matériels). Et si les modèles sont en dehors de leurs images, les causes (efficientes) sont immanentes à leurs effets. En tant que lieu *(topos)* des Idées, le Nous est donc lui-même dédoublé en ce sens qu'il est à la fois transcendant au Cosmos, en tant que *Cosmos noetos* platonicien ou comme lieu des Idées-modèles, et immanent à lui en tant que Communauté aristotélicienne des Idées-causes. Or, comme le dit Proclus : « Si en se pensant lui-même il s'est connu lui-même, et si, se connaissant lui-même et la substance [l'Être-donné qu'est l'Un] qu'il a reçue en partage, il a su qu'il est *immobile* et objet du désir de toutes choses [qui meut en dernier ressort ces choses], il a connu les choses auxquelles il est désirable; car ce n'est pas par accident qu'il est désirable [c'est-à-dire *moteur* du Cosmos], mais par essence » (*ibid.*, 253).

Sans doute, chez Aristote aussi le Nous est transcendant en tant qu'*immobile* et *immanent* en tant que (Premier-) *moteur* (ou « premier *ciel* », qui fait *partie* du Monde, ne serait-ce que céleste). Mais Proclus pousse l'immanence plus loin qu'Aristote, vu qu'il attribue au Nous une *connaissance* du Cosmos qu'Aristote semble avoir niée [56]. Mais si Proclus renforce l'immanence du *Nous* pris en tant que lieu des Idées-causes aristotéliciennes, il souligne que ce *Nous* sup-pose un *Cosmos noetos* transcendant ou l'Idée-modèle platonicienne. « Car tel est l'ordre des choses conforme à la nature, que l'acte qui procède *extérieurement* [c'est-à-dire la Cause efficiente immanente] soit suspendu à l'Acte *interne* [c'est-à-dire *extérieur* au Monde], que le Cosmos entier soit suspendu à la monade parfaite et complète des Idées [transcendantes], et que les parties du Tout qui sont ici-bas, soient suspendues aux moments *distingués* [c'est-à-dire aux Idées atomiques platoniciennes] » (*ibid.*, 254).

Pour justifier ce dédoublement de la Réalité-objective (idéelle) en une partie extérieure à la durée-étendue de l'Existence-empirique et en une partie immanente à celle-ci, Proclus fait à nouveau appel à l'axiome théiste fondamental : « Car en toutes choses le en acte est *antérieur* et *supérieur* à le en puissance : car étant im-parfait, il a besoin de quelque chose qui l'amène à la perfection [et qui lui est donc « antérieur »] » (*ibid.*, 254 sq.). Mais la suite (*ibid.*, 225-263) montre clairement que Proclus interprète cette formule, acceptable telle quelle tant pour Platon que pour Aristote, dans son sens platonicien et non aristotélicien. Car, pour Proclus comme pour Platon, le Parfait est *uniquement* (ou « éternellement ») « avant » l'Imparfait, et non pas *aussi*, comme pour Aristote, « après » celui-ci et donc « en même temps » que lui. Plus exactement, Proclus admet, avec Aristote, la nécessité d'une Cause idéelle immanente, qui est chez lui la Physis comprise comme ensemble des Raisons séminales stoïciennes. Mais il affirme, avec Platon, qu'il y a un Modèle du Monde qui est transcendant à lui.

« Il fallait une telle Cause [" naturelle "] pour les choses hétéromobiles, afin qu'elle *ne se séparât pas* des corps qui ont toujours besoin d'une cause *immanente*, et il fallait qu'elle possédât leurs Raisons [séminales], afin qu'elle puisse maintenir toutes les choses dans leurs limites propres [en les maintenant dans leur conformité avec la notion ou la " définition " qui s'y rapporte] et les mouvoir toutes selon l'ordre et la convenance. La *Physis* appartient donc aux autres et ne s'appartient pas à elle-même. ... Or, il faut [*sic*] que la Cause véritable [c'est-à-dire la " cause " formelle aristotélicienne comprise comme une Idée-modèle platonicienne] soit *séparée* et élevée *au-dessus* des œuvres qu'elle crée » (*ibid.*, 257). Ce qui veut dire que dans le Système procléen, les Idées platoniciennes doivent conserver leur place en dépit, voire à cause de l'introduction dans son sein des Idées aristotéliciennes.

A dire vrai, Proclus ne réussit évidemment pas à justifier la coprésence de ces deux notions contradictoires et il se voit obligé de camoufler la contra-diction en compliquant les choses. Ainsi, au lieu de se contenter de deux types d'Idées, il en distingue quatre : « Donc les Causes *immobiles* [motrices ou non] de ces espèces [phénoménales, terrestres et célestes] sont *premièrement éminemment* dans le *Nous* [pris comme *Cosmos noetos* platonicien au lieu des Idées-modèles transcendantes, c'est-à-dire immobiles et non motrices]; car elles ne sont dans la Psyché que *secondairement* [c'est-à-dire en tant que Idées-causes, immobiles mais motrices, faisant tourner les « cercles » dont elles sont les « centres »]; dans la *Physis*, en *troisième* lieu [en tant que moteurs mobiles], et en dernier [quatrième] lieu dans les Somas [en tant que mues]. Car toutes les espèces sont OU phénoménalement [c'est-à-dire en tant qu'Idées aristotéliciennes] OU invisiblement [c'est-à-dire en tant qu'Idées platoniciennes], inséparablement des corps ou séparablement. Si elles sont séparablement OU BIEN elles sont immuablement selon la substance et l'acte OU BIEN elles sont immuablement selon la substance mais muablement selon l'acte. Donc sont proprement immobiles, les espèces qui sont aussi immuables selon la substance et selon l'acte, telles que les intellectuelles [ou les Idées platoniciennes proprement dites]; les *deuxièmes* seront les immobiles selon la substance, mais mobiles selon l'acte, telles que les psychiques [ou les Idées proprement aristotéliciennes, incarnées dans les corps célestes]; les troisièmes sont les espèces, il est vrai invisibles, mais inséparables des visibles, telles que les espèces physiques [ou les Entéléchies aristotéliciennes des êtres vivants terrestres]; les *dernières* enfin sont les visibles, qui sont dans les sensibles et qui sont divisibles [c'est-à-dire les Raisons séminales stoïciennes]. C'est jusque-là que procède et là que s'arrête l'abaissement des espèces » (*ibid.*, 259).

On se demande vraiment pourquoi! Mais peu importent les tentatives de Proclus de camoufler les contradictions de son Système en compliquant inutilement les choses. Ce qui importe, c'est qu'il reconnaît en fait la vanité de ce camouflage et l'inutilité de ces complications, puisque, en résumant tout ce développement, il le ramène à la nécessité d'une coprésence des Idées transcendantes platoniciennes avec des Idées immanentes aristotéliciennes. En effet, voici ce qu'il nous dit : « S'il en est ainsi, dans les mouvements et dans les connaissances, dans la vie aussi, autre chose est le *participant*, autre le *participé*, autre l'*imparticipable*. Le même raisonnement s'appliquera aux autres espèces : autre est la *Matière*, autre l'Espèce qui est *en elle*, autre l'Espèce séparable » (*ibid.*, 261).

Autrement dit, il y a chez Proclus, une Matière [qui existe empiriquement en tant qu'« éthérée » ou « élémentaire », mais qui n'est pas objectivement-réelle en tant qu'« idéelle » (la Matière idéelle qui différencie la Réalité-objective en un *Cosmos noetos* étant d'ailleurs distingué, dans Proclus, non seulement de la Matière empirique, mais encore de la Dyade indéfinie qui différencie l'Être-donné)] qui est censée « à la fois » (sinon « en même temps ») *refléter* comme dans un miroir un *Cosmos noetos* platonicien et *incarner* une Communauté d'espèces aristotéliciennes. Et toute l'astuce de Proclus consiste à juxtaposer ces deux façons de voir les choses, en faisant semblant de croire qu'elles ne se contre-disent pas.

« Disons donc [avec Platon] que les participations des espèces intellectuelles [c'est-à-dire les Idées platoniciennes] ressemblent aux *images* qui apparaissent dans le *miroir*... Disons encore [avec Aristote ou, plutôt, avec les Stoïciens] que la participation [des Idées aristotéliciennes] ressemble aux *empreintes* des cachets dans la cire... C'est pour cela que ceux qui considèrent que, dans la participation des espèces, la Matière est *impossible* [de sorte que l'Espèce n'est pas, pour eux, une *cause* proprement dite], la comparent à un *miroir* et appellent les Espèces [sensibles] des *images* et des *reflets*. Ceux AU CONTRAIRE, qui croient que la Matière est susceptible de modifications *passives* [qui supposent des *causes* proprement dites ou *actives*], disent qu'elle reçoit une *empreinte* comme les cires du cachet et appellent les Espèces [sensibles] des états *passifs* de la Matière [*pathê*] » (*ibid.*, 312).

Sans doute Proclus se rendait-il compte qu'il se contre-disait en disant ces deux choses à la fois. Aussi bien essaie-t-il de supprimer la contra-diction après l'avoir dite. Car il continue comme suit : « Les uns ne considèrent que la Matière première... les autres regardent la Corporéité... » *(ibid.).* Mais il n'est pas dupe de ses propres distinctions subtiles, puisqu'il finit par avouer ceci : « Et il faut que ceux qui aiment à connaître le fond des choses sachent que chacune des opinions dont il a été question est imparfaite *par elle-même*, et qu'elle est impuissante *à elle seule* à fournir à nos pensées la vérité *tout entière* sur cette participation... » (*ibid.*, 313). Ce qui veut dire qu'il faut admettre ces deux façons de voir *à la fois*, précisément parce qu'elles s'excluent l'une l'autre !

Dans le passage qui vient d'être cité, Proclus explicite le principe même de tout Éclectisme : le Tout s'obtient par une simple *addition* des parties, laissées telles quelles. Ce qui signifie, pour nous, que Proclus reconnaît (implicitement) le fait qu'il se contente de la coprésence de la Thèse et de l'Anti-thèse dans la Para-thèse par définition « contradictoire » (qui les *nie* toutes les deux en prétendant les affirmer *partiellement*), au lieu de les supprimer-dialectiquement dans et par une Syn-thèse. Aussi bien ne trouve-t-on dans la Théorie des idées de Proclus rien qui ne se trouve aussi SOIT chez Platon, SOIT chez Aristote et toute l'« originalité » de son soi-disant Système réside dans le fait qu'on y trouve à la fois ET la Théorie platonicienne ET la Théorie aristotélicienne. Mais puisque ces deux Théories se contre-disent mutuellement, on ne trouve chez Proclus NI l'une NI l'autre, en n'y trouvant en fin de compte rien du tout.

Il serait donc vain de poursuivre les citations. Car elles feraient toutes apparaître le schéma éclectique classique du ET-ET : « Ainsi donc nous devons poser comme cause de la participation *non seulement..., mais en outre...* » (*ibid.*, 317). « Nous avons donc trois sortes de causes de la participation...; la participation se produisant selon ces causes, tu vois comment il est possible de la comparer à un *reflet...*; et si on la compare à un *sceau*, c'est d'une autre manière...; enfin, on peut la comparer aussi aux *images...*; et si chacune *à part* est impuissante à faire comprendre le fait [de la participation] *dans son tout*, il ne faut pas s'en étonner. Car toutes ces explications [*discursives*] sont divisibles et sensibles, et elles sont incapables d'embrasser la nature particulière et propre [par définition *ineffable*] des causes invisibles et divines : mais ce serait déjà une chose heureuse si, à l'aide du raisonnement [discursif], nous pouvions seulement la montrer [à la contemplation silencieuse]... Puisqu'on établit habituellement trois modes de participation, l'empreinte, le reflet et la ressemblance... un des plus beaux esprits a conclu tout de suite que la participation a lieu *de toutes* ces manières... » (*ibid.*, 317-320).

Peu importe que ce « bel esprit » soit Amélius ou Syrianus. Ce qui importe c'est que Proclus ait décidé de le suivre : « Car, à ce qu'il *me* semble, il y a *beaucoup* [!] de modes de participation... » (*ibid.*, 335). Or, du moment que nous le savons, nous n'avons pas besoin de le suivre, puisqu'il est certain qu'il finira tôt ou tard par se contredire explicitement. Il suffira donc, pour terminer, de citer le passage où il le fait : « ... Nous dirons que les Espèces *ont et n'ont pas* de communauté avec les choses qui en participent » (Chaignet, II, 40).

Sans doute, Proclus essaiera de se rattraper, en *séparant* les Idées transcendantes des Idées immanentes. Mais puisqu'il ne parle ni du pourquoi de cette séparation ni du comment de la coprésence de ce qu'il sépare, nous n'avons pas besoin de nous y attarder.

En résumé, Proclus remarque très justement dans son *Commentaire* que l'on trouve dans le *Parménide* un exposé des trois Théories des universaux possibles, les Théories *in re* et *post rem* y étant exposées explicitement et la Théorie *ante rem* implicitement. Mais il veut faire croire à tort que Platon admettait la validité de toutes ces Théories et non seulement celle de la dernière. D'après Proclus, les trois Théories peuvent et doivent être affirmées à la fois, à condition de les rapporter à trois types distincts d'Universaux, qui sont respectivement des Idées au sens de l'« Idéalisme »platonicien, des Essences au sens du « Réalisme » aristotélicien et des Sens au sens du « Nominalisme » héraclitéen, les Idées étant transcendantes et « atomiques » et les Essences immanentes et « communautaires ».

En interprétant l'Un du *Parménide* comme un ensemble d'Universaux, Proclus le divise en quelque sorte en trois et obtient ainsi trois types d'Universaux coprésents : « Nécessairement donc la discussion [du *Parménide*]... recherche dans la *première* [Hypothèse], quel rapport l'Un, qui est *supérieur à l'Être* [c'est-à-dire l'Universel *ante rem*], soutient et avec lui-même et avec les Autres; dans la *deuxième*, comment se comporte l'Un, qui est *immanent à l'Être* [c'est-à-dire l'Universel *in re*]; dans la *troisième*, comment se comporte l'Un qui est *plus pauvre d'essence* que l'Être [c'est-à-dire l'Universel *post rem*] et par rapport à lui-même et par rapport aux Autres » (Chaignet, II, 238). Ainsi, Proclus distingue en un certain sens trois Uns universels ou trois Universaux uns et il semble pouvoir dire, sans se contre-dire, que les Universaux transcendants ou « antérieurs » aux choses sont « atomiques », tandis que les Universaux immanents aux choses et « postérieurs » à elles sont « communautaires ». Mais en un autre sens, Proclus reconnaît qu'il s'agit en dernière analyse d'un seul et même Un ou d'un seul et même ensemble uni-total d'Universaux. Et il doit alors expliciter lui-même la contradiction parathétique en affirmant que l'Un est « à la fois » ET transcendant ET immanent ou que les Universaux sont « à la fois » ET atomiques ET communautaires. En prétendant, bien entendu, que tel est l'avis que Platon lui-même exprime dans le *Parménide*. Selon Proclus, ce dialogue a pour but « de prouver, par l'argument hypothétique *tout entier, à la fois* ET la *communauté* de ces cadres divins [c'est-à-dire des Universaux] ET la *pureté sans mélange* de chacun d'eux » (*ibid.*, II, 252).

Seulement, Proclus se rend bien compte de la contra-diction que tout cela implique, puisqu'il se croit finalement obligé de rassurer le lecteur : « Il ne faut pas se laisser troubler en voyant la multitude [contra-dictoire] des Hypothèses, ni croire qu'il [Parménide = Platon] ne se renferme pas dans les limites de la méthode qu'il a proposée [mais se contre-dit lui-même] ni qu'il s'écarte de la recherche de l'unité [hénade] en traitant des Principes [*archon*, au sens d'Universaux], mais reconnaître qu'il nous en montre *à la fois* ET l'union [communautaire, voire l'immanence] ET la distinction [atomique, voire la transcendance] » (*ibid.*, II, 253).

Or, si les railleries d'un Damascius (= « Marinus ») nous montrent que Proclus n'a certainement pas réussi à « rassurer » tous ses élèves, le passage cité permet de supposer que lui-même n'a nullement été dupe de son propre camouflage des contradictions de la Para-thèse païenne de la Philosophie [57].

*

[CONCLUSION : *Proclus.*] — D'une manière générale, Proclus se présente comme un *conservateur* convaincu dans le domaine philosophique. Dans la mesure où la Philosophie a pour lui un avenir, celui-ci ne peut consister que dans une re-production du passé. Mais pour que le passé puisse se re-produire indéfiniment tel quel, il faut [et il suffit] qu'il soit vraiment lui-même *identique* à soi-même. Or, le passé philosophique auquel Proclus avait affaire était au contraire dé-doublé en lui-même, voire contra-dictoire de soi-même, la contra-diction initiale entre Parménide et Héraclite s'étant finalement re-produite en tant que contra-diction entre Platon et Aristote. Pour assurer à la Philosophie du passé un avenir indéfini, il fallait donc, au temps de Proclus, lui donner ou re-donner l'unité. Pratiquement, il s'agissait de réconcilier Aristote avec Platon, afin de pouvoir concilier Héraclite avec Parménide. La ré-conciliation entre le Platonisme et l'Aristotélisme (le Stoïcisme) fut l'œuvre de l'Éclectisme païen, qui culmine dans le Système néo-platonicien inauguré par Plotin et Porphyre.

C'est ce Système éclectique néo-platonicien que Proclus s'applique à perfectionner et qu'il réussit à parfaire. D'une part, il complète le Système en y introduisant plus d'éléments empruntés à Platon et à Aristote qu'on n'avait réussi à y introduire auparavant, de sorte que le Système procléen se présente effectivement comme une « somme » du Platonisme et de l'Aristotélisme, où chacun des deux est développé *complètement* (sous une forme d'ailleurs dogmatisée). D'autre part, Proclus a grandement amélioré les « raccords » entre ces deux Systèmes « contraires » ou, plus exactement, il a camouflé au mieux (et en tout cas mieux qu'on ne l'avait fait auparavant) les « lacunes » inévitables entre ces deux discours qui, en fait, se contre-disent.

De ce point de vue, Proclus apparaît, à la suite de néo-platoniciens tels que Jamblique ou Syrianus, comme un continuateur de l'œuvre de Porphyre-Plotin, qui a amené à son terme l'entreprise commencée par ces derniers. Mais on a l'impression que Proclus lui-même ne se contentait pas de ce rôle d'épigone et voulait se présenter comme inaugurant une étape nouvelle, d'ailleurs finale, de l'histoire de la Philosophie, au cours de laquelle celle-ci se trans-formerait en Système du Savoir ou en Discours uni-total. Seulement, d'après Proclus, l'unité du discours total final ne pouvait être que le rétablissement ou la re-présentation de l'unité du discours initial : l'avenir éternel que voulait inaugurer Proclus ne pouvait être, pour lui, qu'un retour à l'éternel passé. Pratiquement, cela signifie que Proclus ne s'était pas contenté de parachever la tâche à laquelle avaient travaillé Plotin et ses émules néo-platoniciennes et qui consistait à ré-concilier Platon et Aristote, en re-produisant l'unité du Système « socratique », censé être total. Pour Proclus, la ré-conciliation d'Aristote avec Platon n'était qu'une condition, d'ailleurs nécessaire et suffisante, d'une conciliation entre Parménide et Héraclite. Or, d'après lui, cette conciliation n'était elle-même qu'une ré-conciliation. Parménide et Héraclite n'ont pu et dû se contre-dire que parce qu'ils avaient dé-composé l'unité du Discours total primordial, qui était en fait la Sagesse (discursive) de toujours. Et ils n'ont dé-doublé ce Discours uni-total du passé que parce qu'ils ont voulu à tout prix se contre-dire dans le présent et léguer leurs contra-dictions à l'avenir.

En fait, la contra-diction parménido-héraclitéenne s'est maintenue jusqu'à l'époque de Proclus, en dépit des efforts de ses prédécesseurs néo-platoniciens. Mais Proclus a eu la prétention de ré-concilier dans et par son propre Système uni-total, les prétendus Systèmes, en fait partiels, de Parménide et d'Héraclite. Aussi bien, le Système procléen est-il censé re-produire dans le présent et re-présenter pour l'avenir, sous une forme « structurée » ou « systématique », l'uni-totalité du Discours primordial, éternel, qui s'était présenté dans le passé et qui s'est maintenu, sous une forme « inarticulée » ou « mystico-poétique », en tant que discours attribué à Pythagore, à Orphée ou, pour remonter plus loin encore, aux Oracles chaldéens.

Cela étant, le Système procléen n'est pas (ni pour Proclus ni pour nous), une Théorie (théologique) dogmatique. Car les Oracles chaldéens, les Hymnes orphiques et les Écrits pseudo-pythagoriciens n'étaient pas, pour Proclus, des Révélations divines, en fait « silencieuses » (c'est-à-dire « symboliques », mais non à proprement parler discursives), du Divin ineffable, qu'il s'agissait de trans-former en Dogmes [para-] discursifs [c'est-à-dire en « graphies », voire en « noms propres »], afin de pouvoir en déduire [tant bien que mal] un Discours par défini-tion fragmentaire, mais censé être « cohérent » (et donc dis-

cursivement « irréfutable »). Le point de départ de Proclus est
un Discours humain, à savoir la contra-*diction* entre Platon
et Aristote, et son but est de supprimer cette *contra*-diction
sans lui enlever son caractère discursif. Quant au moyen de le
faire, il consiste, d'après Proclus, dans une réduction de la
contra-diction dérivée platono-aristotélicienne à la contra-
diction originelle éléato-héraclitéenne, qui peut être supprimée
dans et par la re-production du Discours uni-total primordial
qui l'a produite en se dé-doublant. A première vue, Proclus
avait procédé de la même façon dont procède plus tard Hegel.
Mais le fait que, pour Proclus, le Système du Savoir était non
pas un Discours qui devait être parachevé (ou uni-totalisé)
dans l'avenir, mais un Discours déjà achevé dans le passé,
montre comment et pourquoi Proclus avait échoué là où Hegel
a réussi. C'est que, pour nous, le Discours (philosophique)
n'était, en fait, achevé ni au temps de Proclus ni, encore moins,
avant lui. Au temps de Proclus, l'ensemble du Discours était
contra-dictoire, de sorte qu'en refusant de dépasser ce Discours
dans l'avenir on ne pouvait éviter la contra-diction discursive
dans le présent qu'en revenant au passé silencieux, qui précède
le Discours en tant que tel ou, tout au moins, le Discours philosophique.

Dans la mesure où nous distinguons dans le Silence (autre
que celui qui s'établit après l'achèvement du Discours uni-
total et qui est le silence de mort de quelqu'un qui a accédé à
la Sagesse discursive) entre le silence qui suit la Question
(discursive ou logo-gène) à laquelle on n'a pas encore donné de
Réponse (discursive) et le silence qui résulte d'un renoncement
au Discours en tant que tel (et qui est humain et non bestial
dans la mesure où ce renoncement est « conscient » et qui,
lorsque le renoncement est « volontaire », se présente comme
Sagesse silencieuse), nous pouvons dire que c'est ce dernier
silence que Proclus a choisi en fait, d'ailleurs « consciemment »,
mais non « volontairement » : « en fait » — parce que son
prétendu Système soi-disant définitif est contradictoire dans
les termes et parce que tout discours qui présente la contra-
diction qu'il implique comme irréductible, équivaut au silence;
« consciemment », — parce qu'il s'est visiblement rendu compte
du caractère contradictoire de son propre discours et parce
qu'il savait fort bien que les « Oracles chaldéens » auxquels il
identifiait son soi-disant discours n'étaient discursifs qu'en
apparence (étant en fait un ensemble de « symboles » ou de
« noms propres » dénués de toute espèce de sens et notamment
de sens commun); « mais non volontaire » — parce qu'il ne
voulait ni se taire ni se contre-dire, mais aurait de loin préféré

pouvoir parler sans contra-diction, c'est-à-dire de la façon dont parlera plus tard Hegel.

Ainsi, en dernière analyse, le soi-disant Système procléen n'est, en fait, ni Sagesse discursive ni Sagesse silencieuse. En fait, ce prétendu Système soi-disant discursif est l'expression verbale du silence verbeux et bavard qu'est le Scepticisme désabusé ou nihiliste et qui est tout autre chose que l'*Epokhê* philosophique « sceptique » ou le renoncement *provisoire* de répondre à la Question, faute de pouvoir le faire sans se contredire. Du moins c'est ce que le Système éclectique procléen est pour nous. Mais il se peut que ce soit aussi ce qu'il a été, en dernière analyse, pour Proclus lui-même [58].

Or, si Proclus a refusé de re-poser la Question philosophique primordiale de « Thalès » autrement que ne l'avait fait « Socrate », ce n'est probablement pas seulement parce qu'il n'aurait pas pu y répondre « immédiatement » lui-même autrement que ne l'avaient fait Platon et Aristote, mais parce qu'il ne voulait pas que qui que ce soit y réponde plus tard en y répondant autrement que ceux-ci.

En fait, la Question « socratique » a été renouvelée par des philosophes dits « modernes », en commençant par Descartes et en finissant par Kant, qui la re-pose sous une forme explicite et complète. Et c'est Hegel qui y répondit. Mais cette Question a été re-posée ou renouvelée précisément parce que ceux qui se la posèrent se rendaient compte du fait que la Réponse irrémédiablement contra-dictoire qui lui a été donnée par Platon et Aristote était foncièrement insuffisante. Or, ils s'en sont rendu compte parce que les Théologiens judéo-musulmano-chrétiens avaient montré l'insuffisance du Paganisme en tant que tel, que les Systèmes contra-dictoires de Platon et d'Aristote épuisaient, à eux deux, complètement, du moins dans sa transposition philosophique. C'est parce qu'il était chrétien que Kant a voulu et pu transformer le Platonisme et l'Aristotélisme païens de façon à les « fusionner » (et non plus « additionner ») en une seule et même Parathèse synthétique (d'ailleurs contra-dictoire), trans-formable en Système du Savoir et effectivement trans-formée par Hegel.

Sans doute Proclus ne pouvait-il pré-voir (c'est-à-dire prédire) ni la Parathèse synthétique kantienne ni, encore moins, la Synthèse hégélienne, puisque, comme l'expérience historique l'a montré, ce n'est qu'à la suite de plusieurs siècles d'efforts philosophiques (fournis par la Scolastique judéo-musulmano-chrétienne) qu'on a pu dégager la philosophie impliquée dans la Théologie dogmatique judéo-chrétienne de la fange philosophique païenne dans laquelle l'ont enrobée

les efforts conjoints des Théories théologiques pseudo-philosophiques du Judaïsme philosophique et du Christianisme patristique qui furent tous les deux foncièrement « apologétiques »
par rapport au Paganisme). Mais Proclus n'ignorait ni Philon
ni les Pères de l'Église, et les difficultés auxquelles ceux-ci se
heurtaient, lorsqu'ils voulaient introduire le contenu discursif
des dogmes judéo-chrétiens dans le cadre de la Philosophie
païenne, ne pouvaient pas échapper à un technicien de la philosophie aussi averti que lui. Proclus devait donc se rendre compte
du fait qu'il n'était pas possible de re-poser la Question « socratique » autrement que ne l'ont posée Platon et Aristote, sans
devoir y répondre tôt ou tard par une Philosophie ou une Sagesse
foncièrement différente de la Sagesse ou de la Philosophie
païennes, voire platono-aristotélicienne ou néo-platonicienne.
En d'autres termes, Proclus s'est rendu compte qu'il devait
ou bien re-poser telle quelle la Question philosophique posée
par Platon et Aristote et donc re-donner telles quelles leurs
Réponses (en les « additionnant » dans un Système « éclectique »), ou bien y répondre autrement en le re-posant diffé-
remment, c'est-à-dire en renvoyant au Paganisme. Or, c'est
précisément ce qu'il refusait de faire : consciemment et volontairement.

En résumé, Proclus n'a pas pu faire ce qu'il aurait voulu,
à savoir ce que fera Hegel, parce qu'il ne voulait pas faire au
préalable ce que, plus tard, fait Kant et ce qui supposait dans
son cas une conversion au Christianisme. En dernière analyse
(psychologique), Proclus n'est devenu ni le premier philosophe
« moderne » ni même un des Pères de l'Église, parce qu'il
refusait d'être « révolutionnaire », étant un « conservateur »
convaincu. Plus exactement, puisque Proclus voulait conserver
le Paganisme, voire la Philosophie païenne, à une époque
irrémédiablement chrétienne, où l'on cherchait déjà (bien
qu'encore à l'aveuglette) une expression philosophique du
Christianisme, il fut un conservateur *conscient* de son conser-
vatisme, c'est-à-dire un Réactionnaire au sens fort et propre
de ce terme. Or, Proclus a fait figure de réactionnaire non seulement à ses propres yeux, mais encore aux yeux de tous ses
contemporains, ce qui lui a permis précisément d'avoir été, en
fait et pour nous, le dernier des philosophes païens qui, en tant
que dernier, ne pouvait être qu'éclectique, c'est-à-dire « néo-
platonicien » [59].

[CONCLUSION : *Néo-platonisme.*] — Dans la mesure même
où Proclus avait voulu ré-concilier dans et par son Système,
non seulement Platon et Aristote, mais encore Parménide et

Héraclite, il a rendu impossible tout « retour en arrière » dans le domaine philosophique.

D'une part, en montrant clairement que la problématique de Platon suscitait nécessairement des réponses aristotéliciennes tandis que les réponses d'Aristote ressuscitaient en fait les problèmes platoniciens, Proclus a fait voir qu'il était philosophiquement tout aussi impossible d'être Platonicien uniquement ou exclusivement que d'être exclusivement ou uniquement aristotélicien. En lisant Proclus, on constatait qu'il suffisait de suivre docilement Platon pour aboutir tôt ou tard à Aristote et qu'en suivant pas à pas ce dernier, on revenait fatalement à son maître. Autrement dit, Proclus a montré que si on ne voulait pas renoncer à la fois à Platon et à Aristote, on était obligé de les accepter tous les deux. Ce qui voulait précisément dire que l'on ne pouvait maintenir le Platonisme et l'Aristotélisme philosophiques que dans et par le Système philosophique « néo-platonicien », par définition éclectique.

D'autre part, en montrant nettement (à la suite, d'ailleurs, de Platon) que le Platonisme avait ses sources lointaines en Parménide, tandis que l'Aristotélisme remontait en dernière analyse à Héraclite [60], Proclus a fait voir qu'il était tout aussi impossible de suivre Parménide ou Héraclite sans arriver tôt ou tard à Platon ou à Aristote, que de développer l'Éléatisme à l'exclusion de tout Héraclitéisme, ou *vice versa*. Autrement dit, Proclus a montré que tout « retour à Parménide » ou à Héraclite était tout aussi vain qu'un « retour à Platon » ou à Aristote, vu que dans les deux cas on aboutissait finalement au Système néo-platonicien et donc, en dernière analyse, à celui de Proclus.

Cela étant, nous pouvons dire que Proclus a vu et montré que dans l' « hypothèse » de la Philosophie, c'est-à-dire dans la mesure où l'on posait la Question philosophique de « Thalès », on devait y répondre à la fois par la Thèse éléatique et par l'Anti-thèse héraclitéenne. Or, la constatation du caractère contra-dictoire de la coprésence de ces deux Réponses antithétiques ou « contraires », voire de la « contradiction dans les termes » des Systèmes éclectiques « présocratiques » qui les additionnaient incitait à re-poser la Question philosophique dans une forme « socratique » ou parathétique. Mais cette nouvelle Question suscitait comme Réponse à la fois la Parathèse thétique du Platonisme et la Parathèse antithétique de l'Aristotélisme, la coprésence inévitable desquelles se présentait tout d'abord comme leur « addition » dans et par le Système éclectique « socratique » ou « néo-platonicien ».

En montrant ainsi que l'avance vers le Néo-platonisme était inévitable ou nécessaire et que, par conséquent, tout recul philosophique serait sinon impossible, du moins inutile et vain, Proclus a en fait mis fin (au sein de la Philosophie païenne) à toute velléité de « retour à... » qui que ce soit. Mais, de son point de vue, il ne suffisait pas d'avoir découragé définitivement ceux qui auraient voulu revenir en deçà du Néo-platonisme (procléen). Il fallait encore décourager par avance tous ceux qui croyaient pouvoir aller au-delà de celui-ci.

Proclus s'est rendu compte du fait [vu par Spinoza, re-vu par Kant et dé-montré par Hegel] qu'il ne pouvait le faire qu'en dé-montrant le caractère uni-total du Système néo-platonicien (procléen), voire en montrant le caractère « circulaire » du discours qui le constituait. Or, c'est précisément dans cette dé-monstration que Proclus a échoué. Car, pour nous, le soi-disant Système procléen n'est, en fait, nullement « circulaire ». Proclus ne réussit à faire voir la prétendue « circularité » de son Système qu'en montrant que le Silence « extatique » ou « mystique » auquel son discours aboutit en fin de compte, coïncide avec le Silence « absolu » de l'Un « divin » dont ce discours parle au début. Mais Proclus ne réussit nullement à déduire le contenu proprement *discursif* de son Système de ce qu'il y dit. Si Proclus dit pourquoi l'homme peut se taire, il ne dit pas comment il peut parler. Or, dans la mesure même où le discours procléen n'est pas *déduit* [par « négation » comme chez Hegel] du Silence qui le précède [et qui n'est « divin » que dans la mesure où le discours *humain* ne s'en déduit pas], le Silence qui suit ce discours n'est pas dé-montré comme « définitif » ou « absolu ». Autrement dit, le Silence procléen prétendument « final » se présente à nous comme étant en fait « relatif » ou « provisoire » et son discours, soi-disant uni-*total*, comme « fragmentaire » et donc susceptible d'être dépassé.

Ne pouvant pas montrer la circularité (inexistante) de son discours philosophique, en dé-montrant ainsi le caractère uni-total de son Système, Proclus a dû se contenter de camoufler les « lacunes » discursives de celui-ci, voire ses « contradictions dans les termes ». C'est d'ailleurs moins la totalité que l'unité du discours procléen qu'il s'agissait de faire voir. Car en s'adressant à des lecteurs païens [c'est-à-dire en renonçant à convaincre les chrétiens], Proclus ne connaît pas le risque de se voir opposer les discours fragmentaires qu'étaient les dogmes discursifs judéo-chrétiens comme ne trouvant pas leur place dans son discours censé être systématique [ces dogmes étant rejetés d'emblée comme « faux » au sens de « contradictoires dans les termes »]. C'est donc au camouflage des « contradictions » que

Proclus consacre son indéniable talent, pour ne pas dire génie « dialectique ».

Bien entendu, le camouflage de Proclus est beaucoup trop « savant » pour qu'on puisse supposer qu'il en a été dupe lui-même. Et c'est pourquoi on peut dire aussi qu'il n'y a pas de « procléens » proprement dits. Ceux qui se laissaient tromper par le camouflage n'étaient pas capables de comprendre la complexité « systématique » que ce camouflage exigeait. Et ceux qui réussissaient à comprendre le Système volontairement « compliqué » de Proclus ne pouvaient pas ne pas se rendre compte des « contradictions » que ce Système impliquait.

Par définition, les disciples « naïfs » de Proclus devaient ou bien re-dire les dires compliqués et complexes de leur maître en les simplifiant (car on n'aurait pu les compliquer davantage que si l'on n'était pas « naïf », auquel cas, par définition, on n'aurait nulle envie de le faire) ou bien s'adonner à une « naïve » histoire de la Philosophie en essayant de retrouver chez des auteurs du passé eux-mêmes tout ce que Proclus leur fait dire dans son propre Système. Et c'est ce que semblent avoir fait les auteurs de certains « mauvais » Commentaires postprocléens d'Aristote parvenus jusqu'à nous.

Quant à ceux qui comprirent vraiment le Système de Proclus, ils se rendirent par définition compte de son caractère « contradictoire ». Ils ne pouvaient donc l'accepter ni comme une Philosophie « provisoire », ni, encore moins, comme Système du Savoir « définitif »; tout en sachant, grâce à lui, que tout retour en arrière serait vain. Or, ces hommes « experts en la matière » devaient se rendre compte du fait que le discours procléen avait effectivement re-dit *tout* ce qui a été et pouvait être dit (en se contre-disant) dans le cadre du Paganisme discursif. Autrement dit, ces hommes devaient comprendre qu'on ne pouvait effectivement dépasser ce discours qu'en pré-disant des dires philosophiques judéo-chrétiens. Par conséquent, dans la mesure même où ils refusaient le Judéo-christianisme en tant que tel, leur refus du Système procléen signifiait à leurs propres yeux un renoncement à la Philosophie (pour nous à la philosophie païenne, mais pour eux à la Philosophie tout court).

En bref, Proclus a terminé l'évolution du Néo-platonisme (et donc de toute la philosophie païenne) parce qu'il a rejeté tous ceux qui l'ont compris (sans vouloir le dépasser en direction du Judéo-christianisme) vers le Scepticisme antiphilosophique (qui fut, d'ailleurs, le point de départ de toute l'entreprise néo-platonicienne ou éclectique). En effet, admettre que le Système procléen est à la fois « contradictoire » (ou « lacunaire ») et « indépassable », c'est reconnaître que le Discours philosophique ne peut pas être trans-formé en Système du Savoir ou Sagesse discursive, de sorte que la Philosophie, en tant que recherche amoureuse de cette Sagesse, est vouée à un échec certain.

D'où deux attitudes possibles vis-à-vis de la philosophie du passé, qui semblent avoir effectivement été prises toutes les deux après Proclus.

D'une part, on pouvait se consacrer à une histoire de la Philosophie qui serait non plus « naïve », mais « critique ». On essaiera alors de re-dire « en mieux » ou « en plus clair » (voire en plus court ou en plus long, selon le cas) les dires d'un philosophe donné (du passé), en mettant, s'il y a lieu, en lumière ses « contradictions internes », mais sans se préoccuper du fait qu'il est en contra-diction avec d'autres que lui. Et il semble que c'est ce que firent les auteurs de certains « bons » commentaires postprocléens d'Aristote [61].

D'autre part, on pouvait essayer d'écrire une histoire de la Philosophie [soi-disant] philosophique, où l'on aurait montré que la Philosophie se développe nécessairement de telle sorte qu'elle aboutit finalement au Système procléen, qui n'est rien d'autre que sa mort « naturelle », voire la « démonstration » de son impossibilité.

Il semble que c'est une telle histoire « philosophique » de la philosophie du passé (en fait païenne) qu'a voulu écrire Damascius. En tout cas, voici ce qu'il dit à la fin de sa *Vita Isidori,* qui n'est en fait qu'une parodie du Néo-platonisme et une satire de Proclus :

« Eupeithios [un néo-platonicien postprocléen, réel ou supposé] était un homme doué pour la Philosophie; pour la Philosophie qui n'est lésée ou corrompue par aucun mal *étranger,* mais seulement, comme disait Socrate, par un mal qui lui est *propre...* C'est pourquoi lui aussi [*Tim.,* 47, *b*] a dit qu'aucun bien supérieur à la Philosophie ne peut atteindre l'homme. Mais aujourd'hui celle-ci se trouve sur le tranchant d'un couteau; oui elle a véritablement atteint la sénilité supérieure; c'est à ce point qu'elle est arrivée » (*Vita Is.,* trad. Asmus, p. 129 s.).

[CONCLUSION : *Prodromes.*] — En se présentant aux yeux de tous comme le « dernier » Néo-platonicien et en rejetant de ce fait ses disciples païens vers le Scepticisme antiphilosophique, Proclus mit fin à la période de l'histoire de la Philosophie que j'ai appelée « Les prodromes païens de la Para-thèse synthétique ».

En effet, cette période a commencé au moment où la coprésence contra-dictoire du Platonisme et de l'Aristotélisme

a incité certains philosophes à douter de la Philosophie en tant
que telle, voire à y renoncer en la déclarant « impossible ». Certains s'adonnèrent alors au Dogmatisme théorique : théologique,
scientifique ou moral. D'autres cherchèrent un refuge en dogmatisant la Philosophie (du passé). Or, c'est précisément la coprésence contra-dictoire du Platonisme et de l'Aristotélisme
dogmatisés qui engendre le besoin d'un « Système » (paraphilosophique) éclectique, qui fut effectivement·élaboré par les
Néo-platoniciens.

Or, en achevant l'évolution du Néo-platonisme, Proclus
rejette les philosophes païens, qui ne pouvaient désormais être
que néo-platoniciens-procléens, vers le même Scepticisme antiphilosophique qui engendre la paraphilosophie « systématisée »
finalement par le même Proclus. Il n'était donc plus possible
de se faire des illusions, en essayant de sauver la Philosophie
par une dogmatisation des doctrines philosophiques du passé
(païen). Si on voulait sortir du Scepticisme quel qu'il soit (formaliste, nihiliste ou relativiste), il fallait désormais accepter un
quelconque Dogmatisme théorique. Seulement, dans la mesure
même où l'on reconnaissait l'échec de la philosophie (païenne)
du passé, on ne pouvait plus accepter des Théories dogmatiques pseudo-philosophiques. C'est donc vers un Dogmatisme
théorique « pur » qu'on a été poussé après Proclus.

En principe, rien n'empêchait de s'adonner à la Théologie,
à la Science ou à la Morale dogmatiques du passé païen. Et certains durent le faire effectivement [62]. Mais rien ne s'opposait
non plus à ce qu'on s'adonne aux Théories dogmatiques nouvelles, déjà élaborées par les Judéo-chrétiens bien avant Proclus. En tout cas, il n'y avait plus aucune raison *philosophique*
de préférer les unes aux autres, vu que les unes avaient cessé et
que les autres n'avaient pas encore commencé à prendre des
aspects [pseudo-]philosophiques.

Dans l'histoire philosophique de la Philosophie qu'est la
présente iiie introduction, il n'est nécessaire de dire ni
comment est né le Judéo-christianisme (en tant que parathèse
judéo-païenne du Paganisme thétique et du judaïsme antithétique), ni pourquoi il s'est substitué au Paganisme à l'époque
de Proclus, du moins dans le cadre de l'Empire romain. Il
suffit de le constater, mais il faut le faire d'une façon précise.

A l'époque considérée et dans le cadre en cause, le Discours
pratique était « mixte ». Si les Ordres étaient encore donnés et
reçus dans leur forme purement païenne (thétique), les Prières
de forme judaïque (antithétique) coexistaient déjà avec celles
de forme païenne (thétique), cette coexistence se présentant
en tant que Prières de forme chrétienne (parathétique). Par

contre, il n'y avait pas encore de Commandements proprement chrétiens. En effet, le Commandement est une parathèse de la prière thétique et de l'Ordre antithétique. Or, il n'y avait plus d'Ordres judaïques et il n'y avait pas encore d'Ordres chrétiens dans l'Empire romain à cette époque. Dans la mesure où les Commandements n'étaient pas purement païens, il ne pouvait donc s'agir que de Commandements « éclectiques », où l'élément-constitutif de l'Ordre païen était simplement « additionné » avec l'élément-constitutif de la Prière, soit judaïque soit chrétienne.

Par conséquent, lorsqu'un Intellectuel « romain » de l'époque procléenne voulait théorétiser le Discours pratique contemporain, il ne pouvait théorétiser que la Prière. Car la théorétisation de l'Ordre (purement païen) ne donnait rien de nouveau par rapport aux Théories (païennes) anciennes, tandis que la théorétisation du Commandement (païen ou « éclectique ») aboutissait à des Théories « contradictoires dans les termes » dès qu'elle s'écartait de l'ancienne Théorie (païenne). Ainsi, les *nouvelles* Théories « romaines » de l'époque considérée étaient toutes des Théories *théologiques*, soit judaïques, soit chrétiennes.

Or, puisque ces Théories théologiques judéo-chrétiennes se constituaient en présence des Théories traditionnelles païennes qu'elles contre-disaient explicitement, elles provoquaient d'emblée des réactions sceptiques et se dogmatisaient, par conséquent, en quelque sorte à l'état naissant. Ainsi, à l'époque de Proclus, l'Empire romain ne connaissait en fait de Théorie nouvelle que les Théologies dogmatiques, judaïques ou chrétiennes. Par conséquent, aucune philosophie nouvelle ne pouvait y naître à cette époque, vue que la Philosophie, en tant que Discours synthétique, sup-pose les trois Discours exclusifs ou théoriques et non pas seulement le Discours exclusif thétique ou théologique.

N'ayant pas à leur disposition de philosophie nouvelle (judéo-chrétienne), les Intellectuels qui voulaient donner une forme pseudo-philosophique aux nouvelles Théologies dogmatiques devaient donc faire appel à l'ancienne philosophie (purement païenne), d'ailleurs dogmatisée. C'est ainsi que naquirent des pseudo-philosophies (ou, plus exactement des Théories dogmatiques pseudo-philosophiques) « hybrides » ou « mixtes », où une Théologie dogmatique, judaïque ou chrétienne, développée dans un langage pseudo-philosophique en fait païen, voisinait avec une Science pseudo-philosophique purement païenne et une Morale pseudo-philosophique, où la forme païenne (pseudo-philosophique) recouvrait son contenu (théorique, dogmatique) également païen ou « éclectique ». D'ailleurs, en pratique, les Théories scientifiques étaient généralement négligées et les Théories morales pseudo-philosophiques avaient le plus souvent pour contenu ou base des dogmes purement païens. Ainsi, à l'époque de Proclus, la Théorie (dogmatique) judéo-chrétienne affronta la Philosophie (dogmatisée) païenne dans le domaine de la Théologie et non de la Morale, ni, encore moins, de la Science proprement dite.

Or, si la Théologie dogmatique judéo-chrétienne « pure » (c'est-à-dire non revêtue d'une forme pseudo-philosophique) s'opposait explicitement à la Théologie païenne comme une anti-thèse à la thèse (tout en se présentant d'ailleurs elle-même comme « thétique »), la Théologie pseudo-philosophique chrétienne et judaïque de l'époque procléenne cherchait, au contraire, à dissimuler cette opposition de fait, précisément parce qu'elle était obligée de se servir du langage philosophique païen, faute de pouvoir faire appel à une philosophie nouvelle, authentiquement judéo-chrétienne, vu que celle-ci n'existait encore pas et ne pouvait encore exister. Cette Théologie s'opposait explicitement non pas à la Philosophie païenne à laquelle elle empruntait [à tort] son langage [pseudo-] philosophique, mais à la Théologie païenne qui utilisait [avec raison] le même langage qu'elle-même. D'après la Théologie pseudo-philosophique judéo-chrétienne, la Philosophie païenne n'était « erronée » que dans la mesure où elle utilisait des Dogmes théologiques païens. Il suffisait donc qu'elle y substitue des Dogmes théologiques judaïques ou chrétiens pour être « vraie » (au sens « exclusif » de ce terme).

Pour nous, cependant, la situation était en fait l'inverse de ce qu'elle était pour le pseudo-philosophe judéo-chrétien. Étant une trans-formation de la Théorie païenne prise dans son ensemble (issu du Discours pratique païen), la Philosophie païenne « excluait » en fait la Théorie judéo-chrétienne quelle qu'elle soit. Aussi bien n'était-il possible d'insérer un dogme théologique judéo-chrétien dans une quelconque philosophie païenne qu'en substituant à ce dogme (ne serait-ce que tacitement) un dogme « correspondant » en fait païen (quitte à continuer à exprimer ce dogme par un langage emprunté à la Dogmatique judéo-chrétienne).

Le fait est que les Théologiens proprement dits (judaïques et chrétiens) furent les premiers à s'apercevoir de cet état de choses. Pour eux, le contenu du dogme était une donnée première fixe (d'ailleurs « révélée »), sa forme éventuellement [pseudo-] philosophique étant quelque chose de secondaire, variable et facultatif. Ils constatèrent donc rapidement que toutes les tentatives qu'on faisait à l'époque pour donner à ces dogmes une forme [pseudo-] philosophique aboutissaient en dernière analyse à la négation de fait de ceux-ci au profit d'un rétablissement des dogmes païens «contraires». Ils s'opposèrent dès lors aux tentatives de ce genre et déclarèrent « inutile » (puisque théologiquement inutilisable) la Philosophie elle-même. Pour nous, ils ne « condamnaient » ainsi, en fait, que la Philosophie païenne. Mais, pour eux-mêmes, il s'agissait de la Philosophie tout court, puisqu'ils ne connaissaient et ne pouvaient alors connaître aucune autre.

Par contre, chez les pseudo-philosophes (théologisants), la « forme » [pseudo-] philosophique importait plus (pour nous, sinon pour eux-mêmes) que le « contenu » théologique. Ils s'acharnèrent donc, pendant longtemps, soit à nier l'évidence de leur paganisme de fait, soit à chercher une «forme»[pseudo-] philosophique qui laisserait intact le « contenu ».

C'est cet état de choses qui caractérise la situation pendant toute la période patristique et scolastique de l'histoire de la Philosophie (occidentale). Les Théologiens (juifs, musulmans et chrétiens) s'appliquaient soit à supprimer (par la force) toute philosophie, soit à interdire (par la violence) les formes pseudo-philosophiques qui déformaient le contenu des dogmes théologiques proprement dits. Quant aux pseudo-philosophes, ils résistaient (passivement) autant qu'ils le pouvaient, tout en cherchant une solution satisfaisante pour les deux partis en cause. Et ce n'est qu'au moment (c'est-à-dire à la fin du Moyen Age) où ils constatèrent eux-mêmes l'impossibilité de l'entre-prise qu'ils y mirent fin « volontairement » et donc avec efficacité. Certains « réactionnaires » endurcis revinrent alors au Paganisme intégral. Mais quelques « révolutionnaires » résolus s'appliquèrent à élaborer une Philosophie nouvelle, effective-ment compatible avec le « contenu » des dogmes judéo-chrétiens. Ils le firent dans la mesure où ils ne voulaient ni revenir au paganisme ni renoncer à la philosophie, tout en constatant que la Philosophie ancienne, c'est-à-dire païenne, « excluait » en fait tout ce qui n'était pas païen [63].

On sait que l'élaboration de la nouvelle Philosophie judéo-chrétienne fut achevée par Kant. On peut dire aussi qu'elle commença *explicitement* avec la philosophie dite « moderne », c'est-à-dire avec Descartes. Mais, implicitement, cette élabora-tion occupe tout le Moyen Age scolastique et elle commença à l'époque dite « patristique », c'est-à-dire dès avant Proclus.

Or, Proclus contribua grandement à la prise de conscience philosophique de la contra-diction entre le Paganisme et le Judéo-christianisme. Sans la « somme » des philosophies païennes qu'est le Système « éclectique » procléen, on n'aurait pas pu se rendre compte du fait que le Judéo-christianisme contredisait la Philosophie païenne *prise dans son ensemble*, et donc le Paganisme en tant que tel. On peut donc dire que, sans un Proclus, il n'y aurait pas eu de Kant, c'est-à-dire de Para-thèse synthétique de la Philosophie.

On peut donc dire, en résumant, que le Néo-platonisme qui culmine en Proclus et qui sup-pose la dogmatisation de la Philosophie païenne à la suite des attaques du Scepticisme hellénistique antiphilosophique, constitue « les prodromes païens de la Para-thèse synthétique ».

[CONCLUSION : *Para-thèse païenne.*] — La précédente analyse du Système éclectique procléen a permis de faire l'inventaire de toutes les composantes de cette « somme » de la Philosophie païenne.

En se servant de ma terminologie, on peut dire qu'au lieu du Concept uni-total hégélien on trouve chez Proclus un « ensemble additif » de plusieurs concepts, qui sont coprésents, mais qui ne s'interpénètrent pas, chacun restant dans l'identité « exclusive » avec soi-même, en dépit du fait que chaque concept est censé coexister avec tous les autres concepts, tout en devant les « exclure » [64]. Il y a « en premier lieu » le Concept (parménidien) identifié à l'Éternité en tant que telle ou « absolue » (qui exclut la [Spatio-]temporalité sous toutes ses formes, y compris la distinction entre Passé, Présent et Avenir). Il y a « en plus » les Concepts (socratiques) compris comme des entités *éternelles* (où le Passé, le Présent et l'Avenir se *distinguent* sans être *différents*) et mises en relation avec l'Éternité. Ces Concepts sont au nombre de deux : « d'une part », celui pour lequel l'Éternité « relatée » se situe « en dehors » du Temps (au sens large) et, « d'autre part », celui pour lequel l'Éternité « relative » est située « dans » le Temps. « Enfin » il y a, si l'on veut, un quatrième « Concept », qui est compris comme une entité non pas « éternelle », mais « temporelle » (c'est-à-dire située dans la durée-étendue de l'Existence-empirique). Seulement, un prétendu « concept » pris et compris comme une entité « temporelle » au sens de « temporaire » est, en fait et pour nous, non pas le Concept proprement dit, mais une simple Notion [la notion d'un tel « Concept » étant ainsi non pas la notion (« individuelle ») du Concept, mais une notion de la Notion, voire la notion (« générale ») de l'ensemble de (toutes?) les Notions (« particulières »)]. De sorte qu'il est plus correct de dire que le Système éclectique procléen implique « en plus » des trois Concepts, un ensemble [en fait « in-défini ou

« ouvert »] de Notions. Ou, plus exactement encore, ce Système « additionne » trois notions (différentes) du Concept et une notion des (différentes) Notions [celles-ci étant en nombre in-défini dans la mesure où le processus de leur production est in-fini] [65].

Ce catalogue des notions procléennes du Concept permet de constater que l'on ne trouve dans le Système éclectique de Proclus ni la notion (kantienne) du Concept éternel mis en relation avec le Temps ni la notion (hégélienne) du Concept identifié au Temps. Par ailleurs, nous savons que les notions du Concept identifié à l'Éternité et compris comme une entité temporelle (ou temporaire) sont respectivement des notions thétiques et antithétiques, tandis que les notions du Concept compris comme une entité éternelle sont parathétiques. Or, la Para-thèse n'est rien d'autre que la coprésence de la Thèse et de l'Anti-thèse. Plus exactement, la Thèse et l'Anti-thèse proprement dites sont coprésentes en fait et pour nous (voire pour l'Éclectisme « présocratique »), mais non pour elles-mêmes, tandis qu'elles se présentent l'une et l'autre dans et par la Para-thèse, de sorte qu'on peut parler de biprésence (anti-thétique) dans le premier cas et de coprésence (parathétique) dans le second. Or, en fait, la biprésence antithétique se transforme elle-même en coprésence parathétique, de sorte que, pour nous, celle-ci *se substitue* à celle-là.

Autrement dit, pour Proclus lui-même, le Système éclectique ou « néo-platonicien » (procléen) implique « à la fois » la biprésence antithétique de la Thèse et de l'Anti-thèse (c'est-à-dire de l'Éternité et du temporel ou du temporaire), et leur coprésence parathétique (l'Éternel étant précisément la coprésence du Temporel avec l'Éternité). Mais, pour nous, un Système philosophique cesse d'être antithétique dans la mesure même où il devient parathétique. Pour nous, le Système éclectique procléen (et donc tout Système « néo-platonicien » qui le sup-pose et qu'il pré-suppose) appartient donc, en fait, à la Para-thèse philosophique.

Or, dans la Philosophie parathétique, il y a aussi une biprésence qui se trans-forme en coprésence. En effet, la coprésence parathétique est double. Elle est d'abord thétique, ensuite antithétique et finalement thétique et antithétique « à la fois » au sens de « en même temps ». Pendant *ce* temps, la Parathèse thétique et la Parathèse antithétique sont seulement biprésentes, en ce sens que, pour chacune d'elles l'autre « n'existe pas » ou, tout au moins, « ne devrait pas exister ». Elles coexistent (à deux) seulement en fait ou pour un Tiers, mais non pour elles-mêmes. Les Parathèses thétique et antithétique ne se présentent l'une à l'autre que dans et par la Parathèse synthétique et elles ne sont donc coprésentes au sens propre du terme qu'en tant que cette troisième Parathèse, d'ailleurs une et unique.

En fait, c'est par et pour Kant que les deux Parathèses thétique et antithétique ont « fusionné » en une seule et même Para-thèse synthétique. Mais, pour Proclus, les deux Para-thèses étaient censées devoir rester « éternellement » *séparées*, tout en « s'ajoutant » l'une à l'autre « de toute éternité ». Et c'est ce qui caractérise précisément l'ensemble de l'Éclectisme « socratique » ou « néo-platonicien ».

Pour les Platoniciens, la Parathèse thétique (« éternellement vraie »), exclut « de toute éternité » la Parathèse antithétique (« éternellement fausse »). De même pour les Aristotéliciens, c'est la Parathèse antithétique qui exclut la Parathèse thétique. Quant à Kant, c'est la Parathèse synthétique qui exclut, pour lui, les deux autres. Les Néo-platoniciens ne sont donc, en fait, ni platoniciens, ni aristotéliciens, ni kantiens, vu qu'ils admettent tous une (éternelle) biprésence des Parathèses thétique et antithétique et ignorent l'existence de la Parathèse synthétique. Cependant, ils ne sont pas non plus hégéliens. Car, pour Hegel, la Parathèse synthétique se substitue (dans le temps) aux Parathèses thétique et antithétique, qui coexistent (pour un temps) d'abord en s'excluant mutuellement et ensuite en s'ajoutant l'une à l'autre dans un Système éclectique. Par contre, pour les Néo-platoniciens eux-mêmes, la « somme » en question est censée devoir et pouvoir se maintenir « éternellement » (ayant d'ailleurs existé « de toute éternité », du moins d'après Proclus).

En bref, l'Éclectisme socratique ou néo-platonicien se situe en dehors de la Parathèse synthétique et fait partie de la Parathèse antithétique : il consacre la biprésence des Para-thèses thétique et antithétique en affirmant la permanence des deux.

Or, le fait est que le Néo-platonisme se situe dans le cadre païen, tandis que la Parathèse synthétique ou « kantienne » apparaît à la fin de l'époque judéo-chrétienne. On peut donc dire que le Platonisme, l'Aristotélisme et le Néo-platonisme constituent à eux trois (avec leurs « annexes » anti-, pseudo- et para-philosophiques) l'ensemble de la Para-thèse philosophique païenne.

[CONCLUSION : *Philosophie païenne.*] — Si le Néo-platonisme préprocléen est « éclectique » en ce sens qu'il « additionne » les Parathèses thétique et antithétique, le Système éclectique de

Proclus est une « somme » de ces deux Parathèses et de la Thèse ainsi que de l'Anti-thèse de la Philosophie. Ainsi, au terme de son développement, l'Éclectisme néo-platonicien n' « exclut » que la Parathèse synthétique kantienne et, bien entendu, la Synthèse philosophique qu'est le Système du Savoir hégélien. Or, la Parathèse synthétique se développe dans le monde judéo-chrétien, c'est-à-dire en dehors du Paganisme historique. On peut donc dire que le soi-disant Système procléen n'est rien d'autre, ni de plus que la « somme » de la Philosophie païenne prise dans son ensemble. Autrement dit, les « exclusions » ou les limites du Néo-platonisme procléen sont celles mêmes du Paganisme en tant que tel.

On peut se demander pourquoi Proclus et ses successeurs païens ont refusé de franchir les « limites naturelles » de la Philosophie païenne, en renonçant aux « exclusions » que celle-ci impliquait nécessairement.

En fait, la Philosophie est païenne dans la mesure même où elle « exclut » toute mise en relation du Concept avec le Temps (au sens large) et, partant, l'identification de celui-là avec celui-ci. En fait, la « limite naturelle » du Paganisme philosophique est constitué par la notion (aristotélicienne) du Concept (éternel) mis en relation avec l'*Éternité* située *dans* le Temps, mais non avec le Temps lui-même. *Pour nous*, Proclus et ses émules ne franchirent donc pas les « limites » du Paganisme parce qu'ils *refusèrent* de mettre le Concept (éternel) en relation avec le Temps. Mais il ne pouvait pas en être ainsi *pour eux-mêmes*. En effet, ils ne pouvaient avoir déjà *refusé* ce qu'ils ne connaissaient pas encore. Puisque Kant fut le premier à expliciter la mise en relation du Concept (éternel) avec le Temps, ce n'est qu'à partir de l'époque kantienne qu'on pouvait *refuser* cette mise en relation. Auparavant, on ne pouvait que l'*ignorer* (comme on a pu continuer à l' « ignorer » après Kant et jusqu'à nos jours). Si le refus de toute relation (celle de l'identité y compris) entre le Concept et le Temps équivaut à un *retour*, voire à une « rechute » dans le ou à une « renaissance » du Paganisme philosophique, le maintien de la Philosophie païenne ne peut être conditionné que par l'*ignorance* de cette relation.

Or, Proclus et ses émules païens n'étaient pas les seuls à ignorer la relation entre le Temps et le Concept. Bien au contraire, non seulement à l'époque procléenne, mais encore longtemps après, personne ne se doutait de l'existence de la relation en cause. On savait certes, dès l'époque d'Héraclite, que le Concept pouvait être compris comme une entité *temporelle* (au sens de temporaire). On savait en outre, depuis

Socrate-Platon, qu'une telle « compréhension » du Concept équivalait à sa négation pure et simple, le soi-disant « Concept » *(Logos)* temporel n'étant, en fait, qu'un ensemble (d'ailleurs « ouvert ») de *notions* (temporaires). Enfin, on savait encore, grâce à Platon, que si cette temporalisation (héraclitéenne) du Concept *(Logos)* transformait le Discours *(Logos)* en vain bavardage, son identification (éléatique) avec l'Éternité réduisait celui-ci au Silence absolu. Mais nul ne pouvait encore savoir que le Concept était, en fait, identique à la Spatio-temporalité, ni donc constater que le développement discursif de *cette* notion du Concept constituait, dans sa « circularité », le Discours uni-total, c'est-à-dire le Système du Savoir que recherchait la Philosophie.

En fait, on ne peut identifier (avec Hegel) le Concept avec la Spatio-temporalité qu'après avoir essayé (avec Kant) de le concevoir comme éternel, tout en le mettant en relation non plus avec l'Éternité mais avec le Temps. Par conséquent, tant qu'on ne faisait pas cet essai, tant qu'on ignorait jusqu'à la possibilité (discursive) de le faire, on était obligé d'affirmer [à tort] que tout refus de concevoir le Concept comme éternel en le mettant (avec Platon et Aristote) en relation avec l'Éternité (transcendante ou immanente) devait réduire le Discours *(Logos)* soit au Silence « absolu » parménidien, soit au Bavardage « indéfini » (héraclitéen), ce qui équivalait [effectivement] au renoncement à toute Philosophie proprement dite (c'est-à-dire non « sceptique »).

Or, Proclus et ses émules savaient que les Dogmes théologiques judéo-chrétiens ne pouvaient pas être insérés (sans contradiction) dans le Discours philosophique qui développait la notion du Concept (éternel) mis en relation avec l'Éternité. Ils savaient que ces Dogmes contre-disaient (du moins implicitement) la notion même d'un tel Concept. Pour eux, le développement discursif des Dogmes théologiques judéo-chrétiens devait donc nécessairement aboutir soit au Silence « mystique », soit à un Bavardage « rhétorique ». Et c'est précisément pourquoi ils refusaient ces Dogmes [66].

D'une manière générale, s'il était possible, pendant toute la période prékantienne, de refuser le Judéo-christianisme pour des raisons purement philosophiques, la Philosophie ne fournirait, jusqu'à l'époque de Kant, aucune raison pour accepter celui-ci au détriment du Paganisme. Ceux des soi-disant philosophes judéo-chrétiens (ou musulmans) qui croyaient pouvoir développer discursivement le Judéo-christianisme dans le cadre de la Philosophie païenne, ignoraient en fait soit celle-ci, soit celui-là et, généralement, les deux à la fois. En tout cas, à l'époque de Proclus, personne n'a fait appel au Judéo-christianisme pour l'unique raison de pouvoir répondre à la Question philosophique (« thalésienne » ou « socratique ») mieux que ne l'avait fait la Philosophie païenne du passé. Ceux qui (comme Damascius et peut-être Julien) se rendaient compte des « limites » de celle-ci, c'est-à-dire de son « insuffisance », renonçaient à la Philosophie en tant que telle (au profit soit du Scepticisme antiphilosophique, soit d'une Théorie dogmatique quelconque, pseudo-philosophique ou non). Quant à ceux qui ne s'en apercevaient pas, ils ne pouvaient vouloir introduire dans la Philosophie des éléments judéo-chrétiens que dans la mesure où ils les avaient acceptés pour des raisons extra-philosophiques.

En bref, le Judéo-christianisme s'est d'abord présenté au Paganisme (hellénistique) non pas comme une Philosophie judéo-chrétienne, mais comme une Théologie dogmatique (anti- ou pseudo-philosophique). Or, si l'on pouvait, dès le début, *refuser* le Judéo-christianisme (c'est-à-dire *maintenir* le Paganisme) pour des raisons tant *philosophiques* que *théoriques* (soit parce qu'on croyait [à tort] qu'il excluait toute philosophie, soit parce qu'on constatait [avec raison] qu'il contre-disait les Théories païennes théologiques, scientifiques ou moralistes, qu'on voulait [à tort] maintenir), c'est uniquement pour des motifs *théoriques* qu'on pouvait l'accepter, en reniant de ce fait le Paganisme. Et, pratiquement, c'est pour des raisons *théologiques* qu'on renonçait, au temps de Proclus, au Paganisme (philosophique ou non) au profit de la Théologie judéo-chrétienne. C'est parce que l'on a finalement préféré les Dogmes *théologiques* judéo-chrétiens au Dogme *théologique* païen qu'on a fini par abandonner le Paganisme philosophique et inauguré, sans s'en apercevoir, l'ère de la Philosophie chrétienne, qui se termine, sans qu'elle s'en aperçoive, avec Kant.

A l'époque de Proclus, personne ne pouvait *refuser* au sens fort, c'est-à-dire d'une façon « consciente et volontaire » la *Philosophie* judéo-chrétienne, pour la simple raison que celle-ci n'existait pas encore. Mais tout le monde pouvait *choisir* en connaissance de cause entre les *Théologies* théoriques (en fait dogmatiques) païenne et judéo-chrétienne, vu que les deux étaient fort bien connues dès cette époque dans tout l'Empire romain. Ainsi, en énumérant les Dogmes théologiques judéo-chrétiens que refusaient ceux qui voulaient rester païens, on peut voir ce qu'est l' « essence » même du Paganisme et donc, par voie de conséquence, ce que sont les « limites » ou les

« insuffisances », voire les « exclusions » de la Philosophie païenne en tant que telle.

On est généralement d'accord pour réduire la Théologie (dogmatique) judéo-chrétienne à cinq Dogmes fondamentaux et « spécifiques ». Ces Dogmes sont :

Monothéisme;

Trinité;

Creatio ex nihilo;

Péché originel;

Incarnation.

Or, en tenant compte du fait que le Paganisme a été contredit non seulement par le Judéo-christianisme, mais encore par le Judéo-islamisme et par le Judaïsme pur, on peut éliminer les Dogmes de la Trinité et de l'Incarnation. En outre, on peut faire abstraction du Monothéisme, car si les païens rejetaient l'unicité « exclusive » de Jahvé, c'est-à-dire du Dieu *anthropomorphe* des Juifs, ils admettaient volontiers le caractère monadique de la Divinité (transcendante) en tant que telle. Il suffisait donc de rejeter la création *ex nihilo* et le Péché originel pour rester païen, vu que l'Incarnation suppose ce dernier et que la Trinité spécifiquement chrétienne (et non « néo-platonicienne ») suppose l'Incarnation. D'ailleurs, sans l'acte de la Création *ex nihilo*, le Dieu du Judéo-christianisme ne serait pas *anthropo*-morphe au sens judéo-chrétien du terme et se confondrait avec le *Hen-Agathon-Theos* parménido-platonicien et donc païen.

Or, la Création *ex nihilo* est une *création* au sens propre et fort de ce terme, c'est-à-dire une Action, voire une Négation, c'est-à-dire, si l'on préfère, un acte de *liberté*. En effet, si toute activité « démiurgique » sur une « matière » *donnée* n'est qu'une trans-formation qui, par définition, maintient le trans-formé dans son identité « foncière » avec soi-même, on ne peut pas trans-former le Rien (Néant), vu qu'il n'y a *rien* à trans-former. Car même si tout ce qui est une chose quelconque peut être trans-formé (ou se trans-former) en n'importe quoi, sans s'anéantir pour autant, il faut *nier* (anéantir) le Néant pour qu'il y ait Quelque chose (de trans-formable ou non en quoi que ce soit). Le Dogme (judaïque) en question dit donc que toute activité (« positive ») trans-formatrice (et non créatrice) sup-pose un Acte créateur négateur (« négatif »), qui pré-suppose tout en ne sup-posant rien (sinon le Rien lui-même) et qui est de ce fait « souverain » ou « libre ». D'après ce Dogme, cet Acte créateur ou négateur est, d'ailleurs, *divin*, parce que, par définition, « premier » ou « archaïque », voire chrono-logiquement « antérieur » à tout, c'est-à-dire à tout ce

qui est quelque chose et donc aussi à la chose qu'est censé
[à tort] être l'être humain (qui n'est de ce fait qu'un être
trans-formateur ou « démiurgique », tout comme le sont les
dieux païens).

Or, si les païens refusent ce Dogme, c'est précisément parce
qu'ils ne veulent attribuer à Dieu (ou aux dieux) aucun Acte
négateur, quitte à renoncer à trouver dans leurs divinités tout
élément de souveraineté libre ou de Liberté souveraine, voire
de Création au sens propre du mot. Car, pour le Paganisme, le
Bien en tant que tel est une entité essentiellement *positive*,
toute *négation* étant nécessairement mauvaise, en tant que Mal
ou génératrice de maux. C'est donc dans le Cosmos « matériel » et plus particulièrement dans l'Homme que le Paganisme
situe la Négativité et l'Action négatrice, qui n'est créatrice
que dans la mesure où elle engendre le Mal par la négation
(sinon « souveraine » du moins « libre ») du Bien ou des biens.
En bref, les païens refusent le Dogme de la Création *ex nihilo*,
parce qu'il abaisse Dieu au niveau de l'Homme.

Quant au Dogme (judaïque) du Péché originel, les païens le
rejettent pour une raison diamétralement opposée. Ce qu'ils
nient, ce n'est pas le caractère « pécheur » de l'Acte humain
négateur (« libre »), créateur de maux, mais sa signification
« cosmique », voire la ré-action divine à cette humaine action (et
donc l'*inter*action entre les dieux et les hommes). D'après la
Bible, au vu de cette action humaine négative, Dieu « regrette »
son action créatrice du monde, tandis que, pour les païens,
Dieu ne saurait le faire (même s'il pouvait « regretter » quoi
que ce soit), pour la simple raison que les actes humains ne
peuvent rien changer au monde où ils se produisent, les trans-
formations de celui-ci étant réservées aux dieux. En bref, les
païens refusent le dogme du Péché originel parce qu'il élève
l'Homme au niveau du Dieu.

Ainsi, en dernière analyse, le Paganisme s'oppose au Judéo-
christianisme comme un Théisme au sens propre et fort de ce
mot qui refuse de dégénérer en Anthropo-théisme. Dieu n'est
pas Homme parce qu'il n'*agit* pas et c'est parce qu'il *agit* que
l'Homme n'est pas Dieu. Ou bien encore : Dieu n'est pas libre
et l'Homme (libre) n'est pas divin. Et c'est pourquoi le Dieu
païen ne peut s'incarner en aucun homme, tout en ne pouvant
pas être lui-même humain [67].

En fait, c'est la *transcendance* de la Divinité qui caractérise
le Paganisme et c'est cette transcendance théologique qui se
traduit dans la Philosophie païenne par la *transcendance* du
Concept par rapport au Temps, voire par l'absence de toute
relation entre les deux. C'est à l'élimination progressive de cette

transcendance philosophique que s'applique la Philosophie dite
« moderne » en essayant de traduire ainsi le Dogme théologique
chrétien de l'Incarnation du Dieu judaïque. Et c'est de la préparation de cette Philosophie dans et par la Théologie dogmatique pseudo-philosophique judéo-islamo-chrétienne (« patristique » et « scolastique ») qu'il nous faut maintenant parler.

NOTES

1, page 213.

La situation de ce « *second* Éclectisme » dans le Schéma dialectique hégélien de l'histoire de la Philosophie, prise dans son ensemble, a été indiquée d'une façon relativement détaillée dans l'Introduction générale à la section A, I, 3, c. Je me limiterai dans la présente Introduction à la section A, I, 3, c, à un bref rappel de ce qui a été dit dans cette Introduction générale.

2, page 236.

Julien fut si peu « néo-platonicien » qu'il s'est plu à tourner en dérision le parti pris « éclectique » qui est la base même du Néoplatonisme (non pas seulement pour nous, mais encore, comme le montre le fait même des railleries de Julien, tant pour ce dernier que pour les Néo-platoniciens eux-mêmes et tous leurs contemporains). Sans doute ne nomme-t-il personne en le faisant. Mais, de son temps, il n'y avait guère d'autre « Éclectisme » que celui professé par les émules de Jamblique (duquel Julien se moque, d'ailleurs, à plusieurs reprises, tout en présentant ses moqueries sous la forme de louanges enthousiastes). Voici deux passages particulièrement savoureux, où Julien ridiculise le *credo* éclectique du Néoplatonisme : « Il est ainsi apparu clairement que l'intérêt de Platon et celui de Diogène portent non pas sur des objets différents, mais sur une seule et même chose. Si, à la lumière de cette constatation, on demandait maintenant à Platon : Quelle valeur attribues-tu au *Connais-toi toi-même*, il répondrait certainement, j'en suis convaincu : La plus grande! Car il le dit bien aussi dans l'*Alcibiade* » (188, c). « Il faut cependant laisser aux Péripatéticiens stricts le soin de démêler si celui-ci [Xénarque] a raison ou non sur ce point [à savoir dans sa critique (visiblement approuvée par Julien) de la doctrine aristotélicienne du " cinquième corps " (qui est, en fait, une séquelle du Platonisme chez Aristote, destinée à tenir compte de la « transcendance » de l'*Ouranos*)]. Mais que son opinion ne *me* dit rien sera certainement clair pour un chacun, puisque je considère comme insatisfaisantes mêmes les doctrines d'Aristote, lorsqu'on ne les met pas en harmonie avec celles de Platon ou, plutôt, si l'on ne met pas les doctrines de ce dernier avec les révélations données par les Dieux » (162, c) (cf. aussi, sur la même question : 183, a, et 185, a).

3, page 237.

Cette probabilité serait une certitude s'il était sûr que l'auteur de l'écrit *Sur les dieux et le Cosmos* est le « Salluste » mentionné dans la *Vita Isidori*, qui ne semble être qu'un des pseudonymes de Damascius lui-même. Malheureusement, cette attribution est aussi douteuse que celle à l'ami de Julien.

4, page 241.

On peut noter à cette occasion que Proclus rend très bien compte du caractère *parathétique* de la philosophie de Platon. En effet, voici ce qu'il dit (en commentant la première phrase du *Parménide* — Chaignet, I, 94 sq.) : « Les philosophes d'Italie [qui ont à leur tête Parménide]... se sont occupés tout spécialement des choses idéelles *(peri ton onton eidon)* [c'est-à-dire de l'Énergo-logie] et n'ont touché que très peu à la philosophie des choses, objets de l'opinion : c'est-à-dire à la Phénoméno-logie. Les philosophes d'Ionie [auxquels appartient Héraclite], au contraire, se sont peu souciés de la théorie des idées [c'est-à-dire de l'Énergo-logie], ont étudié dans tous les sens la Nature et les œuvres de la Nature [c'est-à-dire la Phénoménologie], Socrate et Platon, *abordant ces deux sujets ensemble*, ont donné son complément à la Philosophie, qui restait trop pauvre, et exposé une Philosophie *plus haute et plus vaste...* Les notions philosophiques que ces deux Écoles avaient exposées, Platon et Socrate *réunirent ce qu'elles contenaient toutes deux de bon* et *en formèrent une seule doctrine*, qui exprime la Vérité *la plus complète.* » Or, nous aurions pu reprendre tout ceci à notre compte en l'appliquant non seulement à « Socrate »-Platon, mais encore à « Socrate »-Aristote, c'est-à-dire à la Parathèse « socratique » en général. Par ailleurs, nous aurions pu le re-dire en le rapportant à la Parathèse synthétique (kantienne), voire à la première ébauche de celle-ci, qui est, en fait et pour nous, le Néo-platonisme (celui de Proclus y compris) en tant qu'Éclectisme réunissant le Platonisme (à tendance « italique » ou parménidienne) et l'Aristotélisme (à tendance « ionienne » ou héraclitéenne). Mais Proclus lui-même ne le fait pas et semble (à la suite d'Antiochus d'Ascalon) identifier sa propre philosophie à celle de Platon (et de la tradition platonicienne), qu'il identifie d'ailleurs à celle d'Aristote (et peut-être des Aristotéliciens, péripatéticiens ou stoïciens).

5, page 241.

Ce qui suit s'inspire de l'étude de Max Wundt, *Plotin*, Leipzig, 1919.

6, page 242.

Plus exactement : Plotin ne fait nulle part appel à la Révélation; il fait sans doute appel, en fait, à l'Empirisme. Mais celle-ci ne joue pas pour et chez lui un rôle constitutif; les appels (implicites) à la Conscience-morale se trouvent seulement dans les écrits moralistes ou « édifiants », qui appartiennent surtout à la dernière période. Mais les appels (explicites ou implicites) à l'Évidence se trouvent chez lui (et pour lui) toujours et partout.

7, page 244.

Cette interprétation semble confirmée par la citation par Porphyre d'une lettre de Longin à celui-ci, lui demandant de venir le voir et de lui apporter les écrits de Plotin, en signalant que toutes les copies qu'il possède « sont dans un état bien imparfait et pleines de fautes; je pensais que notre Amélius reverrait les erreurs des copistes, mais il avait mieux à faire...; je ne vois donc pas comment me servir de ces livres et j'ai pourtant un grand désir d'examiner les traités *Sur l'Ame* et *Sur l'Être*, qui sont précisément les plus fautifs. Je voudrais bien que tu me fisses parvenir des copies exactes » (*Vita*, 19, milieu). Porphyre veut-il suggérer que les écrits de Plotin n'ont un sens que dans la mesure où ils sont « revus » par lui (et non par Amélius)? Quoi qu'il en soit, c'est précisément dans les doctrines de l'Être et de l'Ame que s'opère, chez Plotin, l' « addition » (censée être « originale ») des notions aristotéliciennes à celles de Plotin.

8, page 245.

Pour en finir avec les rapports « ambigus » entre Porphyre et Plotin, rappelons que, de l'avis du premier, les écrits de ce dernier devinrent « séniles » dès que son « élève » l'eut quitté (cf. *Vita*, 6). Or, en fait, Porphyre a groupé comme appartenant à la « troisième période » les écrits de Plotin de caractère « populaire », moralistes ou « édifiants », d'inspiration nettement stoïcienne (l'influence du Stoïcisme se faisant peu sentir dans les écrits de la « deuxième période », et encore moins dans ceux de la « première »). Est-ce à dire (comme Porphyre semble le suggérer) que dès le départ de son « élève », Plotin abandonna, d'une part, l'élément-constitutif platonicien du Néo-platonisme (peut-être sous prétexte que le Platonisme ne différait pas de l'Aristotélisme) et, d'autre part, ne put développer les composantes aristotéliciennes que sous la forme « vulgarisée » du Moralisme stoïcien (c'est-à-dire, pour nous, d'un Dogmatisme pseudo-philosophique, de tendance moraliste et d'allure aristotélicienne au sens du Stoïcisme)? Il est difficile de se prononcer, car il se peut bien (comme le suggère Max Wundt) que les écrits « édifiants » de Plotin aient été destinés à l'empereur Gallien et à son épouse et que Plotin lui-même ne se solidarisait pas avec ce Dogmatisme moraliste, mais continuait à professer le Néo-platonisme dont il fut l'auteur (lui seul ou avec Porphyre) et qui est pour nous un Éclectisme (para-)philosophique.

9, page 245.

Porphyre a d'ailleurs soin de signaler le caractère « néo-platonicien » au sens de « magico-mystique » de ces « Gnostiques », païens ou chrétiens (cf. *Vita*, 16). Et Plotin dit lui-même que certains de ses disciples passèrent au « Gnosticisme » (cf. *Enn.*, II, 9, 10). Ce qui permet de supposer qu'il s'agissait d'une tendance théologique (pseudo-philosophique) assez proche de celle d'Ammonius et de ses émules (y compris, peut-être, le Plotin de la période préporphyrienne).

10, page 246.

D'une manière générale, les différents philosophes n'ont contribué à l'introduction historique du Système du Savoir hégélien que dans l'exacte mesure où leurs enseignements (oraux ou écrits) ont exercé une action (« influence ») au cours de l'histoire de la Philosophie proprement dite. Par conséquent, la présente INTRODUCTION DU SYSTÈME DU SAVOIR représente les diverses doctrines philosophiques non pas telles qu'elles furent comprises par leurs auteurs respectifs, mais telles qu'elles furent prises par la Tradition et re-prises par les Philosophes qui les ont re-produites (entièrement ou en partie). En ce qui concerne Plotin, il s'agit donc non pas de re-présenter l'ensemble de sa doctrine telle qu'il l'avait présentée lui-même, mais d'en éliminer tout ce qui n'est pas philosophique (ne serait-ce qu'au sens de *para*philosophique) et de paraphraser le reste de façon à pouvoir re-trouver les re-prises du Néo-platonisme (para-)philosophique, (porphyro-)plotinien au cours du développement historique de la Philosophie (occidentale) qui s'est parachevée par le Système du Savoir élaboré par Hegel. Or, en procédant de la sorte, on obtient un « Plotin » qui ne ressemble que de loin à ce que semble avoir été le Plotin « historique ». Le fait est que, même en faisant abstraction de ce qu'insinue Porphyre dans sa « biographie », on a nettement l'impression que la Philosophie proprement dite (ne serait-ce que dogmatisée) n'était pas la préoccupation majeure de Plotin. Celui-ci a été surtout et avant tout un authentique religieux qui, s'il s'était « laissé aller » (ou, peut-être : s'il n'avait pas été « influencé » par le (para-)Philosophe que semble avoir été Porphyre), se serait probablement contenté de développer (à la suite d'un Ammonius) une Théologie dogmatique, à la rigueur pseudo-philosophique, mais très vraisemblablement d'allure purement platonicienne (au sens du « Platonisme moyen ») et non pas « éclectique » par addition d'éléments-constitutifs aristotéliciens. — Quoi qu'il en soit, le caractère essentiellement *religieux* de l'attitude-existentielle de Plotin n'a jamais fait de doute pour personne. Une seule citation suffirait, d'ailleurs, pour s'en convaincre : « Puisque l'Ame est différente de Dieu, mais qu'elle vient de Lui, elle l'*aime* nécessairement... Le véritable objet de notre Amour [quel qu'il soit] est *là-bas* et nous pouvons nous *unir* à Lui, en prendre notre part et Le posséder *réellement*, en *cessant* de nous dissiper dans la chair. Quiconque a *vu*, sait ce que je dis : il sait que l'Ame a une *autre vie*, quand elle s'approche de Lui et y participe; dans cette *disposition*, elle sait que Celui qui *donne* la *vie véritable* est là et elle *n'a plus besoin de rien* [dans l'ici-bas]. Tout au contraire, il lui faut *déposer tout* le reste et s'en tenir à *Lui seul;* il lui faut *devenir* Lui *tout seul*, en *retranchant* toute addition; alors nous nous efforçons de *sortir d'ici*, nous nous *irritons* des liens qui nous rattachent aux autres êtres [" mondains " quels qu'ils soient]; nous nous replions sur nous-mêmes et nous n'avons aucune part de nous-mêmes qui ne soit *en contact* avec Dieu. Ici même, l'on peut le *voir* et se *voir* soi-même [en tant que le voyant], autant qu'il est *permis* d'avoir de telles *visions* [" extatiques "] : on se *voit* éclatant de Lumière et rempli de la Lumière intelligible [" divine "]; ou plutôt on devient soi-même une pure Lumière, un être léger et sans poids; on devient ou plutôt l'on *est un dieu*, embrasé d'*amour; ...*jusqu'à ce que l'on *retombe* sous le poids et que cette fleur se flétrisse » (VI, 9, 9). Plotin est donc bien cette « Conscience malheureuse » qui ne peut jamais se « satisfaire » nulle part dans et par l'Ici-bas. La « satisfaction » ne saurait être pour lui qu'une Béatitude de l'Au-delà : dans l'Éternité après la mort ou, tant qu'on vit, pendant l'Extase momentanée. Le Monde où l'on vit n'a une valeur « satisfaisante » que dans la mesure où on le *fuit* encore de son vivant, en ne cherchant à s'unir qu'à l'Aimé, unique et un, que l'on aime toute sa vie dans l'espoir d'être aimé de lui en retour, si possible toujours et, à la rigueur, par moments. Ce qui compte vraiment, c'est la Béatitude amoureuse ou l'Amour béat, par définition silencieux lorsqu'il est *un acte*, vu qu'il n'y a plus alors aucune *dualité* (les *deux* « contraires », Dieu et l'Ame, ne s'actualisant pas lorsque est purement virtuel l'Amour qui est, en puissance, la ré-union des deux [l'Amour en puissance est le ET-ET ; le Non-amour, qui est un acte tant que l'Amour n'est qu'en puissance est le SOIT-SOIT ; mais ce SOIT-SOIT devient purement virtuel dès que l'Amour s'actualise en tant que NI-NI]). Le Religieux ne *parle* donc que dans la mesure où la puissance de son amour ne s'actualise pas en un acte amoureux. Et il ne parle qu'en vue de pouvoir se taire dans cette actualisation, censée devoir être provoquée (d'ailleurs sans nulle contrainte) par ce qu'il *dit*. Le Religieux parle donc non pas *de* quelque chose, mais *à* quelqu'un et il parle non pas en fonction de la *vérité* de ce qu'il dit, mais uniquement en vue de l'*efficacité* de son discours : l'Amant dit son amour en adressant une Prière d'amour à l'Aimé en vue d'être aimé (silencieusement) à son tour. — En tant que Praticien religieux et Religieux pratiquant ou pratique, Plotin avait certainement adressé des Prières d'amour au Dieu qu'il a aimé et qui l'a aimé au cours de ses extases. Et certains passages des écrits plotiniens ne sont rien d'autre que d'authentiques Prières. Dans la mesure où il s'est intéressé, en tant que Religieux, à d'autres que lui-même, il ne leur a adressé la parole que pour les inciter à prier avec lui, en aimant eux aussi l'Aimé qu'il aimait lui-même. Autrement dit, Plotin avait « prêché » l'Amour du Dieu unique et un et une bonne part de ses écrits est une « prédication » religieuse qui voudrait *convaincre* en *montrant*, sans pour autant vouloir dé-montrer le montré : « Il faut maintenant, par notre développement [discursif], *convaincre* l'esprit et non pas se contenter de le *contraindre* [par une " démonstration logique "] » (I, 2, 1). — Mais Plotin n'a pas été qu'un Religieux pratique ou pratiquant; il fut sans conteste, un Intellectuel religieux ou un Religieux intellectuel. Sinon on ne s'explique pas ses fréquentations des nombreux cours dits « philosophiques » de son temps (cf. *Vita Plotini*, 3). Seulement, qu'y cherchait-il? Probablement pas une authentique Philosophie, ne serait-ce que dogmatisée. Sinon, pourquoi aurait-il été déçu par tous les professeurs des différentes Écoles philosophiques, en ne trouvant l'homme qu'il cherchait qu'en Ammonius (cf. *ibid.*, 3)? Car rien ne permet de supposer que cet Ammonius ait été autre chose qu'un Théologien dogmatique, peut-être platonisant et donc pseudo-philosophique. En tant qu'Intellectuel, Plotin a dû vouloir se « distinguer » par un discours théorique exclusif, censé seul être « vrai » (quitte à re-dire les dires vrais d'un autre). Mais en tant qu'Intellectuel *religieux*, il s'intéressait exclusivement à la *Théologie*, c'est-à-dire à la question de savoir ce qu'il faut dire « en vérité » d'un Univers où une Prière *peut* être efficace et où rien n'est efficace en dehors de la Prière, du moins du point de vue de la « satisfaction », celle-ci étant d'ailleurs comprise comme une Béatitude (par définition amoureuse, mais non « mondaine »). Mais, à l'époque de Plotin, toutes les réponses « axiomatiques » (aphilosophiques) à cette question théologique ont été, depuis longtemps, mises en contra-diction entre elles par le Scepticisme (aphilosophique) et c'est depuis longtemps déjà qu'une Théologie dogmatique (aphilosophique) s'opposait à celui-ci. Plotin lui-même était sans nul doute en possession d'une « donnée immédiate de la conscience », voire d'une Expérience (silencieuse) « irréfutable » qui, vu son attitude religieuse, ne pouvait être qu'une Révélation divine. L'Aimé étant au-delà de ce monde, ce n'est pas l'Expérience « sensible » qui pouvait procurer une *certitude* à l'Expérience amoureuse, en la transformant en une Foi au sens propre du mot. « Ne cherchez donc pas à Le voir avec des *yeux mortels*, comme on dit; ne croyez pas qu'on puisse Le voir *ainsi*, comme le pensent les gens qui ne croient qu'aux choses sensibles et nient la suprême réalité [de l'Au-delà divin]. Les choses qu'ils pensent être au plus haut point ne sont pas celles qui *sont* au plus haut point; le Premier est *principe* de l'Être [idéel] et supérieur même à l'Essence [idéelle]; il faut donc avoir l'opinion *inverse* de la leur; sinon vous resterez *privé* de Dieu » (V, 5, 11). Ce qui compte pour Plotin, c'est donc l'*efficacité* « concrète » et non la *vérité* « abstraite » ou « théorique » : si l'on se fie à la (seule) Expérience sensible, il faudra nier l'efficacité de la Prière et celle-ci sera alors effectivement inefficace; or, c'est cette efficacité qui compte et il s'agit donc d'en parler comme de ce qui est sinon « nécessaire », du moins « possible ». Tout Dogmatisme *scientifique*

quel qu'il soit (toujours fondé sur la seule Expérience) est donc à
rejeter. Mais un Dogmatisme *moraliste*, fondé sur la seule Conscience
morale *(Gewissen)* n'assure pas, lui non plus, la certitude religieuse
de l'Espoir amoureux. Car l'Aimé étant au-delà de ce monde, ce
n'est pas en écoutant les voix qui sont immanentes à celui-ci qu'on
peut se faire entendre de lui : si la Vertu est la conformité à la
nature mondaine de l'homme, il faut chercher à être tout autre chose
(encore) que vertueux (même s'il est nécessaire de pratiquer la vertu
[d'ailleurs stoïcienne] pour pouvoir aimer Dieu en *espérant* un amour
réciproque). « Autant qu'il est possible, il [le " Sage " au sens de
Saint] s'isole complètement du corps; il ne vit pas la vie de celui
qui, au jugement de la *vertu civile*, est un *homme de bien;* il *abandonne* cette vie, il en choisit une *autre*, qui est celle des *dieux* [et
non une vie conforme à la « nature » *humaine*]; car il veut devenir
semblable aux dieux et non aux *gens de bien* » (1, 2, 7; c'est probablement un résumé de Porphyre, mais il est fidèle à ce qui précède).
Les diatribes stoïsantes de la « troisième période » de Plotin ne sont
donc valables que pour des « laïques » (tels que l'empereur Gallien
par exemple). Plotin lui-même, qui aspire à la « Sagesse » (silencieuse) au sens de la Sainteté essaie de transcender la Morale en
dépassant tout ce qui est mondain : car, pour le Religieux et le
Théologien, même le Vertueux est un « homme *déchu* » qui doit « se
dépasser » pour parvenir à Dieu. Or, si ni l'Expérience sensible ni
la Conscience morale ne peuvent fournir la « donnée immédiate »,
par définition « irréfutable », d'une Théologie dogmatique chère aux
Intellectuels religieux du type de Plotin, c'est à la Révélation qu'il
faut avoir recours. Et sans nul doute, Plotin trouvait dans son
« expérience religieuse » la « donnée immédiate de la conscience »
qu'il cherchait. Cependant, il ne fait jamais appel, dans ses écrits,
à une Révélation au sens propre du terme. Probablement faute
d'une Bible ou d'un Écrit-révélé dans le Paganisme. Quoi qu'il en
soit, si beaucoup de passages plotiniens ont l'allure d'une Théologie
dogmatique proprement dite (d'ailleurs pseudo-philosophique à allure
platonicienne, il est incontestable que, dans certains cas, il se
comporte en (para-)philosophe, en faisant explicitement appel à
l'Évidence discursive, c'est-à-dire aux « premiers principes » d'une
Philosophie dogmatisée. Encore une fois, l'œuvre de Plotin n'a de
place dans la présente ɪɴᴛʀᴏᴅᴜᴄᴛɪᴏɴ que dans la mesure où elle
contient le développement d'une Philosophie, qui reste d'ailleurs
chez lui dogmatisée (et d'allure exclusivement théologique, la para-
philosophie d'allure scientifique, d'ailleurs stoïcienne, n'y figurant
en quelque sorte que « pour mémoire » et comme un « corps étranger », au même titre que celle, stoïcienne aussi, d'allure moraliste).
Or, s'il est possible que sans l'intervention de Porphyre, Plotin se
serait contenté de produire ou de re-produire une variante quelconque du Platonisme dogmatisé théologisant, le fait est que ses
écrits comportent des développements d'une paraphilosophie (théologique) de caractère *éclectique* où des notions (dogmatisées) d'origine
aristotélicienne (stoïciennes) s'ajoutent à des notions (dogmatisées)
qui remontent (indirectement ou même directement) à Platon.

C'est uniquement de cet Éclectisme « néo-platonicien » (par définition paraphilosophique) que j'aurai à m'occuper dans la suite (en re-présentant, pour plus de commodité, cette paraphilosophie néo-platonicienne, éclectique et théologisante, dans le cadre triparti du Système du Savoir hégélien, déjà utilisé pour la re-présentation des philosophies parathétiques antithétiques).

11, page 259.

Dans la dernière citation, les termes (stoïciens, sinon aristotéliciens) : *père, née, engendre*, sont significatifs. Au fond (comme pour les Stoïciens), c'est une Cause *vivante* qui est, pour Plotin, la cause de toute *Vie*. « L'Un n'est pas lui-même l'Être, mais le *générateur* de l'Être [c'est-à-dire, tout d'abord, de la Réalité-objective (idéelle)] et l'Être est comme son *premier né*... Étant parfait, Il *surabonde* et cette surabondance produit une chose *différente* de lui; la chose *engendrée* se retourne vers Lui, elle est *fécondée* [et engendre alors à son tour] » (V, 2, 1, milieu). Quoi qu'en dise Plotin, son Dieu est lui-même cette même *satiété* ou « plénitude débordante » qu'est le Nous précisément en tant que *véritable Vie* (cf. V, 1, 4, début). Et c'est ce que dira explicitement Proclus.

12, page 270.

En règle générale, Plotin se contente d'une *tri*-partition de la Réalité-objective, bien que certains textes annoncent une partition plus complexe. Mais il se rend compte que l'introduction d'un « moyen terme » ne supprime pas la contra-diction entre les « extrêmes » platonicien (Nous au sens étroit) et aristotélicien (Psyché, *Logos* ou *Physis*). Aussi bien ne se borne-t-il pas à modifier sa présentation du moyen terme, voire des deux extrêmes. Si la chronologie des écrits de Plotin avait été connue, l'étude de l'évolution de l'Énergo-logie plotinienne aurait été très instructive. Malheureusement, nous ne savons pas grand-chose de cette chronologie (l'arrangement de Heinemann étant fantaisiste et condamné par sa prétendue précision et le nombre des « périodes »). Sans doute, l'analyse des différentes rédactions de l'Énergo-logie plotinienne devrait permettre de retrouver leur ordre chrono-logique et donc de dater les écrits de Plotin. Mais ce travail, fort délicat, n'a pas encore été fait. En tout cas, je n'essaierai pas de l'entreprendre en ce lieu. Il me suffira de montrer le caractère disparate des différentes versions et le fait qu'aucune d'elles ne résout le problème, d'ailleurs insoluble. Il semble cependant que les notions du *Logos* et de la *Physis* n'ont été introduits que tardivement par Plotin dans son Énergo-logie, les notions primitives étant celles du *Nous* et de la *Psyché*.

13, page 274.

Il ne faudrait cependant pas perdre de vue qu'un Julien semble s'être parfaitement rendu compte que « Timée » exposait une doctrine que Platon combattait et qui était probablement mise en avant dans les cercles de Mégare et admise par Eudoxe. C'est cette doctrine qui est à l'origine de l'Aristotélisme, bien qu'Aristote ne l'ait pas admise telle quelle ou l'ait modifiée sous l'influence de sa critique par Platon, exposée entre autres dans le *Timée*, sous une forme d'ailleurs camouflée qui a permis jusqu'à nos jours à la plupart des historiens, de prendre pour du Platonisme authentique la doctrine « eudoxienne » que Platon avait violemment critiquée.

14, page 276.

Le passage s'achève comme suit : « Mais le *Cosmos* [*aisthetos*] ordonné contient les Formes à l'état de *division : ici* un homme, *ailleurs* le soleil : là [c'est-à-dire dans le *Cosmos noetos*] ce qui est en *un* est aussi *tout* » (V, 9, 9, *in fine*). Et l'on est ainsi en plein Éclectisme néo-platonicien (individuellement contra-dictoire) : les « universaux » sont à la fois (sinon « en même temps », vu que les uns sont *hors* du Temps et les autres *dans* celui-ci), *ante rem* (en tant qu'Idées platoniciennes) et *in re* (en tant que Formes ou Entéléchies aristotéliciennes, voire *Logoi spermatikoi* stoïciens). Les Formes sont spatiales (ici-ailleurs) et temporelles, tandis que les Idées sont hors de toute Spatio-temporalité : « Au lieu du Temps, il y a l'Éternité; le Lieu là-bas, c'est l'intériorité réciproque des notions » (V, 9, 10, milieu). Mais ces Idées ne sont pas pour autant platoniciennes, car leur « intériorité réciproque » n'est rien d'autre que la *koinonia tôn genôn* affirmée par l'Étranger du *Sophiste* (c'est-à-dire par Eudoxe) et ridiculisée là même par Platon. Bien entendu, Plotin maintient par ailleurs la notion platonicienne de l'*atomon eidos*, en fait contre-dite par celle de la *koinonia*.

15, page 283.

Heinemann voit en II, 2 une « compilation d'élèves ». N'empêche que Porphyre a inclus le passage cité dans le recueil des œuvres de Plotin. Il n'y a d'ailleurs aucun doute que l'Énergo-logie plotinienne implique la notion du *Mouvement* (d'ailleurs empruntée aux cinq « catégories » énergo-logiques du *Sophiste*, prétendument platoniciennes, mais en fait peut-être eudoxiennes ou simplement « loufoques »).

16, page 286.

Plotin lui-même n'explicite pas sa conception des rapports entre le Platonisme et l'Aristotélisme. Mais d'autres Néo-platoniciens sont plus explicites que lui sur ce sujet. Ainsi, par exemple, on trouve chez Proclus le passage suivant : « Les uns [peut-être Aristote lui-même, mais en tout cas tous les Péripatéticiens « exclusifs », qui *s'opposent* au Platonisme et donc aussi au Néo-platonisme dans la mesure où celui-ci est platonicien] disent que le Nous est [logiquement et axiologiquement] *avant* le *Cosmos aisthetos* [étant ainsi

transcendant par rapport à celui-ci] et le nomment *Theos*, mais
nient qu'il y ait des Idées [c'est-à-dire un *Cosmos noetos, transcendant* lui aussi par rapport au *Cosmos aisthetos*, le *Theos* étant néanmoins lui-même *transcendant* par rapport au *Cosmos noetos*]... Voilà
donc en quoi diffèrent ceux qui nient [comme le font les Péripatéticiens « exclusifs »] et ceux qui affirment [comme tous les Platoniciens, y compris les Néo-platoniciens] l'existence des Idées [ou du
Cosmos noetos] : à savoir que les uns [c'est-à-dire les Néo-platoniciens]
conservent les causes *distinctes*, les causes *intellectuelles, immobiles*
et *divines* [c'est-à-dire les Idées platoniciennes interprétées par les
Néo-platoniciens comme des *causes* aristotéliciennes (d'ailleurs exclusivement « formelles », par opposition aux « matérielles »)], les autres
[c'est-à-dire les Péripatéticiens « exclusifs »] soutiennent qu'il n'y a
qu'*une seule* Cause *une* [et non pas une *multiplicité* d'Idées en tant
que causes « formelles » ou « idéelles »] impurifiée [c'est-à-dire non
transformée en *Cosmos noetos* par l'intervention de l'*aoristos Dyas*]
et immobile *en tant que désirable* [le *Theos* en tant que *Hen* n'étant
Cause (« formelle ») *efficiente* ou Premier-*moteur* (« immobile ») que
parce qu'il est (en tant qu'*Agathon*) Cause (« formelle ») *finale* ou
Premier *principe* (« immobile »), le Mouvement lui-même résultant
de l'interaction entre cette (double) Cause « formelle » et la Cause
« matérielle » qu'est la Hylé (éthérée ou élémentaire)], *rattachant et
liant* [ainsi] au *Nous* ce que nous [autres Néo-platoniciens], nous
disons de la Cause fondée *au-dessus* du Nous et du *Cosmos noetos*
[en interprétant le *Hen* parménido-platonicien comme une Cause
(« formelle ») héraclito-aristotélicienne]. En tant qu'ils ont conçu
cette Cause comme *première*, ils ont raison : car il ne faut pas que
les êtres soient mal gouvernés [cf. la dernière phrase de *Met.*, Λ],
ni que le Principe des êtres soit pluralité. Mais en tant qu'ils
conçoivent comme *identiques* le Nous et le *Hen*, ils ont tort » (*In
Parm.*, trad. Chaignet, II, 148). Donc la « Métaphysique » d'Aristote
est correcte, à condition d'être interprétée comme une Énergo-logie
et complétée par une Onto-logie (ou Théo-logie) platonicienne.

17, page 287.

En fait, Platon fait exposer par « Timée » une Phénoméno-logie
d'origine probablement eudoxienne, qu'il « réfute » en la « ridicu-
lisant. Or, l'essentiel de cette Phénoméno-logie a été maintenue par
Aristote (et donc par les Stoïciens), de sorte qu'en prenant [à tort]
le *Timée* à la lettre, les Néo-platoniciens ont pu prétendre que la
Phénoméno-logie de Platon n'était pas différente de celle qui fut
développée plus tard par Aristote et les Aristotéliciens, Stoïciens
compris. Nous verrons cependant que la contra-diction entre Platon
et Aristote se manifeste aussi dans la Phénoméno-logie néo-platonicienne, dans la mesure où celle-ci ne se contente pas de re-dire la
Bio-logie aristotélicienne.

18, page 288.

En effet, Cicéron en parle déjà. Il se peut que l'identité du Nous avec le *Cosmos noetos* ait été imaginée par Antiochus d'Ascalon.

19, page 290.

A moins que le *Logos* ne devienne « moyen-terme » (spécifiquement néo-platonicien), auquel cas la Psyché glisse vers le « terme-extrême » aristotélicien, en se confondant plus ou moins avec la *Physis*. La contra-diction se concentre alors dans la notion du *Logos*. Il est d'ailleurs instructif de comparer ce *Logos* qui est le « moyen-terme » néo-platonicien avec le *Logos* qui est le « moyen-terme » de la Théologie trinitaire chrétienne.

20, page 297.

Si l'on réserve le terme de « Psyché » à l'Ame supérieure, en appelant l'Ame inférieure *Physis*, on peut appeler *Logos* le moyen-terme. On aura alors la formule : Psyché → *Logos* → *Physis*, où le *Logos* transformerait l'Idée reçue par la Psyché en Forme donnée par la *Physis*. Ce *Logos* serait alors différent de celui que Plotin situe ailleurs à l'intérieur du Nous au sens large et dont je parlerai plus loin. — Notons que Plotin se réclame parfois de la tripartition platonicienne de la Psyché en Ames raisonnable (= *Logos*), sensuelle (= *Physis*) et « irascible » (= Psyché au sens étroit).

21, page 300.

Chez les Néo-platoniciens postérieurs à Plotin, le Nous-qui-*contemple* devient le Nous-qui-reçoit [les Idées en *contemplant* le *Hen*], tandis que le Nous-qui-*contient* est le Nous-qui-possède [les Idées qu'il « contient » (les ayant « reçues » du *Hen*)], en les *contemplant*, c'est-à-dire en se contemplant *soi-même* [ou en pensant qu'*il* pense (les Idées)], le Nous-qui-*réfléchit* restant le Nous-qui-donne [au Cosmos les Idées reçues par le premier Nous et trans-formées en Formes par le second].

22, page 303.

La notion de *Zoé* joue un grand rôle dans le Néo-platonisme postplotinien et notamment chez Proclus où la Triade objective-ment-réelle est non pas *Ousia*-Nous *(Sophia)*-Zoé, mais *Ousia*-Zoé-Nous. Plotin a dû emprunter cette notion aux écrits « mystiques » (« orphiques », etc.), mais il fut peut-être le premier à l'introduire dans le Système philosophique éclectique qu'est le Néo-platonisme.

23, page 316.

A dire vrai, « il faut dire que le Nous universel est *en un sens* antérieur aux Nous particuliers existant en acte et que, *en un autre sens*, il *est* ces Nous... Tous ces Nous [particuliers] sont *en puissance* dans le Nous universel qui est *en lui-même; il* est *en acte toutes* choses *à la fois* [étant ainsi « éternel »] et donc une « pensée » *non* discursive » (VI, 2, 21) et il est *en puissance* chaque chose *séparément;* inversement, les Nous particuliers sont *en actes* ce qu'ils sont [c'est-à-dire *particuliers*], et ils sont *en puissance* la *totalité* [qu'est le Nous universel] *»* (VI, 2, 20). Comprenne qui pourra! La Paraphilosophie éclectique utilise d'ailleurs ici le procédé typique de la Para-thèse en général : quelque chose est dit être ET A (universel) ET Non-a (non universel = particulier) *à la fois* (au sens de « en même temps »), mais « partiellement » : ici, les Nous particuliers sont des *parties* du Nous universel. [Encore que la solution aristotélicienne authentique de la contra-diction par la distinction entre la Puissance et l'Acte annonce, en fait et pour nous, la Synthèse, où quelque chose est dit être *d'abord* (totalement) A et *ensuite* (totalement) Non-a].

24, page 322.

La méthode paraphilosophique *éclectique* (dont Plotin use déjà et dont abusera Proclus) consiste, d'une manière générale, à « additionner » les « thèses contraires » qu'il s'agit de « réconcilier » en maintenant leur coprésence. Pour y arriver, en développant les deux thèses (d'ailleurs dogmatisées) « à la fois », ces thèses étant présentées comme deux éléments-constitutifs (dits « complémentaires ») d'un seul et même « Système » qui est censé être « synthétique », mais qui n'est, en fait et pour nous, qu'éclectique, où la contra-diction entre les « termes-extrêmes » engendre un « moyenterme », contradictoire en lui-même, qui se dé-compose en « extrêmes » contradictoires, etc. A la base de l'Éclectisme néo-platonicien se trouve la coprésence, voire une « addition » de l'Idée platonicienne (dogmatisée) et de la Forme aristotélo-stoïcienne (dogmatisée). Un des aspects de cette « addition » est la coprésence au sein du « Système » néo-platonicien de la notion de la *koinonia tôn genôn* [que Platon développe *ironiquement* dans le *Sophiste*, comme conséquence nécessaire mais « absurde » de la théorie de l'*immanence* des Idées; théorie d'origine mégarique, voire eudoxienne, qu'Aristote avait acceptée] et de la notion [purement platonicienne] de l'*atomon eidos*. La coprésence (contra-dictoire) de ces deux notions est développée dans VI, 2, 19 (le texte étant, d'ailleurs, corrompu) : « Ces quatre [?] termes [à savoir les soi-disant "Catégories" pseudo-platoniciennes, qui sont d'ailleurs *cinq :* Être, Mouvement-Repos, Même-Autre] qui sont des *genres* et des genres *premiers* [en fait aristotélicien ou eudoxien] engendrent-ils leurs *espèces* [aristotéliciennes] chacun *à part* [c'est-à-dire sans *koinonia tôn genôn*]? Par exemple, l'Être, is *en lui-même*, se divise-t-il en espèces [l'Idée platonicienne étant pr par contre un *atomon eidos*] sans que les *autres* genres y soient pour rien? Non pas [comme le dit Eudoxe-Aristote], puisque les différences spécifiques [aristotéliciennes] doivent être prises *en dehors* du genre [en cause, c'est-à-dire dans d'*autres* genres] et puisque, si les différences appartiennent à l'Être en tant qu'être, il n'est pas *lui-même* ces différences [la Différence étant l'Autre et non l'Être]. Où donc les prendra-t-il? Certainement ce n'est pas au Non-être; mais si c'est aux êtres et s'il reste *en dehors* de lui trois [(?) en fait quatre] genres d'être, c'est évidemment à *ces* genres [que l'Être prendra ses Différences]; ils s'ajoutent à lui, se *conjuguent* avec lui et s'y *associent* [dans et par la *koinonia tôn genôn* (eudoxo-aristotélicienne)]. Ils s'y *associent*, c'est-à-dire qu'ils font l'Être [ou l'Essence] qui est fait de *tous* les [cinq (?)] genres [cf. VI, 3, 8, *in fine*]. Mais *après* cet Être [ou cette Essence] faite de tous les genres, comment y a-t-il *autre* chose [vu qu'il est déjà *toute* chose]? Comment les genres [aristotéliciens], puisqu'ils sont *tous* les êtres, engendrent-ils des espèces.... Car il faut bien se garder de laisser le genre *se perdre dans* les espèces et de n'en faire qu'un simple *prédicat*, en le considérant [à la suite d'Eudoxe-Aristote] *dans* ses espèces; il est dans les espèces [en tant que Forme ou Genre aristotélicien], mais IL EST AUSSI *en lui-même* [en tant qu'Idée platonicienne « séparée » et « atomique »]; il est [en tant que Forme] mélangé *dans les* espèces [aristotéliciennes dans et par la *koinonia* eudoxienne, vu que chaque espèce, par sa Différence spécifique, participe à un genre *autre* que le sien propre], mais il EST AUSSI *pur* et *sans mélange* [en tant que *atomon eidos*], et il ne faut pas [!] qu'il se perde *lui-même*, en *concourant* [dans et par la *koinonia*], avec d'*autres* genres, à la formation de l'Essence [eudoxo-aristotélicienne; ce qui est le fond même de l'objection de Platon à l'immanence eudoxo-aristotélicienne des Idées]. — Voilà bien des questions à examiner... (VI, 2, 19, début). Plotin examine ces questions dans le passage qui suit et qui a été cité plus haut, c'est-à-dire dans un texte qui est tout aussi « confus et contradictoire » que les « questions » auxquelles il est censé répondre. C'est d'ailleurs toujours de la *même* contra-diction qu'il s'agit : de la contradiction entre l'idée platonicienne, transcendante (« séparée ») et « atomique » et la Forme (eudoxo-)aristotélicienne immanente (« incarnée » ou « matérialisée ») et impliquée de ce fait dans une *koinonia tôn genôn*, qui (d'après Platon) la rend in-définie et « indéfinissable ». Or, d'après Plotin, la Réalité-objective est ET Idée ET Forme « à la fois » (au sens de « en même temps »).

25, page 336.

La notion (pour nous anthropo-logique) judéo-chrétienne de la Négativité semble s'être présentée pour la première fois au cours de l'histoire comme la notion (théorique) théologique (d'abord axiomatique et finalement dogmatique) de la *Chute de l'Ame* due à l'*Acte de liberté* qu'est le *Péché originel*, voire la première *Révolte* (= révolutionnaire) contre Dieu (angélique ou humain). Au temps de Plotin, cette notion (déjà dogmatique) n'a pas encore été introduite dans un Système philosophique ou paraphilosophique (qui ne saurait être que parathétique). En fait, c'est Kant qui a introduit cette notion théologique dans la Philosophie, en trans-formant de ce fait les deux Parathèses thétique (platonicienne) et antithétique (aristotélicienne) en une seule et même Parathèse synthétique. Quant à l'homologue païen de cette Parathèse synthétique judéo-chrétienne qu'est l'Éclectisme (paraphilosophique) socratique dit « néo-platonicien », il ne pré-voit aucune place susceptible de loger la notion de Chute au sens propre du terme. Sans doute trouve-t-on dans les *Ennéades* des passages où Plotin parle de cette Chute, tel que celui déjà cité, où il dit : L'homme n'est pas *resté* tel qu'il a été créé, *parce qu'il* possède, *à la différence des animaux*, un principe *libre* » (III, 3, 4, début) (cf. aussi : I, 8, 14, milieu; III, 2, 17, début; III, 3, 5, milieu; III, 5, 7, milieu; III, 7, 11, début [∼ Lucifer]; III, 8, 8, milieu [d°]; IV, 4, 3 [d°]). Mais tout porte à croire qu'il s'agit chez lui (comme chez ses précurseurs et ses émules) d'emprunts à la Théologie judéo-chrétienne. En tout cas, ces passages ne sauraient faire partie (même au sens « éclectique » du mot) du Système néo-platonicien, plotinien ou autre. Dans la mesure même où le « Temps » néo-platonicien est aristotélo-stoïcien, c'est-à-dire *circu-laire* ou *cyclique*, il exclut toute possibilité d'une Chute (et d'un Retour) *unique*. Les « descentes » et les « remontées » des Ames (dites humaines) se succèdent indéfiniment, mais aucune d'elles ne « tombe » sans se « relever », ni ne se « relève » pour ne plus « retom-ber » (bien qu'il y en ait qui ne « circulent » pas du tout). Ainsi, tous les textes plotiniens (cités et autres) qui établissent la circula-rité du Temps contre-disent (implicitement), en fait et pour nous, les (très rares) dires de Plotin relatifs à la Chute judéo-chrétienne. Ces dires sont d'ailleurs explicitement contre-dits par Plotin lui-même, comme le montre déjà la suite du passage cité dans cette note (III, 3, 4), ainsi que la phrase où il dit que « le Mal *possède* l'homme et il le possède *malgré* lui » (I, 8, 5, *in fine*) [cf. aussi : I, 1, 12, milieu; II, 9, 4; III, 2, 12; IV, 3, 13, milieu] [« La venue des âmes n'est donc pas volontaire, et elles n'ont pas été envoyées; ...elles se meuvent vers le corps sans réflexion »]; IV, 8, 7, début [« Il est mieux pour l'Ame d'être dans l'Intelligible, mais il est *nécessaire*, avec la *nature* qu'elle a, qu'elle participe à l'être sen-sible »]. En bref, l'Homme néo-platonicien subit son Cycle, mais ne crée pas son Histoire.

26, page 336.

En fait, c'est Proclus qui fut le dernier Néo-platonicien propre-ment dit (c'est-à-dire païen) [voir la note sur Damascius]. Mais, en principe, la suite des variations néo-platoniciennes aurait pu être prolongée indéfiniment. C'est pourquoi des variantes nouvelles sont apparues *après* Proclus et rien ne dit qu'il n'y en aura plus.

27, page 337.

Lorsque Damascius (= « Marinus ») dit dans sa « biographie » ironique de Proclus que celui-ci n'a rien ajouté aux doctrines de ses prédécesseurs, ce n'est qu'une boutade. Nous n'avons aucune raison de contester la tradition qui assigne à Plotin, Jamblique et Proclus un rôle prépondérant dans l'histoire du Néo-platonisme.

28, page 346.

On peut douter avec (Damascius-Marinus) de l'honnêteté intellectuelle de Proclus. Un homme qui a multiplié les « moyens termes » comme il l'a fait ne pouvait pas ne pas se rendre compte qu'il ne supprimait pas la « contradiction » en la reculant. L'extrême multiplicité des « moyens termes » procléens pouvait tromper les autres, mais pas Proclus lui-même. En tout cas, elle n'a pas trompé un Damascius, qui fut son contemporain. Quoi qu'il en soit, on a certainement tort de dire que les Néo-platoniciens ont multiplié les « moyens termes » pour combler, voire camoufler, le « gouffre » qui s'ouvrait dans leurs Systèmes entre le *Hen-Agathon-Theos* et le Monde où vit l'Homme. Ces « moyens termes » avaient pour seul but de supprimer, voire de « camoufler » la contra-diction : d'abord (chez Plotin et Porphyre) entre Platon et Aristote et ensuite (chez Proclus et Syrianus, et peut-être déjà chez Jamblique) entre les « termes extrêmes » qu'il fallait introduire dans le Discours philosophique en vue de le rendre à la fois *total* et *un*.

29, page 350.

La différence entre le soi-disant Système de Proclus et le Système du Savoir hégélien peut être illustré par les schémas suivants :

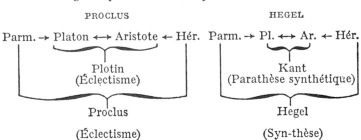

PROCLUS — HEGEL

Parm. → Platon ←→ Aristote ← Hér.   Parm. → Pl. ←→ Ar. ← Hér.

Plotin (Éclectisme) — Kant (Parathèse synthétique)

Proclus (Éclectisme) — Hegel (Syn-thèse)

30, page 362.

Il ne semble pas que Damascius se soit explicitement servi de l'argument qui peut être formalisé de la façon suivante, qui montre l'équivalence du NI-NI et du ET-ET : NI (A) NI (Non-a) = Non-(a) et (Non-Non-a) = ET (A) ET (Non-a). Mais il l'a certainement connu. Cet argument se trouve d'ailleurs, d'une façon implicite, dans le passage de la *Métaphysique*, où Aristote dit que la Matière peut être définie soit comme ce qui est à la fois ET A ET Non-a, soit comme ce qui n'est NI A, ni Non-a (*Met.*, 1051ᵃ, 13-15).

31, page 369.

Du point de vue « systématique », il faudrait dire l'inverse : Proclus « ajoute » l'élément aristotélicien à l'élément platonicien. Du point de vue « psychologique », Proclus a probablement introduit dans son Système l'Éternité éléatique parce qu'il voulait y avoir un élément platonicien; et non pas inversement, comme il est dit dans le texte. Cependant, le fait est qu'il maintient le *Hen* parménidien « en plus » du *Hen-Agathon-Theos* platonicien (qu'il maintient « en plus » du Nous aristotélicien).

32, page 372.

En réalité (comme l'indique le Schéma) les choses sont plus compliquées, vu que Proclus maintient la distinction aristotélicienne entre le Monde céleste et le monde sublunaire ou terrestre, c'est-à-dire entre la Matière éthérée et la Matière élémentaire. L'in-formation de la Matière éthérée par la *Physis* donne un Temps rigoureusement « circulaire », tandis que l'in-formation de la Matière élémentaire donne un Temps qui est seulement « cyclique ».

33, page 373.

On pourrait croire, à première vue, qu'en plus de l'Éternité « ponctuelle » éléatique (le *Nunc stans* qui se substitue à la Spatio-temporalité), Proclus ne connaît que le Temps (ou l'Espace-temps) qui est éternel au sens aristotélicien, c'est-à-dire « circulaire » ou « cyclique », et « ignore » le Temps qui est « éternel » au sens platonicien, c'est-à-dire le Temps où le Passé et l'Avenir sont identiques au Présent [la Durée-étendue étant, chez Proclus, « linéaire », c'est-à-dire in-finie ou in-définie au sens héraclitéen]. Il dit, en effet: « Chaque chose qui se sépare de sa cause et ensuite [y] retourne, peut être dite avoir une activité *(energeia)* circulaire-ou-cyclique *(kyklikê)* » (*El. theol.*, 33). Et il ajoute : « *Chaque* effet reste à l'intérieur de sa cause, puis se sépare d'elle et finalement [y] retourne » (*ibid*, 35). Or, d'après Proclus, une Notion (proprement dite) est (par définition) *déductible* parce qu'elle se rapporte à l'effet d'une cause, le « départ » ou la « séparation » de l'effet de sa cause correspondant à la *déduction* discursive de la notion de cet effet à partir de la notion de sa cause [cette « déduction », qui « ramène » la notion de l'effet à celle de la cause, étant précisément le « retour » de l'effet lui-même à sa propre cause]. Il semble donc que *tout* ce dont on *parle* est nécessairement l'effet d'une cause, de sorte que le Discours (circulaire en tant qu'achevé) se rapporte à une « activité circulaire » et donc à un Temps « cyclique » qui lui correspond. Seulement, Proclus avait soin de nous prévenir que : « *Chaque* effet produit directement par sa cause " à la fois " *reste dans* celle-ci et *se sépare* d'elle » (*ibid,* 30). Or, dans la mesure où le soi-disant « effet » *reste* (éternellement) dans la prétendue « cause », celle-ci n'est ni Cause efficiente (vu que rien ne s'en *sépare*), ni Cause finale (vu que rien n'y *retourne*) : elle est donc non pas une Cause formelle (aristotélicienne) mais une Forme non causale ou une Idée (platonicienne), dans et pour laquelle l'Avenir coïncide avec le Passé dans le Présent (« éternel »). En d'autres termes, la Réalité-objective est, chez Proclus, « à la fois » ET Forme platonicienne acausale ou Idée ET Forme aristotélicienne causale ou Entéléchie, l'une étant « éternelle » au sens de Platon et l'autre au sens d'Aristote. On peut, certes, dire que c'est une seule et même Réalité-objective qui est « platonicienne » lorsqu'elle est présente dans un Temps où le Passé et l'Avenir sont identiques au Présent, et « aristotélicienne » lorsqu'elle est présente dans un Temps (ou Espace-temps) où le Présent ne se « sépare » de lui-même en tant que Passé que pour « revenir » à soi ou se re-présenter en tant qu'Avenir. Seulement, s'il n'y a dans ce cas qu'une *seule* Réalité-objective, il y a quand même *deux* Temps (ou Espace-temps) objectivement-réels et donc un « mélange » éclectique de deux notions contraires. Nous verrons d'ailleurs que Proclus admet explicitement deux Réalités-objectives, chacune ayant son propre Temps (éternel).

34, page 380.

En fait et pour nous, toute *Médiation* authentique (« dialectique ») est spatio-*temporelle*. En effet, *a* et *b* sont *identiques* dans la mesure où ils développent un seul et même B (ou, plus exactement, A); s'ils sont *différents* (en tant que *deux*), il s'agit d'une Différence-de-l'identique, ce qui n'est autre chose que la Spatialité. Or, *a* et *b* sont tous les *deux* en *c* qui est *un* (n'étant rien d'autre ni de plus que *a* et *b*) : c'est donc en tant que *différents* qu'ils sont *identiques* en *c* (ou en tant que *c*); *c* est par conséquent l'identité d'une différence; or, l'Identité [= Identification]-du-différent est précisément la Temporalité. C'est donc uniquement dans et par la Spatio-temporalité (= Concept) que la déduction « simultanée » (c'est-à-dire « spatiale » ou non dialectique : *Verstand*) à partir de B peut « médiatiser » la déduction « consécutive » (chrono-logique ou dialectique, *Vernunft*) de et à partir du même B. Mais même si Proclus l'a vu (ce qui n'est pas exclu), il l'a « ignoré », parce que, pour lui (en tant que Païen), le Concept (et donc le Sens du Discours) était censé être l'Éternel mis en relation avec l'Éternité (n'est « vrai » ou « véritable » que ce qui est *identique*, partout et toujours). Et c'est pourquoi la dé-duction procléenne n'est « dialectique » (= discursive) qu'en apparence. — En disant que les Termes extrêmes ne se contredisent pas parce qu'ils sont complètement « séparés », Proclus oubliait que A et Non-a ont A *en commun*. Le Non- qui les distingue est donc une Différence-de-l'identique, c'est-à-dire (aussi) spatialité. Dans la mesure où Proclus ne temporalise pas le Système, il n'y a pas d'Identité-du-différent (dans la Syn-thèse) et la coprésence des Termes extrêmes dans le Moyen terme maintient la différence des identiques que sont les premiers, cette coprésence (para-thétique) reste ainsi purement spatiale (« partielle »). Dans le cas où les Termes extrêmes sont le *Cosmos noetos* (platonicien) et le *Cosmos aisthetos* (aristotélicien), leur coprésence (partielle) signifie donc qu'ils sont tous les deux dans un (seul et même) Espace (dont chacun occupe une partie). Comme l'a bien vu Aristote, le *Cosmos noetos* est non pas u-topique, mais tout aussi spatial que le *Cosmos aisthetos* : c'est la Sphère (creuse) céleste qui entoure la Sphère sublunaire (pleine). Or, ici encore, Proclus conserve les deux : un Cosmos (platonicien) u-topique et un Cosmos (aristotélicien) spatial, avec deux Mondes « superposés ».

Chez Hegel, c'est-à-dire dans le Système temporalisé, le *Cosmos aisthetos*, c'est-à-dire l'Existence-empirique, occupe non pas *une partie* de l'Espace-temps objectivement-réel (la Réalité-objective, c'est-à-dire le *Cosmos noetos* étant non pas u-topique, mais spatial, comme chez Aristote), mais sa *totalité* : la Réalité-objective est non pas *en dehors* de l'Existence-empirique, mais *en* elle (de même que l'Être-donné est *dans* la Réalité-objective).

35, page 384.

Proclus lui-même se contente d'admettre que si l'on « remonte » d'une façon « continue » (discursivement) de *c* à B (en passant par *a* et *b*), il faut faire un « bond » pour « remonter » de B à A (cf. le schéma de la page précédente) : il « ignore » le point de départ A′ dans la Remontée. C'est Damascius qui le lui a rappelé, en montrant que la coexistence éternelle (= spatiale) de la *Proodos* et de l'*Epistrophê* a pour conséquence une coïncidence de A avec A′, c'est-à-dire du *Theos* avec la Hylé. Mais en substituant la Matière (A′) à Dieu (A) [comme semble vouloir le faire Damascius] on admet (implicitement) que le cercle C n'est pas discursif et donc que la prétendue « notion » B n'est tout au plus qu'une Paranotion (ou un Signe : une graphie ou un « nom propre »), voire une Pseudo-notion (ou un Symbole, « mystique » ou mathématique) — Par ailleurs, du fait que ce qui est « hors » de C est « à la fois » A et A′ (vu que la *Proodos* est censée être co-éternelle (avec l'*Epistrophê*), Damascius conclut que A = A′ (et non que A′ = A) : pour lui, ce qui correspond au Discours est Matière seulement de sorte que celui-ci ne peut se rapporter qu'à la Matière. A moins d'admettre qu'il y a « en dehors » du Quelque-chose qui est ET A ET A′ un Autre-chose qui n'est NI A NI A′. Ce qui est, pour Damascius, le comble de l'absurde, vu qu'il s'agirait (A étant Dieu et A′ Matière = Néant, les deux Ineffable silencieux et Silence ineffable) d'un « Dieu » qui serait « au-dessus » de Dieu, d'une « Matière » qui serait « au-dessous » de la Matière (= Néant), voire d'un « Ineffable » qui serait « en dehors » de l'Ineffable ou d'un « Silence » qui serait « au-delà » du Silence.

36, page 387.

A quoi Damascius objecte que a (= *Hen* éléatique) étant déjà
« divin », ineffable et silencieux, B doit être « au-delà » de l'Ineffable
silencieux divin et A « au-delà » de ce B déjà hyper-transcendant.
D'où Damascius conclut que dès que l'on admet un Transcendant
(ineffable), on ne peut plus cesser de lui superposer d'autres
hyper-transcendants. D'où la nécessité de substituer à l'Ineffable
transcendant (= Dieu) un Ineffable immanent (= Matière). Damascius ne semble pas remarquer, cependant, qu'il remplace ainsi la
« progression » infinie ou in-définie par une « régression » tout aussi
in-définie ou infinie. Mais il se peut que Damascius ait vu que cette
« régression » n'est en fait rien d'autre qu'une « progression mathématique infinie » (en dernière analyse : la série in-définie des nombres
entiers positifs et négatifs). L'immanence de l'Ineffable (« matériel »)
signifierait alors la possibilité d'une Physique mathématique (se
substituant à l'Énergo-logie, tandis que les Mathématiques se
substituent à l'Onto-logie). S'il en était ainsi, Damascius renoncerait
à la Philosophie, voire au Système du Savoir, au profit des Mathématiques et de la Physique (la Phénoméno-logie étant remplacée par
une Phénoméno-métrie, c'est-à-dire par les Sciences naturelles
« exactes »). Autrement dit, la contra-diction entre le Platonisme
et l'Aristotélisme réduirait au silence l'ensemble du Discours dégé-
nérant en un ensemble de Symboles (mathématiques), qui se rapporterait à l'ensemble de la « Matière » qui lui correspond. — C'est ce
qui se passa, d'ailleurs, au xvie siècle pour l'ensemble de la Philosophie païenne (dans la mesure où celle-ci ne se trans-forma pas en
Philosophie chrétienne).

37, page 391.

En fait, Proclus ne se contente pas de développer (horizontalement) les Termes extrêmes, mais les dé-compose (verticalement)
de la même façon que le Moyen terme (qu'il développe d'ailleurs,
lui aussi, horizontalement). Ceci donnerait (en plus de la Spatialité
qui correspond au développement horizontal et qui est l'Éternel platonicien) une sorte de Temporalité multi-dimensionnelle (à 3 « dimensions ») qui serait de ce fait spatialisée et pourrait être interprétée
comme correspondant à la notion de l'Éternel (aristotélicien). Quoi
qu'il en soit, Proclus distingue en fait entre les éléments spatiaux
et temporels, du moins en ce sens qu'il n'attribue la réversibilité
ou la cyclicité (la *Proodos* et l'*Epistrophê* qui sont coéternels au
sens dynamique) qu'à la dé-composition « verticale » des Termes,
leur développement (« horizontal ») correspondant à une multiplicité d'éléments (éternellement) co*présents* au sens statique. Ainsi,
pour nous, le Système (« symbolique ») procléen correspond non pas
à une pure Spatialité ou à une Temporalité entièrement spatialisée
(l'Éternel platonicien), mais à une Spatio-temporalité proprement
dite. Cependant, pour qu'il en soit ainsi, Proclus aurait dû développer (horizontalement) les Termes extrêmes (sans les dé-composer)

en dé-composant (verticalement) le seul Moyen terme (sans le développer), d'ailleurs d'une façon in-définie, c'est-à-dire « réversible ». Alors, si les développements étaient tout aussi in-définis que la dé-composition, on aurait une Spatio-temporalité infinie et le Système procléen serait une simple (et correcte) « dégénérescence » de la Philosophie en Mathématique. Si les développements étaient in-définis et la dé-composition finie ou dé-finie, on aurait une sorte de « Physique » créationniste d'après laquelle la Spatialité, d'ailleurs infinie, ne durerait qu'un temps fini, étant « créée *(ex nihilo)* au commencement » (de ce temps) et s'anéantissant « à la fin » de celui-ci. Si, au contraire, le développement était dé-fini, et la dé-composition in-définie, on aurait une « Physique » aristotélo-stoïcienne, d'après laquelle une diversité spatiale *finie* s'identifierait dans et par une Temporalité *infinie;* ce qui déterminerait précisément un « retour éternel », voire un « Temps cyclique » (= l'Éternel aristotélicien). Enfin, si les développements et la décomposition étaient tous dé-finis, on aurait un Système uni-total proprement discursif, c'est-à-dire le Système du Savoir. Or, Proclus ne peut ni finir le Système en définissant toutes les notions qui le constituent, ni dé-finir celles-ci en finissant le Système, pour la simple raison que toutes les notions procléennes sont « éclectiques » et donc parathétiques, c'est-à-dire contradictoires, de sorte qu'elles s'annulent en se développant. Pour nous, le Système procléen dégénère donc, en fait, en un « ensemble bien ordonné » de Symboles mathématiques. Mais Proclus lui-même ne veut pas l'admettre et c'est ainsi que son Système n'est, en fait, ni philosophique ni mathématique. Ce Système n'est pas philosophique dans la mesure où Proclus est obligé d'admettre (ne serait-ce qu'implicitement, en n'affirmant pas explicitement le contraire) le caractère in-défini tant de ses développements (horizontaux) que de sa dé-composition. Mais ce Système n'est pas non plus mathématique dans la mesure où Proclus affirme le caractère *discursif* de tous les éléments-constitutifs de ce Système et essaie, par conséquent, de les « définir », en admettant ainsi (du moins implicitement) le caractère dé-fini ou fini tant des développements « horizontaux » (logiques ou déductions) que de la dé-composition « verticale » (qui n'est d'ailleurs que *pseudo*-dialectique, vu son caractère « réversible »). Par ailleurs, la dé-composition (pseudo-dialectique) des Termes extrêmes (en plus de celle du Moyen terme) empêche, elle aussi, la mathématisation du Système procléen.

38, page 392.

Déjà Platon s'était rendu compte du fait que les Idées, ou les éléments-constitutifs du *Cosmos noetos* (c'est-à-dire les *atomoi eidê*), sont en fait des Nombres (« idéaux »). Mais il se refusait à les identifier purement et simplement à ces derniers et semble avoir essayé de dédoubler la Réalité-objective u-topique en un Monde « idéal » (de caractère « esthétique ») et en un Monde « idéel » (de caractère « arithmétique »), sans d'ailleurs réussir à déterminer leur « situation » respective et le « rôle » propre à chacun. Il semble que presque tous les Platoniciens, à l'exception de Xénocrate, et Néo-platoniciens aient maintenu ce point de vue, sans plus de succès d'ailleurs, les efforts de Proclus restant (et pour cause) tout aussi infructueux que ceux de ses prédécesseurs. En appliquant sa méthode éclectique habituelle, Proclus affirme que les Nombres sont à la fois logiquement « antérieurs » et « postérieurs » aux Idées. Tout comme Platon, Proclus « déduit » (d'une façon *pseudo*-dialectique, c'est-à-dire « triadique », mais « réversible ») tant les Nombres que les Idées à partir de la première dé-composition (à allure authentiquement dialectique) du *Hen* en *Autoperas* et *Autoapeiria*. Puis il situe le *Nombre-en-soi* dans le deuxième Terme (extrême) de la Triade résultant de la deuxième dé-composition, c'est-à-dire dans la *Dynamis*, qui « précède » le troisième Terme (moyen) qu'est le *Nous* où se situent les Idées. Néanmoins, les entités « mathématiques » sont situées par Proclus à un niveau qui est « inférieur » au niveau des Idées, bien qu'il s'agisse ici encore de Nombres « idéels » au sens de Platon et non de nombres « ordinaires » ou mathématiques au sens propre. Il est d'ailleurs curieux que Proclus semble (en fait) interpréter ces Nombres idéels comme des notions discursives, tandis qu'il pouvait admettre le caractère « symbolique » des Idées platoniciennes. En effet, les Idées sont des *noeta* en ce sens qu'elles se révèlent dans et par le Nous « intuitif » (divin), c'est-à-dire non discursif, tandis que les Nombres correspondant à des notions discursives (humaines) qui s'y rapportent étaient ainsi des *dianoeta*. De plus (comme chez Platon), les Idées sont « objectivement » in-divisibles *(atomoi eidê)* et devront donc être « subjectivement » in-développables (c'est-à-dire indéfinissables), tandis que les Nombres se divisent et se continuent les uns avec les autres *(koinonia* eudoxienne). Bien entendu, les Nombres sont tout aussi suprasensibles que les Idées. Ce sont donc non pas des Monades (au sens hégélien du terme) qui constitueraient l'Existence-empirique, mais des éléments-constitutifs de la Réalité-objective, tout comme les Idées. Proclus décompose donc la Réalité-objective platonicienne (« idéelle »), tout comme le fait Platon lui-même. Mais si ce dernier ne sait visiblement pas lequel de ses deux étages est au-dessus de l'autre, Proclus affirme froidement qu'il y en a trois : un rez-de-chaussée et un premier étage « idéels » mathématiques et un bel-étage « idéal » situé entre les deux.

39, page 393.

Il se peut qu'en tant que Théologien, Proclus avait besoin de dé-composer les Termes extrêmes pour pouvoir loger dans son Système (paraphilosophique) l'ensemble des dieux qui constituaient le système *hiérarchisé* de la Théologie dogmatique païenne de son temps. Il se peut aussi qu'en tant que philosophe Proclus voulait situer dans un Système (ne serait-ce que paraphilosophique) *toutes* les notions de la Philosophie antique (d'ailleurs déjà dogmatisées). Probablement, les deux motifs ont-ils joué chez lui. On peut remarquer à cette occasion que c'est précisément cette volonté *éclectique* de Proclus qui crée l'impression de caractère « originel », voire « hégélien » avant la lettre, du Système procléen. Dans la masse des notions (d'ailleurs *para*philosophiques ou dogmatisées) arrangées d'après un schéma général triadique (d'ailleurs *pseudo*-dialectique), on trouve effectivement des parties à allure hégélienne. Mais, bien entendu, tout ceci n'est que pure illusion, vu que, chez Proclus lui-même, toutes les notions sont censées être *éternelles* et coéternelles. D'ailleurs, ces îlots de notions « raisonnables » sont situés, chez Proclus, dans un océan de pseudo-notions parfaitement « absurdes », ce qui enlève toute valeur à l'ensemble de ce soi-disant Système.

40, page 396.

La décomposition des Espèces en Individus et la re-composition des Individus en Espèces sont des « cas limites » de la Déduction et de l'Induction, parce que chaque In-dividu est, par définition in-décomposable, bien que tous les Individus soient re-composables. D'après Aristote, on ne peut dé-composer une Espèce en ses Individus qu'en faisant appel à l'Empirisme sensible, par définition « silencieux » [d'où le caractère « ineffable » de chaque individu pris en tant que tel] : le *principium individuationis* est la « Matière » en tant que « support » de la durée-étendue de l'Existence-empirique. La Logique « formelle » aristotélicienne se complète donc naturellement par une théorie « matérielle » du Support *(hypokeimenon)*. [Dans la mesure où Proclus admet, en tant que Platonicien, des Individus « idéels », il admet (à la suite de tous les Néo-platoniciens et peut-être de Platon lui-même) un Support non matériel, voire une Matière « idéelle » ou suprasensible (qui est, pour nous, un Espace objectivement-réel, mais non un Espace-temps). Si les Individus correspondent à des *Signes* (« graphiques » ou « noms propres »), les Espèces, les Genres et les Familles correspondent à des Notions authentiques qui s'y rapportent. La dé-composition et la re-composition de ces Notions s'effectuent dans et par des *Jugements* déductifs et inductifs. Enfin, le *Raisonnement* (« syllogistique ») déductif et inductif permet de dé-composer la Famille en Espèces (ou en Individus), voire le Genre en Individus, et de re-composer les Individus en Genres (ou en Familles), voire les Espèces en Familles. Ainsi, dans l'exemple classique, le Jugement « majeur » situe le Genre « humain » dans la Famille « mortelle » (= « vivante »); le Jugement « mineur » situe l'Espèce « socratique » (qui peut être réduite à l'individu Socrate, unique et un) dans le Genre « humain »; enfin, le Raisonnement (la Conclusion) permet de situer l'Espèce « socratique » dans la Famille « mortelle ». (Bien entendu, en passant dans l'Espèce, le Genre et la Famille, l'Individu perd son Support « matériel »; il cesse donc d'être un Individu proprement dit; ainsi, pour Aristote, Socrate est une Espèce, d'ailleurs multiple en ce sens qu'on implique un nombre indéfini de Socrates individuels dont chacun est unique à un moment donné, mais qui se succèdent indéfiniment dans la Durée cyclique; cependant, c'est en tant qu'Individu et non en tant qu'Espèce que Socrate est mortel.)

41, page 399.

De ce point de vue aussi, Proclus n'est rien moins qu'un « précurseur » de Hegel. La présence, dans son Système, d'une structure pseudo-dialectique n'a pu que retarder l'avènement de la Dialectique authentique ou hégélienne. L'absence flagrante de toute dialectique chez Aristote (du moins « en principe » ou explicitement) et l'insuffisance évidente de la « dialectique » platonicienne *(diairesis)* dichotomique (sans « moyen terme », ne serait-ce que parathétique), aurait incité les philosophes à rechercher la tripartition authentiquement dialectique, si la tripartition pseudo-dialectique de Proclus ne leur avait pas donné l'illusion de pouvoir annuler les contradictions de la Philosophie (c'est-à-dire de trans-former celle-ci en Système du Savoir sans devoir les supprimer-dialectiquement, c'est-à-dire les « temporaliser ». Sans doute, les philosophes païens ne pouvaient pas le faire de toute façon. Mais, sans Proclus, les philosophes judéo-chrétiens auraient, peut-être, progressé moins lentement vers l'hégélianisme (ou le judéo-christianisme « athée », voire vers l'Anthropo-théisme [à partir de la Théandrie]). Cependant, d'après le Système du Savoir lui-même, la Sagesse discursive qu'il est sup-pose l'Action napoléonienne (qui ne pré-suppose pas le Système du Savoir). Or, il est peu probable que cette Action aurait pu se faire avant Napoléon Bonaparte, du seul fait qu'il n'y ait pas eu de Proclus ou que ses œuvres aient été perdues.

42, page 400.

« Logiquement », la *Diairesis* platonicienne aboutit « à la fin » (bien que Platon ne semble pas avoir admis que le développement dichotomique *discursif* ou humain puisse être *achevé* un jour) à un « dernier » Terme, qui s'évanouit parce qu'il est le *Non* pur, résidu de l'élimination du tout A positif de B qui est Non-a (ce *Non* peut être la « Matière » ou la Spatio-temporalité). « Chronologiquement » cela signifie que seul l'ensemble des Termes purement positifs A (les *atomoi eidê* du *Cosmos noetos*) est *éternel*, tandis que l'ensemble des Termes négatifs ou mixtes Non-a (les phénomènes du *Cosmos aisthetos*) ne dure qu'un temps (d'ailleurs probablement infini au sens d'in-défini). Nous pourrions donc dire que, chez Platon, c'est la Thèse qui supprime « définitivement » l'Anti-thèse, tandis que, chez Hegel, c'est l'Anti-thèse qui supprime (dialectiquement) définitivement la Thèse. Ce qui veut dire, précisément, que, pour Platon, c'est la Thèse seule qui existe « réellement » ou « véritablement », c'est-à-dire « de toute éternité », tandis que l'Anti-thèse n'est qu'une « illusion » passagère. Ainsi, c'est Platon et non pas Proclus, qui est le « précurseur » de Hegel : la Dialectique hégélienne est une trans-formation (temporalisation) de la *Diairesis* platonicienne (di-chotomique) et non pas de la pseudo-dialectique procléenne (tripartite). C'est en temporalisant ainsi la Thèse que Hegel introduit sa coprésence (temporelle et temporaire) avec l'Anti-thèse en tant que Para-thèse; celle-ci se transformant en Syn-thèse dans la

mesure même où le temps qu'elle dure (et s'étend) a été (active-
ment) achevé.

43, page 400.

En fait, les philosophies de Platon et d'Aristote étaient des parathèses par rapport à la Thèse et à l'Anti-thèse qu'étaient respectivement les philosophies de Parménide et d'Héraclite. Mais Platon et
Aristote (conformément au schéma dialectique ou chrono-logique
de la Philosophie qu'ils ignoraient d'ailleurs) voulaient *substituer*
leurs parathèses respectives tant à cette Thèse qu'à cette Anti-
thèse, tandis que Proclus prétendait que celles-ci étaient « éternellement ») coprésentes avec ces deux parathèses dans son propre
Système (prétendument « synthétique », mais en fait éclectique et
partant parathétique). Platon et Aristote avaient donc raison
d' « ignorer » la notion de la Para-thèse, tandis que Proclus avait
tort de l'introduire dans son Système. Or, ici encore, ce Système
est une sorte de caricature du Système du Savoir hégélien. En effet,
on pourrait croire que, le Système procléen étant, en fait, parathétique, l'inclusion explicite dans ce Système de la notion de la Parathèse signifiait que le Discours procléen s'impliquait lui-même et
était, de ce fait (comme il le prétendait lui-même), circulaire ou uni-
total. Mais en fait, il n'en est rien. Car la Para-thèse étant, par
définition, contra-dictoire, l'inclusion de cette notion dans le Discours
n'a de sens que dans la mesure où ce Discours la trans-forme en
Syn-thèse. Le Système du Savoir implique explicitement la notion
de la Syn-thèse et il n'est lui-même rien d'autre que le développement
(dialectique ou synthétique) complet (total) de cette notion. On
peut dire que le Système procléen n'est lui aussi qu'un développement (complet) de la notion de la Para-thèse qu'il implique explicitement. Seulement, la Syn-thèse étant par définition la suppression-
dialectique de la contra-diction, le Discours (total) qu'est le Système
du Savoir est *un* et donc *uni*-total, tandis que le Système procléen
qui ne développe (paralogiquement ou pseudo-dialectiquement) que
la Para-thèse par définition contra-dictoire, ne peut être que « totalement incohérent ». C'est d'ailleurs là le sens profond du fait que
le Système de Proclus est un Éclectisme *explicite :* en explicitant
la Para-thèse, ce Système s'explicite en tant que « contradictoire »
ou « incohérent » (osant d'ailleurs prétendre que les contra-dictions
qu'il implique et explicite sont « éternelles »!).

44, page 411.

Pour que le *Cosmos aisthetos* soit pleinement conforme au Système
procléen, chaque couple animal devrait mourir en mettant au monde
un couple de jumeaux, ce qui n'est certainement pas le cas. De même
qu'il n'est pas vrai que chaque fois qu'une chose inanimée disparaît,
une autre chose « identique » se constitue à sa place. Mais peu
importe puisque Proclus fait semblant de l'ignorer.

45, page 411.

A dire vrai, dans le Système procléen, les notions de *Proodos* et d'*Epistrophê* n'ont un sens que dans le cas des Formes individuelles, vu que les Idées atomiques et les Formes générales sont éternelles au sens platonicien. Proclus n'applique le schéma (pseudo-)dialectique aux Idées atomiques que par une analogie injustifiée avec les Formes individuelles. Mais si les relations entre les Idées atomiques et les Formes génériques, d'une part, et, d'autre part, celles entre ces Formes et les Formes individuelles étaient purement « logiques », on ne comprend pas pourquoi les relations entre celles-ci et leurs Supports matériels seraient « dialectiques ». De toute façon, Proclus n'explique pas pourquoi le schéma dialectique (parathétique) s'applique aux Idées atomiques et aux Formes individuelles, sans s'appliquer aux Formes générales, ni aux relations entre celles-ci et les Idées atomiques et les Formes individuelles.

46, page 413.

Bien que Proclus ne le dise pas explicitement, on pourrait admettre que plusieurs Formes individuelles peuvent informer une seule et même matière, en la trans-formant en un corps spécifique, qui incarnerait toutes ces Formes en tant qu'une Entéléchie (composée) unique. Mais le dogme de l' « immortalité de l'âme » incite Proclus à dire que c'est la matière informée par une *Physis* en un corps animal qui incarne la Psyché et éventuellement aussi le Nous, ces deux Formes étant non pas des Entéléchies aristotéliciennes, mais des Idées platoniciennes (ce qu'est d'ailleurs aussi le Nous « humain » chez Aristote). Mais ces détails importent peu.

47, page 418.

L'arrêt au N_3 est parfaitement arbitraire, vu que N_3 est tout aussi parathétique ou « contradictoire » que N_2 et N_1. En fait, s'il était « honnête », Proclus aurait dû progresser « indéfiniment », la « limite » de la progression verticale étant N_∞. S'il s'arrête à N_3, c'est parce que ce développement lui permet de retrouver toutes les notions néo-platoniciennes traditionnelles, dont il n'avait visiblement nulle envie d'augmenter le nombre. Pour nous, tout le Néo-platonisme se réduit à un développement pseudo-dialectique (en fait, parathétique) de la notion éclectique du Nous, censée être « à la fois » (au sens de « partiellement » ou « à moitié ») platonicienne et aristotélicienne. C'est cette notion éclectique, spécifiquement néo-platonicienne (plotino-porphyrienne) que Proclus présente explicitement comme le Moyen terme entre les Termes extrêmes que sont le *Hen* parménidien et la Hylé héraclitéenne. Pour nous, ce Moyen terme éclectique peut être situé de la façon suivante dans un schéma graphique de l'évolution chrono-logique de la Philosophie :

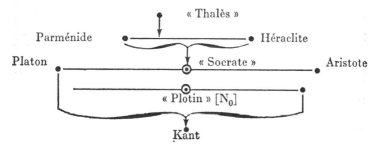

A la Question philosophique posée par « Thalès » (Hypo-thèse), Parménide pro-pose une réponse (Thèse) à laquelle s'op-pose Héraclite (Anti-thèse). La coprésence de ces deux réponses antithétiques se présente en tant que Parathèse « socratique », qui se dé-compose en Parathèse thétique de Platon, Parathèse antithétique d'Aristote et Parathèse synthétique de Kant. « Socrate » est homologue à « Thalès » en ce sens qu'il ne pro-pose rien et ne s'op-pose à rien, mais re-pose seulement la Question philosophique (cercle vide : o) à laquelle répondent Platon, Aristote et Kant. La réponse kantienne s'im-pose parce qu'elle se super-pose aux réponses platonicienne et aristotélicienne, qu'elle sup-pose sans les com-poser. Par contre, « Plotin » (c'est-à-dire le Néo-platonisme, de Saccas à Proclus) se contente de com-poser les réponses de Platon et d'Aristote, en les re-posant dans et par la notion com-posée (« éclectique ») du Nous (N_0), censée être « à la fois » (partiellement) platonicienne et aristotélicienne, sans être autre chose que ça. C'est par une dé-composition (parathétique) successive de cette notion éclectique N_0 que le Néo-platonisme aboutit au Système procléen :

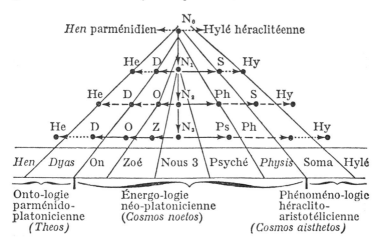

Du point de vue systématique, les différents Systèmes néo-platoniciens doivent être répartis entre les niveaux N_0, N_1, N_2 et N_3, le
dernier étant procléen (d'ailleurs probablement atteint par Syrianus
et, peut-être, déjà par Jamblique). Bien entendu, il faut uniformiser
la terminologie, par exemple en la traduisant en celle de Proclus.
Ainsi, par exemple, dans l'une des variantes du Système plotinien,
N_1 s'appelle, comme chez Proclus, *Nous*, mais la Dyas procléenne
est appelée *On* (ou *Ousia*) et le Soma procléen *Psyché*.

48, page 426.

A dire vrai, dans la conception platonicienne de l'Univers, c'est
le *Cosmos noetos* qui se situe, pour ainsi dire, « derrière le miroir »,
vu qu'il est u-topique, c'est-à-dire non spatial, tandis que le *Cosmos
noetos* spatial (tridimensionnel) se place « devant le miroir ». On
pourrait dire ainsi que, chez Platon, le *Cosmos noetos* constitue
la « 4e dimension » de l'Univers, le *Cosmos aisthetos* constituant
les trois autres « dimensions », ces quatre « dimensions » étant
d'ailleurs du type « spatial ». Dans la conception judéo-chrétienne
de l'Univers, la « 4e dimension » est par contre du type « temporel ».
C'est pourquoi, dans cette conception, le *Cosmos noetos* platonicien
(divin) devient le Monde *historique* (ou *humain*) = l'Idée (platonicienne) agit ici [non pas comme une *Cause* (efficiente ou fiscale)
aristotélicienne, mais] comme un Projet (kantien ou hégélien). Il
se peut que, d'après Platon, l'Ame (ou *les* Ames [humaines]) se
situe « sur » le Miroir, étant ainsi elle-même « à la fois » idée et
phénomène. On pourrait peut-être dire aussi que l'Ame *est* le Miroir.
Mais tout ceci est vague, même dans l'esprit de Platon, semble-t-il.

49, page 427.

Si les étages (7), (6) et (5 c) se présentaient eux aussi comme
des « images renversées » des étages $(3)_9$, (4_{27}) et $(5 a)_{27}$, on obtiendrait
l'essentiel de ce qui semble avoir été la conception de l'Univers
par Damascius : le *Hen* coïnciderait avec la « Hylé » et c'est la
Matière (unique et une, bien que structurée, et d'ailleurs purement
« spatiale », bien qu'à quatre « dimensions ») qui constituerait
un unique Cosmos compris en tant qu'ensemble ordonné d'atomes
démocritéens. Mais, bien entendu, Proclus n'admettrait rien de tel.
C'est même peut-être pour éviter cette interprétation qu'il présente
ses triades matérielles comme des « images renversées », non pas
de la Triade qui résulte (« immédiatement ») de la dé-composition
du *Hen*, mais des Triades « formelles » en lesquelles il dé-compose
chaque Idée atomique. D'ailleurs, on ne peut pas dire que Proclus
se contente de la notion platonicienne du Miroir et des Reflets, vu
qu'il accepte aussi la notion aristotélicienne de l'Incarnation. Bien
que les textes procléens soient flottants et obscurs, il semble que
la situation soit, chez lui, à peu près la suivante. L'*Aoristos dyas*
(= *Apeiron*), qui « conditionne » toute la dé-composition verticale
du *Hen* (qui, en tant que dé-composé, se présente comme *Peras*)

est moins le Miroir platonicien qu'un analogue de la Hylé aristotélicienne, qui « matérialise » le *Ilen* dé-composé, en « incarnant » les
termes finaux des étapes de sa dé-composition verticale, qui sont
des entités « non participées » (c'est-à-dire non incarnées dans la
Matière proprement dite, soit idéelle soit éthérée ou élémentaire)
comprises comme des Idées atomiques platoniciennes au sens propre.
Par contre, il semble que la Matière idéelle (plotinienne) qui sert
de « support » aux entités « participées *autonomes* » est, chez Proclus, bien plus un Miroir platonicien qu'une Matière aristotélicienne.
(C'est pourquoi Proclus ne semble avoir dé-composé en trois termes,
ni cette Matière elle-même ni les Formes *génériques* ou « spécifiques »
qu'elle « supporte », bien que ces Formes soient non pas platoniciennes, mais, en raison de la *koinonia*, eudoxo-aristotéliciennes).
Enfin, la Matière (éthérée et élémentaire) qui sert de « support »
aux entités « participées *dépendantes* » est de nouveau aristotélicienne : elle ne « reflète » pas, mais « incarne » les « Formes individuelles » (d'ailleurs effectivement comprises non pas comme des
Idées atomiques platoniciennes, mais comme des Entéléchies aristotéliciennes (leur tri-partition correspondant au caractère « cyclique »
des Individus qu'elles constituent en s'incarnant dans leurs Corps
qui sont des fractions de la Matière qu'elles informent). Ainsi,
l'Incarnation aristotélicienne sup-pose la tripartition de la Forme
(qui la pré-suppose), tandis que le Reflet platonicien re-pose la
Forme indivise (Idées atomiques). Mais, encore une fois, tout ceci
reste très flou et flottant chez Proclus.

50, page 430.

Si Proclus avait procédé par simple « rotation », il aurait obtenu
le schéma triadique suivant :

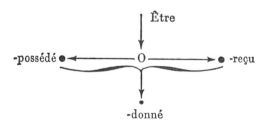

Mais un tel schéma n'a pas de sens, vu que *posséder* et *recevoir*
ne constituent pas une contra-diction dont le *donner* serait le Moyen
terme. D'ailleurs, si la Possession peut sup-poser une Réception
qui la pré-suppose, la Réception ne peut pas sup-poser la Possession :
on ne peut pas recevoir ce qu'on possède déjà, bien qu'il soit nécessaire de posséder ce qu'on a reçu et possible d'avoir reçu ce que l'on
possède. C'est pourquoi lorsque Hegel procède (à la suite de Kant)

à une « rotation » du schéma néo-platonicien (païen), il modifie comme suit le sens de ses trois termes :

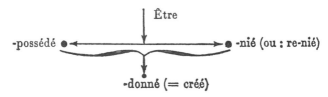

Autrement dit, dans la Triade authentiquement dialectique (temporalisée), l'Être-possédé (qui est d'ailleurs possédé « immédiatement » et non reçu « par l'intermédiaire » de qui que ce soit d'autre) se trans-forme par sa Négation en l'Être-créé, que l'on « reçoit » dans la mesure où on se le « donne » soi-même à soi-même comme à un autre. On ne peut (re-)nier que ce que l'on *possède* déjà, mais ce n'est qu'en *niant* ce qu'on possède que l'on peut recevoir ce qu'on se donne soi-même. Et on ne peut donner aux autres que ce que l'on s'est d'abord soi-même donné à soi.

51, page 436.

Il semble que Proclus ait interprété ses Hénades comme étant *aussi* les « Unités » qui constituent dans leur ensemble l'ensemble des entités purement mathématiques. Ainsi, la « symbolisation » de l'Onto-logie procléenne constituerait les « Mathématiques pures » tout comme le fait la « symbolisation » de l'Onto-logie hégélienne (la « formalisation » des deux Onto-logies étant censée donner la « Logique formelle »). Seulement, si en symbolisant l'Ontologie (c'est-à-dire le développement discursif de la première Triade procléenne) on n'obtient que la Mathématique « antique » (arithmétique), la symbolisation de l'Onto-logie hégélienne donna la Mathématique « moderne » (algébrique et donc « infinitésimale »). Toutefois, même en introduisant un Sens dans les symboles de la Mathématique antique, on ne réussit pas, bien entendu, à en « déduire » la « théologie » procléenne des Hénades : ce qu'il dit des Hénades divines est de la pure fantaisie. Ce qui n'empêche pas ses analyses des notions *Peras-Apeiria-Mikton* d'être plus ou moins « correctes », en tant que « base » des symboles de la Mathématique antique. Une étude plus poussée de ces analyses permettrait peut-être de retrouver la Théorie platonicienne des « Nombres idéels ».

52, page 438.

En un certain sens, la (pseudo-) notion de la Hylé (dite ineffable) joue, dans la Phénoméno-logie de Proclus, un rôle analogue à celui que la (pseudo-) notion du *Hen* (dit ineffable) joue dans son Ontologie. Mais, en un autre sens, les rôles de ces deux « notions-limites » dans le Système procléen sont assez différents. Dans la Phénoméno-logie, Proclus interprète la pseudo-notion de la Hylé comme étant l'Hypo-thèse (en fait non substantialisée) de la « Thèse » qu'est la notion du Soma. Or, si cette notion est une notion authentiquement phénoménologique, elle n'est pas dialectique, n'étant même pas triadique. Dans l'Onto-logie de Proclus, la pseudo-notion du *Hen* est interprétée comme l'Hypo-thèse (substantialisée) d'une notion (authentique) sinon dialectique, du moins triadique *(Peras-Apeiria-Mikton)*. Mais, en fait, Proclus développe cette notion comme une notion énergo-logique, de sorte que, pour nous, son Onto-logie se réduit à la seule notion (parménido-platonicienne) du *Hen*. C'est comme si sa Phénoméno-logie se réduisait à la seule pseudo-notion (héraclito-aristotélicienne) de la Hylé.

53, page 454.

Platon prétend l'avoir montré (sinon dé-montré) dans l'*Alcibiade* : Alcibiade, qui n'a bénéficié d'aucun enseignement moral (humain ou discursif) peut, en se heurtant pour la première fois à une injustice, définir celle-ci comme In-justice parce qu'il savait déjà (« avant », c'est-à-dire de toute éternité) ce qu'est (éternellement) la Justice ; il n'a pas formé la notion de la Justice (éternelle) *après* avoir eu la première expérience d'une injustice, par une *négation* (« a priori ») de la notion (« empirique ») de celle-ci. Dans l'*Alcibiade*, la révélation *a priori* de l'Idée (de la Justice) se présente comme conscience morale *(Gewissen)* et il semble que Platon (comme plus tard Kant) n'admettait que cette forme de l'Évidence.

54, page 455.

Proclus précise que sont uniquement *post rem* les séries de notions qui se rapportent aux qualités secondaires ou accidentelles, aux arts et techniques qui ne servent qu'au seul plaisir ou aux besoins matériels, aux mélanges de caractères particuliers, aux artefacts ou aux privations (de sorte qu'il n'y a pas d'idée platonicienne ou de notion *a priori* du Mal, celui-ci n'étant qu'une *privation* du Bien). Ce qui est plus important, c'est que, contrairement à Plotin (cf. *Enn.*, V, 7), Proclus nie l'existence d'idées platoniciennes des individus non humains (cf. *In Parm.*, col. 823-829, 831-833). Ce qui semble confirmer l'opinion selon laquelle, pour Platon, chaque âme humaine était une idée atomique (transcendante ou éternelle). Toutefois, le *Phédon* semble avoir pour but de « démontrer » l'impossibilité de l'immortalité individuelle. Quoi qu'il en soit, il y a, d'après Proclus, une « science » *a priori* de l'Homme et de chaque homme, ce qui contredit, évidemment, la notion de la liberté humaine. Mais si Proclus avait nié que chaque âme humaine est une idée platonicienne, il aurait dû professer une anthropologie « relativiste », dans le sens de l'Historicisme moderne.

55, page 456.

Bien entendu, Proclus se garde bien de préciser si cet « appendice » faisait ou non partie du Système proprement dit. Car s'il avait rejeté le Bavardage héraclitéen en dehors de son prétendu Système, il aurait montré que celui-ci est en fait un Discours non pas uni-*total*, mais exclusif, c'est-à-dire une Théorie et non pas le Système du Savoir. S'il avait, par contre, inclus cet Appendice dans son soi-disant Système, il aurait admis que celui-ci est en réalité lui-même un Discours ouvert, c'est-à-dire non pas fini, mais in-défini.

56, page 464.

Proclus semble frôler ici la notion chrétienne de l'Incarnation. Mais, en fait, il ne dépasse pas l'Incarnation païenne ou aristotélicienne. Car sa Phénoméno-logie étant stoïcienne, il supprime non pas le Ciel éthéré aristotélicien au profit du Monde matériel élémentaire, mais la Terre au profit de ce Ciel. Autrement dit, tout comme Aristote (et contrairement à Platon) Proclus admet la Réalité-objective (d'ailleurs « idéelle » ou « éthérée ») de l'Être-donné, mais non son existence-empirique (« matérielle » ou « élémentaire ». Le *Logos* ne devenant pas « chair », le *Theos* reste donc silencieux et le Système procléen n'arrive pas à se justifier lui-même en tant que discours. Sa Théologie est une « astro-biologie » : le Ciel est un Animal qui chante; le Système procléen ne peut être qu'un « système » musical ou mathématique.

57, page 470.

Le fait que Proclus se soit rendu compte du caractère irrémédiablement contra-dictoire du soi-disant Système néo-platonicien ou éclectique, ressort également de son exposé de la Théorie des nombres (qu'il attribue, bien entendu, à Platon). — Platon avait distingué entre les nombres idéels (ordinaux) et les nombres mathématiques (cardinaux) et situé les premiers « entre » les derniers et les Idées proprement dites. Aristote, par contre, en niant l'existence des Idées platoniciennes, niait aussi celle des Nombres idéels platoniciens, en affirmant d'ailleurs qu'il n'y avait en fait aucune différence entre les deux (ce que le vieux Platon aurait reconnu lui-même). Le fait est qu'il nous est très difficile de dire en quoi les Nombres idéels diffèrent des Idées proprement dites, vu que les deux sont censés être transcendants et « atomiques » au sens de non divisibles et non combinables. Mais il semble que Platon était d'accord avec Aristote pour dire que les Nombres mathématiques étaient à la fois combinables et divisibles, tout comme les Espèces aristotéliciennes. Or, il nous est difficile de dire en quoi les Nombres mathématiques diffèrent de ces Espèces. Il semble que Platon donnait une interprétation « pythagoricienne » ou « réaliste » des Nombres mathématiques, en y voyant des Universaux *in re* qui dé-finissent les Phénomènes, tandis qu'il comprenait les Essences aristotéliciennes dans un sens « nominaliste », comme des Universaux *post rem*. Au contraire, Aristote semble avoir donné un sens « nominaliste » aux Nombres (mathématiques) tout en interprétant dans un sens « réaliste » les Essences en tant qu'Universaux *in re*. Autrement dit, Aristote admettait une Science *discursive* de la nature et ne voyait dans les mathématiques qu'une « Opinion » ou une « façon de parler », d'ailleurs « abstraite », tandis que Platon, dans la mesure où il admettait une « Science » des phénomènes, semble l'avoir conçue (à la manière « pythagoricienne », voire « démocritéenne » ou « eudoxienne ») comme une « physique *mathématique* », tout discours sur la nature n'étant pour lui qu'une « façon de parler » ou une « Opinion », qui ne saurait « faire abstraction » du Sensible, par définition in-défini et donc in-définissable. Or, le « compromis » éclectique de Proclus semble avoir consisté à admettre avec Platon les Idées atomiques, c'est-à-dire indivisibles et incombinables; à affirmer avec Aristote que tous les Nombres sont combinables et divisibles; à situer (à la façon platonicienne) les Nombres (compris à la façon aristotélicienne) « entre » les Idées (platoniciennes ou « atomiques ») et les Phénomènes, voire les Essences (comprises à la façon aristotélicienne, comme immanentes et « communautaires »). En principe, cette façon de voir les choses aurait pu permettre à Proclus d'énoncer dans son Système la Para-thèse synthétique (ou kantienne) de la Philosophie, qui situe la Théorie des Idées (= « catégories ») dans l'Onto-logie, réduit l'Énergo-logie à une science des Nombres compris comme des « grandeurs » objectivement-réelles, c'est-à-dire à la « Physique mathématique » ou « théorique », et ne voit dans le Phénoméno-logie *discursive* (c'est-à-dire dans les « sciences naturelles et humaines » non mathématiques) qu'une « opinion » in-définie (voire une « tâche infinie »). Ce qui aurait permis de trans-former ce Système parathétique synthétique en la Syn-thèse proprement dite qu'est le Système du Savoir hégélien, qui implique une Onto-logie dont la « dégénérescence symbolique » (ou « formalisation ») donne l'ensemble des « Mathématiques pures », une Énergo-logie dont la « dégénérescence métrique » donne la « Physique théorique » et une Phénoméno-logie (d'ailleurs dé-finie et finie) dont la « dégénérescence graphique » donne l'ensemble des « Sciences naturelles ». Mais en ne voulant pas se « convertir » au Judéo-christianisme, Proclus a renoncé par avance à toute synthèse quelle qu'elle soit et a dû se contenter d'un Éclectisme parathétique. En fait, le Système éclectique procléen « mélange » les doctrines platoniciennes et aristotéliciennes en les laissant telles quelles, c'est-à-dire dans leur contra-diction. Son soi-disant Système comporte ainsi, en fait et pour nous, une Onto-logie (théologique) éléatique, une Énergo-logie dédoublée, où la « Dialectique » (qui est censée reproduire la Théorie platonicienne des idées) coexiste avec la Mathématique (considérée comme une « science » unique et une, dont l'Arithmétique et la Géométrie constituent les deux principaux aspects complémentaires), et une Phénoméno-logie, qui pourrait être une « science » aristotélo-stoïcienne (discursive), mais que Proclus lui-même présente parfois (à la suite de Platon) comme une simple « opinion » (héraclitéenne). Quoi qu'il en soit, Proclus arrive tout aussi peu que Platon, à situer les Nombres dans son Système. Si Platon ne distinguait que difficilement ses nombres idéels des Idées et Aristote ne s'opposait qu'avec difficulté à l'identification (« eudoxienne ») de ses Essences (censées être développables en Sciences naturelles) avec les Nombres ou les « grandeurs » mathématiques (censés être développables en une Physique théorique), Proclus croyait avoir évité ces deux difficultés en admettant que les Idées (platoniciennes) sont à la fois « atomiques » et transcendantes, tandis que (tous) les Nombres sont transcendants mais « communautaires » et les Essences (aristotéliciennes) « communautaires » mais immanentes. Mais ceci obligeait Proclus à dé-doubler le « Transcendant » objectivement-réel en une Réalité-objective « qualitative » (« dialectique » ou « idéelle ») et en une Réalité-objective « quantitative » (« dianoétique » ou mathématique), sans pouvoir indiquer ni le pourquoi ni le comment de leur coprésence. Il semble parfois que Proclus coordonne le *Cosmos noetos* platonicien avec le *Nous* « intuitif » et non discursif, en affectant les Nombres ou l'ensemble des entités mathématiques à la *Dianoia* et en situant dans la *Psyché* les Essences aristotéliciennes, voire les Notions ou les Sens (par définition « définissables » ou discursivement développables) qui s'y rapportent. Le fait que Proclus parle ici de *Dianoia* et non de *Logos*, bien que celui-ci ait été introduit dans le Système néo-platonicien (et situé « entre » le *Nous* et la *Psyché*) déjà par Plotin, semble montrer qu'il s'est rendu compte du caractère en fait *non* discursif des Mathématiques ou de la « Science des nombres ». Mais puisque, d'après Proclus, la « Dialectique » (platonicienne) ou « Science des idées » est elle aussi *silencieuse*, on ne voit pas en quoi elle peut différer du « raisonnement » *silencieux* mathématique. Si par contre la *Dianoia* procléenne n'est rien d'autre que le *Logos* plotinien, on ne voit pas en quoi les mathématiques procléennes *discursives* diffèrent du *discours* qu'est la *Psyché*, à laquelle Proclus coordonne les « Sciences naturelles » aristotéliciennes. Autrement dit, ou bien Proclus, pour qui l'Onto-logie est de toute façon silencieuse, réduit au silence l'ensemble de l'Énergo-logie, en limitant le discours philosophique à la seule Phénoméno-logie (aristotélo-stoïcienne), ou bien il assimile cette dernière au Bavardage (héraclitéen) et réduit le discours philosophique aux seules mathématiques (soi-disant « discursives »). Sans doute la tendance du Néo-platonisme à la « formalisation », voire à la « dégénérescence symbolique » est-elle très marquée (cf. la « mystique des nombres » dite néo-pythagoricienne). Mais, si rien ne dit que Proclus était prêt à tirer lui-même cette conséquence fâcheuse pour tout philosophe tant soit peu digne de ce nom, il est sûr, en tout cas, qu'il ne nous a pas dit comment éviter ce danger « formaliste » mortel. — Cela étant, nous pouvons renoncer à l'analyse de la Théorie mathématique procléenne, que Proclus expose surtout sans son *Commentaire du Livre I d'Euclide* (cf. *In Eucl.*, Prologue, notamment sa Ire Partie, surtout les pages 1-14 de la traduction de Ver Eecke). Mais quelques citations peuvent illustrer ce qui en a été dit plus haut : « Il est nécessaire que la substance *(ousia)* mathématique ne soit pas des *premiers* ni des *derniers* genres existants qui diffèrent de celui qui est simple [c'est-à-dire de l'Un], mais qu'elle occupe un rang *intermédiaire* entre les substances *impartageables,* simples ou complexes, indivisibles [c'est-à-dire les Idées atomiques platoniciennes] et celles qui sont *partageables* et engagées dans des *combinaisons* multiples et variées. Car le fait d'être toujours *stable* et *irréfutable* dans les raisonnements qui s'y rattachent par rapport à ces derniers genres [seul l'Éternel peut faire l'objet d'une Science au sens fort] prouve qu'elle est *supérieure* aux formes [ou Essences aristotéliciennes] obtenues *dans la matière* [l'Éternel étant par définition transcendant aux Phénomènes]; tandis que le fait de *s'étendre* [spatialement] par ses applications [??], de s'attacher, en outre, aux dimensions [spatiales] des choses qui lui sont soumises [??] lui assigne un rang *inférieur* à ce qui est de nature *impartageable* et parfaitement établi *en soi-même* [c'est-à-dire aux Idées atomiques transcendantes platoniciennes]. C'est la raison pour laquelle nous croyons que Platon a dévolu... aux substances *impartageables* [aux Idées] la *Connaissance intellectuelle* [" intuitive " ou *non* discursive]..., tandis qu'aux substances *partageables* [aux Essences aristotéliciennes (?) ou aux Phénomènes]... il attribue l'*Opinion* [discursive, c'est-à-dire le Bavardage héraclitéen]...; c'est enfin aux substances *intermédiaires* telles que [??] les espèces de la mathématique..., qu'il attribue l'entendement *(dianoia)...* Dès lors, de même que ces connaissances sont différentes entre elles, les choses connaissables se distinguent aussi par leur nature; et les choses intelligibles [les Idées] l'emportent sur toutes en *simplicité* [" atomicité "] par leurs existences *uniformes* [c'est-à-dire éternellement identiques à elles-mêmes ou " éternelles "]; tandis que les *sensibles* sont *entièrement* inférieures aux substances premières [idéelles et mathématiques]. Or, les mathématiques et [??] les choses de l'entendement en général [et donc autres que les Nombres??] occupent un rang *intermédiaire;* elles sont plus abondantes en *divisions* que les choses intelligibles et placées au-dessus des sensibles par leur *immatérialité* [ou transcendance par rapport aux Phénomènes]; elles sont aussi inférieures à celles-là en *simplicité* [" atomique "], mais possèdent la priorité sur celles-ci en *exactitude* [étant éternelles, c'est-à-dire partout et toujours identiques à elles-mêmes]. Enfin, elles... sont en même temps des *images* [platoniciennes] de cette substance intelligible [c'est-à-dire des Idées-modèles], *imitant* d'une manière *partageable* les exemplaires [idéels] des choses qui sont, et d'une manière *uniforme* [c'est-à-dire non " communautaire "], leurs exemplaires uniformes. Elles sont, en un mot, établies dans le *vestibule* [?!] des formes premières [des Idées platoniciennes], dévoilent leur existence ramenée à l'*unité impartageable* [" atomique "] et féconde, mais ne s'élèvent pas encore au-dessus de la *division* et de la *composition des rapports* [c'est-à-dire de la *koinonia tôn genôn* eudoxo-aristotélicienne], ni au-dessus de la substance *appartenant aux images* [c'est-à-dire des Essences aristotéliciennes], et ne surpassant pas les concepts variés et détaillés [c'est-à-dire des sens définissables des Notions aristotéliciennes] de la *Psyché* qui se mettent en harmonie avec les connaissances *simples* et conservées pures de toute matière [c'est-à-dire avec les Idées platoniciennes révélées par la Dialectique "intuitive" ou non discursive]. Concevons, dès lors, que la situation *intermédiaire* des espèces et des formes mathématiques est telle qu'elle remplisse pour le présent [??] le *milieu* des substances absolument *impartageables* [les Idées atomiques platoniciennes] et celles qui *deviennent partageables* en s'appliquant [??] à la matière [les Essences aristotéliciennes, interprétées comme des Idées platoniciennes qui *s'incarnent* dans la Matière, au lieu de se *refléter* en elle, mais qui en sont néanmoins *séparables*, bien que jamais séparés nulle part] » (trad. Ver Eecke, p. 1-2). Autrement dit, les Nombres procléens, certainement inférieurs aux Idées platoniciennes, ET sont ET ne sont pas supérieurs aux « substances qui deviennent partageables *en s'appliquant* à la matière » ou, ce qui est la même chose, à « la substance *appartenant* aux images », c'est-à-dire aux Essences aristotéliciennes. Ce qui est évidemment du charabia, mais un charabia fort ingénieux et d'allure hautement « métaphysique ».

58, page 473.

C'est en tout cas ainsi qu'il semble avoir été compris par son élève Damascius, dont nous aurons encore à reparler.

59, page 474.

Il a dû probablement y avoir après Proclus des païens « naïfs » qui ne voyaient pas les contradictions (soigneusement camouflées) du Système procléen et qui y voyaient par conséquent un Discours uni-total « définitif » qu'il suffisait de re-dire pour accéder à la Sagesse discursive. Mais nous ne les connaissons pas et ils ne présentent, d'ailleurs, aucun intérêt. Mais nous savons qu'il y a eu aussi après Proclus quelques philosophes païens qui se rendirent compte du caractère contradictoire du Système procléen sans vouloir renoncer de ce fait au Paganisme. Or, aucun d'eux ne semble avoir cru pouvoir faire mieux que Proclus dans le genre néo-platonicien, du moins dans l'immédiat. Conscients de l'échec de Proclus, ils ont cru devoir « revenir aux sources » avant de tenter une nouvelle « synthèse ». Aussi bien se sont-ils mis à étudier Platon et Aristote pour essayer de les comprendre mieux encore que Proclus, en vue de réussir un jour, là où celui-ci a échoué. Certaines des œuvres de ces Commentateurs « néo-platoniciens » postprocléens sont parvenues jusqu'à nous et elles témoignent du « métier » de leurs auteurs. Seulement, en fait, ces Commentaires ont servi non pas à une nouvelle tentative d'éclectisme païen, mais à la lente et pénible élaboration de la Parathèse synthétique chrétienne ou kantienne. C'est en effet grâce à ces Commentaires que la scolastique médiévale a pu se rendre compte que le Platonisme et l'Aristotélisme authentiques ne pouvaient pas servir de cadre philosophique au contenu discursif des Dogmes chrétiens. Enfin, il y a eu, après Proclus, le cas semble-t-il unique de son élève Damascius. Celui-ci a reconnu à la fois l'impossibilité de dépasser le Système procléen dans le cadre du Paganisme et d'éliminer ses contra-dictions. Mais il a refusé de croire qu'une nouvelle philosophie, trans-formable en Système du Savoir, pouvait être élaborée sur la base du Christianisme. Ou, plus exactement, il ne *voulait* pas la créer. Et c'est pour s'en assurer qu'il semble avoir essayé d'emprisonner par avance la future philosophie chrétienne dans les cadres stérilisants procléens, en présentant à la postérité le Système de Proclus sous le couvert d'une autorité chrétienne incontestable, à savoir de Denys l'Aréopagite. [Un camouflage analogue, mais involontaire et moins efficace, s'est reproduit au Moyen Age lorsque le *Liber de causis* se propagea comme un texte chrétien]. Nous aurons à reparler plus tard de ce qui s'ensuivit. Pour le moment, il suffit de constater que Damascius lui-même s'est rendu compte que le Paganisme excluait, en fait, la Sagesse discursive. Il a dû donc être un Sceptique nihiliste dans toute la mesure où il ne se sentait pas vraiment satisfait d'un « démocritéisme » scientifique qu'il prétendait préconiser et qui se réalisa à partir du XVIe siècle. Ainsi, en définitive, un païen qui refuse d'être procléen n'a de choix qu'entre le Silence mystique et la Science mathématique silencieuse.

60, page 475.

On se rappelle qu'Aristote essaya, au contraire, de présenter Platon comme un émule lointain d'Héraclite (à travers Cratyle), tandis qu'il ne faisait remonter sa propre philosophie qu'à Socrate, compris comme celui qui a « dépassé » l'opposition « présocratique » entre Éléatisme et Héraclitéisme (cf. *Met.*).

61, page 478.

Les Commentaires postprocléens de Platon ne sont pas parvenus jusqu'à nous et il ne semble pas qu'il y ait eu des Commentaires d'auteurs présocratiques.

62, page 479.

Certains passages de Damascius font supposer que c'est à la Science « démocritéenne » qu'il a pensé quant à lui. Mais, bien entendu, cet authentique philosophe n'a jamais suivi lui-même le conseil qu'il donnait et n'est pas devenu un « savant » au sens propre.

63, page 482.

Dans une moindre mesure, les mêmes remarques s'appliquent aux relations entre la Philosophie païenne et la Morale théorique judéo-chrétienne. Mais, à dire vrai, le conflit latent entre la Philosophie (et la Morale) païenne et la Morale (et la Philosophie) judéo-chrétienne ne devient explicite qu'au cours de la période dite « moderne » (aux xviie et xviiie siècles). Quant à la Science judéo-chrétienne, elle ne s'élabora qu'au xvie siècle. Mais le conflit de cette Science avec la Philosophie païenne fut explicité d'emblée. On pourrait même dire que l'explicitation de ce conflit précéda l'élaboration de la Science judéo-chrétienne et la détermina.

64, page 483.

On peut dire aussi que chaque « Concept » procléen est en *opposition irréductible* avec tous les autres. En tant qu'*irréductiblement opposés* ces soi-disant « Concepts » pourraient être considérés comme des éléments-constitutifs de la Réalité-objective. Mais des éléments-constitutifs *irréductiblement opposés* ne sont objectivement réels que dans la mesure où ils sont en *interaction*. Or, il n'y a pas d'*interaction* entre les « Concepts » procléens, vu que si un Concept « supérieur » agit (en tant que cause ou fin) sur un Concept « inférieur », celui-ci ne ré-agit pas sur lui (ce qui est précisément la définition du caractère « divin » du Concept supérieur). En raison de la présence d'oppositions irréductibles, l'ensemble des « Concepts » procléens ne peut pas être compris comme l'Être-donné; et l'absence d'interactions ne permet pas de le comprendre comme la Réalité-objective (ni, encore moins, comme l'Existence-empirique, puisque celle-ci est caractérisée par une interaction sans opposition irréductible).

65, page 484.

Si Proclus avait [comme le fera Hegel] impliqué ses trois *notions* du Concept dans l'ensemble de ses *Notions*, il aurait, en fait, mis le Concept (éternel) en relation avec le Temps (au sens large) [tout comme le fera plus tard Kant]. Il aurait pu voir [comme le verra plus tard Hegel] qu'on ne peut distinguer le Concept de la Notion, voire la notion du Concept de celle des Notions qu'à condition d'*identifier* [comme l'a fait Hegel] le Concept au Temps [ou, plus exactement, à la Spatio-temporalité]. Nous pouvons donc dire que Proclus a *séparé* ses (trois) notions du Concept de sa notion de l'ensemble des Notions parce qu'il ne voulait pas [contrairement à Kant] mettre le Concept (éternel) en relation avec le Temps. Or, nous verrons que la mise en relation du Concept éternel avec le Temps (au sens propre, voire avec l'Espace-temps objectivement-réel) exprime la quintessence philosophique du Judéo-christianisme. On peut donc dire aussi que Proclus a maintenu la séparation en cause parce qu'il ne voulait pas devenir chrétien.

66, page 487.

A dire vrai, on ne peut l'affirmer avec certitude que de Damascius. Le refus du Judéo-christianisme par Proclus pouvait avoir des raisons non pas philosophiques, mais théologiques. C'est aussi, peut-être, le cas de Plotin et de Jamblique. Mais Porphyre semble avoir obéi à des motifs philosophiques. Il est presque certain que le refus de Julien n'était nullement théologique. Mais il se peut que ses raisons de refuser le Judéo-christianisme étaient surtout politiques, bien qu'il semble avoir connu l'incompatibilité philosophique entre le Paganisme et le Judéo-christianisme.

67, page 490.

Lorsqu'on est en présence de textes antiques anonymes et non datés, il est souvent malaisé de savoir s'ils sont païens ou judéo chrétiens (orthodoxes ou hérétiques). C'est notamment le cas des textes dits « gnostiques ». Mais il suffit d'y rencontrer (explicitement ou implicitement) l'un des deux Dogmes en question pour pouvoir être sûr qu'il s'agit pour le moins d'écrits influencés par le Judéo-christianisme.

Ouvrage reproduit
par procédé photomécanique.
Impression Bussière Camedan Imprimeries
à Saint-Amand (Cher), le 8 octobre 1997.
Dépôt légal : octobre 1997.
Numéro d'imprimeur : 1/1340.
ISBN 2-07-074727-1./Imprimé en France.